Feynman

The Feynman Lectures on Physics

LIÇÕES DE FÍSICA

A edição do NOVO MILÊNIO

VOLUME II: ELETROMAGNETISMO E MATÉRIA

F4351 Feynman, Richard P.
Lições de física de Feynman : a edição do novo milênio / Richard P. Feynman, Robert B. Leighton, Matthew Sands ; tradução: Adriana Válio Roque da Silva... [et al.] ; revisão técnica: Adalberto Fazzio. – Porto Alegre : Bookman, 2019.
3 v. (x, 574 p.; x, 606 p.; x, 406 p.) : il. ; 28 cm.

ISBN 978-85-8260-500-4 (obra completa). – ISBN 978-85-8260-502-8 (v. 1). – ISBN 978-85-8260-503-5 (v. 2). – ISBN 978-85-8260-504-2 (v. 3)

1. Física. 2. Mecânica. 3. Radiação. 4. Calor. 5. Eletromagnetismo. 6. Matéria. 7. Mecânica Quântica. I. Leighton, Robert B. II. Sands, Matthew. III. Título.

CDU 53

Catalogação na publicação: Karin Lorien Menoncin – CRB 10/2147.

Richard P. Feynman
Professor Richard Chace Tolman de Física Teórica, California Institute of Technology
Robert B. Leighton
Professor de Física, California Institute of Technology
Matthew Sands
Professor de Física, California Institute of Technology

Feynman

The Feynman Lectures on Physics

LIÇÕES DE FÍSICA

A edição do NOVO MILÊNIO

VOLUME II: ELETROMAGNETISMO E MATÉRIA

Tradução:
Elcio Abdalla
Doutor em Física pela Universidade de São Paulo
Professor Titular da Universidade de São Paulo
Membro da Academia Brasileira de Ciências
Cecília Bertoni Martha Hadler Chirenti
Doutora em Física pela Universidade de São Paulo
Mario Cesar Baldiotti
Doutor em Física pela Universidade de São Paulo

Revisão técnica:
Adalberto Fazzio
Doutor em Física pela Universidade de São Paulo
Professor Titular da Universidade de São Paulo
Membro da Academia Brasileira de Ciências

bookman

2019

Obra originalmente publicada sob o título
The Feynman's Lectures on Physics: The New Millenium Edition, Volumes 1, 2, and 3.
ISBN 9780465023820

Gerente editorial: *Arysinha Jacques Affonso*

Colaboraram nesta edição:

Editora: *Denise Weber Nowaczyk*

Capa: *Márcio Monticelli*

Leitura final: *Amanda Jansson Breitsameter*

Editoração: *Clic Editoração Eletrônica Ltda.*

Reservados todos os direitos de publicação, em língua portuguesa, à
BOOKMAN EDITORA LTDA., uma empresa do GRUPO A EDUCAÇÃO S.A.
Av. Jerônimo de Ornelas, 670 – Santana
90040-340 Porto Alegre RS
Fone: (51) 3027-7000 Fax: (51) 3027-7070

Unidade São Paulo
Rua Doutor Cesário Mota Jr., 63 – Vila Buarque
01221-020 São Paulo SP
Fone: (11) 3221-9033

SAC 0800 703-3444 – www.grupoa.com.br

IMPRESSO NO BRASIL
PRINTED IN BRAZIL

Richard Feynman

Nascido em 1918 no Brooklyn, Nova York, Richard P. Feynman recebeu seu Ph.D. de Princeton em 1942. Apesar de jovem, desempenhou um importante papel no Projeto Manhattan, em Los Alamos, durante a Segunda Guerra Mundial. Posteriormente, lecionou em Cornell e no California Institute of Technology. Em 1965, recebeu o Prêmio Nobel de Física, junto com Sin-Itiro Tomanaga e Julian Schwinger, por seu trabalho na área da eletrodinâmica quântica.

Feynman conquistou o Prêmio Nobel por resolver com sucesso problemas relacionados à teoria da eletrodinâmica quântica. Além disso, criou uma teoria matemática que explica o fenômeno da superfluidez no hélio líquido. A partir daí, com Murray Gell-Mann, realizou um trabalho fundamental na área de interações fracas, como o decaimento beta. Em anos posteriores, desempenhou um papel-chave no desenvolvimento da teoria dos *quarks*, ao elaborar seu modelo de processos de colisão de prótons de alta energia.

Além desses feitos, Feynman introduziu no universo da física técnicas computacionais e notações novas e básicas, sobretudo os onipresentes diagramas de Feynman, que, talvez mais que qualquer outro formalismo na história científica recente, mudaram a maneira como os processos físicos básicos são conceitualizados e calculados.

Feynman foi um educador notadamente eficaz. De todos os seus numerosos prêmios, orgulhava-se especialmente da Medalha Oersted de Ensino, que ganhou em 1972. *As Lições de Física de Feynman*, originalmente publicado em 1963, foi descrito por um resenhista da *Scientific American* como "difícil, mas nutritivo e cheio de sabor. Passados 25 anos, é ainda *o guia* para os professores e os melhores estudantes principiantes". Procurando facilitar a compreensão da física entre o público leigo, Feynman escreveu *The Character of Physical Law* e *QED.: The Strange Theory of Light and Matter*. Ademais, foi autor de uma série de publicações avançadas que se tornaram uma referência clássica e de livros-texto destinados a pesquisadores e estudantes.

Richard Feynman foi um homem público dotado de espírito construtivo. Seu trabalho na comissão do Challenger é notório, especialmente sua famosa demonstração da suscetibilidade dos *O-rings* ao frio, uma elegante experiência que exigiu nada além de um copo com água gelada. Menos conhecidos foram seus esforços no California State Curriculum Committee, na década de 1960, onde protestou contra a mediocridade dos livros-texto.

Uma exposição de suas inumeráveis realizações científicas e educacionais não capta adequadamente a essência do homem. Como sabe qualquer leitor até mesmo de suas publicações mais técnicas, a personalidade viva e multifacetada de Feynman brilha através de sua obra. Além de físico, foi por vezes restaurador de rádios, colecionador de cadeados, artista, dançarino, tocador de bongô e mesmo decifrador de hieróglifos maias. Eternamente curioso de seu mundo, foi um empírico exemplar.

Richard Feynman morreu em 15 de fevereiro de 1988, em Los Angeles.

Robert Leighton

Nascido em Detroit em 1929, Robert B. Leighton fez, durante sua vida, um trabalho inovador na física de estado sólido, na física de raios cósmicos, nos primórdios da física de partículas modernas, na física solar, na fotografia planetária, na astronomia infravermelha e na astronomia milimétrica e submilimétrica. Ele era amplamente conhecido por seu design inovador de instrumentos científicos e foi profundamente admirado como professor, tendo sido autor de um texto altamente influente, *Principles of Modern Physics,* antes de se juntar à equipe que desenvolvia o *Lições de Física de Feynman.*

No início da década de 1950, Leighton desempenhou um papel fundamental ao demonstrar os decaimentos de múons em dois neutrinos e um elétron, e fez a primeira medição do espectro de energia do elétron de decaimento. Ele foi o primeiro a observar decadências de estrangulamentos após sua descoberta inicial, e elucidou muitas das propriedades das novas partículas estranhas.

Em meados da década de 1950, Leighton criou câmeras solares de efeito Doppler e efeito Zeeman. Com a câmera Zeeman, Leighton e seus alunos mapearam o campo magnético do sol com excelente resolução, levando a descobertas impressionantes de uma oscilação de cinco minutos nas velocidades da superfície solar local e de um "padrão de supergranulação", abrindo assim um novo campo: a sismologia solar. Leighton também projetou e construiu equipamentos para criar imagens mais claras dos planetas e abriu outro campo novo: a óptica adaptativa. Foram consideradas as melhores imagens dos planetas até a era da exploração espacial com sondas iniciada na década de 1960.

No início da década de 1960, Leighton desenvolveu um novo telescópio de infravermelho, mais barato, produzindo a primeira pesquisa do céu em 2,2 mícrons, o que revelou um número inesperadamente grande de objetos em nossa galáxia, muito frios para serem visto com o olho humano. Durante meados da década de 1960, ele foi o líder da Equipe da JPL para o Imaging Science Investigations nas missões 4, 6 e 7 do Mariner a Marte. Leighton desempenhou um papel fundamental no desenvolvimento do primeiro sistema de televisão digital de espaço profundo do JPL e contribuiu para os primeiros esforços em técnicas de processamento e aprimoramento de imagem.

Na década de 1970, o interesse de Leighton voltou-se ao desenvolvimento de antenas parabólicas grandes e baratas que poderiam ser utilizadas para perseguir interferometria de onda milimétrica e astronomia de onda submilimétrica. Mais uma vez, suas habilidades experimentais notáveis abriram um novo campo da ciência, que continua a ser trabalhado vigorosamente no Owens Valley Radio Observatory e no Atacama Large Millimeter/submillimeter Array (ALMA) no Chile.

Robert Leighton morreu em 9 de março de 1997, em Pasadena, Califórnia.

Matthew Sands

Nascido em 1919 em Oxford, Massachusetts, Matthew Sands é bacharel pela Clark University (1940) e mestre pela Rice University (1941). Durante a Segunda Guerra Mundial, ele atuou no Projeto Manhattan em Los Alamos, trabalhando nas áreas de eletrônica e instrumentação. Após a guerra, Sands ajudou a fundar a Federação de Cientistas Atômicos de Los Alamos, a qual atua contra o uso massivo de armas nucleares. Durante esse período, ele formou-se doutor pelo MIT pesquisando raios cósmicos sob a tutela de Bruno Rossi.

Em 1950, Sands foi recrutado pelo Caltech para construir e operar seu síncrotron de elétrons de 1,5 GeV. Ele foi o primeiro a mostrar, teórica e experimentalmente, a importância dos efeitos quânticos nos aceleradores de elétrons.

De 1960 a 1966, Sands atuou na Comissão sobre Física Universitária, liderando reformas no programa de graduação do Caltech que criou o *Lições de Física de Feynman*. Durante esse período, ele também serviu como consultor sobre armas nucleares e desarmamento para o Comitê Consultivo de Ciência do Presidente, a Agência de Controle de Armas e Desarmamento e o Departamento de Defesa.

Em 1963, Sands tornou-se Diretor Adjunto para a construção e operação do Acelerador Linear de Stanford (SLAC), onde também trabalhou no colisor Stanford Positron Electron Asymmetric Rings (SPEAR) 3 GeV.

De 1969 a 1985, Sands foi professor de física na Universidade da Califórnia, Santa Cruz, onde atuou como vice-chanceler para a Ciência de 1969 a 1972. Recebeu um Distinguished Service Award da American Association of Physics Teachers em 1972. Como Professor Emérito, continuou ativo na pesquisa de aceleradores de partículas até 1994. Em 1998, a American Physical Society deu a ele o Prêmio Robert R. Wilson "por suas muitas contribuições para a física do acelerador e o desenvolvimento de colisores de elétron-pósitron e prótons".

Durante sua aposentadoria, Sands orientou os professores de ciências do ensino fundamental e médio de Santa Cruz, ajudando-os a criar atividades de informática e laboratório para seus alunos. Ele também supervisionou a edição do *Dicas de Física de Feynman*, ao qual ele contribuiu descrevendo a criação do *Lições de Física de Feynman.*

Matthew Sands morreu em 13 de setembro de 2014, em Santa Cruz, Califórnia.

Prefácio à Edição do Novo Milênio

Quase 50 anos se passaram desde que Richard Feynman ministrou o curso de introdução à física no Caltech que deu origem a estes três volumes, *Lições de Física de Feynman*. Nessas cinco décadas, nossa compreensão do mundo físico mudou significativamente, mas as *Lições de Feynman* sobreviveram. Graças aos *insights* sobre física e à pedagogia singulares de Feynman, elas permanecem tão vigorosas quanto o foram em sua primeira publicação. De fato, as *Lições* têm sido estudadas no mundo inteiro tanto por físicos principiantes quanto experientes e foram vertidas para no mínimo 12 línguas, com 1,5 milhão de exemplares impressos só em inglês. Possivelmente nenhuma outra coleção de livros de física tenha exercido impacto tão grande e duradouro.

Esta nova edição conduz as *Lições de Física de Feynman* a uma nova era: a era do século XXI, da publicação eletrônica. Este livro foi convertido para sua versão digital, com o texto e as equações expressos em LaTeX e todas as figuras refeitas usando software moderno de desenho.

As consequências para a versão *impressa* não são impactantes; ela é muito parecida com os livros vermelhos originais que os estudantes de física conhecem e amam há décadas. As principais diferenças são um índice aumentado e melhorado, a correção de 885 erros encontrados por leitores ao longo de cinco anos desde a publicação da edição anterior e a facilidade de corrigir futuros erros que venham a ser encontrados. Voltaremos a isso adiante.

A versão eletrônica desta edição é uma inovação. Em comparação com outros eBooks técnicos do século XX, cujas equações, figuras e por vezes até mesmo o texto ficam pixelados quando aumentados, o uso de LaTeX na *Edição do Novo Milênio* possibilitou criar eBooks da melhor qualidade, nos quais todos os componentes da página (com exceção das fotografias) podem ser aumentados sem modificar ou comprometer seus formato e nitidez. E a *Versão Eletrônica Melhorada,* com seus áudios e fotos dos quadros-negros das palestras originais de Feynman e seus links para outros recursos, é uma inovação que teria dado a Feynman uma enorme satisfação.

Recordações das palestras de Feynman

Estes três volumes constituem um tratado pedagógico completo e independente. Constituem também um registro histórico das palestras proferidas por Feynman no período de 1961 a 1964, curso exigido a todos os calouros e secundaristas do Caltech, independentemente de suas especializações.

Os leitores talvez se perguntem, como eu mesmo faço, de que modo as palestras de Feynman afetavam os estudantes. Feynman, em seu Prefácio a estes volumes, apresenta uma visão um tanto negativa: "Não acho que tenha me saído bem com os estudantes". Matthew Sands, em seu texto *As Origens* nas páginas iniciais do suplemento *Dicas de Física*, manifesta uma opinião bem mais otimista. Por curiosidade, na primavera de 2005 enviei *e-mails* ou conversei com um grupo quase aleatório de 17 estudantes (de cerca de 150) daquela classe de 1961-63 – alguns que enfrentaram enormes dificuldades com as aulas e outros que as superaram com facilidade; especialistas em biologia, química, engenharia, geologia, matemática e astronomia, assim como em física.

É possível que os anos intervenientes tenham revestido suas lembranças com matizes de euforia, mas a verdade é que quase 80% deles recordam as palestras de Feynman como o ponto alto de seus anos acadêmicos. "Era como ir à igreja." As palestras eram "uma experiência transformacional", "a experiência de uma vida, provavelmente a coisa mais importante que recebi do Caltech". "Minha especialização era em biologia, mas as palestras de Feynman sobressaíram como o ponto alto de minha experiência como estudante de graduação... embora eu deva admitir que naquela época eu não conseguia fazer o dever de casa e mal conseguia entender alguma coisa." "Eu estava entre os estudantes menos promissores do curso, mas mesmo assim jamais perdia uma palestra... Lembro e ainda posso sentir a alegria da descoberta no rosto de Feynman... Suas palestras tinham um... impacto emocional que provavelmente se perdeu na versão impressa."

Em contrapartida, vários estudantes guardam lembranças negativas, devido em grande parte a duas questões: (i) "Não se podia aprender a fazer o dever de casa simplesmente frequentando as palestras. Feynman era muito engenhoso – conhecia os truques e as aproximações que podiam ser feitas, além de ter uma intuição baseada na experiência e um gênio que um calouro não possui". Feynman e seus colegas, cientes dessa falha no curso, enfrentaram-na em parte com os materiais hoje incorporados no *Suplemento*: os problemas e as respostas de Robert B. Leighton e Rochus Vogt e as palestras de Feynman dedicadas à solução de problemas. (ii) "A insegurança de não saber o que seria discutido na palestra seguinte, a falta de um livro-texto ou de uma referência que estabelecesse alguma ligação com o material preletivo e nossa consequente incapacidade de avançar na leitura eram extremamente frustrantes... No auditório, as palestras me pareciam estimulantes e compreensíveis, mas fora dali [quando eu tentava remontar os detalhes] eram sânscrito." Esse problema foi, evidentemente, solucionado por estes três volumes, a versão escrita de *As Lições de Física de Feynman*. Eles passaram a ser o livro-texto com o qual os alunos do Caltech estudariam a partir daí, e hoje sobrevivem como um dos maiores legados de Feynman.

A história da errata

Os três volumes originais de *As Lições de Física de Feynman* foram produzidos com extrema rapidez por Feynman e seus coautores, Robert B. Leighton e Matthew Sands, trabalhando a partir de gravações de áudio e ampliando fotos dos quadros-negros usados por Feynman em suas palestras de 1961-63.[1] Devido à velocidade da produção por parte dos autores, era inevitável que contivessem erros. Nos anos subsequentes, Feynman acumulou longas listas de reclamações nesse sentido – erros identificados por estudantes e professores do Caltech, bem como por leitores do mundo todo. Nos anos 1960 e início dos 1970, ele reservou um tempo de sua vida intensa para verificar a maior parte dos equívocos reportados dos Volumes I e II, corrigindo-os nas impressões subsequentes. Entretanto, seu senso de dever jamais superou o prazer das novas descobertas a ponto de fazê-lo reparar os erros do Volume III[2]. Assim, após sua morte prematura, em 1988, listas de erros que não haviam sido verificados foram depositadas nos arquivos do Caltech, onde permaneceram esquecidas.

Em 2002, Ralph Leighton (filho do falecido Robert Leighton e compatriota de Feynman) informou-me desses antigos erros e de uma nova lista compilada por seu amigo Michael Gottlieb. Leighton propôs ao Caltech que produzisse uma nova edição das *Lições de Feynman* com todos os erros corrigidos e a publicasse juntamente ao volume suplementar que ele e Gottlieb preparavam, o *Dicas de Física*.

Richard Feynman foi meu herói e amigo íntimo. Tão logo me deparei com as listas de erros e o conteúdo do *Dicas*, prontamente concordei em supervisionar este projeto em nome do Caltech (o lar acadêmico de longa data de Feynman, a quem ele, Leighton e Sand confiaram todos os direitos e responsabilidade das *Lições de Feynman*). Após um ano e meio de trabalho meticuloso de Gottlieb e o exame minucioso do Dr. Michael Hartl (um admirável pós-doutor do Caltech que examinou todas as erratas e o novo volume), a *Lições de Física de Feynman – Edição Definitiva* nascia, em 2005, com cerca de 200 erratas corrigidas e acompanhada do suplemento *Dicas de Física*, de Feynman, Gottlieb e Leighton.

Eu *achei* que aquela edição seria a "Definitiva". O que eu não previ foi a resposta entusiasmada dos leitores ao redor do mundo ao pedido de Gottlieb para que identificassem possíveis erros e os enviassem por meio do site que Gottlieb criou e segue mantendo, o *Website das Lições de Física de Feynman*, www.feynmanlectures.info. Nos cinco anos

[1] Para descrições sobre a gênese das palestras de Feynman e destes três volumes, ver o Prefácio de Feynman e a Apresentação a cada um dos três volumes, além da seção As Origens, de Matt Sands, no *Dicas de Física*, e o Prefácio Especial escrito em 1989 por David Goodstein e Gerry Neugebauer, que também está presente na *Edição Definitiva*, de 2005.

[2] Em 1975, Feynman pôs-se a checar os erros do Volume III, mas acabou se distraindo com outras coisas e jamais concluiu a tarefa, de modo que nenhuma correção foi feita.

depois disso, 965 novas erratas foram enviadas e passaram pelo escrutínio meticuloso de Gottlieb, Hartl e Nate Bode (um notável estudante pós-graduado em física do Caltech que seguiu no lugar de Hartl como o examinador de erratas do Caltech). Dessas 965 erratas, 80 foram corrigidas na 4ª impressão da *Edição Definitiva* (agosto de 2006) e as 885 restantes foram corrigidas na primeira impressão da *Edição do Novo Milênio* (332 no Volume I, 263 no Volume II e 200 no Volume III). Para mais detalhes sobre as erratas, veja www.feynmanlectures.info.

Claramente, fazer de *Lições de Física de Feynman* um livro sem erros transformou-se em um projeto comunitário mundial. Em nome do Caltech, agradeço aos 50 leitores que contribuem desde 2005 e aos muitos mais que devem contribuir nos próximos anos. Os nomes dos que ajudaram estão em www.feynmanlectures.info/flp_errata.html.

Quase todos os erros corrigidos são basicamente de três tipos: (i) erros tipográficos contidos no texto; (ii) erros tipográficos e matemáticos em equações, tabelas e figuras – erros de sinal, números incorretos (p.ex., 5 em lugar de 4) e ausência, nas equações, de subscritos, sinais de adição, parênteses e termos; (iii) referências cruzadas incorretas a capítulos, tabelas e figuras. Erros dessa espécie, embora não sejam graves para um físico experiente, podem frustrar e confundir os estudantes, público que Feynman pretendia atingir.

É incrível que, dentre os 1165 erros corrigidos sob minha direção, apenas alguns são considerados verdadeiros erros de física. Por exemplo, no Volume II, página 5-10, agora se lê "...nenhuma distribuição estática de cargas no interior de um condutor *aterrado* fechado pode produzir um campo [elétrico] exterior" (a palavra aterrado fora omitida nas edições anteriores). Esse erro foi apontado a Feynman por numerosos leitores, entre os quais Beulah Elizabeth Cox, estudante do College of William and Mary, que se valera dessa passagem equivocada ao prestar um exame. À Sra. Cox, Feynman escreveu em 1975[3]: "Seu professor acertou em não lhe dar nenhum ponto, pois sua resposta estava errada, conforme ele demonstrou usando a lei de Gauss. Em ciência, devemos acreditar na lógica e em argumentos deduzidos cuidadosamente, não em autoridades. De mais a mais, você leu o livro corretamente e o compreendeu. Acontece que cometi um erro, de modo que o livro também está errado. Provavelmente eu pensava numa esfera condutora aterrada, ou então no fato de que deslocar as cargas em diferentes locais no lado de dentro não afeta as coisas do lado de fora. Não sei ao certo como, mas cometi um erro crasso. E você também, por ter acreditado em mim".

Como nasceu esta edição

Entre novembro de 2005 e julho de 2006, 340 erros foram submetidos ao site Feynman Lectures (www.feynmanlectures.info). Notavelmente, a maior parte deles veio de uma pessoa: Dr. Rudolf Pfeiffer, então um pós-doutor em física da Universidade de Viena, na Áustria. A editora, Addison Wesley, corrigiu 80 erros, mas recusou-se a corrigir os demais devido ao custo: os livros estavam sendo impressos por um processo de foto-offset, trabalhado a partir de imagens fotográficas das páginas da década de 1960. A correção de um erro envolvia a digitação da página inteira e, para garantir que nenhum novo erro fosse adicionado, a página era redigitada duas vezes, por duas pessoas diferentes, comparada e revisada por várias outras pessoas – um processo muito caro, de fato, quando centenas de correções estão envolvidas.

Gottlieb, Pfeiffer e Ralph Leighton estavam desgostosos com isso, então pensaram em um plano destinado a facilitar a reparação dos erros e também visando à produção de versões eletrônicas do *Lições de Física de Feynman*. Eles apresentaram seu plano a mim, como representante do Caltech, em 2007. Eu estava entusiasmado, mas cauteloso. Depois de ver mais detalhes, recomendei que o Caltech cooperasse com Gottlieb, Pfeiffer e Leighton na execução de seu plano. O plano foi aprovado por três diretores sucessivos da Divisão de Física, Matemática e Astronomia do Caltech – Tom Tombrello, Andrew

[3] Páginas 288-289 de *Perfectly Reasonable Deviations from the Beaten Track, The Letters of Richard P. Feynman*, ed. Michelle Feynman (Basic Books, New York, 2005).

Lange e Tom Soifer –, e os complexos detalhes legais e contratuais foram elaborados pelo Conselheiro de Propriedade Intelectual do Caltech, Adam Cochran. Com a publicação da *Edição do Novo Milênio*, o plano foi executado com sucesso, apesar da sua complexidade. Mais especificamente, foi feito o seguinte:

Pfeiffer e Gottlieb converteram para LaTeX os três volumes (e também mais de 1.000 exercícios do curso de Feynman para incorporar nas *Dicas de Física*). As figuras foram redesenhadas na forma eletrônica moderna na Índia, sob orientação do tradutor para o alemão, Henning Heinze, para uso na edição alemã. Gottlieb e Pfeiffer trocaram o uso não exclusivo de suas equações LaTeX na edição alemã (publicado por Oldenbourg) pelo uso não exclusivo das figuras de Heinze na *Edição do Novo Milênio*, em inglês. Pfeiffer e Gottlieb verificaram meticulosamente todos os textos e as equações em LaTeX e todas as figuras redesenhadas, fazendo correções conforme necessário. Nate Bode e eu, em nome do Caltech, realizamos verificações pontuais de texto, equações e figuras; e notavelmente, não encontramos erros. Pfeiffer e Gottlieb são incrivelmente meticulosos e precisos; eles conseguiram que John Sullivan, na Biblioteca Huntington, digitalizasse as imagens dos quadros de Feynman de 1962 a 64 e que a empresa George Blood Audio digitalizasse as fitas das lições – com apoio financeiro e estímulo do professor do Caltech Carver Mead, suporte logístico do arquivista do Caltech Shelley Erwin e suporte legal de Cochran.

As questões legais eram graves: o Caltech concedeu, na década de 1960, os direitos para a Addison Wesley de publicação da obra impressa e, na década de 1990, os direitos de distribuição do áudio das palestras de Feynman e uma variante de uma edição eletrônica. Na década de 2000, por meio de uma sequência de aquisições dessas licenças, os direitos de impressão foram transferidos para o grupo de publicação Pearson, enquanto os direitos sobre o áudio e a versão eletrônica foram transferidos para o grupo de publicação Perseus. Cochran, com a ajuda de Ike Williams, advogado especializado em publicações, conseguiu unir todos esses direitos com a Perseus (Basic Books), tornando possível esta *Edição do Novo Milênio*.

Agradecimentos

Em nome do Caltech, agradeço a muitas pessoas que tornaram possível a *Edição do Novo Milênio*. Mais especificamente, agradeço a pessoas essenciais mencionadas anteriormente: Ralph Leighton, Michael Gottlieb, Tom Tombrello, Michael Hartl, Rudolf Pfeiffer, Henning Heinze, Adam Cochran, Carver Mead, Nate Bode, Shelley Erwin, Andrew Lange, Tom Soifer, Ike Williams e às 50 pessoas que apresentaram erratas (listadas em www.feynmanlectures.info). E agradeço também a Michelle Feynman (filha de Richard Feynman) por seu apoio e conselho contínuos, Alan Rice, por assistência e aconselhamento nos bastidores do Caltech, Stephan Puchegger e Calvin Jackson, pela assistência e pelos conselhos de Pfeiffer sobre a conversão da obra para a LaTeX, Michael Figl, Manfred Smolik e Andreas Stangl pelas discussões sobre correções de errata; e à equipe da Perseus/Basic Books, e (pelas edições anteriores) ao pessoal da Addison Wesley.

Kip S. Thorne
Professor Feynman de Física Teórica
California Institute of Technology
Outubro de 2010

Feynman

The Feynman Lectures on Physics

LIÇÕES DE FÍSICA

ELETROMAGNETISMO E MATÉRIA

Prefácio de Feynman

Estas são as palestras de física que proferi nos últimos dois anos para as turmas de calouros e segundanistas do Caltech. As palestras, é claro, não estão aqui reproduzidas *ipsis verbis*. Elas foram revisadas, algumas vezes de maneira extensa e outras nem tanto, e respondem apenas por uma parte do curso. Para ouvi-las, o grupo formado por 180 alunos reunia-se duas vezes por semana num grande auditório de conferências e, depois, dividia-se em pequenos grupos de 15 a 20 estudantes em sessões de recitação sob a orientação de um professor assistente. Além disso, havia uma sessão de laboratório semanal.

O principal objetivo que procurávamos atingir com estas palestras era manter o interesse dos entusiasmados e inteligentíssimos estudantes vindos da escola para o Caltech, os quais haviam ouvido uma porção de coisas sobre o quão interessante e empolgante é a física, a teoria da relatividade, a mecânica quântica, entre tantas outras ideias modernas. Ocorre que, depois de frequentarem dois anos de nosso curso anterior, muitos deles já se achavam bastante desestimulados, visto que pouquíssimas ideias grandiosas, novas e modernas haviam sido apresentadas a eles. Durante esse período, viam-se obrigados a estudar planos inclinados, eletrostática e assim por diante, algo que após dois anos de curso era muito entediante. A questão era saber se conseguiríamos elaborar um curso que pudesse salvar os estudantes mais adiantados e empolgados, conservando o seu entusiasmo.

As palestras aqui apresentadas, embora muito sérias, não pretendem ser um curso de pesquisa. Minha ideia era dedicá-las aos mais inteligentes da classe e, se possível, garantir que mesmo o aluno mais brilhante não conseguisse abarcar inteiramente o seu conteúdo – acrescentando, para tanto, sugestões de aplicação das ideias e dos conceitos em várias direções fora da linha principal de pensamento. Por essa razão, contudo, esforcei-me um bocado para conferir aos enunciados a máxima precisão, para destacar em cada caso no qual as equações e ideias se encaixavam no corpo da física e – quando eles aprendiam mais – de que modo as coisas seriam modificadas. Também senti que, para esses estudantes, era importante indicar o que eles deveriam – se fossem suficientemente inteligentes – ser capazes de entender, por dedução, do que havia sido dito antes e do que estava sendo exposto como algo novo. Sempre que surgia uma nova ideia, eu procurava deduzi-la, se fosse dedutível, ou explicar que se tratava de uma concepção nova, sem nenhuma base no que já havia sido aprendido, e que não deveria ser demonstrável, apenas acrescentada.

No início destas palestras, parti do princípio de que, tendo saído da escola secundária, os alunos possuíam algum conhecimento, como óptica geométrica, noções básicas de química e assim por diante. Além disso, não via o menor motivo para organizar as conferências dentro de uma ordem definida, no sentido de não poder mencionar determinado tópico até que estivesse pronto para discuti-lo em detalhe. Desse modo, houve uma série de menções a assuntos futuros, sem discussões completas. Essas discussões mais completas viriam posteriormente, quando o terreno estivesse mais preparado. Exemplos disso são as discussões sobre indutância e níveis de energia, a princípio introduzidas de maneira bastante qualitativa e depois desenvolvidas de forma mais completa.

Ao mesmo tempo em que tinha em mente os alunos mais ativos, queria também cuidar daquele sujeito para quem o brilhantismo extra e as aplicações secundárias eram nada mais que fontes de inquietação e cuja expectativa de aprender a maior parte do material das palestras era muito pequena. Para estudantes com tal perfil, minha intenção era proporcionar no mínimo um núcleo central, ou espinha dorsal, que eles *pudessem* aprender. Ainda que não tivessem total compreensão do conteúdo exposto, eu esperava que ao menos não ficassem nervosos. Não esperava que compreendessem tudo, apenas os aspectos centrais e mais diretos. É preciso, naturalmente, alguma inteligência para identificar quais são os teoremas e as ideias centrais e quais são as questões e aplicações secundárias mais avançadas que só poderão ser entendidas num momento posterior.

Ao proferir estas palestras, deparei com uma séria dificuldade: em razão da maneira como o curso foi ministrado, não houve retorno dos estudantes indicando ao conferencista quão bem tudo estava sendo conduzido. Essa é de fato uma séria dificuldade, e não sei até que ponto as palestras são realmente boas. A coisa toda era essencialmente experimental. E se tivesse de fazer tudo de novo, não faria do mesmo jeito – espero *não* ter de fazê-lo de novo! De qualquer forma, acredito que, até onde diz respeito à física, as coisas funcionaram de modo muito satisfatório no primeiro ano.

No segundo ano, não fiquei tão satisfeito. Na primeira parte do curso, que tratava de eletricidade e magnetismo, não consegui pensar em uma forma que fosse realmente especial ou diferente – ou particularmente mais empolgante que a habitual – de apresentá-los. Em vista disso, não acho que tenha me saído muito bem nas palestras sobre esses temas. No final do segundo ano, minha intenção original era prosseguir, após os conteúdos de eletricidade e magnetismo, com mais algumas palestras sobre as propriedades dos materiais, mas principalmente retomar coisas como modos fundamentais, soluções da equação da difusão, sistemas vibratórios, funções ortogonais, etc., desenvolvendo os primeiros estágios do que comumente se conhece por "métodos matemáticos da física". Em retrospecto, creio que, se tivesse de fazer tudo de novo, voltaria àquela ideia original. No entanto, como não estava previsto ministrar novamente essas palestras, sugeriu-se que seria interessante tentar apresentar uma introdução à mecânica quântica – o que o leitor encontrará no Volume III.

Sabe-se perfeitamente que os estudantes que desejam se especializar em física podem esperar até o terceiro ano para se iniciar em mecânica quântica. Por outro lado, argumentou-se que muitos dos alunos de nosso curso estudam física como base para seus interesses prioritários em outros campos. E a maneira habitual de lidar com a mecânica quântica torna essa matéria praticamente inacessível para a grande maioria dos estudantes, já que precisam de muito tempo para aprendê-la. Contudo, em suas aplicações reais – sobretudo em suas aplicações mais complexas, como na engenharia elétrica e na química –, não se utiliza realmente todo o mecanismo da abordagem da equação diferencial. Assim, procurei descrever os princípios da mecânica quântica de um modo que não exigisse conhecimento prévio da matemática das equações diferenciais parciais. Mesmo para um físico, penso que é interessante tentar apresentar a mecânica quântica dessa maneira inversa – por várias razões que podem transparecer nas próprias conferências. Entretanto, creio que a experiência na parte da mecânica quântica não foi inteiramente bem-sucedida – em grande parte, pela falta de tempo no final (precisaria, por exemplo, de três ou quatro palestras adicionais para tratar mais completamente tópicos como bandas de energia e a dependência espacial das amplitudes). Além disso, jamais havia apresentado o tema dessa forma, de modo que a falta de retorno por parte dos alunos foi particularmente grave. Hoje, acredito que a mecânica quântica deva ser ensinada mais adiante. Talvez eu tenha a chance de voltar a fazer isso algum dia. Farei, então, a coisa da maneira certa.

A razão pela qual não constam nesta obra palestras sobre como resolver problemas é que houve sessões de recitação. Ainda que no primeiro ano eu tenha introduzido três conferências sobre solução de problemas, elas não foram incluídas aqui. Além disso, houve uma palestra sobre orientação inercial que certamente deveria seguir a palestra sobre sistemas rotacionais, mas que infelizmente foi omitida. A quinta e a sexta palestras devem-se, na verdade, a Matthew Sands, já que eu me encontrava fora da cidade.

A questão que se apresenta, naturalmente, é saber até que ponto esta experiência foi bem-sucedida. Meu ponto de vista – que não parece ser compartilhado pela maioria das pessoas que trabalharam com os alunos – é pessimista. Não acho que tenha me saído muito bem com os estudantes. Quando paro para analisar o modo como a maioria deles lidou com os problemas nos exames, vejo que o sistema é um fracasso. Amigos meus, é claro, asseguram-me que uma ou duas dezenas de estudantes – coisa um tanto surpreendente – entenderam quase tudo das palestras e se mostraram bastante diligentes ao trabalhar com o material e ao preocupar-se com seus muitos pontos com entusiasmo e interesse. Hoje, creio que essas pessoas contam com uma excelente formação em física – e são, afinal, aquelas a quem eu queria alcançar. Por outro lado, "O poder da instrução raramente é de grande eficácia, exceto naquelas felizes disposições em que é quase supérfluo" (Gibbon).

Ainda assim, não pretendia deixar alunos para trás, como talvez tenha feito. Acredito que uma maneira de ajudarmos mais os estudantes é nos dedicarmos com maior afinco ao desenvolvimento de um conjunto de problemas que venham a elucidar algumas das ideias contidas nas palestras. Problemas proporcionam uma boa oportunidade de preencher o material das palestras e tornar as ideias expostas mais realistas, completas e solidificadas na mente dos estudantes.

Acredito, porém, que não há solução para esse problema de ordem educacional, a não ser abrir os olhos para o fato de que o ensino mais adequado só poderá ser levado a cabo nas situações em que houver um relacionamento pessoal direto entre o aluno e o bom professor – situações nas quais o estudante discuta as ideias, reflita e converse sobre elas. É impossível aprender muita coisa simplesmente comparecendo a uma palestra ou mesmo limitando-se a resolver os problemas determinados. Mesmo assim, nesses tempos modernos, são tantos os alunos que temos para ensinar que precisamos encontrar algum substituto para o ideal. Espero que minhas conferências possam contribuir de alguma forma. Talvez em algum lugarejo, onde haja professores e estudantes individuais, eles possam obter alguma inspiração ou ideias destas conferências. Talvez se divirtam refletindo sobre elas – ou desenvolvendo algumas delas.

Richard P. Feynman
Junho de 1963

Apresentação

Por cerca de 40 anos, Richard P. Feynman centrou sua curiosidade nas misteriosas operações do mundo físico e empenhou seu intelecto na procura de alguma ordem nesse caos. Recentemente, dedicou dois anos de sua habilidade e energia a palestras sobre física para estudantes principiantes. Para estes, destilou a essência de seu conhecimento e criou termos que lhes possibilitam compreender o universo do físico. Para as palestras, trouxe o brilho e a clareza de seu pensamento, a originalidade e a vitalidade de sua abordagem e o entusiasmo contagiante de sua elocução. Era um prazer vê-lo ao vivo.

As palestras do primeiro ano formaram a base do primeiro volume desta série de livros. Procuramos, neste segundo volume, fazer algum tipo de registro de parte das palestras do segundo ano – ministradas aos segundanistas durante o ano acadêmico de 1962-1963. A outra parte irá compor o Volume III.

Do segundo ano de conferências, os primeiros dois terços foram dedicados a um tratamento bastante completo da física da eletricidade e do magnetismo. Sua apresentação tem por objetivo servir a um duplo propósito. Esperamos, em primeiro lugar, proporcionar aos estudantes uma visão completa de um dos grandes capítulos da física – começando pelas primeiras tentativas de Franklin, passando pela grande síntese de Maxwell, chegando à teoria eletrônica das propriedades dos materiais de Lorentz e terminando com os dilemas ainda não solucionados da autoenergia eletromagnética. Em segundo lugar, esperamos, ao apresentar logo no início o cálculo dos campos vetoriais, fornecer uma sólida introdução à matemática das teorias de campo. De modo a enfatizar a utilidade geral dos métodos matemáticos, foram por vezes analisados temas relacionados de outras partes da física, junto a suas contrapartes elétricas. Procuramos constantemente tornar compreensível a generalidade da matemática. ("As mesmas equações têm as mesmas soluções.") E enfatizamos esse ponto com os mesmos tipos de exercícios e exames aplicados no curso.

Seguindo-se à parte de eletromagnetismo há dois capítulos dedicados à elasticidade e outros dois ao fluxo fluido. O primeiro capítulo de cada par trata dos aspectos elementares e práticos, os dois últimos procuram apresentar um panorama de toda a complexa gama de fenômenos que seus respectivos temas podem ocasionar. Esses quatro capítulos poderiam muito bem ser omitidos sem prejuízo grave, visto que não constituem uma preparação necessária para o Volume III.

O último trimestre (aproximadamente) do segundo ano foi dedicado a uma introdução à mecânica quântica. O material correspondente encontra-se no terceiro volume.

Neste registro das palestras de Feynman, desejávamos oferecer mais do que a simples transcrição do que foi dito. Esperávamos tornar a versão escrita uma exposição, tão clara quanto possível, das ideias em que se basearam as palestras originais. Em algumas dessas conferências, isso pôde ser feito com apenas alguns ajustes menores na redação do transcrito original. Em outras foi necessária uma maior reformulação e reorganização do material. Por vezes sentimos que devíamos ter acrescentado algum material novo para melhorar a clareza ou o equilíbrio da apresentação. Ao longo do processo nos beneficiamos do auxílio e dos conselhos ininterruptos do professor Feynman.

Converter mais de um milhão de palavras faladas em um texto coerente dentro de um prazo apertado é uma tarefa formidável, particularmente quando acompanhada pelas outras onerosas obrigações que surgem com a introdução de um novo curso – preparar-se mentalmente para as conferências, encontrar-se com os estudantes, elaborar exercícios e exames, diplomá-los e assim por diante. Muitas mãos – e cabeças – estiveram envolvidas nisso. Em alguns casos, conseguimos, creio eu, reproduzir uma imagem fiel – ou um retrato retocado com ternura – do Feynman original. Em outros, ficamos muito aquém desse ideal. Devemos nossos êxitos a todos aqueles que nos ajudaram. Os insucessos, só podemos lamentá-los.

Como explicado em detalhe na Apresentação do Volume I, essas palestras constituíam apenas um aspecto do programa iniciado e supervisionado pelo Comitê de Revisão do Curso de Física (R. B. Leighton, o presidente, H. V. Neher e M. Sands) do California Institute of Technology e apoiado financeiramente pela Fundação Ford. Ademais, as pessoas que citamos adiante contribuíram de alguma forma para a preparação do material textual deste segundo volume: T. K. Caughey, M. L. Clayton, J. B. Curcio, J. B. Hartle, T. W. H. Harvey, M. H. Israel, W. J. Karzas, R. W. Kavanagh, R. B. Leighton, J. Matthews, M. S. Plesset, F. L. Warren, W. Whaling, C. H. Wilts e B. Zimmerman. Há também aqueles que contribuíram indiretamente com seu trabalho no curso, a saber: J. Blue, G. F. Chapline, M. J. Clauser, R. Dolen, H. H. Hill e A. M. Title. O professor Gerry Neugebauer contribuiu em todos os aspectos de nossa tarefa com uma diligência e devoção muito além dos ditames do cargo.

A história da física que você encontra aqui não teria existido, contudo, sem a extraordinária habilidade e dedicação de Richard P. Feynman.

Matthew Sands
Março de 1964

Sumário

1

Eletromagnetismo

Revisão: Capítulo 12, Vol. I, *Características da Força*

1–1 Forças elétricas

Considere uma força semelhante à gravitacional que varie predominantemente com o inverso do quadrado da distância, mas que seja cerca de bilhões de bilhões de bilhões de bilhões de vezes mais intensa; e ainda com outra diferença. Existem dois tipos de "matéria", os quais chamamos de positiva e negativa. Matérias do mesmo tipo se repelem e de tipos diferentes se atraem – diferentemente da gravidade, em que há apenas atração. O que pode acontecer?

Uma porção de positivas se repele com uma força enorme e se espalha em todas as direções. Uma porção de negativas age da mesma forma. No entanto, uma mistura de igual quantidade de positivas e negativas pode se comportar de uma forma completamente diferente. Os tipos opostos se puxam com uma atração fantástica. Como resultado líquido, estas forças fantásticas podem se balancear quase perfeitamente, formando misturas finas e compactas das positivas e negativas, enquanto, entre duas porções separadas de tais misturas, pode não existir praticamente atração ou repulsão alguma.

Tal força existe: a força elétrica. E toda matéria é uma mistura de prótons positivos e elétrons negativos, que estão se atraindo e repelindo por essa força extraordinária. Entretanto, o balanço é tão perfeito, que, quando você está próximo de outra pessoa, não é capaz de sentir força alguma. Mesmo um pequeno desbalanceamento poderia ser sentido. Se você estiver parado a uma distância de um braço de alguém e cada um de vocês tiver *um por cento* a mais de elétrons que de prótons, a força de repulsão seria incrível. Quão intensa? O suficiente para erguer o edifício Empire State? Não! Para erguer o monte Everest? Não! A repulsão seria suficiente para erguer um "peso" igual ao de toda a Terra!

Com esta enorme força balanceada tão perfeitamente nesta mistura íntima, não é difícil entender que a matéria, para manter o fino balanço de suas cargas positivas e negativas, possa apresentar uma grande dureza e força. O edifício Empire State, por exemplo, balança menos de 2,5 centímetros com o vento graças à força elétrica que mantêm cada um de seus elétrons e prótons aproximadamente em seus devidos lugares. Por outro lado, se olharmos para a matéria em uma escala pequena o suficiente para vermos apenas alguns átomos, nenhum pedacinho terá, normalmente, um número igual de cargas positivas e negativas e, portanto, existirá uma enorme força elétrica residual. Mesmo quando há um número igual de ambas as cargas em dois pequenos pedaços vizinhos, poderá existir uma grande força elétrica resultante, porque as forças entre cargas individuais variam inversamente com o quadrado da distância. Uma força resultante pode surgir se uma carga negativa de um dos pedaços estiver mais próxima das cargas positivas do outro pedaço que das negativas do outro pedaço. Nesse caso, as forças atrativas seriam maiores que as repulsivas, o que acarretaria uma força atrativa entre dois pequenos pedaços que não possuem excesso de quaisquer dos tipos de cargas. A força que mantém os átomos unidos, e as forças químicas que mantêm juntas as moléculas, são realmente forças elétricas atuando em regiões onde o balanço das cargas não é perfeito, ou onde a distância é muito pequena.

Como você deve saber, os átomos são formados por um núcleo de prótons positivos com elétrons ao seu redor. Então, você poderia perguntar: "se essa força elétrica é tão extraordinária, por que os prótons e os elétrons não caem uns em cima dos outros? Se eles querem estar em uma mistura compacta, por que não ficam ainda mais compactos?" A resposta está relacionada com os efeitos quânticos. Se tentarmos confinar nossos elétrons em uma região muito próxima dos prótons, de acordo com o princípio da incerteza, esses elétrons adquiririam um momento quadrático médio que aumentaria conforme tentássemos confiná-los em uma região menor. É esse movimento, exigido pelas leis da mecânica quântica, que impede a atração elétrica de juntar ainda mais as cargas.

Temos ainda outra pergunta: "o que mantém os núcleos coesos?" Em um núcleo existem vários prótons, todos positivos. Por que a repulsão não os afasta? Acontece que nos núcleos existem, além das forças elétricas, forças não elétricas, chamadas de forças nucleares. Estas forças nucleares são maiores que as forças elétricas, o que as permite manter os prótons unidos, apesar da repulsão elétrica. Entretanto, as forças nucleares possuem um alcance curto – sua intensidade cai mais rapidamente que $1/r^2$. Tal fato possui uma importante consequência. Se um núcleo tiver muitos prótons, ele se torna muito grande e estes prótons não conseguirão se manter unidos. Um exemplo é o urânio, com 92 prótons. As forças nucleares atuam principalmente entre cada próton (ou nêutron) e seus vizinhos mais próximos, enquanto as forças elétricas atuam em distâncias maiores, criando uma repulsão entre cada próton e todos os outros prótons presentes no núcleo. Quanto mais prótons houver no núcleo, mais forte será a repulsão elétrica, até, como no caso do urânio, o balanço ser tão delicado que o núcleo está prestes a se estilhaçar devido às forças elétricas. Se tal núcleo for ligeiramente "cutucado" (o que pode ser feito enviando-lhe um nêutron lento), ele se partirá em dois pedaços, cada um com carga positiva, e esses pedaços se afastarão pela repulsão elétrica. A energia liberada nesse processo é a energia de uma bomba atômica. Esta energia é usualmente chamada de energia "nuclear" mas é, na verdade, uma energia "elétrica" liberada quando as forças elétricas superam as forças nucleares atrativas.

Podemos perguntar, finalmente, o que mantém o elétron negativamente carregado unido (uma vez que este não possui forças nucleares). Se o elétron for inteiramente constituído de um só tipo de substância, suas partes se repelirão mutuamente. Por que, então, ele não se despedaça? Será que o elétron possui "partes"? Talvez possamos dizer que o elétron é apenas um ponto e que as forças elétricas atuam apenas entre *diferentes* cargas pontuais, de forma que o elétron não atuaria em si mesmo. Talvez. Tudo o que podemos dizer é que a questão sobre o que mantém o elétron unido tem gerado muitas dificuldades na tentativa de criar uma teoria completa do eletromagnetismo. Essa questão nunca foi respondida. Iremos nos entreter discutindo um pouco mais sobre este assunto em capítulos posteriores.

Como vimos, devemos esperar que uma combinação das forças elétricas e dos efeitos quânticos determine a estrutura detalhada dos materiais como um todo, e, portanto, suas propriedades. Alguns materiais são duros, outros macios. Alguns são "condutores" elétricos – porque seus elétrons estão livres para se moverem; outros são "isolantes" – porque seus elétrons estão firmemente presos a cada átomo individualmente. Posteriormente consideraremos como algumas dessas propriedades se manifestam, mas este é um assunto extremamente complicado, portanto, começaremos observando as forças elétricas apenas em situações simples. Começaremos abordando apenas as leis da eletricidade – incluindo o magnetismo, que é na verdade uma parte desse mesmo assunto.

Afirmamos que a força elétrica, assim como a força gravitacional, decresce inversamente com o quadrado da distância entre as cargas. Essa relação é chamada lei de Coulomb, mas ela não é precisamente verdadeira quando as cargas estão se movendo – as forças elétricas dependem, também, de uma forma complicada, do movimento das cargas. Uma parte da força entre cargas em movimento é chamada de força *magnética*. Isto é, na verdade, um aspecto do efeito elétrico. Esta é a razão pela qual chamamos o assunto de "eletromagnetismo".

Existe um importante princípio geral que possibilita tratar as forças eletromagnéticas de maneira relativamente simples. Encontramos, pela experiência, que a força que atua em uma carga particular – não importando quantas outras cargas existam ou como elas se movem – depende apenas da posição desta carga particular, de sua velocidade e da quantidade de sua carga. Podemos escrever a força **F** numa carga q movendo-se com velocidade $\mathbf{v}$ como

$$\mathbf{F} = q(\mathbf{E} + \mathbf{v} \times \mathbf{B}). \tag{1.1}$$

Chamamos **E** o *campo elétrico* e **B** o *campo magnético* na posição da carga. O importante é que a força caracterizada como de tipo elétrico proveniente de todas as outras cargas no universo possa ser sintetizada dando apenas esses dois vetores. Seus valores dependerão de *onde* a carga está, e poderão mudar com o *tempo*. Além disso, se substituirmos esta

Letras gregas comumente usadas

α		alfa
β		beta
γ	Γ	gama
δ	Δ	delta
ϵ		epsílon
ζ		zeta
η		eta
θ	Θ	theta
ι		iota
κ		kappa
λ	Λ	lambda
μ		mu
ν		nu
ξ	Ξ	xi (ksi)
o		omicron
π	Π	pi
ρ		rô
σ	Σ	sigma
τ		tau
υ	Υ	upsilon
ϕ	Φ	fi
χ		qui
ψ	Ψ	psi
ω	Ω	ômega

carga por uma outra, a força na nova carga será proporcional à sua quantidade de carga, desde que as demais cargas no mundo não mudem suas posições nem seus movimentos (é claro que, numa situação real, cada carga produz uma força em todas as demais cargas na vizinhança e pode fazer com que as outras cargas se movam. Consequentemente, em alguns casos, a substituição dessa carga por uma outra *poderia* gerar uma alteração nos campos).

Sabemos, do Vol. I, como determinar o movimento de uma partícula se conhecermos a força que age sobre ela. A Equação (1.1) pode ser combinada com a equação do movimento para fornecer

$$\frac{d}{dt}\left[\frac{mv}{(1 - v^2/c^2)^{1/2}}\right] = \mathbf{F} = q(\mathbf{E} + \boldsymbol{v} \times \mathbf{B}). \tag{1.2}$$

Então, se **E** e **B** são dados, podemos determinar os movimentos. Precisamos agora saber como são produzidos os campos **E** e **B**.

Um dos mais importantes princípios simplificadores sobre como os campos são produzidos é o seguinte: suponha que um certo conjunto de cargas, movendo-se de uma determinada maneira, produza um campo $\mathbf{E}_1$ e outro conjunto de cargas produza um campo E_2. Se ambos os conjuntos de cargas estiverem presentes ao mesmo tempo (mantendo as mesmas posições e movimentos que possuíam quando considerados separadamente), então o campo produzido será simplesmente a soma

$$\mathbf{E} = \mathbf{E}_1 + \mathbf{E}_2. \tag{1.3}$$

Esse fato é denominado de *princípio da superposição* dos campos. Ele também é válido para os campos magnéticos.

Esse princípio significa que, se conhecermos a lei para os campos elétrico e magnético para uma *única* carga movendo-se de forma arbitrária, então conheceremos as leis completas da eletrodinâmica. Se quisermos conhecer a força em uma carga *A*, precisamos apenas calcular os campos **E** e **B** produzidos por cada uma das cargas *B, C, D,* etc., e então adicionar os **E** e **B** de todas essas cargas para encontrar os campos e, com estes, as forças atuando em *A*. Se o campo produzido por uma única carga fosse simples, essa seria a forma mais clara e direta para se descrever as leis da eletrodinâmica. Entretanto, já fornecemos uma descrição dessa lei (Capítulo 28, Vol. I) e ela é, infelizmente, muito complicada.

Isso mostra que a forma mais simples de construir as leis da eletrodinâmica não é a que se poderia esperar. O mais simples *não* é dar uma fórmula para a força que uma carga produz na outra. É verdade que, quando as cargas estão paradas, a lei de força de Coulomb é simples, mas, quando elas estão em movimento, as relações se complicam devido aos atrasos no tempo e aos efeitos da aceleração, entre outros motivos. Como resultado, não desejamos apresentar a eletrodinâmica apenas através das leis de força entre as cargas; achamos mais conveniente considerar outro ponto de vista – um ponto de vista no qual as leis da eletrodinâmica sejam mais fáceis de serem abordadas.

1–2 Campos elétricos e magnéticos

Em primeiro lugar, devemos ampliar nossas ideias sobre os vetores elétricos e magnéticos, **E** e **B**. Definimos esses vetores em termos das forças sentidas pela carga. Agora, gostaríamos de falar sobre campos elétrico e magnético *em um ponto,* mesmo quando não houver uma carga presente. Assim, estamos querendo dizer que, como existem forças "atuando" na carga, alguma "coisa" resta quando essa carga é removida. Se uma carga localizada no ponto (x, y, z) em um instante t sente a força **F** dada pela Eq. (1.1), associamos os vetores **E** e **B** com *este ponto* (x, y, z) do espaço. Podemos pensar em $\mathbf{E}(x, y, z, t)$ e $\mathbf{B}(x, y, z, t)$ como uma forma de indicar as forças que *seriam* experimentadas no instante t por uma carga localizada no ponto (x, y, z), *com a condição* de que, ao se colocar a carga nesse ponto, *não se perturbem* as posições ou os movimentos de quaisquer outras cargas responsáveis pelos campos.

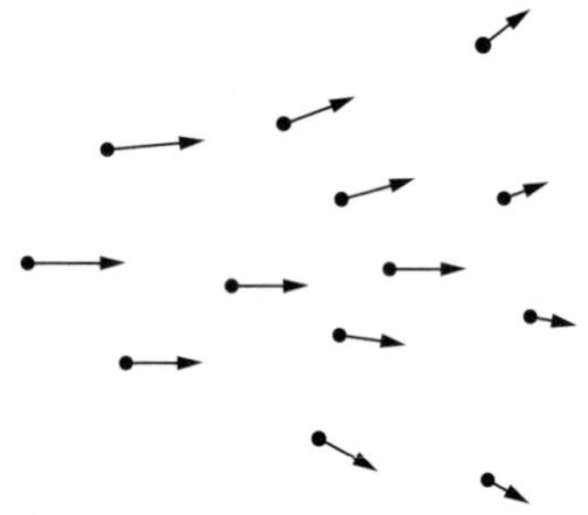

Figura 1–1 Um campo vetorial pode ser representado desenhando-se um conjunto de setas cuja magnitude e direção indicam o valor do campo vetorial nos pontos onde as setas estão desenhadas.

Seguindo essa ideia, podemos associar a *cada* ponto (x, y, z) do espaço dois vetores **E** e **B** que podem variar no tempo. Os campos elétrico e magnético são, portanto, vistos como *funções vetoriais* de x, y, z e t. Como um vetor é especificado por suas componentes, cada um dos campos $\mathbf{E}(x, y, z, t)$ e $\mathbf{B}(x, y, z, t)$ representa três funções matemáticas de x, y, z e t.

É justamente porque **E** (ou **B**) pode ser especificado em cada ponto do espaço que ele é chamado de "campo". Um "campo" é qualquer quantidade física que pode assumir diferentes valores para diferentes pontos do espaço. Temperatura, por exemplo, é um campo – neste caso um campo escalar, que escrevemos como $T(x, y, z)$. A temperatura pode também variar no tempo, neste caso podemos dizer que o campo de temperatura é dependente do tempo e escrever $T(x, y, z, t)$. Outro exemplo é o "campo de velocidades" de um líquido fluindo. Escrevemos $v(x, y, z, t)$ para a velocidade do líquido em cada ponto do espaço no instante t. Este é um campo vetorial.

Voltando aos campos eletromagnéticos – embora estes sejam produzidos por cargas de acordo com fórmulas complicadas, eles possuem a seguinte característica importante: a relação entre os valores dos campos em *um ponto* e os valores nos *pontos vizinhos* é bastante simples. Com apenas algumas dessas relações, na forma de equações diferenciais, podemos descrever os campos completamente. É em termos destas equações que as leis da eletrodinâmica são escritas da forma mais simples.

Várias invenções surgiram para ajudar na visualização mental do comportamento dos campos. A mais correta é também a mais abstrata: simplesmente consideramos os campos como funções matemáticas da posição e do tempo. Podemos também tentar obter uma imagem mental do campo desenhando vetores em vários pontos do espaço, cada um deles dando a intensidade e a direção do campo naquele ponto. Esta representação é mostrada na Figura 1–1. Todavia, podemos ir além e desenhar linhas que sejam tangentes aos vetores em qualquer ponto – que seguem as setas e mantêm o rastro da direção do campo. Quando fazemos isso, perdemos a informação sobre o *comprimento* dos vetores, mas podemos indicar a intensidade do campo desenhando as linhas mais afastadas quando o campo for fraco e mais próximas quando o campo for forte. Adotaremos a convenção de que o número de *linhas por unidade de área* em um ângulo perpendicular às linhas é proporcional à *intensidade do campo*. Isto é, obviamente, apenas uma aproximação e irá exigir que eventuais novas linhas sejam iniciadas para manter essa relação com a intensidade do campo. O campo da Figura 1–1 está representado por linhas de campo na Figura 1–2.

1–3 Características dos campos vetoriais

Há duas propriedades matematicamente importantes dos campos vetoriais que usaremos na nossa descrição das leis da eletricidade do ponto de vista dos campos. Vamos imaginar algum tipo de superfície fechada e nos perguntar se estamos perdendo "alguma coisa" de seu interior; ou seja, o campo possui alguma quantidade "escoando para fora?" Por exemplo, para um campo de velocidades, podemos perguntar se a velocidade é sempre para fora da superfície ou, de forma mais geral, se a quantidade de fluido que escoa para fora da superfície (por unidade de tempo) é maior ou menor que a quantidade que flui para dentro. A quantidade resultante de fluido através da superfície por unidade de tempo é chamada de "fluxo de velocidade" através da superfície. O fluxo através de um elemento de uma superfície é simplesmente igual à componente do vetor velocidade perpendicular a essa superfície multiplicada pela área desse elemento de superfície. Para uma superfície arbitrária fechada, a *quantidade de fluido que escoa* – ou *fluxo* – é a média da componente normal da velocidade orientada para fora do volume limitado pela superfície vezes a área da superfície:

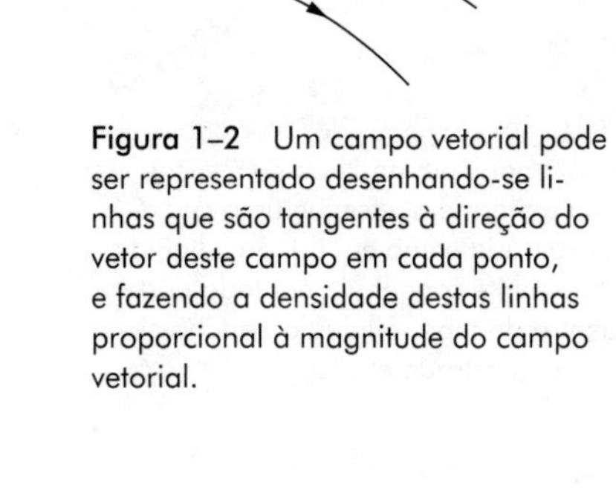

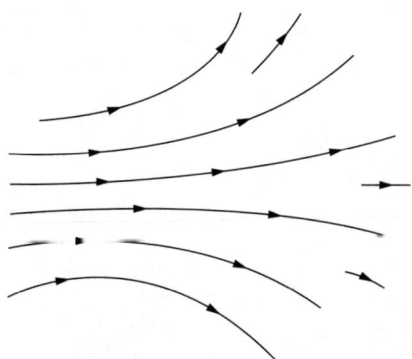

Figura 1–2 Um campo vetorial pode ser representado desenhando-se linhas que são tangentes à direção do vetor deste campo em cada ponto, e fazendo a densidade destas linhas proporcional à magnitude do campo vetorial.

$$\text{Fluxo} = (\text{componente normal média}) \times (\text{área da superfície}). \qquad (1.4)$$

No caso de um campo elétrico, podemos definir matematicamente algo análogo a um escoamento para fora e, novamente, chamarmos de fluxo, mas, obviamente, este não é o escoamento de nenhuma substância, porque o campo elétrico não é a velocidade de coisa alguma. Entretanto, isso resulta que a quantidade matemática dada pela média da componente normal do campo ainda possui um significado útil. Falamos, então, do *fluxo elétrico* – também definido pela Eq. (1.4). Finalmente, também é útil tratar do fluxo, não apenas através de uma superfície completamente fechada, mas através de qualquer superfície limitada. Como antes, o fluxo através de tal superfície é definido como a média da componente normal de um vetor vezes a área da superfície. Estas ideias estão ilustradas na Figura 1–3.

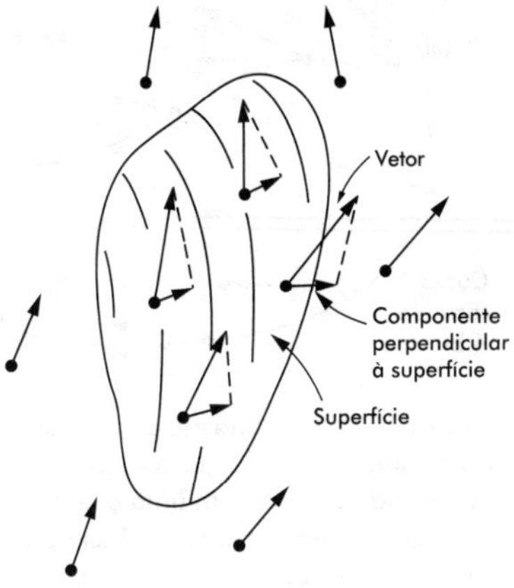

Figura 1–3 O fluxo de um campo vetorial através de uma superfície é definido como o valor médio da componente normal do vetor vezes a área da superfície.

Há uma segunda propriedade de um campo vetorial relacionada com uma linha, e não com uma superfície. Suponha novamente que estejamos pensando em um campo de velocidades que descreve o escoamento de um líquido. Podemos fazer a interessante pergunta: o líquido está circulando? Com isso queremos dizer: existe um movimento rotacional ao redor de algum circuito? Suponha que congelemos instantaneamente o fluido em toda parte, exceto no interior de um tubo de calibre uniforme e que se fecha em si mesmo em um circuito, como na Figura 1–4. Fora do tubo, o líquido para de se mover, mas, em seu interior, ele pode continuar movendo-se devido ao momento do fluido aprisionado – isto é, se o momento em uma certa direção ao redor do tubo for maior do que na outra. Definimos uma quantidade chamada de *circulação* como a velocidade resultante do líquido neste tubo, vezes a circunferência do tubo. Novamente, podemos estender essa ideia e definir a "circulação" para qualquer campo vetorial (mesmo quando não há nada se movendo). Para qualquer campo vetorial, a circulação *ao redor de qualquer curva imaginária fechada* é definida como a média da componente tangencial do vetor (em um sentido consistente) multiplicada pela circunferência do circuito fechado (Figura 1–5):

$$\text{Circulação} = (\text{componente tangencial média}) \times (\text{distância percorrida}). \tag{1.5}$$

Você verá que essa definição realmente fornece um número que é proporcional à velocidade de circulação no tubo subitamente congelado, descrito acima.

Com apenas estas duas ideias – fluxo e circulação – podemos descrever todas as leis da eletricidade e do magnetismo de uma vez. Você pode não compreender de imediato o significado destas leis, mas elas lhe fornecerão uma ideia de como a física do eletromagnetismo será descrita em última análise.

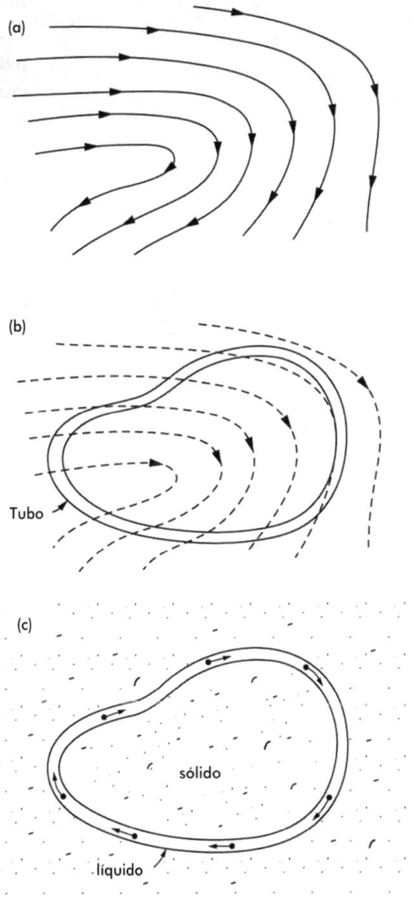

Figura 1–4 (a) O campo de velocidades em um líquido. Imaginem um tubo com seção transversal uniforme que segue uma curva fechada arbitrária como em (b). Se o líquido fosse subitamente congelado em toda parte exceto dentro do tubo, o líquido no tubo circularia como mostrado em (c).

1–4 As leis do eletromagnetismo

A primeira lei do eletromagnetismo descreve o fluxo do campo eletromagnético:

$$\text{Fluxo de } \mathbf{E} \text{ por uma superfície fechada} = \frac{\text{carga interna}}{\epsilon_0}, \tag{1.6}$$

onde ϵ_0 é uma constante conveniente (a constante ϵ_0 é normalmente lida como "epsílon zero"). Não havendo cargas dentro da superfície, mesmo quando há cargas próximas ao seu exterior, a *média* da componente normal de **E** é zero, portanto não haverá fluxo resultante através da superfície. Para ilustrar o poder de uma afirmação como essa, podemos mostrar que a Eq. (1.6) é equivalente à lei de Coulomb, bastando para tanto adicionar a ideia de que o campo de uma única carga possui simetria esférica. Para uma carga pontual, desenhamos uma esfera ao seu redor. Com isso, a média da componente normal será apenas o valor da magnitude de **E** em qualquer ponto, uma vez que o campo estará direcionado radialmente e possuirá a mesma intensidade em todos os pontos na esfera. Nossa regra afirma que o campo na superfície da esfera vezes a área da esfera – isto é, o fluxo para fora – é proporcional à carga no interior da esfera. Se aumentarmos o raio da esfera, a área aumentará com o quadrado do raio. A média da componente normal do campo elétrico vezes a área precisa continuar igual para a mesma carga interna; portanto, o campo precisa decair com o quadrado da distância – temos então um campo tipo "inverso do quadrado".

Se tivermos uma curva arbitrária e estacionária no espaço e medirmos a circulação do campo elétrico ao redor dessa curva, encontraremos que, em geral, esta circulação não é nula (apesar de ser zero para um campo Coulombiano).

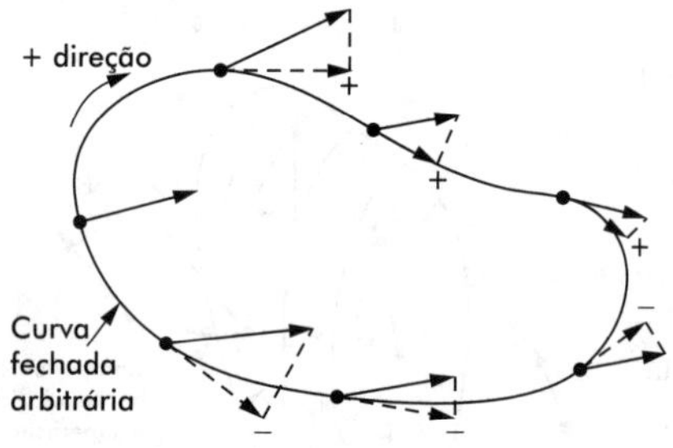

Figura 1–5 A circulação de um campo vetorial é a média da componente tangencial do vetor (em uma direção consistente) vezes a circunferência do circuito fechado.

Ao invés disso, para a eletricidade existe uma segunda lei que afirma: para toda superfície S (não fechada) cujo contorno seja a curva C,

$$\text{Circulação de } \mathbf{E} \text{ ao redor de } C = -\frac{d}{dt}(\text{fluxo } de\ \mathbf{B} \text{ através de } S). \qquad (1.7)$$

Podemos completar as leis do campo eletromagnético escrevendo as duas equações correspondentes para o campo magnético **B**.

$$\text{Fluxo de } \mathbf{B} \text{ através de uma superfície fechada} = 0 \qquad (1.8)$$

Para uma superfície S limitada por uma curva C,

$$c^2(\text{circulação de } \mathbf{B} \text{ ao redor de } C) = \frac{d}{dt}(\text{fluxo de } \mathbf{E} \text{ através de } S) + \frac{\text{fluxo da corrente elétrica através de } S.}{\epsilon_0} \qquad (1.9)$$

A constante c^2 que aparece na Eq. (1.9) é o quadrado da velocidade da luz. Ela aparece porque o magnetismo é, na verdade, um efeito relativístico da eletricidade. A constante ϵ_0 foi fixada para fazer com que as unidades da corrente elétrica surjam de uma forma conveniente.

As Equações (1.6) até (1.9), juntamente à Eq. (1.1), são todas as leis do eletromagnetismo[1]. Como você deve lembrar, as leis de Newton foram bastante simples de se escrever, mas tinham uma série de consequências complicadas, e levou um bom tempo para aprendermos sobre todas elas. Desta vez, as leis não foram tão simples para se escrever, o que significa que as consequências serão ainda mais elaboradas e consumiremos muito mais tempo para assimilá-las.

Podemos ilustrar algumas das leis da eletrodinâmica por meio de uma série de pequenos experimentos que mostrarão, qualitativamente, as inter-relações dos campos elétrico e magnético. Você pode notar os efeitos do primeiro termo da Eq. (1.1) ao pentear os cabelos, então não nos ocuparemos com esse termo. A segunda parte da Eq. (1.1) pode ser demonstrada passando uma corrente através de um fio pendurado sobre um magneto, como mostrado na Figura 1–6. Se uma corrente atravessa o fio, este se move devido à força $\mathbf{F} = q\boldsymbol{v} \times \mathbf{B}$. Quando existe uma corrente, as cargas no interior do fio estão se movendo, portanto, estas possuem uma velocidade $\boldsymbol{v}$, e o campo magnético do magneto exercerá uma força nestas cargas, o que resulta em um empurrão do fio para o lado.

Enquanto o fio é empurrado para a esquerda, podemos esperar que o magneto sinta um empurrão para a direita (caso contrário poderíamos colocar todo o sistema em um vagão e teríamos um sistema de propulsão que não conservaria o momento!). Embora a força seja muito pequena para produzir um movimento visível na barra de magneto,

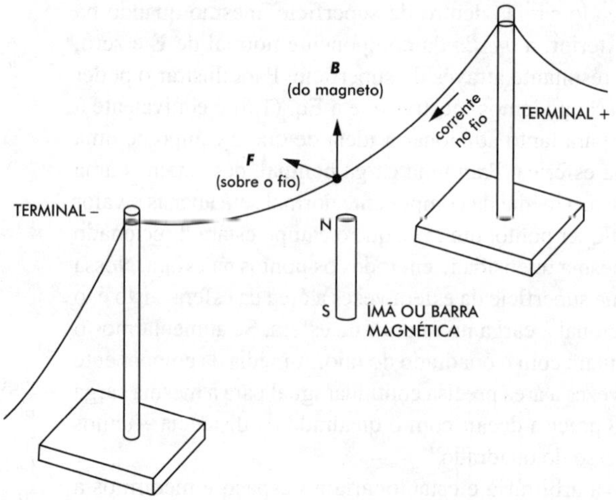

Figura 1–6 Uma barra magnética cria um campo **B** no fio. Quando existe uma corrente no fio, este se move devido à força **F** = $q\mathbf{v} \times \mathbf{B}$.

[1] Precisamos apenas adicionar uma observação sobre algumas convenções para o *sinal* da circulação.

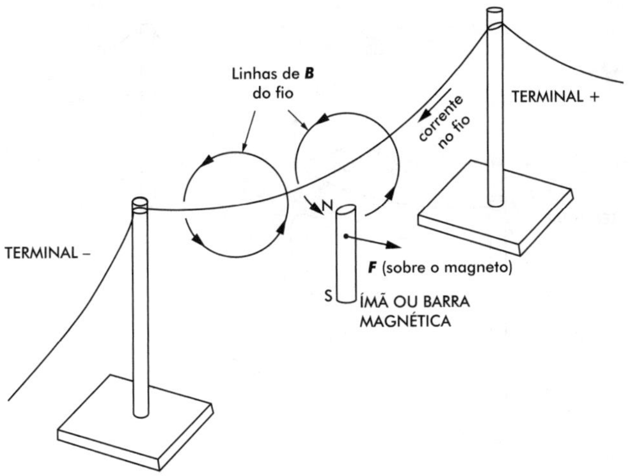

Figura 1–7 O campo magnético do fio exerce uma força no magneto.

este efeito poderia realmente ser notado se usássemos um magneto pendurado de forma mais sensível, como a agulha de uma bússola.

Como o fio empurra o magneto? A corrente no fio faz com que este produza um campo magnético que exercerá forças no magneto. De acordo com o último termo da Eq. (1.9), a corrente está associada com uma *circulação* de $\boldsymbol{B}$ – neste caso, as linhas de $\boldsymbol{B}$ são circuitos fechados ao redor do fio, como mostrado na Figura 1–7. Este campo $\boldsymbol{B}$ é responsável pela força no magneto.

A Equação (1.9) nos diz que, para uma corrente fixa através do fio, a circulação de $\boldsymbol{B}$ é a mesma para *qualquer* curva ao redor deste fio. Para curvas – digamos círculos – que estão mais afastadas do fio, a circunferência será maior, então a componente tangencial de $\boldsymbol{B}$ precisa decair. Note que podemos, de fato, esperar que $\boldsymbol{B}$ decaia linearmente com a distância para um fio longo e esticado.

Agora, afirmamos que uma corrente através de um fio produz um campo magnético e que, quando houver um campo magnético presente, haverá uma força em um fio que carrega uma corrente. Da mesma forma, podemos esperar que o campo magnético gerado pela corrente através de um fio exerça uma força em um outro fio que também carregue uma corrente. Isso pode ser demonstrado usando dois fios pendurados, como apresentado na Figura 1–8. Quando as correntes estiverem na mesma direção, os dois fios se atraem, mas, quando as correntes estiverem em direções opostas, eles se repelem.

Resumindo, correntes elétricas, bem como magnetos, produzem campos magnéticos. Afinal, o que é um magneto? Se campos magnéticos são produzidos por cargas em movimento, não seria possível que o campo magnético proveniente de um pedaço de ferro fosse, na verdade, o resultado de correntes? Ao que tudo indica, isso é verdade. Podemos substituir a barra de magneto da nossa experiência por uma bobina de fio, como mostrado

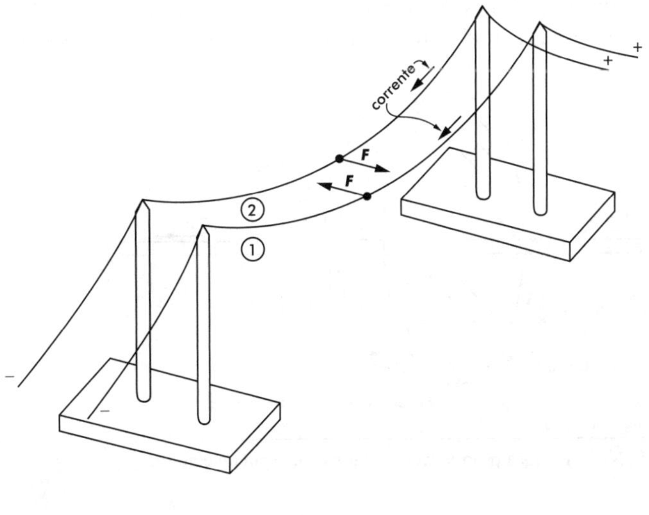

Figura 1–8 Dois fios, transportando uma corrente, exercem forças um no outro.

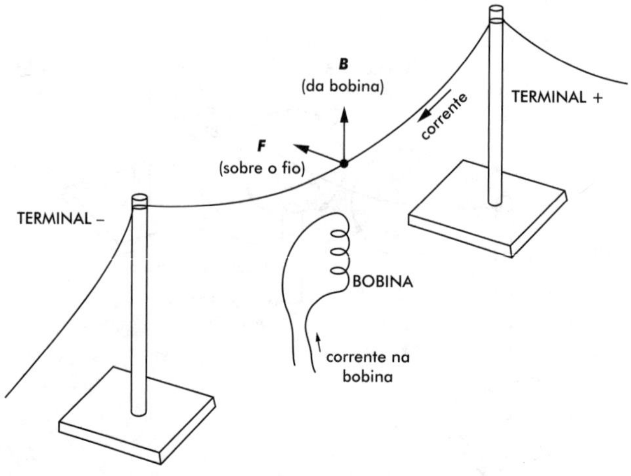

Figura 1–9 A barra magnética da Figura 1–6 pode ser substituída por uma bobina que transporta uma corrente. Uma força similar agirá no fio.

na Figura 1–9. Quando passamos uma corrente pela bobina – bem como através do fio esticado – observamos um movimento no fio exatamente como antes, quando tínhamos um magneto no lugar da bobina. Em outras palavras, a corrente na bobina imita um magneto. Ao que parece, então, um pedaço de ferro se comporta como se possuísse uma corrente que circulasse perpetuamente. Podemos, na verdade, compreender os magnetos em termos das correntes permanentes nos átomos de ferro. A força no magneto da Figura 1–7 é decorrente do segundo termo da Eq. (1.1).

De onde vêm essas correntes? Uma possibilidade poderia ser do movimento dos elétrons nas órbitas atômicas. Na verdade, este não é o caso no ferro, embora seja para alguns materiais. Além do movimento ao redor do núcleo no átomo, um elétron também gira em torno de seu próprio eixo* – algo como a rotação da terra – e é a corrente deste giro que cria o campo magnético no ferro (dizemos "algo como a rotação da terra" porque a questão está tão relacionada com a mecânica quântica que as ideias clássicas não podem descrevê-la satisfatoriamente). Na maioria das substâncias, alguns elétrons giram de uma forma enquanto outros giram de outra, assim o magnetismo se cancela, mas no ferro – por uma razão misteriosa que discutiremos posteriormente – muitos dos elétrons estão girando com seus eixos alinhados, e essa é a fonte de seu magnetismo.

Uma vez que os campos dos magnetos são provenientes de correntes, não precisamos adicionar nenhum termo extra às Eqs. (1.8) ou (1.9) para tratarmos destes magnetos. Devemos apenas incluir *todas* as correntes, inclusive a corrente de circulação do giro dos elétrons, e a lei estará correta. Note também que a Eq. (1.8) diz que não existem "cargas" magnéticas análogas às cargas elétricas que aparecem no lado direito da Eq. (1.6). Jamais foi encontrada qualquer carga magnética.

O primeiro termo no lado direito da Eq. (1.9) foi descoberto por Maxwell teoricamente e possui uma grande importância. Ele afirma que mudanças no campo *elétrico* produzem efeitos magnéticos. Na verdade, sem esse termo, a equação não faria sentido, porque, sem ele, não poderia haver correntes em circuitos que não fossem completamente fecha-

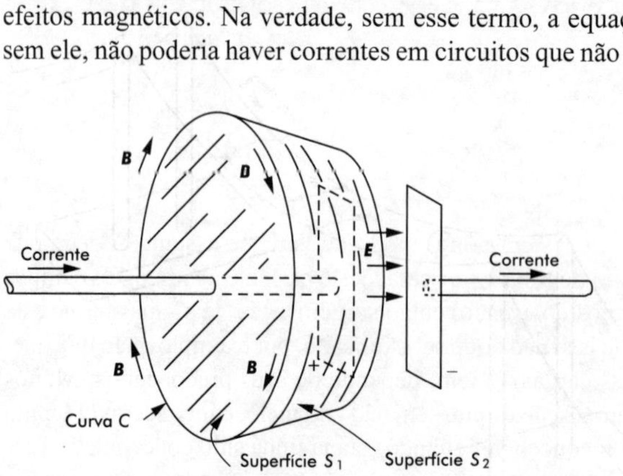

Figura 1–10 A circulação de **B** ao redor da curva C é dada ou pela corrente que passa pela superfície S_1, ou pela taxa de variação do fluxo de **E** através da superfície S_2.

* N. de T.: Esta propriedade é chamada de spin do elétron.

dos. Contudo, tais correntes existem, como podemos ver no seguinte exemplo. Imagine um capacitor feito de duas placas planas. Suponha que esteja sendo carregado por uma corrente que escoa de uma das placas em direção à outra, como mostrado na Figura 1–10. Desenhamos uma curva C ao redor de um dos fios e preenchemos essa curva com uma superfície que cruza o fio, como apresentado pela superfície S_1 na figura. De acordo com a Eq. (1.9), a circulação de **B** através de C (vezes c^2) é dada pela corrente no fio (dividida por ϵ_0). E se preenchermos a curva com uma superfície *diferente*, S_2, cuja forma seja uma tigela que passa entre as placas do capacitor, mantendo-se sempre distante dos fios? Certamente, não haverá corrente através desta superfície. Obviamente, apenas a mudança da localização de uma superfície imaginária não deve alterar um campo magnético real! A circulação de **B** precisa continuar a mesma. O primeiro termo do lado direito da Eq. (1.9), na verdade, combina-se com o segundo termo para dar o mesmo resultado para as duas superfícies, S_1 e S_2. Para S_2, a circulação de **B** é dada em termos da taxa de mudança do fluxo de **E** entre as placas do capacitor. E o resultado é que a mudança de **E** está relacionada com a corrente precisamente da forma exigida para que a Eq. (1.9) esteja correta. Maxwell observou que isso era necessário e foi o primeiro a escrever a equação completa.

Com o arranjo apresentado na Figura 1–6, podemos demonstrar outra das leis do eletromagnetismo. Vamos desconectar a ponta dos fios pendurados da bateria e conectá-los a um galvanômetro que nos informará quando houver uma corrente através do fio. Quando *empurramos* o fio para o lado, através do campo magnético do magneto, observamos uma corrente. Tal efeito é, novamente, apenas outra consequência da Eq. (1.1) – os elétrons no fio sentem a força $\mathbf{F} = q\mathbf{v} \times \mathbf{B}$. Os elétrons possuem uma velocidade lateral porque se movem junto com fio. Este v, com o **B** vertical proveniente do magneto, resulta em uma força nos elétrons direcionada *ao longo* do fio, que inicia o movimento desses elétrons na direção do galvanômetro.

Suponha, entretanto, que deixemos o fio parado e movamos o magneto. Pela relatividade, esperamos que isso não faça diferença alguma e, realmente, observamos a mesma corrente no galvanômetro. Como o campo magnético produz forças em cargas paradas? De acordo com a Eq. (1.1), deve haver um campo elétrico presente. Um magneto movendo-se deve criar um campo elétrico. Como isso acontece é dado quantitativamente pela Eq. (1.7). Tal equação descreve vários fenômenos de grande interesse prático, como os que ocorrem em geradores elétricos e transformadores.

A consequência mais notável de nossas equações é que a combinação das Eq. (1.7) e (1.9) contém a explicação dos efeitos da radiação eletromagnética para grandes distâncias. *Grosso modo*, isso ocorre pela seguinte razão: suponha que tenhamos um campo magnético crescendo em alguma parte porque, digamos, subitamente ligamos uma corrente num fio. Então, pela Eq. (1.7), deverá haver uma circulação de um campo elétrico. Conforme surgem os campos elétricos que produzem essa circulação, de acordo com a Eq. (1.9), será gerada uma circulação magnética, mas o surgimento *deste* campo magnético criará uma nova circulação do campo elétrico, e assim sucessivamente. Desta forma, os campos tecem seu caminho através do espaço sem a necessidade de cargas ou correntes, exceto em suas fontes. Esse é o mecanismo que nos permite *enxergarmos* uns aos outros! Está tudo nas equações dos campos eletromagnéticos.

1–5 O que são os campos?

Faremos agora algumas observações em nosso modo de ver este assunto. Você pode estar dizendo: "todo este negócio de fluxos e circulações é bastante abstrato. Os campos elétricos estão em todos os pontos do espaço; então surgem estas 'leis', mas o que está acontecendo *realmente*? Por que isso não pode ser explicado, por exemplo, pelo que quer que esteja acontecendo entre as cargas?" Bem, depende de seus preconceitos. Muitos físicos costumavam dizer que uma ação direta, sem nada no meio, é inconcebível (como eles poderiam achar uma ideia inconcebível quando esta já tinha sido concebida?). Eles diriam: "Veja, a única força que conhecemos é a ação direta de um pedaço de matéria em outro. É impossível que exista uma força sem que haja algo para transmiti-la". No entanto, o que realmente acontece quando estudamos a "ação direta" de um pedaço de matéria diretamente junto a outro? Descobrimos que não é a ação direta de um pedaço contra o outro; eles estão ligeiramente separados e existem forças elétricas atuando em uma escala minúscula. Então, descobrimos que estamos construindo uma explicação, da então chamada ação por contato direto, em termos da ideia das forças elétricas. Certamente, não é razoável tentar insistir que a força elétrica se pareça com a velha e familiar ação muscular de puxar e empurrar, quando em última análise esta ação muscular for interpretada em termos de forças elétricas! A única questão razoável é qual a forma *mais conveniente* de encarar os efeitos elétricos. Algumas pessoas preferem representá-los como a interação à distância entre cargas e utilizar uma lei complicada. Outras são apaixonadas pelas linhas de campo. Estas desenham linhas de campo o tempo todo e sentem que escrever **E** e **B** é abstrato demais. As linhas de campo, entretanto, não passam de um modo grosseiro de descrever os campos, além de ser muito difícil fornecer corretamente leis quantitativas diretamente em termos destas linhas. Além disso, a ideia das linhas de campo não contém o princípio mais profundo da eletrodinâmica, que é o princípio da superposição. Mesmo que saibamos como as linhas de campo se parecem para dois conjuntos de cargas independentes, não teremos a menor ideia de como essas linhas serão quando os dois conjuntos estiverem presentes ao mesmo tempo. Por outro lado, do ponto de vista matemático, a superposição é fácil – simplesmente adicionamos os dois vetores. As linhas de campo possuem alguma vantagem para criar uma imagem viva, mas também possuem algumas desvantagens. A forma de pensar usando a interação direta tem uma enorme vantagem quando analisamos cargas elétricas em repouso, mas é inconveniente para tratar de cargas que se movam rapidamente.

O melhor caminho é a utilização da ideia abstrata de campo. Que esta seja abstrata é uma infelicidade, mas é necessário. As tentativas de se representar o campo elétrico como o movimento de algum tipo de engrenagem, em termos de linhas ou como tensões em algum tipo de material, tem consumido mais esforço dos físicos do que teria sido necessário para simplesmente obter as respostas certas do eletromagnetismo. É notável que as equações corretas do comportamento da luz tenham sido formuladas por MacCullagh em 1839. Porém, as pessoas lhe disseram: "muito bem, mas não existe nenhum material real cujas propriedades mecânicas possam satisfazer a essas equações, e como a luz é um oscilador que precisa vibrar em *algo*, não podemos acreditar que essas equações abstratas tenham alguma utilidade". Se as pessoas tivessem uma mente mais aberta, teriam acreditado nas equações corretas para o comportamento da luz muito mais cedo.

No caso do campo magnético, podemos fazer a seguinte observação: suponha que, finalmente, você tenha sucesso em conceber uma imagem do campo magnético em termos de algum tipo de linha ou engrenagem movendo-se através do espaço. Então, você tentará explicar o que acontece com duas cargas movendo-se no espaço, ambas com a mesma velocidade e paralelas uma à outra. Graças ao seu movimento, estas cargas vão se comportar como duas correntes e terão um campo magnético associado a elas (como as correntes nos fios da Figura 1–8). Um observador que esteja viajando junto às duas cargas, entretanto, verá duas cargas estacionárias e dirá que *não há* nenhum campo magnético. As "engrenagens" ou "linhas" irão desaparecer quando você viajar junto ao objeto! Tudo que conseguimos foi criar um *novo* problema. Como as engrenagens podem desaparecer?! As pessoas que desenham linhas de campo encontram a mesma dificuldade. Não só não é possível dizer se as linhas de campo movem-se ou não com as cargas, como também elas podem desaparecer completamente em um determinado sistema de coordenadas.

Então, o que estamos dizendo é que o magnetismo é, na verdade, um efeito relativístico. No caso das duas cargas consideradas anteriormente, viajando uma paralela à outra, esperaríamos ter de fazer correções relativísticas no seu movimento, com termos da ordem de v^2/c^2. Estas correções precisam corresponder às forças magnéticas, mas, e quanto à força entre os dois fios em nossa experiência (Figura 1–8)? Lá, a força magnética é a *única* força. E esta não tinha o aspecto de uma "correção relativística". Além disso, se estimarmos a velocidade dos elétrons no fio (você mesmo pode fazer isso), encontraremos que sua velocidade média ao longo do fio é aproximadamente 0,01 centímetro por segundo. O que fornece v^2/c^2 da ordem de 10^{-25}. Certamente, uma "correção" desprezível. Mas não! Embora a força magnética seja, neste caso, 10^{-25} da força elétrica "normal" entre os elétrons em movimento, lembre que a força elétrica "normal" desapareceu devido ao balanço quase perfeito – porque os fios possuem o mesmo número de prótons e elétrons. Este balanço é muito mais preciso que uma parte em 10^{25}, e o pequeno termo relativístico que chamamos de força magnética é o único que restou, o que o torna o termo dominante.

É este cancelamento quase perfeito dos efeitos elétricos que permite o estudo dos efeitos relativísticos (isto é, o magnetismo) e o descobrimento das equações corretas – da ordem de v^2/c^2 – mesmo quando os físicos não *soubessem* que é isso o que estava acontecendo. E é por isso que, quando a relatividade foi descoberta, as leis do eletromagnetismo não precisaram ser mudadas. Estas leis – diferentes da mecânica – já eram corretas com uma precisão de v^2/c^2.

1–6 O eletromagnetismo em ciência e tecnologia

Terminaremos este capítulo mencionando que, entre os inúmeros fenômenos estudados pelos gregos, havia dois particularmente muito estranhos: esfregando-se um pedaço de âmbar era possível levantar pequenos pedaços de papiros, e havia uma estranha pedra, proveniente da ilha de Magnésia, que atraía o ferro. É surpreendente pensar que esses eram os únicos fenômenos conhecidos pelos gregos nos quais os efeitos da eletricidade e do magnetismo eram visíveis. A razão para serem esses os únicos fenômenos reconhecidos deve-se principalmente à já mencionada fantástica precisão no balanço das cargas. Estudos de cientistas posteriores aos gregos demonstraram um fenômeno após outro que eram, na verdade, outros aspectos destes efeitos do âmbar e da magnetita. Hoje sabemos que os fenômenos das interações químicas e, em última instância, a própria vida devem ser compreendidos em termos do eletromagnetismo.

Ao mesmo tempo em que a compreensão do assunto do eletromagnetismo foi se desenvolvendo, surgiram possibilidades técnicas que desafiavam a imaginação das pessoas que vieram antes: tornou-se possível enviar um sinal por telégrafo a longas distâncias e falar com uma outra pessoa a quilômetros de distância sem qualquer conexão entre elas e pôr em funcionamento enormes sistemas de força – uma grande roda d'água conectada por filamentos de centenas de quilômetros a outra máquina que gira em resposta a essa roda mestre – vários milhares de ramificações de filamentos – dez milhares de máquinas em dez milhares de lugares rodando os equipamentos de indústrias e lares – todos funcionando graças ao conhecimento das leis do eletromagnetismo.

Atualmente, utilizamos efeitos ainda mais sutis. As forças elétricas, enormes como são, podem também ser muito diminutas, e podemos controlá-las e usá-las de muitas maneiras. Tão sensíveis são nossos instrumentos que podemos dizer o que um homem está fazendo pela forma como ele afeta os elétrons em uma fina barra de metal, a centenas de quilômetros de distância. Tudo que precisamos fazer é usar essa barra como uma antena para um receptor de TV!

Em uma observação futura da história da humanidade – digamos, daqui a dez mil anos – haverá pouca dúvida de que o evento mais significativo do século XIX será considerado a descoberta de Maxwell das leis da eletrodinâmica. A Guerra Civil Americana empalidecerá em provincial insignificância em comparação a esse importante evento científico da mesma década.

2

Cálculo Diferencial de Campos Vetoriais

2–1 Compreendendo física

Revisão: Capítulo 11, Vol. I, *Vetores*

Os físicos precisam ter flexibilidade para olhar os problemas sob diversos pontos de vista. A análise exata de problemas físicos reais, normalmente, é bastante complicada, e qualquer situação física particular pode ser complicada demais para ser analisada diretamente, resolvendo as equações diferenciais envolvidas. Ainda assim, é possível obter uma ótima ideia do comportamento do sistema, caso se tenha uma intuição do caráter da solução em diferentes circunstâncias. Ideias como linhas de campo, capacitância, resistência e indutância são muito úteis para tais propósitos. Assim, despenderemos muito de nosso tempo analisando-as. Dessa forma, teremos uma noção do que pode acontecer em diferentes situações em eletromagnetismo. Por outro lado, nenhum dos modelos heurísticos, como as linhas de campo, é totalmente adequado e preciso para todas as situações. Existe apenas uma forma precisa de apresentar as leis, é por meio das equações diferenciais. Essas equações têm a vantagem de serem fundamentais e, até onde sabemos, precisas. Se você aprender as equações diferenciais, sempre poderá recorrer a elas. Não há o que desaprender.

Levará algum tempo até você entender o que pode acontecer em diferentes circunstâncias. Você terá de resolver as equações. Cada vez que resolver as equações, aprenderá algo sobre o caráter das soluções. Para ter em mente estas soluções, é útil também estudar seu significado em termos de linhas de campo e outros conceitos. Dessa forma, você realmente "entenderá" as equações. Esta é a diferença entre a matemática e a física. Matemáticos, ou pessoas que possuem uma mente muito matemática, geralmente se desencaminham quando "estudam" física, porque perdem o aspecto físico. Eles dizem: "veja, estas equações diferenciais – as equações de Maxwell – são tudo que existe na eletrodinâmica; os físicos admitem que não há nada que não esteja contido nestas equações. Estas equações são complicadas, mas são apenas equações matemáticas e, se eu entendê-las matematicamente em profundidade, entenderei a física em profundidade". Todavia, as coisas não funcionam assim. Matemáticos que estudam física sob esse ponto de vista – e há muitos deles – normalmente fazem poucas contribuições à física e, na verdade, poucas para a matemática. Eles falham porque as situações físicas no mundo real são tão complicadas que é necessário ter um conhecimento mais amplo das equações.

Dirac descreveu o que realmente significa entender uma equação – isto é, compreender além do sentido estritamente matemático. Ele disse: "eu entendo o que uma equação significa quando tenho um meio de conhecer as características das soluções sem ter de resolvê-la realmente". Assim, se tivermos um meio de saber o que pode acontecer em dadas circunstâncias, sem realmente resolver as equações, então "entendemos" as equações quando aplicadas a essas circunstâncias. Uma compreensão física é uma coisa completamente não matemática, imprecisa e inexata, mas absolutamente necessária para um físico.

Normalmente, um curso como este é dado desenvolvendo-se gradualmente as ideias físicas – começando com situações simples e então partindo para casos cada vez mais complicados. Esse processo exige que você continuamente se esqueça das coisas que aprendeu antes – coisas que são verdade em certas situações, mas que não valem no geral. Por exemplo, a "lei" que afirma que as forças elétricas dependem do quadrado da distância não é *sempre* válida. Preferimos a abordagem oposta. Preferimos tomar primeiro as leis completas e, então, retornar e aplicá-las em situações simples, desenvolvendo as ideias físicas conforme avançamos. E isso é o que vamos fazer.

Nossa abordagem é completamente oposta a uma abordagem histórica, na qual o assunto é desenvolvido em termos dos experimentos com os quais as informações foram obtidas. Os temas da física têm sido desenvolvidos, nos últimos 200 anos, por pessoas bastante engenhosas e, como dispomos apenas de um tempo limitado para adquirir esse conhecimento, não temos a possibilidade de abordar tudo o que elas fizeram. Infelizmente, uma das coisas que tendemos a perder nestas aulas é o desenvolvimento histórico experimental. Esperamos que, no laboratório, algumas destas carências possam ser sanadas. Você pode também preencher algumas destas lacunas lendo a Enciclopédia Britânica que tem excelentes artigos históricos sobre eletricidade e outras áreas da física. Você também encontrará informações históricas em diversos livros-texto sobre eletricidade e magnetismo.

2–2 Campos escalares e vetoriais – *T* e **h**

Escrevendo os vetores à mão:

Algumas pessoas usam

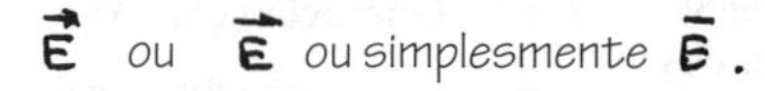

$\vec{E}$ ou $\overleftarrow{E}$ ou simplesmente $\overline{E}$.

Ou preferem

$\underline{E}$.

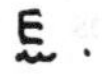

Nós gostamos da seguinte maneira:

A B C D E F G
H I J K L M N
O P Q R S T U
V W X Y Z

Letras minúsculas são difíceis;

a b c d e f g
h i j k l m n
o p q r s t u
v w x y z

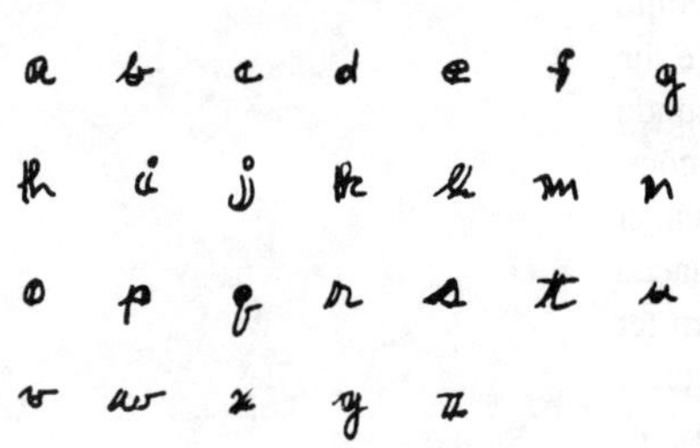

Você pode inventar a sua maneira.

Começaremos agora com a visão matemática abstrata da teoria da eletricidade e do magnetismo. O objetivo final é explicar o significado das leis apresentadas no Capítulo 1. Para isso, precisamos primeiro explicar uma notação nova e peculiar que queremos usar. Então, por enquanto, vamos esquecer o eletromagnetismo e discutir a matemática dos campos vetoriais. Isso é extremamente importante, não apenas para o eletromagnetismo, mas para todos os tipos de situações físicas. Do mesmo modo como o cálculo diferencial e integral ordinário é importante para todos os ramos da física, assim também o é o cálculo diferencial vetorial. Vamos nos voltar para esse assunto.

Abaixo listamos alguns fatos da álgebra de vetores. Supomos que vocês já os conheçam.

$$\mathbf{A} \cdot \mathbf{B} = \text{escalar} = A_x B_x + A_y B_y + A_z B_z \tag{2.1}$$

$$\mathbf{A} \times \mathbf{B} = \text{vetor} \tag{2.2}$$

$$(\mathbf{A} \times \mathbf{B})_z = A_x B_y - A_y B_x$$
$$(\mathbf{A} \times \mathbf{B})_x = A_y B_z - A_z B_y$$
$$(\mathbf{A} \times \mathbf{B})_y = A_z B_x - A_x B_z$$

$$\mathbf{A} \times \mathbf{A} = 0 \tag{2.3}$$

$$\mathbf{A} \cdot (\mathbf{A} \times \mathbf{B}) = 0 \tag{2.4}$$

$$\mathbf{A} \cdot (\mathbf{B} \times \mathbf{C}) = (\mathbf{A} \times \mathbf{B}) \cdot \mathbf{C} \tag{2.5}$$

$$\mathbf{A} \times (\mathbf{B} \times \mathbf{C}) = \mathbf{B}(\mathbf{A} \cdot \mathbf{C}) - \mathbf{C}(\mathbf{A} \cdot \mathbf{B}) \tag{2.6}$$

Usaremos também as duas seguintes igualdades do cálculo:

$$\Delta f(x,y,z) = \frac{\partial f}{\partial x}\Delta x + \frac{\partial f}{\partial y}\Delta y + \frac{\partial f}{\partial z}\Delta z, \tag{2.7}$$

$$\frac{\partial^2 f}{\partial x\, \partial y} = \frac{\partial^2 f}{\partial y\, \partial x}. \tag{2.8}$$

A primeira equação, (2.7), é verdadeira apenas no caso limite quando Δx, Δy e Δz tendem a zero.

O campo físico mais simples possível é o campo escalar. Por um campo, entendemos uma quantidade que depende da posição no espaço. Por um *campo escalar*, queremos designar um campo caracterizado, em cada ponto do espaço, por um único número – um escalar. Obviamente, esse número pode mudar com o tempo, mas não precisamos nos preocupar com isso no momento. Falaremos sobre como os campos se apresentam em um dado instante. Como exemplo de um campo escalar, considerem um bloco sólido de um material que foi aquecido em alguns pontos e resfriado em outros, de modo que a temperatura deste corpo varie, de uma forma complicada, de um ponto a outro. Assim, a temperatura será uma função de x, y e z, a posição no espaço medida em um sistema de coordenadas retangular. A temperatura é um campo escalar.

Uma forma de pensar sobre campos escalares é imaginar "contornos" que formam superfícies imaginárias traçadas através de todos os pontos onde o campo possui o mes-

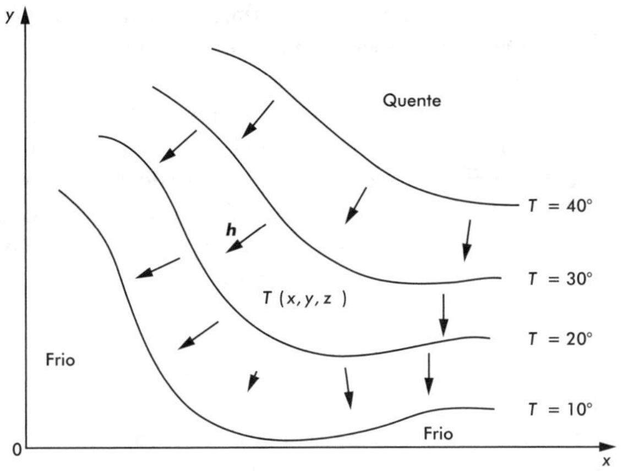

Figura 2–1 A temperatura T é um exemplo de um campo escalar. Cada ponto (x, y, z) do espaço está associado a um número $T(x, y, z)$. Todos os pontos na superfície marcados com $T = 20°$ (mostrados como uma curva em $z = 0$) estão à mesma temperatura. As setas são exemplos do fluxo de calor **h**.

mo valor, assim como as linhas de contorno que conectam pontos de mesma altura em um mapa. Para um campo de temperaturas, os contornos são chamados de "superfícies isotérmicas" ou isotermas. A Figura 2–1 ilustra um campo de temperaturas e mostra a dependência de T com x e y quando $z = 0$. Várias isotermas estão desenhadas nesta figura.

Há também os campos vetoriais. A ideia é bastante simples. Neste tipo de campo, a cada ponto do espaço associamos um vetor. Assim, o vetor varia de ponto a ponto. Como exemplo, considere um corpo em rotação. A velocidade do material do corpo em cada ponto é um vetor que depende da posição (Figura 2–2). Como segundo exemplo, considere o escoamento de calor em um bloco de certo material. Se a temperatura for alta em algumas regiões e baixa em outras, haverá um fluxo de calor das regiões mais quentes para as mais frias. O calor fluirá em diferentes direções para diferentes partes do bloco. O fluxo de calor é uma quantidade direcional que chamamos de **h**. Sua magnitude é uma medida de quanto calor está fluindo. Exemplos do vetor de fluxo de calor são mostrados também na Figura 2–1.

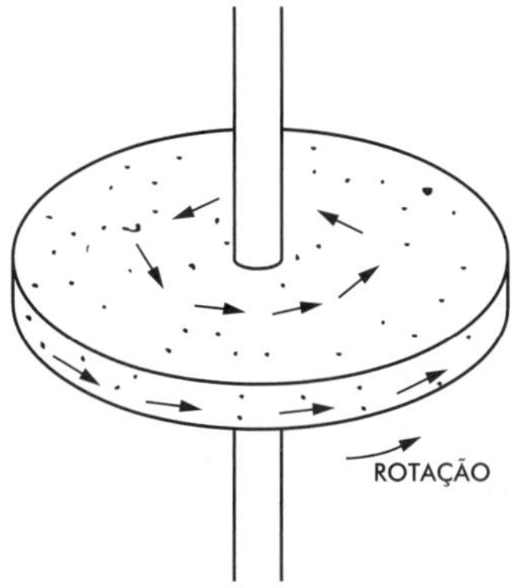

Figura 2–2 A velocidade dos átomos em um objeto que gira é um exemplo de um campo vetorial.

Definamos **h** mais precisamente: a magnitude do vetor de fluxo de calor em um ponto é a quantidade de energia térmica que passa, por unidade de tempo e por unidade de área, através de um elemento de superfície infinitesimal, em um ângulo perpendicular à direção do fluxo. Este vetor aponta na direção do fluxo (veja Figura 2–3). Em símbolos: se ΔJ for a energia térmica que passa, por unidade de tempo, através do elemento de superfície Δa, então:

$$\mathbf{h} = \frac{\Delta J}{\Delta a}\,\mathbf{e}_f, \tag{2.9}$$

onde $\mathbf{e}_f$ é um *vetor unitário* na direção do fluxo.

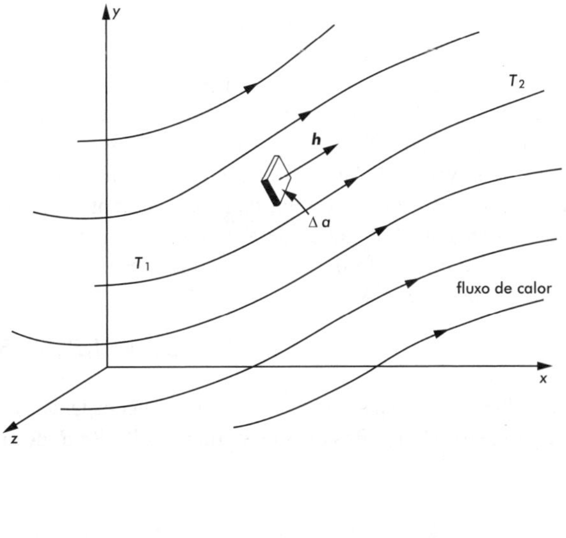

Figura 2–3 O fluxo de calor é um campo vetorial. O vetor **h** aponta na direção do fluxo. Sua magnitude é a energia transportada, por unidade de tempo, através de um elemento de superfície orientado perpendicularmente ao fluxo, dividida pela área deste elemento de superfície.

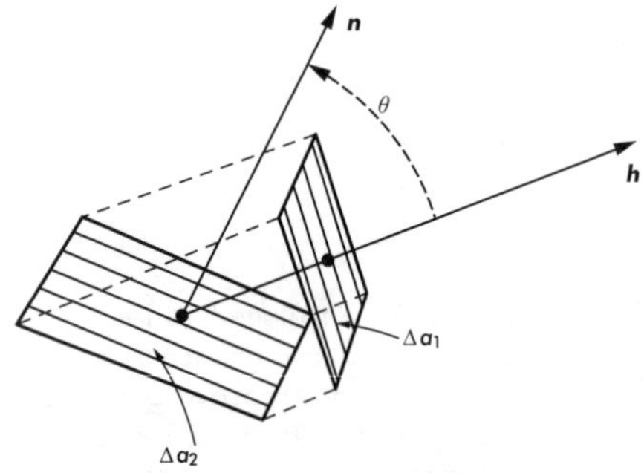

Figura 2–4 O fluxo de calor através de Δa_2 é o mesmo que através de Δa_1.

O vetor **h** pode ser definido de outra forma – em termos de suas componentes. Queremos saber quanto de calor flui através de uma pequena superfície em um ângulo *qualquer* em relação ao fluxo. Na Figura 2–4, apresentamos uma pequena superfície Δa_2 inclinada com respeito à superfície Δa_1, esta última perpendicular ao fluxo. O *vetor unitário* **n** é normal à superfície Δa_2. O ângulo θ entre **n** e **h** é o mesmo ângulo entre as superfícies (pois **h** é normal à Δa_1). Agora, qual é o fluxo de calor *por unidade de área* através de Δa_2? O fluxo através de Δa_2 é o mesmo que através de Δa_1; apenas as áreas são diferentes. Na verdade, $\Delta a_1 = \Delta a_2 \cos\theta$. O fluxo de calor através de Δa_2 é

$$\frac{\Delta J}{\Delta a_2} = \frac{\Delta J}{\Delta a_1}\cos\theta = \mathbf{h}\cdot\mathbf{n}. \tag{2.10}$$

Interpretemos essa equação: o fluxo de calor (por unidade de tempo e por unidade de área), através de *qualquer* elemento de superfície normal ao vetor unitário **n**, é dado por **h** · **n**. Da mesma forma, podemos dizer que a componente do fluxo de calor perpendicular ao elemento de superfície Δa_2 é **h** · **n**. Podemos, se desejarmos, considerar essas afirmações como a *definição* de **h**. Aplicaremos essas mesmas ideias para outros campos vetoriais.

2–3 Derivada dos campos – o gradiente

Quando os campos variam no tempo, podemos descrever esta variação através de sua derivada com respeito a t. De uma forma similar, desejamos descrever a variação em relação à posição, porque estamos interessados na relação entre, digamos, a temperatura em um lugar e a temperatura nas regiões próximas. Como tomar a derivada da temperatura com relação à posição? Devemos diferenciar com respeito a x? Ou com respeito a y ou z?

Leis físicas úteis não dependem da orientação do sistema de coordenadas. Elas devem, portanto, ser escritas em uma forma em que ou ambos os lados sejam escalares ou ambos os lados sejam vetores. O que é a derivada de um campo escalar, digamos $\partial T/\partial x$? Isto é um escalar, um vetor ou o quê? Isso não é nem um escalar nem um vetor, como vocês facilmente podem perceber, porque, se tomarmos um eixo x diferente, $\partial T/\partial x$ certamente será diferente. Contudo, observe que temos três derivadas possíveis: $\partial T/\partial x$, $\partial T/\partial y$ e $\partial T/\partial z$. Havendo três tipos de derivadas e sabendo-se que são necessários três números para formar um vetor, talvez essas três derivadas sejam as componentes de um vetor:

$$\left(\frac{\partial T}{\partial x}, \frac{\partial T}{\partial y}, \frac{\partial T}{\partial z}\right) \stackrel{?}{=} \text{um vetor.} \tag{2.11}$$

É claro que, em geral, não é verdade que *quaisquer* três números formam um vetor. Isso será verdade apenas se, quando rodarmos o sistema de coordenadas, as componentes deste vetor se transformam da maneira correta. Então, precisamos analisar como estas derivadas mudam quando rodamos o sistema de coordenadas. Mostraremos que (2.11) é realmente um vetor. As derivadas se transformam da forma correta quando o sistema de coordenadas é rodado.

Isso pode ser verificado de várias maneiras. Um jeito é fazer uma pergunta cuja resposta independa do sistema de coordenadas e tentar expressar esta resposta de uma forma "invariante". Por exemplo, se $S = \mathbf{A}\cdot\mathbf{B}$, e se **A** e **B** são vetores, sabemos – porque isso foi provado no Capítulo 11 do Vol. I – que S é um escalar. *Sabemos* que S é um escalar, mesmo sem investigar como ele se transforma com uma mudança no sistema de coordenadas. Sabemos que S *não mudará* porque ele é o produto escalar de dois vetores. Da mesma forma, se tivermos os três números B_1, B_2 e B_3 e descobrimos que, para qualquer vetor **A**, temos

$$A_xB_1 + A_yB_2 + A_zB_3 = S, \tag{2.12}$$

onde S é o mesmo para qualquer sistema de coordenadas; então *necessariamente* esses três números B_1, B_2, B_3 são as componentes B_x, B_y, B_z de algum vetor **B**.

Vamos pensar agora no campo de temperatura. Tomemos dois pontos, P_1 e P_2, separados por um pequeno intervalo $\Delta\mathbf{R}$. A temperatura em P_1 é T_1 e a em P_2 é T_2, e a diferença $\Delta T = T_2 - T_1$. A temperatura nestes dois pontos físicos reais certamente não depende de qual eixo escolhemos para medir as coordenadas. Em particular, ΔT é um número que não depende do sistema de coordenadas. Ou seja, ΔT é um escalar.

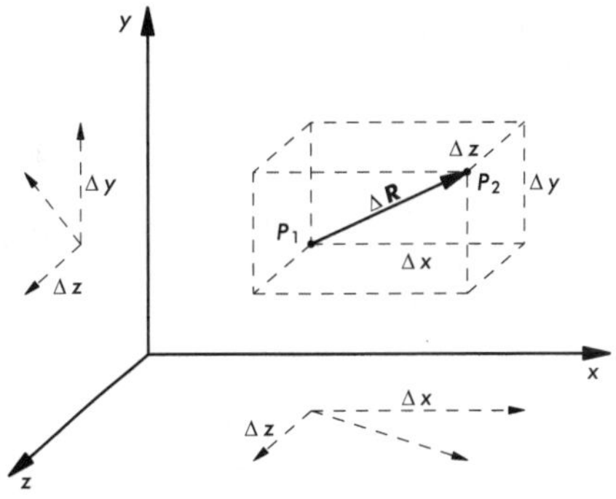

Figura 2–5 O vetor $\Delta\mathbf{R}$, cujas componentes são Δx, Δy e Δz.

Escolhendo um conjunto de eixos convenientes, podemos escrever $T_1 = T(x, y, z)$ e $T_2 = T(x + \Delta x, y + \Delta y, z + \Delta z)$, onde Δx, Δy e Δz são as componentes do vetor $\Delta\mathbf{R}$ (Figura 2–5). Lembrando a Equação (2.7), podemos escrever

$$\Delta T = \frac{\partial T}{\partial x}\,\Delta x + \frac{\partial T}{\partial y}\,\Delta y + \frac{\partial T}{\partial z}\,\Delta z. \tag{2.13}$$

O lado esquerdo da Eq. (2.13) é um escalar. O lado direito é a soma de três números multiplicados respectivamente por Δx, Δy e Δz, que são as componentes de um vetor. Daí segue que os três números

$$\frac{\partial T}{\partial x},\ \frac{\partial T}{\partial y},\ \frac{\partial T}{\partial z}$$

também são as componentes x-, y- e z- de um vetor. Indicamos este novo vetor com o símbolo ∇T. O símbolo ∇ (lê-se "nabla") é Δ de cabeça para baixo, e deve nos lembrar de diferenciações. As pessoas leem ∇T como "gradiente de T"[1];

$$\operatorname{grad} T = \nabla T = \left(\frac{\partial T}{\partial x}, \frac{\partial T}{\partial y}, \frac{\partial T}{\partial z}\right). \tag{2.14}$$

Usando essa notação, podemos reescrever a Eq. (2.13) numa forma mais compacta

$$\Delta T = \nabla T \cdot \Delta\mathbf{R}. \tag{2.15}$$

Em palavras, essa equação diz que a diferença de temperatura entre dois pontos vizinhos é o produto escalar do gradiente de T com o vetor deslocamento entre estes pontos. A forma da Eq. (2.15) também ilustra claramente nossa prova de ∇T ser realmente um vetor.

Talvez você ainda não esteja convencido. Vamos demonstrar de uma forma diferente (apesar de que, se você olhar com cuidado, poderá ver que esta é a mesma prova por um caminho mais cansativo!). Vamos mostrar que as componentes de ∇T se transformam exatamente da mesma forma como se transformam as componentes de $\mathbf{R}$. Se isso for verdade, ∇T é um vetor de acordo com a nossa definição original de vetores do Capítulo 11, Vol I. Tomemos um novo sistema de coordenadas x', y', z' e, neste novo sistema, calculemos $\partial T/\partial x'$, $\partial T/\partial y'$ e $\partial T/\partial z'$. Para simplificar um pouco as coisas, vamos considerar $z = z'$, com o que podemos esquecer a coordenada z (você pode checar o caso mais geral sozinho).

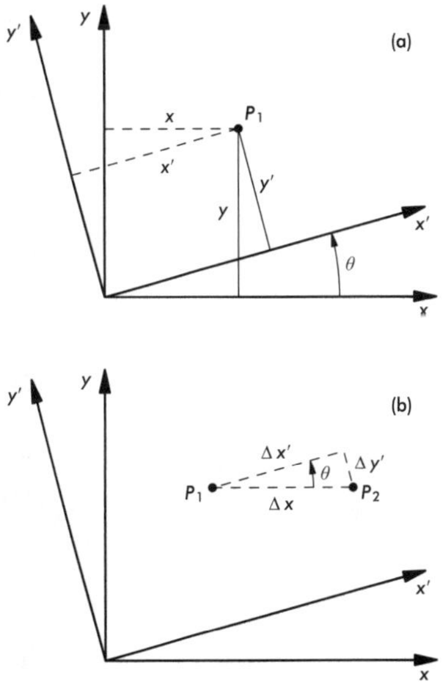

Figura 2–6 (a) Transformação para um sistema de coordenadas girado. (b) Caso especial de um intervalo $\Delta\mathbf{R}$ paralelo ao eixo x.

Vamos tomar o sistema $x'y'$ rodado de um ângulo θ em relação ao sistema $x\,y$, como na Figura 2–6(a). As coordenas de um ponto (x, y) no sistema linha são

$$x' = x\cos\theta + y\,\operatorname{sen}\theta, \tag{2.16}$$

$$y' = -x\,\operatorname{sen}\theta + y\cos\theta. \tag{2.17}$$

Ou, resolvendo para x e y,

$$x = x'\cos\theta - y'\,\operatorname{sen}\theta, \tag{2.18}$$

[1] Na nossa notação, a expressão (a, b, c) representa um vetor com as componentes a, b e c. Se você preferir usar os vetores unitários $\mathbf{i}$, $\mathbf{j}$ e $\mathbf{k}$, pode escrever

$$\nabla T = \mathbf{i}\,\frac{\partial T}{\partial x} + \mathbf{j}\,\frac{\partial T}{\partial y} + \mathbf{k}\,\frac{\partial T}{\partial z}.$$

$$y = x' \operatorname{sen} \theta + y' \cos \theta. \tag{2.19}$$

Qualquer par de números que se transformem, como nestas equações, da mesma forma que x e y se transformam, será as componentes de um vetor.

Vamos agora olhar para a diferença de temperatura entre os dois pontos próximos P_1 e P_2, escolhidos como na Figura 2–6(b). Se calcularmos, usando as coordenadas x e y, encontraremos

$$\Delta T = \frac{\partial T}{\partial x} \Delta x \tag{2.20}$$

uma vez que Δy vale zero.

Como ficam os cálculos no sistema linha? Neste caso, escrevemos

$$\Delta T = \frac{\partial T}{\partial x'} \Delta x' + \frac{\partial T}{\partial y'} \Delta y'. \tag{2.21}$$

Olhando para a Figura 2–6(b), vemos que

$$\Delta x' = \Delta x \cos \theta \tag{2.22}$$

e

$$\Delta y' = -\Delta x \operatorname{sen} \theta, \tag{2.23}$$

uma vez que $\Delta y'$ é negativo quando Δx é positivo. Substituindo essas expressões na Eq. (2.21), encontramos

$$\Delta T = \frac{\partial T}{\partial x'} \Delta x \cos \theta - \frac{\partial T}{\partial y'} \Delta x \operatorname{sen} \theta \tag{2.24}$$

$$= \left(\frac{\partial T}{\partial x'} \cos \theta - \frac{\partial T}{\partial y'} \operatorname{sen} \theta \right) \Delta x. \tag{2.25}$$

Comparando a Eq. (2.25) com a (2.20), vemos que

$$\frac{\partial T}{\partial x} = \frac{\partial T}{\partial x'} \cos \theta - \frac{\partial T}{\partial y'} \operatorname{sen} \theta. \tag{2.26}$$

Essa equação nos diz que $\partial T/\partial x$ é obtido de $\partial T/\partial x'$ e $\partial T/\partial y'$, exatamente da mesma forma como x é obtido de x' e y' na Eq. (2.18). Então $\partial T/\partial x$ é a componente x de um vetor. O mesmo tipo de argumento pode mostrar que $\partial T/\partial y$ e $\partial T/\partial z$ são as componentes y e z. Portanto, ∇T é definitivamente um vetor. Ele é um campo vetorial derivado do campo escalar T.

2–4 O operador ∇

Agora podemos fazer algo extremamente divertido e engenhoso – e característico das coisas que fazem a matemática bela. O argumento de que *gradiente de* T, ou ∇T, é um vetor não depende de *qual* campo escalar estamos diferenciando. Todos os argumentos serão os mesmos se T for substituído por *qualquer campo escalar*. Uma vez que as equações de transformação são as mesmas, não importando o que estamos diferenciando, podemos perfeitamente apenas omitir o T e substituir a Eq. (2.26) pela equação de operadores

$$\frac{\partial}{\partial x} = \frac{\partial}{\partial x'} \cos \theta - \frac{\partial}{\partial y'} \operatorname{sen} \theta. \tag{2.27}$$

Como diz Jeans, deixamos os operadores "famintos por algo para diferenciar".

Uma vez que os operadores diferenciais se transformam como devem se transformar as componentes de um vetor, nós os chamamos de componentes de um *operador vetorial*. Podemos escrever

$$\nabla = \left(\frac{\partial}{\partial x}, \frac{\partial}{\partial y}, \frac{\partial}{\partial z}\right), \tag{2.28}$$

o que significa, obviamente,

$$\nabla_x = \frac{\partial}{\partial x}, \qquad \nabla_y = \frac{\partial}{\partial y}, \qquad \nabla_z = \frac{\partial}{\partial z}. \tag{2.29}$$

Independentemente de *T*, abstraímos o gradiente – essa é a ideia maravilhosa.

Obviamente, você deve sempre lembrar que ∇ é um operador. Sozinho, ele nada significa. Se ∇ não tem significado sozinho, o que significa multiplicá-*lo* por um escalar – digamos *T* – para obter o produto $T\nabla$ (sempre se pode multiplicar um vetor por um escalar)? Isso ainda nada significa. Sua componente *x* é

$$T\frac{\partial}{\partial x}, \tag{2.30}$$

que não é um número, mas continua sendo algum tipo de operador. Entretanto, de acordo com a álgebra vetorial, podemos continuar chamando $T\nabla$ de vetor.

Agora, multipliquemos ∇ por um escalar pelo outro lado, de modo que temos o produto (∇T). Na álgebra usual

$$T\mathbf{A} = \mathbf{A}T, \tag{2.31}$$

mas devemos nos lembrar de que a álgebra de operadores é um pouco diferente da álgebra vetorial usual. Com os operadores, precisamos sempre manter a sequência correta, de forma que as operações tenham o sentido apropriado. Você não terá dificuldade, basta lembrar que o operador ∇ obedece à mesma convenção usada na notação de derivada. O que será diferenciado deve ser colocado à direita de ∇. A ordem é importante.

Tendo em mente esse problema de ordem, entendemos que $T\nabla$ é um operador, mas o produto ∇T não é mais um operador faminto; o operador está completamente satisfeito. Na verdade, ∇T é um vetor físico que possui um significado. Ele representa a taxa de variação espacial de *T*. A componente *x* de ∇T diz quão rapidamente *T* muda na direção *x*. O que significa a direção do vetor ∇T? Sabemos que a taxa de variação de *T* em qualquer direção é a componente de ∇T naquela direção (vejam a Eq. 2.15). Daí segue que a direção de ∇T é a direção na qual ele possui a maior componente possível – em outras palavras, a direção em que *T* varia mais rapidamente. O gradiente de *T* é a direção do declive ascendente mais íngreme (em *T*).

2–5 Operações com ∇

Podemos realizar qualquer álgebra com o operador ∇? Vamos tentar combinar esse operador com um vetor. Dois vetores podem ser combinados por meio do produto escalar. Podemos realizar os produtos

$$(\text{um vetor}) \cdot \nabla, \qquad \text{ou} \qquad \nabla \cdot (\text{um vetor}).$$

O primeiro ainda não tem significado, pois continua sendo um operador. Seu significado, no final das contas, dependerá daquilo sobre o que ele opera. O segundo produto é um campo escalar ($\mathbf{A} \cdot \mathbf{B}$ é sempre um escalar).

Tentemos o produto escalar de ∇ com um campo vetorial que conhecemos, digamos **h**. Escrevemos as componentes:

$$\nabla \cdot \mathbf{h} = \nabla_x h_x + \nabla_y h_y + \nabla_z h_z \tag{2.32}$$

ou

$$\nabla \cdot \mathbf{h} = \frac{\partial h_x}{\partial x} + \frac{\partial h_y}{\partial y} + \frac{\partial h_z}{\partial z}. \tag{2.33}$$

Essa soma é invariante por uma transformação de coordenadas. Se escolhermos um sistema diferente (indicado pela linha), teremos[2]

$$\nabla' \cdot \mathbf{h} = \frac{\partial h_{x'}}{\partial x'} + \frac{\partial h_{y'}}{\partial y'} + \frac{\partial h_{z'}}{\partial z'}, \tag{2.34}$$

que fornece o *mesmo* número obtido da Eq. (2.33), mesmo que pareça diferente. Isto é,

$$\nabla' \cdot \mathbf{h} = \nabla \cdot \mathbf{h} \tag{2.35}$$

para qualquer ponto no espaço. Portanto $\nabla \cdot \mathbf{h}$ é um campo escalar que deve representar alguma quantidade física. Vocês devem ter percebido que a combinação das derivadas em $\nabla \cdot \mathbf{h}$ é bastante especial. Existe toda sorte de outras componentes, como $\partial h_y/\partial x$, que não são nem escalares nem componentes de um vetor.

A quantidade escalar $\nabla \cdot$ (um vetor) é extremamente útil em física. Esta quantidade recebe o nome de *divergente*. Por exemplo,

$$\nabla \cdot \mathbf{h} = \text{div}\, \mathbf{h} = \text{“divergente de } \mathbf{h}\text{.”} \tag{2.36}$$

Assim como fizemos para ∇T, podemos atribuir um significado físico para $\nabla \cdot \mathbf{h}$. Entretanto, adiaremos esse assunto por enquanto.

Primeiro, gostaríamos de ver o que mais podemos fazer com o operador ∇. E quanto ao produto vetorial? Devemos esperar que

$$\nabla \times \mathbf{h} = \text{um vetor.} \tag{2.37}$$

Um vetor cujas componentes podem ser escritas pelas regras usuais do produto vetorial (veja a Eq. 2.2):

$$(\nabla \times \mathbf{h})_z = \nabla_x h_y - \nabla_y h_x = \frac{\partial h_y}{\partial x} - \frac{\partial h_x}{\partial y}. \tag{2.38}$$

Da mesma forma,

$$(\nabla \times \mathbf{h})_x = \nabla_y h_z - \nabla_z h_y = \frac{\partial h_z}{\partial y} - \frac{\partial h_y}{\partial z} \tag{2.39}$$

e

$$(\nabla \times \mathbf{h})_y = \nabla_z h_x - \nabla_x h_z = \frac{\partial h_x}{\partial z} - \frac{\partial h_z}{\partial x}. \tag{2.40}$$

A combinação $\nabla \times \mathbf{h}$ é chamada de “o *rotacional* de **h**”. A razão para esse nome e o significado físico dessa combinação serão discutidos posteriormente.

Em resumo, temos três tipos de combinações com ∇:

$$\begin{aligned} \nabla T &= \text{grad}\, T = \text{um vetor,} \\ \nabla \cdot \mathbf{h} &= \text{div}\, \mathbf{h} = \text{um escalar,} \\ \nabla \times \mathbf{h} &= \text{curl}\, \mathbf{h} = \text{um vetor.} \end{aligned}$$

Usando essas combinações, podemos escrever variações espaciais dos campos em uma forma conveniente – uma forma geral, que não depende de um sistema de eixos particular.

Como um exemplo do uso de nosso operador vetor diferencial ∇, escrevemos um conjunto de equações vetoriais que contêm as mesmas leis do eletromagnetismo que vimos no Capítulo 1. Elas são as chamadas equações de Maxwell.

---

[2] Pensamos em **h** como uma quantidade *física* que depende da posição no espaço e não estritamente como uma função matemática de três variáveis. Quando **h** é “diferenciado” com respeito a x, y e z, ou com respeito a x', y' e z', a expressão matemática de **h** precisa primeiramente ser expressa como função das variáveis apropriadas.

Equações de Maxwell

$$
\begin{aligned}
&(1) \quad \nabla \cdot \mathbf{E} = \frac{\rho}{\epsilon_0}\\
&(2) \quad \nabla \times \mathbf{E} = -\frac{\partial \mathbf{B}}{\partial t}\\
&(3) \quad \nabla \cdot \mathbf{B} = 0\\
&(4) \quad c^2\nabla \times \mathbf{B} = \frac{\partial \mathbf{E}}{\partial t} + \frac{\mathbf{j}}{\epsilon_0}
\end{aligned}
\tag{2.41}
$$

onde ρ (rô), a densidade de carga elétrica, é a quantidade de carga por unidade de volume, e **j**, a densidade de corrente elétrica, é a taxa com que a carga flui através de uma área unitária por segundo. Estas quatro equações contêm a teoria clássica completa do campo eletromagnético. Note a forma simples e elegante que conseguimos com nossa nova notação!

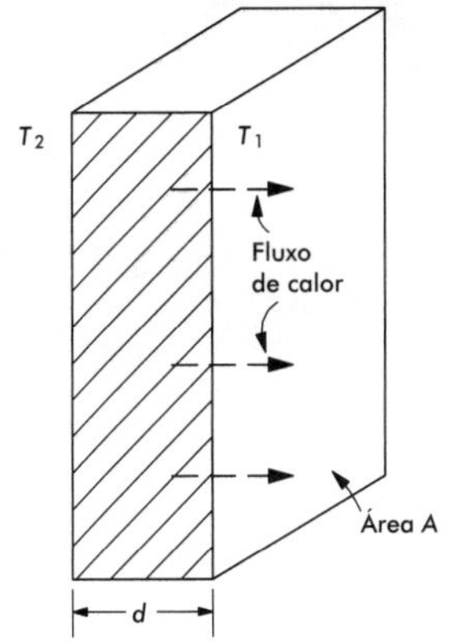

(a)

2–6 A equação diferencial do fluxo de calor

Vamos dar outro exemplo de uma lei da física escrita na notação vetorial. Esta não é uma lei muito precisa, mas, para muitos metais e um grande número de outras substâncias que conduzem calor, ela é perfeitamente válida. Como vocês sabem, se pegarmos um bloco de algum material e aquecermos uma de suas faces a uma temperatura T_2 e resfriarmos a outra face a uma temperatura diferente T_1, o calor escoará, pelo material, de T_2 para T_1 [Figura 2–7(a)]. O escoamento de calor é proporcional à área A das faces e a diferença de temperatura, e também inversamente proporcional à distância d entre as faces (para uma dada diferença de temperatura, quanto mais fino o bloco, maior o escoamento). Sendo J a energia térmica que passa, por unidade de tempo, através do bloco, podemos escrever

$$J = \kappa(T_2 - T_1)\frac{A}{d}. \tag{2.42}$$

A constante de proporcionalidade κ (capa) é chamada de *condutividade térmica*.

O que acontecerá em um caso mais complicado? Digamos, em um bloco com um formato irregular e de algum material no qual a temperatura varie de uma forma peculiar? Suponha que estejamos observando um pequeno pedaço deste material e imaginemos uma fatia em miniatura, como a da Figura 2–7(a). Orientamos as faces desta fatia paralelamente às superfícies isotérmicas, como na Figura 2–7(b), assim a Eq. (2.42) continuará correta, para uma fatia pequena.

Se a área desta pequena fatia valer ΔA, o escoamento de calor por unidade de tempo será

$$\Delta J = \kappa\,\Delta T\,\frac{\Delta A}{\Delta s}, \tag{2.43}$$

onde Δs é a espessura da fatia. Já definimos anteriormente $\Delta J/\Delta A$ como a magnitude de **h**, cuja direção é o escoamento de calor. Esse escoamento será de $T_1 + \Delta T$ para T_1 e, portanto, perpendicular às isotermas, como desenhado na Figura 2–7(b). Além disso, $\Delta T/\Delta s$ é exatamente a taxa de variação de T com a posição. E, uma vez que a mudança de posição é perpendicular às isotermas, nosso $\Delta T/\Delta s$ é a taxa de variação máxima. Desse modo, isso é exatamente a magnitude de ∇T. Como a direção de ∇T é oposta à de ***h***, podemos escrever (2.43) como uma equação vetorial:

$$\mathbf{h} = -\kappa\,\nabla T. \tag{2.44}$$

(O sinal de menos é necessário porque o escoamento de calor "desce" da temperatura mais alta para a mais baixa.) A Equação (2.44) é a equação diferencial para a condução de calor para quase todos os materiais. Repare que essa é uma equação vetorial apropriada. Cada lado é um vetor se κ for apenas um número. Esta é uma generalização para um caso arbitrário da relação especial (2.42) para fatias retangulares. Mais adiante, aprenderemos

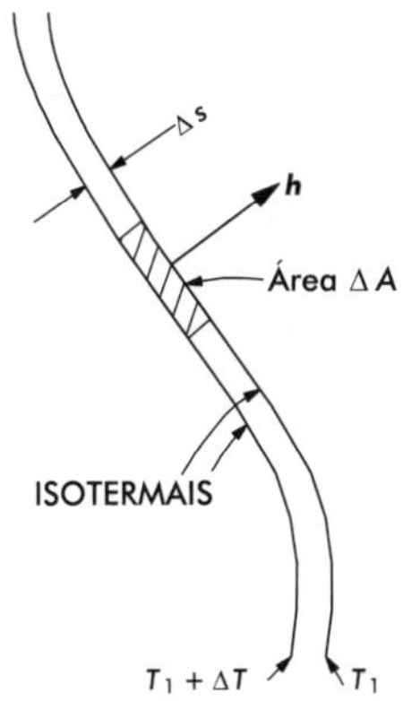

(b)

Figura 2–7 (a) Fluxo de calor através de uma fatia. (b) Uma fatia infinitesimal paralela a uma superfície isotérmica no interior de um bloco grande.

a escrever todo tipo de relações elementares da física, como (2.42), nesta sofisticada notação vetorial. Esta notação é útil, não apenas por fazer as equações *se apresentarem de forma* mais simples, mas também porque nos mostra claramente o *conteúdo físico* das equações sem fazer referência a nenhum sistema de coordenadas arbitrariamente escolhido.

2–7 Segundas derivadas de campos vetoriais

Até aqui tratamos apenas de primeiras derivadas. Por que não de segundas derivadas? Podemos ter uma série de combinações

$$\begin{aligned}&\text{(a)}\quad \nabla\cdot(\nabla T)\\&\text{(b)}\quad \nabla\times(\nabla T)\\&\text{(c)}\quad \nabla(\nabla\cdot\mathbf{h})\\&\text{(d)}\quad \nabla\cdot(\nabla\times\mathbf{h})\\&\text{(e)}\quad \nabla\times(\nabla\times\mathbf{h})\end{aligned}\tag{2.45}$$

Como você pode verificar, essas são todas as combinações possíveis.

Vamos analisar primeiro a segunda delas, (b). Esta tem a mesma forma que

$$\mathbf{A}\times(\mathbf{A}T)=(\mathbf{A}\times\mathbf{A})T=0,$$

uma vez que $\mathbf{A}\times\mathbf{A}$ é sempre zero. Então, temos

$$\text{curl (grad } T)=\nabla\times(\nabla T)=0.\tag{2.46}$$

Podemos ver como essa relação aparece se analisarmos diretamente cada uma das componentes:

$$\begin{aligned}[\nabla\times(\nabla T)]_z&=\nabla_x(\nabla T)_y-\nabla_y(\nabla T)_x\\&=\frac{\partial}{\partial x}\left(\frac{\partial T}{\partial y}\right)-\frac{\partial}{\partial y}\left(\frac{\partial T}{\partial x}\right),\end{aligned}\tag{2.47}$$

que vale zero (segundo a Eq. 2.8). O mesmo ocorre para as demais componentes. Então, $\nabla\times(\nabla T)=0$ para *qualquer* distribuição de temperatura – na verdade, para qualquer função escalar.

Tomemos outro exemplo. Vamos ver se conseguimos encontrar outro zero. O produto escalar de um vetor com um produto vetorial que contenha esse vetor é zero:

$$\mathbf{A}\cdot(\mathbf{A}\times\mathbf{B})=0,\tag{2.48}$$

já que $\mathbf{A}\times\mathbf{B}$ é perpendicular a **A** e, portanto, não possui componentes na direção de **A**. Esta mesma combinação aparece em (d) de (2.45), portanto temos

$$\nabla\cdot(\nabla\times\mathbf{h})=\text{div (curl }\mathbf{h})=0.\tag{2.49}$$

Novamente é fácil ver que esta relação é zero, realizando as operações com as componentes.

Agora, vamos expor dois teoremas matemáticos que não provaremos. São teoremas muito úteis e interessantes que físicos devem conhecer.

Em um problema físico, frequentemente, encontramos que o rotacional de alguma quantidade – digamos, de um campo vetorial **A** – é zero. Vimos (Equação 2.46) que o rotacional do gradiente é zero, o que é fácil de lembrar pela forma que os vetores funcionam. Poderíamos afirmar que **A** é o gradiente de alguma quantidade, porque seu rotacional seria necessariamente zero. O teorema interessante é que, se o rotacional de **A** for zero, então **A** é *sempre* o gradiente de *alguma coisa* – existe um campo escalar ψ (psi) tal que **A** é igual a grad ψ. Em outras palavras, temos

TEOREMA:

Se	$\nabla \times \mathbf{A} = 0$	
existe um	ψ	
tal que	$\mathbf{A} = \nabla\psi.$	(2.50)

Existe um teorema similar para o caso do divergente de **A** ser zero, pois o divergente do rotacional de alguma coisa é sempre zero. Se você encontrar um campo vetorial **D** para o qual div **D** é zero, podem concluir que **D** é o rotacional de algum campo vetorial **C**.

TEOREMA:

Se	$\nabla \cdot \mathbf{D} = 0$	
existe um	$\mathbf{C}$	
tal que	$\mathbf{D} = \nabla \times \mathbf{C}.$	(2.51)

Ao analisarmos as possíveis combinações de dois operadores ∇, encontramos que duas delas valem sempre zero. Vamos agora analisar algumas que *não* são zero. Peguemos a combinação $\nabla \cdot (\nabla T)$ que é a primeira da nossa lista. Esta não é, em geral, zero. Escrevendo as componentes:

$$\nabla T = \mathbf{i}\nabla_x T + \mathbf{j}\nabla_y T + \mathbf{k}\nabla_z T.$$

Então

$$\nabla \cdot (\nabla T) = \nabla_x(\nabla_x T) + \nabla_y(\nabla_y T) + \nabla_z(\nabla_z T)$$
$$= \frac{\partial^2 T}{\partial x^2} + \frac{\partial^2 T}{\partial y^2} + \frac{\partial^2 T}{\partial z^2}, \tag{2.52}$$

que pode, em geral, fornecer algum número. Isto é um campo escalar.

Repare que não precisamos manter os parênteses, mas podemos escrever, sem possibilidade de confusão,

$$\nabla \cdot (\nabla T) = \nabla \cdot \nabla T = (\nabla \cdot \nabla)T = \nabla^2 T. \tag{2.53}$$

Olharemos para ∇^2 como um novo operador. Este é um operador escalar. Como ele aparece frequentemente em física, damos-lhe um nome especial – o *Laplaciano*.

$$\text{Laplaciano} = \nabla^2 = \frac{\partial^2}{\partial x^2} + \frac{\partial^2}{\partial y^2} + \frac{\partial^2}{\partial z^2}. \tag{2.54}$$

Como o Laplaciano é um operador escalar, podemos operar com ele sobre um vetor – o que significa, em coordenadas retangulares, aplicar a mesma operação em cada componente:

$$\nabla^2 \mathbf{h} = (\nabla^2 h_x, \nabla^2 h_y, \nabla^2 h_z).$$

Analisemos outra possibilidade: $\nabla \times (\nabla \times \mathbf{h})$, que é o item (e) de nossa lista (Equação 2.45). O rotacional do rotacional pode ser escrito de uma forma diferente, se usarmos a igualdade vetorial (2.6):

$$\mathbf{A} \times (\mathbf{B} \times \mathbf{C}) = \mathbf{B}(\mathbf{A} \cdot \mathbf{C}) - \mathbf{C}(\mathbf{A} \cdot \mathbf{B}). \tag{2.55}$$

Para usarmos essa fórmula, devemos substituir **A** e **B** pelo operador ∇ e fazer $\mathbf{C} = \mathbf{h}$. Fazendo isso, obtemos

$$\nabla \times (\nabla \times \mathbf{h}) = \nabla(\nabla \cdot \mathbf{h}) - \mathbf{h}(\nabla \cdot \nabla) \ldots ???$$

Espere um minuto! Algo está errado. Não há problema com os dois primeiros termos, pois são vetores (os operadores estão satisfeitos), mas o último termo não fornece coisa alguma. Ele continua sendo um operador. O problema é que não fomos cuidadosos o suficiente em manter a ordem correta dos termos. Entretanto, se você olhar novamente para a Equação (2.55), verá que poderíamos igualmente tê-la escrito como

$$\mathbf{A} \times (\mathbf{B} \times \mathbf{C}) = \ (\mathbf{A} \cdot \quad) - (\mathbf{A} \cdot \mathbf{B})\mathbf{C}. \tag{2.56}$$

Agora, a ordem dos termos parece melhor. Realizemos a substituição em (2.56). Com isso, temos

$$\nabla \times (\nabla \times \mathbf{h}) = \nabla(\nabla \cdot \mathbf{h}) - (\nabla \cdot \nabla)\mathbf{h}. \tag{2.57}$$

Essa forma parece correta. Realmente ela está correta, como você pode verificar calculando cada uma das componentes. O último termo é o Laplaciano, então podemos igualmente escrever

$$\nabla \times (\nabla \times \mathbf{h}) = \nabla(\nabla \cdot \mathbf{h}) - \nabla^2\mathbf{h}. \tag{2.58}$$

Temos algo a dizer sobre cada uma das combinações na nossa lista de duplos ∇, exceto sobre (c), $\nabla(\nabla \cdot \mathbf{h})$. Este é um campo vetorial possível, mas não há nada de especial para falar sobre ele. Ele é apenas um campo vetorial que pode surgir ocasionalmente.

Será conveniente termos uma tabela de nossas conclusões:

$$\begin{aligned}
&\text{(a)} \quad \nabla \cdot (\nabla T) = \nabla^2 T = \text{um campo escalar}\\
&\text{(b)} \quad \nabla \times (\nabla T) = 0\\
&\text{(c)} \quad \nabla(\nabla \cdot \mathbf{h}) = \text{um campo vetorial}\\
&\text{(d)} \quad \nabla \cdot (\nabla \times \mathbf{h}) = 0\\
&\text{(e)} \quad \nabla \times (\nabla \times \mathbf{h}) = \nabla(\nabla \cdot \mathbf{h}) - \nabla^2\mathbf{h}\\
&\text{(f)} \quad (\nabla \cdot \nabla)\mathbf{h} = \nabla^2\mathbf{h} = \text{um campo vetorial}
\end{aligned} \tag{2.59}$$

Observe que não tentamos inventar um novo operador vetorial $(\nabla \times \nabla)$. Você vê por quê?

2–8 Armadilhas

Temos aplicado nosso conhecimento da álgebra ordinária de vetores na álgebra do operador ∇. Entretanto, precisamos ter cuidado, pois corremos o risco de extraviar-nos. Há duas armadilhas que gostaríamos de mencionar, embora nenhuma delas apareça neste curso. O que você pode dizer a respeito da seguinte expressão que envolve as duas funções escalares ψ e ϕ (fi):

$$(\nabla\psi) \times (\nabla\phi)?$$

Você pode querer dizer: ela deve ser zero porque se parece com

$$(Aa) \times (Ab),$$

que é zero porque o produto vetorial de dois vetores *iguais* $\mathbf{A} \times \mathbf{A}$ é sempre zero. Contudo, em nosso exemplo, os dois operadores ∇ não são iguais! O primeiro opera em uma função, ψ; o outro opera em uma função diferente, ϕ. Embora os representemos pelo mesmo símbolo ∇, precisamos considerá-los como operadores diferentes. Obviamente, a direção de $\nabla\psi$ depende da função ψ, portanto essa direção não será obrigatoriamente paralela a $\nabla\phi$.

$$(\nabla\psi) \times (\nabla\phi) \neq 0 \ \text{(geralmente)}.$$

Felizmente, não precisaremos usar tais expressões (o que acabamos de dizer não muda o fato de que $\nabla \times \nabla\psi = 0$ para qualquer campo escalar, porque, neste caso, ambos os operadores ∇ operam na mesma função).

A segunda armadilha (com que também não nos depararemos neste curso) é a seguinte: as regras que esboçamos aqui são simples e boas quando usamos coordenadas retangulares. Por exemplo, se temos $\nabla^2\mathbf{h}$ e desejamos sua componente x, ela será

$$(\nabla^2\mathbf{h})_x = \left(\frac{\partial^2}{\partial x^2} + \frac{\partial^2}{\partial y^2} + \frac{\partial^2}{\partial z^2}\right) h_x = \nabla^2 h_x. \tag{2.60}$$

A mesma expressão *não* funcionará se precisarmos da componente radial de $\nabla^2\mathbf{h}$. A componente *radial* de $\nabla^2\mathbf{h}$ não é igual a $\nabla^2 h_r$. A razão é que, quando estamos lidando com a álgebra de vetores, as direções dos vetores estão todas bem definidas. Contudo, quando estamos lidando com campos vetoriais, suas direções são diferentes em lugares diferentes. Se tentarmos descrever um campo vetorial, digamos, em coordenadas polares, o que chamamos de direção "radial" varia de ponto para ponto. Então, teremos uma série de problemas quando começarmos a diferenciar as componentes. Por exemplo, mesmo para um campo vetorial *constante*, a componente radial muda de um ponto a outro.

Usualmente, o mais fácil e seguro é simplesmente aderir às coordenadas retangulares e evitar problemas, mas há uma exceção que vale comentar: uma vez que o Laplaciano ∇^2 é um escalar, podemos escrevê-lo no sistema de coordenadas que desejarmos (por exemplo, em coordenadas polares). Como ele é um operador diferencial, deveremos usá-lo apenas em vetores cujas componentes estejam em uma direção fixa – o que significa, em coordenadas retangulares. Então, ao escrever nossas equações diferenciais vetoriais em componentes, expressaremos todos os nossos vetores em termos de suas componentes x, y e z.

3

Cálculo Integral Vetorial

3–1 Integrais vetoriais; a integral de linha de $\nabla\psi$

Do Capítulo 2, sabemos que existem várias formas de tomarmos as derivadas dos campos. Algumas fornecem campos vetoriais, outras, campos escalares. Embora tenhamos desenvolvido várias fórmulas diferentes, todo o conteúdo do Capítulo 2 pode ser resumido em uma regra: os operadores $\partial/\partial x$, $\partial/\partial y$ e $\partial/\partial z$ são as três componentes de um operador vetorial ∇. Gostaríamos, agora, de adquirir algum entendimento do significado das derivadas dos campos. Teremos, então, uma melhor intuição do significado de uma equação de um campo vetorial.

Já discutimos o significado do operador gradiente (∇ em um escalar). Veremos agora o significado do operador divergente e do rotacional. A melhor forma de interpretar essas quantidades é por meio de certas integrais vetoriais e equações relacionando essas integrais. Infelizmente, estas equações não podem ser obtidas da álgebra vetorial por simples substituições, você deverá aprendê-las como algo novo. Destas fórmulas integrais, uma é praticamente trivial, mas as outras duas não. Iremos derivá-las e explicar suas implicações. As equações que vamos estudar são, na verdade, teoremas matemáticos. Esses teoremas serão úteis, não apenas para interpretar o significado e o conteúdo do divergente e do rotacional, mas também para tratar teorias físicas gerais. Eles são, para a teoria dos campos, o que o teorema da conservação da energia é para a mecânica de partículas. Teoremas gerais como esses são importantes para um conhecimento mais profundo da física. Você descobrirá, entretanto, que eles não são muito úteis na resolução de problemas – exceto nos casos mais simples. Contudo, é bastante compensador o fato de haver, no início deste assunto, muitos problemas simples que poderão ser resolvidos com as três fórmulas integrais de que vamos tratar. Conforme os problemas se complicam, veremos que não será mais possível usar estes métodos simples.

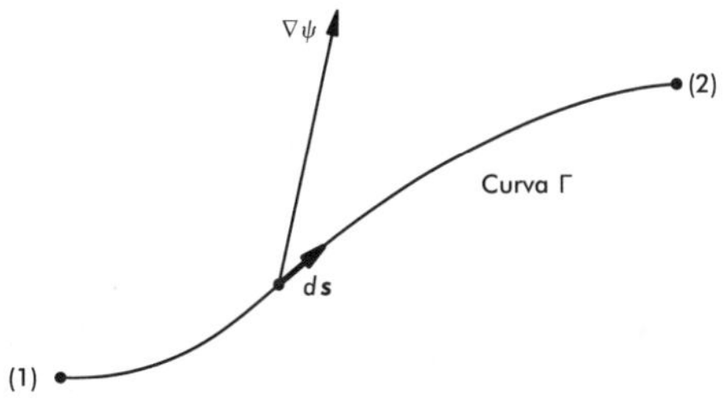

Figura 3–1 Os termos usados na Eq. (3.1). O vetor $\Delta\psi$ é calculado no elemento de linha ds.

Tomemos primeiro a fórmula integral envolvendo o gradiente. Esta relação contém uma ideia muito simples: como o gradiente representa a taxa de variação de um campo, se integrarmos esta taxa de variação, teremos a variação total. Suponha que tenhamos o campo escalar $\psi(x, y, z)$. Em dois pontos quaisquer, (1) e (2), a função ψ assumirá os valores $\psi(1)$ e $\psi(2)$, respectivamente [convencionamos que (2) representa o ponto (x_2, y_2, z_2) e $\psi(2)$ representa o mesmo como $\psi(x_2, y_2, z_2)$]. Se Γ (gama) for uma curva qualquer unindo os pontos (1) e (2), como na Figura 3–1, a seguinte relação é verdadeira:

TEOREMA 1.

$$\psi(2) - \psi(1) = \int_{(1)\ \text{ao longo de }\Gamma}^{(2)} (\nabla\psi)\cdot d\mathbf{s}. \tag{3.1}$$

Esta é uma *integral de linha*, de (1) para (2) ao longo da curva Γ, do produto escalar de $\nabla\psi$ – um vetor – com $d\mathbf{s}$ – outro vetor que é um elemento de linha infinitesimal da curva Γ (direcionado de (1) para (2)).

Primeiro, devemos rever o que queremos dizer por uma integral de linha. Considere uma função escalar $f(x, y, z)$ e uma curva Γ unindo os pontos (1) e (2). Marcamos essa curva em um certo número de pontos e juntamos esses pontos por segmentos de reta, como mostrado na Figura 3–2. Cada segmento tem comprimento Δs_i, onde i é um índice que percorre os valores 1, 2, 3,... Pela integral de linha

$$\int_{(1)\ \text{ao longo de }\Gamma}^{(2)} f\, ds$$

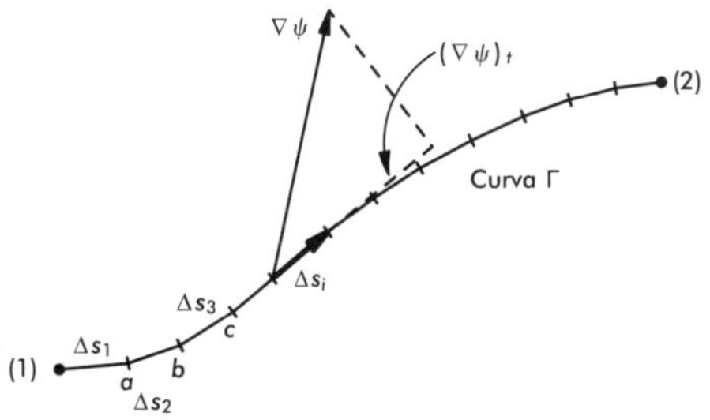

Figura 3–2 A integral de linha é o limite de uma soma.

indicamos o limite da soma

$$\sum_i f_i \, \Delta s_i,$$

onde f_i é o valor da função no i-ésimo segmento. O valor limite é aquele ao qual a soma se aproxima conforme adicionamos mais e mais segmentos (de forma mais precisa, quando o maior dos $\Delta s_i \to 0$).

A integral em nosso teorema, Eq. (3.1), tem o mesmo significado, embora ela pareça um pouco diferente. No lugar de f, temos outro escalar – a componente de $\nabla\psi$ na direção de $\Delta\mathbf{s}$. Se escrevermos $(\nabla\psi)_t$ para essa componente tangencial, fica claro que

$$(\nabla\psi)_t \, \Delta s = (\nabla\psi) \cdot \Delta\mathbf{s}. \tag{3.2}$$

A integral em (3.1) significa a soma desses termos.

Agora, vejamos por que (3.1) é verdadeira. No Capítulo 2, mostramos que a componente de $\nabla\psi$ ao longo de um pequeno deslocamento $\Delta\mathbf{R}$, era a taxa de variação de ψ na direção de $\Delta\mathbf{R}$. Considerem o segmento de linha $\Delta\mathbf{s}$ de (1) para o ponto a na Figura 3–2. De acordo com a nossa definição,

$$\Delta\psi_1 = \psi(a) - \psi(1) = (\nabla\psi)_1 \cdot \Delta\mathbf{s}_1. \tag{3.3}$$

Temos também,

$$\psi(b) - \psi(a) = (\nabla\psi)_2 \cdot \Delta\mathbf{s}_2, \tag{3.4}$$

onde, obviamente, $(\nabla\psi)_1$ representa o gradiente calculado no segmento $\Delta\mathbf{s}_1$ e $(\nabla\psi)_2$, o gradiente calculado em $\Delta\mathbf{s}_2$. Se somarmos as Eqs. (3.3) e (3.4), teremos

$$\psi(b) - \psi(1) = (\nabla\psi)_1 \cdot \Delta\mathbf{s}_1 + (\nabla\psi)_2 \cdot \Delta\mathbf{s}_2. \tag{3.5}$$

Você pode ver que, se continuarmos somando esses termos, teremos como resultado

$$\psi(2) - \psi(1) = \sum_i (\nabla\psi)_i \cdot \Delta\mathbf{s}_i. \tag{3.6}$$

O lado esquerdo independe de como escolhemos nossos intervalos – se (1) e (2) forem sempre mantidos os mesmos –, então podemos tomar o limite do lado direito. Provamos assim a Eq. (3.1).

Você pode ver, pela nossa prova, que a igualdade não depende nem de como os pontos a, b e c são escolhidos, nem de qual curva Γ escolhemos para ligar os pontos (1) e (2). Nosso teorema é válido para *qualquer* curva unindo (1) e (2).

Uma observação quanto à notação: você verá que não há confusão se, por conveniência, escrevermos,

$$(\nabla\psi) \cdot d\mathbf{s} = \nabla\psi \cdot d\mathbf{s}. \tag{3.7}$$

Com essa notação, nosso teorema se torna

TEOREMA 1.

$$\psi(2) - \psi(1) = \underset{\substack{\text{qualquer curva} \\ \text{de (1) a (2)}}}{\int_{(1)}^{(2)}} \nabla\psi \cdot d\mathbf{s}. \tag{3.8}$$

3–2 O fluxo de um campo vetorial

Antes de considerarmos nosso próximo teorema – um teorema sobre o divergente –, gostaríamos de estudar uma certa ideia que tem um significado físico de fácil compreensão para escoamento de calor. Já definimos o vetor $\mathbf{h}$, que representa o calor que flui através de uma unidade de área em uma unidade de tempo. Suponha que, dentro de um bloco de algum material, tenhamos uma superfície fechada S que encerra um volume V (Figura 3–3). Gostaríamos de descobrir quanto de calor está escoando desse *volume*. Podemos, é claro, encontrar esta quantidade calculando o fluxo de calor total através da *superfície S*.

Escrevemos da para a área de um elemento da superfície. Esse símbolo representa um diferencial bidimensional. Se, por exemplo, a área estiver no plano xy, teremos

$$da = dx\, dy.$$

Mais tarde, teremos de integrar sobre o volume e, para isso, é conveniente considerar um volume diferencial como um pequeno cubo. Então, quando escrevemos dV queremos dizer

$$dV = dx\, dy\, dz.$$

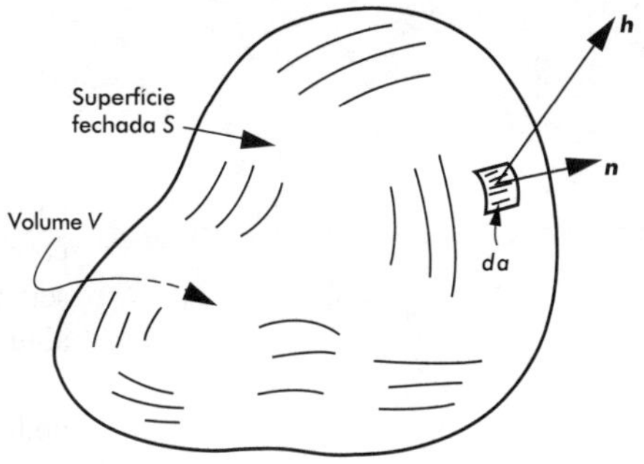

Figura 3–3 A superfície fechada S define o volume V. O vetor unitário **n** é a normal direcionada para fora do elemento de superfície da, e **h** é o vetor do fluxo de calor neste elemento de superfície.

Algumas pessoas gostam de escrever d^2a no lugar de da, para se lembrarem de que este é um tipo de quantidade de segunda ordem. Eles escreveriam também d^3V no lugar de dV. Usaremos a notação mais simples e vamos supor que você pode se lembrar de que uma área tem duas dimensões e um volume, três.

O calor que escoa através do elemento de superfície da é a área deste elemento vezes a componente de **h** perpendicular a da. Já definimos **n** como o vetor unitário apontando para fora em um ângulo normal à superfície (Figura 3–3). A componente de **h** que queremos é

$$h_n = \mathbf{h} \cdot \mathbf{n}. \tag{3.9}$$

O fluxo de calor através de da será, então,

$$\mathbf{h} \cdot \mathbf{n}\, da. \tag{3.10}$$

Para obter o fluxo de calor total através de qualquer superfície, somamos as contribuições de todos os elementos da superfície. Em outras palavras, integramos (3.10) sobre toda a superfície:

$$\text{Fluxo total de calor através da superfície } S = \int_S \mathbf{h} \cdot \mathbf{n}\, da. \tag{3.11}$$

Chamaremos essa integral de fluxo de **h** através da superfície. Originalmente a palavra fluxo significa escoar, de forma que a integral de superfície significa apenas o escoamento através da superfície. Podemos pensar que **h** é a "densidade de corrente" do fluxo de calor e sua integral de superfície é a corrente total direcionada para fora da superfície, isto é, a energia térmica por unidade de tempo (joules por segundo).

Gostaríamos de generalizar essa ideia para o caso em que o vetor não representa o fluxo de coisa alguma, por exemplo, este vetor poderia ser o campo elétrico. Certamente, se desejarmos, ainda podemos integrar a componente normal do campo elétrico sobre uma área. Embora isso não seja o escoamento de coisa alguma, continuaremos a chamá-lo de "fluxo". Dizemos

$$\text{Fluxo de } \mathbf{E} \text{ através da superfície } S = \int_S \mathbf{E} \cdot \mathbf{n}\, da. \tag{3.12}$$

Generalizamos a palavra "fluxo" para significar a "integral de superfície da componente normal" de um vetor. Usaremos essa definição mesmo quando, diferente deste caso, a superfície considerada não for fechada.

Retornando ao caso particular do escoamento de calor, tomemos uma situação em que o *calor é conservado*. Por exemplo, imagine algum material em que, após um aquecimento inicial, nenhuma energia térmica adicional possa ser gerada ou absorvida. Então, se houver um escoamento de calor por uma superfície fechada, o calor contido em seu volume interior precisará decrescer. Assim, nas circunstâncias em que o calor se conserva, dizemos que

$$\int_S \mathbf{h} \cdot \mathbf{n}\, da = -\frac{dQ}{dt}, \tag{3.13}$$

onde Q é o calor dentro da superfície. O fluxo de calor por S é igual a menos a taxa de variação com respeito ao tempo do calor total Q dentro de S. Essa interpretação é possível porque estamos falando do fluxo de calor e também porque estamos supondo que o calor seja conservado. Não poderíamos, é claro, falar do calor total dentro de um volume se algum calor estivesse sendo gerado ali.

Mostraremos agora um fato interessante sobre o fluxo de qualquer vetor. Você pode pensar no escoamento de calor, mas, o que vamos dizer é verdade para qualquer campo vetorial **C**. Imagine que temos uma superfície fechada S que encerra um volume V. Separamos esse volume em duas partes por algum tipo de "corte", como na Figura 3–4. Temos agora duas superfícies fechadas e dois volumes. O volume V_1 é encerrado pela superfície S_1, esta feita da parte S_a da superfície original e da superfície de corte S_{ab}. O volume V_2 é encerrado por S_2 que é feita do restante da superfície original S_b fechada pela superfície de corte S_{ab}. Considere agora a seguinte questão: suponha que calculemos o fluxo para fora através de S_1 e o adicionemos ao fluxo através da superfície S_2. Esta soma é igual ao fluxo através da superfície total com a qual iniciamos? A resposta é sim. O fluxo através do pedaço de superfície S_{ab}, comum a ambas, S_1 e S_2, simplesmente se cancela. Para o fluxo do vetor **C** por V_1, podemos escrever

$$\text{Fluxo através de } S_1 = \int_{S_a} \mathbf{C} \cdot \mathbf{n}\, da + \int_{S_{ab}} \mathbf{C} \cdot \mathbf{n}_1\, da, \tag{3.14}$$

e para o fluxo por V_2,

$$\text{Fluxo através de } S_2 = \int_{S_b} \mathbf{C} \cdot \mathbf{n}\, da + \int_{S_{ab}} \mathbf{C} \cdot \mathbf{n}_2\, da. \tag{3.15}$$

Note que, na segunda integral, escrevemos $\mathbf{n}_1$ para a normal externa de S_{ab}, quando esta pertence a S_1, e $\mathbf{n}_2$ quando ela pertence a S_2, como mostrado na Figura 3–4. Claramente, $\mathbf{n}_1 = -\mathbf{n}_2$, de forma que

$$\int_{S_{ab}} \mathbf{C} \cdot \mathbf{n}_1\, da = -\int_{S_{ab}} \mathbf{C} \cdot \mathbf{n}_2\, da. \tag{3.16}$$

Se adicionarmos agora as Eqs. (3.14) e (3.15), veremos que a soma dos fluxos através de S_1 e S_2 é simplesmente a soma das duas integrais que, tomadas juntas, fornecem o fluxo através da superfície original $S = S_a + S_b$.

Vemos que o fluxo através da superfície externa completa S pode ser considerado como a soma dos fluxos dos dois pedaços nos quais o volume foi dividido. Podemos, da mesma forma, realizar outra subdivisão – digamos, cortando V_1 em dois pedaços. Você pode ver que o mesmo argumento aplica-se. Então, de qualquer forma que dividamos o volume original,

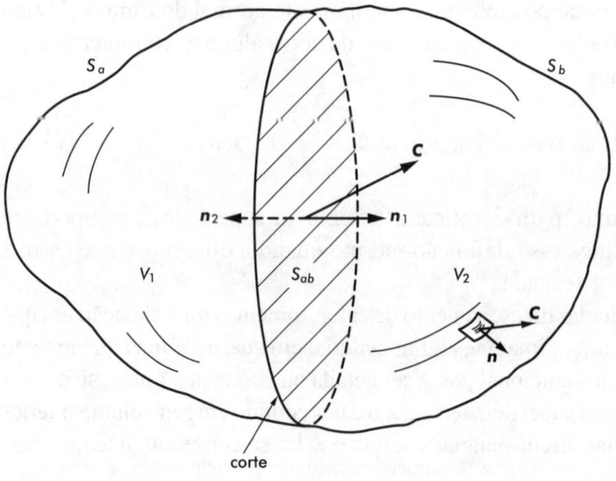

Figura 3–4 Um volume V contido dentro de uma superfície S é dividido em dois pedaços por um "corte" na superfície S_{ab}. Temos agora um volume V_1 encerrado pela superfície $S_1 = S_a + S_{ab}$ e um volume V_2 encerrado pela superfície $S_2 = S_b + S_{ab}$.

será sempre verdade que o fluxo através da superfície externa, que é a integral original, é igual à soma dos fluxos por todos os pequenos pedaços interiores.

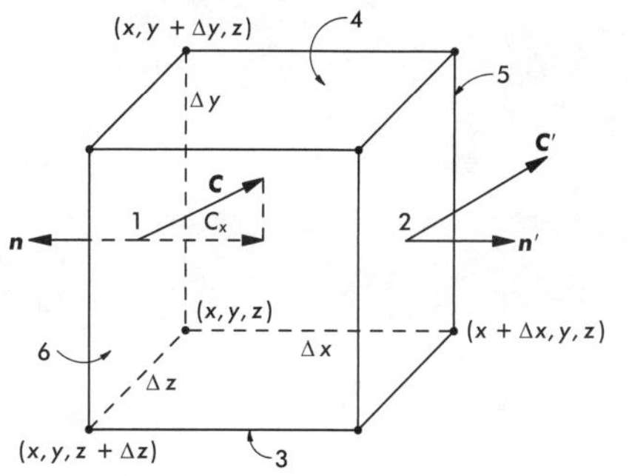

Figura 3–5 Cálculo do fluxo de **C** através de um pequeno cubo.

3–3 O fluxo de um cubo; o teorema de Gauss

Tomemos agora o caso especial de um pequeno cubo[1] e encontremos a interessante fórmula para o fluxo através dele. Considere um cubo cujos lados estejam alinhados com os eixos, como na Figura 3–5. Vamos supor que as coordenadas mais próximas da origem sejam x, y, z. Seja Δx o comprimento do cubo na direção x, Δy o comprimento na direção y e Δz o comprimento na direção z. Queremos encontrar o fluxo de um campo vetorial **C** através da superfície do cubo. Faremos isso realizando a soma do fluxo através de cada uma de suas seis faces. Primeiro, considere a face 1 indicada na figura. O fluxo *para fora* nesta face é a componente x de **C** com sinal negativo, integrada sobre a área da face. Este fluxo é

$$-\int C_x\,dy\,dz.$$

Uma vez que estamos considerando um cubo *pequeno*, podemos aproximar esta integral pelo valor de C_x no centro da face – que chamamos de ponto (1) – multiplicado pela área da face, $\Delta y\,\Delta z$:

$$\text{Fluxo por } 1 = -C_x(1)\,\Delta y\,\Delta z.$$

Da mesma forma, para o fluxo pela face 2, escrevemos

$$\text{Fluxo por } 2 = C_x(2)\,\Delta y\,\Delta z.$$

Agora, $C_x(1)$ e $C_x(2)$ são, em geral, ligeiramente diferentes. Se Δx for pequeno o suficiente, podemos escrever

$$C_x(2) = C_x(1) + \frac{\partial C_x}{\partial x}\,\Delta x.$$

Obviamente, há mais termos, mas eles envolverão $(\Delta x)^2$ e potências mais altas e serão desprezíveis quando considerarmos apenas o limite para Δx pequeno. Com isso, o fluxo através da face 2 é

$$\text{Fluxo por } 2 = \left[C_x(1) + \frac{\partial C_x}{\partial x}\,\Delta x\right]\Delta y\,\Delta z.$$

Somando o fluxo nas faces 1 e 2, temos

$$\text{Fluxo por 1 e } 2 = \frac{\partial C_x}{\partial x}\,\Delta x\,\Delta y\,\Delta z.$$

Essa derivada deveria ser calculada no centro da face 1, isto é, em $[x, y + (\Delta y/2), z + (\Delta z/2)]$. Contudo, no limite de um cubo infinitesimal, cometeremos um erro desprezível se calcularmos essa derivada no canto (x, y, z).

Aplicando o mesmo raciocínio para cada um dos outros pares de faces, temos

$$\text{Fluxo por 3 e } 4 = \frac{\partial C_y}{\partial y}\,\Delta x\,\Delta y\,\Delta z$$

e

$$\text{Fluxo por 5 e } 6 = \frac{\partial C_z}{\partial z}\,\Delta x\,\Delta y\,\Delta z.$$

[1] O desenvolvimento a seguir pode ser igualmente aplicado a qualquer paralelepípedo retangular.

O fluxo total através de todas as faces é a soma desses termos. Encontramos que

$$\int_{\text{cubo}} \mathbf{C}\cdot\mathbf{n}\,da = \left(\frac{\partial C_x}{\partial x} + \frac{\partial C_y}{\partial y} + \frac{\partial C_z}{\partial z}\right)\Delta x\,\Delta y\,\Delta z,$$

e a soma das derivadas é apenas $\nabla\cdot\mathbf{C}$. Além disto, $\Delta x\,\Delta y\,\Delta z = \Delta V$ é o volume do cubo. Então podemos dizer que, *para um cubo infinitesimal,*

$$\int_{\text{superfície}} \mathbf{C}\cdot\mathbf{n}\,da = (\nabla\cdot\mathbf{C})\,\Delta V. \tag{3.17}$$

Mostramos que o fluxo externo da superfície de um cubo infinitesimal é igual ao divergente do vetor multiplicado pelo volume do cubo. Vemos agora o "significado" do divergente de um vetor. O divergente de um vetor no ponto P é o fluxo – o "escoamento" de **C** para fora – *por unidade de volume*, nas vizinhanças de P.

Relacionamos o divergente de **C** com o fluxo de **C** através de cada volume infinitesimal. Para qualquer volume finito, podemos usar o fato provado acima – de que o fluxo total de um volume é a soma dos fluxos por cada uma de suas partes. Isso significa que podemos integrar o divergente sobre o volume inteiro, o que nos dá o teorema que a integral da componente normal de qualquer vetor, sobre qualquer superfície fechada, pode também ser escrita como a integral do divergente do vetor sobre o volume encerrado pela superfície. Este teorema deve seu nome a Gauss.

Teorema de Gauss:

$$\int_S \mathbf{C}\cdot\mathbf{n}\,da = \int_V \nabla\cdot\mathbf{C}\,dV, \tag{3.18}$$

onde S é qualquer superfície fechada e V é o volume em seu interior.

3–4 Condução de calor; a equação de difusão

Consideremos um exemplo do uso deste teorema, apenas para nos familiarizarmos com ele. Suponha que tomemos novamente o caso do escoamento de calor em um metal. Assuma que temos uma situação simples, na qual todo o calor foi colocado previamente e o corpo está apenas esfriando. Não há fontes de calor, de forma que o calor se conserva. Então, quanto calor existe dentro de um certo volume em um instante qualquer? Este calor precisa *perder* justamente a quantidade que flui pelas faces deste volume. Se nosso volume é um cubo pequeno, podemos escrever, de acordo com a Equação (3.17),

$$\text{Calor que sai} = \int_{\text{cubo}} \mathbf{h}\cdot\mathbf{n}\,da = \nabla\cdot\mathbf{h}\,\Delta V. \tag{3.19}$$

Isso precisa ser igual à taxa de perda de calor de dentro do cubo. Se q é o calor por unidade de volume, o calor no cubo é $q\,\Delta V$, e a taxa de *perda* é

$$-\frac{\partial}{\partial t}(q\,\Delta V) = -\frac{\partial q}{\partial t}\,\Delta V. \tag{3.20}$$

Comparando (3.19) e (3.20), vemos que

$$-\frac{\partial q}{\partial t} = \nabla\cdot\mathbf{h}. \tag{3.21}$$

Preste atenção na forma dessa equação; essa forma aparece frequentemente em física. Ela expressa uma lei de conservação – aqui a conservação do calor. Expressamos o mesmo fato físico de outro modo na Eq. (3.13). Aqui nós temos a forma *diferencial* da equação de conservação, enquanto (3.13) é sua forma *integral.*

Obtivemos a Eq. (3.21) aplicando a Eq. (3.13) para um cubo infinitesimal. Podemos também seguir por outro caminho. Para um volume grande V limitado por S, a lei de Gauss diz que

$$\int_S \mathbf{h} \cdot \boldsymbol{n}\, da = \int_V \boldsymbol{\nabla} \cdot \mathbf{h}\, dV. \tag{3.22}$$

Usando (3.21), a integral do lado direito é simplesmente $-dQ/dt$, e temos novamente (3.13).

Consideremos agora um caso diferente. Imagine que temos um bloco de algum material e em seu interior existe um buraco muito pequeno no qual alguma reação química está ocorrendo e gerando calor. Podemos também imaginar alguns fios enrolados em um pequeno resistor aquecido por uma corrente elétrica. Suponhamos que o calor seja gerado praticamente em um ponto e que W represente a energia por segundo liberada neste ponto. Suponhamos que no resto do volume o calor seja conservado e que a geração de calor já ocorra há bastante tempo – de forma que, agora, a temperatura não esteja mais mudando em parte alguma. O problema é: como fica o vetor **h** em várias regiões do metal? Quanto calor está fluindo em cada ponto?

Sabemos que, se integrarmos a componente normal de **h** sobre uma superfície fechada que envolve a fonte, obteremos sempre W. Todo o calor que está sendo gerado na fonte pontual deve fluir através desta superfície, já que supusemos o fluxo constante. Temos o difícil problema de encontrar um campo vetorial que, quando integrado sobre qualquer superfície, sempre nos dê W. Podemos, entretanto, encontrar o campo mais facilmente, escolhendo uma superfície adequada. Tomamos uma esfera de raio R, centrada na fonte, e admitimos que o fluxo de calor seja radial (Figura 3–6). Nossa intuição nos diz que **h** deve ser radial se o bloco de material for grande e se não chegarmos muito perto dos cantos e, também, deve ter a mesma magnitude em todos os pontos da esfera. Reparem que estamos adicionando, à nossa matemática, um certo número de conjecturas – normalmente chamadas de "intuição física" – para encontrarmos a resposta.

Quando **h** for radial e esfericamente simétrico, a integral da componente normal de **h** sobre a área é muito simples, porque a componente normal é simplesmente a magnitude de **h** e é constante. A área sobre a qual estamos integrando vale $4\pi R^2$. Temos, então, que

$$\int_S \mathbf{h} \cdot \mathbf{n}\, da = h \cdot 4\pi R^2 \tag{3.23}$$

(onde h é a magnitude de **h**). Essa integral deve ser igual a W, a taxa com a qual o calor é produzido na fonte. Temos

$$\mathbf{h} = \frac{W}{4\pi R^2},$$

ou

$$\mathbf{h} = \frac{W}{4\pi R^2}\,\mathbf{e}_r, \tag{3.24}$$

onde, como é usual, $\mathbf{e}_r$ representa um vetor unitário na direção radial. Nosso resultado nos diz que **h** é proporcional a W e varia inversamente com o quadrado da distância da fonte.

O resultado que acabamos de obter aplica-se ao escoamento de calor nas vizinhanças de uma fonte pontual. Agora, tentaremos encontrar as equações válidas para um tipo mais geral de escoamento de calor, mantendo apenas a condição de o calor ser conservado. Nossa preocupação se concentrará apenas com o que ocorre em lugares fora de qualquer fonte ou sorvedouro de calor.

A equação diferencial para condução de calor foi derivada no Capítulo 2. De acordo com a Eq. (2.44),

$$\mathbf{h} = -\kappa\, \boldsymbol{\nabla} T. \tag{3.25}$$

(lembre que essa relação é apenas uma aproximação, mas bastante razoável para alguns materiais, como os metais). Essa relação aplica-se apenas às regiões do material onde não há nenhuma geração ou absorção de calor. Derivamos anterior-

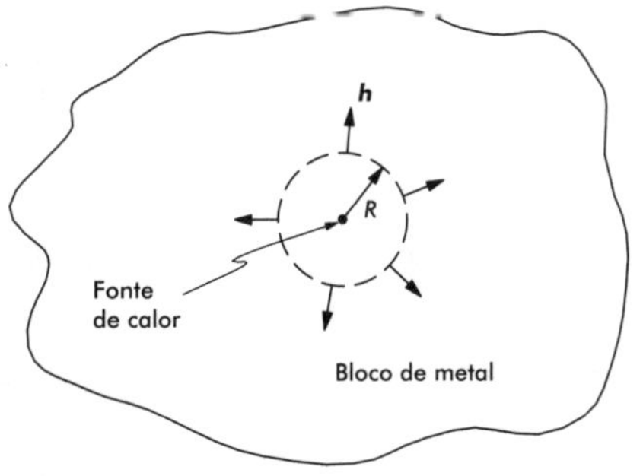

Figura 3–6 Em uma região próxima de uma fonte pontual de calor, o fluxo de calor está direcionado radialmente para fora.

mente outra relação, a Eq. (3.21), válida quando o calor é conservado. Se combinarmos esta equação com (3.25), obteremos

$$-\frac{\partial q}{\partial t} = \nabla \cdot \mathbf{h} = -\nabla \cdot (\kappa \nabla T),$$

ou

$$\frac{\partial q}{\partial t} = \kappa \nabla \cdot \nabla T = \kappa \nabla^2 T, \tag{3.26}$$

se κ for uma constante. Lembre-se de que q é a quantidade de calor em um volume unitário e $\nabla \cdot \nabla = \nabla^2$ é o operador Laplaciano

$$\nabla^2 = \frac{\partial^2}{\partial x^2} + \frac{\partial^2}{\partial y^2} + \frac{\partial^2}{\partial z^2}.$$

Se fizermos, agora, mais uma suposição, poderemos obter uma equação muito interessante. Admitiremos que a temperatura do material é proporcional ao calor contido por unidade de volume – isto é, que o material tem um calor específico definido. Quando essa suposição for válida (e isso é frequente), podemos escrever

$$\Delta q = c_v \, \Delta T$$

ou

$$\frac{\partial q}{\partial t} = c_v \frac{\partial T}{\partial t}. \tag{3.27}$$

A taxa de variação do calor é proporcional à taxa de variação da temperatura. A constante de proporcionalidade c_v é, aqui, o calor específico por unidade de *volume* do material. Usando as Eq. (3.27) e (3.26), temos

$$\frac{\partial T}{\partial t} = \frac{\kappa}{c_v} \nabla^2 T. \tag{3.28}$$

Encontramos que a taxa de variação de T no *tempo* – em qualquer ponto – é proporcional ao Laplaciano de T que é a segunda derivada de sua dependência espacial. Temos uma equação diferencial – em x, y, z e t – para a temperatura T.

A equação diferencial (3.28) é chamada de *equação de difusão do calor*. Ela é frequentemente escrita como

$$\frac{\partial T}{\partial t} = D \nabla^2 T, \tag{3.29}$$

onde D é chamada de constante de *difusão* e é igual a κ / c_v.

A equação de difusão aparece em muitos problemas físicos – na difusão dos gases e de nêutrons, entre outros. Já discutimos a física de alguns desses fenômenos no Capítulo 43 do Vol. I. Agora, você tem a equação completa que descreve a difusão na situação mais geral possível. No futuro, teremos meios de resolver a equação de difusão para encontrar como a temperatura varia em casos particulares. Consideremos, agora, outros teoremas sobre campos vetoriais.

3–5 A circulação de um campo vetorial

Queremos olhar para o rotacional de forma semelhante àquela usada para o divergente. Obtivemos o teorema de Gauss considerando a integral sobre uma superfície, embora não fosse óbvio, no início, que estivéssemos lidando com o divergente. Como sabíamos que devíamos integrar sobre uma superfície para obter o divergente? De forma alguma era claro que esse seria o resultado. E então, com a mesma aparente falta de justificativa, calcularemos outra quantidade relacionada a um vetor e mostraremos que está relacionada com o rotacional. Desta vez, calcularemos o que é chamado "a circulação de um campo vetorial". Se **C** for um campo vetorial qualquer, tomamos sua componente ao longo de uma curva e calculamos a integral desta componente por todo o trajeto ao redor de um circuito fechado. Esta integral é chamada de *circulação* do campo vetorial ao longo do caminho fechado. Já consideramos uma integral de linha de $\nabla\psi$ anteriormente, neste capítulo. Faremos agora o mesmo para *qualquer* campo vetorial **C**.

Seja Γ um circuito fechado qualquer no espaço – imaginário, é claro. Um exemplo é dado na Figura 3–7. A integral de linha da componente tangencial de **C** neste circuito fechado é escrita como

$$\oint_\Gamma C_t\,ds = \oint_\Gamma \mathbf{C}\cdot d\mathbf{s}. \tag{3.30}$$

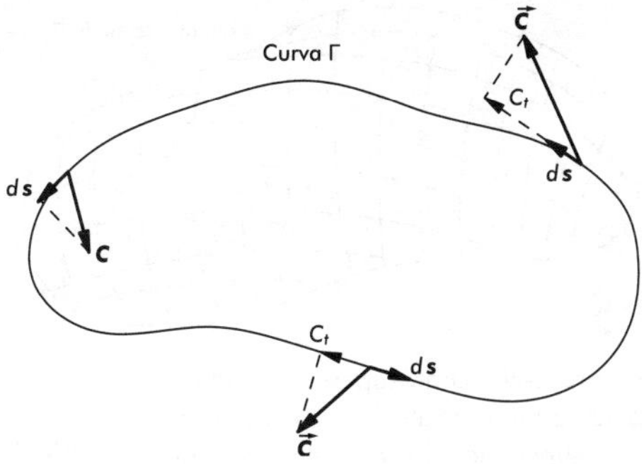

Figura 3–7 A circulação de **C** ao redor de uma curva Γ é a integral de linha de C_t, a componente tangencial de **C**.

Note que a integral é calculada através de todo o percurso, não apenas de um ponto a outro como fizemos antes. O pequeno círculo no símbolo de integral é para lembrarmos que a integral deve ser tomada ao redor de todo o circuito. Esta integral é chamada de circulação do campo vetorial ao longo da curva Γ. Esse nome surgiu originalmente de considerações sobre a circulação de um líquido, mas o nome – assim como fluxo – foi estendido para se aplicar a qualquer campo vetorial, mesmo quando não há nenhum material "circulando".

Aplicando a mesma ideia que utilizamos com o fluxo, podemos mostrar que a circulação, ao longo de um caminho fechado, é a soma das circulações ao longo de dois circuitos parciais. Suponha que quebremos nossa curva da Figura 3–7 em dois circuitos, juntando os dois pontos (1) e (2) de nossa curva original por alguma linha que corte pelo meio do circuito, como mostrado na Figura 3–8. Agora, há dois circuitos, Γ_1 e Γ_2. Γ_1 é formado de Γ_a, a parte de nossa curva original à esquerda de (1) e (2), mais Γ_{ab}, o "atalho". Γ_2 é formado pelo resto da curva original mais o atalho.

A circulação ao longo de Γ_1 é a soma da integral ao longo de Γ_a e ao longo de Γ_{ab}. Da mesma forma, a circulação ao longo de Γ_2 é a soma de duas partes, uma ao longo de Γ_b e a outra ao longo de Γ_{ab}. A integral ao longo de Γ_{ab} terá, para a curva Γ_2, o sinal oposto daquele que possui para Γ_1 porque a direção do caminho é oposta – precisamos tomar nossas duas integrais com o mesmo "sentido" de rotação.

Seguindo o mesmo tipo de argumento usado antes, podemos ver que a soma das duas circulações fornecerá somente a integral de linha ao longo da curva original Γ. As partes referentes a Γ_{ab} cancelam-se. A circulação ao longo da primeira parte, mais a circulação ao longo da segunda parte, é igual à circulação ao longo da linha exterior. Podemos continuar o processo de cortar o circuito original em um número qualquer de circuitos menores. Quando somarmos a circulação destes circuitos menores, sempre haverá um cancelamento das partes em suas porções adjacentes, de modo que a soma seja equivalente à circulação ao redor do circuito original.

Agora, vamos supor que o circuito original seja a fronteira de alguma superfície. Há um número infinito de superfícies que têm este circuito original como fronteira. Nossos resultados, entretanto, não dependerão de qual superfície escolhermos. Primeiro, dividimos nosso circuito em um certo número de circuitos menores, todos inseridos na superfície escolhida, como mostrado na Figura 3–9. Independentemente da forma da superfície, se escolhermos nossos circuitos pequenos o suficiente, poderemos supor que cada um desses pequenos circuitos conterá uma área que será essencialmente plana. Podemos também escolher nossos pequenos circuitos de forma que cada um seja aproximadamente um quadrado. Podemos calcular a circulação ao longo do grande circuito Γ, determinando a circulação ao redor de cada um destes pequenos quadrados e, por fim, somá-las.

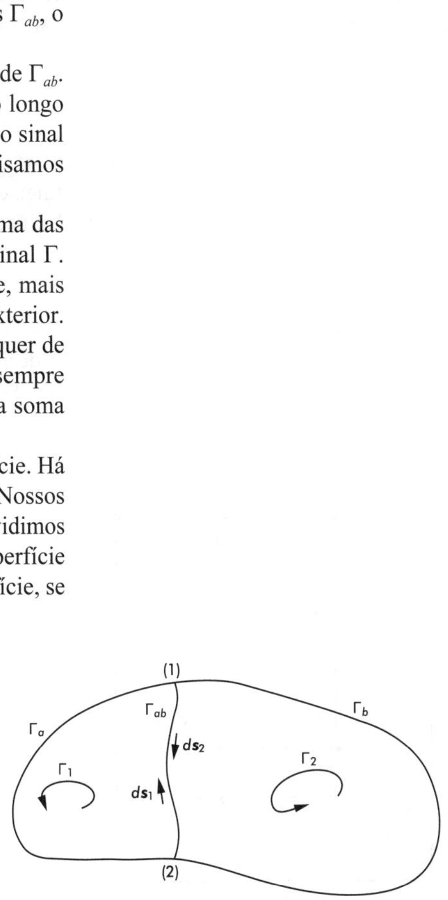

Figura 3–8 A circulação ao redor de um caminho fechado completo é a soma das circulações através dos dois caminhos fechados: $\Gamma_1 = \Gamma_a + \Gamma_{ab}$ e $\Gamma_2 = \Gamma_b + \Gamma_{ab}$.

3–6 A circulação ao redor de um quadrado; o teorema de Stokes

Como determinar a circulação em cada um dos pequenos quadrados? Como os quadrados estão orientados no espaço? Poderemos facilmente realizar o cálculo se eles possuírem uma orientação especial, por exemplo, se eles estiverem em um dos planos coordenados. Uma vez que não admitimos nada sobre a orientação dos

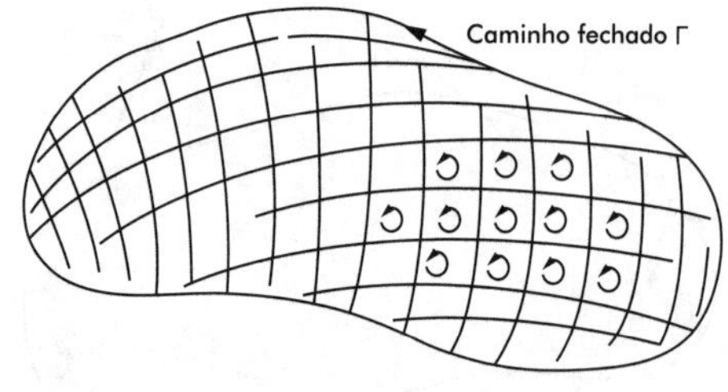

Figura 3–9 Uma superfície limitada pelo caminho fechado Γ é escolhida. Esta superfície é dividida em um certo número de pequenas áreas, cada uma aproximadamente quadrada. A circulação ao redor de Γ é a soma da circulação ao redor destes pequenos caminhos fechados.

eixos coordenados, podemos simplesmente escolher estes eixos de forma que o pequeno quadrado, em que nos concentramos, esteja no plano xy, como na Figura 3–10. Se nosso resultado for expresso na notação vetorial, poderemos afirmar que o resultado será o mesmo não importando qual a particular orientação do plano.

Queremos, agora, encontrar a circulação do campo **C** ao redor de nosso pequeno quadrado. Será fácil calcular a integral de linha, se fizermos o quadrado pequeno o bastante para que o vetor **C** não varie muito ao longo de qualquer um dos lados deste quadrado (quanto menor o quadrado, melhor será essa suposição, então estamos realmente falando de quadrados infinitesimais). Começando no ponto (x, y) – o canto inferior esquerdo da figura – vamos adiante pela direção indicada pelas setas. Ao longo do primeiro lado – marcado como (1) – a componente tangencial é $C_x(1)$ e a distância é Δx. A primeira parte da integral é $C_x(1)\,\Delta x$. Ao longo da segunda perna, temos $C_y(2)\,\Delta y$. Ao longo da terceira, temos $-C_x(3)\,\Delta x$, e da quarta, $-C_y(4)\,\Delta y$. O sinal de menos é necessário porque queremos a componente tangencial na direção do caminho. Então, a integral de linha completa será

$$\oint \mathbf{C}\cdot d\mathbf{s} = C_x(1)\,\Delta x + C_y(2)\,\Delta y - C_x(3)\,\Delta x - C_y(4)\,\Delta y. \tag{3.31}$$

Olhemos agora para o primeiro e terceiro pedaços. Juntos eles fornecem

$$[C_x(1) - C_x(3)]\,\Delta x. \tag{3.32}$$

Vocês podem pensar que, com a nossa aproximação, essa diferença vale zero. Isso é verdade para uma primeira aproximação. Entretanto, podemos ser mais precisos e levar em conta a taxa de variação de C_x. Fazendo isso, podemos escrever

$$C_x(3) = C_x(1) + \frac{\partial C_x}{\partial y}\,\Delta y. \tag{3.33}$$

Se incluirmos a próxima aproximação, esta envolverá termos com $(\Delta y)^2$, mas como, no final, estamos pensando em tomar o limite $\Delta y \to 0$, esses termos podem ser desprezados. Colocando (3.33) junto a (3.32), encontramos que

$$[C_x(1) - C_x(3)]\,\Delta x = -\frac{\partial C_x}{\partial y}\,\Delta x\,\Delta y. \tag{3.34}$$

A derivada pode, na nossa aproximação, ser calculada em (x, y).

Da mesma forma, para os outros dois termos na circulação, podemos escrever

$$C_y(2)\,\Delta y - C_y(4)\,\Delta y = \frac{\partial C_y}{\partial x}\,\Delta x\,\Delta y. \tag{3.35}$$

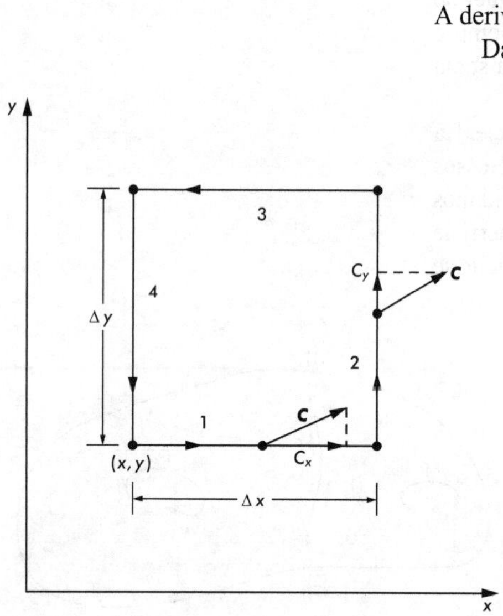

Figura 3–10 Cálculo da circulação de C ao redor de um pequeno quadrado.

A circulação ao redor de nosso quadrado é, então,

$$\left(\frac{\partial C_y}{\partial x} - \frac{\partial C_x}{\partial y}\right)\Delta x\,\Delta y, \tag{3.36}$$

o que é interessante porque os dois termos entre parênteses são justamente a componente z do rotacional. Notamos também que $\Delta x\,\Delta y$ é a área do quadrado. Então, podemos escrever nossa circulação (3.36) como

$$(\nabla \times \mathbf{C})_z\,\Delta a.$$

A componente z significa, na verdade, a componente *normal* ao elemento de superfície. Podemos, portanto, escrever a circulação ao redor de um quadrado infinitesimal em uma forma vetorial invariante:

$$\oint \mathbf{C}\cdot d\mathbf{s} = (\nabla \times \mathbf{C})_n\,\Delta a = (\nabla \times \mathbf{C})\cdot \mathbf{n}\,\Delta a. \tag{3.37}$$

Nosso resultado é que a circulação de qualquer vetor **C** ao redor de um quadrado infinitesimal é a componente do rotacional de **C** normal à superfície, vezes a área do quadrado.

A circulação ao redor de qualquer circuito Γ pode agora ser facilmente relacionada com o rotacional do campo vetorial. Preenchemos o circuito com uma superfície *S* qualquer, como na Figura 3–11, e adicionamos a circulação ao redor de um conjunto de quadrados infinitesimais que cubram esta superfície Esta soma pode ser escrita como uma integral. Nosso resultado é um teorema muito útil chamado de teorema de Stokes (graças ao Sr. Stokes).

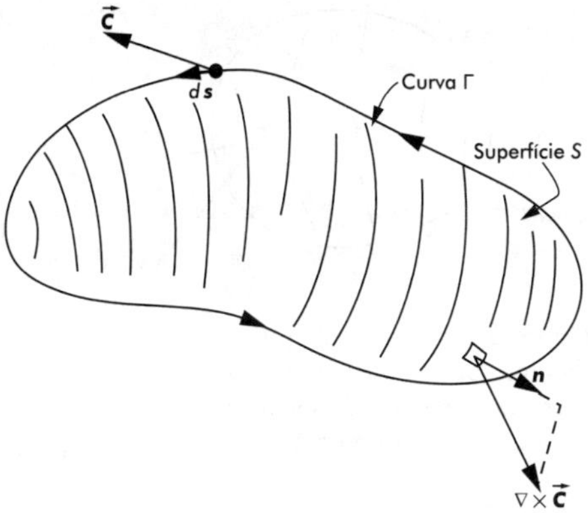

Figura 3–11 A circulação de **C** ao redor de Γ é a integral de superfície da componente normal do ∇ × **C**.

Teorema de Stokes:

$$\oint_{\Gamma} \mathbf{C} \cdot d\mathbf{s} = \int_S (\nabla \times \mathbf{C})_n \, da, \tag{3.38}$$

onde *S* é qualquer superfície limitada por Γ.

Precisamos falar agora sobre uma convenção de sinais. Na Figura 3–10, o eixo *z* deve apontar *para* você em um sistema de eixos "usual" – isto é, orientado à "direita". Quando tomamos nossa integral de linha em um sentido de rotação "positiva", encontramos que a circulação é igual à componente *z* de ∇ × **C**. Se tivéssemos dado a volta do outro jeito, teríamos obtido o sinal oposto. Agora, como saberemos, em geral, qual direção escolheremos para a direção positiva da componente "normal" de ∇ × **C**? A normal "positiva" deve sempre estar relacionada com o sentido de rotação, como na Figura 3–10. Isso está indicado no caso geral na Figura 3–11.

Uma forma de lembrar desta relação é através da "regra da mão direita". Se vocês fizerem os dedos da sua mão *direita* percorrerem a curva Γ, com a ponta dos dedos apontando no sentido positivo de *d***s**, então, seu polegar apontará na direção da normal *positiva* da superfície *S*.

3–7 Campos irrotacionais e solenoidais

Gostaríamos, agora, de considerar algumas consequências de nossos novos teoremas. Tomemos primeiro o caso de um vetor cujo rotacional é zero *em toda parte*. O teorema de Stokes afirma que a circulação ao redor de qualquer circuito será zero. Escolhendo dois pontos, (1) e (2), em uma curva fechada (Figura 3–12), decorre que a integral de linha da componente tangencial de (1) para (2) independe de qual dos dois caminhos são percorridos. Podemos concluir que a integral de (1) a (2) pode depender apenas da posição desses pontos – ou seja, é alguma função apenas da posição. A mesma lógica foi usada no Capítulo 14 do Vol. I, no qual provamos que, se a integral de alguma quantidade ao redor de um caminho fechado for sempre zero, então essa integral pode ser representada como a diferença dos valores de uma função da posição em dois extremos. Esse fato nos permitiu inventar a ideia de potencial. Provamos, além disso, que o campo vetorial é o gradiente desta função potencial (veja a Eq. 14.13 do Vol. I).

Daí decorre que qualquer campo vetorial, cujo rotacional é zero, é igual ao gradiente de alguma função escalar. Isto é, se ∇ × **C** = 0, em toda parte, existe algum ψ (psi) para o qual **C** = ∇ψ – uma ideia muito útil. Podemos, se quisermos, descrever esse tipo especial de vetor através de um campo escalar.

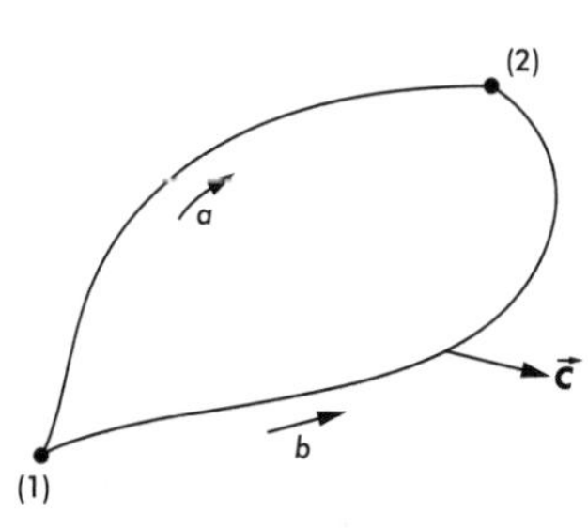

Figura 3–12 Se o ∇ × **C** for zero, a circulação ao redor da curva fechada Γ é zero. A integral de linha de (1) para (2) ao longo de *a* é a mesma que a integral de linha ao longo de *b*.

Vamos mostrar algo mais. Suponha que tenhamos um campo escalar ϕ (fi) *qualquer*. Se tomarmos o seu gradiente, ∇ϕ, a integral desse vetor ao redor de qualquer curva fechada será zero. Sua integral de linha do ponto (1) ao ponto (2) vale [$\phi(2) - \phi(1)$]. Se (1) e (2) forem os mesmos pontos, nosso Teorema 1, Eq. (3.8), nos diz que esta integral de linha será zero:

$$\oint_{\text{circuito}} \nabla\phi \cdot d\mathbf{s} = 0.$$

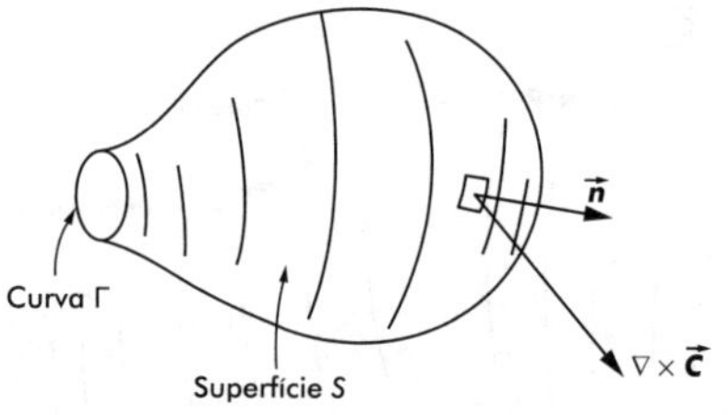

Figura 3–13 Passando para o limite de uma superfície fechada, encontramos que a integral de superfície de $(\nabla \times \mathbf{C})_n$ deve desaparecer.

Usando o teorema de Stokes, podemos concluir que

$$\int (\nabla \times (\nabla \phi))_n \, da = 0$$

sobre *qualquer* superfície. Contudo, se a integral for zero sobre *qualquer* superfície, o integrando deve ser zero. Então

$$\nabla \times (\nabla \phi) = 0, \quad \text{sempre.}$$

Provamos o mesmo resultado na Seção 2-7 usando a álgebra vetorial.

Vejamos agora um caso especial, no qual preenchemos um *pequeno* circuito Γ com uma *grande* superfície *S*, como indicado na Figura 3–13. Gostaríamos, na verdade, de ver o que acontece quando o caminho fechado é reduzido a um ponto, de modo que a fronteira da superfície desapareça – a superfície se torna fechada. Agora, se o vetor **C** for finito em toda parte, a integral de linha ao redor de Γ precisa tender a zero conforme encolhemos o circuito fechado – a integral é aproximadamente proporcional à circunferência de Γ que tende a zero. De acordo com o teorema de Stokes, a integral de superfície de $(\nabla \times \mathbf{C})_n$ precisa também anular-se. De alguma forma, conforme fechamos a superfície, adicionamos a contribuição que cancela o que havia antes. Então, temos um novo teorema:

$$\int_{\substack{\text{qualquer superfície}\\ \text{fechada}}} (\nabla \times \mathbf{C})_n \, da = 0. \tag{3.39}$$

Isso é bem interessante, porque já temos um teorema sobre a integral de superfície de um campo vetorial. Tal integral de superfície é igual à integral de volume do divergente do vetor, de acordo com o teorema de Gauss (3.18). O teorema de Gauss, aplicado a $\nabla \times \mathbf{C}$, afirma que

$$\int_{\substack{\text{superfície}\\ \text{fechada}}} (\nabla \times \mathbf{C})_n \, da = \int_{\substack{\text{volume}\\ \text{interior}}} \nabla \cdot (\nabla \times \mathbf{C}) \, dV. \tag{3.40}$$

Concluímos, então, que a segunda integral deve ser zero:

$$\int_{\substack{\text{qualquer}\\ \text{volume}}} \nabla \cdot (\nabla \times \mathbf{C}) \, dV = 0, \tag{3.41}$$

e isso é verdade para todo e qualquer campo vetorial **C**. Uma vez que a Eq. (3.41) é verdadeira para *qualquer volume*, precisa ser verdade que, em *qualquer ponto* no espaço, o integrando seja zero. Temos

$$\nabla \cdot (\nabla \times \mathbf{C}) = 0, \quad \text{sempre.}$$

Esse é o mesmo resultado que obtivemos usando a álgebra vetorial na Seção 2-7. Começamos, agora, a ver como tudo se encaixa.

3–8 Resumo

Vamos resumir o que encontramos sobre o cálculo vetorial. Estes são realmente os pontos de destaque dos Capítulos 2 e 3:

1. Os operadores $\partial/\partial x$, $\partial/\partial y$ e $\partial/\partial z$ podem ser considerados como as três componentes do operador vetorial ∇, e as fórmulas que resultam da álgebra vetorial por tratar esse operador como um vetor estão corretas:

$$\nabla = \left(\frac{\partial}{\partial x}, \frac{\partial}{\partial y}, \frac{\partial}{\partial z}\right).$$

2. A diferença dos valores de um campo escalar em dois pontos é igual à integral de linha da componente tangencial do gradiente deste campo escalar ao longo de qualquer curva que ligue o primeiro ponto com o segundo:

$$\psi(2) - \psi(1) = \underset{\text{qualquer curva}}{\int_{(1)}^{(2)}} \nabla\psi \cdot d\mathbf{s}. \tag{3.42}$$

3. A integral de superfície da componente normal de um vetor arbitrário sobre uma superfície fechada é igual à integral do divergente deste vetor sobre o volume interior à superfície:

$$\underset{\substack{\text{superfície}\\ \text{fechada}}}{\int} \mathbf{C} \cdot \mathbf{n}\, da = \underset{\substack{\text{volume}\\ \text{interior}}}{\int} \nabla \cdot \mathbf{C}\, dV. \tag{3.43}$$

4. A integral de linha da componente tangencial de um vetor arbitrário ao redor de uma curva fechada é igual à integral de superfície da componente normal do rotacional deste vetor sobre qualquer superfície limitada por este caminho fechado.

$$\underset{\text{fronteira}}{\int} \mathbf{C} \cdot d\mathbf{s} = \underset{\text{superfície}}{\int} (\nabla \times \mathbf{C}) \cdot \mathbf{n}\, da. \tag{3.44}$$

4

Eletrostática

4–1 Estática

Revisão: Capítulo 13 e 14, Vol. I, *Trabalho e Energia Potencial*

Começaremos agora nosso estudo detalhado da teoria do eletromagnetismo. Todo o eletromagnetismo está contido nas equações de Maxwell.

Equações de Maxwell:

$$\nabla \cdot \mathbf{E} = \frac{\rho}{\epsilon_0}, \tag{4.1}$$

$$\nabla \times \mathbf{E} = -\frac{\partial \mathbf{B}}{\partial t}, \tag{4.2}$$

$$\nabla \times \mathbf{B} = \frac{\partial \mathbf{E}}{\partial t} + \frac{\mathbf{j}}{\epsilon_0}, \tag{4.3}$$

$$\nabla \cdot \mathbf{B} = 0. \tag{4.4}$$

As situações descritas por essas equações podem ser bastante complicadas. Consideraremos, primeiramente, situações relativamente simples e aprenderemos como manejá-las, antes de partimos para casos mais complicados. A circunstância mais simples de tratar é aquela em que nada depende do tempo – o chamado caso *estático*. Todas as cargas estão permanentemente fixas no espaço, ou se elas se movem, fazem-no como um escoamento estacionário em um circuito (de forma que ρ e $\mathbf{j}$ são constantes no tempo). Nestas circunstâncias, todos os termos nas equações de Maxwell que são derivadas temporais dos campos desaparecem. Neste caso, as equações de Maxwell tornam-se:

Eletrostática:

$$\nabla \cdot \mathbf{E} = \frac{\rho}{\epsilon_0}, \tag{4.5}$$

$$\nabla \times \mathbf{E} = 0. \tag{4.6}$$

$$\epsilon_0 c^2 = \frac{10^7}{4\pi}$$
$$\frac{1}{4\pi\epsilon_0} \approx 9 \times 10^9$$
$$[\epsilon_0] = \text{coulomb}^2/\text{newton}\cdot\text{metro}^2$$

Magnetostática:

$$\nabla \times \mathbf{B} = \frac{\mathbf{j}}{\epsilon_0 c^2}, \tag{4.7}$$

$$\nabla \cdot \mathbf{B} = 0. \tag{4.8}$$

Você notará uma coisa interessante com respeito a este conjunto de equações. Ele pode ser separado em dois pares. O campo elétrico **E** aparece apenas nas duas primeiras equações e o campo magnético **B**, apenas nas duas últimas. Os dois campos não estão interconectados. Isso significa que *eletricidade e magnetismo são fenômenos distintos sempre que as cargas e correntes forem estáticas*. A interdependência de **E** e **B** não aparece até que haja variações nas cargas ou correntes, como nos casos em que um condensador é carregado ou um magneto é movido. Apenas quando há mudanças rápidas o suficiente, tal que as derivadas temporais nas equações de Maxwell tornam-se significantes, é que **E** e **B** irão depender um do outro.

Agora, se você olhar para as equações da estática, verá que os assuntos que chamamos eletrostática e magnetostática são os elementos ideais para estudarmos as propriedades matemáticas dos campos vetoriais. A eletrostática é um bom exemplo de um campo vetorial com *rotacional nulo* e um *determinado divergente*. A magnetostática, por outro lado, é um bom exemplo de um campo vetorial com *divergência nula* e um *determinado rotacional*. O meio mais convencional – e você pode estar pensando, o mais satisfatório – de apresentar a teoria do eletromagnetismo é começar com a eletrostática e, com isso, aprender sobre o divergente. Depois, partimos para a magnetostática e o rotacional. Finalmente, a eletricidade e o magnetismo serão colocados juntos. Escolhemos começar com a teoria completa do cálculo vetorial. Iremos aplicá-la ao caso especial da eletrostática, o campo de **E** dado pelo primeiro par de equações.

Começaremos com a situação mais simples – uma em que as posições de todas as cargas são especificadas. Se precisássemos estudar apenas a eletrostática neste nível (como faremos nos próximos dois capítulos), a vida seria muito simples – de fato, quase trivial. Tudo poderia ser obtido da lei de Coulomb e de algumas integrações, como será visto. Em muitos problemas eletrostáticos, entretanto, não *sabemos*, de início, onde as cargas estão. Sabemos apenas que elas se distribuíram de maneira que depende das propriedades da matéria. As posições que as cargas assumirão dependem do campo **E** que, por sua vez, depende das posições das cargas. Portanto, as coisas podem ser extremamente complicadas. Se, por exemplo, um corpo carregado é trazido para perto de um condutor ou um isolante, os elétrons e os prótons no condutor ou no isolante mover-se-ão. A densidade de carga ρ na Eq. (4.5) pode ter uma parte que conhecemos, das cargas que trouxemos, mas haverá outras partes das cargas que se moveram no condutor. E todas as cargas precisam ser levadas em consideração. Podemos encontrar alguns problemas ainda mais sutis e interessantes. Assim, embora este capítulo trate da eletrostática, ele não cobrirá a parte mais bela e sutil do assunto. Trataremos apenas da situação na qual podemos assumir que as posições de todas as cargas são conhecidas. Naturalmente, você precisa ser capaz de resolver este caso antes de tentar tratar os demais.

4–2 A lei de Coulomb; superposição

Seria lógico usar as Eqs. (4.5) e (4.6) como nossos pontos de partida. Entretanto, será mais fácil se começarmos em outro lugar e depois voltarmos para essas equações. O resultado será equivalente. Começaremos por uma lei da qual já falamos antes, a chamada lei de Coulomb que afirma que, entre duas cargas em repouso, existe uma força diretamente proporcional ao produto das cargas e inversamente proporcional ao quadrado da distância entre elas. Esta força está ao longo da reta que liga as duas cargas.

Lei de Coulomb:

$$\mathbf{F}_1 = \frac{1}{4\pi\epsilon_0}\frac{q_1q_2}{r_{12}^2}\mathbf{e}_{12} = -\mathbf{F}_2. \tag{4.9}$$

$\mathbf{F}_1$ é a força *na* carga q_1, $\mathbf{e}_{12}$ é o vetor unitário apontando *de* q_2 *para* q_1 e r_{12} é a distância entre q_1 e q_2. A força $\mathbf{F}_2$ em q_2 é igual e oposta à $\mathbf{F}_1$.

A constante de proporcionalidade, por razões históricas, é escrita como $1/4\pi\epsilon_0$. No sistema de unidades que estamos usando – o sistema mks – essa constante é definida como exatamente 10^{-7} vezes o quadrado da velocidade da luz. Agora, como a velocidade da luz é aproximadamente 3×10^8 metros por segundo, essa constante é aproximadamente 9×10^9, com a unidade de newton · metro^2 por coulomb^2 ou volt · metro por coulomb.

$$\begin{aligned}\frac{1}{4\pi\epsilon_0} &= 10^{-7}c^2 \quad \text{(por definição)}\\ &= 9{,}0 \times 10^9 \text{ (por experimentos).}\end{aligned} \tag{4.10}$$

Unidade: newton · metro^2 / coulomb^2,
ou volt · metro / coulomb

Quando houver mais de duas cargas presentes – o único caso realmente interessante –, precisamos suplementar a lei de Coulomb com outro fato da natureza: a força em qualquer uma das cargas é a soma vetorial das forças de Coulomb de cada uma das outras cargas. Esse fato é chamado de "o princípio da superposição". Isso é tudo com respeito à eletrostática. Se combinarmos a lei de Coulomb com o princípio da superposição, não faltará mais nada. As Equações (4.5) e (4.6) – da eletrostática – não dizem nem mais nem menos.

Ao aplicar a lei de Coulomb, é conveniente introduzir a ideia de campo elétrico. Dizemos que o campo **E**(1) é a força *por unidade de carga* sobre q_1 (devido a todas as outras cargas). Dividindo a Eq. (4.9) por q_1, teremos, para uma outra carga junto de q_1,

$$\mathbf{E}(1) = \frac{1}{4\pi\epsilon_0}\frac{q_2}{r_{12}^2}\mathbf{e}_{12}. \tag{4.11}$$

Além disso, consideramos que **E**(1) descreve algo relacionado com o ponto (1), mesmo quando q_1 não está lá – supondo que todas as outras cargas mantenham suas respectivas posições. Dizemos: **E**(1) é o campo elétrico *no* ponto (1).

O campo elétrico **E** é um vetor; então, pela Eq. (4.11), nos referimos realmente a três equações – uma para cada componente. Escrevendo explicitamente a componente x, a Eq. (4.11) significa

$$E_x(x_1, y_1, z_1) = \frac{q_2}{4\pi\epsilon_0}\frac{x_1 - x_2}{[(x_1 - x_2)^2 + (y_1 - y_2)^2 + (z_1 - z_2)^2]^{3/2}}, \tag{4.12}$$

e analogamente para as outras componentes.

Se houver muitas cargas presentes, o campo **E** em qualquer ponto (1) será a soma da contribuição de cada uma das demais cargas. Cada termo da soma terá a forma (4.11) ou (4.12). Sendo q_j a magnitude da j-ésima carga e $\mathbf{r}_{1j}$ a distância entre q_j e o ponto (1), escrevemos

$$\mathbf{E}(1) = \sum_j \frac{1}{4\pi\epsilon_0}\frac{q_j}{r_{1j}^2}\mathbf{e}_{1j}. \tag{4.13}$$

Isso significa

$$E_x(x_1, y_1, z_1) = \sum_j \frac{1}{4\pi\epsilon_0}\frac{q_j(x_1 - x_j)}{[(x_1 - x_j)^2 + (y_1 - y_j)^2 + (z_1 - z_j)^2]^{3/2}}, \tag{4.14}$$

e assim por diante.

Frequentemente é conveniente ignorar o fato de as cargas virem em pacotes, como elétrons e prótons, e pensar nelas como estando espalhadas em uma mancha contínua – ou em uma "distribuição", como isso é chamado. Isso está certo, desde que não estejamos interessados no que ocorre em uma escala muito pequena. Descrevemos a distribuição de carga através de uma "densidade de cargas", $\rho(x, y, z)$. Se a quantidade de cargas em um volume pequeno ΔV_2 localizada no ponto (2) vale Δq_2, então ρ é definido por

$$\Delta q_2 = \rho(2)\,\Delta V_2. \tag{4.15}$$

Para usar a lei de Coulomb com esta descrição, substituímos as somas nas Equações (4.13) e (4.14) por integrais sobre todos os volumes que contenham cargas. Com isso temos

$$\mathbf{E}(1) = \frac{1}{4\pi\epsilon_0}\int_{\substack{\text{todo}\\ \text{o espaço}}} \frac{\rho(2)\mathbf{e}_{12}\,dV_2}{r_{12}^2}. \tag{4.16}$$

Algumas pessoas preferem escrever

$$\mathbf{e}_{12} = \frac{\mathbf{r}_{12}}{r_{12}},$$

onde $\mathbf{r}_{12}$ é o vetor deslocamento *de* (2) *para* (1), como mostrado na Figura 4–1. A integral de **E** é então escrita como

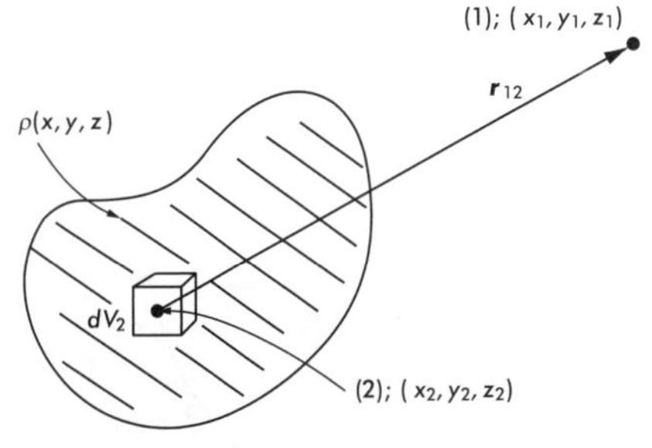

Figura 4–1 O campo elétrico **E** no ponto (1), proveniente de uma distribuição de cargas, é obtido de uma integral sobre esta distribuição. O ponto (1) pode também estar dentro da distribuição.

$$\mathbf{E}(1) = \frac{1}{4\pi\epsilon_0} \int_{\substack{\text{todo o}\\\text{espaço}}} \frac{\rho(2)\mathbf{r}_{12}\, dV_2}{r_{12}^3}. \tag{4.17}$$

Quando queremos calcular algo com essas integrais, temos de escrevê-las explicitamente em detalhes. Para a componente x de (4.16) ou (4.17), teríamos

$$E_x(x_1, y_1, z_1) = \int_{\substack{\text{todo o}\\\text{espaço}}} \frac{(x_1 - x_2)\rho(x_2, y_2, z_2)\, dx_2\, dy_2\, dz_2}{4\pi\epsilon_0[(x_1 - x_2)^2 + (y_1 - y_2)^2 + (z_1 - z_2)^2]^{3/2}}. \tag{4.18}$$

Não usaremos muito essa fórmula, escrevemos ela aqui apenas para enfatizar o fato de que temos a solução completa de todos os problemas eletrostáticos em que conhecemos a localização de todas as cargas. Dadas as cargas, quais são os campos? *Resposta*: faça esta integral. Então, não há mais nada sobre o assunto; é apenas uma questão de resolver complicadas integrais tridimensionais – estritamente um serviço para um computador!

Com nossa integral, podemos encontrar os campos produzidos por uma folha de cargas, por uma linha de cargas, por uma casca esférica de cargas ou para qualquer distribuição específica. É importante perceber que, conforme prosseguimos desenhando linhas de campo, falando sobre potenciais ou calculando divergentes, já temos aqui a resposta. É apenas uma questão de ser, algumas vezes, mais fácil determinar o valor da integral através de certas conjecturas do que realmente calculá-la. Estas conjecturas requerem o aprendizado de todo o tipo de coisas estranhas. Na prática, pode ser mais fácil deixar de tentar ser astuto e sempre calcular a integral diretamente, ao invés de ser tão esperto. Entretanto, tentaremos ser espertos quanto a isso. Prosseguiremos discutindo algumas outras características do campo elétrico.

4–3 Potencial elétrico

Primeiramente, consideraremos a ideia de potencial elétrico que está relacionado com o trabalho realizado ao transportar uma carga de um ponto a outro. Havendo alguma distribuição de carga, que produz um campo elétrico, perguntamos quanto trabalho é necessário para transportar uma pequena carga de um lugar para outro. O trabalho realizado *contra* as forças elétricas no transporte da carga ao longo de algum caminho é a componente com sinal negativo da força elétrica na direção do movimento, integrada ao longo do caminho. Se transportamos a carga do ponto a para o ponto b,

$$W = -\int_a^b \mathbf{F} \cdot d\mathbf{s},$$

onde $\mathbf{F}$ é a força elétrica *na* carga em cada ponto e $d\mathbf{s}$ é a diferencial do vetor deslocamento ao longo do caminho (veja a Figura 4–2).

Para os nossos propósitos, é mais interessante considerar o trabalho que se realizaria no transporte de *uma unidade* de carga. Então, a força sobre a carga é, numericamente, o mesmo que o campo elétrico. Chamando de W o trabalho (unitário) realizado contra as forças elétricas, escrevemos,

$$W(\text{unitário}) = -\int_a^b \mathbf{E} \cdot d\mathbf{s}. \tag{4.19}$$

Em geral, o que conseguimos com esse tipo de integral depende do caminho que escolhemos. No entanto, se a integral em (4.19) depender do caminho de a até b, poderemos extrair trabalho do campo levando a carga até b ao longo de um caminho e trazendo-a de volta a a por outro. Podemos ir até b ao longo de um caminho onde W é menor e voltar por outro, conseguindo *extrair* mais trabalho do que *colocamos*.

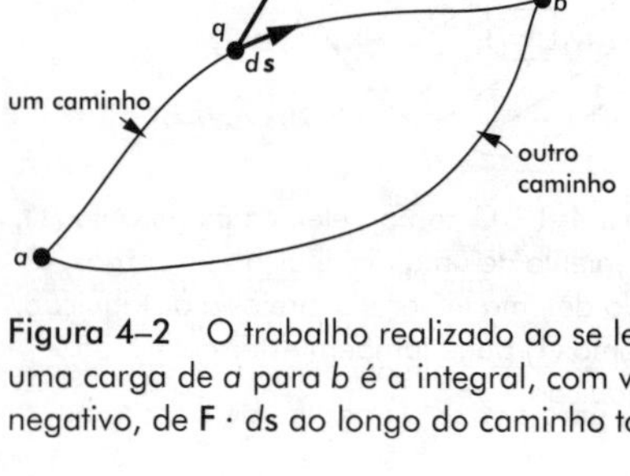

Figura 4–2 O trabalho realizado ao se levar uma carga de a para b é a integral, com valor negativo, de $\mathbf{F} \cdot d\mathbf{s}$ ao longo do caminho tomado.

Nada impede, em princípio, de extrair energia de um campo. Iremos, na verdade, encontrar campos onde isso é possível. Pode ocorrer que, conforme você mova a carga, produza forças em outras partes do "mecanismo". Se o "mecanismo" se mover contra a força, ele irá perder energia, mantendo constante a energia total no mundo. Para a *eletrostática*, entretanto, não existe tal "mecanismo". Sabemos o que são as forças de reação produzidas nas fontes. Elas são as forças de Coulomb nas cargas responsáveis pelo campo. Se as outras cargas tiverem sua posição fixa – como supusemos na *eletrostática* –, as forças de reação não podem realizar trabalho nessas cargas. Não há como extrair energia delas – dado, é claro, que o princípio da conservação de energia funcione para as situações eletrostáticas. Acreditamos que ele irá funcionar, mas mostraremos que isso deve ser uma consequência da lei de força de Coulomb.

Consideraremos primeiro o que acontece no campo produzido por uma única carga q. Esteja o ponto a a uma distância r_a de q e o ponto b a uma distância r_b. Transportamos agora outra carga de a para b, que chamaremos carga de "teste" e cuja magnitude escolheremos como sendo uma unidade. Comecemos com o caminho mais fácil de calcular. Levaremos nossa carga de teste ao longo de um arco de círculo e, posteriormente, ao longo de um raio, como mostrado na parte (a) da Figura 4–3. Agora, neste caminho particular, é uma brincadeira de criança encontrar o trabalho realizado (de outra forma, não o teríamos escolhido). Primeiro, não se realiza trabalho algum no caminho de a para a'. O campo é radial (pela lei de Coulomb), assim, ele será perpendicular à direção do movimento. Em seguida, no caminho de a' para b, o campo está na direção do movimento e varia com $1/r^2$. Portanto, o trabalho realizado na carga teste para levá-la de a para b será

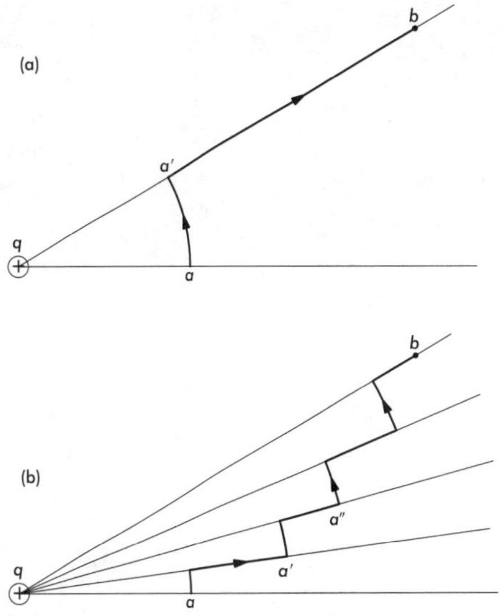

Figura 4–3 Ao se levar uma carga teste de a para b, o mesmo trabalho é realizado ao longo de qualquer caminho.

$$-\int_a^b \mathbf{E}\cdot d\mathbf{s} = -\frac{q}{4\pi\epsilon_0}\int_{a'}^b \frac{dr}{r^2} = -\frac{q}{4\pi\epsilon_0}\left(\frac{1}{r_a}-\frac{1}{r_b}\right). \tag{4.20}$$

Tomemos agora outro caminho fácil. Por exemplo, o mostrado na parte (b) da Figura 4–3. Este caminho vai, por algum tempo, ao longo de um arco de círculo, depois, algum tempo radialmente, então, ao longo de um arco e, de novo, radialmente e assim por diante. Sempre que caminhamos pelas partes circulares, não realizamos trabalho. Sempre que caminhamos pelas partes radiais, devemos simplesmente integrar $1/r^2$. Ao longo do primeiro trecho, integramos de r_a até $r_{a'}$, ao longo do trecho seguinte de $r_{a'}$ até $r_{a''}$, e assim por diante. A soma de todas essas integrais é a mesma que uma única integral diretamente de r_a até r_b. Obtemos a mesma resposta para esse caminho que a obtida pelo caminho da primeira tentativa. Está claro que obteremos a mesma resposta para *qualquer* caminho constituído de um número arbitrário destes mesmos tipos de pedaços.

E quanto aos caminhos lisos? Teríamos a mesma resposta? Já discutimos este ponto no Capítulo 13 do Vol. I. Aplicando os mesmos argumentos usados lá, podemos concluir que o trabalho realizado no transporte de uma carga unitária de a até b é independente do caminho.

$$\left.\begin{matrix} W(\text{unitário}) \\ a \to b \end{matrix}\right\} = -\int_{\substack{a \\ \text{qualquer} \\ \text{caminho}}}^b \mathbf{E}\cdot d\mathbf{s}.$$

Uma vez que o trabalho realizado depende apenas dos pontos extremos, ele pode ser representado como a diferença entre dois números. Podemos ver isso da seguinte forma: vamos escolher um ponto de referência P_0 e concordar em calcular nossa integral usando um caminho que sempre *passa por* este ponto P_0. Seja $\phi(a)$ o trabalho realizado contra o campo para ir de P_0 para o ponto a, e seja $\phi(b)$ o trabalho realizado para ir de P_0 para o ponto b (Figura 4–4). O trabalho para ir *para* P_0 partindo de a (no caminho para b) é o negativo de $\phi(a)$, então temos que

$$-\int_a^b \mathbf{E}\cdot d\mathbf{s} = \phi(b) - \phi(a). \tag{4.21}$$

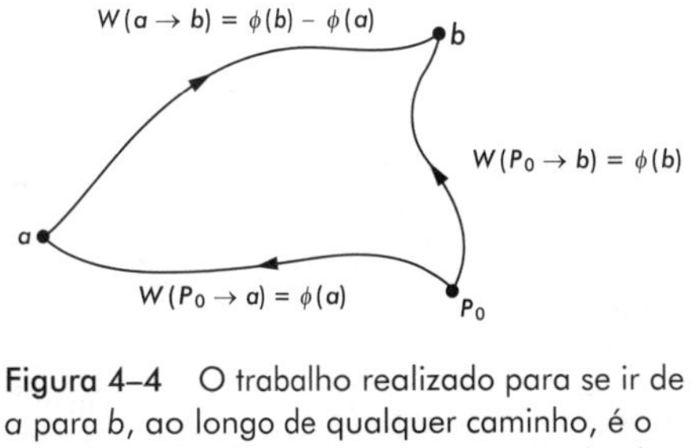

Figura 4–4 O trabalho realizado para se ir de a para b, ao longo de qualquer caminho, é o trabalho, com sinal negativo, para se ir de algum ponto P_0 para a mais o trabalho de P_0 para b.

Como apenas a diferença na função ϕ nos dois pontos está envolvida, não temos que realmente especificar a localização do ponto P_0. Uma vez escolhido um ponto de referência, entretanto, um número ϕ é determinado para *qualquer* ponto do espaço; ϕ é um *campo escalar*. Ele é uma função de x, y, z. Chamamos essa função escalar de *potencial eletrostático* em qualquer ponto.

Potencial eletrostático:

$$\phi(P) = -\int_{P_0}^{P} \mathbf{E} \cdot d\mathbf{s}. \tag{4.22}$$

Por conveniência, tomaremos o ponto de referência no infinito. Então, para uma única carga posicionada na origem, o potencial ϕ está determinado em qualquer ponto (x, y, z) – usando a Eq. (4.20):

$$\phi(x, y, z) = \frac{q}{4\pi\epsilon_0}\frac{1}{r}. \tag{4.23}$$

O campo elétrico de várias cargas pode ser escrito como a soma do campo elétrico da primeira, da segunda, da terceira, etc. Quando integramos a soma para encontrar o potencial, obtemos uma soma de integrais. Cada uma dessas integrais é o negativo do potencial de uma das cargas. Concluímos que o potencial ϕ, proveniente de várias cargas, é a soma do potencial de todas as cargas individuais. Há um princípio de superposição também para os potenciais. Usando o mesmo tipo de argumento pelo qual encontramos o campo elétrico para um grupo de cargas e para uma distribuição de cargas, podemos obter as fórmulas completas para o potencial ϕ em um ponto que chamamos de (1):

$$\phi(1) = \sum_j \frac{1}{4\pi\epsilon_0}\frac{q_j}{r_{1j}}, \tag{4.24}$$

$$\phi(1) = \frac{1}{4\pi\epsilon_0}\int_{\substack{\text{todo o}\\ \text{espaço}}} \frac{\rho(2)\, dV_2}{r_{12}}. \tag{4.25}$$

Lembre que o potencial ϕ tem um significado físico: ele é a energia potencial que uma carga unitária deve ter se trazida para um ponto específico do espaço partindo de algum ponto de referência.

4-4 $\mathbf{E} = -\nabla\phi$

Quem se importa com ϕ? As forças nas cargas são dadas por **E**, o campo elétrico. O ponto é que **E** pode ser facilmente obtido através de ϕ – isso é tão fácil como tomar uma derivada. Considere dois pontos, um em x e outro em $(x + \Delta x)$, mas ambos no mesmo y e z, e pergunte quanto trabalho é realizado no transporte de uma carga unitária de um desses pontos ao outro. O caminho é ao longo da linha horizontal de x para $x + \Delta x$. O trabalho realizado será a diferença de potencial nos dois pontos:

$$\Delta W = \phi(x + \Delta x, y, z) - \phi(x, y, z) = \frac{\partial\phi}{\partial x}\Delta x.$$

O trabalho realizado contra o campo para o mesmo caminho é

$$\Delta W = -\int \mathbf{E} \cdot d\mathbf{s} = -E_x\,\Delta x.$$

Vemos que

$$E_x = -\frac{\partial\phi}{\partial x}. \tag{4.26}$$

Da mesma forma, $E_y = -\partial\phi/\partial y$, $E_z = -\partial\phi/\partial z$, ou, resumindo com a notação da análise vetorial,

$$\mathbf{E} = -\nabla\phi. \tag{4.27}$$

Essa equação é a forma diferencial da Eq. (4.22). Qualquer problema, em que cargas estejam especificadas, pode ser resolvido calculando o potencial de (4.24) ou (4.25) e usando (4.27) para obter o campo. A Equação (4.27) também concorda com o que encontramos através do cálculo vetorial: que para qualquer campo escalar ϕ

$$\int_a^b \nabla\phi \cdot d\mathbf{s} = \phi(b) - \phi(a). \tag{4.28}$$

De acordo com a Eq. (4.25), o potencial escalar ϕ é dado por uma integral tridimensional semelhante àquela que tínhamos para **E**. Há alguma vantagem em calcular ϕ em vez de **E**? Sim, pois há apenas uma integral para ϕ, enquanto há três para **E** – porque **E** é um vetor. Além do mais, $1/r$ é normalmente um pouco mais fácil de integrar que x/r^3. Isso acarreta que, em várias situações práticas, é mais fácil calcular ϕ e, então, tomar o seu gradiente para encontrar o campo elétrico, que calcular as três integrais para **E**. É uma questão meramente prática.

Há também um significado físico mais profundo para o potencial ϕ. Mostramos que **E** da lei de Coulomb é obtido de $\mathbf{E} = -grad\ \phi$, quando ϕ é dado por (4.22). Contudo, se **E** for o gradiente de uma função escalar, então sabemos, do cálculo vetorial, que o rotacional de **E** deve se anular:

$$\nabla \times \mathbf{E} = 0. \tag{4.29}$$

Essa é, simplesmente, a nossa segunda equação fundamental da eletrostática, Eq. (4.6). Mostramos que a lei de Coulomb fornece um campo **E** que satisfaz a essa condição. Até aqui está tudo bem.

Na verdade, provamos que $\nabla \times \mathbf{E}$ era zero antes de definirmos o potencial. Mostramos também que o trabalho realizado ao redor de um circuito fechado é zero. Isto é, que

$$\oint \mathbf{E} \cdot d\mathbf{s} = 0$$

para *qualquer* caminho fechado. Vimos, no Capítulo 3, que, para qualquer campo deste tipo, o $\nabla \times \mathbf{E}$ deve ser zero em toda parte. O campo elétrico na eletrostática é um exemplo de um campo irrotacional.

Você pode praticar seu cálculo vetorial provando que $\nabla \times \mathbf{E}$ é zero de uma forma diferente – calculando as componentes do $\nabla \times \mathbf{E}$ para o campo de uma carga pontual, como dado pela Eq. (4.11). Se você obtiver zero, o princípio de superposição afirma que você deve obter zero para o campo de qualquer distribuição de cargas.

Devemos salientar um fato importante. Para qualquer força radial, o trabalho realizado independe do caminho e há um potencial. Se você pensar sobre isso, verá que todo o argumento que fizemos acima para mostrar que o trabalho integral independente do caminho dependeu apenas do fato de a força de uma única carga ser radial e esfericamente simétrica. Esse argumento não decorreu do fato de a dependência na distância ser $1/r^2$ – esta podia ser qualquer dependência em r. A existência de um potencial, e o fato de o rotacional de **E** ser zero, vem realmente apenas da *simetria* e da *direção* das forças eletrostáticas. Por causa disso, a Eq. (4.28) – ou a Eq. (4.29) – pode conter apenas uma parte das leis da eletricidade.

4–5 O fluxo de E

Deduziremos, agora, uma equação de campo que depende específica e diretamente do fato de a lei de força ser do tipo inverso do quadrado da distância. Que o campo varie inversamente com o quadrado da distância parece, para algumas pessoas, ser "apenas natural", porque "esse é o jeito com que as coisas se propagam". Considere uma fonte luminosa irradiando: a quantidade de luz que passa através de uma superfície cortada por um cone com o ápice na fonte é a mesma, não importa em que raio essa superfície seja colocada. Isso deve ser assim para que haja a conservação da energia luminosa. A quantidade de luz por unidade de área – a intensidade – deve variar com o inverso da área cortada pelo cone, ou seja, inversamente com o quadrado da distância da fonte. Certamente, o campo elétrico deve variar inversamente com o quadrado da distância pela mesma razão! No entanto, aqui não existe esta coisa de "a mesma razão". Ninguém pode dizer que o campo elétrico mede o fluxo de algo que, como a luz, deve ser conservada. *Se* tivermos um "modelo" de campo elétrico no qual o vetor do campo elétrico represente a direção e a velocidade – quer dizer, a corrente – de algum tipo de pequenas "balas" que estão voando, *e* se nosso modelo requerer que estas balas sejam conservadas, ou seja, que uma vez disparada por uma carga, nenhuma delas possa jamais desaparecer, então teremos como afirmar que podemos "ver" que a lei do inverso do quadrado da distância é necessária. Por outro lado, deve haver alguma maneira de expressar matematicamente essa ideia física. Se o campo elétrico *fosse* como as balas atiradas que se conservam, então ele deveria variar inversamente com o quadrado da distância, e devemos ser capazes de descrever este comportamento por uma equação – que é puramente matemática. Não há nada errado em pensar dessa forma, desde que não digamos que o campo elétrico é *formado* por balas, mas compreendamos que estamos usando um modelo para nos ajudar a encontrar a matemática correta.

Vamos imaginar, por um momento, que o campo elétrico realmente represente o fluxo de alguma coisa que se conserva – em toda parte, isto é, exceto nas cargas (ele precisa começar em algum lugar!). Imaginamos que, seja lá o que for, esteja fluindo da carga para o espaço ao seu redor. Se **E** for o vetor de tal fluxo (como **h** é o vetor do fluxo de calor), ele deve ter uma dependência com $1/r^2$ próximo a uma fonte pontual. Desejamos agora usar este modelo para determinar como estabelecer a lei do inverso do quadrado da distância de uma forma mais profunda ou mais abstrata, no lugar de simplesmente dizer "inverso do quadrado" (você pode estar se perguntando por que desejaríamos evitar o enunciado de uma lei tão simples e, ao invés disso, afirmar a mesma coisa de forma obscura mas diferente. Paciência! Isso se mostrará útil).

Perguntamos: o que é o "fluxo" de **E** através de uma superfície fechada arbitrária nas vizinhanças de uma carga pontual? Primeiramente, tomemos uma superfície simples – a mostrada na Figura 4–5. Se o campo **E** é como um fluido, o fluxo resultante por esta caixa deve ser zero. Isso é o que obtemos se por "fluxo" através da superfície entendermos a integral de superfície da componente normal de **E** – isto é, o fluxo de **E**. Nas faces radiais, a componente normal vale zero. Nas faces esféricas, a componente normal E_n é simplesmente a magnitude de **E** – com sinal de menos para a face menor e de mais para a face maior. A magnitude de **E** decai com $1/r^2$, mas a área da superfície é proporcional a r^2, então o produto é independente de r. O fluxo de **E** que entra na face a é simplesmente cancelado pelo fluxo que sai da face b. O fluxo total por S é zero, o que significa que, para esta superfície

$$\int_S E_n \, da = 0. \tag{4.30}$$

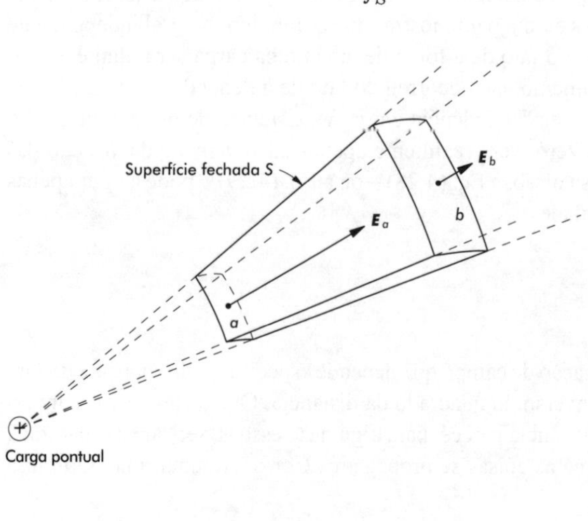

Figura 4–5 O fluxo de **E** pela superfície S é zero.

Em seguida, mostraremos que as duas superfícies extremas podem ser inclinadas em relação à linha radial sem alterar a integral (4.30). Embora isso seja verdade em geral, para nossos propósitos é necessário apenas mostrar que isso é verdade quando estas superfícies extremas são pequenas, de forma que elas subentendam um ângulo pequeno a partir da fonte – na verdade, um ângulo infinitesimal. Na Figura 4–6, mostramos uma superfície S cujos "lados" são radiais, mas cujos "extremos" estão inclinados. Na figura, as superfícies externas não são pequenas, mas você deve imaginar uma situação com superfícies externas muito pequenas. Com isso, o campo **E** será suficientemente uniforme sobre a superfície, de modo que podemos usar apenas o seu valor no centro. Quando inclinamos a superfície de um ângulo θ, sua área aumenta por um fator de $1/\cos\theta$. Contudo, E_n, a componente de **E** normal à superfície, diminui por um fator de $\cos\theta$. O produto $E_n\,\Delta a$ permanece inalterado. O fluxo por toda a superfície S continua sendo zero.

Agora é fácil ver que o fluxo por um volume encerrado por uma superfície S *qualquer* deve ser zero. Todo volume pode ser imaginado como feito de pedaços, como os da Figura 4–6. A superfície será subdividida em pares de superfícies externas, e como o fluxo através das faces de cada uma destas superfícies externas se cancela, o fluxo total pela superfície será zero. Essa ideia está ilustrada na Figura 4–7. Temos o resultado completamente geral de que o fluxo de **E** através de *qualquer* superfície S no campo de uma carga pontual é zero.

Repare que nossa prova funciona, apenas, se a superfície S *não envolver* a carga. O que aconteceria se a carga pontual estivesse *dentro* da superfície? Continuaríamos podendo dividir a nossa superfície em pares de áreas emparelhadas com as linhas radiais que partem da carga, como mostrado na Figura 4–8. O fluxo através de cada uma das duas superfícies continuaria sendo igual – pelo mesmo argumento de antes –, mas agora estes fluxos possuiriam o *mesmo* sinal. O fluxo através de uma superfície que *envolve* uma carga *não* é zero. Então, quanto ele vale? Podemos descobrir usando um pequeno truque. Suponha que "removamos" a carga do "interior", circundando-a por uma superfície S' totalmente inserida na superfície original S, como mostrado na Figura 4–9. Agora, o volume encerrado *entre* as duas superfícies S e S' não possui carga em seu interior. O fluxo total por essa superfície (incluindo aquele através de S') é zero, pelos argumentos dados anteriormente. Estes argumentos nos dizem, de fato, que o fluxo que *entra* no volume através da superfície S' é o mesmo fluxo que sai através de S.

Podemos escolher qualquer forma que desejarmos para S'. Façamos, então, desta superfície, uma esfera centrada na carga, como na Figura 4–10. Com isso, podemos facilmente calcular o fluxo através de S'. Se o raio desta pequena esfera for r, o valor de **E** em qualquer ponto de sua superfície valerá

$$\frac{1}{4\pi\epsilon_0}\,\frac{q}{r^2},$$

e estará sempre na direção normal à superfície. Podemos encontrar o fluxo através de S' multiplicando esta componente normal de **E** pela área da superfície:

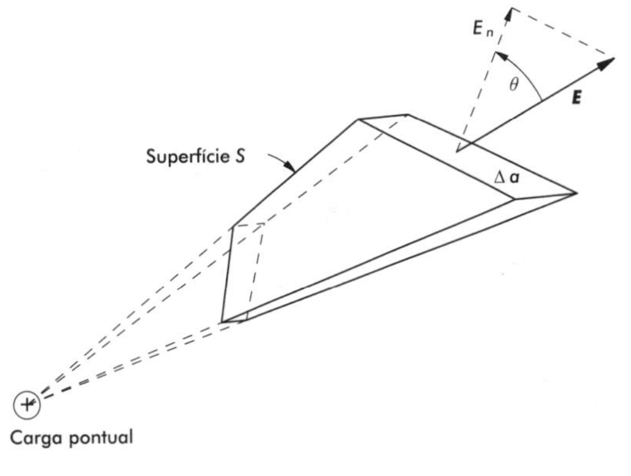

Figura 4–6 O fluxo de **E** pela superfície S é zero.

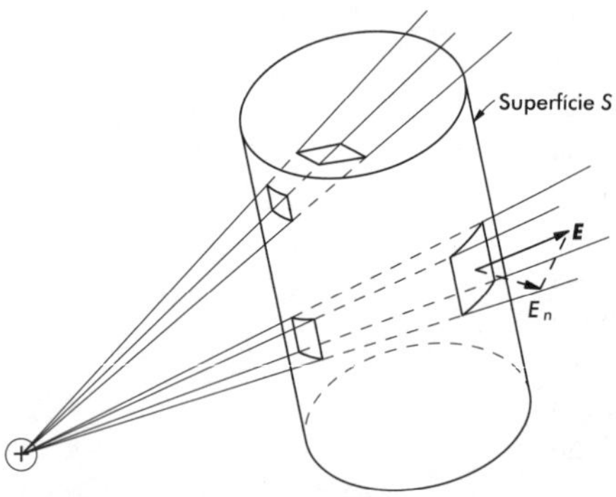

Figura 4–7 Qualquer volume pode ser pensado como sendo feito de cones infinitesimais truncados. O fluxo de **E** numa das extremidades de cada segmento cônico é igual e oposto ao fluxo pela outra extremidade. O fluxo total pela superfície *S* é, portanto, zero.

$$\text{Fluxo através da superfície } S' = \left(\frac{1}{4\pi\epsilon_0}\frac{q}{r^2}\right)(4\pi r^2) = \frac{q}{\epsilon_0}, \qquad (4.31)$$

um número que independe do raio da esfera! Sabemos, então, que o fluxo que sai da superfície *S* será também q/ϵ_0 – um valor independente da forma de *S*, desde que essa superfície tenha a carga em seu interior.

Podemos escrever nossas conclusões como segue:

$$\int_{\text{qualquer superfície fechada S}} E_n\, da = \begin{cases} 0; & q \text{ fora de } S \\ \dfrac{q}{\epsilon_0}; & q \text{ dentro de } S \end{cases} \qquad (4.32)$$

Retornemos à nossa analogia com as "balas" e vejamos se isso faz sentido. Nosso teorema afirma que o fluxo total de balas através de uma superfície é zero se esta superfície não encerra a arma que atira as balas. Se a arma estiver envolvida pela superfície, seja qual for o tamanho ou a forma desta superfície, o número de balas que a atravessa é o mesmo – esse número é dado pela taxa com que as balas são lançadas pela arma. Tudo isso parece extremamente razoável para balas que se conservem, mas pode esse modelo nos informar algo além daquilo que podemos extrair simplesmente escrevendo a Eq. (4.32)? Ninguém teve sucesso em fazer com que estas "balas" forneçam qualquer coisa além do produzido por esta lei. Além disso, elas não produzem nada além de erros. Essa é a razão pela qual, atualmente, preferimos representar o campo eletromagnético de uma forma puramente abstrata.

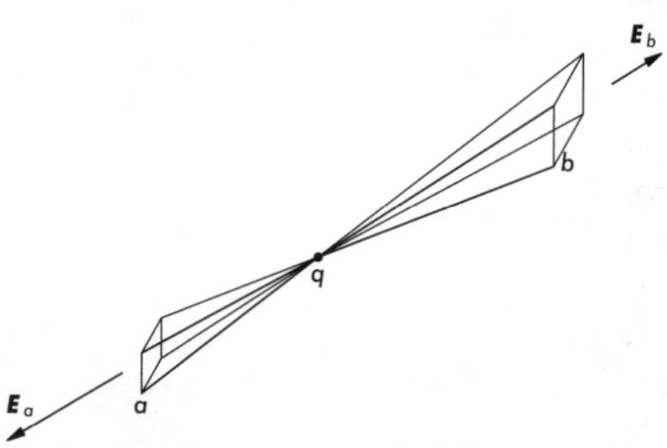

Figura 4–8 Se uma carga está dentro da superfície, o fluxo por esta superfície não é zero.

4–6 A Lei de Gauss; o divergente de E

Nosso belo resultado, a Eq. (4.32), foi provado para uma única carga pontual. Suponha agora que haja duas cargas, uma carga q_1 em um ponto e uma carga q_2 em outro. Este problema parece mais difícil. O campo elétrico, cuja componente normal devemos integrar para encontrar o fluxo, é produzido por ambas as cargas. Isto é, se $\mathbf{E}_1$ representa o campo elétrico que seria produzido apenas pela carga q_1 e $\mathbf{E}_2$, o campo elétrico produzido apenas pela carga q_2, o campo elétrico total será $\mathbf{E} = \mathbf{E}_1 + \mathbf{E}_2$. O fluxo através de qualquer superfície fechada *S* será

$$\int_S (E_{1n} + E_{2n})\, da = \int_S E_{1n}\, da + \int_S E_{2n}\, da. \qquad (4.33)$$

O fluxo com as duas cargas presentes é o fluxo devido a uma das cargas mais o fluxo devido a outra carga. Se ambas as cargas estiverem fora de *S*, o fluxo através de *S* será zero. Se q_1 estiver dentro de *S*, mas q_2 estiver fora, então a primeira integral fornecerá q_1/ϵ_0 e a segunda integral, zero. Se a superfície englobar ambas as cargas, cada uma dará sua contribuição, e teremos que o fluxo será $(q_1 + q_2)/\epsilon_0$. A regra geral é, claramente, que o fluxo total por uma superfície fechada é igual ao total de cargas em seu *interior*, divido por ϵ_0.

Nosso resultado é uma importante lei geral do campo eletrostático, chamada lei de Gauss.

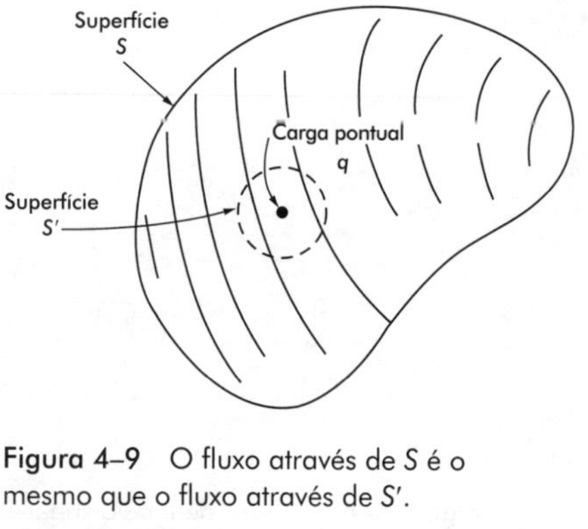

Figura 4–9 O fluxo através de *S* é o mesmo que o fluxo através de *S′*.

Lei de Gauss:

$$\int_{\substack{\text{qualquer superfície}\\ \text{fechada S}}} E_n\, da = \frac{\text{soma das cargas internas}}{\epsilon_0}, \qquad (4.34)$$

ou

$$\int_{\substack{\text{qualquer superfície}\\ \text{fechada S}}} \mathbf{E}\cdot\mathbf{n}\, da = \frac{Q_{\text{int}}}{\epsilon_0}, \qquad (4.35)$$

onde

$$Q_{\text{int}} = \sum_{\text{dentro de } S} q_i. \tag{4.36}$$

Se descrevermos a localização das cargas em termos de uma densidade de cargas ρ, poderemos considerar que cada volume infinitesimal dV contém uma carga "pontual" $\rho\, dV$. A soma de todas as cargas será, então, a integral

$$Q_{\text{int}} = \int_{\substack{\text{volume}\\ \text{dentro de } S}} \rho\, dV. \tag{4.37}$$

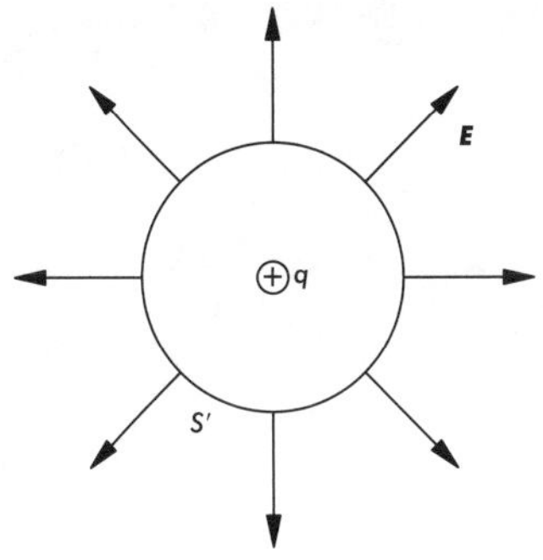

Figura 4–10 O fluxo através de uma superfície esférica contendo uma carga pontual q é q/ϵ_0.

Pela nossa dedução, você vê que a lei de Gauss decorre do fato de o expoente na lei de Coulomb ser exatamente dois. Um campo com $1/r^3$, ou qualquer campo com $1/r^n$ com $n \neq 2$, não resultaria na lei de Gauss. Então, a lei de Gauss é apenas uma expressão, em uma forma diferencial, da lei de Coulomb das forças entre as cargas. Na verdade, trabalhando a partir da lei de Gauss, podemos derivar a lei de Coulomb. As duas são completamente equivalentes, se mantivermos em mente a regra de que as forças entre as cargas são radiais.

Gostaríamos, agora, de escrever a lei de Gauss em termos de derivadas. Para isso, aplicamos a lei de Gauss a uma superfície cúbica infinitesimal. Mostramos, no Capítulo 3, que o fluxo de **E** por tal cubo é o $\nabla \cdot \mathbf{E}$ vezes o volume dV do cubo. A carga dentro do cubo, pela definição de ρ, é igual a $\rho\, dV$, então a lei de Gauss fornece

$$\nabla \cdot \mathbf{E}\, dV = \frac{\rho\, dV}{\epsilon_0},$$

ou

$$\nabla \cdot \mathbf{E} = \frac{\rho}{\epsilon_0}. \tag{4.38}$$

A forma diferencial da lei de Gauss é a primeira de nossas equações fundamentais da eletrostática, Eq. (4.5). Mostramos que as duas equações da eletrostática, Eqs. (4.5) e (4.6), são equivalentes à lei de força de Coulomb. Consideraremos, agora, um exemplo simples do uso da lei de Gauss (muitos outros exemplos surgirão no futuro).

4–7 O campo de uma esfera carregada

Um dos problemas difíceis que tivemos ao estudar a teoria das atrações gravitacionais foi provar que a força produzida por uma esfera sólida de matéria era a mesma, na superfície da esfera, que seria se toda a matéria estivesse concentrada no seu centro. Por muitos anos, Newton não tornou pública a sua teoria da gravitação porque ele não tinha certeza se este teorema era verdadeiro. Provamos este teorema, no Capítulo 13 do Vol. I, fazendo a integral do potencial e encontrando a força gravitacional usando o gradiente. Podemos agora provar este teorema de uma forma mais simples. Desta vez, provaremos o teorema correspondente para uma esfera de carga elétrica uniformemente carregada (uma vez que as leis da eletrostática são as mesmas da gravitação, esta mesma prova pode ser realizada para o campo gravitacional).

Perguntamos: como é o campo elétrico **E** em um ponto qualquer P no exterior de uma esfera com uma distribuição uniforme de cargas? Como não há nenhuma direção "especial", podemos supor que **E** é, em toda parte, direcionado para fora do centro da esfera. Consideremos uma superfície imaginária que seja esférica e concêntrica à esfera carregada e que passe pelo ponto P (Figura 4–11). Para esta superfície, o fluxo para fora é

$$\int E_n\, da = E \cdot 4\pi R^2.$$

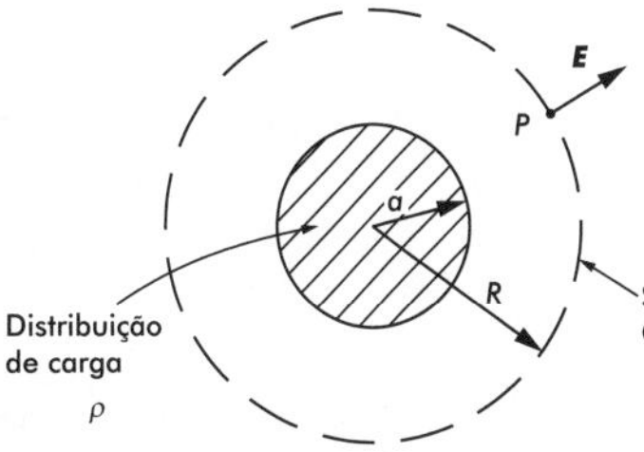

Figura 4–11 Uso da lei de Gauss para encontrar o campo de uma esfera uniformemente carregada.

A lei de Gauss nos diz que o fluxo é igual à carga total Q da esfera (dividida por ϵ_0):

$$E \cdot 4\pi R^2 = \frac{Q}{\epsilon_0},$$

ou

$$E = \frac{1}{4\pi\epsilon_0}\frac{Q}{R^2}, \tag{4.39}$$

que é a mesma fórmula que encontraríamos para uma carga pontual Q. Provamos o problema de Newton mais facilmente que se fizéssemos a integral. Isso é, obviamente, um tipo falso de facilidade – você levou algum tempo para entender a lei de Gauss, de modo que pode pensar que nenhum tempo foi economizado. No entanto, após usar esse teorema muitas vezes, este tempo começa a valer a pena. É uma questão de eficiência.

4–8 Linhas de campo; superfícies equipotenciais

Gostaríamos, agora, de dar uma descrição geométrica do campo eletrostático. As duas leis da eletrostática, uma que o fluxo é proporcional à carga interior e a outra que o campo elétrico é o gradiente de um potencial, podem também ser representadas geometricamente. Ilustraremos esse fato com dois exemplos.

Primeiro, pegaremos o campo de uma carga pontual. Desenhamos linhas na direção do campo – linhas que são sempre tangenciais ao campo, como na Figura 4–12. Estas são chamadas *linhas de campo*. As linhas mostram a direção do vetor elétrico em toda parte. Desejamos também representar a magnitude deste vetor. Podemos estabelecer a regra de que a intensidade do campo elétrico será representada pela "densidade" de linhas. Por densidade de linhas queremos dizer o número de linhas por unidade de área através de uma superfície perpendicular às linhas. Com essas duas regras podemos ter uma imagem do campo elétrico. Para uma carga pontual, a densidade das linhas precisa

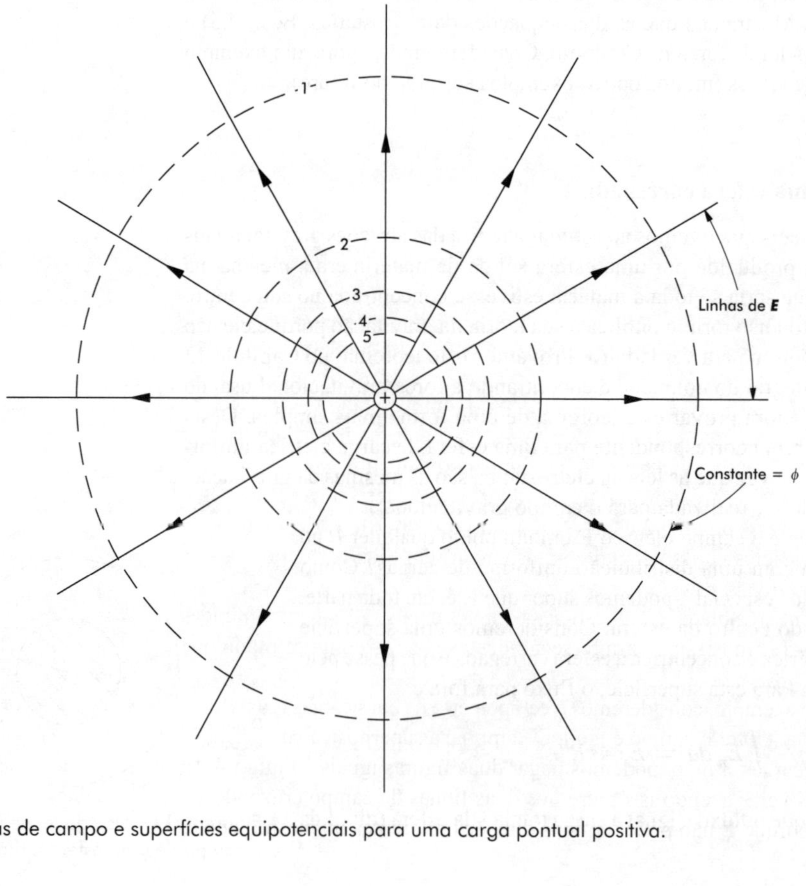

Figura 4–12 As linhas de campo e superfícies equipotenciais para uma carga pontual positiva.

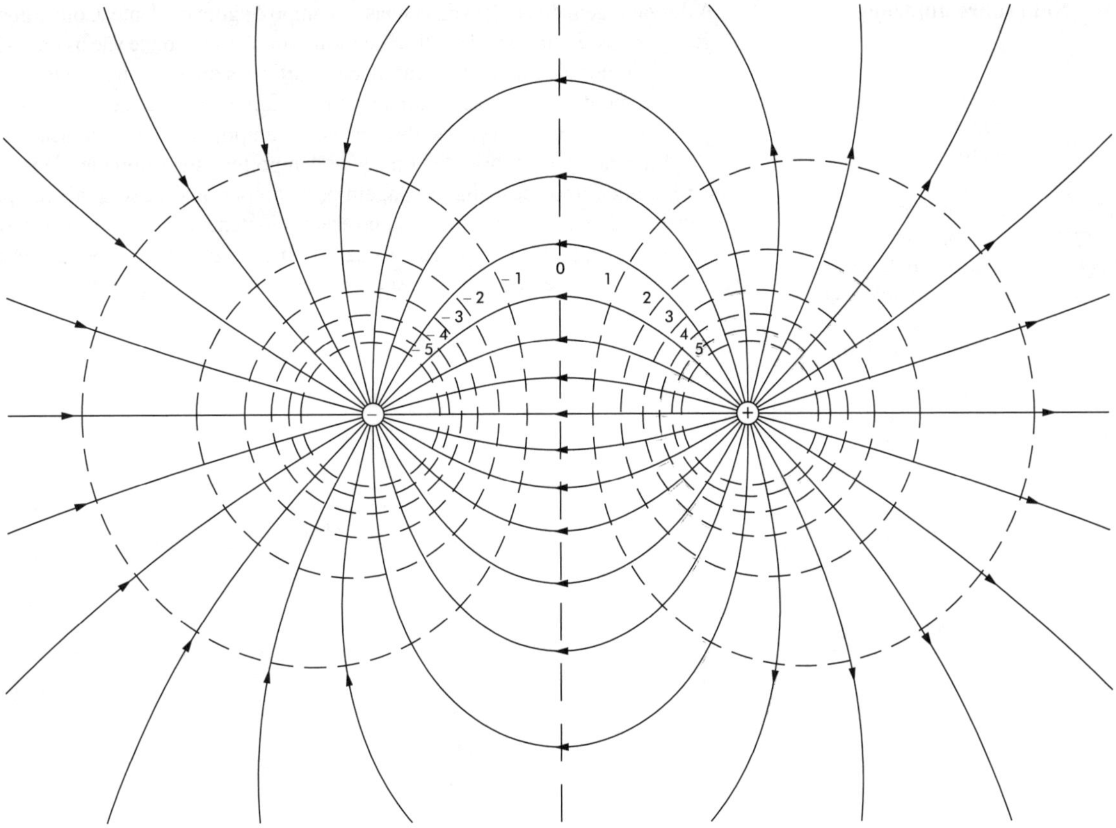

Figura 4–13 As linhas de campo e equipotenciais para duas cargas pontuais iguais e opostas.

decair com $1/r^2$, mas a área de uma superfície esférica perpendicular às linhas em qualquer raio r *aumenta* com r^2, então, se mantivermos sempre o mesmo *número* de linhas para qualquer distância da carga, a densidade permanecerá proporcional à magnitude do campo. Podemos garantir que haja sempre o mesmo número de linhas a qualquer distância, exigindo que as linhas sejam *contínuas* – uma vez que uma linha parte da carga, ela nunca termina. Em termos das linhas de campo, a lei de Gauss diz que as linhas devem começar apenas nas cargas positivas e terminar nas cargas negativas. O número que *parte* de uma carga q precisa ser igual a q/ϵ_0.

Podemos agora encontrar uma imagem geométrica análoga para o potencial ϕ. A forma mais fácil de representar o potencial é desenhar superfícies em que ϕ seja uma constante. Chamamos estas superfícies de *equipotenciais* – superfícies com o mesmo potencial. Qual é a relação geométrica entre as superfícies equipotenciais e as linhas de campo? O campo elétrico é o gradiente do potencial. O gradiente aponta na direção em que o potencial muda mais rapidamente, sendo, portanto, perpendicular a uma superfície equipotencial. Se **E** *não* fosse perpendicular a esta superfície, ele teria uma componente nesta superfície. Portanto, o potencial estaria mudando na superfície e ela não seria equipotencial. As superfícies equipotenciais precisam ser, em toda parte, normais às linhas de campo elétrico.

Para uma carga pontual isolada, as superfícies equipotenciais são esferas centradas na carga. Na Figura 4–12, mostramos a interseção destas esferas com um plano que passa pela carga.

Como um segundo exemplo, consideremos o campo perto de duas cargas iguais, uma positiva e outra negativa. Obter o campo é fácil. O campo é a superposição dos campos de cada uma das duas cargas. Então, podemos pegar duas figuras iguais à Figura 4–12 e sobrepô-las – impossível! Fazendo isso, teremos duas linhas de campo cruzando-se, e isso não é possível, porque **E** não pode ter duas direções diferentes no mesmo ponto.

Nota sobre unidades

Quantidade	*Unidade*
F	newton
Q	coulomb
L	metro
W	joule
$\rho \sim Q/L^3$	coulomb/metro^3
$1/\epsilon_0 \sim FL^2/Q^2$	newton·metro^2/coulomb^2
$E \sim F/Q$	newton/coulomb
$\phi \sim W/Q$	joule/coulomb = volt
$E \sim \phi/L$	volt/metro
$1/\epsilon_0 \sim EL^2/Q$	vol·metro/coulomb

A desvantagem do cenário das linhas de campo é agora evidente. Com argumentos geométricos, é impossível analisar de forma simples para onde vão as novas linhas. Não podemos ter a imagem combinada a partir das duas imagens independentes. O princípio de superposição, um princípio simples e profundo sobre os campos elétricos, não tem, no cenário das linhas de campo, uma representação simples.

Entretanto, o cenário das linhas de campo tem sua utilidade, de modo que ainda poderíamos desenhar a imagem para um par de cargas iguais (e opostas). Podemos desenhar as linhas de campo e as equipotenciais, se calcularmos o campo a partir da Eq.(4.13) e os potenciais da (4.24). A Figura 4–13 mostra o resultado. Contudo, antes temos de resolver o problema matematicamente!

5

Aplicação da Lei de Gauss

5–1 A eletrostática é a lei de Gauss mais...

Há duas leis da eletrostática: em um dado volume, o fluxo do campo elétrico na superfície que cerca tal volume é proporcional à carga em seu interior – lei de Gauss, e a circulação do campo elétrico vale zero – **E** é um gradiente. Dessas duas leis, seguem todas as previsões da eletrostática. Dizer essas coisas matematicamente é uma coisa; usá-las facilmente, e com alguma habilidade, é outra. Neste capítulo, trabalharemos com um certo número de cálculos que podem ser realizados diretamente por meio da lei de Gauss. Provaremos teoremas e descreveremos alguns efeitos, particularmente em condutores, que podem ser muito facilmente entendidos pela lei de Gauss. Por si só, a lei de Gauss não pode fornecer a solução de nenhum problema, porque a outra lei também deve ser obedecida. Assim, quando usamos a lei de Gauss para resolver um problema em particular, alguma coisa terá de ser adicionada ao problema. Por exemplo, teremos de pressupor uma forma para o campo – baseada, por exemplo, em argumentos de simetria. Ou podemos ter de introduzir especificamente a ideia de que o campo é o gradiente de um potencial.

5–2 Equilíbrio em um campo eletrostático

Considere primeiramente a seguinte questão: quando uma carga pontual pode estar em equilíbrio mecânico estável no campo elétrico de outras cargas? Como exemplo, imagine três cargas negativas nos vértices de um triângulo equilátero em um plano horizontal. É possível que uma carga positiva colocada no centro deste triângulo permaneça neste ponto? Será mais simples se ignorarmos a gravidade no momento, embora sua inclusão não altere o resultado. A força sobre a carga positiva é zero, mas este equilíbrio é estável? Se for ligeiramente deslocada, a carga voltará à posição de equilíbrio? A resposta é não.

Para *qualquer* campo eletrostático, não existe *nenhum* ponto de equilíbrio estável – exceto exatamente sobre uma outra carga. Usando a lei de Gauss, é fácil ver a razão disso. Primeiro, para uma carga estar em equilíbrio em qualquer ponto particular P_0, o campo ali deve ser zero. Segundo, para que este equilíbrio seja estável, devemos exigir que, se afastarmos a carga de P_0 em *qualquer* direção, surja uma força restauradora direcionada em oposição ao deslocamento. O campo elétrico em *todos* os pontos vizinhos deve apontar na direção de P_0. Contudo, como podemos ver facilmente, se não existir nenhuma carga em P_0, isso é uma violação da lei de Gauss.

Considere uma pequena superfície que envolva P_0, como na Figura 5–1. Se o campo elétrico em qualquer parte nas vizinhanças de P_0 aponta para esse ponto, a integral de superfície da componente normal certamente não será zero. Para o caso mostrado na figura, o fluxo através da superfície será um número negativo. No entanto, a lei de Gauss afirma que o fluxo do campo elétrico através de qualquer superfície é proporcional à sua carga interna. Se não houver nenhuma carga em P_0, o campo que imaginamos viola a lei de Gauss. É impossível equilibrar uma carga positiva no espaço vazio – em um ponto onde não haja qualquer carga negativa. Uma carga positiva *pode* estar em equilíbrio se estiver no meio de uma distribuição negativa de cargas. Obviamente, a distribuição de cargas negativas tem de ser mantida no lugar por outras forças, que não sejam elétricas!

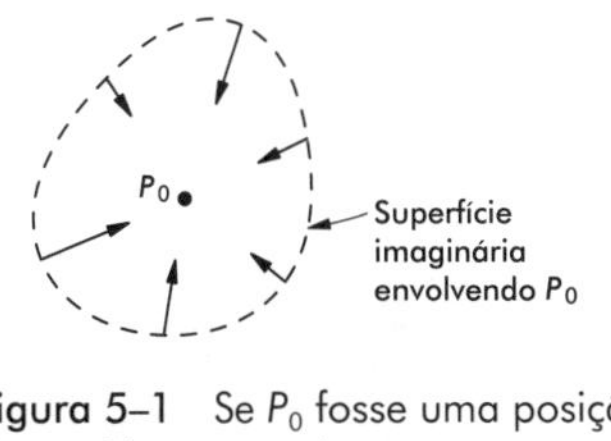

Figura 5–1 Se P_0 fosse uma posição de equilíbrio estável para uma carga positiva, o campo elétrico em todas as regiões nas vizinhanças apontaria na direção de P_0.

Nosso resultado foi obtido para uma carga pontual. Será essa mesma conclusão válida para um arranjo complicado de cargas que são mantidas juntas e com suas posições relativas fixas – ligadas, por exemplo, por bastões? Consideraremos essa questão para duas cargas iguais ligadas por um bastão. Será possível que esta combinação esteja em equilíbrio em algum campo eletrostático? A resposta é, novamente, não. A força *total* no bastão não pode ser restaurada para deslocamentos em todas as direções.

Chamem de **F** a força total no bastão em qualquer posição – então **F** é um campo vetorial. Seguindo a mesma argumentação usada, concluímos que, na posição de equilíbrio estável, o divergente de **F** deve ser um número negativo. A força total no bastão é o valor da primeira carga vezes o campo na sua posição, mais o valor da segunda carga vezes o campo na sua posição:

$$\mathbf{F} = q_1\mathbf{E}_1 + q_2\mathbf{E}_2. \tag{5.1}$$

O divergente de **F** é dado por

$$\nabla \cdot \mathbf{F} = q_1 (\nabla \cdot \mathbf{E}_1) + q_2 (\nabla \cdot \mathbf{E}_2).$$

Se cada uma das duas cargas, q_1 e q_2, estiver no espaço vazio, ambos, $\nabla \cdot \mathbf{E}_1$ e $\nabla \cdot \mathbf{E}_2$, serão nulos, e, consequentemente, o $\nabla \cdot \mathbf{F}$ será zero – e não um número negativo, como seria exigido para que houvesse equilíbrio. Você pode ver que uma extensão desse argumento mostrará que nenhuma combinação rígida de um número qualquer de cargas pode ter uma posição de equilíbrio estável em um campo eletrostático no espaço vazio.

Não mostramos que o equilíbrio é proibido se existirem pivôs ou outros vínculos mecânicos. Como exemplo, considere um tubo oco no qual uma carga pode se mover livremente para frente e para trás, mas não de lado. É muito fácil conceber um campo elétrico que aponte para dentro em ambas as laterais do tubo, desde que seja permitido que o campo aponte lateralmente para fora próximo ao centro do tubo. Basta colocarmos uma carga positiva em cada uma das extremidades do tubo, como na Figura 5–2. Nestas circunstâncias, haverá um ponto de equilíbrio, embora o divergente de **E** seja zero. A carga, obviamente, não estará em equilíbrio estável para movimentos laterais, mas esses movimentos são impedidos pelas forças "não elétricas" das paredes do tubo.

5–3 Equilíbrio com condutores

Não existem regiões de equilíbrio no campo de um sistema de cargas fixas. E quanto a um sistema de condutores carregados? Um sistema de condutores carregados poderia produzir um campo que tenha um ponto de equilíbrio estável para uma carga pontual (ponto este fora do condutor, é claro)? Você sabe que os condutores têm a propriedade de que as cargas neles contidas podem se mover livremente. Talvez, quando a carga pontual for ligeiramente deslocada, as outras cargas no condutor se movam de forma a criarem uma força restauradora nesta carga pontual. A resposta continua sendo não – embora a prova que acabamos de dar não mostre isso. A prova neste caso é mais difícil, e apenas indicaremos como ela funciona.

Primeiramente, notamos que quando as cargas se distribuem nos condutores, elas apenas podem fazê-lo se seu movimento diminuir sua energia potencial total. (Alguma energia é perdida na forma de calor quando elas se movem no condutor.) Agora, já mostramos que se as cargas que produzem o campo são *estacionárias*, perto de qualquer ponto P_0 neste campo, haverá alguma direção na qual o afastamento de uma carga pontual de P_0 irá *diminuir* a energia do sistema (uma vez que a força é sempre a partir de P_0). Qualquer remanejamento das cargas no condutor pode apenas baixar ainda mais a energia potencial, então (pelo princípio do trabalho virtual) o movimento destas cargas irá apenas aumentar a força nesta direção particular para longe de P_0, e nunca a inverter.

Nossas conclusões não significam que é impossível equilibrar uma carga usando forças elétricas. Isso é possível se alguém, usando os dispositivos adequados, estiver

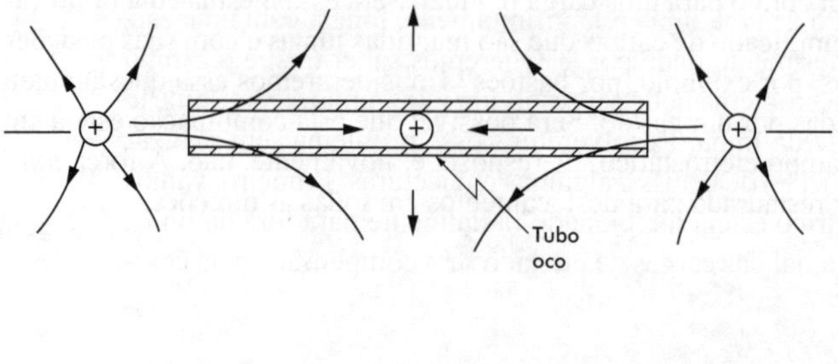

Figura 5–2 Uma carga pode estar em equilíbrio se existirem vínculos mecânicos.

disposto a controlar as localizações ou os tamanhos das cargas auxiliares. Você sabe que um bastão colocado verticalmente em um campo gravitacional é instável, mas isso não prova que ele não possa ser equilibrado na ponta de um dedo. Da mesma forma, uma carga pode ser mantida em uma certa posição por campos elétricos se estes forem *variáveis*, mas nunca com um sistema passivo – isto é, *estático*.

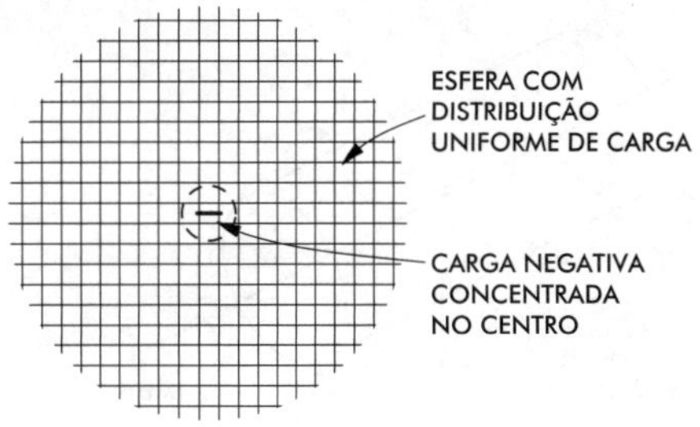

Figura 5–3 O modelo atômico de Thomson.

5–4 A estabilidade dos átomos

Se as cargas não puderem ser mantidas fixas de modo estável em uma posição, obviamente não é apropriado imaginar a matéria como sendo constituída de cargas *pontuais* estáticas (elétrons e prótons) governadas apenas pelas leis da eletrostática. Tal configuração estática é impossível; ela colapsaria!

Sugeriu-se em certa época que as cargas positivas de um átomo poderiam estar distribuídas uniformemente em uma esfera, e as cargas negativas, os elétrons, estariam em repouso dentro das cargas positivas, como mostrado na Figura 5–3. Este foi o primeiro modelo atômico, tendo sido proposto por Thomson. Rutherford concluiu, por meio das experiências de Geiger e Marsden, que as cargas positivas estão muito mais concentradas, naquilo que ele chamou de núcleo. O modelo estático de Thomson teve de ser abandonado. Rutherford e Bohr sugeriram então que o equilíbrio poderia ser dinâmico, com os elétrons circulando em órbitas, como mostrado na Figura 5–4. Os elétrons seriam impedidos de cair no núcleo por seu movimento orbital. Já conhecemos pelo menos uma dificuldade com este cenário. Com este movimento, os elétrons estariam acelerados (devido ao movimento circular) e, portanto, irradiando energia. Eles iriam perder a energia cinética necessária para se manterem em órbita, e iriam espiralar na direção do núcleo. Novamente, um sistema instável!

A estabilidade dos átomos é atualmente explicada em termos da mecânica quântica. As forças eletrostáticas puxam o elétron o mais próximo possível dos núcleos, mas o elétron é compelido a manter-se espalhado no espaço por uma distância dada pelo princípio da incerteza. Se ele fosse confinado em um espaço ainda menor, adquiriria uma grande incerteza no momento. Isso significa que ele teria uma energia muito alta – que ele poderia usar para escapar da atração elétrica. O resultado líquido é um equilíbrio elétrico não muito diferente da ideia de Thomson – só que agora é a carga *negativa* que está espalhada (porque a massa do elétron é muito menor que a massa do próton).

5–5 O campo de uma linha de cargas

A lei de Gauss pode ser usada para resolver inúmeros problemas com campos eletrostáticos que possuam uma simetria especial – normalmente, simetrias esféricas, cilíndricas ou planas. No restante deste capítulo, aplicaremos a lei de Gauss em alguns destes problemas. A facilidade com que estes problemas podem ser resolvidos pode dar a impressão de que o método é extremamente poderoso, e que podemos usá-lo em muitos outros problemas. Infelizmente isso não é verdade. A lista de problemas que podem ser resolvidos facilmente pela lei de Gauss se exaure rapidamente. Nos capítulos posteriores, desenvolveremos métodos mais poderosos para investigar campos eletrostáticos.

Como nosso primeiro exemplo, consideraremos um sistema com simetria cilíndrica. Suponha que tenhamos uma vara muito longa e uniformemente carregada. Com isso queremos dizer que as cargas elétricas estão distribuídas uniformemente ao longo de uma linha reta infinitamente longa, com uma carga por unidade de comprimento dada por λ. Queremos saber qual é o campo elétrico. Obviamente, o problema pode ser resolvido integrando a contribuição do campo de cada parte da linha. Resolveremos esse problema sem realizar integral alguma, usando a lei de Gauss e algumas conjecturas. Primeiro, vamos supor que o campo elétrico esteja direcionado radialmente para fora da linha. Qualquer componente axial das cargas de um lado será compensada pela com-

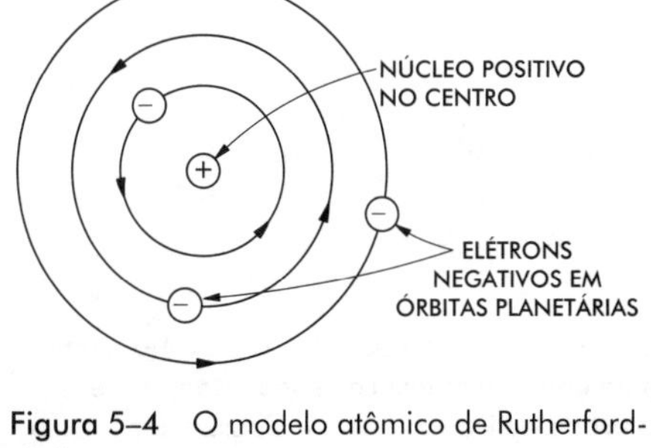

Figura 5–4 O modelo atômico de Rutherford-Bohr.

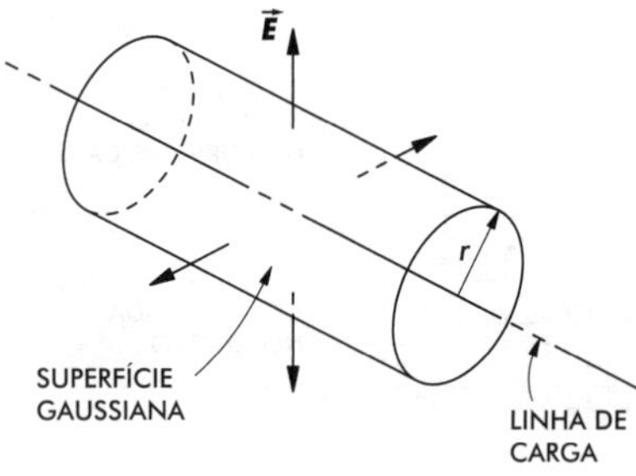

Figura 5–5 Uma superfície gaussiana cilíndrica coaxial a uma linha de carga.

ponente axial das cargas do outro lado. O resultado só pode ser um campo radial. Parece também razoável que o campo deva ter a mesma magnitude em todos os pontos equidistantes da linha. Isso é evidente (pode não ser fácil de provar, mas é verdade se o espaço for simétrico – como acreditamos ser).

Podemos usar a lei de Gauss da seguinte maneira. Consideramos uma superfície *imaginária* na forma de um cilindro coaxial à linha, como mostrado na Figura 5–5. De acordo com a lei de Gauss, o fluxo total de **E** através desta superfície é igual à carga interna dividida por ϵ_0. Uma vez que supusemos que o campo seja normal à superfície, a componente normal é a magnitude do campo. Chamemos esta componente de E. Além disso, faremos o raio do cilindro igual a r e seu comprimento, por conveniência, será considerado igual a uma unidade. O fluxo através desta superfície cilíndrica é igual a E vezes a área da superfície, que vale $2\pi r$. O fluxo através das duas faces laterais é zero, porque o campo é tangencial a estas faces. A carga total no interior de nossa superfície vale simplesmente λ, porque o comprimento da linha dentro do cilindro vale um. A lei de Gauss fornece

$$E \cdot 2\pi r = \lambda/\epsilon_0,$$

$$E = \frac{\lambda}{2\pi\epsilon_0 r}. \tag{5.2}$$

O campo elétrico de uma linha de carga depende inversamente da *primeira* potência da distância da linha.

5–6 Uma folha de cargas; duas folhas

Como outro exemplo, calcularemos o campo de uma folha plana uniformemente carregada. Suponha que a folha seja infinitamente extensa e que a carga por unidade de área seja σ. Faremos ainda outra suposição. Uma consideração sobre a simetria nos leva a crer que a direção do campo seja normal ao plano em toda parte, *e se não tivermos nenhum campo proveniente de outras cargas*, o campo deve ser o mesmo (em magnitude) em cada um dos dois lados. Desta vez, escolhemos para nossa superfície gaussiana uma caixa retangular que passa através da folha, como mostrado na Figura 5–6. As duas faces paralelas à folha terão áreas iguais, digamos A. O campo é normal a estas duas faces e paralelo às outras quatro. O fluxo total vale E vezes a área da primeira face, mais E vezes a área da face oposta – sem nenhuma contribuição das demais faces. A carga total encerrada pela caixa é σA. Igualando o fluxo com a carga interna, temos

$$EA + EA = \frac{\sigma A}{\epsilon_0},$$

de onde segue que

$$E = \frac{\sigma}{2\epsilon_0}, \tag{5.3}$$

um resultado simples, mas importante.

Você deve lembrar que o mesmo resultado foi obtido em um capítulo anterior por uma integração sobre toda a superfície. A lei de Gauss nos deu a resposta, neste exemplo, muito mais rapidamente (embora este método não tenha a aplicação geral do caso anterior).

Enfatizamos que este método se aplica apenas ao campo produzido pelas cargas em uma folha. Se existirem outras cargas na vizinhança, o campo total próximo à folha será a soma de (5.3) e do campo destas outras cargas. A lei de Gauss pode nos dizer apenas que

$$E_1 + E_2 = \frac{\sigma}{\epsilon_0}, \tag{5.4}$$

onde E_1 e E_2 são os campos direcionados para fora de cada um dos lados da folha.

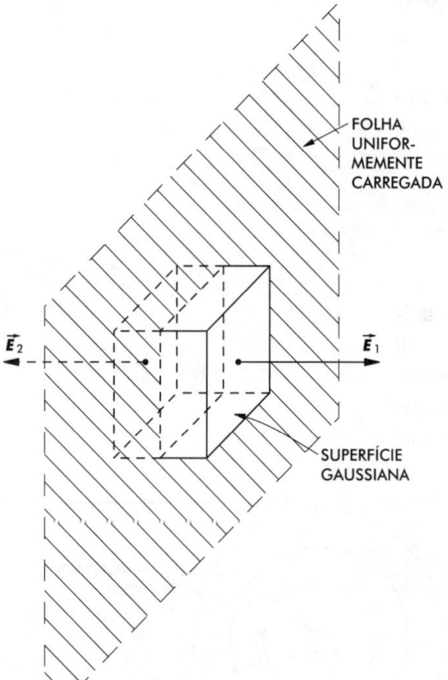

Figura 5–6 O campo elétrico próximo a uma folha uniformemente carregada pode ser encontrado aplicando a lei de Gauss a uma caixa imaginária.

O problema de duas folhas paralelas com densidades de carga iguais e opostas, $+\sigma$ e $-\sigma$, é igualmente simples se assumimos novamente que o mundo externo é completamente simétrico. Tanto pela superposição das duas soluções para uma única folha quanto pela construção de uma outra caixa gaussiana, que inclua as duas folhas, é fácil ver que o campo vale zero *fora* do espaço entre as duas folhas (Figura 5–7). Considerando uma caixa que inclua apenas uma das superfícies, como em (b) ou (c) da figura, pode-se ver que o campo entre as folhas será o dobro do obtido para uma única folha. O resultado é

$$E \text{ (entre as folhas)} = \sigma/\epsilon_0, \tag{5.5}$$

$$E \text{ (fora)} = 0. \tag{5.6}$$

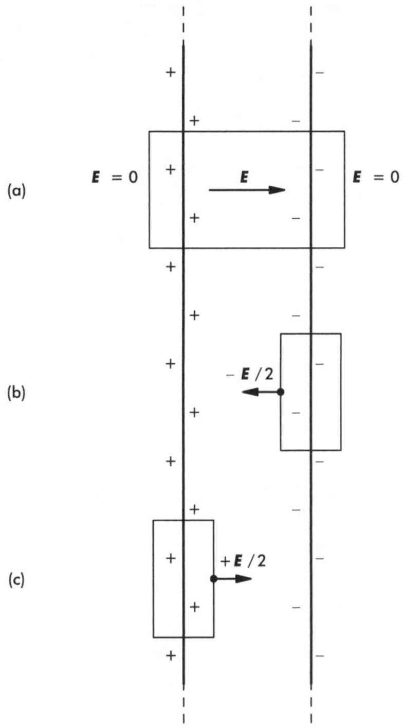

Figura 5–7 O campo entre duas folhas carregadas é σ/ϵ_0.

5–7 Uma esfera de carga; uma casca esférica

No Capítulo 4, usamos a lei de Gauss para encontrar o campo no exterior de uma região esférica uniformemente carregada. O mesmo método também pode nos fornecer o campo em pontos no *interior* da esfera. Por exemplo, o cálculo pode ser usado para obter uma boa aproximação do campo no interior de um núcleo atômico. A despeito do fato de os prótons no núcleo se repelirem, eles estão, devido às intensas forças nucleares, espalhados quase uniformemente pelo corpo do núcleo.

Suponha que tenhamos uma esfera de raio R carregada uniformemente. Seja ρ a carga por unidade de volume. Novamente, usando argumentos de simetria, suporemos que o campo seja radial e igual, em magnitude, em todos os pontos que estão à mesma distância do centro. Para encontrarmos o campo a uma distância r do centro, tomamos uma superfície gaussiana esférica de raio r ($r < R$), como mostrado na Figura 5–8. O fluxo através desta superfície vale

$$4\pi r^2 E.$$

A carga no interior de nossa superfície gaussiana é o volume interno vezes ρ, ou

$$\tfrac{4}{3}\pi r^3 \rho.$$

Usando a lei de Gauss, segue que a magnitude do campo é dada por

$$E = \frac{\rho r}{3\epsilon_0} \quad (r < R). \tag{5.7}$$

Vocês podem ver que essa fórmula fornece o resultado correto para $r = R$. O campo elétrico é *proporcional* ao raio e direcionado radialmente para fora.

Os argumentos que acabamos de dar para uma esfera uniformemente carregada podem ser aplicados também a uma fina casca esférica carregada. Supondo que o campo seja sempre radial e esfericamente simétrico, pode-se obter imediatamente da lei de Gauss que o campo no exterior da casca é igual ao de uma carga pontual, enquanto o campo em qualquer ponto no interior da casca vale zero (uma superfície gaussiana dentro da casca não conterá carga alguma).

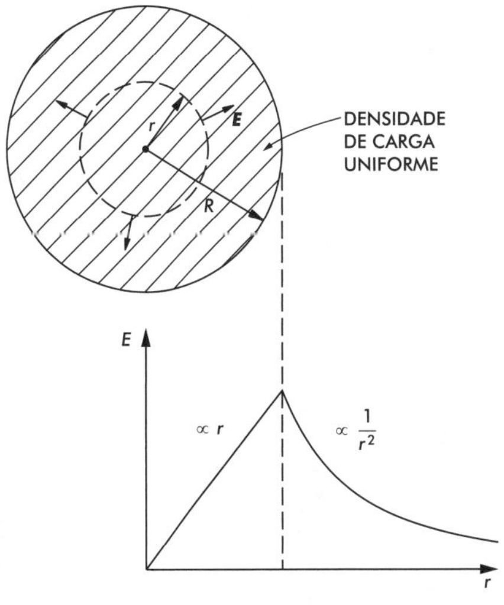

Figura 5–8 A lei de Gauss pode ser usada para encontrar o campo no interior de uma esfera uniformemente carregada.

5–8 O campo de uma carga pontual será exatamente $1/r^2$?

Se examinarmos com um pouco mais de atenção a *razão* pela qual o campo no interior de uma casca vale zero, poderemos ver mais claramente por que a lei de Gauss é uma consequência do fato de a força de Coulomb depender exatamente do quadrado da distância. Considere um ponto P qualquer no interior de uma casca esférica carregada. Imagine um pequeno cone com o ápice em P e que atravesse a superfície da esfera cortando uma pequena área Δa_1, como na Figura 5–9. Um cone perfeitamente simétrico divergindo do lado oposto de P cortará uma área

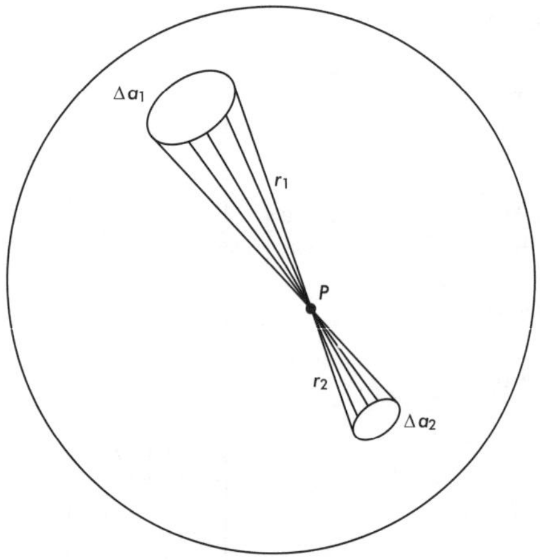

Figura 5–9 O campo é zero em qualquer ponto P no interior de uma casca esférica carregada.

de superfície Δa_2. Se as distâncias de P a estes dois elementos de área são r_1 e r_2, estas áreas terão a razão

$$\frac{\Delta a_2}{\Delta a_1} = \frac{r_2^2}{r_1^2}.$$

Você pode mostrar isso geometricamente para qualquer ponto P no interior da esfera.

Se a superfície da esfera for uniformemente carregada, a carga Δq em cada um dos elementos de área será proporcional à área, então

$$\frac{\Delta q_2}{\Delta q_1} = \frac{\Delta a_2}{\Delta a_1}.$$

A lei de Coulomb nos diz que a magnitude dos campos produzidos em P por estes dois elementos de superfícies estão na razão

$$\frac{E_2}{E_1} = \frac{\Delta q_2/r_2^2}{\Delta q_1/r_1^2} = 1$$

Os campos se cancelam exatamente. Uma vez que todas as partes da superfície podem ser emparelhadas desta forma, o campo total em P vale zero. Você pode ver que isso não seria verdade se o expoente de r na lei de Coulomb não fosse exatamente dois.

A validade da lei de Gauss depende da lei do inverso do quadrado da distância, a lei de Coulomb. Se a lei de força não fosse exatamente a lei do inverso do quadrado, o campo no interior de uma casca esférica uniformemente carregada não seria exatamente zero. Por exemplo, se a força variar mais rapidamente, digamos como o inverso do cubo de r, a parte da superfície mais próxima de um ponto interno iria produzir um campo maior que uma parte mais distante, resultando em um campo radial direcionado para dentro, em uma superfície positivamente carregada. Essas conclusões sugerem uma forma elegante de encontrar quando a lei do inverso do quadrado é precisamente correta. Devemos apenas determinar quando o campo no interior de uma casca esférica uniformemente carregada se anula completamente.

É uma sorte que tal método exista. Normalmente é difícil medir uma quantidade física com tanta precisão – um resultado de um por cento pode não ser tão difícil, mas como se pode medir, digamos, a lei de Coulomb com uma precisão de uma parte em um bilhão? Certamente não é possível, mesmo com a melhor técnica disponível, medir a *força* entre dois objetos carregados com tamanha precisão. Contudo, determinando apenas se o campo elétrico dentro de uma esfera carregada é *menor que* um certo valor, podemos fazer uma medida altamente precisa da exatidão da lei de Gauss, e consequentemente da dependência da lei de Coulomb com o inverso do quadrado. O que se faz, na verdade, é *comparar* a lei de força com uma lei idealizada do inverso do quadrado da distância. Tais comparações de coisas que são iguais, ou muito próximas, são normalmente as bases das medidas físicas mais precisas.

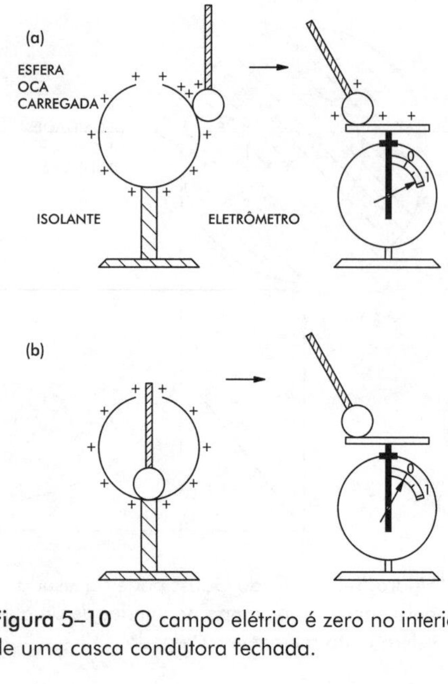

Figura 5–10 O campo elétrico é zero no interior de uma casca condutora fechada.

Como podemos observar o campo no interior de uma esfera carregada? Uma maneira é tentar carregar um objeto tocando-o na parte interna de um condutor esférico. Você sabe que se tocarmos uma pequena bola de metal em um objeto carregado e, em seguida, encostarmos esta bola em um eletrômetro, o medidor se carregará e seu ponteiro se moverá do zero (Figura 5–10a). A bola adquire cargas porque existem campos elétricos no exterior da esfera carregada que levam as cargas a correr para (ou da) pequena bola. Se você realizar a mesma experiência tocando a bola no *interior* da esfera carregada, verá que nenhuma carga é passada para o eletrômetro. Com esta experiência você pode facilmente mostrar que o campo interno é, no máximo, alguns por cento do campo externo, e que a lei de Gauss está, pelo menos aproximadamente, correta.

Ao que parece, Benjamin Franklin foi o primeiro a perceber que o campo no interior de um condutor vale zero. Quando ele reportou esta observação para

Priestley, este último sugeriu que isso poderia estar relacionado com uma lei do inverso do quadrado, uma vez que se sabia que uma casca esférica de matéria não produzia campo gravitacional no seu interior. Contudo, Coulomb só mediu a dependência com o inverso do quadrado 18 anos depois, e a lei Gauss veio ainda mais tarde.

A lei de Gauss tem sido testada cuidadosamente colocando-se um eletrômetro no interior de uma grande esfera e observando se alguma deflexão ocorre quando a esfera é carregada com uma alta voltagem. Sempre se obtém um resultado nulo. Conhecendo-se a geometria do aparato e a sensibilidade do medidor, é possível calcular o campo mínimo que poderia ser observado. Deste valor, é possível estabelecer um limite superior no desvio do expoente do valor dois. Se escrevermos que a força eletrostática depende de $r^{-2+\epsilon}$, podemos fixar um limite superior para ϵ. Com este método, Maxwell determinou que ϵ é menor que 1/10.000. A experiência foi aperfeiçoada e realizada novamente em 1936 por Plimpton e Lawton. Eles encontraram que o expoente na lei de Coulomb pode diferir de dois por menos de uma parte em um bilhão.

Vamos agora levantar uma questão interessante: quão precisa é a lei de Coulomb para diferentes circunstâncias? A experiência que acabamos de descrever mede a dependência do campo com a distância para algumas dezenas de centímetros. E quanto às distâncias, por exemplo, no interior do átomo, onde acreditamos que o elétron seja atraído pelo núcleo com mesma lei do inverso do quadrado? É verdade que a mecânica quântica deve ser usada na parte mecânica do comportamento do elétron, mas que temos a usual força eletrostática? Na formulação do problema, a energia potencial de um elétron deve ser conhecida como uma função da distância do núcleo, e a lei de Coulomb fornece um potencial que varia inversamente com a primeira potência da distância. Quão preciso é este expoente para distâncias tão pequenas? Como resultado de cuidadosas medidas realizadas em 1947 por Lamb e Rutherford nas posições relativas dos níveis de energia do hidrogênio, sabemos que na escala atômica o expoente continua correto por uma parte em um bilhão – isto é, para distâncias da ordem de um angstrom (10^{-8} centímetros).

A precisão na medida de Lamb-Rutherford foi possível graças a um "acidente" físico. Se o potencial variar exatamente com $1/r$, e *apenas* neste caso, devemos esperar que dois dos estados do átomo de hidrogênio tenham quase a mesma energia. Uma medida desta ligeira *diferença* na energia foi realizada determinando a frequência ω dos fótons emitidos ou absorvidos na transição de um estado para o outro, usando a diferença de frequência $\Delta E = \hbar\omega$. Cálculos mostraram que ΔE teria uma diferença notável da obtida se o expoente $1/r^2$ na lei de força diferisse de 2 por mais de uma parte em um bilhão.

Esse expoente é correto para distâncias ainda menores? Medidas da física nuclear mostraram que existem forças eletrostáticas nas distâncias nucleares típicas – da ordem de 10^{-13} centímetros – e que elas continuam variando aproximadamente como o inverso do quadrado. Veremos algumas destas evidências mais adiante em outro capítulo. Sabemos que a lei de Coulomb continua válida, até onde se pode verificar, para distâncias da ordem de 10^{-13} centímetros.

E quanto a 10^{-14} centímetros? Esta escala pode ser investigada bombardeando prótons com elétrons de alta energia e observando como eles são espalhados. Até agora os resultados parecem indicar que a lei falha nestas distâncias. A força elétrica parece ser da ordem de 10 vezes mais fraca para distâncias menores que 10^{-14} centímetros. Este fato admite duas possíveis explicações. Uma é que a lei de Coulomb não funciona nestas pequenas distâncias; a outra é que nossos objetos, os elétrons e os prótons, não são cargas pontuais. Talvez um deles, o elétron ou o próton, ou ambos, seja algum tipo de mancha. Muitos físicos preferem pensar que a carga do próton está espalhada. Sabemos que os prótons interagem fortemente com os mésons. Isso implica que um próton existirá, de vez em quando, como um nêutron com um méson π^+ ao seu redor. Essa configuração pode atuar – em média – como uma pequena esfera de carga positiva. Sabemos que o campo de uma esfera de carga não varia com $1/r^2$ para qualquer distância de seu centro. Ao que tudo indica, a carga do próton está espalhada, mas a teoria dos pions ainda está muito incompleta, então pode ocorrer também que a lei de Coulomb falhe para distâncias muito pequenas. Essa questão ainda está em aberto.

Mais um ponto: a lei do inverso do quadrado é válida em distâncias como um metro e também em 10^{-10} m; mas será que o coeficiente $1/4\pi\epsilon_0$ é o mesmo? A resposta é sim; ao menos com uma precisão de 15 partes em um milhão.

Voltemos agora para um importante assunto que desprezamos quando falamos da verificação experimental da lei de Coulomb. Você pode estar se perguntando como a experiência de Maxwell, ou de Plimpton e Lawton, pôde fornecer tamanha precisão, a menos que o condutor esférico usado por eles tivesse sido uma esfera perfeita. Uma precisão de uma parte em um bilhão é realmente difícil de obter, e você pode ainda perguntar como eles puderam fazer uma esfera tão perfeita. Certamente haverá pequenas irregularidades em qualquer esfera real. Será que, como existem irregularidades, estas esferas não irão produzir campos internos? Gostaríamos agora de mostrar que não é necessário ter esferas perfeitas. É possível, na verdade, mostrar que não existe campo no interior de uma casca condutora carregada com *qualquer* formato. Em outras palavras, a experiência depende de $1/r^2$, mas não tem nada a ver com a superfície ser uma esfera (exceto que para uma esfera é mais fácil calcular como o campo *poderia* ser se a lei de Coulomb estivesse errada); trataremos então deste assunto agora. Para mostrar isso, é necessário saber algumas das propriedades dos condutores elétricos.

5–9 O campo de um condutor

Um condutor elétrico é um sólido que contém muitos elétrons "livres". Estes elétrons podem se mover livremente no *interior* do material, mas não podem deixar sua superfície. Em um metal existem tantos elétrons livres que qualquer campo elétrico colocará um grande número destes elétrons em um movimento ordenado. Neste caso, ou a corrente destes elétrons ordenados deve ser mantida continuamente em movimento por fontes externas de energia, ou o movimento destes elétrons cessará conforme estes descarreguem a fonte que produziu o campo inicial. Nas situações "eletrostáticas", não consideramos fontes contínuas de correntes (estas serão consideradas posteriormente, quando estudarmos magnetostática); portanto, os elétrons se moverão apenas até que se arranjem em uma disposição que produza um campo nulo em qualquer parte no interior do condutor (isso normalmente ocorre em uma pequena fração de segundos). Se existir qualquer campo residual, esse campo fará com que outros elétrons se movam; a única solução eletrostática é aquela na qual o campo vale zero em qualquer parte interna.

Considere agora o *interior* de um objeto condutor carregado (por interior queremos dizer no próprio *metal*). Como o metal é um condutor, o campo interno deve ser zero, e, portanto, o gradiente do potencial ϕ será zero. Isso significa que ϕ não varia de um ponto a outro. Todo condutor é uma *região* equipotencial, e sua superfície uma superfície equipotencial. Como em um material condutor o campo elétrico vale zero em toda parte, o divergente de **E** se anula, e pela lei de Gauss a densidade de cargas no *interior* do condutor deve ser zero.

Se não pode haver cargas em um condutor, como ele pode estar carregado? O que queremos dizer quando afirmamos que o condutor está "carregado"? Onde estão as cargas? A resposta é que elas residem na superfície do condutor, onde existem intensas forças que não as permitem deixar o material – elas não estão completamente "livres". Quando estudarmos a física do estado sólido, encontraremos que o excesso de cargas de qualquer condutor está em média localizado em uma ou duas camadas atômicas da superfície. Para nossos propósitos presentes, é suficientemente preciso dizer que, se qualquer carga for colocada *dentro* de um condutor, ela se acumulará na superfície; não existem cargas no interior de um condutor.

Notamos também que o campo elétrico imediatamente fora da superfície de um condutor deve ser normal a esta superfície. Não pode existir nenhuma componente tangencial. Se houver uma componente tangencial, os elétrons se moverão *ao longo* da superfície; não há forças impedindo este movimento. Dizendo de outra forma: sabemos que as linhas de campo elétrico devem ser sempre perpendiculares às superfícies equipotenciais.

Podemos também, usando a lei de Gauss, relacionar a intensidade do campo imediatamente fora de um condutor com a densidade local de cargas na superfície. Como superfície gaussiana, tomamos uma pequena caixa cilíndrica cuja metade se encontra no interior da superfície e metade em seu exterior, como a caixa mostrada na Figura 5–11.

Apenas a parte da caixa fora do condutor contribuirá para o fluxo total de **E**. O campo imediatamente fora da superfície de um condutor é então

Fora de um condutor:

$$E = \frac{\sigma}{\epsilon_0}, \tag{5.8}$$

onde σ é a densidade *local* de cargas.

Por que uma folha de cargas em um condutor produz um campo diferente do produzido *apenas* por uma folha de cargas? Em outras palavras, por que (5.8) é duas vezes maior que (5.3)? O motivo, obviamente, é que no caso do condutor, *não* afirmamos que não existem "outras" cargas ao redor. Na verdade estas precisam existir para garantir que **E** = 0 no condutor. As cargas em uma vizinhança imediata de um ponto *P* da superfície gerarão, na verdade, um campo $E_{\text{local}} = \sigma_{\text{local}}/2\epsilon_0$ em ambos os lados da superfície. Todo o restante das cargas no condutor irá "conspirar" para produzir um campo adicional neste ponto *P* igual em magnitude a E_{local}. O campo local no interior se anulará e o campo no exterior será igual a $2E_{\text{local}} = \sigma/\epsilon_0$.

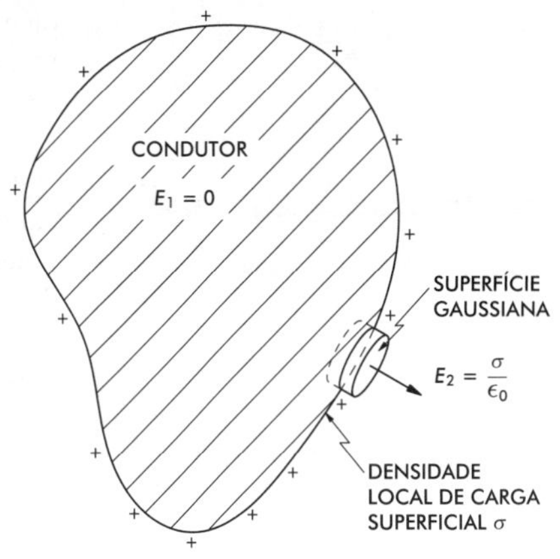

Figura 5–11 O campo elétrico imediatamente fora da superfície de um condutor é proporcional à densidade superficial local de carga.

5–10 O campo na cavidade de um condutor

Retornaremos agora ao problema de um recipiente oco – um condutor com uma cavidade. Não existe campo em um *metal*, mas e em uma *cavidade*? Mostraremos que se a cavidade estiver *vazia*, então não haverá campo dentro dela, *independentemente da forma* do condutor ou da cavidade – digamos como a da Figura 5–12. Considere uma superfície gaussiana, como a *S* na Figura 5–12, que envolva a cavidade, mas permaneça sempre dentro do material condutor. Em qualquer ponto de *S*, o campo é zero; portanto, não há nenhum fluxo através de *S* e a carga *total* dentro de *S* é zero. Para uma casca esférica, pode-se argumentar com base na simetria que *não* pode existir nenhuma carga interna. Contudo, no caso geral, pode-se apenas afirmar que existem quantidades iguais de cargas positivas e negativas na superfície interna do condutor. Nele *pode* haver uma superfície positiva em uma parte e uma negativa em uma outra, como indicado na Figura 5–12. Tal coisa não pode ser especificada pela lei de Gauss.

O que acontece, na verdade, é que cargas iguais e opostas nesta superfície interna iriam deslizar ao encontro uma das outras, cancelando-se completamente. Podemos mostrar que elas devem se cancelar completamente usando a lei segundo a qual a circulação de **E** é sempre zero (eletrostática). Suponha que existam cargas em alguma parte da superfície interna. Sabemos que deve haver um número igual de cargas opostas em outro lugar. Além disso, qualquer linha de **E** deve começar em uma carga positiva e terminar em uma carga negativa (uma vez que estamos considerando apenas o caso no qual não existem cargas livres no interior da cavidade). Imagine agora um circuito fechado Γ que cruze a cavidade ao longo de uma linha de força de uma carga positiva para alguma carga negativa, e retorne a seu ponto inicial através do condutor (como na Figura 5–12). A integral ao longo desta linha de força de uma carga positiva para uma negativa não pode ser zero. A integral pelo metal é zero, pois **E** = 0. Então, devemos ter

$$\oint \mathbf{E} \cdot d\mathbf{s} \neq 0???$$

A integral de linha de **E** ao redor de qualquer circuito fechado em um campo eletrostático é sempre zero. Portanto, não pode haver nenhum campo no interior da cavidade vazia nem qualquer carga na superfície interna.

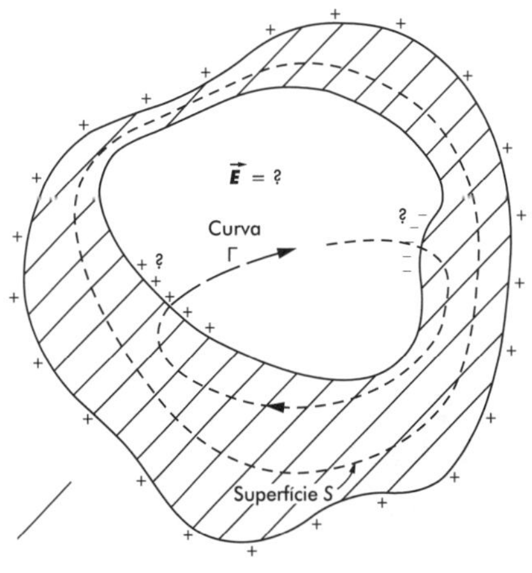

Figura 5–12 Qual é o campo em uma cavidade vazia de um condutor com um formato qualquer?

Você deve notar cuidadosamente um requisito importante que fizemos. Sempre dizemos "no interior de uma" cavidade "*vazia*". Se algumas cargas forem *colocadas* em alguns lugares fixos no interior da cavidade – como em um isolante ou em um pequeno condutor isolado do condutor principal – então *pode* haver campos no interior da cavidade, mas então esta não será uma cavidade "vazia".

Mostramos que se uma cavidade vazia estiver completamente encerrada por um condutor, nenhuma distribuição estática de cargas no exterior pode produzir campo algum dentro desta cavidade. Isso explica o principio da "blindagem" elétrica de um equipamento colocando-o em um invólucro metálico. O mesmo argumento pode ser usado para mostrar que nenhuma distribuição estática de cargas no interior de um condutor aterrado fechado pode produzir um campo *exterior*. As blindagens funcionam em ambas as direções! Na eletrostática – mas não em campos variáveis –, os campos nos dois lados de uma casca condutora aterrada fechada são completamente independentes.

Você agora pode ver por que é possível verificar a lei de Coulomb com tamanha precisão. A forma da casca oca utilizada não importa. Ela não precisa ser esférica; ela poderia ser um cubo! Se a lei de Gauss for exata, o campo no interior será sempre zero. Agora você também pode entender por que é seguro sentar no interior do terminal de alta voltagem de um gerador Van der Graaff de milhões de volts, sem se preocupar em levar um choque – graças à lei de Gauss.

6

O Campo Elétrico em Várias Circunstâncias

6–1 As equações do potencial eletrostático

Revisão: Capítulo 23, Vol. I, *Ressonância*

Este capítulo descreverá o comportamento do campo elétrico em várias circunstâncias diferentes. Isso fornecerá alguma experiência da maneira como o campo elétrico se comporta, e apresentará alguns dos métodos matemáticos que são usados para encontrar este campo.

Começaremos salientando que todo o problema matemático pode ser resumido à solução de duas equações, as equações de Maxwell da eletrostática:

$$\nabla \cdot \boldsymbol{E} = \frac{\rho}{\epsilon_0}, \tag{6.1}$$

$$\nabla \times \boldsymbol{E} = 0. \tag{6.2}$$

Na verdade, essas duas equações podem ser combinadas em uma única expressão. Da segunda equação, percebemos imediatamente que podemos descrever o campo como o gradiente de um escalar (veja a Seção 3-7):

$$\boldsymbol{E} = -\nabla\phi. \tag{6.3}$$

Se desejarmos, podemos descrever completamente qualquer campo elétrico particular em termos do seu potencial ϕ. Obtemos a equação diferencial a que ϕ deve obedecer substituindo a Eq. (6.3) em (6.1), o que nos leva a

$$\nabla \cdot \nabla\phi = -\frac{\rho}{\epsilon_0}. \tag{6.4}$$

O divergente do gradiente de ϕ é o mesmo que o ∇^2 operando sobre ϕ:

$$\nabla \cdot \nabla\phi = \nabla^2\phi = \frac{\partial^2\phi}{\partial x^2} + \frac{\partial^2\phi}{\partial y^2} + \frac{\partial^2\phi}{\partial z^2}, \tag{6.5}$$

com isso, podemos escrever a Eq. (6.4) como

$$\nabla^2\phi = -\frac{\rho}{\epsilon_0}. \tag{6.6}$$

O operador ∇^2 é chamado de Laplaciano, e a Eq (6.6) é chamada de equação de Poisson. Toda matéria da eletrostática, do ponto de vista matemático, se resume no estudo das soluções desta única Equação (6.6). Uma vez obtido ϕ, resolvendo (6.6), podemos encontrar $\boldsymbol{E}$ imediatamente a partir de (6.3).

Consideraremos, em primeiro lugar, a classe especial de problemas na qual ρ é dado como uma função de x, y, z. Neste caso, o problema é quase trivial, porque já conhecemos a solução de (6.6) para o caso geral. Mostramos que se ρ for conhecido em todos os pontos, o potencial em um ponto (1) é

$$\phi(1) = \int \frac{\rho(2)\,dV_2}{4\pi\epsilon_0 r_{12}}, \tag{6.7}$$

onde $\rho(2)$ é a densidade de carga, dV_2 é o elemento de volume no ponto (2) e r_{12} é a distância entre os pontos (1) e (2). A solução da equação *diferencial* (6.6) se reduz a uma *integral* no espaço. A solução (6.7) merece atenção especial, porque existem muitas situações em física que levam a equações como

$$\nabla^2 \text{ alguma coisa} = \text{outra coisa}$$

e a Eq. (6.7) é um protótipo da solução para todos esses problemas.

Assim, quando as posições de todas as cargas são conhecidas, a solução do problema do campo eletrostático é imediata. Vamos ver como isso funciona em alguns exemplos.

6–2 O dipolo elétrico

Para começar, peguem duas cargas pontuais, $+q$ e $-q$, separadas por uma distância d. Façam o eixo z passar pelas cargas e coloquem a origem no meio da distância entre elas, como mostrado na Figura 6–1. Assim, usando (4.24), o potencial das duas cargas é dado por

$$\phi(x, y, z) = \frac{1}{4\pi\epsilon_0}\left[\frac{q}{\sqrt{[z-(d/2)]^2+x^2+y^2}}+\frac{-q}{\sqrt{[z+(d/2)]^2+x^2+y^2}}\right]. \quad (6.8)$$

Não escreveremos a fórmula para o campo elétrico, mas sempre podemos determiná-la a partir do potencial. Portanto, o problema das duas cargas está resolvido.

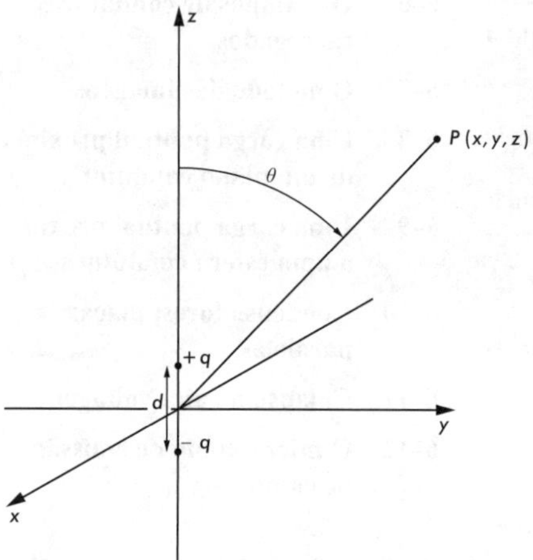

Figura 6–1 Um dipolo; duas cargas $+q$ e $-q$ separadas por uma distância d.

Existe um importante caso especial no qual as duas cargas estão muito próximas uma da outra – o que significa que estamos interessados apenas nos campos a distâncias muito longas, em comparação com a separação entre as cargas. Esse par de cargas muito próximas é chamado um *dipolo*. Dipolos são muito comuns.

Uma antena tipo "dipolo" frequentemente pode ser aproximada por duas cargas separadas por uma pequena distância – caso não estejamos interessados no campo muito próximo da antena (normalmente, estamos interessados em antenas com cargas em *movimento*; com isso, as equações da estática não se aplicam realmente, mas para alguns propósitos elas são uma aproximação adequada).

Mais importante talvez sejam os dipolos atômicos. Se existe um campo elétrico em um material qualquer, os elétrons e prótons sentem forças opostas e são deslocados uns em relação aos outros. Em um condutor, como você deve lembrar, alguns dos elétrons se movem para a superfície, de forma que o campo interno se anula. Já em um isolante, os elétrons não podem se mover muito; eles são puxados de volta pela atração dos núcleos. Entretanto, eles realizam pequenos deslocamentos. Então, embora um átomo, ou uma molécula, permaneça neutro em um campo elétrico externo, existe uma pequena separação das suas cargas negativas e positivas e ele se torna um dipolo microscópico. Se estivermos interessados nos campos destes dipolos atômicos nas vizinhanças de objetos comuns, normalmente estaremos lidando com grandes distâncias em comparação com a separação do par de cargas.

Em algumas moléculas, as cargas estão ligeiramente separadas mesmo na ausência de campos externos, devido à forma destas moléculas. Na molécula de água, por exemplo, existe uma carga negativa líquida no átomo de oxigênio e uma carga positiva líquida em cada um dos dois átomos de hidrogênio, os quais não se situam simetricamente, mas como na Figura 6–2. Embora a carga da molécula como um todo seja zero, existe uma distribuição com um pouco mais de carga negativa de um lado e um pouco mais de carga positiva do outro. Este arranjo certamente não é tão simples como duas cargas pontuais, mas quando visto de longe o sistema atua como um dipolo. Como veremos mais adiante, o campo a grandes distâncias não é sensível aos detalhes finos.

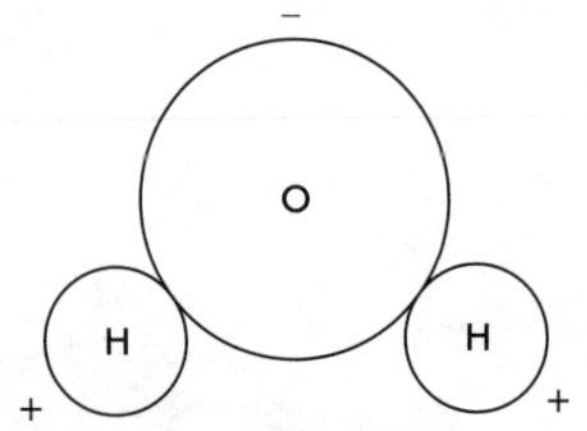

Figura 6–2 A molécula de água H_2O. Os átomos de hidrogênio possuem uma participação ligeiramente menor no compartilhamento da nuvem eletrônica e o oxigênio uma participação ligeiramente maior.

Deixe-nos olhar, então, para o campo de duas cargas opostas com uma pequena separação d. Se d tender a zero, as duas cargas estarão uma em cima da outra, os dois potenciais se cancelam, e não haverá campo. Se elas não estiverem exatamente em cima uma da outra, podemos conseguir uma boa aproximação do potencial expandindo os termos de (6.8) em uma série de potências na pequena quantidade d (usando a expansão binomial). Mantendo apenas os termos de primeira ordem em d, podemos escrever

$$\left(z-\frac{d}{2}\right)^2 \approx z^2 - zd.$$

É conveniente escrever

$$x^2 + y^2 + z^2 = r^2.$$

Então

$$\left(z - \frac{d}{2}\right)^2 + x^2 + y^2 \approx r^2 - zd = r^2\left(1 - \frac{zd}{r^2}\right),$$

e

$$\frac{1}{\sqrt{[z - (d/2)]^2 + x^2 + y^2}} \approx \frac{1}{\sqrt{r^2[1 - (zd/r^2)]}} = \frac{1}{r}\left(1 - \frac{zd}{r^2}\right)^{-1/2}.$$

Usando novamente a expansão binomial para $[1 - (zd/r^2)]^{-1/2}$ – e jogando fora os termos com o quadrado ou potências mais altas de d – obtemos

$$\frac{1}{r}\left(1 + \frac{1}{2}\frac{zd}{r^2}\right).$$

Da mesma forma,

$$\frac{1}{\sqrt{[z + (d/2)]^2 + x^2 + y^2}} \approx \frac{1}{r}\left(1 - \frac{1}{2}\frac{zd}{r^2}\right).$$

A diferença desses dois termos fornece o potencial

$$\phi(x, y, z) = \frac{1}{4\pi\epsilon_0}\frac{z}{r^3}qd. \tag{6.9}$$

O potencial, e, portanto, o campo que dele deriva, é proporcional a qd, o produto da carga com a separação. Este produto é definido como o *momento de dipolo* das duas cargas, para o qual usaremos o símbolo p (*não* confundam com o momento!):

$$p = qd. \tag{6.10}$$

A Equação (6.9) pode também ser escrita como

$$\phi(x, y, z) = \frac{1}{4\pi\epsilon_0}\frac{p\cos\theta}{r^2}, \tag{6.11}$$

uma vez que $z/r = \cos\theta$, onde θ é o ângulo entre o eixo do dipolo e o raio vetor do ponto (x, y, z) – veja a Figura 6–1. O *potencial* de um dipolo decai com $1/r^2$ para uma dada direção do eixo (enquanto que para uma carga pontual ele decai com $1/r$). O campo elétrico $\boldsymbol{E}$ para o dipolo irá então decair com $1/r^3$.

Podemos colocar nossa fórmula na forma vetorial se definirmos $\boldsymbol{p}$ como um vetor cuja magnitude é p e a direção está ao longo do eixo do dipolo, apontando de $-q$ para $+q$. Com isso,

$$p\cos\theta = \boldsymbol{p}\cdot\boldsymbol{e}_r, \tag{6.12}$$

onde $\boldsymbol{e}_r$ é o vetor radial unitário (Figura 6–3). Podemos também representar o ponto (x, y, z) por $\boldsymbol{r}$. Então,

Potencial do dipolo:

$$\phi(\mathrm{r}) = \frac{1}{4\pi\epsilon_0}\frac{\boldsymbol{p}\cdot\boldsymbol{e}_r}{r^2} = \frac{1}{4\pi\epsilon_0}\frac{\boldsymbol{p}\cdot\boldsymbol{r}}{r^3}. \tag{6.13}$$

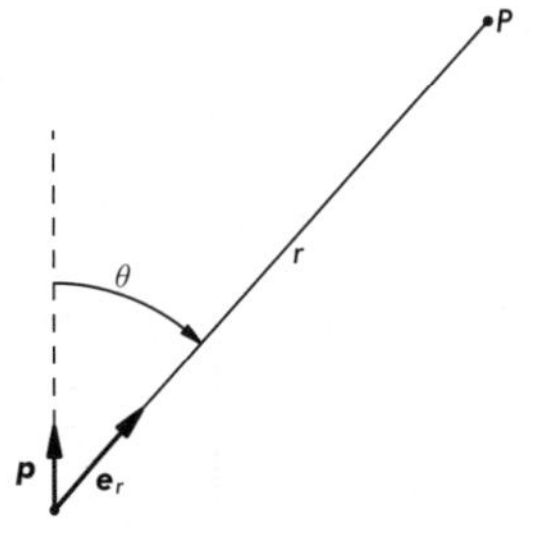

Figura 6–3 Notação vetorial para um dipolo.

Se $\boldsymbol{r}$ representa o vetor a partir do dipolo até o ponto de interesse, essa fórmula é válida para um dipolo com qualquer orientação e posição.

Se desejarmos o campo elétrico de um dipolo, podemos obtê-lo tomando o gradiente de ϕ. Por exemplo, a componente z do campo vale $-\partial\phi/\partial z$. Para um dipolo orientado ao longo do eixo z, podemos usar (6.9):

$$-\frac{\partial\phi}{\partial z} = -\frac{p}{4\pi\epsilon_0}\frac{\partial}{\partial z}\left(\frac{z}{r^3}\right) = -\frac{p}{4\pi\epsilon_0}\left(\frac{1}{r^3} - \frac{3z^2}{r^5}\right),$$

ou

$$E_x = \frac{p}{4\pi\epsilon_0}\frac{3zx}{r^5}, \qquad E_y = \frac{p}{4\pi\epsilon_0}\frac{3zy}{r^5}. \tag{6.14}$$

As componentes x e y valem

$$E_x = \frac{p}{4\pi\epsilon_0}\frac{3zx}{r^5}, \qquad E_y = \frac{p}{4\pi\epsilon_0}\frac{3zy}{r^5}.$$

Essas duas expressões podem ser combinadas para fornecer uma componente *perpendicularmente* direcionada com o eixo z, que chamaremos de componente transversa $E_\perp$:

$$E_\perp = \sqrt{E_x^2 + E_y^2} = \frac{p}{4\pi\epsilon_0}\frac{3z}{r^5}\sqrt{x^2 + y^2}$$

ou

$$E_\perp = \frac{p}{4\pi\epsilon_0}\frac{3\cos\theta \operatorname{sen}\theta}{r^3}. \tag{6.15}$$

A componente transversa $E_\perp$ está no plano xy e aponta na direção para longe do *eixo* do dipolo. O campo total vale

$$E = \sqrt{E_z^2 + E_\perp^2}.$$

O campo do dipolo varia inversamente com o cubo da distância ao dipolo. No eixo, onde $\theta = 0$, ele é duas vezes mais forte que em $\theta = 90°$. Nestes dois ângulos especiais, o campo elétrico possui apenas a componente z, mas com sinal oposto nas duas regiões (Figura 6–4).

6–3 Observações sobre equações vetoriais

Este é o lugar adequado para fazermos algumas observações gerais sobre análise vetorial. As provas fundamentais podem ser expressas por meio de equações elegantes e de forma geral, mas ao realizarmos vários cálculos e análises é sempre bom escolhermos os eixos de forma conveniente. Observe que quando estávamos determinando o potencial de um dipolo escolhemos o eixo z ao longo da direção do dipolo, e não em um ângulo arbitrário. Isso tornou o trabalho mais fácil. Em seguida, escrevemos as equações na forma vetorial, de modo que elas não mais dependessem de um sistema de coordenadas particular. Depois disso, ganhamos a liberdade de escolher qualquer sistema de coordenadas que desejarmos, sabendo que a relação será, em geral, verdadeira. Obviamente, não faz nenhum sentido nos preocuparmos com um sistema de coordenadas arbitrário, com algum ângulo complicado, quando se pode escolher um sistema conveniente para um problema particular – contanto que o resultado possa ser finalmente expresso como uma equação vetorial. Assim, aproveite ao máximo a vantagem do fato de as equações vetoriais serem independentes de qualquer sistema de coordenadas.

Por outro lado, se você está tentando calcular o divergente de um vetor, ao invés de estar apenas olhando para o $\nabla \cdot \boldsymbol{E}$ e se perguntando sobre o seu significado, não esqueça que este divergente sempre pode ser aberto como

$$\frac{\partial E_x}{\partial x} + \frac{\partial E_y}{\partial y} + \frac{\partial E_z}{\partial z}.$$

Então, se você puder desenvolver as componentes x-, y- e z- do campo elétrico e diferenciá-las, terá o divergente. Muitas vezes parece existir um sentimento de que há algo de deselegante – algum tipo de derrota envolvida – em escrever estas componentes; que, de alguma forma, deve haver sempre uma maneira de se escrever tudo com os operadores vetoriais. Geralmente não há vantagem nenhuma nisso. A primeira vez que nos deparamos com um tipo particular de problema, é normalmente útil escrever as componentes para garantir que entendamos o que está acontecendo. Não há nada

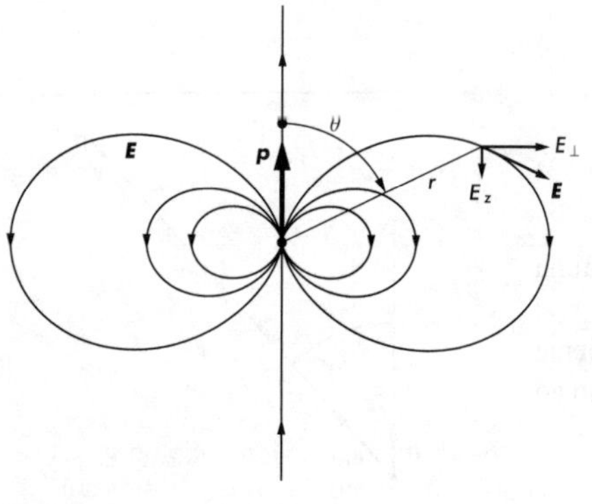

Figura 6–4 O campo elétrico de um dipolo.

de deselegante em colocar números nas equações ou em substituir as derivadas por símbolos extravagantes. Na verdade, frequentemente há uma certa astúcia em fazer isso. Obviamente, quando você publicar um artigo em um jornal especializado será mais apresentável – e mais fácil de entender – se você puder escrever tudo na forma vetorial. Ademais, isso economiza impressão.

6–4 O potencial do dipolo como um gradiente

Gostaríamos de salientar algo muito surpreendente sobre a fórmula do dipolo, Eq. (6.13). Este potencial pode também ser escrito como

$$\phi = -\frac{1}{4\pi\epsilon_0}\boldsymbol{p}\cdot\boldsymbol{\nabla}\left(\frac{1}{r}\right). \tag{6.16}$$

Se você calcular o gradiente de $1/r$, obterá

$$\boldsymbol{\nabla}\left(\frac{1}{r}\right) = -\frac{\boldsymbol{r}}{r^3} = -\frac{\boldsymbol{e}_r}{r^2},$$

o que mostra que a Eq. (6.16) é equivalente à Eq. (6.13).

Como devemos pensar sobre isso? Basta nos lembrarmos de que $\boldsymbol{e}_r/r^2$ aparece na fórmula do *campo* de uma carga pontual, e que este campo era o gradiente de um *potencial* que possuía uma dependência com $1/r$.

Existe uma razão *física* para podermos escrever o potencial do dipolo na forma da Eq. (6.16). Suponha que tenhamos uma carga pontual q na origem. O potencial em um ponto P em (x, y, z) vale

$$\phi_0 = \frac{q}{r}.$$

(Vamos abandonar o $1/4\pi\epsilon_0$ enquanto fazemos esta argumentação; podemos colocá-lo novamente no final). Se movermos agora a carga $+q$ levantando-a uma distância Δz, o potencial em P irá sofrer uma pequena alteração de, digamos, $\Delta\phi_+$. Quanto vale $\Delta\phi_+$? Bem, essa é simplesmente a quantidade que o potencial *mudaria se deixássemos* a carga na origem e movêssemos *P para baixo* pela mesma distância Δz (Figura 6–5). Isto é,

$$\Delta\phi_+ = -\frac{\partial\phi_0}{\partial z}\Delta z,$$

onde Δz significa o mesmo que $d/2$. Com isso, usando $\phi_0 = q/r$, temos que o potencial de uma carga positiva é

$$\phi_+ = \frac{q}{r} - \frac{\partial}{\partial z}\left(\frac{q}{r}\right)\frac{d}{2}. \tag{6.17}$$

Aplicando o mesmo raciocínio para o potencial de uma carga negativa, podemos escrever

$$\phi_- = \frac{-q}{r} + \frac{\partial}{\partial z}\left(\frac{-q}{r}\right)\frac{d}{2}. \tag{6.18}$$

O potencial total é a soma de (6.17) com (6.18):

$$\begin{aligned}\phi = \phi_+ + \phi_- &= -\frac{\partial}{\partial z}\left(\frac{q}{r}\right)d \\ &= -\frac{\partial}{\partial z}\left(\frac{1}{r}\right)qd.\end{aligned} \tag{6.19}$$

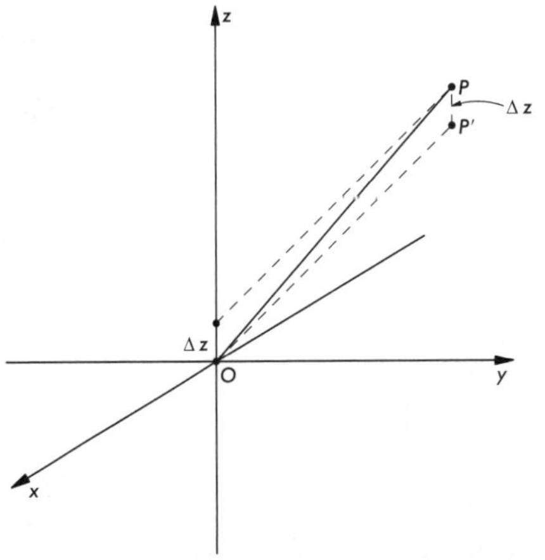

Figura 6–5 O potencial em P de uma carga pontual em Δz acima da origem é o mesmo que o potencial P' (Δz abaixo de P) da mesma carga na origem.

Para outras orientações do dipolo, podemos representar o deslocamento da carga positiva pelo vetor $\Delta\boldsymbol{r}_+$. Podemos então escrever a Eq. (6.17) como

$$\Delta\phi_+ = -\nabla\phi_0 \cdot \Delta\boldsymbol{r}_+,$$

onde $\Delta\boldsymbol{r}_+$ deve ser substituído por $\boldsymbol{d}/2$. Completando o desenvolvimento como antes, a Eq. (6.19) poderá ser escrita como

$$\phi = -\nabla\left(\frac{1}{r}\right) \cdot q\boldsymbol{d}.$$

Esta é a mesma que a Eq. (6.16), se substituirmos $q\boldsymbol{d} = \boldsymbol{p}$ e colocarmos de volta o $1/4\pi\epsilon_0$. Olhando de outra forma, vemos que o potencial do dipolo, Eq. (6.13), pode ser interpretado como

$$\phi = -\boldsymbol{p} \cdot \nabla\Phi_0, \tag{6.20}$$

onde $\Phi_0 = 1/4\pi\epsilon_0 r$ é o potencial de uma carga pontual *unitária*.

Embora sempre possamos encontrar o potencial de uma distribuição de cargas conhecida por meio de uma integral, algumas vezes é possível ganhar tempo obtendo a resposta usando algum truque engenhoso. Por exemplo, pode-se frequentemente fazer uso do princípio da superposição. Se nos é dada uma distribuição de cargas que possa ser construída como a soma de duas distribuições, para as quais o potencial é previamente conhecido, é fácil encontrar o potencial desejado, simplesmente adicionando os dois potenciais conhecidos. Um exemplo disso é nossa dedução de (6.20), outro é o seguinte.

Suponha que tenhamos uma superfície esférica com uma distribuição superficial de carga que varie com o cosseno do ângulo polar. A integração dessa distribuição é bastante trabalhosa. Surpreendentemente, essa distribuição pode ser analisada por uma superposição. Para tanto, imagine uma esfera com uma densidade *volumétrica* uniforme de carga positiva e outra esfera, com a mesma densidade volumétrica, de carga negativa. Inicialmente essas esferas estão superpostas para formarem uma esfera neutra – isto, é, descarregada. Se a esfera positiva for então ligeiramente deslocada com respeito à esfera negativa, o corpo da esfera descarregada irá continuar neutro, mas uma pequena carga positiva surgirá de um lado, e uma certa carga negativa aparecerá no lado oposto, como ilustrado na Figura 6–6. Se este deslocamento relativo das duas esferas for pequeno, a carga resultante será equivalente a uma carga superficial (em uma superfície esférica), e esta densidade superficial de carga será proporcional ao cosseno do ângulo polar.

Se desejarmos agora o potencial desta distribuição, não precisaremos realizar nenhuma integral, pois sabemos que o potencial de cada umas das esferas é – para pontos no exterior da esfera – o mesmo que o de uma carga pontual. As duas esferas deslocadas são como duas cargas pontuais; o potencial é simplesmente o de um dipolo.

Desta forma você pode mostrar que uma distribuição de carga em uma esfera de raio a com uma densidade superficial de cargas

$$\sigma = \sigma_0 \cos\theta$$

produz um campo fora da esfera exatamente igual ao de um dipolo cujo momento é

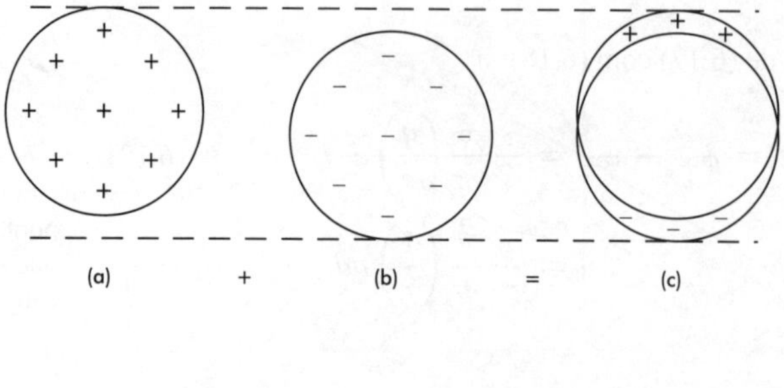

Figura 6–6 Duas esferas uniformemente carregadas, sobrepostas com um ligeiro deslocamento, são equivalentes a uma distribuição superficial de cargas não uniforme.

$$p = \frac{4\pi\sigma_0 a^3}{3}.$$

Pode-se mostrar também que, no interior da esfera, o campo é constante, com o valor

$$E = \frac{\sigma_0}{3\epsilon_0}.$$

Se θ for o ângulo a partir do eixo z positivo, o campo elétrico no interior da esfera está na direção *negativa* de z. O exemplo que acabamos de considerar não é tão artificial como talvez possa parecer; nós o encontraremos novamente na teoria dos dielétricos.

6–5 A aproximação de dipolo para uma distribuição arbitrária

O campo do dipolo aparece em uma outra circunstância ao mesmo tempo interessante e importante. Suponha que tenhamos um objeto que possui uma distribuição de carga complicada – como a molécula de água (Figura 6–2) – e estejamos interessados apenas nos campos a distâncias muito grandes dessa distribuição. Mostraremos que é possível encontrar uma expressão relativamente simples para o campo, que seja apropriada para distâncias grandes em comparação com o tamanho do objeto.

Podemos pensar em nosso objeto como um conjunto de cargas pontuais q_i em uma certa região limitada, como mostrado na Figura 6–7 (posteriormente, se quisermos, poderemos substituir q_i por $\rho\, dV$). Suponhamos que cada uma das cargas q_i esteja localizada a uma distância $\boldsymbol{d}_i$ da origem, escolhida em algum lugar no meio do grupo de cargas. Qual é o potencial em um ponto P, localizado em $\boldsymbol{R}$, onde $\boldsymbol{R}$ é muito maior que o $\boldsymbol{d}_i$ máximo? O potencial para todo o conjunto é dado por

$$\phi = \frac{1}{4\pi\epsilon_0}\sum_i \frac{q_i}{r_i}, \tag{6.21}$$

onde r_i é a distância de P até a carga q_i (o comprimento do vetor $\boldsymbol{R} - \boldsymbol{d}_i$). Agora, se a distância da carga até P, o ponto de observação, for muito grande, cada um dos r_i pode ser aproximado por R. Cada termo se torna q_i/R, e podemos tirar o $1/R$ como um fator multiplicando nossa somatória. Isso nos fornece o resultado simples

$$\phi = \frac{1}{4\pi\epsilon_0}\frac{1}{R}\sum_i q_i = \frac{Q}{4\pi\epsilon_0 R}, \tag{6.22}$$

onde Q é simplesmente a carga total do objeto inteiro. Assim, encontramos que para pontos suficientemente distantes do amontoado de cargas, esse amontoado se parecerá com uma carga pontual. Este resultado não é tão surpreendente.

E se houver um número igual de cargas positivas e negativas? Neste caso, a carga total Q do objeto vale zero. Este não é um caso incomum; na verdade, como sabemos,

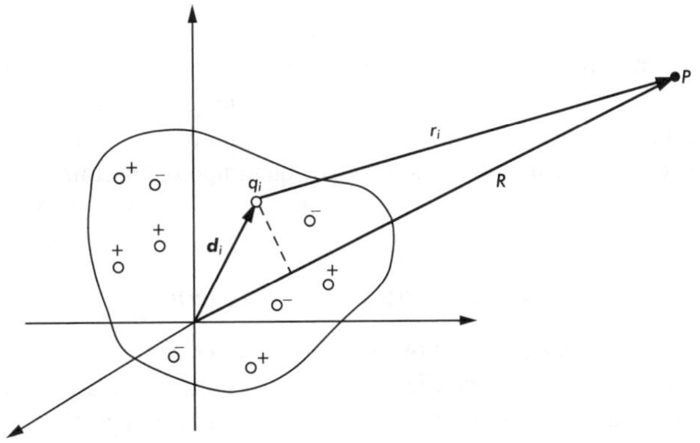

Figura 6–7 Cálculo do potencial em um ponto P a uma grande distância de um conjunto de cargas.

normalmente os objetos são neutros. A molécula de água é neutra, mas as cargas não estão todas no mesmo ponto, então, se estivermos perto o suficiente, poderemos sentir os efeitos da separação entre as cargas. Precisamos de uma aproximação melhor que (6.22) para o potencial de uma distribuição arbitrária de cargas em um objeto neutro. A Equação (6.21) continua válida, mas não podemos mais simplesmente fazer $r_i = R$. Precisamos de uma expressão mais exata para r_i. Se o ponto P estiver a uma grande distância, r_i irá diferir de R, com uma ótima aproximação, pela projeção de $\boldsymbol{d}$ em $\boldsymbol{R}$, como pode ser visto da Figura 6–7 (você deve imaginar que P está realmente muito mais distante que o mostrado na figura). Em outras palavras, se $\boldsymbol{e}_R$ for o vetor unitário na direção de $\boldsymbol{R}$, então nossa aproximação para r_i será

$$r_i \approx R - \boldsymbol{d}_i \cdot \boldsymbol{e}_R. \tag{6.23}$$

O que realmente queremos é $1/r_i$, que, como $d_i \ll R$, pode ser escrito na nossa aproximação como

$$\frac{1}{r_i} \approx \frac{1}{R}\left(1 + \frac{\boldsymbol{d}_i \cdot \boldsymbol{e}_R}{R}\right). \tag{6.24}$$

Substituindo essa expressão em (6.21), obtemos que o potencial vale

$$\phi = \frac{1}{4\pi\epsilon_0}\left(\frac{Q}{R} + \sum_i q_i \frac{\boldsymbol{d}_i \cdot \boldsymbol{e}_R}{R^2} + \cdots\right). \tag{6.25}$$

Os pontos indicam os termos de ordem maior em d_i/R, que estamos desprezando. Estes, como os que já obtivemos outras vezes, são os sucessivos termos em uma expansão de Taylor de $1/r_i$ sobre $1/R$ em potências de d_i/R.

O primeiro termo em (6.25) é o mesmo que obtivemos antes; esse termo desaparece se o objeto for neutro. O segundo termo depende de $1/R^2$, exatamente como um dipolo. Na verdade, se *definirmos*

$$\boldsymbol{p} = \sum_i q_i \boldsymbol{d}_i \tag{6.26}$$

como uma propriedade da distribuição de cargas, o segundo termo do potencial (6.25) será

$$\phi = \frac{1}{4\pi\epsilon_0}\frac{\boldsymbol{p} \cdot \boldsymbol{e}_R}{R^2}, \tag{6.27}$$

precisamente o potencial de um dipolo. A quantidade $\boldsymbol{p}$ é chamada de momento de dipolo da distribuição. Isso é uma generalização de nossa definição anterior, e se reduz a ela no caso especial de duas cargas pontuais.

Nosso resultado é que, longe o bastante de *qualquer* bando neutro de cargas, o potencial é o potencial de um dipolo. Este decai como $1/R^2$ e varia com o $\cos\theta$ – e sua intensidade depende do momento de dipolo da distribuição de carga. Por essa razão, os campos dos dipolos são importantes, uma vez que o caso mais simples de um par de cargas é bastante raro.

A molécula de água, por exemplo, tem um momento de dipolo bastante forte. Os campos elétricos que resultam deste momento são responsáveis por algumas propriedades importantes da água. Para muitas moléculas, por exemplo, a de CO_2, o momento de dipolo desaparece devido à simetria da molécula. Para estas moléculas, devemos expandir com uma precisão ainda maior, obtendo um outro termo no potencial que decairá como $1/R^3$, que é chamado de momento de quadrupolo. Discutiremos este caso posteriormente.

6–6 Os campos de condutores carregados

Terminamos agora com os exemplos que queríamos abordar das situações nas quais as distribuições de carga são previamente conhecidas. Estes são problemas sem complicações sérias e envolvem, no máximo, algumas integrações. Voltaremos agora para um tipo completamente diferente de problema, a determinação dos campos próximos de condutores carregados.

Suponha que tenhamos uma situação na qual uma carga total Q foi colocada em um condutor arbitrário. Neste caso, não somos capazes de dizer exatamente onde as cargas estão. Elas estão, de alguma forma, espalhadas na superfície do condutor. Como podemos saber de que forma estas cargas estão distribuídas na superfície? Elas devem se distribuir de forma que o potencial da superfície seja constante. Se a superfície não for uma equipotencial, haverá um campo elétrico no interior do condutor, e as cargas continuarão se movendo até que este campo seja zero. O problema geral deste tipo pode ser resolvido da seguinte maneira. Supomos uma certa distribuição de cargas e calculamos o potencial. Se esse potencial for constante em toda a superfície, o problema está terminado. Se a superfície não for uma equipotencial, a distribuição de carga escolhida está errada, e precisamos supor uma nova distribuição – esperando que a nova suposição seja melhor! Esse processo pode durar para sempre, a menos que sejamos inteligentes nessas sucessivas suposições.

A questão de como supor estas distribuições é matematicamente difícil. A natureza, obviamente, tem tempo para fazer isso; as cargas se empurram e puxam até que estejam todas balanceadas. Quando tentamos resolver o problema, entretanto, cada tentativa nos toma tanto tempo que o método se torna extremamente tedioso. Com um grupo arbitrário de condutores e cargas, o problema pode ser muito complicado e, em geral, não pode ser resolvido sem métodos numéricos bastante elaborados. Tais cálculos numéricos, atualmente, são realizados por computadores que fazem o trabalho para nós, desde que digamos a eles como devem proceder.

Por outro lado, existem diversos problemas práticos para os quais pode ser interessante encontrar a resposta utilizando algum método mais direto – sem precisarmos escrever um programa de computador. Felizmente, existem vários casos para os quais a resposta pode ser extraída da natureza por meio de alguns truques. O primeiro truque que descreveremos envolve o uso das soluções que já obtivemos para situações cujas cargas tenham suas localizações especificadas.

6–7 O método das imagens

Resolvemos, por exemplo, o campo de duas cargas pontuais. A Figura 6–8 mostra algumas linhas de campo e superfícies equipotenciais que obtivemos com os cálculos do Capítulo 4. Considere agora a superfície equipotencial marcada com A. Suponha que moldemos uma fina folha de metal de forma que esta folha se ajuste completamente a esta superfície. Se colocarmos esta folha exatamente sobre a superfície equipotencial e ajustarmos seu potencial com o valor apropriado, ninguém nunca será capaz de saber que a folha está ali, porque nada terá mudado.

Mas observe! Acabamos de resolver um *novo* problema. Temos uma situação na qual a superfície de um condutor curvo, com um certo potencial, é colocada perto de uma carga pontual. Se a folha de metal que colocamos sobre a superfície equipotencial eventualmente se fecha em si mesma (ou, na prática, se estende longe o suficiente), temos o tipo de situação considerada na Seção 5-10, na qual nosso espaço é dividido em duas regiões, uma dentro e outra fora de uma casca condutora fechada. Naquela seção, encontramos que os campos nas duas regiões são completamente independentes. Com isso, teremos os mesmos campos no exterior de nosso condutor curvado independentemente do que exista em seu interior. Podemos, inclusive, preenchê-lo completamente com um material condutor. Encontramos, portanto, os campos para o arranjo da Figura 6–9. No espaço fora do condutor, o campo é simplesmente igual ao de duas cargas pontuais, como na Figura 6–8. Dentro do condutor, este campo vale zero. Além disso – como deve ser – o campo elétrico imediatamente fora do condutor é normal à superfície.

Então, podemos determinar os campos da Figura 6–9 calculando o campo criado por q e por uma carga pontual imaginária $-q$ em um ponto adequado. A carga pontual que "imaginamos" estar atrás da superfície condutora é chamada de *carga imagem*.

Nos livros, podemos encontrar uma extensa lista de soluções para condutores com formas hiperbólicas e outras formas complicadas, e você se perguntará como alguém

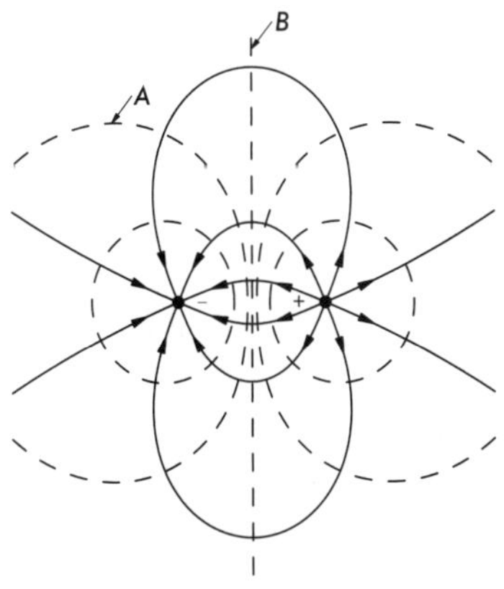

Figura 6–8 As linhas de campo e equipotenciais para duas cargas pontuais.

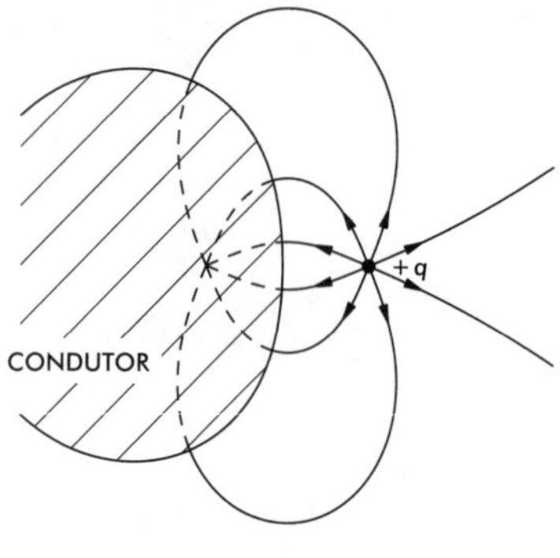

Figura 6–9 O campo no exterior de um condutor com o formato da equipotencial *A* da Figura 6–8.

foi capaz de resolver estes formatos terríveis. Eles foram resolvidos de trás para frente! Alguém resolveu um problema mais simples com determinadas cargas. Esse alguém viu que algumas superfícies equipotenciais se encaixavam na nova forma e então escreveu um artigo no qual aponta que o campo no exterior desta forma particular pode ser descrito de uma certa maneira.

6–8 Uma carga pontual próxima de um plano condutor

Como uma aplicação simples do uso do método descrito anteriormente, vamos fazer uso da superfície equipotencial plana *B* da Figura 6–8. Com esta superfície, podemos resolver o problema de uma carga na frente de uma folha condutora. Simplesmente riscamos a metade do lado esquerdo da figura. As linhas de campo para nossa solução são mostradas na Figura 6–10. Note que o plano, uma vez que está no meio entre as duas cargas, tem potencial zero. Resolvemos assim o problema de uma carga positiva próxima de uma folha condutora aterrada.

Resolvemos o problema para o campo total, mas e quanto às cargas *reais* que são responsáveis por este campo? Existem, além de nossa carga pontual positiva, algumas cargas negativas induzidas na folha condutora que foram atraídas pela carga positiva (de regiões muito distantes). Imagine agora que por alguma razão técnica – ou por curiosidade – você gostaria de saber como as cargas negativas estão distribuídas na superfície. Você pode encontrar a densidade superficial de cargas usando o resultado que desenvolvemos na Seção 5-9 com a lei de Gauss. A componente normal do campo elétrico, imediatamente fora de um condutor, é igual à densidade superficial de carga σ dividida por ϵ_0. Podemos obter a densidade de cargas em qualquer ponto da superfície a partir da componente normal do campo elétrico nesta superfície. E esta componente nós sabemos, porque conhecemos o campo em toda parte.

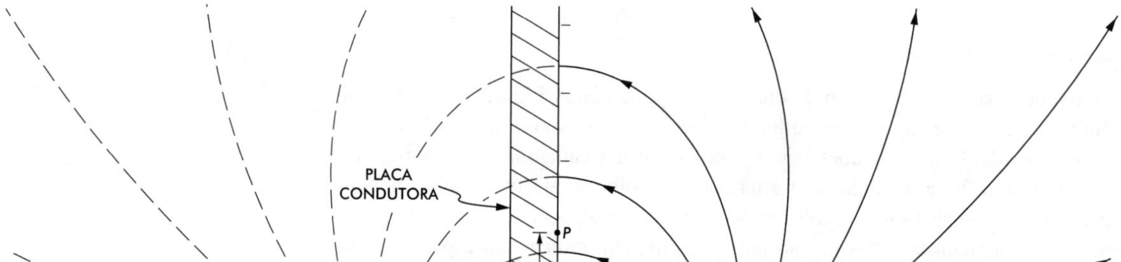

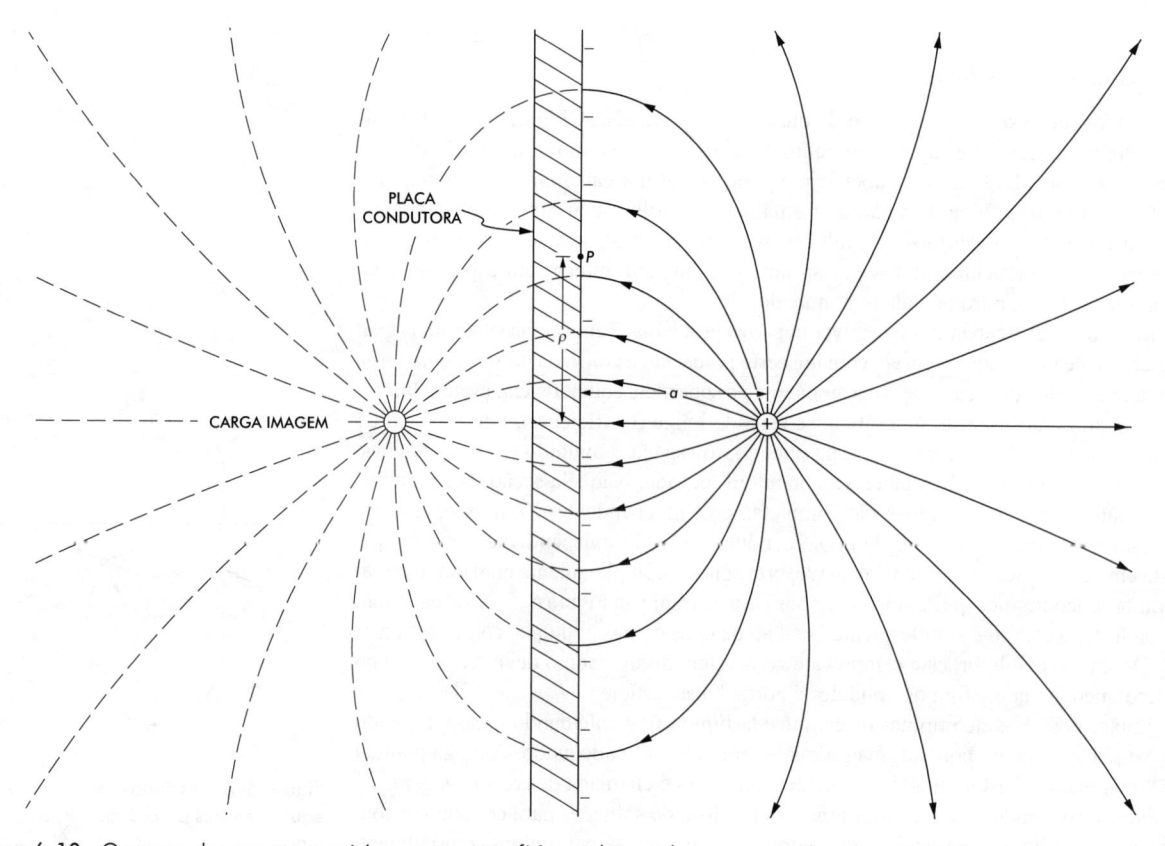

Figura 6–10 O campo de uma carga próxima a uma superfície condutora plana, encontrado pelo método das imagens.

Considere um ponto na superfície a uma distância ρ do ponto embaixo da carga positiva (Figura 6–10). O campo elétrico nesse ponto é normal à superfície e direcionado para ela. A componente normal à superfície do campo da carga pontual *positiva* é

$$E_{n+} = -\frac{1}{4\pi\epsilon_0}\frac{aq}{(a^2+\rho^2)^{3/2}}. \tag{6.28}$$

A este campo precisamos adicionar o campo elétrico produzido pela carga imagem negativa que simplesmente dobra o valor da componente normal (e cancela todas as outras). Assim, a densidade de cargas σ em qualquer ponto da superfície é

$$\sigma(\rho) = \epsilon_0 E(\rho) = -\frac{2aq}{4\pi(a^2+\rho^2)^{3/2}}. \tag{6.29}$$

Uma verificação interessante de nosso trabalho é integrar σ sobre toda a superfície. Encontraremos que o campo total induzido é $-q$, como deveria ser.

Mais uma questão: existe alguma força na carga pontual? Sim, porque há uma atração da carga negativa induzida na superfície do plano. Agora que sabemos como é a carga superficial (da Eq. (6.29)), podemos calcular a força na nossa carga positiva por meio de uma integral. Contudo, sabemos também que a força atuando na carga positiva é exatamente a mesma que *existiria* com uma carga imagem negativa no lugar de nosso plano, porque os campos nas vizinhanças são os mesmos em ambos os casos. Assim, a carga pontual sente uma força na direção do plano cuja magnitude é

$$F = \frac{1}{4\pi\epsilon_0}\frac{q^2}{(2a)^2}. \tag{6.30}$$

Encontramos essa força muito mais facilmente que integrando sobre toda a carga negativa.

6–9 Uma carga pontual próxima a uma esfera condutora

Que outras superfícies, além de um plano, possuem uma solução simples? A próxima forma mais simples é uma esfera. Vamos determinar o campo ao redor de uma esfera de metal aterrada próxima a uma carga pontual q, como mostrado na Figura 6–11. Devemos procurar pela situação física mais simples, na qual as superfícies equipotenciais formem uma esfera. Se olharmos para os problemas que as pessoas já resolveram, encontramos que alguém notou que o campo de duas cargas pontuais *desiguais* possui uma equipotencial que é uma esfera. Ah! Se escolhermos a localização de uma carga imagem – com a quantidade de carga adequada –, talvez possamos fazer com que a superfície equipotencial se ajuste à nossa esfera. Realmente, isso pode ser feito com a seguinte prescrição.

Suponha que queiramos que a superfície equipotencial seja uma esfera de raio a centrada a uma distância b da carga q. Coloque uma carga imagem de intensidade $q' = -q(a/b)$ na linha que liga a carga q e o centro da esfera, a uma distância a^2/b deste centro. Nestas circunstâncias, a esfera estará a um potencial nulo.

A razão matemática provém do fato de que a esfera está no lugar geométrico dos pontos para os quais as distâncias de dois pontos estão em uma razão constante. Com referência à Figura 6–11, o potencial em P de q e q' é proporcional a

$$\frac{q}{r_1} + \frac{q'}{r_2}.$$

O potencial será então zero em todos os pontos para os quais

$$\frac{q'}{r_2} = -\frac{q}{r_1} \quad \text{ou} \quad \frac{r_2}{r_1} = -\frac{q'}{q}.$$

Se colocarmos q' a uma distância a^2/b do centro, a razão r_2/r_1 terá o valor constante a/b. Então se

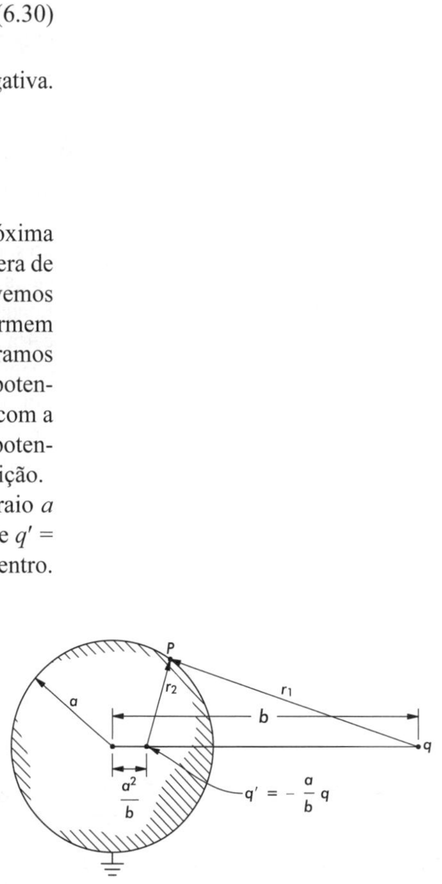

Figura 6–11 Uma carga pontual q induz cargas em uma esfera condutora aterrada cujos campos são aqueles de uma carga imagem q colocada no ponto mostrado.

$$\frac{q'}{q} = -\frac{a}{b}, \tag{6.31}$$

a esfera estará em uma equipotencial. Seu potencial será, na verdade, zero.

O que acontece se estivermos interessados em uma esfera que não esteja em um potencial nulo? Isso ocorreria apenas no caso de sua carga total acidentalmente ser q'. Obviamente, se a esfera estiver aterrada, esta será a carga nela induzida. E se ela estiver isolada, e não tivermos colocado nela nenhuma carga? Ou se soubermos que uma carga total Q foi colocada nela? Ou simplesmente que ela possui um potencial que *não* é zero? Todas essas perguntas são facilmente respondidas. Sempre se pode adicionar uma carga pontual q'' no centro da esfera. Pela superposição, a esfera continua sendo uma equipotencial; apenas a magnitude do potencial irá mudar.

Se tivermos, por exemplo, uma esfera condutora que esteja inicialmente descarregada e isolada de tudo, e trouxermos para perto dela uma carga pontual positiva q, a carga total da esfera continuará sendo zero. A solução é encontrada, como antes, usando uma carga imagem q', mas, além disso, adicionando uma carga q'' no centro da esfera, escolhendo

$$q'' = -q' = \frac{a}{b}q. \tag{6.32}$$

O campo em qualquer região fora da esfera será dado por uma superposição dos campos de q, q' e q''. Portanto, o problema está resolvido.

Podemos agora ver facilmente que haverá uma força de atração entre a esfera e a carga pontual q. Essa força não será zero, mesmo quando não houver nenhuma carga na esfera neutra. De onde vem esta atração? Quando você aproxima uma carga positiva de uma esfera condutora, a carga positiva atrai cargas negativas para o lado mais perto dela e deixa cargas positivas na superfície do lado mais distante. A atração devido às cargas negativas excede a repulsão das cargas positivas, e o resultado líquido é uma atração. Podemos encontrar quanto vale essa atração calculando a força em q no campo produzido por q' e q''. A força total é a soma da força atrativa entre q e a carga $q' = -(a/b)q$, a uma distância $b - (a^2/b)$, e a força repulsiva entre q e a carga $q'' = +(a/b)q$, a uma distância b.

Aqueles que se entretinham na infância com aquela caixa de fermento, que tinha no seu rótulo a figura de uma caixa de fermento, que tinha no seu rótulo a figura de uma caixa de fermento, que tinha..., podem se interessar pelo seguinte problema. Duas esferas iguais, uma com a carga total $+Q$ e a outra com carga total $-Q$, são colocadas a uma certa distância uma da outra. Qual a força entre elas? Este problema pode ser resolvido usando um número infinito de imagens. Primeiramente se aproxima cada esfera por uma carga em seu centro. Essas cargas terão uma carga imagem na outra esfera. A carga imagem terá imagens, etc, etc, etc,... A solução é como a figura na caixa de fermento – e converge muito rapidamente.

6–10 Condensadores; placas paralelas

Tomemos agora outro tipo de problema envolvendo condutores. Considere duas grandes placas de metal paralelas entre si e separadas por uma distância pequena em comparação às suas dimensões. Suponhamos que uma quantidade igual e oposta de cargas tenha sido colocada em cada uma destas placas. As cargas em cada placa serão atraídas pelas cargas na outra placa, e estas cargas irão se espalhar uniformemente pela superfície das placas. As placas terão densidades superficiais de cargas $+\sigma$ e $-\sigma$, respectivamente, como na Figura 6–12. Do Capítulo 5, sabemos que o campo entre as placas vale σ/ϵ_0, e que o campo fora das placas vale zero. As placas terão os potenciais ϕ_1 e ϕ_2, diferentes. Por conveniência, chamaremos a diferença desses potenciais de V; normalmente esta diferença é chamada de "voltagem":

$$\phi_1 - \phi_2 = V.$$

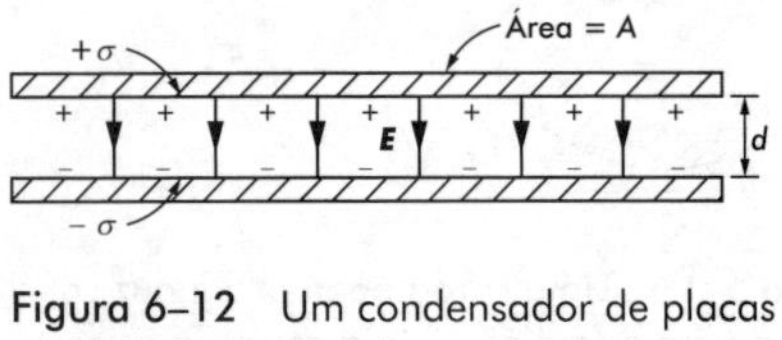

Figura 6–12 Um condensador de placas paralelas.

(Você verá que às vezes as pessoas usam V para o potencial, mas aqui escolhemos usar ϕ.)

A diferença de potencial V é o trabalho por unidade de carga necessário para levar uma pequena carga de uma placa à outra, então

$$V = Ed = \frac{\sigma}{\epsilon_0} d = \frac{d}{\epsilon_0 A} Q, \tag{6.33}$$

onde $\pm Q$ é a carga total em cada placa, A é a área das placas e d é a separação entre elas.

Descobrimos que a voltagem é proporcional à carga. Esta proporcionalidade entre V e Q é encontrada para quaisquer dois condutores no espaço se existir uma carga positiva em um e uma carga negativa igual no outro. A diferença de potencial entre eles – isto é, a voltagem – será proporcional à carga (estamos supondo que não existam outras cargas ao redor).

Por que esta proporcionalidade? Simplesmente pelo princípio da superposição. Suponha que conheçamos a solução para um conjunto de cargas e então sobrepomos duas destas soluções. As cargas irão dobrar, os campos irão dobrar, e o trabalho realizado para levar uma carga unitária de um ponto a outro também irá dobrar. Portanto, a diferença de potencial entre quaisquer dois pontos é proporcional às cargas. Em particular, a diferença de potencial entre os dois condutores é proporcional às cargas neles contidas. Originalmente algumas pessoas já haviam escrito esta equação de proporcionalidade de outra forma. Isto é, elas escreveram

$$Q = CV,$$

onde C é uma constante. Este coeficiente de proporcionalidade é chamado de *capacitância*, e estes sistemas de dois condutores são chamados de condensadores[1]. Para o nosso condensador de placas paralelas

$$C = \frac{\epsilon_0 A}{d} \quad \text{(placas paralelas)}. \tag{6.34}$$

Essa fórmula não é exata, porque o campo não é realmente uniforme em toda a região entre as placas, como estamos assumindo. O campo não desaparece simplesmente fora das extremidades, mas na verdade se parece mais como mostrado na Figura 6–13. A carga total não é σA, como supomos – existe uma pequena correção para os efeitos das extremidades. Para encontrar esta correção, temos de calcular o campo com maior precisão e determinar o que exatamente ocorre nas extremidades. Esse é um problema matemático complicado que pode, entretanto, ser resolvido com técnicas que não descreveremos agora. O resultado de tais cálculos é que a densidade de cargas aumenta um pouco nas extremidades das placas. Isso significa que a capacitância das placas é um pouco maior que a que calculamos.

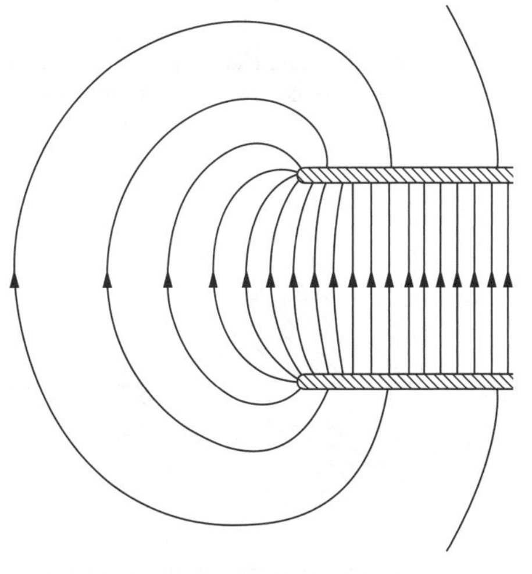

Figura 6–13 O campo elétrico próximo das extremidades de duas placas paralelas.

Falamos apenas da capacitância entre dois condutores. Algumas vezes as pessoas falam sobre a capacitância de um único objeto. Elas dizem, por exemplo, que a capacitância de uma esfera de raio a é $4\pi\epsilon_0 a$. O que elas imaginam é que o outro terminal é uma outra esfera de raio infinito – e que quando há uma carga $+Q$ na esfera, uma carga oposta $-Q$ está presente na esfera infinita. Pode-se também falar de capacitâncias quando existem três ou mais condutores, entretanto, adiaremos esta discussão por enquanto.

Suponha que queiramos ter um condensador com uma capacitância muito grande. Poderíamos obter uma grande capacitância pegando uma área enorme e uma separação muito pequena. Poderíamos colocar papel de cera entre folhas de alumínio e enrolá-las (se encapsularmos isto com plástico, teremos um típico condensador de rádio). Qual a utilidade disso? Isso é bom para armazenar cargas. Se tentarmos armazenar cargas em uma bola, por exemplo, conforme

[1] Algumas pessoas acreditam que a palavra "capacitor" deva ser usada, no lugar de "condensador". Decidimos usar a terminologia antiga, porque esta é mais comum de ser ouvida nos laboratórios de física – mesmo que não nos livros-texto!

esta bola é carregada, seu potencial cresce rapidamente. Inclusive, esse potencial pode se tornar tão grande que as cargas começarão a escapar pelo ar através de faíscas. Contudo, se colocarmos esta mesma carga em um condensador com uma capacitância muito grande, a voltagem desenvolvida pelo condensador será muito pequena.

Em muitas aplicações em circuitos eletrônicos, é útil termos algo que possa absorver ou fornecer grandes quantidades de carga sem mudar muito seu potencial. Um condensador (ou "capacitor") faz exatamente isso. Existem também muitas aplicações em instrumentos eletrônicos e computadores, em que os condensadores são usados para obter uma variação específica na voltagem em resposta a uma particular alteração na carga. Vimos uma aplicação similar no Capítulo 23, Vol. I, no qual descrevemos as propriedades de circuitos ressonantes.

$$\boldsymbol{\epsilon_0 \approx \frac{1}{36\pi \times 10^9}\ \text{farad/metro}}$$

Da definição de C, vemos que sua unidade é um coulomb/volt. Essa unidade também é chamada um *farad*. Olhando para a Eq. (6.34), vemos que é possível expressar as unidades de ϵ_0 como farad/metro, que é a unidade mais comumente usada. Normalmente, os condensadores possuem valores de um micro-microfarad (=1 *picofarad*) até milifarads. Pequenos condensadores, de alguns picofarads, são usados em circuitos de sintonia de alta frequência, e capacitâncias de até centenas ou milhares de microfarads são encontrados em filtros de fontes de energia. Um par de placas com um centímetro quadrado de área e separadas por uma distância de um milímetro tem uma capacitância de um micro-microfarad.

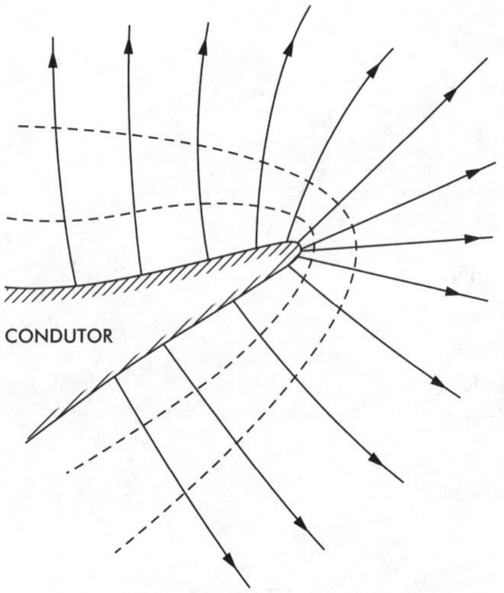

Figura 6–14 O campo elétrico próximo de uma ponta afiada em um condutor é muito intenso.

6–11 Colapso da alta voltagem

Gostaríamos de discutir qualitativamente algumas características dos campos ao redor de condutores. Se carregarmos um condutor que não é uma esfera, mas que tenha uma ponta ou uma quina acentuada, como, por exemplo, o objeto esquematizado na Figura 6–14, o campo ao redor desta ponta será muito maior que o campo em outras regiões. A razão disso, qualitativamente, é que as cargas tentam se espalhar o máximo possível na superfície de um condutor, e a ponta de uma quina aguda é o mais longe possível que elas podem ir através da superfície. Algumas das cargas na placa são empurradas de todas as formas para a ponta. Uma *quantidade* relativamente pequena de cargas na ponta pode criar uma grande *densidade* superficial; e uma alta densidade significa um campo muito intenso imediatamente no exterior.

Uma maneira de se ver que o campo é maior nas regiões dos condutores onde os raios de curvatura são menores é considerar a combinação de duas esferas, uma grande e outra pequena, ligadas por um fio, como mostrado na Figura 6–15. Isso é um tipo de versão idealizada do condutor da Figura 6–14. O fio terá uma influência pequena no campo externo; ele existe para manter as esferas no mesmo potencial. Agora, qual das bolas tem o maior campo em sua superfície? Se a bola da esquerda tiver um raio a e uma carga Q, seu potencial será aproximadamente

$$\phi_1 = \frac{1}{4\pi\epsilon_0}\frac{Q}{a}.$$

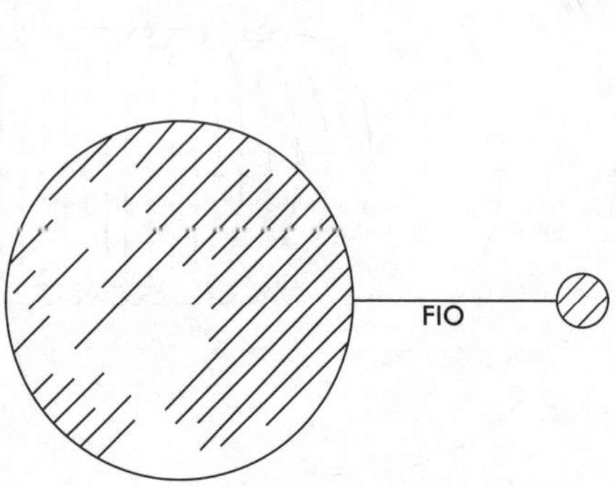

Figura 6–15 O campo de um objeto pontiagudo pode ser aproximado pelo de duas esferas com o mesmo potencial.

(Obviamente, a presença de uma das bolas muda a distribuição de carga na outra, de modo que a distribuição de cargas não é esfericamente simétrica em nenhuma das duas. Contudo, se estivermos interessados apenas em uma estimativa dos campos, podemos usar o potencial de uma esfera carregada). Se a bola menor, cujo raio é b, possuir uma carga q, seu potencial será aproximadamente

$$\phi_2 = \frac{1}{4\pi\epsilon_0}\frac{q}{b}.$$

No entanto, $\phi_1 = \phi_2$, então

$$\frac{Q}{a} = \frac{q}{b}.$$

Por outro lado, o campo na superfície (veja a Eq. 5.8) é proporcional à densidade superficial de carga, que é proporcional à carga total sobre o raio ao quadrado. Obtemos que

$$\frac{E_a}{E_b} = \frac{Q/a^2}{q/b^2} = \frac{b}{a}. \quad (6.35)$$

Portanto, o campo é maior na superfície da bola menor. O campo está na proporção inversa dos raios.

Esse resultado é tecnicamente muito importante, porque o ar irá colapsar se o campo for muito grande. O que acontece é que cargas livres (elétrons, ou íons) em algum lugar no ar serão aceleradas pelo campo, e se o campo for muito grande, essas cargas podem, antes de se chocarem com um outro átomo, adquirir velocidade suficiente para arrancar um elétron deste outro átomo. Como resultado, mais e mais íons são produzidos. O movimento destes íons constitui uma descarga, ou faísca. Se você deseja carregar um objeto com um alto potencial sem que ele se descarregue sozinho através de uma faísca no ar, precisa ter certeza de que esse objeto possui uma superfície lisa, assim não haverá qualquer região onde o campo seja anormalmente grande.

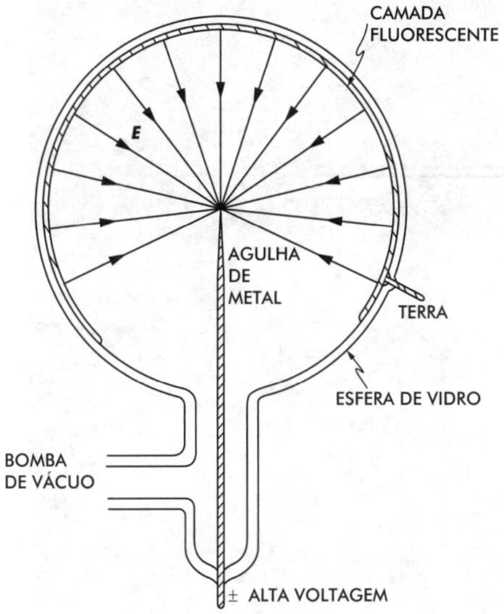

Figura 6–16 Microscópio de emissão de campo.

6–12 O microscópio de emissão de campo

Existe uma aplicação interessante para o campo elétrico extremamente alto que circunda uma protuberância pontiaguda qualquer de um condutor carregado. O *microscópio de emissão de campo* (ou microscópio eletrônico) opera com altos campos produzidos em uma ponta aguda em um metal[2]. Isso é feito da seguinte forma. Uma agulha muito fina, com uma ponta cujo diâmetro é da ordem de 1000 angstrons, é colocada no centro de uma esfera de vidro ligada a uma bomba de vácuo (Figura 6–16). A superfície interna da esfera é coberta com uma fina camada condutora de material fluorescente, e um potencial muito alto é aplicado entre a camada fluorescente e a agulha.

Vamos primeiro considerar o que acontece quando a agulha é negativa em relação à cobertura fluorescente. As linhas de campo estarão altamente concentradas na ponta fina. O campo elétrico pode ser superior a 40 milhões de volts por centímetro. Em campos tão intensos, elétrons são empurrados para fora da superfície da agulha e acelerados através da diferença de potencial entre a agulha e a camada fluorescente. Quando esses elétrons atingem a camada, eles causam uma emissão de luz, da mesma forma que um tubo de imagem em uma televisão.

Os elétrons que atingem um determinado ponto da superfície fluorescente são, com uma ótima aproximação, aqueles que deixaram a outra extremidade da linha de campo radial, porque os elétrons irão viajar da ponta até a superfície ao longo da linha de campo. Com isso, podemos ver na superfície um tipo de imagem da *emissividade* da ponta da agulha – que é a forma mais fácil com que os elétrons podem deixar a superfície da ponta de metal. Se a resolução for grande o suficiente, pode-se esperar determinar a posição dos átomos individuais na ponta da agulha. Com elétrons, esta resolução não é possível pela seguinte razão. Primeiro, existe uma difração quântica das ondas dos elétrons, e esta difração borra a imagem. Segundo, devido ao movimento interno dos elétrons no metal, estes elétrons possuem uma pequena velocidade inicial lateral quando deixam a agulha, e essa componente transversal randômica da velocidade causa certas manchas na imagem. A combinação destes dois efeitos limita a resolução em torno de 25 Å.

Entretanto, se revertermos a polaridade e introduzirmos uma pequena quantidade de gás hélio no bulbo, uma resolução muito maior pode ser atingida. Quando um átomo de hélio colide com a ponta da agulha, o intenso campo neste ponto arranca um elétron do átomo de hélio, deixando este átomo positivamente carregado. O íon de hélio é então acelerado, ao longo de uma linha de campo, na direção da tela fluorescente. Uma vez

[2] Veja E.W. Müller: "The field-ion microscope", *Advanced Electronics and Electron Physics*, **13**, 83-179 (1960). Academic Press, New York.

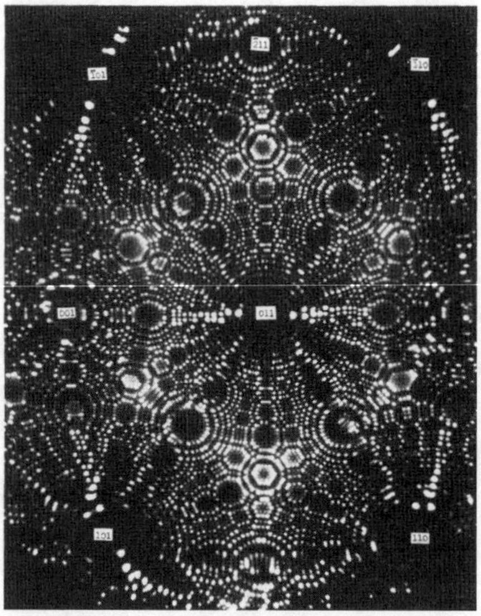

Figura 6–17 Imagem produzida por um microscópio de emissão de campos (cortesia de Erwin W. Müeller, Pesquisador e Professor de Física da Universidade Estadual da Pensilvânia).

que o íon de hélio é muito mais pesado que um elétron, seu comprimento de onda quântico é muito menor. Se a temperatura não for muito alta, o efeito das velocidades térmicas também será menor que no caso dos elétrons. Esta diminuição nas manchas permite obter uma imagem muito mais precisa do ponto. É possível obter ampliações da ordem de 2.000.000 vezes com o microscópio de emissão de campos de íons positivos (ou microscópio iônico) – uma ampliação dez vezes melhor que a obtida com o melhor microscópio de elétrons.

A Figura 6–17 é um exemplo do resultado obtido com um microscópio de campo de íons, usando uma agulha de tungstênio. O centro de um átomo de tungstênio ioniza um átomo de hélio em uma taxa ligeiramente diferente que o espaço entre os átomos de tungstênio. O padrão de pontos na tela fluorescente mostra o arranjo dos *átomos individuais* na ponta de tungstênio. A razão para os pontos aparecerem em anéis pode ser entendida visualizando uma grande caixa de bolas empacotadas em um conjunto retangular, representando os átomos no metal. Se você cortar uma seção aproximadamente esférica desta caixa, verá o padrão de anéis característico da estrutura atômica. O microscópio de campo de íons forneceu ao ser humano uma maneira de ver os átomos pela primeira vez. Essa é uma realização notável, considerando a simplicidade do instrumento.

7

O Campo Elétrico em Várias Circunstâncias (continuação)

7–1 Métodos para encontrar o campo eletrostático

Este capítulo é uma continuação de nossas considerações sobre as características dos campos elétricos em várias situações particulares. Primeiramente descreveremos alguns dos métodos mais elaborados para resolver problemas com condutores. Não se espera que estes métodos mais avançados possam ser dominados neste momento. Contudo, pode ser interessante ter uma ideia dos tipos de problemas que podem ser resolvidos, usando técnicas que podem ser estudadas em cursos mais avançados. Assim, tomaremos dois exemplos nos quais a distribuição de cargas não está nem fixa nem é transportada por condutores, mas, ao invés disso, é determinada por alguma outra lei da física.

Como vimos no Capítulo 6, o problema do campo eletrostático é fundamentalmente simples quando a distribuição de cargas é especificada; tudo que é necessário é o cálculo de uma integral. Quando há condutores presentes, entretanto, surgem complicações devido à distribuição de cargas nos condutores não ser previamente conhecida; as cargas devem se distribuir na superfície do condutor de forma que esse condutor seja uma equipotencial. A solução desse tipo de problema não é direta nem simples.

Estudamos um método indireto para resolver estes problemas, no qual encontramos as equipotenciais para uma distribuição de cargas especificada e substituímos uma destas equipotenciais pela superfície do condutor. Dessa forma, podemos construir um catálogo de soluções especiais para condutores com formatos esféricos, planos, etc. O uso das imagens, descrito no Capítulo 6, é um exemplo de um método indireto. Descreveremos outro neste capítulo.

Se o problema a ser resolvido não pertencer à classe de problemas para os quais podemos construir a solução usando o método indireto, somos forçados a resolvê-lo usando um método mais direto. O problema matemático do método direto é a solução da equação de Laplace,

$$\nabla^2\phi = 0, \tag{7.1}$$

sujeita à condição de que ϕ seja uma constante adequada em um certo contorno – a superfície do condutor. Problemas que envolvem a solução de uma equação de campo diferencial, sujeita a certas *condições de contorno*, são chamados de problemas de *valores* (ou condições) *de contorno*. Eles têm sido objeto de consideráveis estudos matemáticos. No caso de condutores com uma forma complicada, não existe nenhum método analítico geral. Mesmo um problema simples, como o de uma vasilha cilíndrica de metal carregada e com as duas faces fechadas – uma lata de cerveja – apresenta dificuldades matemáticas formidáveis. Este problema só pode ser resolvido aproximadamente, usando métodos numéricos. Os *únicos* métodos gerais de solução são numéricos.

Existem poucos problemas para os quais a Eq. (7.1) pode ser resolvida diretamente. Por exemplo, o problema de um condutor carregado com o formato de um elipsoide de revolução pode ser resolvido exatamente em termos de funções especiais conhecidas. A solução para um disco fino pode ser obtida fazendo o elipsoide tender a um elipsoide infinitamente achatado (oblato). Da mesma forma, a solução para uma agulha pode ser obtida fazendo o elipsoide se tornar infinitamente oblongo (prolato). Entretanto, deve-se ressaltar novamente que os únicos métodos diretos, com aplicação geral, são as técnicas numéricas.

Problemas de condições de contorno podem também ser resolvidos por meio da medida de um análogo físico. A equação de Laplace surge em muitas situações físicas diferentes: no fluxo de calor estacionário, no fluxo de fluidos irrotacionais, no fluxo de corrente de um meio extenso e na deflexão de uma membrana elástica. Frequentemente é possível ajustar algum modelo físico que seja análogo a um problema elétrico que desejamos resolver. Por meio da medida de certas quantidades análogas neste modelo, pode-se determinar a solução do problema em que se está interessado. Um exemplo desta técnica de analogia é o uso do tanque eletrolítico para resolver problemas eletrostáticos bidimensionais. Isso funciona porque a equação diferencial para o potencial em um meio condutor uniforme é a mesma que para o vácuo.

Existem muitas situações físicas nas quais a variação dos campos elétricos em uma certa direção é zero, ou pode ser desprezada em comparação com as variações nas outras duas direções. Tais problemas são chamados de bidimensionais; o campo depende apenas de duas coordenadas. Por exemplo, se colocarmos um longo fio carregado ao longo do eixo z, para pontos não muito distantes do fio, o campo elétrico dependerá de x e y, mas não de z; o problema é bidimensional. Uma vez que em um problema bidimensional $\partial\phi/\partial z = 0$, a equação para ϕ no espaço vazio é

$$\frac{\partial^2\phi}{\partial x^2} + \frac{\partial^2\phi}{\partial y^2} = 0. \tag{7.2}$$

Como a equação bidimensional é comparativamente simples, existe um vasto campo de condições nas quais ela pode ser resolvida analiticamente. Existe, na verdade, uma técnica matemática indireta extremamente poderosa que depende de um teorema dos fundamentos da matemática das variáveis complexas, e que descreveremos agora.

7–2 Campos bidimensionais; funções de variáveis complexas

A variável complexa $\mathfrak{z}$ é definida como

$$\mathfrak{z} = x + iy.$$

(Não confundam $\mathfrak{z}$ com a coordenada z, que está sendo ignorada na discussão que se segue, porque estamos supondo que os campos não possuam nenhuma dependência em z.) Todo ponto no plano xy corresponde então a um número complexo. Podemos usar $\mathfrak{z}$ como uma única variável (complexa) e com ela escrever os tipos usuais de funções matemáticas $F(\mathfrak{z})$. Por exemplo,

$$F(\mathfrak{z}) = \mathfrak{z}^2,$$

ou

$$F(\mathfrak{z}) = 1/\mathfrak{z}^3,$$

ou

$$F(\mathfrak{z}) = \mathfrak{z}\ln\mathfrak{z},$$

e assim por diante.

Dada uma $F(\mathfrak{z})$ particular, podemos substituir $\mathfrak{z} = x + iy$ e teremos uma função de x e y – com partes reais e imaginárias. Por exemplo,

$$\mathfrak{z}^2 = (x + iy)^2 = x^2 - y^2 + 2ixy. \tag{7.3}$$

Qualquer função $F(\mathfrak{z})$ pode ser escrita como a soma de uma parte puramente real e uma parte puramente imaginária, cada uma dessas partes uma função de x e y:

$$F(\mathfrak{z}) = U(x, y) + iV(x, y), \tag{7.4}$$

onde $U(x, y)$ e $V(x, y)$ são funções reais. Assim, para qualquer função complexa $F(\mathfrak{z})$, duas novas funções $U(x, y)$ e $V(x, y)$ podem ser deduzidas. Por exemplo, $F(\mathfrak{z}) = \mathfrak{z}^2$ nos dá as duas funções

$$U(x, y) = x^2 - y^2, \tag{7.5}$$

e

$$V(x, y) = 2xy. \tag{7.6}$$

Introduziremos agora um teorema matemático miraculoso, tão magnífico que deixaremos sua prova para um de seus cursos de matemática (não devemos revelar todos os mistérios da matemática, caso contrário o assunto se tornaria muito aborrecido). É o seguinte. Para qualquer "função ordinária" (os matemáticos irão definir isso melhor), as funções U e V *automaticamente* satisfazem às relações

$$\frac{\partial U}{\partial x} = \frac{\partial V}{\partial y}, \tag{7.7}$$

$$\frac{\partial V}{\partial x} = -\frac{\partial U}{\partial y}. \tag{7.8}$$

Daí segue imediatamente que cada uma das funções U e V satisfaz à equação de Laplace:

$$\frac{\partial^2 U}{\partial x^2} + \frac{\partial^2 U}{\partial y^2} = 0, \tag{7.9}$$

$$\frac{\partial^2 V}{\partial x^2} + \frac{\partial^2 V}{\partial y^2} = 0. \tag{7.10}$$

Essas equações são claramente verdadeiras para as funções em (7.5) e (7.6).

Com isso, começando com qualquer função ordinária, podemos chegar a duas funções, $U(x, y)$ e $V(x, y)$, ambas soluções da equação de Laplace em duas dimensões. Cada uma dessas funções representa um potencial eletrostático possível. Podemos tomar qualquer função $F(\mathfrak{z})$ e ela representará *algum* problema de campo elétrico – na verdade, dois problemas, porque *cada* função U e V representa uma solução. Podemos produzir tantas soluções quantas desejarmos – simplesmente construindo funções –, depois precisamos apenas encontrar o *problema* que se ajusta a cada solução. Isso pode parecer um pouco às avessas, mas é uma abordagem possível.

Como exemplo, vamos ver o que a função $F(\mathfrak{z}) = \mathfrak{z}^2$ nos fornece. Desta função complexa obtemos as duas funções potenciais (7.5) e (7.6). Para ver a qual problema a função U pertence, resolvemos as superfícies equipotenciais fazendo $U = A$, uma constante:

$$x^2 - y^2 = A.$$

Essa é a equação de uma hipérbole equilátera. Para vários valores de A, obtemos as hipérboles mostradas na Figura 7–1. Quando $A = 0$, temos o caso especial de uma linha reta diagonal que passa pela origem.

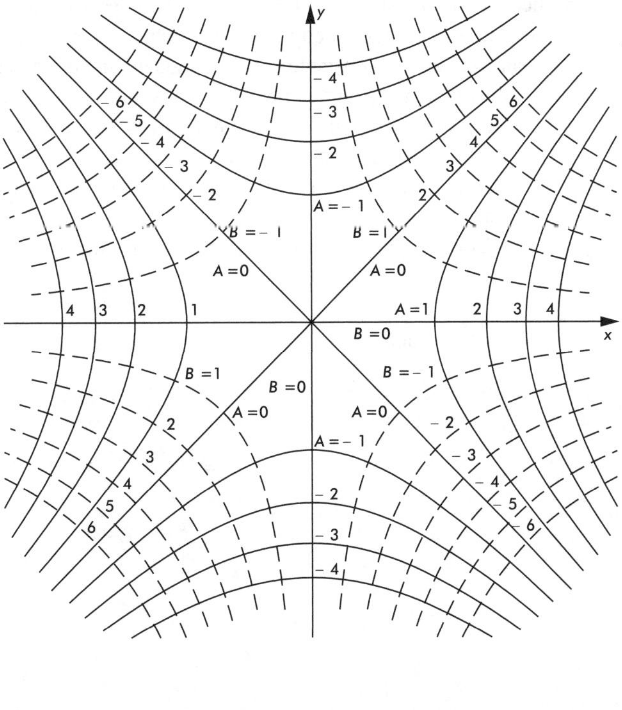

Figura 7–1 Dois conjuntos de curvas ortogonais que podem representar as equipotenciais em um campo eletrostático bidimensional.

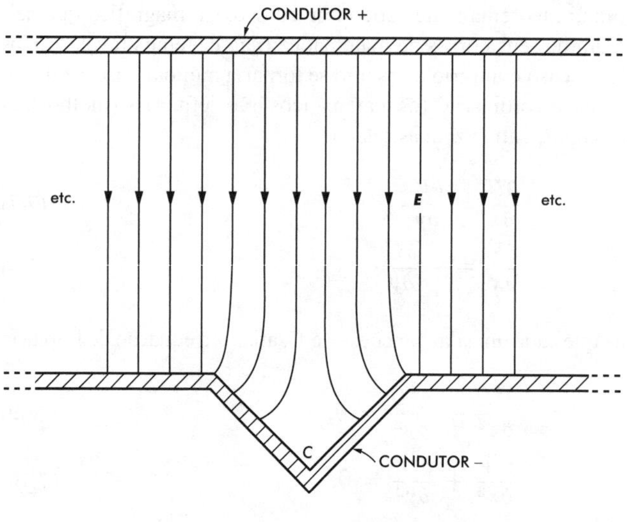

Figura 7–2 O campo próximo ao ponto C é o mesmo que aquele da Figura 7–1.

Tal conjunto de equipotenciais corresponde ao campo no interior de um canto ortogonal de um condutor. Se tivermos dois eletrodos com o formato mostrado na Figura 7–2, mantidos em potenciais diferentes, o campo próximo à quina marcada *C* se parecerá com o campo acima da origem na Figura 7–1. As linhas sólidas são as equipotenciais, e as linhas ortogonais tracejadas correspondem às linhas do campo ***E***. Enquanto em pontas ou protuberâncias o campo elétrico tende a ser alto, ele tende a ser *baixo* em entalhes ou concavidades.

A solução que encontramos corresponde também a um eletrodo com formato hiperbólico próximo a um canto ortogonal, ou a duas hipérboles sujeitas a determinados potenciais. Você notará que o campo da Figura 7–1 possui uma propriedade interessante. A componente *x* do campo elétrico, E_x, é dada por

$$E_x = -\frac{\partial\phi}{\partial x} = -2x.$$

O campo elétrico é proporcional à distância ao eixo. Esse fato é usado na construção de dispositivos (chamados lentes quadrupolares) usados para focalizar feixes de partículas (veja Seção 29-7). O campo desejado é normalmente obtido usando quatro eletrodos hiperbólicos, como mostrado na Figura 7–3. Para desenhar as linhas de campo elétrico da Figura 7–3, apenas copiamos da Figura 7–1 as curvas de linhas tracejadas que representam V = constante. Temos ainda um bônus! As curvas para V = constante são ortogonais às curvas para U = constante devido às Equações (7.7) e (7.8). Sempre que escolhemos uma função $F(\mathfrak{z})$, obtemos simultaneamente das funções U e V as equipotenciais e as linhas de campo. E lembre-se de que teremos resolvido dois problemas diferentes, dependendo de qual conjunto chamamos de equipotenciais.

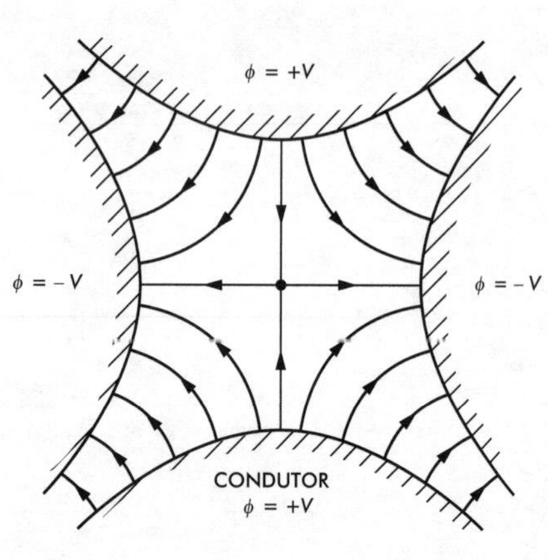

Figura 7–3 O campo em uma lente quadrupolar.

Como segundo exemplo, considere a função

$$F(\mathfrak{z}) - \sqrt{\mathfrak{z}}. \tag{7.11}$$

Se escrevermos

$$\mathfrak{z} = x + iy = \rho e^{i\theta},$$

onde

$$\rho = \sqrt{x^2 + y^2}$$

e

$$\text{tg}\,\theta = y/x,$$

então

$$F(\mathfrak{z}) = \rho^{1/2}e^{i\theta/2}$$
$$= \rho^{1/2}\left(\cos\frac{\theta}{2} + i\,\mathrm{sen}\,\frac{\theta}{2}\right),$$

de onde segue que

$$F(\mathfrak{z}) = \left[\frac{(x^2+y^2)^{1/2}+x}{2}\right]^{1/2} + i\left[\frac{(x^2+y^2)^{1/2}-x}{2}\right]^{1/2}. \tag{7.12}$$

As curvas com $U(x, y) = A$ e $V(x, y) = B$, usando U e V da Eq. (7.12), estão desenhadas na Figura 7–4. Novamente, existem muitas situações possíveis que podem ser descritas por estes campos. Uma das mais interessantes é o campo próximo ao canto de uma placa fina. Se a linha $B = 0$ – ao lado direito do eixo y – representar uma fina placa carregada, as linhas de campo próximas a essa placa serão dadas por estas curvas para vários valores de A. A situação física é mostrada na Figura 7–5.

Outros exemplos são

$$F(\mathfrak{z}) = \mathfrak{z}^{2/3}, \tag{7.13}$$

que fornece o campo *no exterior* de um canto retangular,

$$F(\mathfrak{z}) = \ln\mathfrak{z}, \tag{7.14}$$

que fornece o campo de uma linha de cargas, e

$$F(\mathfrak{z}) = 1/\mathfrak{z}, \tag{7.15}$$

que fornece o campo para o análogo bidimensional de um dipolo elétrico, ou seja, duas linhas de carga paralelas, muito próximas e com polaridades opostas.

Não prosseguiremos com este assunto neste curso, mas devemos enfatizar que, embora a técnica das variáveis complexas seja muito poderosa, ela se limita a problemas bidimensionais; além disso, este é um método indireto.

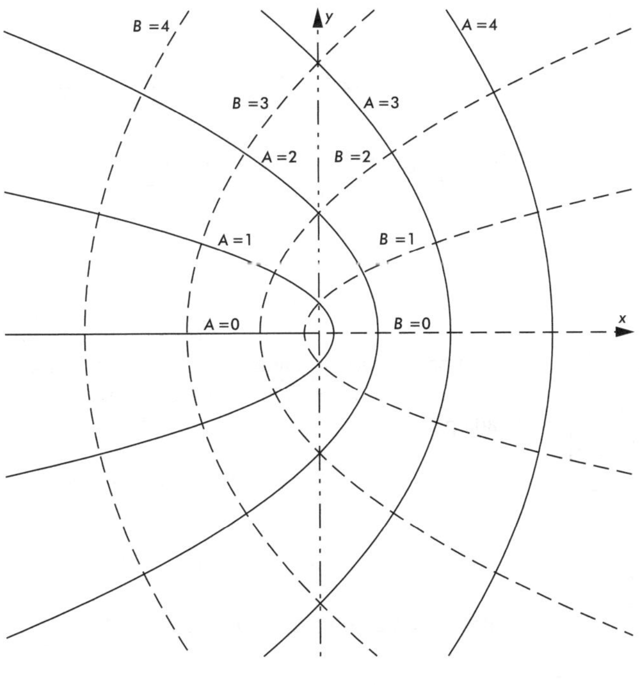

Figura 7–4 Curvas para valores constantes de $U(x, y)$ e $V(x, y)$ da Eq. (7.12).

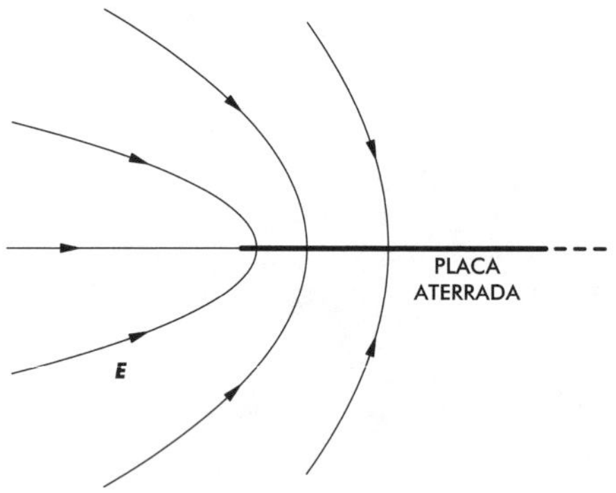

Figura 7–5 O campo elétrico próximo à extremidade de uma placa fina aterrada.

7–3 Oscilações em plasmas

Consideraremos agora algumas situações físicas nas quais o campo não pode ser determinado nem por cargas fixas, nem por cargas na superfície de condutores, mas sim pela combinação de dois fenômenos físicos. Em outras palavras, o campo será governado simultaneamente por dois conjuntos de equações: (1) as equações da eletrostática que relacionam os campos elétricos com as distribuições de carga, e (2) uma equação de outra parte da física que determina as posições ou movimentos das cargas na presença do campo.

Primeiramente, discutiremos um exemplo dinâmico, no qual o movimento das cargas é governado pelas leis de Newton. Um exemplo simples de uma situação como essa ocorre em um plasma, ou seja, um gás ionizado formado por íons e elétrons livres distribuídos em uma certa região do espaço. A ionosfera – uma camada superior da atmosfera – é o exemplo de um plasma. Os raios ultravioletas do sol arrancam elétrons das moléculas de ar, criando elétrons livres e íons. Em um plasma, os íons positivos são muito mais pesados que os elétrons, o que nos permite negligenciar o movimento desses íons em comparação com o dos elétrons.

Seja n_0 a densidade de elétrons no estado de equilíbrio não perturbado. Assumindo que as moléculas estejam ionizadas individualmente, essa também deve ser a densidade de íons positivos, uma vez que o plasma é eletricamente neutro (quando não perturbado). Suponhamos agora que desejemos saber o que acontece quando os elétrons são, de alguma forma, movidos do equilíbrio. Se a densidade de elétrons em uma região aumenta, eles irão se repelir e tentarão retornar à sua posição de equilíbrio. Conforme estes elétrons se movem para a sua posição original, eles adquirem energia cinética e, ao invés de atingirem o repouso na sua posição de equilíbrio, eles ultrapassam essa posição. Com isso, esses elétrons ficam oscilando de um lado ao outro. Esta situação é similar à que ocorre com as ondas de som, nas quais a força de restauração é a pressão do gás. Em um plasma, as forças de restauração são as forças elétricas nos elétrons.

Para simplificar a discussão, vamos nos preocupar apenas com a situação na qual os movimentos estão todos na mesma direção, digamos x. Vamos supor que os elétrons, originalmente em x, são deslocados de sua posição de equilíbrio, em um instante t, de uma pequena quantidade $s(x, t)$. Como os elétrons foram deslocados, sua densidade, em geral, mudará. Essa mudança na densidade é facilmente calculada. De acordo com a Figura 7–6, os elétrons inicialmente contidos entre os dois planos a e b, foram movidos e estão agora contidos entre os planos, a' e b'. O número de elétrons que estavam entre a e b era proporcional à $n_0\Delta x$; o mesmo número está agora contido em um espaço de largura $\Delta x + \Delta s$. A densidade mudou para

$$n = \frac{n_0\Delta x}{\Delta x + \Delta s} = \frac{n_0}{1 + (\Delta s/\Delta x)}. \tag{7.16}$$

Se a mudança na densidade for pequena, podemos escrever (usando a expansão binomial para $(1 + \epsilon)^{-1}$]

$$n = n_0\left(1 - \frac{\Delta s}{\Delta x}\right). \tag{7.17}$$

Supomos que os íons positivos não se moveram apreciavelmente (devido à sua maior inércia), portanto sua densidade continua sendo n_0. Cada elétron carrega uma carga $-q_e$, logo a densidade média de carga em qualquer ponto é dada por

$$\rho = -(n - n_0)q_e,$$

ou

$$\rho = n_0 q_e \frac{ds}{dx} \tag{7.18}$$

(onde usamos a forma diferencial para $\Delta s/\Delta x$).

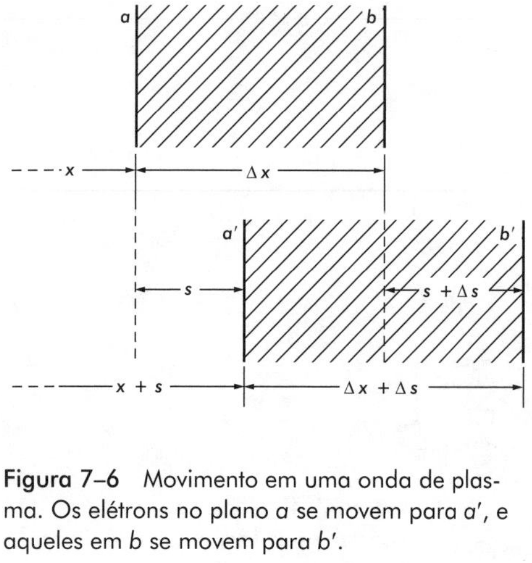

Figura 7–6 Movimento em uma onda de plasma. Os elétrons no plano a se movem para a', e aqueles em b se movem para b'.

A densidade de cargas se relaciona com o campo elétrico por meio das equações de Maxwell, em particular,

$$\nabla \cdot \boldsymbol{E} = \frac{\rho}{\epsilon_0}. \qquad (7.19)$$

Se o problema for realmente unidimensional (e se não houver outros campos além dos provenientes do movimento dos elétrons), o campo elétrico $\boldsymbol{E}$ terá uma única componente E_x. A Equação (7.19), juntamente a (7.18), fornece

$$\frac{\partial E_x}{\partial x} = \frac{n_0 q_e}{\epsilon_0} \frac{\partial s}{\partial x}. \qquad (7.20)$$

A integração da Eq. (7.20) nos dá

$$E_x = \frac{n_0 q_e}{\epsilon_0} s + K. \qquad (7.21)$$

Como $E_x = 0$ quando $s = 0$, a constante de integração K vale zero.

A força em um elétron na posição deslocada é

$$F_x = -\frac{n_0 q_e^2}{\epsilon_0} s, \qquad (7.22)$$

que é uma força de restauração proporcional ao deslocamento s do elétron. Isso leva a uma oscilação harmônica dos elétrons. Assim, a equação de movimento de um elétron deslocado é

$$m_e \frac{d^2 s}{dt^2} = -\frac{n_0 q_e^2}{\epsilon_0} s. \qquad (7.23)$$

Encontramos que s varia harmonicamente. Sua variação temporal terá a forma cos $\omega_p t$, ou – usando a notação exponencial do Vol. I – a forma

$$e^{i\omega_p t}. \qquad (7.24)$$

A frequência de oscilação ω_p é determinada de (7.23):

$$\omega_p^2 = \frac{n_0 q_e^2}{\epsilon_0 m_e}, \qquad (7.25)$$

e é chamada de *frequência do plasma*. Este é um número característico do plasma.

Ao tratar com a carga dos elétrons, muitas pessoas preferem expressar suas respostas em termos da quantidade e^2 definida por

$$e^2 = \frac{q_e^2}{4\pi\epsilon_0} = 2{,}3068 \times 10^{-28} \text{ newton·metro}^2. \qquad (7.26)$$

Usando essa convenção, a Eq. (7.25) se torna

$$\omega_p^2 = \frac{4\pi e^2 n_0}{m_e}, \qquad (7.27)$$

que é a forma que você encontrará na maioria dos livros.

Assim, encontramos que o distúrbio em um plasma produzirá oscilações livres dos elétrons em torno de suas posições de equilíbrio em uma frequência natural ω_p, que é proporcional à raiz quadrada da densidade de elétrons. Os elétrons de um plasma se comportam como um sistema ressonante, como aquele que descrevemos no Capítulo 23 do Vol. I.

Esta ressonância natural do plasma possui alguns efeitos interessantes. Por exemplo, se alguém tentar propagar uma onda de rádio através da ionosfera, irá verificar que essa onda só poderá penetrar se sua frequência for maior que a frequência do plasma. Caso contrário, o sinal será refletido de volta. Para nos comunicarmos com satélites no espaço, precisaremos usar altas frequências. Por outro lado, para nos comunicarmos com uma estação de rádio além do horizonte, precisamos usar frequências abaixo da frequência de plasma, pois assim o sinal será refletido de volta para a terra.

Outro exemplo interessante da oscilação do plasma ocorre nos metais. Em um metal temos um plasma confinado de íons positivos e elétrons livres. A densidade n_0 é muito alta, consequentemente ω_p também o será. Mesmo assim, ainda existe a possibilidade de observar a oscilação dos elétrons. De acordo com a mecânica quântica, uma oscilação harmônica com frequência natural ω_p possui níveis de energia separados por um incremento de energia $\hbar\omega_p$. Então, se atirarmos elétrons através de, digamos, uma folha de alumínio, e fizermos uma medida muito cuidadosa das energias dos elétrons do outro lado, esperamos encontrar alguns elétrons que terão perdido uma energia $\hbar\omega_p$ para as oscilações do plasma. Isso realmente acontece. Foi observado experimentalmente pela primeira vez em 1936 que elétrons com energias de algumas centenas até alguns milhares de elétrons-volt perdiam energia em saltos quando eram espalhados por uma fina folha de metal ou ao a atravessarem. Esse efeito não foi entendido até 1953, quando Bohm e Pines[1] mostraram que estas observações podiam ser explicadas em termos de excitações quânticas das oscilações do plasma no metal.

7–4 Partículas coloidais em um eletrólito

Abordaremos agora outro fenômeno no qual a localização das cargas é governada pelo potencial que surge em parte das próprias cargas. Os efeitos resultantes influenciam de forma significativa o comportamento dos coloides. Um coloide consiste em pequenas partículas carregadas suspensas na água. Todavia, através do microscópio, estas partículas são muito grandes do ponto de vista atômico. Se as partículas coloidais não fossem carregadas, elas tenderiam a coagular em grandes caroços; mas, graças à sua carga, elas se repelem e permanecem em suspensão.

Agora, se houver algum sal dissolvido na água, este sal estará dissociado em íons positivos e negativos (tal solução de íons é chamada de eletrólito). Os íons negativos serão atraídos pelas partículas coloidais (assumindo que a sua carga seja positiva), enquanto os íons positivos serão repelidos. Vamos determinar como esses íons que circundam essas partículas coloidais estão distribuídos no espaço.

Para manter a simplicidade das ideias, resolveremos novamente apenas o caso unidimensional. Se pensarmos em uma partícula coloidal como uma esfera de raio muito grande – em uma escala atômica! – poderemos tratar uma pequena parte de sua superfície como um plano. Sempre que se tenta compreender um novo fenômeno, é uma boa ideia trabalhar com um modelo um pouco simplificado; em seguida, tendo entendido o problema com este modelo, estaremos capacitados para proceder com o desenvolvimento dos cálculos mais exatos.

Vamos supor que a distribuição dos íons produza uma densidade de cargas $\rho(x)$, e um potencial elétrico ϕ, relacionados pela lei da eletrostática $\nabla^2\phi = -\rho/\epsilon_0$ ou, para campos que variam em apenas uma dimensão, por

$$\frac{d^2\phi}{dx^2} = -\frac{\rho}{\epsilon_0}. \tag{7.28}$$

Supondo agora que tal potencial $\phi(x)$ exista, como os íons se distribuirão nele? Podemos determinar essa distribuição utilizando os princípios da mecânica estatística. Nosso problema é então determinar ϕ de forma que a densidade de carga resultante da mecânica estatística *também* satisfaça a (7.28).

[1] Para alguns trabalhos e bibliografias recentes veja C.J, Powell e J.B. Swann, *Phys. Rev.* **115**, 869 (1959).

De acordo com a mecânica estatística (veja o Capítulo 40, Vol. I), partículas no equilíbrio térmico em um campo de força se distribuem de tal forma que a densidade n de partículas em uma posição x seja dada por

$$n(x) = n_0 e^{-U(x)/kT}, \tag{7.29}$$

onde $U(x)$ é a energia potencial, k é a constante de Boltzmann e T é a temperatura absoluta.

Vamos supor que cada íon carregue uma carga eletrônica positiva ou negativa. A uma distância x da superfície da partícula coloidal, um íon positivo terá a energia potencial $q_e\phi(x)$, tal que

$$U(x) = q_e\phi(x).$$

A densidade de íons positivos, n_+, é então

$$n_+(x) = n_0 e^{-q_e\phi(x)/kT}.$$

Da mesma forma, a densidade de íons negativos vale

$$n_-(x) = n_0 e^{+q_e\phi(x)/kT}.$$

A densidade total de carga é

$$\rho = q_e n_+ - q_e n_-,$$

ou

$$\rho = q_e n_0 (e^{-q_e\phi/kT} - e^{+q_e\phi/kT}). \tag{7.30}$$

Combinando essa expressão com a Eq. (7.28), encontramos que o potencial ϕ deve satisfazer a

$$\frac{d^2\phi}{dx^2} = -\frac{q_e n_0}{\epsilon_0}(e^{-q_e\phi/kT} - e^{+q_e\phi/kT}). \tag{7.31}$$

Essa equação pode ser facilmente resolvida no caso geral (multiplicando ambos os lados por $2(d\phi/dx)$, e integrando em relação a x), mas para manter o problema o mais simples possível, consideraremos apenas o caso limite, no qual os potenciais são pequenos ou a temperatura é alta. O caso no qual ϕ é pequeno corresponde a uma solução diluída. Para esses casos, o expoente é pequeno, e podemos fazer a aproximação

$$e^{\pm q_e\phi/kT} = 1 \pm \frac{q_e\phi}{kT}. \tag{7.32}$$

Com isso, a Equação (7.31) fornece

$$\frac{d^2\phi}{dx^2} = +\frac{2n_0 q_e^2}{\epsilon_0 kT}\phi(x). \tag{7.33}$$

Note que desta vez o sinal do lado direito é positivo. As soluções para ϕ não são oscilatórias, mas exponenciais.

A solução geral da Eq. (7.33) é

$$\phi = Ae^{-x/D} + Be^{+x/D}, \tag{7.34}$$

com

$$D^2 = \frac{\epsilon_0 kT}{2n_0 q_e^2}. \tag{7.35}$$

As constantes A e B devem ser determinadas pelas condições do problema. No nosso caso, B deve ser zero; de outra forma, o potencial iria para infinito para grandes valores de x. Com isso, temos que

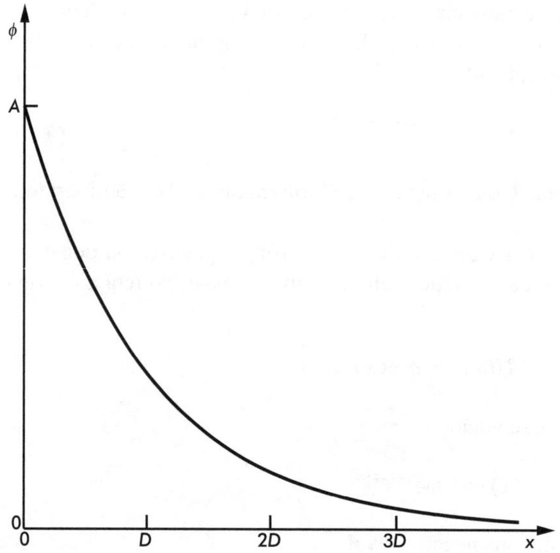

Figura 7–7 A variação do potencial próximo à superfície de uma partícula coloidal. D é o comprimento de Debye.

$$\phi = Ae^{-x/D}, \tag{7.36}$$

onde A é o potencial em $x = 0$, a superfície da partícula coloidal.

O potencial decresce pelo fator $1/e$ toda vez que a distância aumenta de D, como mostrado no gráfico da Figura 7–7. O número D é chamado de *comprimento de Debye*, e é uma medida da espessura da envoltura iônica que circunda uma grande partícula carregada em um eletrólito. A Equação (7.35) mostra que essa envoltura se torna mais fina com o aumento da concentração de íons (n_0) ou com a diminuição da temperatura.

A constante A na Eq. (7.36) é facilmente obtida se conhecermos a densidade da carga superficial σ da partícula coloidal. Sabemos que

$$E_n = E_x(0) = \frac{\sigma}{\epsilon_0}. \tag{7.37}$$

Mas $\boldsymbol{E}$ é também o gradiente de ϕ:

$$E_x(0) = -\left.\frac{\partial\phi}{\partial x}\right|_0 = +\frac{A}{D}, \tag{7.38}$$

de onde obtemos

$$A = \frac{\sigma D}{\epsilon_0}. \tag{7.39}$$

Usando esse resultado em (7.36), encontramos (fazendo $x = 0$) que o potencial de uma partícula coloidal é

$$\phi(0) = \frac{\sigma D}{\epsilon_0}. \tag{7.40}$$

Observe que esse potencial é idêntico à diferença de potencial em um condensador com uma distância D entre as placas e uma densidade superficial de cargas σ.

Afirmamos que as partículas coloidais são mantidas afastadas pelo seu potencial elétrico repulsivo. Contudo, agora vemos que o campo perto da superfície da partícula é reduzido pela envoltura de íons que se acumula ao seu redor. Se essa envoltura for fina o suficiente, as partículas terão uma boa chance de se colidirem. Nessa colisão elas irão se grudar, e os coloides irão coagular e se precipitar no líquido. Pela nossa análise, entendemos como a adição de sal ao coloide pode causar sua precipitação. Esse processo é chamado “salgar o coloide”.

Outro exemplo interessante é o efeito que uma solução salgada tem nas moléculas de proteína. Uma molécula de proteína é uma longa, complicada e flexível cadeia de aminoácidos. Esta molécula possui várias cargas, e algumas vezes ocorre de existir uma carga líquida, digamos negativa, distribuída ao longo da cadeia. Devido à repulsão mútua das cargas negativas, a cadeia de proteína é mantida esticada. Além disso, se existirem outras cadeias de moléculas similares presentes na solução, elas se manterão afastadas pelos mesmos efeitos de repulsão. Podemos, portanto, ter uma suspensão* das cadeias de moléculas em um líquido. No entanto, se adicionarmos sal ao líquido, mudaremos as propriedades da suspensão. Conforme o sal é adicionado à solução, a distância de Debye diminui e as cadeias de moléculas podem se aproximar uma das outras, podendo também se enrolar. Se uma quantidade suficiente de sal for adicionada à solução, as cadeias de moléculas precipitarão nessa solução. Existem vários efeitos químicos desse tipo que podem ser entendidos em termos das forças elétricas.

7–5 O campo eletrostático de uma grade

Como último exemplo, gostaríamos de descrever outra propriedade interessante dos campos elétricos. Uma propriedade da qual fazemos uso no projeto de instrumentos elétricos, na construção de tubos de vácuo e para outras finalidades. Vamos descrever as características do campo elétrico perto de uma grade de fios carregados. Para simplificar o problema o máximo possível, consideraremos uma armação de fios paralelos em um plano. Os fios são infinitamente longos e com um espaçamento uniforme entre eles.

Se olharmos para o campo a uma distância longa, acima do plano dos fios, veremos um campo elétrico constante, simplesmente como se as cargas estivessem uniformemente espalhadas em um plano. Conforme nos aproximamos da grade de fios, o campo começa a se diferir do campo uniforme que encontramos a grandes distâncias da grade. Gostaríamos de estimar o quão perto da grade precisamos estar para observarmos variações apreciáveis no potencial. A Figura 7–8 mostra um esquema grosseiro das equipotenciais para várias distâncias da grade. Quanto mais perto estamos da grade, maiores são as variações. Conforme viajamos paralelos à grade, observamos que os campos flutuam de maneira periódica.

Vimos (Capítulo 50, Vol. I) que qualquer quantidade periódica pode ser expressa como uma soma de ondas senoidais (teorema de Fourier). Vejamos se podemos encontrar uma função harmônica apropriada que satisfaça à nossa equação de campo.

Se os fios estiverem no plano x, y e correrem paralelos ao eixo y, podemos tentar os termos da soma na forma

$$\phi(x, z) = F_n(z)\cos\frac{2\pi nx}{a}, \tag{7.41}$$

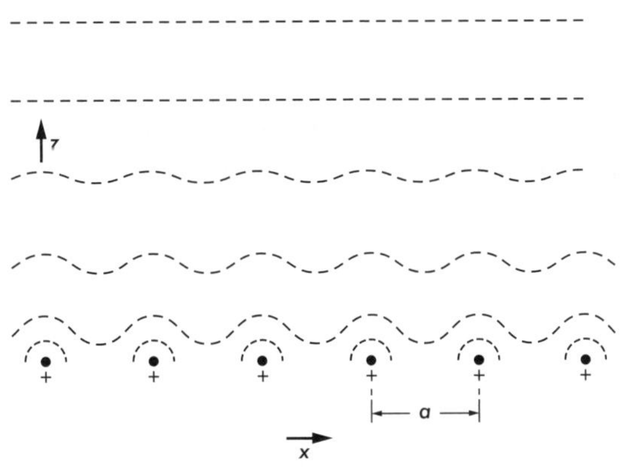

Figura 7–8 Superfícies equipotenciais acima de uma grade uniforme de fios carregados.

* N. de T.: Sistema constituído por uma fase líquida ou gasosa na qual está dispersa uma fase sólida com partículas de dimensões superiores às de um coloide, e que sedimentam, com maior ou menor rapidez, sob a ação da gravidade.

onde a é o espaçamento entre os fios e n é o número harmônico (supusemos fios longos, então não deve haver variações com y). Uma solução completa pode ser construída por meio de uma soma desses termos com $n = 1, 2, 3,...$

Se esse for um potencial válido, ele deve satisfazer à equação de Laplace na região sobre os fios (onde não há cargas). Isto é,

$$\frac{\partial^2\phi}{\partial x^2} + \frac{\partial^2\phi}{\partial z^2} = 0.$$

Experimentando essa equação em ϕ, dado por (7.41), encontramos que

$$-\frac{4\pi^2n^2}{a^2}F_n(z)\cos\frac{2\pi nx}{a} + \frac{d^2F_n}{dz^2}\cos\frac{2\pi nx}{a} = 0, \tag{7.42}$$

ou que $F_n(z)$ precisa satisfazer a

$$\frac{d^2F_n}{dz^2} = \frac{4\pi^2n^2}{a^2}F_n. \tag{7.43}$$

Com isso, devemos ter

$$F_n = A_ne^{-z/z_0}, \tag{7.44}$$

onde

$$z_0 = \frac{a}{2\pi n}. \tag{7.45}$$

Portanto, se existir uma componente de Fourier do campo com harmônico n, essa componente decairá exponencialmente com uma distância característica $z_0 = a/2\pi n$. Para o primeiro harmônico ($n = 1$), a amplitude decai por um fator $e^{-2\pi}$ (um grande descaimento) toda vez que aumentamos z por um espaçamento da grade a. Vemos que se estivermos apenas algumas vezes a distância a afastados da grade, o campo será bastante uniforme, ou seja, o termo de oscilação será pequeno. Obviamente, deverá sempre restar o "harmônico zero" do campo

$$\phi_0 = -E_0z$$

para fornecer o campo uniforme em grandes valores de z. Para uma solução completa, devemos combinar este termo com uma soma de termos do tipo (7.41) com os F_n dados por (7.44). Os coeficientes A_n devem ser ajustados de forma que a soma total possa, quando diferenciada, fornecer o campo elétrico que se ajusta a uma densidade de carga λ na grade de fios.

O método que acabamos de desenvolver pode ser usado para explicar por que blindagens eletrostáticas, realizadas com telas, são geralmente tão boas quanto as feitas com uma folha sólida de metal. Exceto para uma distância igual a poucas vezes o espaçamento dos fios, os campos no interior de uma tela fechada são zero. Podemos ver por que uma tela de cobre – mais leve e barata que uma folha de cobre – é frequentemente usada para proteger equipamentos elétricos sensíveis dos distúrbios dos campos externos.

8

Energia Eletrostática

Revisão: Capítulo 4, Vol. I, *Conservação da Energia*
Capítulo 13 e 14, Vol. I, *Trabalho e Energia Potencial*

8–1 A energia eletrostática de cargas. Uma esfera uniforme

No estudo da mecânica, uma das descobertas mais interessantes e úteis foi a lei da conservação da energia. As expressões para as energias cinéticas e potenciais de um sistema mecânico nos ajudaram a descobrir conexões entre os estados de um sistema em dois instantes diferentes, sem termos de olhar para os detalhes do que estava ocorrendo entre esses instantes. Gostaríamos agora de considerar a energia dos sistemas eletrostáticos. Também na eletricidade, o princípio da conservação da energia será útil em um grande número de coisas interessantes.

Na eletrostática, a energia de interação é muito simples; na verdade, já a discutimos. Suponha que tenhamos duas cargas, q_1 e q_2, separadas por uma distância r_{12}. Este sistema possui uma energia, porque uma certa quantidade de trabalho foi exigida para aproximar estas cargas. Já calculamos o trabalho realizado para trazer duas cargas de uma grande distância para junto uma da outra. Este trabalho vale

$$\frac{q_1 q_2}{4\pi\epsilon_0 r_{12}}. \tag{8.1}$$

Sabemos também, pelo princípio da superposição, que se tivermos várias cargas presentes, a força total em qualquer uma destas cargas será a soma das forças das demais cargas. Daí segue que a energia total de um sistema com um certo número de cargas é a soma dos termos responsáveis pela interação mútua de cada par de cargas. Se q_i e q_j forem duas cargas quaisquer e r_{ij} a distância entre elas (Figura 8–1), a energia deste par particular será

$$\frac{q_i q_j}{4\pi\epsilon_0 r_{ij}}. \tag{8.2}$$

A energia eletrostática total U é a soma das energias de todos os possíveis pares de cargas:

$$U = \sum_{\substack{\text{todos os}\\ \text{pares}}} \frac{q_i q_j}{4\pi\epsilon_0 r_{ij}}. \tag{8.3}$$

Se tivermos uma distribuição de cargas especificada por uma densidade de cargas ρ, a soma em (8.3) será, obviamente, substituída por uma integral.

Vamos nos concentrar em dois aspectos desta energia. Um é a *aplicação* do conceito de energia em problemas eletrostáticos; o outro é a *determinação* desta energia de diferentes formas. Algumas vezes é mais fácil calcular o trabalho realizado para algum caso especial que determinar a soma na Eq. (8.3), ou a integral correspondente. Como exemplo, deixe-nos calcular a energia requerida para formar uma esfera de cargas com uma densidade de carga uniforme. Esta energia é simplesmente o trabalho realizado no agrupamento destas cargas a partir do infinito.

Imagine que montemos a esfera construindo uma sucessão de finas camadas esféricas de espessuras infinitesimais. Em cada estágio deste processo, juntamos uma pequena quantidade de cargas e as colocamos em uma fina camada que vai de r até $r + dr$. Continuamos com esse processo até atingirmos o raio final a (Figura 8–2). Se Q_r for a carga da esfera quando montada até o raio r, o trabalho realizado para trazer uma carga dQ até essa esfera vale

$$dU = \frac{Q_r\,dQ}{4\pi\epsilon_0 r}. \tag{8.4}$$

Se a densidade de cargas na esfera for ρ, a carga Q_r é

$$Q_r = \rho \cdot \frac{4}{3}\pi r^3,$$

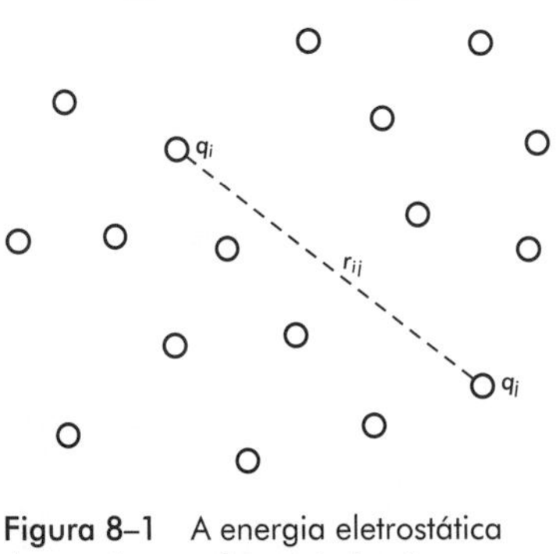

Figura 8–1 A energia eletrostática de um sistema de partículas é a soma da energia eletrostática de cada par.

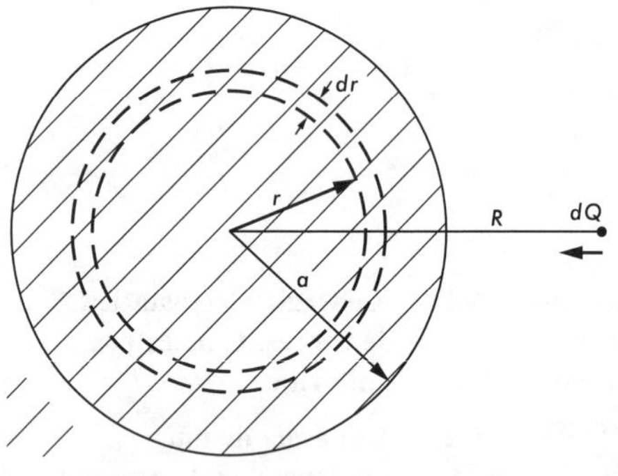

Figura 8–2 A energia de uma esfera uniformemente carregada pode ser calculada imaginando-a como um conjunto de sucessivas camadas esféricas.

e a carga dQ é

$$dQ = \rho \cdot 4\pi r^2\, dr.$$

A Equação (8.4) torna-se

$$dU = \frac{4\pi\rho^2 r^4\, dr}{3\epsilon_0}. \tag{8.5}$$

A energia total necessária para montar a esfera é a integral de dU de $r = 0$ até $r = a$, ou

$$U = \frac{4\pi\rho^2 a^5}{15\epsilon_0}. \tag{8.6}$$

Ou, se quisermos expressar este resultado em termos da carga total Q da esfera,

$$U = \frac{3}{5}\,\frac{Q^2}{4\pi\epsilon_0 a}. \tag{8.7}$$

A energia é proporcional ao quadrado da carga total e inversamente proporcional ao raio. Podemos também interpretar a Eq. (8.7) como a afirmação de que a média de $(1/r_{ij})$ para todos os pares de pontos na esfera é $6/5a$.

8–2 A energia de um condensador. Forças em condutores carregados

Consideraremos agora a energia necessária para carregar um condensador. Se a carga Q foi retirada de um dos condutores do condensador e colocada no outro, a diferença de potencial entre estes condutores será

$$V = \frac{Q}{C}, \tag{8.8}$$

onde C é a capacitância do condensador. Quanto trabalho é realizado para carregar o condensador? Procedendo como no caso da esfera, imaginamos que o condensador foi carregado transferindo-se as cargas de uma placa à outra em pequenos incrementos dQ. O trabalho necessário para se transferir a carga dQ é

$$dU = V\, dQ.$$

Usando V da Eq. (8.8), podemos escrever

$$dU = \frac{Q\, dQ}{C}.$$

Ou integrando da carga nula inicial até a carga final Q, temos

$$U = \frac{1}{2}\,\frac{Q^2}{C}. \tag{8.9}$$

Essa energia pode também ser escrita como

$$U = \tfrac{1}{2}CV^2. \tag{8.10}$$

Lembrando que a capacitância de uma esfera condutora (em relação ao infinito) é

$$C_{\text{esfera}} = 4\pi\epsilon_0 a,$$

podemos imediatamente obter da Eq. (8.9) a energia de uma esfera carregada,

$$U = \frac{1}{2}\frac{Q^2}{4\pi\epsilon_0 a}. \tag{8.11}$$

Obviamente, essa é também a energia de uma fina *casca esférica* com carga total Q e é simplesmente 5/6 da energia de uma esfera *uniformemente carregada*, Eq. (8.7).

Consideraremos agora algumas aplicações da ideia de energia eletrostática. Coloquemos a seguinte questão: qual é a força entre as placas de um condensador? Ou qual é o torque em relação a algum eixo de um condutor carregado na presença de outro com carga oposta? Estas questões são facilmente respondidas usando nosso resultado (8.9) para a energia eletrostática de um condensador, juntamente ao princípio do trabalho virtual (Capítulos 4, 13 e 14 do Vol. I).

Vamos usar este método para determinar a força entre as placas de um condensador de placas paralelas. Se imaginarmos que o espaçamento entre as placas é aumentado em uma pequena quantidade Δz, então o trabalho mecânico realizado pelo exterior para mover as placas será

$$\Delta W = F\,\Delta z, \tag{8.12}$$

onde F é a força entre as placas. Este trabalho deve ser igual à mudança da energia eletrostática do condensador.

Pela Eq. (8.9), a energia do condensador era originalmente

$$U = \frac{1}{2}\frac{Q^2}{C}.$$

A variação na energia (se não deixarmos a carga variar) é

$$\Delta U = \frac{1}{2}\,Q^2\,\Delta\left(\frac{1}{C}\right). \tag{8.13}$$

Igualando (8.12) e (8.13), temos

$$F\,\Delta z = \frac{Q^2}{2}\,\Delta\left(\frac{1}{C}\right). \tag{8.14}$$

Essa equação pode também ser escrita como

$$F\,\Delta z = -\frac{Q^2}{2C^2}\,\Delta C. \tag{8.15}$$

A força, obviamente, resulta da atração das cargas nas placas, mas podemos ver que não precisamos nos preocupar com detalhes de como estas cargas estão distribuídas; podemos nos ater apenas à capacitância C.

É fácil ver como esta ideia se estende a condutores com qualquer formato, e para outras componentes da força. Na Eq. (8.14), substituímos F pela componente da força que estamos procurando, e substituímos Δz por um pequeno deslocamento na direção correspondente. Ou se tivermos um eletrodo com um pivô e desejarmos saber o torque τ, escrevemos o trabalho virtual como

$$\Delta W = \tau\,\Delta\theta,$$

onde $\Delta\theta$ é um pequeno deslocamento angular. Obviamente, $\Delta(1/C)$ deve ser a variação em $1/C$ correspondente a $\Delta\theta$. Dessa forma, podemos encontrar o torque nas placas móveis de um condensador variável do tipo mostrado na Figura 8–3.

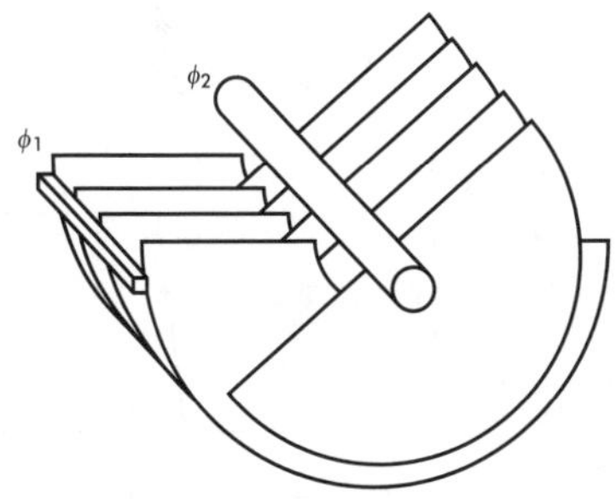

Figura 8–3 Qual é o torque em um capacitor variável?

Voltando para o caso especial de um condensador de placas paralelas, podemos usar a fórmula que derivamos no Capítulo 6 para a capacitância:

$$\frac{1}{C} = \frac{d}{\epsilon_0 A}, \tag{8.16}$$

onde A é a área de cada placa. Se aumentarmos a separação entre as placas em Δz,

$$\Delta\left(\frac{1}{C}\right) = \frac{\Delta z}{\epsilon_0 A}.$$

Da Eq. (8.14), obtemos que a força entre as placas é

$$F = \frac{Q^2}{2\epsilon_0 A}. \tag{8.17}$$

Vamos olhar um pouco mais de perto para (8.17) e ver se podemos dizer de onde surge a força. Se, para a carga em uma das placas, escrevermos

$$Q = \sigma A,$$

a Eq. (8.17) poderá ser reescrita como

$$F = \frac{1}{2}Q\frac{\sigma}{\epsilon_0}.$$

Ou, uma vez que o campo elétrico entre as placas vale

$$E_0 = \frac{\sigma}{\epsilon_0},$$

então

$$F = \tfrac{1}{2}QE_0. \tag{8.18}$$

Pode-se adivinhar imediatamente que a força atuando em uma das placas é a carga Q nesta placa vezes o campo atuando nesta carga. Entretanto, temos um surpreendente fator de um meio. Isso ocorre porque E_0 não é o campo *nas* cargas. Se imaginarmos que as cargas ocupam uma pequena camada da superfície da placa, como indicado na Figura 8–4, o campo varia de zero, na fronteira interna da camada, até E_0 na região fora da placa. O campo médio atuando nas cargas da superfície vale $E_0/2$. Essa é a razão do fator meio na Eq. (8.18).

Note que no cálculo do trabalho virtual supusemos que a carga no condensador era constante – que não havia nenhuma conexão elétrica com outros objetos, e, portanto, a carga total não poderia mudar.

Suponha que tivéssemos imaginado que o condensador fosse mantido em uma diferença de potencial constante, conforme realizássemos o deslocamento virtual. Neste caso, teríamos

$$U = \tfrac{1}{2}CV^2$$

e, no lugar da Eq. (8.15), teríamos

$$F\Delta z = \tfrac{1}{2}V^2\,\Delta C,$$

que fornece uma força igual, em magnitude, àquela obtida na Eq. (8.15) (porque $V = Q/C$), mas com sinal oposto! Certamente, a força entre as placas do condensador não inverte seu sinal quando o desconectamos de sua fonte de cargas. Além disso, sabemos que duas placas com cargas elétricas opostas devem se atrair. O princípio do trabalho virtual foi aplicado incorretamente no segundo caso – não consideramos o trabalho virtual realizado na fonte de cargas. Isto é, para manter o potencial constante em V conforme a capacitância muda, uma carga $V\Delta C$ deve ser fornecida por uma fonte de cargas. Contudo, essa carga é fornecida em um potencial V, então o trabalho realizado pelo sistema elétrico que mantém o potencial constante é $V^2\Delta C$. O trabalho mecânico $F\,\Delta z$ *mais* este trabalho elétrico $V^2\Delta C$ são responsáveis por uma mudança de $\tfrac{1}{2}V^2\Delta C$ na energia total do condensador. Portanto, $F\,\Delta z$ é $-\tfrac{1}{2}V^2\Delta C$, como antes.

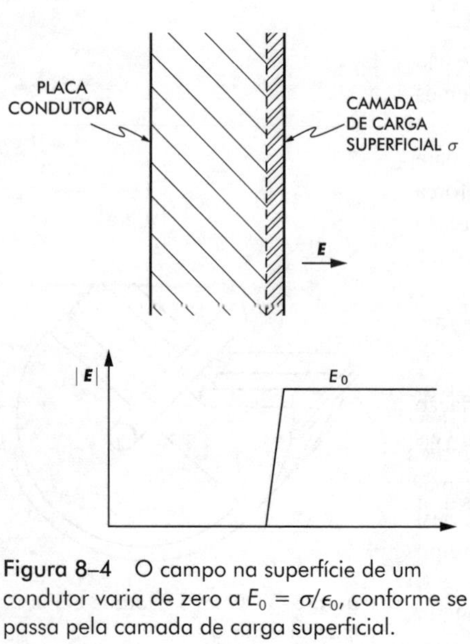

Figura 8–4 O campo na superfície de um condutor varia de zero a $E_0 = \sigma/\epsilon_0$, conforme se passa pela camada de carga superficial.

8–3 A energia eletrostática de um cristal iônico

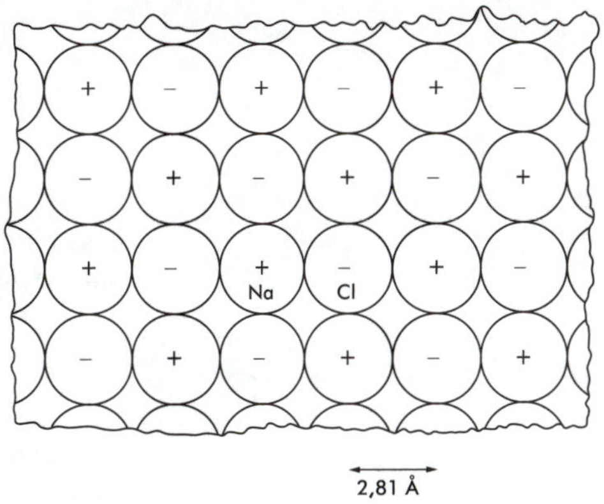

Figura 8–5 Seção de corte de um cristal de sal em uma escala atômica. O arranjo em forma de tabuleiro de damas dos íons de Na e Cl é o mesmo nas duas seções de corte perpendiculares à mostrada. (Veja Vol. I, Figura 1–7.)

Consideraremos agora uma aplicação do conceito de energia eletrostática na física atômica. Não podemos medir de forma fácil a força entre os átomos, mas frequentemente estamos interessados na diferença de energia entre um arranjo atômico e outro, como, por exemplo, a energia de uma mudança química. Como as forças atômicas são basicamente elétricas, energias químicas são em grande parte simplesmente energias eletrostáticas.

Vamos considerar, por exemplo, a energia eletrostática de uma rede iônica. Um cristal iônico, com o NaCl, consiste em íons positivos e negativos que podem ser imaginados como uma esfera rígida. Eles se atraem eletricamente até começarem a se tocar; surge então uma força repulsiva que cresce muito rapidamente se tentarmos aproximá-los ainda mais.

Como primeira aproximação, portanto, imaginemos um conjunto de esferas rígidas que representam os átomos em um cristal de sal. A estrutura da rede foi determinada pela difração de raios X. Esta é uma rede cúbica – como um tabuleiro de damas tridimensional. A Figura 8–5 mostra a vista de um corte secional. O espaçamento entre os átomos e de 2,81 Å (= 2,81 × 10^{-8} cm).

Se nossa ideia deste sistema estiver correta, devemos estar aptos a testá-la por meio da seguinte questão: quanta energia seria necessária para separar todos estes íons – isto é, para decompor completamente o cristal em íons? Esta energia deve ser igual ao calor de vaporização do NaCl mais a energia necessária para dissociar as moléculas em íons. Esta energia total para decompor o NaCl em íons foi determinada experimentalmente e vale 7,92 elétrons-volt por molécula. Usando a conversão

$$1 \text{ eV} = 1{,}602 \times 10^{-19} \text{ joule},$$

e o número de Avogadro para o número de moléculas em um mol,

$$N_0 = 6{,}02 \times 10^{23},$$

a energia de dissociação pode também ser dada como

$$W = 7{,}64 \times 10^5 \text{ joules/mol}.$$

Físicos-químicos preferem quilocaloria como unidade de energia, a qual vale 4190 joules; desta forma, 1 eV por molécula equivale a 23 quilocalorias por mol. Um químico diria então que a energia de dissociação do NaCl é

$$W = 183 \text{ kcal/mol}.$$

É possível obter esta energia química teoricamente calculando quanto trabalho é necessário para separar o cristal? De acordo com a nossa teoria, este trabalho é a soma das energias potenciais de todos os pares de íons. O meio mais fácil de avaliar esta soma é pegar um íon particular e calcular sua energia potencial com todos os outros íons. Isso nos dará o *dobro* da energia por íon, porque a energia pertence aos *pares* de cargas. Se desejarmos a energia associada com um íon particular, devemos tomar a metade da soma. Na verdade, queremos a energia *por molécula*, a qual contém dois íons, de forma que a soma que calcularmos nos dá diretamente a energia por molécula.

A energia de um íon com o seu vizinho mais próximo é e^2/a, onde $e^2 = q_e^2/4\pi\epsilon_0$ e a é o espaçamento entre os centros dos íons (estamos considerando íons monovalentes). Esta energia é 5,12 eV, que, como já vimos, nos dará um resultado com a ordem de magnitude correta. Contido, isso ainda está muito longe da soma infinita de termos de que precisamos.

Vamos começar somando todos os termos dos íons ao longo de uma linha. Considerem que o íon marcado como Na na Figura 8–5 é nosso íon especial. Consideraremos inicialmente aqueles íons na mesma linha horizontal que ele. Existem dois íons de Cl mais próximos com cargas negativas, cada um a uma distância a. Depois, há dois íons positivos a uma distância $2a$, etc. Chamando de U_1 a energia desta soma, escrevemos

$$U_1 = \frac{e^2}{a}\left(-\frac{2}{1}+\frac{2}{2}-\frac{2}{3}+\frac{2}{4}\mp\cdots\right)$$
$$= -\frac{2e^2}{a}\left(1-\frac{1}{2}+\frac{1}{3}-\frac{1}{4}\pm\cdots\right). \tag{8.19}$$

Essa série converge lentamente, de forma que é difícil avaliá-la numericamente, mas sabe-se que ela é igual ao ln 2. Então

$$U_1 = -\frac{2e^2}{a}\ln 2 = -1{,}386\,\frac{e^2}{a}. \tag{8.20}$$

Considere agora a próxima linha adjacente de íons acima. O mais próximo é negativo e está a uma distância a. Em seguida, há dois íons positivos a uma distância $\sqrt{2}\,a$. O próximo par está a uma distância $\sqrt{5}\,a$, o seguinte a $\sqrt{10}\,a$ e assim por diante. Assim, para a linha inteira temos a série

$$\frac{e^2}{a}\left(-\frac{1}{1}+\frac{2}{\sqrt{2}}-\frac{2}{\sqrt{5}}+\frac{2}{\sqrt{10}}\mp\cdots\right). \tag{8.21}$$

Há *quatro* linhas como esta: acima, abaixo, na frente e atrás. Ademais, há mais quatro linhas próximas nas diagonais, e assim indefinidamente.

Se você trabalhar pacientemente em todas estas linhas e tomar a soma, achará que o total final é

$$U = -1{,}747\,\frac{e^2}{a},$$

que nada mais é o que o resultado que obtivemos em (8.20) para a primeira linha. Usando $e^2/a = 5{,}12$ eV, obtemos

$$U = -8{,}94\ \text{eV}.$$

Nossa resposta está cerca de 10% acima da energia observada experimentalmente. O que mostra que nossa ideia de que toda a rede é mantida junta por forças elétricas coulombianas está fundamentalmente correta. Esta é a primeira vez que obtivemos uma propriedade específica de uma substância macroscópica a partir do conhecimento da física atômica. Faremos muito mais no futuro. O ramo que procura compreender o comportamento da matéria como um todo em termos das leis do comportamento atômico é chamado de *física do estado sólido.*

E quanto ao erro em nossos cálculos? Por que ele não está precisamente correto? Isso se deve à repulsão entre os íons nas distâncias mais próximas. Estes íons não são esferas rígidas perfeitas, então, quando estão próximos, eles ficam parcialmente espremidos. Estes íons não são muito moles, de modo que eles se deformam apenas um pouco. Entretanto, alguma energia é gasta para deformá-los, e quando estes íons são afastados esta energia é liberada. A energia real necessária para separar os íons é um pouco menor que a energia que calculamos; a repulsão ajuda a superar a atração eletrostática.

Existe alguma forma de levarmos em conta esta contribuição? Sim, se conhecermos as leis das forças repulsivas. Não estamos prontos para analisar os detalhes deste mecanismo de repulsão, mas podemos adquirir alguma ideia das suas características através de algumas medidas em larga escala. Através de uma medida da *compressibilidade* do cristal inteiro é possível obter uma ideia quantitativa das leis da repulsão entre os íons e, consequentemente, de sua contribuição para a energia. Desta maneira, foi encontrado que esta contribuição deve ser 1/9,4 da contribuição da energia eletrostática e, obviamente, de sinal oposto. Se subtrairmos esta contribuição da energia eletrostática pura, obteremos 7,99 eV para a energia de dissociação por molécula. Este valor está muito mais próximo do resultado observado de 7,92 eV, mas ainda não concorda perfeitamente. Existe mais uma coisa que não levamos em consideração: não fizemos nenhuma compensação da energia cinética das vibrações do cristal. Se uma correção deste efeito for feita, uma ótima concordância com o valor experimental é obtida. Portanto, as ideias estão corretas; a principal contribuição para a energia de um cristal de NaCl é eletrostática.

8–4 Energia eletrostática nos núcleos

Tomaremos agora outro exemplo da energia eletrostática na física atômica, a energia eletrostática dos núcleos atômicos. Antes disso, teremos de discutir algumas propriedades da força principal (chamada de força nuclear) que mantém unidos os prótons e nêutrons em um núcleo. Quando os núcleos – e os nêutrons e prótons que os constituem – foram descobertos, esperava-se que a lei da enorme força, não elétrica, entre, digamos, dois prótons, pudesse ser uma lei simples, como a lei do inverso do quadrado da eletricidade. Uma vez determinada a lei para esta força, e as correspondentes entre um próton e um nêutron, e dois nêutrons, seria possível descrever teoricamente o comportamento completo destas partículas nos núcleos. Portanto, um grande programa foi iniciado para estudar o espalhamento dos prótons, na esperança de encontrar a lei da força entre eles; mas após trinta anos de esforços, nada simples havia surgido. Um conhecimento considerável da força entre dois prótons havia sido acumulado, mas descobriu-se que esta força era a mais complicada possível.

O que queremos dizer com "a mais complicada possível" é que esta força depende do maior número possível de coisas.

Em primeiro lugar, esta força não é uma função simples da distância entre os dois prótons. A grandes distâncias existe uma atração, mas para distâncias mais próximas há uma repulsão. A dependência com a distância é uma função complicada, ainda não conhecida perfeitamente.*

Em segundo lugar, esta força depende da orientação dos spins dos prótons. O próton possui um spin, e quaisquer dois prótons em interação podem ter seus spins na mesma direção ou em direções opostas. E a força é diferente quando estes spins estão paralelos ou antiparalelos, como mostrado em (a) e (b) da Figura 8–6. Esta diferença é bem grande; este não é um efeito pequeno.

Em terceiro lugar, esta força é consideravelmente diferente quando a separação entre os dois prótons está direcionada *paralelamente* aos seus spins, como em (c) e (d) da Figura 8–6, do que quando a direção da separação é *perpendicular* aos spins, como em (a) e (b).

Em quarto lugar, esta força depende, como acontece no magnetismo, da velocidade dos prótons, só que muito mais fortemente que no magnetismo. E esta dependência da força com a velocidade não é um efeito relativístico; ela é intensa mesmo quando as velocidades são muito menores que a velocidade da luz. Além disso, esta parte da força não depende apenas da magnitude da velocidade. Por exemplo, quando um próton está se movendo próximo a outro próton, a força é diferente quando o movimento orbital possui a mesma direção relacionada com o spin, como em (e), de quando este movimento está na direção oposta, como em (f). Esta é chamada a parte "spin-órbita" da força.

A força entre um próton e um nêutron e entre dois nêutrons é igualmente complicada. Até hoje não conhecemos o mecanismo por trás dessas forças – ou seja, uma forma simples de compreendê-las.

Existe, entretanto, uma característica importante destas forças nucleares que não poderia ser mais *simples*. É que a força *nuclear* entre dois nêutrons é a mesma força que entre um próton e um nêutron, ou a força entre dois prótons! Se, em qualquer situação nuclear, substituirmos um próton por um nêutron (ou vice-versa), as *interações nucleares* não irão mudar. A "razão fundamental" para essa igualdade não é conhecida, mas é um exemplo de um importante

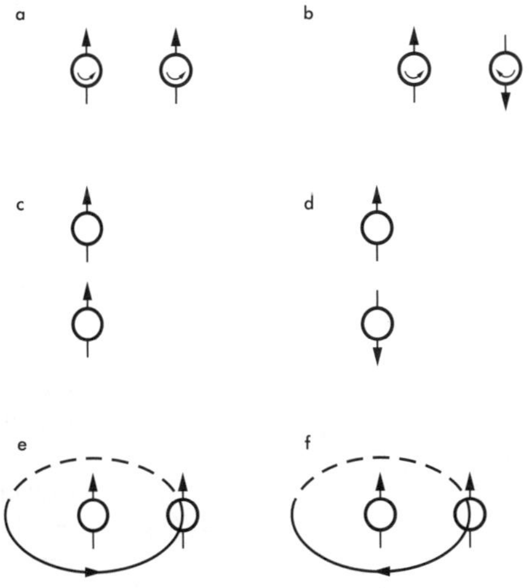

Figura 8–6 A força entre dois prótons depende de todos os parâmetros possíveis.

* N. de T.: Hoje sabemos que a força nuclear, ou interação forte, é descrita de modo muito parecido com a eletrodinâmica quântica: é a cromodinâmica quântica. É, de todo modo, uma teoria muito mais complexa que a eletrodinâmica, sendo descrita em termos de objetos mais elementares que os prótons e nêutrons, ou seja, entre os chamados quarks. A descrição acima é hoje vista como uma *teoria efetiva de prótons e nêutrons*.

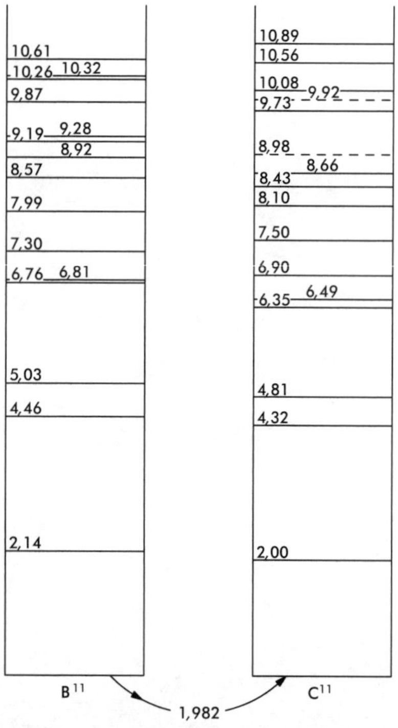

Figura 8–7 Os níveis de energia do B^{11} e do C^{11} (energias em MeV). O estado fundamental do C^{11} é 1,982 MeV mais alto que o do B^{11}.

princípio que pode ser estendido também às leis da interação de outras partículas fortemente interagentes – como aquelas entre os mésons π e as partículas "estranhas".

Esse fato está bem ilustrado pela localização dos níveis de energia em núcleos semelhantes. Considere um núcleo como o de B^{11} (boro onze), que é composto por cinco prótons e seis nêutrons. Neste núcleo, as onze partículas interagem umas com as outras em um baile complicadíssimo. Agora, de todas as interações possíveis, existe uma configuração que possui a menor energia possível; esta configuração é o estado normal do núcleo e é chamada de *estado fundamental*. Se o núcleo for perturbado (por exemplo, sendo atingido por um próton, ou outra partícula, de alta energia) ele pode assumir qualquer uma das demais configurações, conhecidas como *estados excitados*, cada uma das quais terá uma energia característica maior que a do estado fundamental. Nas pesquisas de física nuclear, como as realizadas nos geradores Van de Graaf (por exemplo, nos Laboratórios Kellogg da Calthech e Sloan), as energias e outras propriedades destes estados excitados são determinados experimentalmente. As energias dos quinze estados excitados mais baixos do B^{11} são mostradas em um gráfico unidimensional na metade esquerda da Figura 8–7. A linha horizontal mais baixa representa o estado fundamental. O primeiro estado excitado tem uma energia de 2,14 MeV acima do estado fundamental, o próximo uma energia de 4,46 MeV acima do estado fundamental e assim por diante. O estudo da física nuclear tenta encontrar uma explicação para esse padrão de energia extremamente complicado; entretanto, até agora não há nenhuma teoria geral para estes níveis de energia nucleares.

Se substituirmos um dos nêutrons no B^{11} por um próton, teremos o núcleo de um isótopo do carbono, C^{11}. As energias dos dezesseis estados excitados mais baixos do C^{11} também foram medidas; estas energias são mostradas na metade direita da Figura 8–7. (As linhas tracejadas indicam níveis para os quais a informação experimental é questionável.)

Olhando para a Figura 8–7, vemos uma notável similaridade no padrão dos níveis entre os dois átomos. O primeiro estado excitado está cerca de 2 MeV acima do estado fundamental. Existe uma grande lacuna de aproximadamente 2,3 MeV até o segundo estado excitado, e então um pequeno salto de apenas 0,5 MeV até o terceiro nível. Novamente, entre o quarto e o quinto nível, há um grande salto; mas entre o quinto e o sexto há uma pequena separação da ordem de 0,1 MeV. E assim por diante. Aproximadamente acima do décimo nível, a correspondência parece desaparecer, mas ainda pode ser observada se os níveis forem identificados por meio de outras características – por exemplo, seus momentos angulares e o que eles fazem para perderem suas energias extras.

A notável similaridade do padrão dos níveis de energia do B^{11} e do C^{11} certamente não é apenas uma coincidência. Ela deve revelar alguma lei física. Na verdade, ela mostra que, mesmo na complicada situação em um núcleo, substituir um nêutron por um próton produz mudanças muito pequenas. Isso só pode significar que a força entre dois nêutrons e a força entre dois prótons deve ser aproximadamente igual. Apenas assim poderemos esperar que a configuração nuclear com cinco prótons e seis nêutrons seja a mesma que a com seis prótons e cinco nêutrons.

Note que as propriedades destes dois núcleos não nos dizem nada quanto à força entre prótons e nêutrons; existe o mesmo número de combinações de prótons e nêutrons em ambos os núcleos. Contudo, se compararmos outros dois núcleos, como o C^{14}, que possui seis prótons e oito nêutrons, com o N^{14}, que possui sete prótons e sete nêutrons, encontraremos uma correspondência similar entre os níveis de energia. Podemos concluir que as forças entre dois prótons, dois nêutrons e um próton e um nêutron são idênticas em todas as suas complexidades. Existe um princípio inesperado nas leis das forças nucleares. Embora a força entre cada par de partículas nucleares seja extremamente complicada, a força entre os outros três diferentes pares é a mesma.

No entanto, existem algumas pequenas diferenças. Os níveis não correspondem exatamente; além disso, a energia do estado fundamental do C^{11} supera a energia do estado fundamental do B^{11} em 1,982 MeV. Todos os outros níveis também são maiores em valor absoluto pela mesma quantidade. Portanto, as forças não são exatamente iguais. Ainda assim, sabemos muito bem que as forças *completas* não são exatamente iguais; existe uma força *elétrica* entre dois prótons, pois cada um possui uma carga positiva, enquanto entre dois nêutrons não existe tal força elétrica. Será que podemos explicar as diferenças entre o B^{11} e o C^{11} pelo fato de a interação elétrica entre os dois prótons ser diferente nos dois casos? Talvez até mesmo as menores diferenças nos níveis possam ser causadas por efeitos elétricos? Uma vez que as forças nucleares são muito mais fortes que as forças elétricas, efeitos elétricos podem ter apenas um pequeno efeito perturbativo nas energias dos níveis.

Para verificarmos esta ideia, ou melhor, para encontrarmos as consequências desta ideia, consideraremos primeiro a diferença nas energias dos estados fundamentais dos dois núcleos. Podemos descrever um modelo bastante simples supondo que os núcleos são esferas de raio r (a ser determinado), contendo Z prótons. Se considerarmos um núcleo como uma esfera com densidade de carga uniforme, devemos esperar que a energia eletrostática (da Equação 8.7) seja

$$U = \frac{3}{5}\frac{(Zq_e)^2}{4\pi\epsilon_0 r}, \tag{8.22}$$

onde q_e é a carga elementar do próton. Como Z vale cinco para B^{11} e seis para C^{11}, suas energias eletrostáticas devem ser diferentes.

Com um número de prótons tão pequeno, entretanto, a Eq. (8.22) não está totalmente correta. Se calcularmos a energia elétrica entre todos os pares de prótons, que supusemos como se fossem pontos distribuídos de forma aproximadamente uniforme através da esfera, encontraremos que na Eq. (8.22) a quantidade Z^2 deve ser substituída por $Z(Z-1)$, então a energia é

$$U = \frac{3}{5}\frac{Z(Z-1)q_e^2}{4\pi\epsilon_0 r} = \frac{3}{5}\frac{Z(Z-1)e^2}{r}. \tag{8.23}$$

Se conhecêssemos o raio nuclear r, poderíamos usar a Eq. (8.23) para encontrar a diferença de energia eletrostática entre o B^{11} e o C^{11}. Vamos fazer o contrário; vamos usar a diferença de energia observada para calcular o raio, supondo que a diferença de energia tenha origem apenas eletrostática.

Entretanto, isso não está absolutamente certo. A diferença de energia de 1,982 MeV entre os estados fundamentais do B^{11} e do C^{11} inclui a energia de repouso – isto é, a energia mc^2 – das partículas. Para irmos de B^{11} para C^{11}, substituímos um nêutron por um próton, que possui uma massa menor. Portanto, parte da diferença de energia está na diferença das energias de repouso de um nêutron e um próton, que vale 0,784 MeV. A diferença a ser considerada para a energia eletrostática é, então, maior que 1,982 MeV; ela é

$$1{,}982\text{ MeV} + 0{,}784\text{ MeV} = 2{,}766\text{ MeV}.$$

Usando essa energia na Eq. (8.23), encontramos para o raio do B^{11} ou do C^{11}

$$r = 3{,}12 \times 10^{-13}\text{ cm}. \tag{8.24}$$

Será que este número tem algum significado? Para verificar, podemos compará-lo com alguma outra determinação dos raios destes núcleos. Por exemplo, podemos fazer outra medida do raio de um destes núcleos verificando como eles espalham partículas rápidas. Por tais medidas verificou-se, na verdade, que a *densidade* de matéria em todos os núcleos é a mesma, ou seja, seus volumes são proporcionais ao número de partículas que eles contêm. Se A for o número de prótons e nêutrons em um núcleo (um número aproximadamente proporcional à sua massa), encontraremos que seu raio será dado por

$$r = A^{1/3}r_0, \tag{8.25}$$

onde

$$r_0 = 1{,}2 \times 10^{-13}\text{ cm}. \tag{8.26}$$

A partir dessas medidas, espera-se que o raio do núcleo de B^{11} (ou do C^{11}) seja

$$r = (11)^{1/3}(1{,}2 \times 10^{-13}) = 2{,}7 \times 10^{-13}\text{ cm}.$$

Comparando esse resultado com (8.24), vemos que a nossa suposição de que a diferença de energia entre o B^{11} e o C^{11} é eletrostática é muito boa; a discrepância é de apenas 5% (nada mal para nosso primeiro cálculo nuclear!).

A razão para essa discrepância é provavelmente a seguinte. De acordo com a compreensão atual dos núcleos, um número par de partículas nucleares – no caso do B^{11}, cinco nêutrons juntos com cinco prótons – forma um tipo de *caroço*; quando mais uma partícula é adicionada a este caroço, ao invés ser absorvida, ela passa a girar em uma órbita exterior para formar um novo núcleo esférico. Quando isso acontece, temos de usar uma energia eletrostática diferente para o próton adicional. Deveríamos ter tomado o excesso de energia do C^{11} em relação ao B^{11} apenas como

$$\frac{Z_B q_e^2}{4\pi\epsilon_0 r}$$

que é a energia necessária para adicionar mais um próton ao exterior do caroço. Esse número é simplesmente 5/6 do valor previsto pela Eq. (8.23); portanto, a nova previsão para o raio é 5/6 de (8.24), que concorda muito melhor com o que é diretamente medido.

Podemos tirar duas conclusões dessa concordância. Uma é que as leis da eletricidade parecem estar funcionando em dimensões tão pequenas quanto 10^{-13}cm. A outra é que verificamos a notável coincidência de que a parte não elétrica das forças entre dois prótons, dois nêutrons e um próton e um nêutron são iguais.

8–5 Energia no campo eletrostático

Consideraremos agora outros métodos de calcular a energia eletrostática, os quais podem ser derivados da relação básica na Eq. (8.3), a soma, sobre todos os pares de cargas, da energia mútua de cada par de cargas. Primeiramente gostaríamos de escrever uma expressão para a energia de uma distribuição de cargas. Como de hábito, consideraremos que cada elemento de volume dV contém o elemento de carga $\rho\, dV$. Com isso, a Eq. (8.3) pode ser escrita como

$$U = \frac{1}{2}\int_{\substack{\text{todo o}\\ \text{espaço}}} \frac{\rho(1)\rho(2)}{4\pi\epsilon_0 r_{12}}\, dV_1\, dV_2. \tag{8.27}$$

Note o fator ½, que é introduzido porque na integral dupla sobre dV_1 e dV_2 contamos todos os pares de cargas duas vezes (não existe nenhuma forma conveniente de levar em conta esses pares, de maneira que cada par seja contado apenas uma vez). Em seguida, notamos que a integral sobre dV_2 em (8.27) é simplesmente o potencial em (1). Isto é,

$$\int \frac{\rho(2)}{4\pi\epsilon_0 r_{12}}\, dV_2 = \phi(1),$$

com isso a Eq. (8.27) pode ser escrita como

$$U = \frac{1}{2}\int \rho(1)\phi(1)\, dV_1.$$

Ou, uma vez que o ponto (2) não aparece mais, podemos simplesmente escrever

$$U = \frac{1}{2}\int \rho\phi\, dV. \tag{8.28}$$

Essa equação pode ser interpretada da seguinte forma. A energia potencial da carga $\rho\, dV$ é o produto desta carga com o potencial neste mesmo ponto. Portanto, a energia total é a integral sobre $\phi\rho\, dV$. Novamente com o fator ½. Esse fator continua necessário porque estamos contando a energia duas vezes. A energia mútua de duas cargas é a carga de uma vezes o potencial criado pela outra. *Ou*, essa energia pode ser tomada como a segunda carga vezes o potencial da primeira. Assim, para duas cargas pontuais podemos escrever

$$U = q_1\phi(1) = q_1 \frac{q_2}{4\pi\epsilon_0 r_{12}}$$

ou

$$U = q_2\phi(2) = q_2 \frac{q_1}{4\pi\epsilon_0 r_{12}}.$$

Note que também podemos escrever

$$U = \tfrac{1}{2}[q_1\phi(1) + q_2\phi(2)]. \tag{8.29}$$

A integral em (8.28) corresponde à soma de ambos os termos entre parênteses de (8.29). É por isso que precisamos do fator ½.

Uma pergunta interessante é: onde esta energia eletrostática está localizada? Pode-se perguntar também: quem se importa? Qual é o significado dessa pergunta? Se existe um par de cargas em interação, a combinação possui uma certa energia. Precisamos dizer que a energia está localizada em uma das cargas, ou em ambas, ou entre elas? Essa pergunta pode não fazer sentido, porque sabemos que, na realidade, apenas a energia total é conservada. A ideia de que a energia está localizada em *algum lugar* não é necessária.

Contudo, suponha que *faça* sentido dizer, em geral, que a energia está localizada em uma certa região, como acontece com a energia térmica. Podemos então estender nosso princípio da conservação de energia com a ideia de que, se a energia em um dado volume variar, devemos ser capazes de tratar esta variação por meio do fluxo de energia para dentro ou para fora deste volume. Perceba que nossa afirmação anterior do princípio da conservação de energia ainda estará perfeitamente correta, se alguma energia desaparecer de um lugar e aparecer em outro lugar distante sem nenhum transcurso (isto é, sem nenhum fenômeno especial ocorrendo) no espaço entre estes lugares. Estamos, portanto, discutindo uma extensão da ideia da conservação da energia. Podemos chamar essa extensão de um princípio *local* de conservação da energia. Tal princípio pode afirmar que a energia em um dado volume muda apenas pela quantidade que flui, para dentro ou para fora deste volume. De fato é possível que a energia se conserve desta forma. Se isso for verdade, poderemos ter uma lei muito mais detalhada que a simples afirmação da conservação total da energia. Realmente se confirma que na natureza a *energia se conserva localmente*. Podemos encontrar as fórmulas de onde a energia está localizada e como ela viaja de um lugar a outro.

Existe também uma razão *física* pela qual é imperativo que sejamos capazes de dizer onde a energia está localizada. De acordo com a teoria da gravitação, toda massa é uma fonte de atração gravitacional. Sabemos também, por $E = mc^2$, que massa e energia são equivalentes. Portanto, toda energia é uma fonte de força gravitacional. Se não pudermos localizar a energia, não poderemos localizar toda a massa. Consequentemente, não seremos capazes de dizer onde as fontes do campo gravitacional estão localizadas. A teoria da gravitação estará incompleta.

Se nos restringirmos à eletrostática, realmente não há nenhuma maneira de dizer onde a energia está localizada. As equações de Maxwell completas da eletrodinâmica nos fornecem muito mais informação (embora mesmo elas, rigorosamente falando, não nos forneçam uma resposta única). Discutiremos novamente esta questão, em detalhe, em um capítulo posterior. Daremos agora apenas o resultado para o caso particular da eletrostática. A energia está localizada no espaço, onde está o campo elétrico. Isso parece razoável, porque sabemos que quando as cargas são aceleradas elas irradiam campos elétricos. Gostaríamos de dizer que quando as ondas de rádio ou a luz viajam de um ponto a outro, elas carregam consigo a sua energia, mas não existem cargas nas ondas. Portanto, gostaríamos de localizar a energia onde está o campo eletromagnético, e não nas cargas onde estes se originam. Descreveremos então a energia, não em termos de cargas, mas em termos dos campos que estas cargas produzem. Podemos, na verdade, mostrar que a Eq. (8.28) é *numericamente* igual a

$$U = \frac{\epsilon_0}{2}\int \boldsymbol{E}\cdot\boldsymbol{E}\,dV. \tag{8.30}$$

Podemos interpretar essa fórmula dizendo que, na presença de um campo elétrico, existe em uma região do espaço uma energia cuja densidade (por unidade de volume) é

$$u = \frac{\epsilon_0}{2}\boldsymbol{E}\cdot\boldsymbol{E} = \frac{\epsilon_0 E^2}{2}. \tag{8.31}$$

Esta ideia está ilustrada na Figura 8–8.

Para mostrar que a Eq. (8.30) é consistente com as nossas leis da eletrostática, começaremos introduzindo na Eq. (8.28) a relação entre ρ e ϕ que obtivemos no Capítulo 6:

$$\rho = -\epsilon_0\,\nabla^2\phi.$$

Com isso temos

$$U = -\frac{\epsilon_0}{2}\int \phi\,\nabla^2\phi\,dV. \tag{8.32}$$

Escrevendo as componentes do integrando, podemos ver que

$$\begin{aligned}\phi\,\nabla^2\phi &= \phi\left(\frac{\partial^2\phi}{\partial x^2}+\frac{\partial^2\phi}{\partial y^2}+\frac{\partial^2\phi}{\partial z^2}\right)\\ &= \frac{\partial}{\partial x}\left(\phi\frac{\partial\phi}{\partial x}\right)-\left(\frac{\partial\phi}{\partial x}\right)^2+\frac{\partial}{\partial y}\left(\phi\frac{\partial\phi}{\partial y}\right)-\left(\frac{\partial\phi}{\partial y}\right)^2+\frac{\partial}{\partial z}\left(\phi\frac{\partial\phi}{\partial z}\right)-\left(\frac{\partial\phi}{\partial z}\right)^2\\ &= \boldsymbol{\nabla}\cdot(\phi\,\boldsymbol{\nabla}\phi)-(\boldsymbol{\nabla}\phi)\cdot(\boldsymbol{\nabla}\phi).\end{aligned} \tag{8.33}$$

Nossa integral de energia é então

$$U = \frac{\epsilon_0}{2}\int(\boldsymbol{\nabla}\phi)\cdot(\boldsymbol{\nabla}\phi)\,dV - \frac{\epsilon_0}{2}\int\boldsymbol{\nabla}\cdot(\phi\,\boldsymbol{\nabla}\phi)\,dV.$$

Podemos usar o teorema de Gauss para transformarmos a segunda integral em uma integral de superfície:

$$\int_{\text{vol.}}\boldsymbol{\nabla}\cdot(\phi\,\boldsymbol{\nabla}\phi)\,dV = \int_{\text{superfície}}(\phi\,\boldsymbol{\nabla}\phi)\cdot\boldsymbol{n}\,da. \tag{8.34}$$

Calcularemos esta integral de superfície para o caso em que a superfície vai para o infinito (de forma que a integral de volume se torna uma integral em todo o espaço), supondo que as cargas estejam localizadas em uma distância finita. O procedimento mais simples consiste em tomarmos uma superfície esférica com um enorme raio R e centrada na origem do sistema de coordenadas. Sabemos que, quando estamos muito distantes de todas as cargas, ϕ varia com $1/R$ e $\nabla\phi$ com $1/R^2$ (ambos cairão ainda mais rápido com R se a carga líquida da distribuição for nula). Como a área da superfície desta grande esfera decai com R^2, vemos que a integral de superfície cai com $(1/R)\,(1/R^2)R^2 = (1/R)$ conforme o raio da esfera aumenta. Então, se incluirmos todo o espaço em nossa integral ($R \to \infty$), a integral de superfície vai a zero e temos que

$$U = \frac{\epsilon_0}{2}\int_{\substack{\text{todo o}\\\text{espaço}}}(\boldsymbol{\nabla}\phi)\cdot(\boldsymbol{\nabla}\phi)\,dV = \frac{\epsilon_0}{2}\int_{\substack{\text{todo o}\\\text{espaço}}}\boldsymbol{E}\cdot\boldsymbol{E}\,dV. \tag{8.35}$$

Vemos que é possível representar a energia de qualquer distribuição de cargas como sendo a integral de uma densidade de energia localizada no campo.

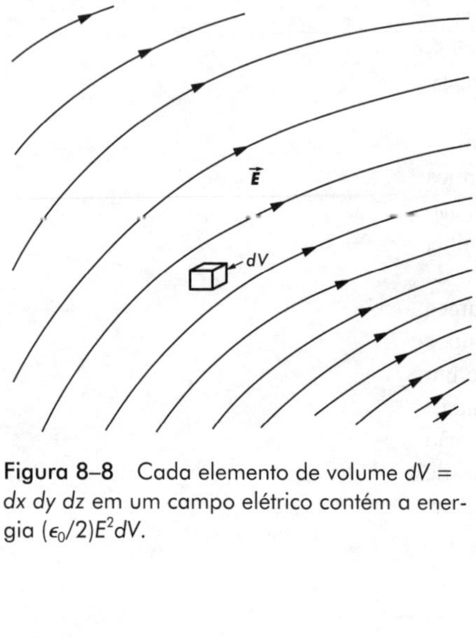

Figura 8–8 Cada elemento de volume $dV = dx\,dy\,dz$ em um campo elétrico contém a energia $(\epsilon_0/2)E^2dV$.

8–6 A energia de uma carga pontual

Nossa nova relação, a Eq. (8.35), afirma que mesmo uma única carga pontual q terá alguma energia eletrostática. Neste caso, o campo elétrico é dado por

$$E = \frac{q}{4\pi\epsilon_0 r^2}.$$

Então a densidade de energia a uma distância r da carga vale

$$\frac{\epsilon_0 E^2}{2} = \frac{q^2}{32\pi^2\epsilon_0 r^4}.$$

Podemos tomar como elemento de volume uma casca esférica de espessura dr e área $4\pi r^2$. Com isso, a energia total vale

$$U = \int_{r=0}^{\infty} \frac{q^2}{8\pi\epsilon_0 r^2}\, dr = -\frac{q^2}{8\pi\epsilon_0}\frac{1}{r}\bigg|_{r=0}^{r=\infty}. \tag{8.36}$$

Nessa expressão o limite $r = \infty$ não nos traz nenhuma dificuldade. Entretanto, para uma carga pontual, deveríamos integrar a partir de $r = 0$, o que nos fornece uma integral infinita. A Eq. (8.35) diz que há uma quantidade infinita de energia no campo de uma carga pontual, embora tenhamos começado com a ideia de que há energia apenas *entre* as cargas pontuais. Na nossa fórmula original da energia para uma coleção de cargas pontuais (Eq. 8.3), não incluímos nenhuma energia de interação de uma carga com ela mesma. O que aconteceu é que quando passamos para uma distribuição contínua de cargas na Eq. (8.27), contamos a energia de interação de todas as cargas *infinitesimais* com todas as outras cargas infinitesimais. A mesma consideração é feita na Eq. (8.35). Então, quando aplicamos essa equação a uma carga pontual *finita*, estamos incluindo a energia necessária para construir esta carga a partir de partes infinitesimais. Note que, de fato, obteremos o mesmo resultado na Eq. (8.36) se usarmos a nossa expressão (8.11) para a energia de uma esfera carregada e fizermos o raio desta esfera tender a zero.

Devemos concluir que a ideia de localizar a energia no campo é inconsistente com a suposição da existência de cargas pontuais. Uma forma de contornarmos esta dificuldade seria afirmar que cargas elementares, como os elétrons, não são cargas pontuais, mas na verdade pequenas distribuições de carga. Alternativamente, podemos dizer que há algo errado na nossa teoria da eletricidade para distâncias pequenas, ou com a ideia da conservação local da energia. Cada um destes pontos de vista apresenta dificuldades. Estas dificuldades nunca foram superadas; elas existem até hoje. Mais para frente, quando tivermos discutido algumas ideias adicionais, como o momento em um campo eletromagnético, daremos um panorama mais completo destas dificuldades fundamentais do nosso entendimento sobre a natureza.

9

A Eletricidade na Atmosfera

9–1 O gradiente do potencial elétrico da atmosfera

Referências: Chalmers, J. Alan, *Atmospheric Electricity*, Pergamon Press, London (1957)

Em um dia comum no deserto plano do interior, ou sobre o mar, conforme se sobe a partir da superfície da terra, o potencial elétrico aumenta aproximadamente 100 volts por metro. Portanto, existe um campo elétrico vertical $\boldsymbol{E}$ de 100 volts/m no ar. O sinal deste campo corresponde à carga negativa na superfície da terra. Isso significa que ao ar livre o potencial à altura do seu nariz é 200 vezes maior que o potencial a altura dos seus pés! Você pode perguntar: "Por que simplesmente não fixamos no ar um par de eletrodos, separados por uma distância de um metro e usamos estes 100 volts para alimentar nossas lâmpadas elétricas?" Ou você pode desejar saber: "Se *realmente* existe uma diferença de potencial de 200 volts entre meu nariz e os meus pés, por que eu não levo um choque quando saio na rua?"

Responderemos primeiro à segunda pergunta. Seu corpo é um condutor relativamente bom. Se você estiver em contato com a terra, você e a terra tenderão a formar superfícies equipotenciais. Normalmente, as equipotenciais são paralelas à superfície, como mostrado na Figura 9–1(a), mas quando você estiver presente, as equipotenciais são distorcidas, e o campo se parece com algo como o mostrado na Figura 9–1(b). Então, você continuará tendo uma diferença de potencial aproximadamente nula entre a cabeça e os pés. Existem cargas que virão da terra para a cabeça, alterando o campo. Algumas destas cargas podem ser descarregadas por íons coletados do ar, mas a corrente gerada é muito pequena porque o ar é um péssimo condutor.

Como podemos medir esse campo se ele se altera quando colocamos algo nele? Existem muitas maneiras. Uma maneira é colocar um condutor isolado a uma certa distância acima da terra e deixá-lo lá até que ele esteja no mesmo potencial do ar. Se o deixarmos tempo suficiente, a baixíssima condutividade do ar permitirá às cargas escoarem para fora (ou para dentro) do condutor até que ele atinja o potencial do ar. Em seguida, podemos trazer esse condutor de volta à terra e medir a mudança em seu potencial. Uma maneira mais rápida é tomar como condutor um balde de água com uma pequena goteira. Conforme as gotas de água caem, elas carregam consigo qualquer excesso de cargas, o que faz com que o balde se aproxime do potencial do ar (as cargas, como sabemos, residem na superfície, e conforme as gotas escapam é como se "pedaços da superfície" fossem arrancados). Podemos medir o potencial do balde com um eletrômetro.

Existe outra maneira de medir diretamente o *gradiente* do potencial. Uma vez que existe um campo elétrico, existe uma carga superficial na terra ($\sigma = \epsilon_0 E$). Se colocarmos

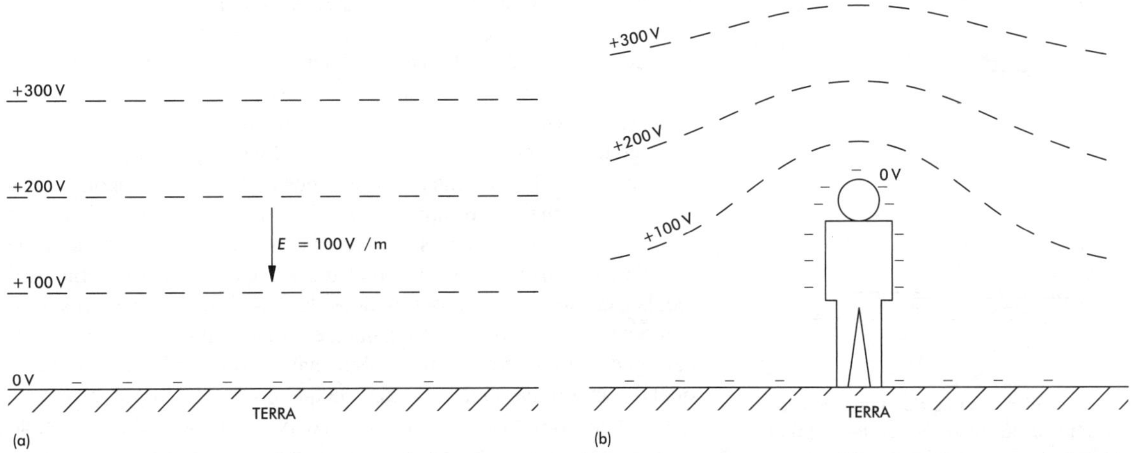

Figura 9–1 (a) Distribuição do potencial sobre a terra. (b) Distribuição do potencial próximo a um homem em um lugar plano e aberto.

uma placa plana de metal na superfície da terra e a aterrarmos, cargas negativas irão aparecer nesta placa (Figura 9–2a). Se esta placa for agora coberta por uma outra capa condutiva aterrada *B*, as cargas irão aparecer nesta capa *B*, e não haverá mais nenhuma carga na placa original *A*. Se medirmos as cargas que fluem da placa *A* para a terra (por meio, digamos, de um galvanômetro no fio de aterramento) conforme a cobrimos com *B*, poderemos determinar a densidade superficial de cargas que estava nesta placa e, consequentemente, determinar o campo elétrico.

Tendo sugerido como podemos medir o campo na atmosfera, continuaremos agora com a descrição deste campo. Medidas mostram, antes de tudo, que o campo continua existindo, mas se torna mais fraco, conforme se atingem altitudes elevadas. Acima de 50 quilômetros, o campo é muito pequeno; portanto, a maior mudança no potencial (a integral de *E*) ocorre em baixas altitudes. A diferença de potencial total da superfície da terra até o topo da atmosfera é algo em torno de 400.000 volts.

9–2 Correntes elétricas na atmosfera

Outra coisa que pode ser medida, além do gradiente do potencial, é a corrente na atmosfera. A densidade de corrente é pequena – em torno de 10 micromicroampères cruzam cada metro quadrado paralelos à terra. Evidentemente o ar não é um isolante perfeito, e graças a essa condutividade, uma pequena corrente – causada pelo campo elétrico que acabamos de descrever – desce do céu para a terra.

Por que a atmosfera possui uma condutividade? Entre as moléculas de ar existem alguns íons esparsos – uma molécula de oxigênio que, digamos, tenha adquirido um elétron extra ou perdido um dos seus. Esses íons não permanecem como moléculas isoladas; graças ao seu campo elétrico, eles normalmente acumulam algumas outras moléculas ao seu redor. Cada íon então se torna um pequeno caroço que, juntamente a outros caroços, flutua pelo campo – movendo-se lentamente para cima ou para baixo – criando a corrente observada. De onde vêm esses *íons*? Inicialmente foi sugerido que esses íons eram produzidos pela radioatividade da terra (se sabia que a radiação dos materiais radioativos podia tornar o ar condutor por meio da ionização de suas moléculas). Partículas como os raios β saídos dos núcleos atômicos se movem tão rapidamente que arrancam os elétrons dos átomos, deixando um rastro de íons. Isso implica, obviamente, que se formos para altitudes elevadas, encontraremos uma ionização menor, porque a radioatividade está toda na sujeira do chão – nos vestígios de rádio, urânio, potássio, etc.

Para testar essa teoria, alguns físicos realizaram um experimento erguido por balões para medir a ionização do ar (Hess, em 1912) e descobriram que o oposto era verdade – a ionização por unidade de volume *aumentava* com a altitude! (O aparato se parecia com o mostrado na Figura 9–3. As duas placas eram carregadas periodicamente a um potencial *V*. Devido à condutividade do ar, as placas se descarregavam lentamente; a taxa de descarga era medida com um eletrômetro.) Este foi um resultado deveras misterioso – a descoberta mais dramática em toda a história da eletricidade atmosférica. Isso foi tão dramático, de fato, que exigiu a ramificação de um assunto inteiramente novo – os raios cósmicos. A própria eletricidade atmosférica ficou menos dramática. Evidentemente a ionização era produzida por algo fora da terra; a investigação destas fontes levou à descoberta dos raios cósmicos. Não discutiremos o assunto dos raios cósmicos agora, exceto para dizer que eles mantêm o suprimento de íons. Embora os íons sejam removidos constantemente, novos íons são criados pelos raios cósmicos vindos do espaço.

Para sermos precisos, devemos dizer que além dos íons criados de moléculas, existem também outros tipos de íons. Pequenos pedaços de sujeira, como pedaços de poeira extremamente miúdos, flutuam pelo ar e se tornam carregados. Eles são algumas vezes chamados de "núcleos". Por exemplo, quando uma onda quebra no mar, pequenas gotas são pulverizadas no ar. Quando uma dessas gotas evapora, ela deixa um cristal infinitesimal de NaCl flutuando no ar. O pequeno cristal pode então apanhar uma carga e se tornar um íon; estes são chamados "íons grandes".

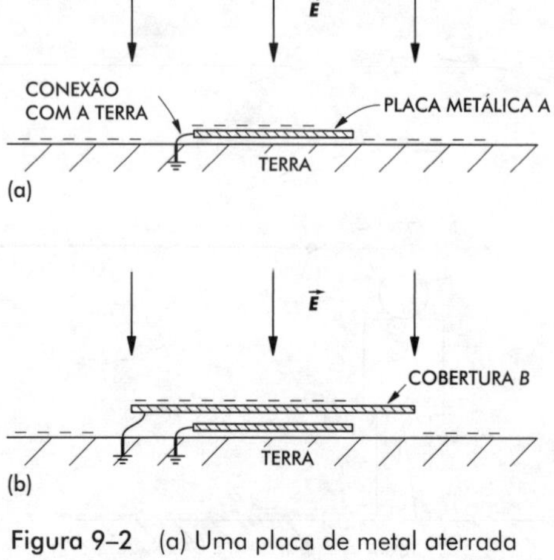

Figura 9–2 (a) Uma placa de metal aterrada terá a mesma carga superficial da terra. (b) Se a placa for coberta por um condutor aterrado, ela não terá nenhuma carga superficial.

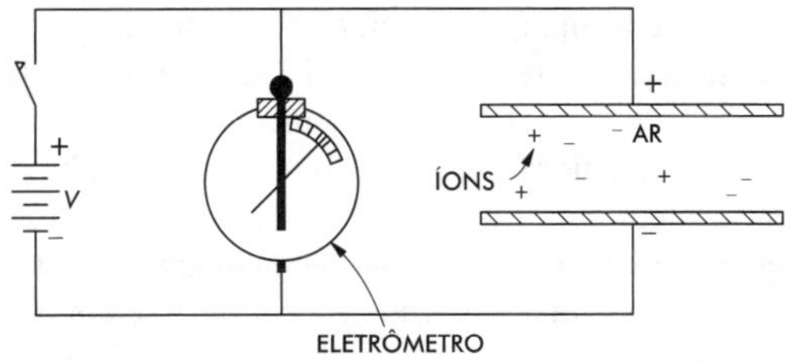

Figura 9–3 Medição da condutividade do ar por meio do movimento dos íons.

Os íons pequenos – aqueles formados pelos raios cósmicos – são os mais móveis. Como são muito pequenos, eles se movem rapidamente pelo ar – com uma velocidade em torno de 1 cm/s em um campo de 100 volts/metro, ou 1 volt/cm. Os íons maiores e mais pesados se movem muito mais devagar. Verifica-se que se existirem muitos "núcleos", estes irão apanhar as cargas dos íons menores. Assim, como os "íons grandes" se movem lentamente no campo, a condutividade total é reduzida. Portando, a condutividade do ar varia muito, uma vez que ela é muito sensível à quantidade de "sujeira" nele contido. Existe muito mais desta sujeira sobre a terra – onde os ventos podem espalhar poeiras ou onde o ser humano lança todo tipo de poluição no ar – que sobre a água. Não é uma surpresa que de um dia para o outro, de um momento a outro, de um lugar para o outro, a condutividade próxima à superfície da terra varie enormemente. O gradiente de voltagem, observado em qualquer lugar particular na superfície da terra, também varia muito, porque aproximadamente a mesma corrente flui das altitudes elevadas em diferentes lugares, e a variação da condutividade próxima à terra resulta em uma variação do gradiente de voltagem.

A condutividade do ar, devido ao acúmulo de íons, também aumenta rapidamente com a altitude – por duas razões. Primeiro, a ionização pelos raios cósmicos aumenta com a altitude. Segundo, conforme a densidade do ar diminui, o caminho médio livre dos íons aumenta, de modo que eles passam a viajar mais longe no campo elétrico antes de sofrerem uma colisão – resultando em um rápido aumento da condutividade conforme se sobe.

Embora a densidade de corrente elétrica no ar seja apenas de alguns micromicroampères por metro quadrado, existem muitos metros quadrados na superfície da Terra. A corrente elétrica total que atinge a superfície da Terra a todo instante é aproximadamente constante em 1800 ampères. Esta corrente, obviamente, é "positiva" – ela carrega cargas positivas para a Terra. Portanto, temos um suprimento de voltagem de 400.000 volts com uma corrente de 1800 ampères – uma potência de 700 megawatts!

Com uma corrente tão grande descendo, as cargas negativas na Terra deveriam se descarregar rapidamente. De fato, levaria apenas meia hora para descarregar a Terra inteira. No entanto, o campo elétrico atmosférico já durou mais de meia hora desde a sua descoberta. Como isso se mantém? O que mantém a voltagem? E entre o quê e a Terra? Existem muitas questões.

A Terra é negativa, e o potencial no ar é positivo. Se você subir alto o suficiente, a condutividade será tão grande que horizontalmente não haverá mais nenhuma possibilidade de variações na voltagem. O ar, na escala de tempo que estamos falando, se torna efetivamente um condutor. Isto ocorre nas vizinhanças de uma altitude em torno de 50 quilômetros. Isso não é tão alto quanto aquilo que chamamos de "ionosfera", onde existe um número muito grande de íons produzidos pelos efeitos fotoelétricos do Sol. Contudo, para a nossa discussão da eletricidade atmosférica, o ar se torna suficientemente condutor em torno de 50 quilômetros, de forma que podemos imaginar uma superfície condutora perfeita nesta altura, na qual descem as correntes. Nossa imagem da situação é mostrada na Figura 9–4. O problema é: como a carga positiva é mantida lá? Como ela é bombeada de volta? Porque se ela é trazida para a Terra, ela precisa ser bombeada de volta de alguma forma. Durante muito tempo, esse foi um dos maiores quebra-cabeças da eletricidade atmosférica.

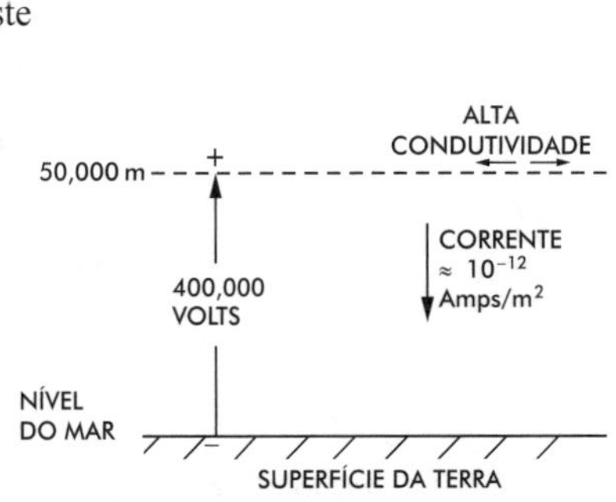

Figura 9–4 Condição elétrica típica em uma atmosfera limpa.

Cada pedaço de informação que conseguirmos pode nos dar uma pista ou, ao menos, nos dizer algo sobre o assunto. Aqui está um fenômeno interessante: se medirmos a corrente (que é mais estável que o gradiente do potencial) sobre o mar, por exemplo, ou em condições cuidadosas, e tomarmos a média muito cuidadosamente de forma que possamos nos livrar das irregularidades, descobriremos que ainda permanecerá uma variação diária. A média de muitas medidas sobre o oceano possui uma variação temporal aproximadamente como a mostrada na Figura 9–5. A corrente varia ±15% e é maior às 19h em Londres. O estranho da coisa é que não importa *onde* você meça a corrente – no oceano Atlântico, no Pacífico ou no Ártico –, ela atinge seu pico quando os relógios em *Londres* marcam 19h. Em todo o mundo, a corrente atinge seu máximo às 19h no horário de Londres e seu mínimo às 4h da manhã deste horário. Em outras palavras, isso depende de um tempo absoluto da Terra, e *não* de um tempo local no lugar da observação. Sob um aspecto isso não é misterioso; isso confere com a ideia de que no topo existe lateralmente uma condutividade muito alta, o que torna impossível a diferença de voltagem do chão ao topo variar localmente. Qualquer variação no potencial deve ser mundial, como realmente o é. O que sabemos agora, portanto, é que a voltagem na superfície "superior" está subindo e descendo 15% com o tempo absoluto da Terra.

9–3 Origem das correntes atmosféricas

Devemos em seguida falar sobre a fonte da grande corrente negativa que deve fluir do "topo" para a superfície da terra para mantê-la carregada negativamente. Onde estão as baterias que fazem isso? A "bateria" é mostrada na Figura 9–6. Elas são os temporais e seus relâmpagos. Verifica-se que os raios dos relâmpagos não "descarregam" o potencial de que estávamos falando (como você pode supor à primeira vista). A tempestade de relâmpagos carrega cargas *negativas* para a Terra. Quando um relâmpago cai, nove em dez vezes ele traz cargas negativas para a Terra em grandes quantidades. São os temporais ao redor do mundo que estão carregando a Terra com uma média de 1800 ampères, que é então descarregada nas regiões de melhor tempo.

Existem aproximadamente 300 temporais por dia ao redor da Terra, e podemos pensar neles como baterias bombeando a eletricidade para as camadas superiores e mantendo a diferença de voltagem. Considere a geografia da Terra – há temporais nas tardes do Brasil, tempestades tropicais na África, e por aí vai. As pessoas têm feito estimativas de quantos relâmpagos ocorrem mundialmente a cada instante, e, talvez seja desnecessário dizer, suas estimativas mais ou menos concordam com as medidas da diferença de voltagem: o pico de atividade do total dos temporais em todo planeta ocorre próximo às 19h em Londres. Entretanto, as estimativas dos temporais são muito difíceis de serem realizadas e são feitas apenas *após* se saber que uma variação ocorreu. Essas coisas são muito difíceis porque não temos observações suficientes sobre o mar, nem sobre todas as partes do planeta, para sabermos com precisão o número de temporais. No entanto, aquelas pessoas que acreditam terem "agido corretamente" obtêm o resultado de que há um pico de atividade às 19h no horário de Greenwich.

Para entender como essas baterias funcionam, examinaremos um temporal em detalhes. O que está acontecendo no interior de um temporal? Descreveremos isso até onde é conhecido. Conforme penetramos neste maravilhoso fenômeno da natureza real – e não de esferas de condutores perfeitos idealizados dentro de outras esferas que podemos resolver tão facilmente –, descobriremos que não sabemos muita coisa. Entretanto, isso é realmente muito excitante. Qualquer um que tenha estado em um temporal se deliciou

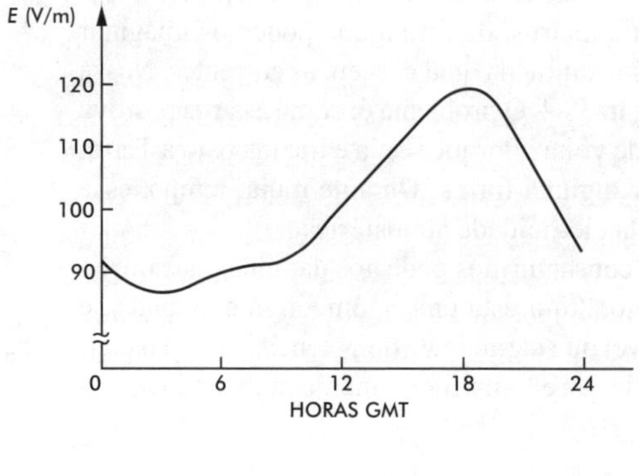

Figura 9–5 A variação diária média do gradiente do potencial atmosférico em um dia claro sobre os oceanos; referente ao horário de Greenwich.

Figura 9–6 O mecanismo que gera o campo elétrico atmosférico. [Foto de William L. Widmayer].

com ele, ou se amedrontou, ou teve ao menos alguma emoção. E nestes lugares da natureza onde nos emocionamos, descobrimos que geralmente existe correspondente complexidade e mistério. Não será possível descrever exatamente como funciona um temporal, porque não sabemos muito até o momento, mas tentaremos descrever um pouco do que acontece.

9–4 Temporais

Em primeiro lugar, um temporal é feito de um número de "células" bem juntas, mas quase independentes umas das outras. Portanto, o melhor é analisarmos uma célula de cada vez. Por uma "célula" entendemos uma região com uma área limitada na direção do horizonte na qual todos os processos básicos ocorrem. Normalmente existem várias células ao lado uma da outra, e em cada uma ocorre aproximadamente a mesma coisa, embora talvez em instantes diferentes. A Figura 9–7 indica de forma idealizada como uma destas células se parece em um estágio inicial do temporal. Verifica-se que em uma certa região do ar, sob certas condições que iremos descrever, existe um movimento do ar para cima, com velocidades cada vez maiores perto do topo. Conforme o ar morno e úmido da parte inferior sobe, ele esfria, e o vapor d´água presente nele condensa. Na figura, as pequenas estrelas indicam neve e os pontos representam chuva, mas como as correntes ascendentes são muito grandes e as gotas muito pequenas, a neve e a chuva não caem neste estágio. Este é o estágio inicial, e não o verdadeiro temporal ainda – no sentido de que nada acontece no solo. Ao mesmo tempo em que o ar morno sobe, existe uma entrada de ar pelos lados – um ponto importante que foi desprezado por muitos anos. Então, não é apenas o ar de baixo que está subindo, mas também uma certa quantidade de ar pelos lados.

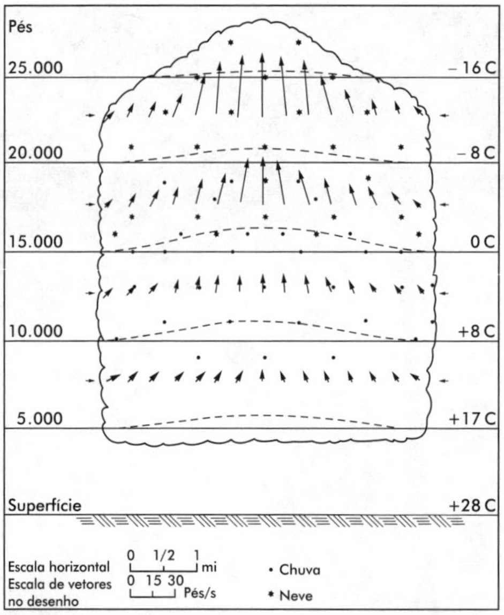

Figura 9–7 Uma célula de temporal em um estágio inicial de desenvolvimento. [Registrado em junho de 1949 pela Secretaria do Tempo do Departamento de Comércio dos Estados Unidos.]

Por que o ar sobe desse jeito? Como você sabe, quando se passa para altitudes mais elevadas o ar fica mais frio. O *solo* é aquecido pelo Sol, e a rerradiação do calor para o céu vem dos vapores de água no alto da atmosfera; então, em altitudes elevadas, o ar é frio – muito frio –, enquanto nas camadas inferiores ele é morno. Você pode dizer: "Então é muito simples. O ar morno é mais leve que o frio; consequentemente a combinação é mecanicamente instável e o ar morno sobe". Obviamente, se a temperatura é diferente em diferentes altitudes, o ar é *termodinamicamente* instável. Deixado sozinho por um tempo infinitamente longo, todo o ar irá assumir a mesma temperatura, mas ele não está sozinho; o Sol está sempre brilhando (durante o dia). Portanto este não é um problema de equilíbrio termodinâmico, mas de equilíbrio *mecânico*. Suponha que façamos um gráfico – como na Figura 9–8 –, a temperatura do ar *versus* a altura sobre o solo. Em circunstâncias normais, teríamos uma curva decrescente como a indicada em (a); com o aumento da altitude, a temperatura decresce. Como a atmosfera pode ser estável? Por que o ar quente de baixo simplesmente não sobe para o ar frio? A resposta é: se o ar estiver subindo, sua pressão cairá, e se considerarmos uma parcela particular do ar que sobe, ela estará se expandindo de forma adiabática (não deve haver nenhum calor entrando ou saindo, porque, nas grandes dimensões consideradas aqui, não há tempo suficiente para um fluxo de calor considerável). Então esta parcela de ar esfriaria conforme sobe. Tal processo adiabático forneceria uma relação mais acentuada com a temperatura, como a curva (b) na Figura 9–8. Todo o ar que se elevasse das regiões inferiores seria mais *frio* que o ambiente onde está entrando. Então não há nenhuma razão para o ar quente de baixo subir; se ele subisse, esfriaria a uma temperatura inferior à do ar que já estava ali, seria mais pesado que o ar ali e tenderia a descer novamente. Em um belo dia ensolarado, com muito pouca umidade, há uma certa taxa com a qual a temperatura da atmosfera cai, e essa taxa é, em geral, menor que o "gradiente estável máximo", que está representado pela curva (b). O ar está em um equilíbrio mecânico estável.

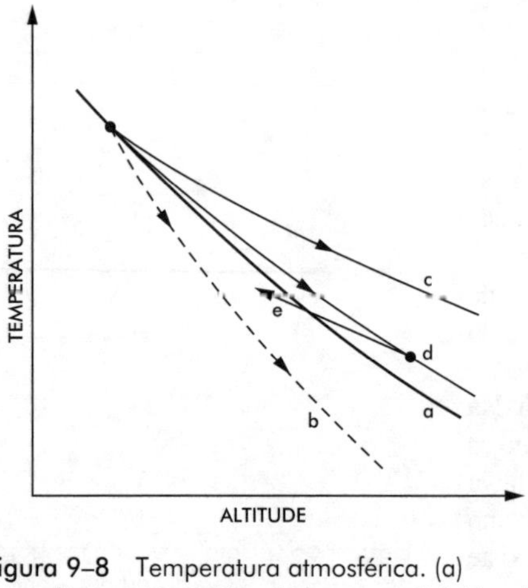

Figura 9–8 Temperatura atmosférica. (a) Atmosfera estática; (b) resfriamento adiabático do ar seco; (c) resfriamento adiabático do ar úmido; (d) ar úmido misturado com ar ambiente.

Por outro lado, se pensarmos em uma parcela de ar que contenha muito vapor d'água sendo levantada pelo ar, sua curva adiabática de resfriamento será diferente. Conforme ela se expande e esfria, o vapor d'água nela contido condensará, e a água condensada irá liberar calor. Portando, o ar úmido não esfria tanto quanto o ar seco. Então, se um ar mais úmido que a média começa a subir, sua temperatura seguirá uma curva como a mostrada em (c) da Figura 9–8. Ele esfriará um pouco, mas continuará mais quente que o ar no mesmo nível à sua volta. Se tivermos uma região de ar quente e úmido e algo começa a levantá-lo, ele sempre se encontrará mais leve e mais quente que o ar ao seu redor e continuará a subir até atingir altitudes enormes. Esse é o mecanismo que faz o ar em uma célula de temporal subir.

Por muitos anos, a célula de temporal foi explicada simplesmente dessa maneira, mas medidas mostraram que a temperatura das nuvens em diferentes altitudes não é tão alta como a indicada na curva (c). A razão é que, conforme a "bolha" de ar quente sobe, ela arrasta consigo o ar do ambiente e é esfriada por este ar. A curva de temperatura *versus* altitude se parece mais com a curva (d), que é muito mais próxima da curva original (a) que a curva (c).

Após a convecção que acabamos de descrever ter ocorrido, a seção de corte de uma célula do temporal será parecida com a Figura 9–9. Temos o que é chamado de temporal "amadurecido". Existe uma ascendente muito rápida que, neste estágio, sobe aproximadamente de 10.000 até 15.000 metros – algumas vezes até mais alto. Com sua condensação, a cabeça do temporal ascende acima do banco geral de nuvens, carregada pelas ascendentes que são usualmente em torno de 60 milhas por hora. Conforme o vapor d'água é levado para cima e condensa, ele forma pequenas gotas que são rapidamente resfriadas a uma temperatura abaixo de zero grau. Essas gotas podem congelar, mas não congelam imediatamente – elas são "super-resfriadas". A água e outros líquidos podem, usualmente, ser resfriados muito abaixo de seu ponto de congelamento antes de cristalizar, se não houver "núcleos" presentes para iniciar o processo de cristalização. Apenas se houver alguma pequena quantidade de material presente, como um pequeno cristal de NaCl, a gota d'água irá congelar em um pequeno pedaço de gelo. Então, o equilíbrio é tal que as gotas d'água evaporam e os cristais de gelo crescem. Assim, em um certo ponto, ocorre um rápido desaparecimento da água e uma rápida formação de gelo. Podem ocorrer também colisões diretas entre as gotas de água e o gelo – colisões nas quais a água super-resfriada se torna ligada aos cristais de gelo, o que a faz cristalizar subitamente. Portanto, em um certo ponto da expansão da nuvem existe um rápido acúmulo de grandes partículas de gelo.

Quando as partículas de gelo são suficientemente pesadas, elas começam a cair através do ar ascendente – elas se tornam muito pesadas para serem sustentadas pela ascendente. Conforme essas partículas caem, elas arrastam um pouco de ar consigo, e tem início uma corrente descendente. E, por mais incrível que pareça, uma vez que esta descendente começa, ela irá se manter. O ar começa agora a se dirigir para baixo!

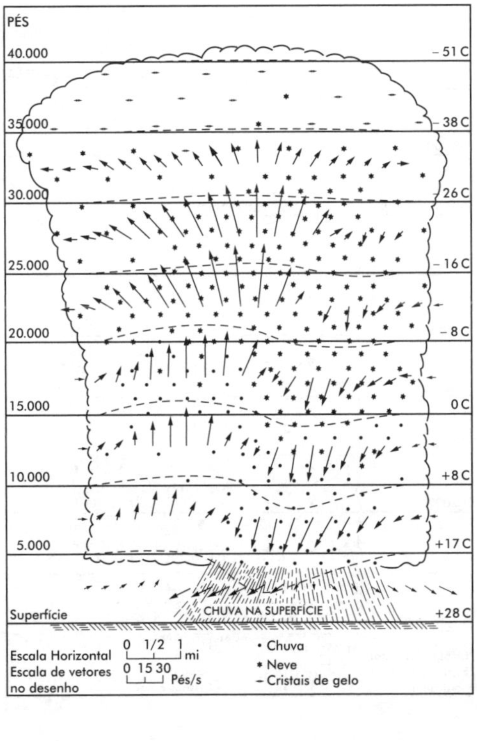

Figura 9–9 Uma célula de temporal amadurecida. [Registrado em junho de 1949 pela Secretaria do Tempo do Departamento de Comércio dos Estados Unidos.]

Note que a curva (d) na Figura 9–8, para a distribuição real de temperatura na nuvem, não é tão íngreme quanto a curva (c), que se aplica ao ar úmido. Portanto, se tivermos ar úmido caindo, sua temperatura decrescerá com o declive da curva (c) e, se cair rapidamente o suficiente, atingirá uma temperatura *inferior* à do ambiente, como indicado pela curva (e) na figura. Quando isso ocorre, ele é mais denso que o ambiente e continua a cair rapidamente. Você dirá: "Este é um movimento perpétuo. Primeiro você argumentou que o ar deveria subir, e quando você o tinha lá em cima, você igualmente argumentou que o ar deveria cair". Mas este não é um movimento perpétuo. Quando a situação era instável e o ar morno devia subir, obviamente alguma coisa teve de substituir este ar morno. Da mesma forma, é verdade que o ar frio descendo irá energeticamente substituir o ar morno, mas você deve perceber que aquilo que está descendo *não* é o ar original. Os argumentos anteriores, nos quais havia uma particular nuvem sem tráfego para cima e depois para baixo, tinham algo de misterioso. Eles precisavam da chuva para manter as descendentes – um argumento que é difícil de acreditar. Tão logo você percebeu que há bastante do ar original misturado com o ar subindo, o argumento termodinâmico mostrará que pode haver uma descida do ar frio que estava originalmente a uma grande altitude. Isso explica o cenário do temporal ativo esquematizado na Figura 9–9.

Conforme o ar desce, chuvas começam a cair da parte inferior do temporal. Além disso, o ar relativamente frio começa a se espalhar quando atinge a superfície da Terra. Então, pouco antes de a chuva cair, existe um certo vento ligeiramente frio que nos dá um aviso de que uma tempestade se aproxima. Na própria tempestade existem rajadas rápidas e irregulares de ar, uma enorme turbulência nas nuvens, e assim por diante. Basicamente temos uma ascendente, seguida de uma descendente – no geral, um processo extremamente complicado.

O momento em que a precipitação começa é o mesmo em que começa a grande corrente descendente e representa o mesmo momento, na verdade, em que surgem os fenômenos elétricos. Antes de descrevermos o relâmpago, entretanto, podemos terminar a história observando o que acontece com a célula de temporal cerca de meia ou uma hora depois. A célula se parecerá como na Figura 9–10. As ascendentes cessam, porque não há mais ar quente o suficiente para mantê-las. As correntes descendentes continuam por algum tempo, as últimas minúsculas porções de água caem, e as coisas vão se acalmando – embora existam pequenos cristais de gelo deixados bem alto no ar. Uma vez que os ventos em altitudes muito elevadas estão em diferentes direções, o topo da nuvem normalmente se espalha na forma de uma bigorna. A célula chegou ao fim de sua vida.

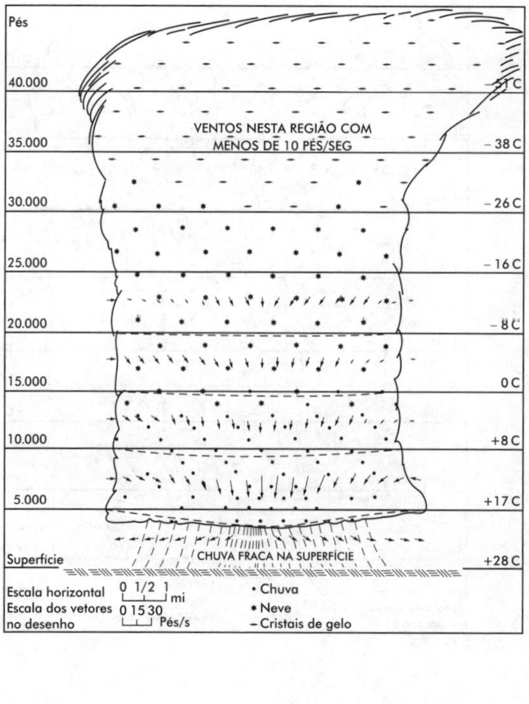

Figura 9–10 Uma fase avançada de uma célula de temporal. [Registrado em junho de 1949 pela Secretaria do Tempo do Departamento de Comércio dos Estados Unidos.]

9–5 O mecanismo da separação de cargas

Gostaríamos de discutir agora o aspecto mais importante para os nossos propósitos – o desenvolvimento das cargas elétricas. Experimentos de vários tipos – incluindo aeroplanos voando em temporais (os pilotos que fizeram isso são realmente corajosos!) – nos dizem que a distribuição de carga em uma célula de temporal é algo parecido com o mostrado na Figura 9–11. O topo do temporal tem uma carga positiva, e a base tem uma carga negativa – exceto por uma pequena região de cargas positivas na base das nuvens, que tem causado a todos um enorme aborrecimento. Ninguém parece saber por que esta carga está ali, quão importante ela é – se ela é um efeito secundário da chuva positiva que cai, ou se ela é uma parte essencial desse funcionamento. As coisas seriam muito mais simples se estas cargas não estivessem ali. De qualquer forma, a predominância das cargas negativas na base e das positivas no topo possui o sinal correto para a bateria necessária para manter a terra negativa. As cargas positivas estão a 6 ou 7 quilômetros ar acima, onde a temperatura é aproximadamente –20°C, enquanto as cargas negativas estão a 3 ou 4 quilômetros de altura, onde a temperatura está entre zero e –10°C.

A carga na base da nuvem é grande o suficiente para produzir uma diferença de potencial de 20, 30 ou mesmo de 100 milhões de volts entre a nuvem e a Terra – muito maior que os 0,4 milhões de volts entre o "céu" e o solo em uma atmosfera limpa. A alta voltagem colapsa o ar e cria arcos de descarga gigantes. Quando o colapso ocorre, as cargas negativas na base do temporal são levadas para a Terra no relâmpago.

Descreveremos agora as características do relâmpago. Antes de tudo, existe uma enorme diferença de voltagem, de forma que o ar possa colapsar. Existem relâmpagos entre diferentes pedaços de uma mesma nuvem, entre duas nuvens diferentes, ou entre uma nuvem e a Terra. Em cada uma das cintilações de descarga independentes – o relâmpago que você vê – há aproximadamente 20 ou 30 Coulombs de carga descendo. Uma pergunta é: quanto tempo uma nuvem demora para gerar esses 20 ou 30 Coulombs que serão descarregados no relâmpago? Isso pode ser verificado medindo, longe de uma nuvem, o campo elétrico produzido pelo momento de dipolo da nuvem. Nesta medida vê-se um decaimento súbito no campo quando ocorre o relâmpago, e em seguida um retorno exponencial para o valor anterior com uma constante de tempo ligeiramente diferente para os diferentes casos, mas que em geral está em torno de 5 segundos. O temporal leva apenas 5 segundos, após cada relâmpago, para se carregar novamente. Isso não significa necessariamente que um relâmpago ocorrerá sempre exatamente a cada 5 segundos, porque, obviamente, a geometria e outras características mudaram. Os relâmpagos ocorrem de uma forma mais ou menos irregular, mas o ponto importante é que leva aproximadamente 5 segundos para recriar as condições originais. Então, existe aproximadamente 4 ampères de corrente no mecanismo de geração do temporal. Isso significa que qualquer modelo feito para explicar como esses temporais são capazes de

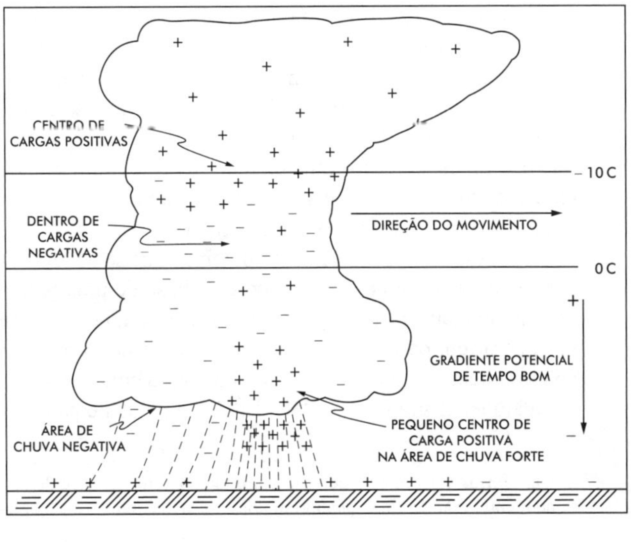

Figura 9–11 A distribuição de cargas elétricas em uma célula de temporal amadurecida. [Registrado em junho de 1949 pela Secretaria do Tempo do Departamento de Comércio dos Estados Unidos.]

gerar esta eletricidade deve ser muito complexo – ele deve ser um dispositivo enorme operando rapidamente.

Antes de prosseguirmos, consideraremos algo que talvez seja completamente irrelevante, mas interessante, porque mostra o efeito de um campo elétrico nas gotas d'água. Dizemos que isto pode ser irrelevante porque está relacionado com uma experiência que pode ser feita em laboratório com um feixe de água para mostrar o enorme efeito do campo elétrico nas gotas d'água. Em um temporal não há feixes de água; existe uma nuvem de gelo condensado e gotas d'água. Portanto, a questão sobre o mecanismo que opera em um temporal provavelmente não está relacionada com o que você poderá ver nesta experiência simples que iremos descrever. Se você pegar um pequeno bocal conectado a uma torneira e direcioná-lo para cima em um ângulo íngreme, como mostrado na Figura 9–12, a água irá sair em um feixe fino que se espalhará em minúsculas gotas pulverizadas. Se você colocar um campo elétrico próximo ao feixe do bocal (por exemplo, trazendo um bastão carregado), a forma do feixe irá mudar. Com um campo elétrico fraco, você verá que o feixe se quebra em um número menor de gotas maiores. Já se você aplicar um campo mais forte, o feixe se quebrará em inúmeras gotas minúsculas – menores que as anteriores[1]. Com o campo elétrico fraco existe uma tendência de inibir a separação do feixe em gotas. Com um campo mais forte, entretanto, existe um aumento na tendência de separá-lo em gotas.

A explicação desses efeitos é provavelmente a seguinte. Se tivermos o feixe de água saindo do bocal e colocarmos um campo elétrico através deste feixe, um lado da água torna-se ligeiramente positivo e o outro lado ligeiramente negativo. Então, quando o feixe se parte, as gotas de um lado poderão estar positivamente carregadas, enquanto as do outro lado poderão estar carregadas negativamente. Estas gotas irão se atrair e terão a tendência de se grudarem mais do que estavam antes – o feixe não se desmancha muito. Por outro lado, se o campo for forte, a carga em cada uma das gotas torna-se muito maior, e as *próprias* cargas, através de sua repulsão, adquirem a tendência de desmanchar as gotas. Cada gota irá se desmanchar em gotas menores, cada uma levando uma carga, de forma que todas irão se repelir e se espalhar rapidamente. Portanto, se aumentarmos o campo, o feixe se torna mais finamente separado. O único ponto que gostaríamos de levantar é que, em certas circunstâncias, o campo elétrico pode ter uma influência considerável nas gotas. O mecanismo exato com o qual as coisas acontecem no temporal não é completamente conhecido, e não está necessariamente relacionado com o que acabamos de descrever. Incluímos esta descrição apenas para que você aprecie as complexidades que podem entrar em jogo. De fato, ninguém possui uma teoria, baseada nessas ideias, aplicável às nuvens.

Gostaríamos de descrever duas teorias desenvolvidas para darem conta da separação das cargas em um temporal. Todas as teorias envolvem a ideia de que deve haver alguma carga nas partículas que se precipitam e uma carga diferente no ar. Então, pelo momento das partículas que se precipitam – a água ou o gelo – através do ar, haverá uma separação das cargas elétricas. A única questão é: como começou o carregamento das gotas? Uma das teorias mais antigas é chamada de a teoria da "gota quebrada". Alguém descobriu que se você tiver uma gota de água que se quebra em duas partes em uma ventania, haverá uma carga positiva na água e uma carga negativa no ar. Esta teoria da gota quebrada possui uma série de desvantagens, entre as quais a mais séria é que o *sinal* está errado. Em segundo lugar, em um grande número de temporais em zonas temperadas que apresentam relâmpagos, os efeitos de precipitação nas altitudes elevadas estão no gelo, e *não* na água.

Pelo que acabamos de dizer, notamos que se pudermos imaginar uma maneira para a carga ser diferente no topo e na base de uma gota e se pudermos também encontrar alguma razão pela qual as gotas em um jato de ar de alta velocidade podem se quebrar em partes desiguais – uma maior na frente e uma menor atrás devido ao movimento através do ar ou alguma outra coisa – teremos uma teoria (diferente de qualquer teoria conhecida!). Então as gotas pequenas não cairiam pelo ar tão

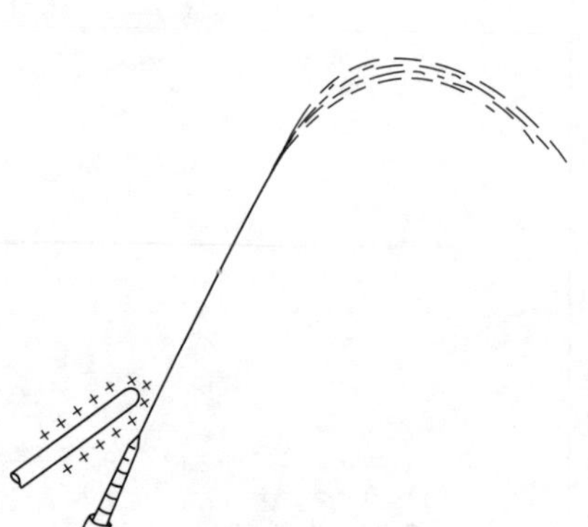

Figura 9–12 Um jato de água com um campo elétrico próximo ao bocal.

[1] Uma forma conveniente de observar o tamanho das gotas é deixar o feixe cair em uma placa de metal grande e fina. Quando maiores as gotas, mais barulho elas farão.

rapidamente quanto as grandes, devido à resistência do ar, e teríamos uma separação das cargas. Vejam que é possível fabricar todo tipo de possibilidade.

Uma das teorias mais engenhosas e mais satisfatória do que a teoria da gota quebrada em muitos aspectos deve-se a C.T.R. Wilson. Vamos descrevê-la, como fez Wilson, fazendo referência às gotas de água, embora o mesmo fenômeno funcione com o gelo. Suponha que tenhamos uma gota de água caindo em um campo elétrico, em torno de 100 volts por metro, em direção à Terra negativamente carregada. Esta gota terá um momento de dipolo induzido – com a base da gota positiva e o topo da gota negativo, como desenhado na Figura 9–13. Agora, existem no ar os "núcleos" que mencionamos anteriormente – os íons grandes e lentos (os íons rápidos não possuem um efeito importante aqui). Suponha que, conforme uma gota cai, ela se aproxime de um íon grande. Se o íon for positivo, ele será repelido pela base positiva da gota e se afastará. Portanto este íon não irá se prender à gota. Entretanto, se o íon se aproximar do topo da gota, ele poderá se ligar a este topo negativamente carregado. Como a gota está caindo pelo ar, existe uma corrente de ar relativa a ela, direcionada para cima, que leva o íon para longe se seu movimento for muito lento. Portanto, este íon positivo também não poderá se ligar ao topo da gota. Isso se aplicaria, como você vê, apenas aos íons grandes e lentos. Os íons positivos deste tipo não irão se ligar nem na frente nem atrás da gota que cai. Por outro lado, quando um íon negativo grande e lento se aproxima da gota, ele será atraído e capturado. A gota adquirirá uma carga negativa – o sinal da carga sendo determinado pela diferença de potencial original em toda a Terra – e obteremos o sinal correto. A carga negativa será trazida para a parte inferior da nuvem pelas gotas, e os íons positivamente carregados que foram deixados para trás serão soprados para o topo da nuvem pelas várias correntes ascendentes. Essa teoria parece muito boa e pelo menos nos dá o sinal correto. Ela também não depende da existência de gotas líquidas. Conforme veremos quando aprendermos sobre a polarização dos dielétricos, pedaços de gelo se comportam da mesma forma. Eles também desenvolvem cargas positivas e negativas nas suas extremidades quando na presença de um campo elétrico.

Entretanto, ainda existem alguns problemas com essa história. Primeiramente, a carga total envolvida em um temporal é muito alta. Depois de um tempo curto, o suprimento de íons grandes se esgotaria. Com isso, Wilson e outros tiveram de supor que existem fontes adicionais de íons grandes. Uma vez iniciada a separação das cargas, campos elétricos muito intensos se desenvolvem, e nestes campos pode haver regiões onde o ar se torna ionizado. Se existir um ponto altamente carregado, ou qualquer objeto pequeno como uma gota, isso poderá concentrar o campo o suficiente para formar uma "descarga de exalação". Quando há um campo elétrico forte o suficiente – digamos, positivo –, os elétrons cairão através deste campo e adquirirão grandes velocidades entre as colisões. Estas velocidades serão tão grandes que, ao atingirem um átomo, estes elétrons arrastarão outros elétrons deste átomo, deixando cargas positivas para trás. Estes novos elétrons também adquirem velocidade e colidem com mais elétrons. Ocorre então um tipo de reação em cadeia, ou avalanche, e surge um rápido acúmulo de íons. As cargas positivas são deixadas próximas da sua posição original, tal que o efeito líquido será distribuir a carga positiva em uma região ao redor daquele ponto altamente carregado. Então, obviamente, não haverá mais um campo elétrico intenso, e o processo cessará. Essa é a característica de uma descarga de exalação. É possível que o campo na nuvem se torne forte o suficiente para produzir um pouco mais de descarga exalada; pode haver também outros mecanismos, uma vez que a coisa se inicia, para produzir uma grande quantidade de ionizações. Contudo, ninguém sabe exatamente como isso funciona. Portanto, a origem fundamental dos relâmpagos não é completamente entendida. Sabemos que eles vêm dos temporais (e sabemos, obviamente, que os trovões vêm dos relâmpagos – da energia térmica liberada pelo raio).

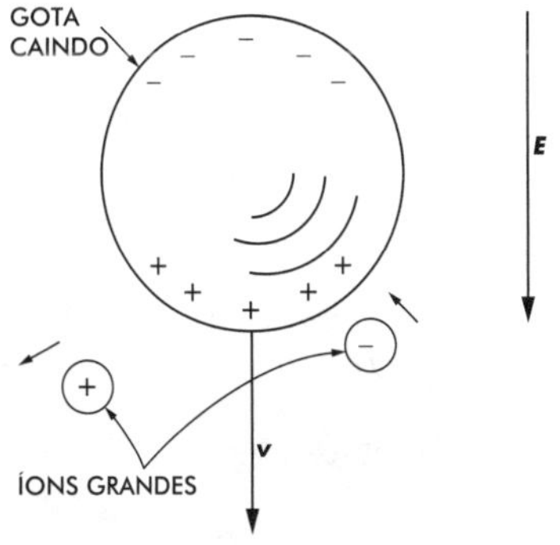

Figura 9–13 A teoria de C.T.R. Wilson da separação de cargas em uma nuvem de temporal.

Ao menos podemos entender, em parte, a origem da eletricidade atmosférica. Cargas positivas e negativas são separadas devido às correntes de ar, aos íons e às gotas de água nas partículas de gelo em um temporal. As cargas positivas são levadas para cima até o topo das nuvens (veja Figura 9–11), e as cargas negativas são bombeadas para o chão através dos relâmpagos. As cargas positivas deixam o topo das nuvens, entram nas camadas mais elevadas de ar altamente condutivo e se espalham pelo planeta. Nas

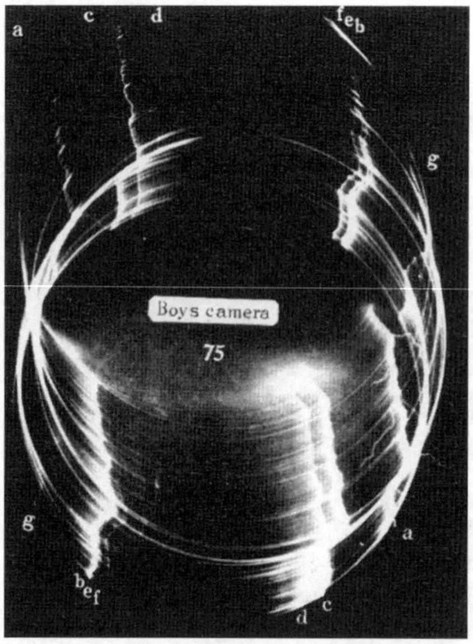

Figura 9–14 Fotografia de um relâmpago tirada com uma câmera "Boys". [De Schonland, Malan e Collens, *Proc. Roy. Soc. London*, Vol. 152 (1935).]

regiões com tempo bom, as cargas positivas nestas camadas são lentamente conduzidas para a terra pelos íons no ar – íons formados por raios cósmicos, pelos mares e pelas atividades humanas. A atmosfera é um maquinário elétrico inquieto!

9–6 O relâmpago

A primeira evidência do que ocorre em um relâmpago foi obtida em uma fotografia tirada com uma câmera segura com as mãos e movida de um lado a outro com o obturador aberto – enquanto apontava para uma direção em que relâmpagos eram esperados. A primeira fotografia obtida dessa forma mostrou claramente que os relâmpagos são usualmente múltiplas descargas ao longo do mesmo caminho. Mais tarde foi desenvolvida a câmera "Boys", que tinha *duas* lentes montadas com uma separação de 180° em um disco que girava rapidamente. A imagem formada por cada lente se move através do filme – imagem esta espalhada no tempo. Se, por exemplo, o relâmpago se repetir, haverá duas imagens uma ao lado da outra. Comparando a imagem das duas lentes, é possível trabalhar os detalhes da sequência temporal dos flashes. A Figura 9–14 mostra uma fotografia tirada com uma câmera "Boys".

Descreveremos agora o relâmpago. Mais uma vez, não entendemos exatamente como ele funciona. Daremos uma descrição qualitativa de como ele se *parece*, mas não entraremos em nenhum detalhe de *por que* ele parece se comportar desta forma. Descreveremos apenas o caso usual da nuvem com uma base negativa sobre um terreno plano. O potencial desta nuvem é muito mais negativo que o da Terra abaixo dela, então elétrons negativos serão acelerados na direção da Terra. O que ocorre é o seguinte. Tudo começa com uma coisa chamada "degrau guia" que não é tão brilhante quanto o relâmpago propriamente. Na fotografia pode-se ver um pequeno clarão que começa na nuvem e se move para baixo muito rapidamente – a um sexto da velocidade da luz! Esse clarão percorre aproximadamente 50 metros e para. Permanece parado por aproximadamente 50 microssegundos e então percorre um novo degrau. Para novamente e depois percorre mais um degrau, e assim por diante. Ele se move em uma série de degraus em direção à Terra, ao longo de um caminho como o mostrado na Figura 9–15. Neste guia existem cargas negativas provenientes da nuvem; toda a coluna está repleta de cargas negativas. Além disso, o ar se torna ionizado pelas cargas rápidas que produzem o guia, então o ar se torna um condutor através do caminho traçado. No momento em que o guia toca o chão, temos um "fio" condutor negativamente carregado que percorre todo o caminho até a nuvem. Agora as cargas negativas da nuvem podem simplesmente escapar e fluir. Os elétrons na base do guia são os primeiros a fazerem isso; eles se amontoam, deixando para trás cargas positivas que atraem mais cargas negativas da parte superior do guia, as quais se derramam por ele, etc. Finalmente, todas as cargas em uma parte da nuvem correm pela coluna de uma forma rápida e energética. Então, o relâmpago que você *vê* corre para *cima* a partir do chão, como indicado na Figura 9–16. Na verdade, este raio principal – muito mais brilhante – é chamado *raio de retorno*. Este raio, que produz luz extremamente brilhante e calor, é responsável pela rápida expansão do ar que cria o trovão.

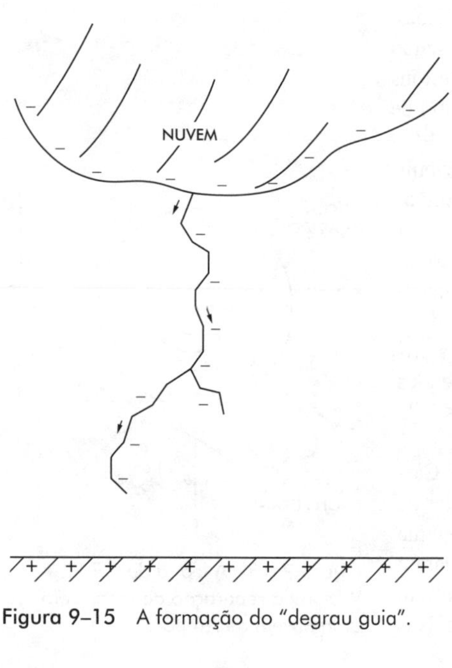

Figura 9–15 A formação do "degrau guia".

A corrente em um relâmpago tem um máximo da ordem de 10.000 ampères, e carrega para baixo aproximadamente 20 coulombs.

Ainda não terminamos. Depois de um tempo de, talvez, algumas centenas de segundos, quando o raio de retorno desaparece, outro guia começa a descer, mas desta vez não existe pausa nos degraus. Desta vez, ele recebe o nome de "guia escuro" e percorre todo o caminho até o chão – de cima a baixo de uma vez. Ele desce a todo vapor exatamente sobre a trilha antiga, porque os escombros ali presentes a tornam a rota mais conveniente. O novo guia está novamente carregado com cargas negativas. No momento em que ele toca o solo – zum – surge um raio de retorno subindo diretamente pela trilha. Assim você vê o relâmpago mais uma vez e mais uma vez e mais uma vez. Algumas vezes ele reluz apenas uma ou duas vezes, outras cinco ou dez vezes – uma vez 42 clarões foram vistos na mesma trilha –, mas sempre em sucessões rápidas.

Algumas vezes as coisas se tornam ainda mais complicadas. Por exemplo, após uma de suas pausas, o guia pode desenvolver um ramo descendo através de *dois* degraus – ambos para baixo, mas em direções ligeiramente diferentes, como mostrado na Figura 9–15. O que acontece então depende se um dos ramos atinge a terra definitivamente antes do outro. Se isso acontecer, o luminoso raio de retorno (de carga negativa escoando para a terra) fará seu caminho de *subida* através do ramo que tocou o solo, e quando ele passar pelo ponto de ramificação em seu caminho para a nuvem, um raio luminoso parecerá *descer* pelo outro ramo. Por quê? Porque cargas negativas estão escorrendo e é isso que faz o raio brilhar. Estas cargas começam a se mover a partir do topo do ramo secundário, esvaziando sucessivamente grandes pedaços do ramo. Então o raio luminoso do relâmpago parece realizar seu caminho ramo abaixo, ao mesmo tempo em que ele sobe em direção à nuvem. Entretanto, se este ramo do guia atingir a Terra quase ao mesmo instante que o guia original, pode acontecer que o guia *escuro* do segundo raio tome o segundo ramo. Então você verá o primeiro flash principal em um lugar e o segundo flash em outro lugar. Isso é uma variante da ideia original.

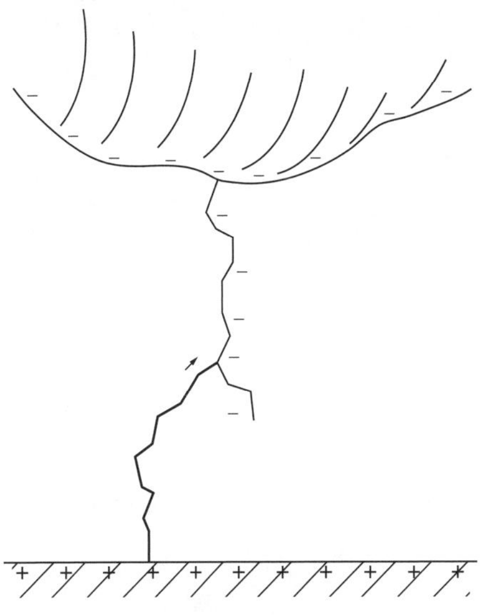

Figura 9–16 O raio de retorno corre de volta através do caminho feito pelo guia.

Outrossim, nossa descrição é simples demais para as regiões muito perto do chão. Quando o degrau guia alcança algumas centenas de metros do chão, é evidente que uma descarga ascende do chão para encontrá-lo. Presumivelmente, o campo se torna forte o suficiente para criar um tipo de descarga de exalação. Se, por exemplo, houver um objeto pontiagudo, como um prédio com uma ponta no topo, conforme o guia vai descendo, o campo próximo desta ponta se torna tão intenso que uma descarga parte da ponta para atingir o guia. O relâmpago tenderá a atingir esta ponta.

Aparentemente já se sabe há muito tempo que os relâmpagos tendem a atingir objetos altos. Existe uma citação de Artabanis, o conselheiro de Xerxes, dando seu principal conselho ao contemplar um ataque aos gregos – durante a campanha de Xerxes para colocar todo o mundo conhecido sob o controle dos persas. Artabanis disse: “Veja como Deus com seus raios sempre acerta os animais maiores, e não os permitirá crescerem insolentes, e para aqueles de menor estatura é melhor não O irritar. Como, da mesma forma, seus raios caem sempre nas casas e nas árvores mais altas”. E então ele explica o motivo: “Então, claramente, ele adora destruir tudo que exalte a si mesmo”.

Você pensa – agora que sabe a verdade a respeito de os raios atingirem as árvores altas – que adquiriu uma sabedoria no assessoramento de reis em questões militares maior que a de Artabanis 2400 anos atrás? Não se exalte. Você apenas pode fazer isso menos poeticamente.

10

Dielétricos

10–1 A constante dielétrica

Começaremos a discutir outra das características peculiares da matéria quando sob a influência do campo elétrico. Em um capítulo anterior, consideramos o comportamento dos *condutores*, nos quais as cargas se movem livremente, em resposta a um campo elétrico, de forma a anular todo o campo no seu interior. Discutiremos agora os *isolantes*, materiais que não conduzem eletricidade. Inicialmente, pode-se acreditar que não haja qualquer tipo de efeito. Entretanto, usando um simples eletroscópio e um capacitor de placas paralelas, Faraday descobriu que este não é o caso. Suas experiências mostraram que a capacitância deste capacitor *aumentava* quando um isolante era colocado entre as placas. Se o isolante preencher completamente o espaço entre as placas, a capacitância aumenta de um fator κ que depende apenas da natureza do material isolante. Materiais isolantes são também chamados de *dielétricos*; o fator κ é então uma propriedade do dielétrico, e recebe o nome de *constante dielétrica*. Obviamente, a constante dielétrica do vácuo vale um.

Nosso problema agora é explicar por que existe um efeito elétrico se os isolantes são realmente isolantes e não conduzem eletricidade. Começaremos com o fato experimental de que a capacitância aumenta e tentaremos inferir o que pode estar acontecendo. Considere um capacitor de placas paralelas com alguma carga nas superfícies dos condutores, digamos uma carga negativa na placa superior e uma positiva na placa inferior. Suponha que o espaçamento entre as placas valha d e a área de cada placa seja A. Como provamos anteriormente, a capacitância vale

$$C = \frac{\epsilon_0 A}{d}, \tag{10.1}$$

enquanto a carga e a voltagem no capacitor estão relacionadas por

$$Q = CV. \tag{10.2}$$

Agora, o fato experimental é que se colocarmos um pedaço de material isolante, como o acrílico ou o vidro, entre as placas, obteremos uma capacitância maior. Isso significa, obviamente, que a voltagem será menor para uma mesma carga. Contudo, a diferença de voltagem é a integral do campo elétrico através do capacitor; devemos então concluir que no interior do capacitor o campo elétrico é reduzido, embora as cargas nas placas permaneçam inalteradas.

Como isso pode acontecer? Temos a lei de Gauss que diz que o fluxo do campo elétrico está diretamente relacionado com a carga envolvida. Considere a superfície gaussiana S mostrada pelas linhas tracejadas na Figura 10–1. Como o campo elétrico é reduzido na presença do dielétrico, concluímos que a carga líquida dentro da superfície deve ser menor que aquela sem o material dielétrico. A única conclusão possível é que deve

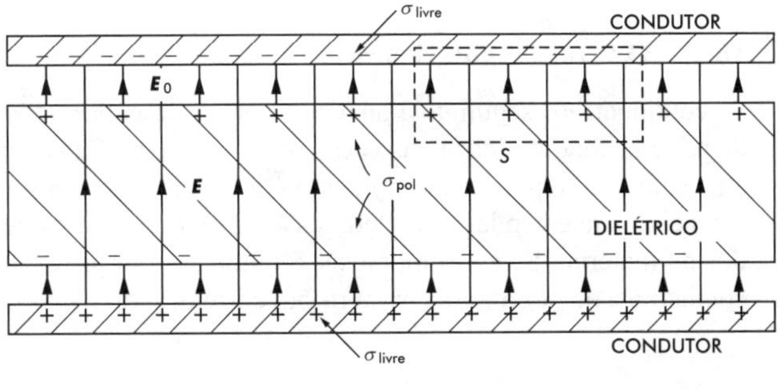

Figura 10–1 Um capacitor de placas paralelas com um dielétrico. As linhas de **E** estão indicadas.

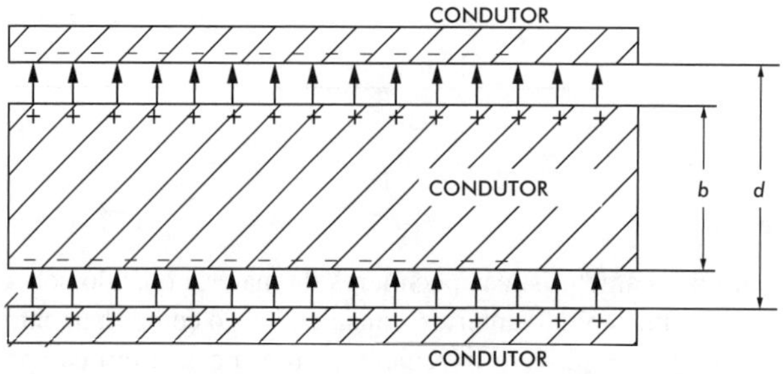

Figura 10–2 Se colocarmos uma placa condutora no vão de um condensador de placas paralelas, as cargas induzidas reduzem o campo no condutor para zero.

haver uma carga positiva na superfície do dielétrico. Uma vez que o campo é reduzido, mas não se anula, devemos esperar que esta carga positiva seja menor que a carga no condutor. Assim, os fenômenos poderão ser explicados se pudermos, de alguma forma, compreender porque quando um material dielétrico é colocado em um campo elétrico, surgem cargas positivas induzidas em uma de suas superfícies e negativas na outra.

Para um condutor, tal comportamento é esperado. Por exemplo, suponha que tenhamos um capacitor com um espaçamento d entre as placas, e que coloquemos entre essas placas um condutor neutro de espessura b, como na Figura 10–2. O campo elétrico induzirá uma carga positiva na superfície superior e uma carga negativa na superfície inferior, de modo que não haja campo algum no interior do condutor. O campo no restante do espaço será o mesmo que na ausência do condutor, porque esse campo é a densidade superficial de carga dividida por ϵ_0; mas a distância que devemos integrar para obter a voltagem (a diferença de potencial) foi reduzida. A voltagem será

$$V = \frac{\sigma}{\epsilon_0}(d - b).$$

A equação resultante para a capacitância é igual à Eq. (10.1), com $(d - b)$ no lugar de d:

$$C = \frac{\epsilon_0 A}{d[1 - (b/d)]}. \tag{10.3}$$

A capacitância foi aumentada por um fator que depende de (b/d), a proporção do volume ocupado pelo condutor.

Isso nos dá um modelo óbvio sobre o que acontece com os dielétricos – que no interior do material dielétrico existe uma infinidade de pequenas folhas de material condutor. O problema com esse modelo é que ele possui um eixo específico, o eixo normal às folhas, enquanto a maioria dos dielétricos não possui tal eixo. Entretanto, essa dificuldade pode ser eliminada se supusermos que todo material isolante contém pequenas esferas condutoras separadas umas das outras por um isolante, como mostrado na Figura 10–3. O fenômeno da constante dielétrica é explicado pelo efeito das cargas que podem ser induzidas em cada esfera. Este foi um dos primeiros modelos físicos dos dielétricos, usado para explicar o fenômeno observado por Faraday. Mais especificamente, supôs-se que cada um dos átomos do material isolante era um condutor perfeito, mas isolado dos demais átomos. A constante dielétrica κ dependeria da porção do espaço ocupado pelas esferas condutoras. Entretanto, esse não é o modelo usado atualmente.

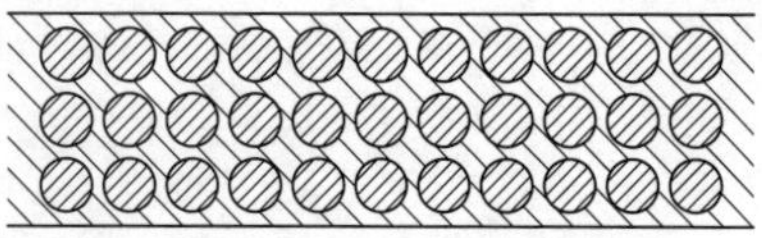

Figura 10–3 Um modelo de um dielétrico: pequenas esferas condutoras embutidas em um isolante idealizado.

10–2 O vetor de polarização *P*

Se continuarmos seguindo a análise anterior, descobriremos que a ideia de regiões de perfeita condutividade e isolação não é essencial. Cada uma das pequenas esferas atua como um dipolo, cujo momento é induzido pelo campo externo. A única coisa essencial para entender os dielétricos é que existem vários pequenos dipolos induzidos no material. Se esses dipolos são induzidos porque existem minúsculas esferas condutoras, ou por alguma outra razão, é irrelevante.

Por que um campo induziria um momento de dipolo em um átomo, se o átomo não é uma esfera condutora? Esse assunto será discutido detalhadamente no próximo capítulo, que se ocupará do comportamento interno dos materiais dielétricos. Entretanto, daremos aqui um exemplo para ilustrar um mecanismo possível. Um átomo possui uma carga positiva no núcleo, a qual é circundada por elétrons negativos. Em um campo elétrico, o núcleo será atraído para uma direção e os elétrons, para outra. As órbitas ou as formas de onda dos elétrons (ou qualquer outro cenário usado na mecânica quântica) sofrerão alguma deformação, como mostrado na Figura 10–4; o centro de gravidade da carga negativa será deslocado e não mais coincidirá com a carga positiva do núcleo. Já discutimos esse tipo de distribuição de cargas. Se olharmos de longe, esta configuração neutra equivale, em primeira aproximação, a um pequeno dipolo.

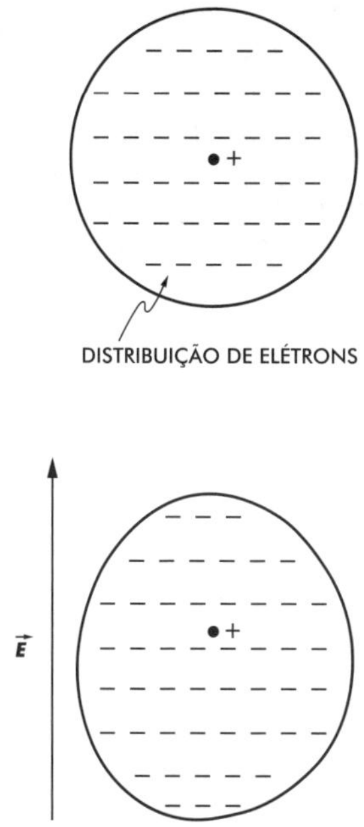

Figura 10–4 Um átomo em um campo elétrico tem sua distribuição de elétrons deslocada em relação ao núcleo.

Parece razoável que, se o campo não for tão intenso, o valor do momento de dipolo induzido será proporcional ao campo. Isto é, um campo fraco deslocará pouco as cargas e um campo forte provocará um deslocamento maior – proporcional ao campo –, a menos que o deslocamento seja grande demais. Para o restante deste capítulo, suporemos que o momento de dipolo seja exatamente proporcional ao campo.

Vamos supor agora que em cada átomo existam cargas q separadas por uma distância $\boldsymbol{\delta}$, de forma que $q\boldsymbol{\delta}$ é o momento de dipolo por átomo (usaremos $\boldsymbol{\delta}$ porque já estamos usando d para a separação das placas). Se houver N átomos por unidade de volume, haverá um *momento de dipolo por unidade de volume* igual a $Nq\boldsymbol{\delta}$. Este momento de dipolo por unidade de volume será representado por um vetor $\boldsymbol{P}$. Desnecessário dizer que este vetor está na direção do momento de dipolo individual, ou seja, na direção da separação $\boldsymbol{\delta}$:

$$\boldsymbol{P} = Nq\boldsymbol{\delta}. \tag{10.4}$$

Em geral, $\boldsymbol{P}$ varia de ponto a ponto no dielétrico. Entretanto, em qualquer ponto do material, $\boldsymbol{P}$ será proporcional ao campo elétrico $\boldsymbol{E}$. A constante de proporcionalidade, que depende da facilidade com que os elétrons são deslocados, dependerá do tipo de átomos no material.

O que realmente determina como esta constante de proporcionalidade se comporta, com que precisão ela continua sendo uma constante para campos muito fortes e o que está ocorrendo no interior dos diferentes materiais, será discutido posteriormente. Neste momento, suporemos apenas que existe um mecanismo pelo qual um momento de dipolo proporcional ao campo elétrico é induzido.

10–3 Cargas de polarização

Vejamos agora o que este modelo nos fornece para a teoria de um condensador com um dielétrico. Primeiro, considere uma folha de material na qual exista um certo momento de dipolo por unidade de volume. Será que isso produzirá alguma densidade de carga? Não se $\boldsymbol{P}$ for uniforme. Se as cargas positivas e negativas, deslocadas umas em relação às outras, possuem a mesma densidade média, o fato de estarem deslocadas não produz nenhuma densidade de carga líquida dentro do volume. Por outro lado, se $\boldsymbol{P}$ for maior em um lugar e menor em outro, isso significa que mais cargas se moveram para dentro de uma região do que para fora dela; podemos então esperar que haja uma densidade de carga. Para o condensador de placas paralelas, estamos supondo que $\boldsymbol{P}$ seja uniforme, portanto precisamos olhar apenas para o que ocorre nas superfícies. Em uma superfície, as cargas negativas, os elétrons, efetivamente se moveram para fora uma distância δ; na outra superfície eles se moveram para dentro, deixando efetivamente alguma carga positiva para fora a uma distância δ. Como mostrado na Figura 10–5, teremos uma densidade superficial de cargas que será chamada de *carga de polarização* superficial.

Esta carga pode ser calculada como segue. Se A é a área da placa, o número de elétrons que surgem na superfície é o produto de A com N, o número de átomos por unidade de volume, vezes o deslocamento δ. Supomos que esse deslocamento seja perpendicular à superfície. A carga total é obtida multiplicando-se pela carga do elétron q_e. Para obter

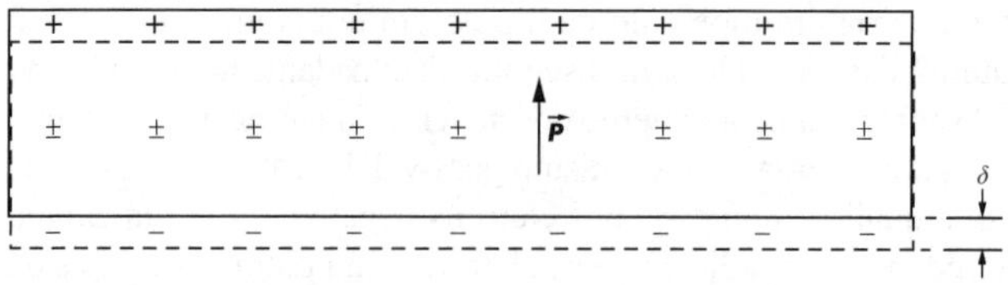

Figura 10–5 Uma lâmina dielétrica em um campo uniforme. As cargas positivas se deslocam uma distância δ em relação às cargas negativas.

a densidade superficial de carga de polarização induzida na superfície, devemos dividir por A. A magnitude da densidade superficial de carga é

$$\sigma_{\text{pol}} = Nq_e\delta.$$

Isso é simplesmente igual à magnitude P do vetor de polarização $\boldsymbol{P}$, Eq. (10.4):

$$\sigma_{\text{pol}} = P. \tag{10.5}$$

A densidade superficial de cargas é igual à polarização dentro do material. A carga superficial é, obviamente, positiva em uma superfície e negativa na outra.

Suponhamos agora que nossa lâmina seja o dielétrico de um capacitor de placas paralelas. As *placas* do capacitor também têm uma densidade de cargas, que chamaremos σ_{livre}, porque elas podem se mover "livremente" dentro do condutor. Esta é, obviamente, a carga que colocamos quando carregamos o capacitor. Deve ser enfatizado que σ_{pol} existe apenas graças a σ_{livre}. Se σ_{livre} for removida, pela descarga do capacitor, σ_{pol} desaparecerá, não escorrendo pelo fio de descarga, mas movendo-se novamente para dentro do material – pela relaxação da polarização dentro do material.

Podemos agora aplicar a lei de Gauss para a superfície gaussiana S mostrada na Figura 10–1. O campo elétrico $\boldsymbol{E}$ no dielétrico é igual à densidade de carga superficial *total* dividida por ϵ_0. Está claro que σ_{pol} e σ_{livre} têm sinais opostos, então

$$E = \frac{\sigma_{\text{livre}} - \sigma_{\text{pol}}}{\epsilon_0}. \tag{10.6}$$

Observe que o campo E_0 entre a placa de metal e a superfície do dielétrico é maior que o campo E; ele corresponde apenas a σ_{livre}. No entanto, aqui estamos interessados no campo dentro do dielétrico que, se o dielétrico praticamente preencher a abertura, será o campo praticamente em todo o volume. Usando a Eq. (10.5), podemos escrever

$$E = \frac{\sigma_{\text{livre}} - P}{\epsilon_0}. \tag{10.7}$$

Essa equação não nos diz qual é o campo a menos que conheçamos P. Entretanto, estamos supondo que P dependa de E – na verdade, que P seja proporcional a E. Esta proporcionalidade é usualmente escrita como

$$\boldsymbol{P} = \chi\epsilon_0\boldsymbol{E}. \tag{10.8}$$

A constante χ (do grego "qui") é chamada de *suscetibilidade elétrica* do dielétrico.

Então, a Eq. (10.7) torna-se

$$E = \frac{\sigma_{\text{livre}}}{\epsilon_0}\frac{1}{(1+\chi)}, \tag{10.9}$$

que nos dá o fator $1/(1 + \chi)$ com o qual o campo é reduzido.

A voltagem entre as placas é a integral do campo elétrico. Como o campo é uniforme, a integral é simplesmente o produto de E com a separação d das placas. Temos que

$$V = Ed = \frac{\sigma_{\text{livre}}\,d}{\epsilon_0(1+\chi)}.$$

A carga total no capacitor é $\sigma_{livre}A$, de forma que a capacitância definida por (10.2) torna-se

$$C = \frac{\epsilon_0 A(1 + \chi)}{d} = \frac{\kappa\epsilon_0 A}{d}. \tag{10.10}$$

Explicamos então o fato observado. Quando um capacitor de placas paralelas é preenchido com um dielétrico, sua capacitância aumenta pelo fator

$$\kappa = 1 + \chi, \tag{10.11}$$

que é uma propriedade do material. Nossa explicação, obviamente, não estará completa até termos dito – como faremos mais adiante – como surge a polarização atômica.

Consideremos algo um pouco mais complicado – a situação na qual a polarização $\boldsymbol{P}$ não é a mesma em toda parte. Como mencionado anteriormente, se a polarização não for constante, podemos esperar encontrar uma densidade de carga no volume, porque, para um pequeno elemento de volume, podemos ter mais cargas entrando de um lado que saindo do outro. Como podemos determinar quanta carga é ganha ou perdida em um pequeno volume?

Primeiro vamos calcular a quantidade de carga que se move através de qualquer superfície imaginária quando o material é polarizado. A quantidade de carga que atravessa a superfície é simplesmente P vezes a área da superfície, se a polarização for *normal* à superfície. Obviamente, se a polarização for *tangencial* à superfície, nenhuma carga se moverá através desta superfície.

Seguindo os mesmos argumentos que já usamos, é fácil ver que a carga que se move através de qualquer elemento de superfície é proporcional à *componente* de $\boldsymbol{P}$ *perpendicular* a esta superfície. Compare a Figura 10–6 com a Figura 10–5. Vemos que a Eq. (10.5) pode, no caso geral, ser escrita como

$$\sigma_{pol} = \boldsymbol{P}\cdot\boldsymbol{n}. \tag{10.12}$$

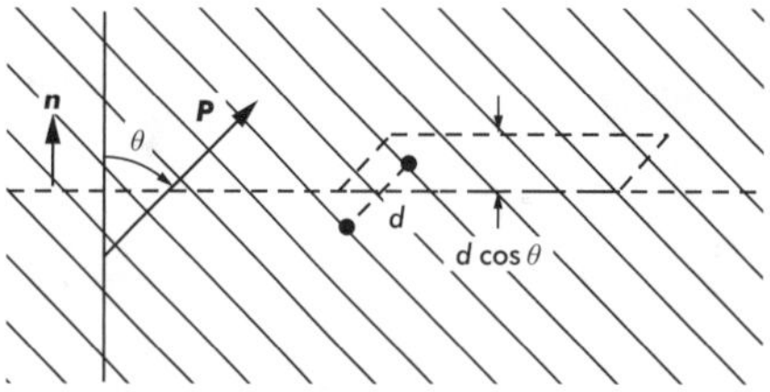

Figura 10–6 A carga que se move através de um elemento de superfície imaginário num dielétrico é proporcional à componente de **P** normal a esta superfície.

Se estivermos pensando em um elemento de superfície imaginário *dentro* do dielétrico, a Eq. (10.12) fornecerá a carga movida através da superfície, mas que não resulta em uma carga superficial líquida, porque o dielétrico fornece uma distribuição igual e oposta nos dois lados desta superfície.

O deslocamento das cargas pode, entretanto, resultar em uma densidade *volumétrica* de carga. A carga total deslocada para *fora* de qualquer volume V pela polarização é a integral sobre a superfície S, que encerra o volume, da componente normal de $\boldsymbol{P}$ para fora deste volume (veja a Figura 10–7). Um excesso igual de cargas, com sinal oposto, é deixado para trás. Denotando a carga líquida dentro de V por ΔQ_{pol}, escrevemos

$$\Delta Q_{pol} = -\int_S \boldsymbol{P}\cdot\boldsymbol{n}\,da. \tag{10.13}$$

Podemos atribuir ΔQ_{pol} a uma distribuição volumétrica de carga com uma densidade ρ_{pol}, e então

$$\Delta Q_{pol} = \int_V \rho_{pol}\,dV. \tag{10.14}$$

A combinação dessas duas equações fornece

$$\int_V \rho_{pol}\,dV = -\int_S \boldsymbol{P}\cdot\boldsymbol{n}\,da. \tag{10.15}$$

Temos um tipo de teorema de Gauss que relaciona a densidade de carga dos materiais polarizados com o vetor de polarização $\boldsymbol{P}$. Podemos ver que isso concorda com o resultado que obtivemos para a carga de polarização superficial, para o dielétrico em um capacitor de placas paralelas. Usando a Eq. (10.15) com a superfície gaussiana da Figura 10–1, a integral de superfície fornece $P\,\Delta A$, e a carga interna é $\sigma_{pol}\Delta A$, o que fornece, novamente, $\sigma_{pol} = P$.

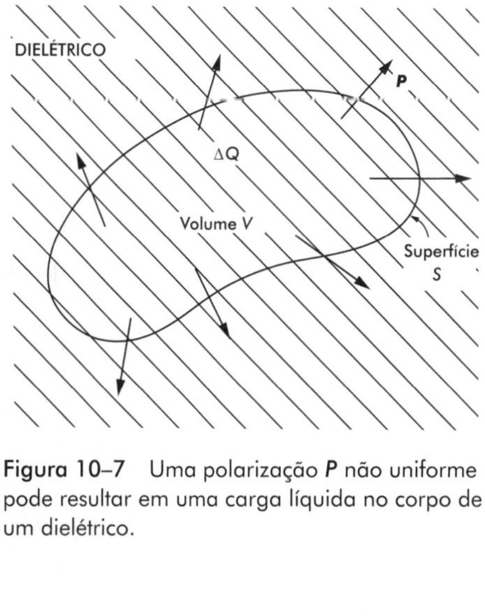

Figura 10–7 Uma polarização **P** não uniforme pode resultar em uma carga líquida no corpo de um dielétrico.

Assim como fizemos para a lei de Gauss da eletrostática, podemos converter a Eq. (10.15) a uma forma diferencial – usando o teorema matemático de Gauss:

$$\int_S \boldsymbol{P} \cdot \boldsymbol{n}\, da = \int_V \nabla \cdot \boldsymbol{P}\, dV.$$

Obtemos

$$\rho_{\text{pol}} = -\nabla \cdot \boldsymbol{P}. \tag{10.16}$$

Se houver uma polarização não uniforme, este divergente fornecerá a densidade de carga líquida que surge no material. Enfatizamos que isso é uma densidade de carga perfeitamente *real*, a qual chamamos de "carga de polarização" apenas para nos lembrarmos de como ela surge.

10–4 As equações eletrostáticas com dielétricos

Combinemos agora os resultados anteriores com a nossa teoria da eletrostática. A equação fundamental é

$$\nabla \cdot \boldsymbol{E} = \frac{\rho}{\epsilon_0}. \tag{10.17}$$

Aqui, ρ é a densidade de *todas* as cargas elétricas. Como não é fácil manter o rastro das cargas de polarização, é conveniente separar ρ em duas partes. Novamente chamaremos ρ_{pol} a densidade de cargas devido às polarizações não lineares, e chamaremos ρ_{livre} às demais densidades de cargas. Normalmente ρ_{livre} é a densidade de cargas que colocamos nos condutores, ou em lugares conhecidos do espaço. A Eq. (10.17) então se torna

$$\nabla \cdot \boldsymbol{E} = \frac{\rho_{\text{livre}} + \rho_{\text{pol}}}{\epsilon_0} = \frac{\rho_{\text{livre}} - \nabla \cdot \boldsymbol{P}}{\epsilon_0},$$

ou

$$\nabla \cdot \left(\boldsymbol{E} + \frac{\boldsymbol{P}}{\epsilon_0}\right) = \frac{\rho_{\text{livre}}}{\epsilon_0}. \tag{10.18}$$

Obviamente, a equação para o rotacional de $\boldsymbol{E}$ permanece inalterada:

$$\nabla \times \boldsymbol{E} = 0. \tag{10.19}$$

Tomando $\boldsymbol{P}$ da Eq. (10.8), obtemos a equação mais simples

$$\nabla \cdot [(1 + \chi)\boldsymbol{E}] = \nabla \cdot (\kappa \boldsymbol{E}) = \frac{\rho_{\text{livre}}}{\epsilon_0}. \tag{10.20}$$

Estas são as equações da eletrostática quando existem dielétricos. Elas, obviamente, não dizem nada de novo, mas estão em uma forma mais conveniente para cálculos nos casos em que ρ_{livre} é conhecido e a polarização $\boldsymbol{P}$ é proporcional ao campo $\boldsymbol{E}$.

Note que não tiramos a "constante" dielétrica κ para fora do divergente. Fizemos isso porque κ pode não ser a mesma em toda parte. Se ela tiver o mesmo valor em toda parte poderá ser posta em evidência, e as equações serão simplesmente aquelas da eletrostática com a densidade de cargas ρ_{livre} dividida por κ. Na forma apresentada, estas equações se aplicam ao caso geral no qual diferentes dielétricos podem estar em diferentes regiões do campo. Neste caso, essas equações podem ser bastante complicadas de se resolver.

Existe um assunto de importância histórica que gostaríamos de mencionar aqui. Nos primórdios da eletricidade, o mecanismo atômico de polarização não era conhecido, e a existência de ρ_{pol} não havia sido reconhecida. A carga ρ_{livre} era considerada a responsável por toda a densidade de carga. Para escrever as equações de Maxwell em uma forma simples, um novo vetor $\boldsymbol{D}$ foi definido como sendo igual a uma combinação linear de $\boldsymbol{E}$ e $\boldsymbol{P}$:

$$\boldsymbol{D} = \epsilon_0 \boldsymbol{E} + \boldsymbol{P}. \tag{10.21}$$

Como resultado, as Eqs. (10.18) e (10.19) eram escritas em uma forma aparentemente muito simples:

$$\nabla \cdot \boldsymbol{D} = \rho_{\text{livre}}, \qquad \nabla \times \boldsymbol{E} = 0. \tag{10.22}$$

Alguém é capaz de resolver essas equações? Apenas se uma terceira equação estabelecendo uma relação entre $\boldsymbol{D}$ e $\boldsymbol{E}$ for dada. Quando a Eq. (10.8) for válida, esta relação será

$$\boldsymbol{D} = \epsilon_0(1 + \chi)\boldsymbol{E} = \kappa\epsilon_0\boldsymbol{E}. \tag{10.23}$$

Essa equação é normalmente escrita como

$$\boldsymbol{D} = \epsilon\boldsymbol{E}, \tag{10.24}$$

onde ϵ continua sendo outra constante que descreve a propriedade dielétrica do material. Esta constante é chamada de "permissividade" (agora você vê por que temos ϵ_0 em nossas equações, ele é a "permissividade do espaço vazio"). Evidentemente,

$$\epsilon = \kappa\epsilon_0 = (1 + \chi)\epsilon_0. \tag{10.25}$$

Atualmente, olhamos para este assunto sob um outro ponto de vista, a saber, que temos equações mais simples para o vácuo, e se exibirmos em cada caso todas as cargas, independentemente de sua origem, as equações sempre estarão corretas. Se, por conveniência ou porque não queremos discutir detalhadamente o que está ocorrendo, separarmos algumas das cargas, podemos escrever as nossas equações de outra forma que pode ser mais conveniente.

Mais um ponto deve ser enfatizado. Uma equação como $\boldsymbol{D} = \epsilon\boldsymbol{E}$ é uma tentativa de descrever uma propriedade da matéria. No entanto, a matéria é extremamente complicada, e uma equação como essa de fato não está correta. Por exemplo, se $\boldsymbol{E}$ se tornar muito grande, $\boldsymbol{D}$ não será mais proporcional a $\boldsymbol{E}$. Para algumas substâncias, a proporcionalidade desaparece mesmo para campos relativamente fracos. Além disso, a "constante" de proporcionalidade pode depender de quão rapidamente $\boldsymbol{E}$ está variando com o tempo. Portanto, esse tipo de equação é uma forma de aproximação, como a Lei de Hooke. Ela não pode ser uma equação profunda e fundamental. Por outro lado, nossas equações fundamentais para $\boldsymbol{E}$, (10.17) e (10.19), representam nossa mais profunda e completa compreensão da eletrostática.

10–5 Campos e forças com dielétricos

Provaremos agora um teorema bastante geral da eletrostática em situações nas quais os dielétricos estão presentes. Vimos que a capacitância de um capacitor de placas paralelas aumenta por um fator definido se esse capacitor for preenchido com um dielétrico. Podemos mostrar que isso é verdade para um capacitor com *qualquer* formato, contanto que toda a região na vizinhança dos dois condutores seja preenchida com um dielétrico linear uniforme. Sem o dielétrico, as equaçoes a serem resolvidas sao

$$\nabla \cdot \boldsymbol{E}_0 = \frac{\rho_{\text{livre}}}{\epsilon_0} \qquad \text{e} \qquad \nabla \times \boldsymbol{E}_0 = 0.$$

Com a presença do dielétrico, a primeira destas equações se modifica; no lugar das expressões acima, temos as equações

$$\nabla \cdot (\kappa\boldsymbol{E}) = \frac{\rho_{\text{livre}}}{\epsilon_0} \qquad \text{e} \qquad \nabla \times \boldsymbol{E} = 0. \tag{10.26}$$

Agora, como estamos supondo que κ é o mesmo em toda parte, essas duas últimas equações podem ser escritas como

$$\nabla \cdot (\kappa \boldsymbol{E}) = \frac{\rho_{\text{livre}}}{\epsilon_0} \qquad \text{e} \qquad \nabla \times (\kappa \boldsymbol{E}) = 0. \tag{10.27}$$

Temos, portanto, as mesmas equações para $\kappa \boldsymbol{E}$ que tínhamos para $\boldsymbol{E}_0$, assim elas têm como solução $\kappa \boldsymbol{E} = \boldsymbol{E}_0$. Em outras palavras, o campo em toda parte é menor por um fator $1/\kappa$ que aquele do caso sem o dielétrico. Como a diferença de voltagem é uma integral de linha do campo, a voltagem se reduz pelo mesmo fator. Como as cargas nos eletrodos do capacitor são consideradas as mesmas em ambos os casos, a Eq. (10.2) nos diz que a capacitância, no caso de um dielétrico uniforme, aumenta por um fator κ.

Perguntemos agora que *força* pode existir entre dois condutores carregados em um dielétrico. Consideraremos um líquido dielétrico que seja homogêneo em toda parte. Vimos anteriormente que uma forma de se obter a força é diferenciar a energia com respeito a uma distância apropriada. Se os condutores tiverem uma carga igual e oposta, a energia será $U = Q^2/2C$, onde C é a capacitância dos condutores. Usando o princípio do trabalho virtual, qualquer componente será dada por uma diferenciação; por exemplo,

$$F_x = -\frac{\partial U}{\partial x} = -\frac{Q^2}{2}\frac{\partial}{\partial x}\left(\frac{1}{C}\right). \tag{10.28}$$

Como o dielétrico aumenta a capacitância por um fator κ, todas as forças serão *reduzidas* pelo mesmo fator.

Um ponto deve ser enfatizado. O que dissemos é verdade apenas se o dielétrico for um líquido. Qualquer movimento de condutores que estejam embutidos em um dielétrico sólido mudará as condições de tensão do dielétrico e alterará suas propriedades elétricas, além de causar alguma mudança na energia mecânica do dielétrico. Mover os condutores em um líquido não altera o líquido. O líquido move-se para uma nova posição, mas suas características elétricas não se alteram.

Muitos outros livros sobre eletricidade começam com a lei "fundamental" de que a força entre duas cargas é

$$F = \frac{q_1 q_2}{4\pi\epsilon_0 \kappa r^2}, \tag{10.29}$$

um ponto de vista completamente insatisfatório. Isso em geral não é verdade; isso é verdade apenas para um mundo preenchido com um líquido. Em segundo lugar, isso depende do fato de κ ser uma constante, o que é apenas uma aproximação para a maioria dos materiais reais. Muito melhor é começar com a lei de Coulomb para cargas no *vácuo*, que está sempre correta (para cargas estacionárias).

O que acontece em um sólido? Isso é um problema muito difícil que ainda não foi resolvido, porque é, em certo sentido, indeterminado. Se você colocar cargas dentro de um dielétrico sólido, haverá muitos tipos de pressões e tensões. Você não poderá operar com o trabalho virtual sem incluir também a energia mecânica necessária para comprimir o sólido, e é uma questão difícil, falando genericamente, fazer uma distinção unívoca entre as forças elétricas e as forças mecânicas devido ao próprio material sólido. Felizmente, ninguém jamais precisou realmente saber a resposta para essa questão. Algumas vezes alguém pode querer saber quanta tensão existe em um sólido, e isso pode ser calculado, mas é muito mais complicado que o resultado simples que obtivemos para os líquidos.

Um problema surpreendentemente complicado na teoria dos dielétricos é o seguinte: por que um objeto carregado captura pequenos pedaços de dielétrico? Se você pentear seus cabelos em um dia seco, o pente imediatamente capturará pequenos pedaços de papel. Se você pensar casualmente sobre isso, provavelmente suporá que o pente tem uma certa carga e o papel tem uma carga oposta, mas o papel está, inicialmente, eletricamente neutro. Ele não tem qualquer carga líquida, mas é atraído mesmo assim. É verdade que algumas vezes o papel será atraído pelo pente para em seguida voar para longe, repelido imediatamente após tocar o pente. A razão é, claro, que quando o papel toca o pente, ele captura algumas cargas negativas e, então, as cargas iguais se repelem, mas isso não responde à questão original. Por que o papel vai em direção ao pente?

A resposta está relacionada com a polarização de um dielétrico quando este é colocado em um campo elétrico. Existem cargas de polarização de ambos os sinais, que estão sendo atraídas e repelidas pelo pente. Entretanto, há uma atração líquida, porque o campo próximo ao pente é mais forte que o campo mais distante – o pente não é uma folha infinita. Sua carga está localizada. Um pedaço neutro de papel dentro de um capacitor de placas paralelas não seria atraído por nenhuma das placas. A variação do campo é uma parte essencial do mecanismo de atração.

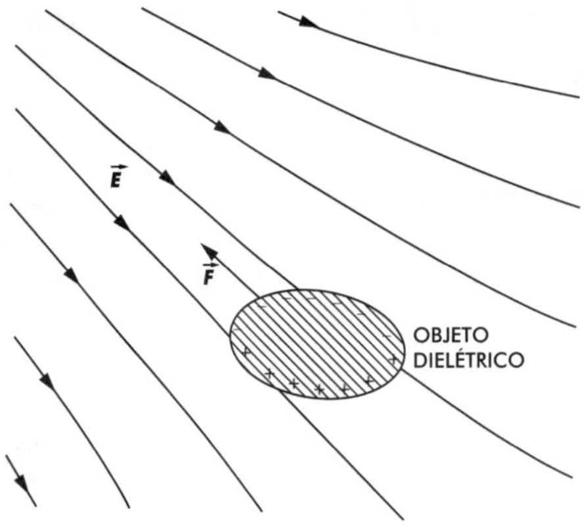

Figura 10–8 Um objeto dielétrico em um campo não uniforme sente uma força em direção às regiões onde o campo é mais intenso.

Como ilustrado na Figura 10–8, um dielétrico sempre é puxado de uma região de campo mais fraco para uma região onde o campo é mais forte. Na verdade, pode-se provar que, para objetos pequenos, a força é proporcional ao gradiente do *quadrado* do campo elétrico. Por que isto depende do quadrado do campo? Porque as cargas de polarização induzidas são proporcionais ao campo, e nestas cargas a força é proporcional ao campo. Entretanto, como acabamos de indicar, haverá uma força *resultante* apenas se o quadrado do campo estiver mudando de ponto a ponto. Portando, a força é proporcional ao gradiente do quadrado do campo. A constante de proporcionalidade envolve, entre outras coisas, a constante dielétrica do objeto, e depende também do tamanho e da forma do objeto.

Há um outro problema relacionado com este assunto no qual a força em um dielétrico pode ser determinada com enorme precisão. Se tivermos um capacitor de placas paralelas com uma lâmina de dielétrico apenas parcialmente inserida, como mostrado na Figura 10–9, haverá uma força puxando a folha para dentro. Um exame detalhado da força é bastante complicado e está relacionado com a não uniformidade do campo próximo às bordas do dielétrico e das placas. Entretanto, se não olharmos para os detalhes e apenas usarmos o princípio da conservação de energia, poderemos facilmente calcular a força. Podemos encontrar a força por meio da fórmula que deduzimos anteriormente. A Eq. (10.28) é equivalente a

$$F_x = -\frac{\partial U}{\partial x} = +\frac{V^2}{2}\frac{\partial C}{\partial x}. \tag{10.30}$$

Precisamos apenas encontrar como a capacitância varia com a posição da lâmina dielétrica.

Vamos supor que o comprimento total das placas seja L, que a largura seja W, que a separação das placas e a espessura do dielétrico seja d e que a distância que o dielétrico foi inserido seja x. A capacitância é a razão entre a carga total livre nas placas com a voltagem entre as placas. Vimos anteriormente que, para uma dada voltagem V, a densidade superficial de cargas livres é $\kappa\epsilon_0 V/d$. Assim, a carga total nas placas é

$$Q = \frac{\kappa\epsilon_0 V}{d}\,xW + \frac{\epsilon_0 V}{d}\,(L - x)W,$$

de onde obtemos a capacitância:

$$C = \frac{\epsilon_0 W}{d}\,(\kappa x + L - x). \tag{10.31}$$

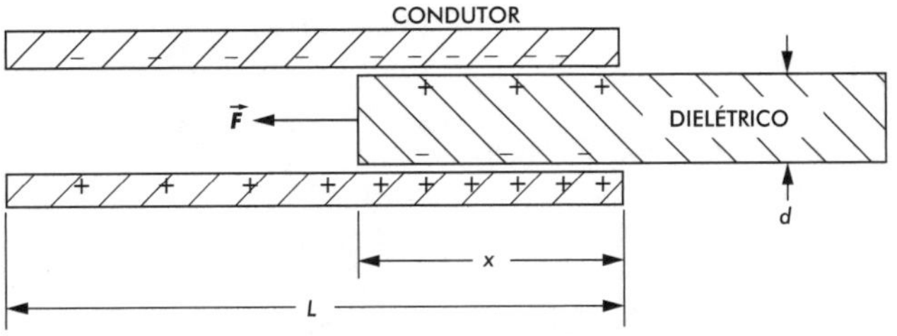

Figura 10–9 A força em uma folha dielétrica em um capacitor de placas paralelas pode ser calculada aplicando-se o princípio de conservação da energia.

Usando (10.30), temos

$$F_x = \frac{V^2}{2}\frac{\epsilon_0 W}{d}(\kappa - 1). \tag{10.32}$$

Esta não é uma equação particularmente útil, a menos que você precise saber a força em uma situação como esta. Apenas quisemos mostrar que a teoria da energia pode frequentemente ser usada para evitar enormes complicações na determinação das forças em materiais dielétricos – como aconteceu no presente caso.

Nossa discussão da teoria dos dielétricos abordou apenas fenômenos elétricos, aceitando o fato de que a polarização do material é proporcional ao campo elétrico. O porquê de essa proporcionalidade existir talvez seja de maior interesse para a física. Uma vez que tenhamos entendido a origem da constante dielétrica do ponto de vista atômico, poderemos usar medidas elétricas da constante dielétrica em várias circunstâncias para obter informações sobre a estrutura atômica ou molecular. Tal aspecto será tratado em parte no próximo capítulo.

11

No Interior dos Dielétricos

Revisão: Capítulo 31, Vol. I, *A Origem do Índice de Refração*
Capítulo 40, Vol. I, *Os Princípios da Mecânica Estática*

11–1 Dipolos moleculares

Neste capítulo, discutiremos por que certos materiais são dielétricos. No capítulo anterior, afirmamos que poderíamos entender as propriedades dos sistemas elétricos com dielétricos, desde que compreendêssemos que quando um campo elétrico é aplicado a um dielétrico, esse campo induz um momento de dipolo nos átomos. Especificamente, se o campo elétrico E induz um momento de dipolo médio P, por unidade de volume, então κ, a constante dielétrica, é dada por

$$\kappa - 1 = \frac{P}{\epsilon_0 E}. \tag{11.1}$$

Já discutimos como essa equação é aplicada; agora, temos de discutir o mecanismo com o qual surge a polarização quando existe um campo elétrico dentro do material. Começaremos com o exemplo mais simples possível – a polarização dos gases, mas mesmo os gases já possuem complicações: existem dois tipos. As moléculas de alguns gases, como o oxigênio, que contém um par simétrico de átomos em cada molécula, não tem nenhum momento de dipolo inerente. Já as moléculas de outros gases, como o vapor d'água (que tem um arranjo assimétrico de átomos de hidrogênio e oxigênio), carregam um momento de dipolo permanente. Como indicamos no Capítulo 6, nas moléculas de vapor d'água existe em média um excesso de carga positiva nos átomos de hidrogênio e um de carga negativa nos de oxigênio. Como os centros de gravidade das cargas negativa e positiva não coincidem, a distribuição total de carga da molécula apresenta um momento de dipolo. Estas moléculas são chamadas de moléculas *polares*. No oxigênio, devido à simetria da molécula, o centro de gravidade das cargas positivas e negativas é o mesmo, então esta é uma molécula *apolar*. Entretanto, esta molécula apolar se tornará um dipolo quando colocada em um campo elétrico. A forma dos dois tipos de moléculas está esboçada na Figura 11–1.

11–2 Polarização eletrônica

Discutiremos primeiro a polarização das moléculas apolares. Podemos começar com o caso mais simples de um gás monoatômico (por exemplo, o hélio). Quando um átomo deste tipo de gás está em um campo elétrico, os elétrons são puxados para um lado pelo campo, enquanto os núcleos são puxados para o outro lado, como mostrado na Figura 10.4. Embora os átomos sejam muito rígidos com respeito às forças elétricas que podemos aplicar experimentalmente, existe um ligeiro deslocamento líquido dos centros das cargas, o que induz um momento de dipolo. Para campos fracos, a quantidade do deslocamento, e portanto o momento de dipolo, é proporcional ao campo elétrico. O deslocamento da distribuição de elétrons, que produz este tipo de momento de dipolo induzido, é chamado de *polarização eletrônica*.

Já estudamos a influência de um campo elétrico em um átomo no Capítulo 31 do Vol. I, quando tratamos com a teoria do índice de refração. Se você pensar sobre isso por um momento, verá que agora precisamos fazer exatamente o mesmo que fizemos naquele capítulo. No entanto, agora precisamos nos preocupar apenas com campos que não variam com o tempo, enquanto o índice de refração depende de campos que variam com o tempo.

No Capítulo 31 do Vol. I, supusemos que, quando um átomo é colocado em um campo elétrico oscilante, o centro de carga dos elétrons obedece à equação

$$m\frac{d^2x}{dt^2} + m\omega_0^2 x = q_e E. \tag{11.2}$$

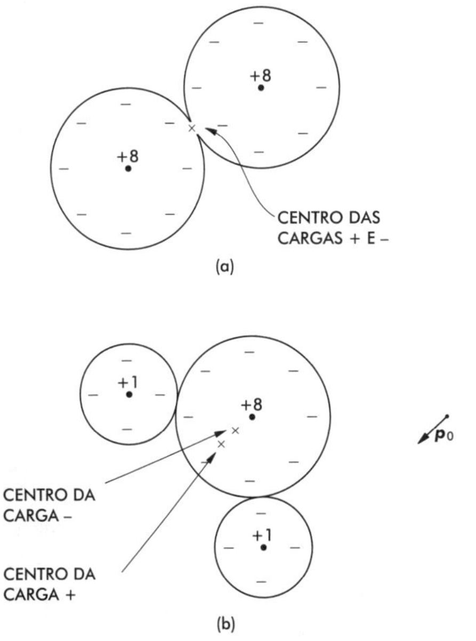

Figura 11–1 (a) Uma molécula de oxigênio com momento de dipolo nulo. (b) A molécula de água possui um momento de dipolo permanente $\mathbf{p}_0$.

O primeiro termo é a massa do elétron vezes sua aceleração e o segundo é uma força restauradora, enquanto o lado direito é a força do campo elétrico externo. Se o campo elétrico variar com uma frequência ω, a Eq. (11.2) tem solução

$$x = \frac{q_e E}{m(\omega_0^2 - \omega^2)}, \tag{11.3}$$

que tem uma ressonância em $\omega = \omega_0$. Quando encontramos esta solução anteriormente, a interpretamos dizendo que ω_0 era a frequência com que a luz (na região óptica ou na ultravioleta, dependendo do átomo) era absorvida. Para os nossos propósitos, entretanto, precisamos apenas dos casos em que os campos são constantes, ou seja, quando $\omega = 0$, o que nos permite desconsiderar o termo com a aceleração em (11.2), e encontramos que o deslocamento vale

$$x = \frac{q_e E}{m\omega_0^2}. \tag{11.4}$$

Dessa expressão, vemos que o momento de dipolo p de um único átomo é

$$p = q_e x = \frac{q_e^2 E}{m\omega_0^2}. \tag{11.5}$$

Nesta teoria o momento de dipolo p é de fato proporcional ao campo elétrico.

Costuma-se escrever

$$\boldsymbol{p} = \alpha\epsilon_0 \boldsymbol{E}. \tag{11.6}$$

Novamente, o ϵ_0 é colocado por razões históricas. A constante α é chamada de polarizabilidade do átomo e tem dimensão L^3. Ela é uma medida da facilidade com que um campo elétrico induz um momento no átomo. Comparando (11.5) e (11.6), nossa teoria simples diz que

$$\alpha = \frac{q_e^2}{\epsilon_0 m\omega_0^2} = \frac{4\pi e^2}{m\omega_0^2}. \tag{11.7}$$

Se houver N átomos em um volume unitário, a polarização P – o momento de dipolo por unidade de volume – é dada por

$$\boldsymbol{P} = N\boldsymbol{p} = N\alpha\epsilon_0 \boldsymbol{E}. \tag{11.8}$$

Colocando (11.1) e (11.8) juntas, temos

$$\kappa - 1 = \frac{P}{\epsilon_0 E} = N\alpha \tag{11.9}$$

ou, usando (11.7),

$$\kappa - 1 = \frac{4\pi N e^2}{m\omega_0^2}. \tag{11.10}$$

Da Eq. (11.10) podemos predizer que a constante dielétrica κ de diferentes gases deve depender da densidade do gás e da frequência ω_0 de sua absorção óptica.

Nossa fórmula é, obviamente, apenas uma aproximação simples e grosseira, porque na Eq. (11.2) tomamos um modelo que ignora as complicações da mecânica quântica. Por exemplo, supusemos que um átomo tem apenas uma frequência de ressonância, enquanto, na verdade, ele tem várias. Para calcular apropriadamente a polarizabilidade α dos átomos, devemos usar a teoria quântica completa, mas as ideias clássicas anteriores nos dão uma estimativa razoável.

Vamos ver se podemos obter a ordem de magnitude correta para a constante dielétrica de alguma substância. Tentemos com o hidrogênio. Anteriormente, estimamos

(Capítulo 38, Vol. I) que a energia necessária para ionizar o átomo de hidrogênio deve ser aproximadamente

$$E \approx \frac{1}{2}\frac{me^4}{\hbar^2}. \tag{11.11}$$

Como estimativa da frequência natural ω_0, podemos fazer essa energia igual a $\hbar\omega_0$ – a energia de uma oscilação atômica cuja frequência natural é ω_0. Temos

$$\omega_0 \approx \frac{1}{2}\frac{me^4}{\hbar^3}.$$

Se usarmos agora esse valor de ω_0 na Eq. (11.7), encontramos para a polarizabilidade eletrônica

$$\alpha \approx 16\pi\left[\frac{\hbar^2}{me^2}\right]^3. \tag{11.12}$$

A quantidade ($\hbar^2/me^2$) é o raio do estado fundamental da órbita de um átomo de Bohr (veja o Capítulo 38, Vol. I) e vale 0,528 angstrons. Em um gás em condições normais de pressão e temperatura (1 atmosfera, 0°C), existem $2{,}69 \times 10^{19}$ átomos/cm^3; com isso, a Eq. (11.9) nos fornece

$$\kappa = 1 + (2{,}69 \times 10^{19})16\pi(0{,}528 \times 10^{-8})^3 = 1{,}00020. \tag{11.13}$$

As medidas para a constante dielétrica do gás de hidrogênio fornecem

$$\kappa_{\text{exp}} = 1{,}00026.$$

Vemos que nossa teoria está aproximadamente correta. Não poderíamos esperar nada melhor, porque as medidas foram, obviamente, feitas com um gás de hidrogênio normal, que tem moléculas diatômicas e não átomos isolados. Não devemos ficar surpresos se a polarização dos átomos em uma molécula não for exatamente a mesma que a dos átomos separados. O efeito molecular, entretanto, não é tão grande. Um cálculo exato de α do átomo de hidrogênio, usando a mecânica quântica, fornece um resultado 12% maior que (11.12) (o 16π é substituído por 18π), e, portanto, prediz uma constante dielétrica um pouco mais próxima da observada. De qualquer forma, está claro que nosso modelo do dielétrico é satisfatório.

Outra verificação da nossa teoria é tentar usar a Eq. (11.7) em átomos que têm uma alta frequência de excitação. Por exemplo, precisamos de cerca de 24,6 elétron-volts para arrancar o elétron de um átomo de hélio, em comparação com 13,6 elétron-volts necessários para ionizar o hidrogênio. Podemos, portanto, esperar que a frequência de absorção ω_0 do átomo de hélio seja aproximadamente o dobro da do hidrogênio e que α seja um quarto do anterior. Esperamos, a partir de (11.13), que

$$\kappa_{\text{hélio}} \approx 1{,}000050.$$

Experimentalmente,

$$\kappa_{\text{hélio}} = 1{,}000068,$$

que mostra que nossas estimativas grosseiras estão no caminho certo. Portanto, entendemos a constante dielétrica de um gás apolar, mas apenas qualitativamente, porque ainda não usamos a teoria atômica correta do movimento dos elétrons atômicos.

11–3 Moléculas polares; orientação de polarização

Em seguida, consideraremos uma molécula que carrega um momento de dipolo permanente p_0 – como a molécula de água. Na ausência de campo elétrico, os dipolos individuais apontam em direções aleatórias, de sorte que o momento resultante por unidade de volume

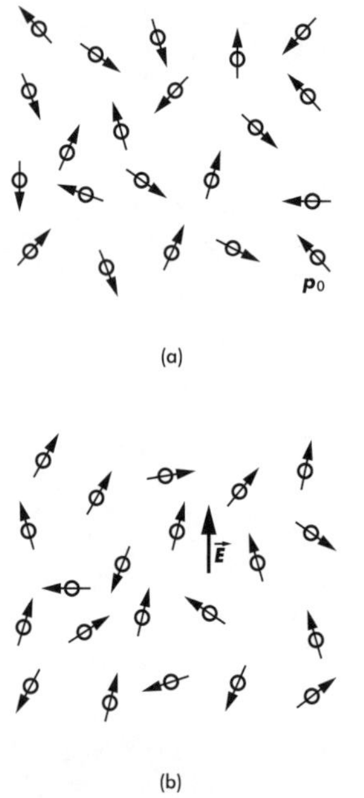

Figura 11–2 (a) Em um gás de moléculas polares, os momentos individuais estão orientados aleatoriamente; o momento médio em um pequeno volume é zero. (b) Quando existe um campo elétrico, surge um alinhamento médio das moléculas.

é zero. Contudo, quando um campo elétrico é aplicado, duas coisas ocorrem: primeiro existe um momento de dipolo extra devido às forças nos elétrons; esta parte nos dá simplesmente o mesmo tipo de polarização que encontramos para as moléculas apolares. Em trabalhos muito precisos, esse efeito deve, obviamente, ser incluído, mas o desprezaremos no momento (ele sempre pode ser adicionado no final). Em segundo, o campo elétrico tende a alinhar os dipolos individuais, o que acarreta num momento de dipolo resultante por unidade de volume. Se todos os dipolos em um gás estiverem alinhados, pode haver uma polarização muito grande, mas isso não acontece. Nas temperaturas e campos elétricos usuais, as colisões entre as moléculas, em seu movimento térmico, não as permitem se alinharem demais. Contudo, existe um alinhamento líquido e, assim, alguma polarização (veja a Figura 11–2). Essa polarização que surge pode ser calculada por meio dos métodos da mecânica estatística que descrevemos no Capítulo 40 do Vol. I.

Para usar esse método, precisamos conhecer a energia de um dipolo em um campo elétrico. Considere um dipolo com momento $\boldsymbol{p}_0$ em um campo elétrico, como mostrado na Figura 11–3. A energia da carga positiva é $q\phi(1)$, e a energia da carga negativa é $-q\phi(2)$. Assim, a energia do dipolo vale

$$U = q\phi(1) - q\phi(2) = q\boldsymbol{d}\cdot\nabla\phi,$$

ou

$$U = -\boldsymbol{p}_0\cdot\boldsymbol{E} = -p_0E\cos\theta, \tag{11.14}$$

onde θ é o ângulo entre $\boldsymbol{p}_0$ e $\boldsymbol{E}$. Conforme esperamos, a energia é menor quando os dipolos estão alinhados com o campo.

Encontraremos agora, usando os métodos da mecânica estatística, qual é o alinhamento. No Capítulo 40 do Vol. I, encontramos que, no estado de equilíbrio térmico, o número relativo de moléculas com energia potencial U é proporcional a

$$e^{-U/kT}, \tag{11.15}$$

onde $U(x, y, z)$ é a energia potencial como função da posição. Os mesmos argumentos podem mostrar que, usando a Eq. (11.14) para a energia potencial como função do ângulo, o número de moléculas em θ por *unidade de ângulo sólido* é proporcional a $e^{-U/kT}$.

Sendo $n(\theta)$ o número de moléculas por unidade de ângulo sólido em θ, temos

$$n(\theta) = n_0e^{+p_0E\cos\theta/kT}. \tag{11.16}$$

Para temperaturas e campos usuais, o expoente é pequeno, portanto podemos aproximar essa exponencial por:

$$n(\theta) = n_0\left(1 + \frac{p_0E\cos\theta}{kT}\right). \tag{11.17}$$

Podemos determinar n_0 se integrarmos (11.17) em todos os ângulos; o resultado deve ser N, o número total de moléculas por volume. O valor médio do $\cos\theta$ sobre todos os ângulos é zero; consequentemente, a integral será apenas n_0 vezes o ângulo sólido total 4π. Obtemos então

$$n_0 = \frac{N}{4\pi}. \tag{11.18}$$

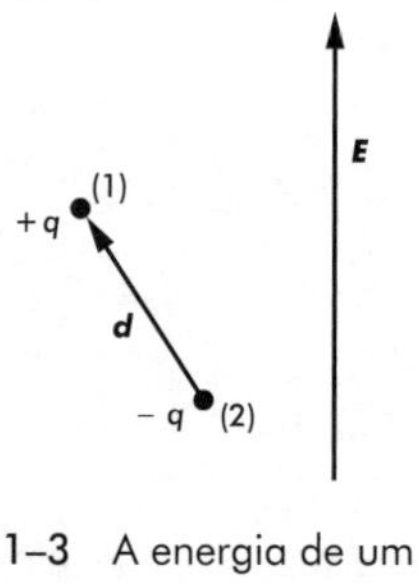

Figura 11–3 A energia de um dipolo $\boldsymbol{p}_0$ em um campo $\boldsymbol{E}$ é $-\boldsymbol{p}_0\cdot\boldsymbol{E}$.

Vemos de (11.17) que haverá mais moléculas orientadas ao longo do campo ($\cos\theta = 1$) que contra o campo ($\cos\theta = -1$). Portanto, em qualquer pequeno volume contendo muitas moléculas haverá um momento de dipolo líquido por unidade de volume – isto é, uma polarização P. Para calcularmos P, precisamos da soma vetorial de todos os momentos moleculares em um volume unitário. Como sabemos que o resultado estará na direção de $\boldsymbol{E}$, somaremos apenas as componentes nesta direção (as componentes perpendiculares a $\boldsymbol{E}$ somarão a zero):

$$P = \sum_{\substack{\text{volume} \\ \text{unitário}}} p_0 \cos \theta_i.$$

Podemos avaliar essa soma integrando sobre a distribuição angular. O ângulo sólido em θ vale 2π sen $\theta\, d\theta$, portanto

$$P = \int_0^{\pi} n(\theta) p_0 \cos \theta\, 2\pi \operatorname{sen} \theta\, d\theta. \tag{11.19}$$

Substituindo $n(\theta)$de (11.17), temos

$$P = -\frac{N}{2}\int_1^{-1}\left(1 + \frac{p_0 E}{kT}\cos\theta\right) p_0 \cos\theta\, d(\cos\theta),$$

que é facilmente integrável fornecendo

$$P = \frac{N p_0^2 E}{3kT}. \tag{11.20}$$

A polarização é proporcional ao campo E, portanto haverá um comportamento dielétrico normal. Além disso, como esperávamos, a polarização depende do inverso da temperatura, porque em altas temperaturas haverá um menor alinhamento devido às colisões. Esta dependência em $1/T$ é chamada de lei de Curie. O momento permanente p_0 aparece ao quadrado pela seguinte razão: em um dado campo elétrico, a força de alinhamento depende de p_0 e o momento médio que é produzido pelo alinhamento também é proporcional a p_0. O momento médio induzido é proporcional a p_0^2.

Devemos tentar agora verificar com que precisão a Eq. (11.20) concorda com a experiência. Vamos examinar o caso do vapor. Uma vez que não conhecemos p_0, não podemos calcular P diretamente, mas a Eq. (11.20) prediz que $\kappa - 1$ deve variar inversamente com a temperatura, e isso podemos verificar.

Da Eq. (11.20) temos

$$\kappa - 1 = \frac{P}{\epsilon_0 E} = \frac{N p_0^2}{3\epsilon_0 kT}, \tag{11.21}$$

portanto $\kappa - 1$ deve variar em proporção direta com a densidade N e inversamente com a temperatura absoluta. A constante dielétrica foi medida em diferentes pressões e temperaturas, escolhidas de forma que o número de moléculas em uma unidade de volume permanecesse fixo[1] (note que se todas as medidas fossem feitas à pressão constante, o número de moléculas por unidade de volume decairia linearmente com o aumento da temperatura, e $\kappa - 1$ variaria com T^{-2} e não com T^{-1}). Na Figura 11–4 mostramos as observações experimentais de $\kappa - 1$ como função de $1/T$. A dependência prevista por (11.21) é bem respeitada.

Existe outra característica da constante dielétrica das moléculas polares – ela varia com a frequência do campo aplicado. Devido ao momento de inércia das moléculas, as moléculas mais pesadas levam um certo tempo para se alinharem na direção do campo. Com isso, se aplicarmos frequências na região das altas micro-ondas, ou acima, a contribuição polar para a constante dielétrica começa a diminuir porque as moléculas não conseguem seguir o campo. Em contraste a isso, a polarização eletrônica continua a mesma até as frequências ópticas, graças à menor inércia dos elétrons.

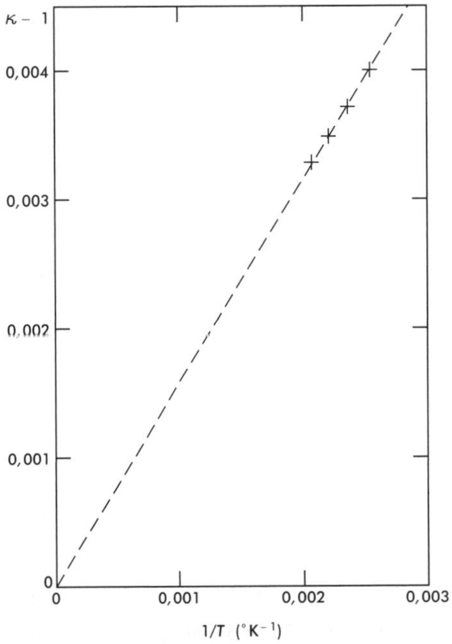

Figura 11–4 Medidas experimentais da constante dielétrica do vapor de água a várias temperaturas.

11–4 Campos elétricos nas cavidades de um dielétrico

Analisaremos agora uma interessante, porém complicada, questão – o problema da constante dielétrica em materiais densos. Suponha que peguemos hélio líquido,

[1] Sänger, Steiger e Gächter, *Helvetica Physica Acta* **5**, 200 (1932).

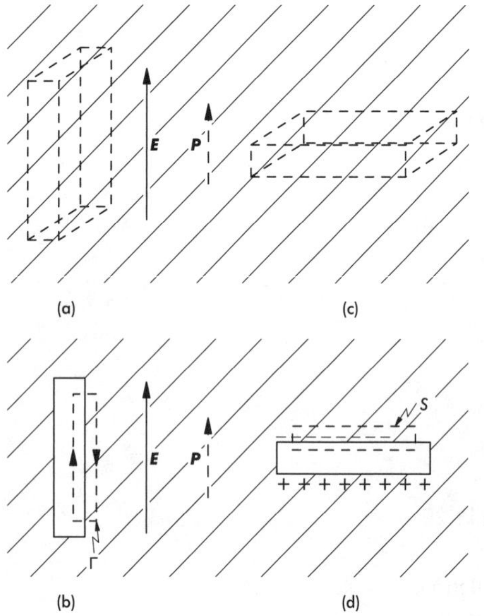

Figura 11–5 O campo em uma fenda cortada em um dielétrico depende da forma e da orientação desta fenda.

argônio líquido ou algum outro material apolar. Ainda esperamos ter uma polarização eletrônica, mas em um material denso, $\boldsymbol{P}$ pode ser grande, de forma que o campo em um átomo individual será influenciado pela polarização dos átomos na vizinhança próxima. A questão é, qual campo elétrico atua em um átomo individual?

Imagine que o líquido seja colocado entre as placas de um condensador. Se as placas estiverem carregadas, elas produzirão um campo elétrico no líquido, mas também existem cargas nos átomos individuais, e o campo total E será a soma de cada um desses efeitos. Este campo elétrico verdadeiro varia muito rapidamente de ponto a ponto no líquido. Ele é muito intenso dentro dos átomos – particularmente bem próximo aos núcleos – e relativamente fraco entre os átomos. A diferença de potencial entre as placas é a integral de linha deste campo total. Se ignorarmos as variações finas, poderemos pensar em um campo elétrico *médio* E, que vale apenas V/d (este é o campo que usamos no capítulo anterior). Devemos pensar neste campo como a média sobre um espaço contendo muitos átomos.

Você pode estar pensando que um átomo "médio" em uma localização "média" poderia sentir este campo médio, mas isto não é tão simples, como podemos mostrar considerando o que acontece se imaginarmos furos com formas diferentes em um dielétrico. Por exemplo, suponha que cortemos uma fenda em um dielétrico polarizado, com a fenda orientada paralela ao campo, como mostrado na parte (a) da Figura 11–5. Como $\nabla \times \boldsymbol{E} = 0$, a integral de linha de $\boldsymbol{E}$ ao redor da curva Γ, mostrada em (b) da figura, deve ser zero. O campo dentro da fenda precisa dar exatamente a contribuição que cancela a parte do campo fora. Consequentemente, o campo E_0 que de fato encontramos no centro de uma fenda longa e delgada é igual a E, o campo elétrico médio encontrado no dielétrico.

Consideraremos agora outra fenda com os lados maiores perpendiculares a E, como mostrado na parte (c) da Figura 11–5. Neste caso, o campo E_0 na fenda não é o mesmo que E porque cargas de polarização aparecerão nas superfícies. Se aplicarmos a lei de Gauss a uma superfície S como a desenhada em (d) da figura, encontramos que o campo E_0 *na fenda* é dado por

$$E_0 = E + \frac{P}{\epsilon_0}, \tag{11.22}$$

onde E é novamente o campo no dielétrico (a superfície gaussiana contém a carga de polarização superficial $\sigma_{pol} = P$). Mencionamos no Capítulo 10 que $\epsilon_0 E + P$ é frequentemente chamado de D, então $\epsilon_0 E_0 = D_0$ é igual a D no dielétrico.

Nos primórdios da história da física, quando se acreditava ser muito importante definir cada quantidade por experiências diretas, as pessoas se deleitaram ao descobrirem que podiam definir o que elas conheciam por E e D em um dielétrico sem terem de se esgueirar entre os átomos. O campo médio E é numericamente igual ao campo E_0 que seria medido em uma fenda, cortada paralela ao campo; o campo D poderia ser medido encontrando E_0 de uma fenda cortada normal ao campo. Ainda assim, ninguém nunca os mediu dessa maneira; consequentemente, essa era apenas umas destas questões filosóficas.

Para diversos líquidos que não têm uma estrutura muito complicada, podemos esperar que um átomo se encontre, em média, cercado por outros átomos no que pode ser tratado, em uma boa aproximação, como uma *cavidade esférica*. Podemos então perguntar: "Como é o campo em uma cavidade esférica?" Podemos encontrá-lo observando que se nos imaginarmos entalhando uma cavidade esférica em um material uniformemente polarizado, estaremos apenas removendo uma esfera de material polarizado (devemos

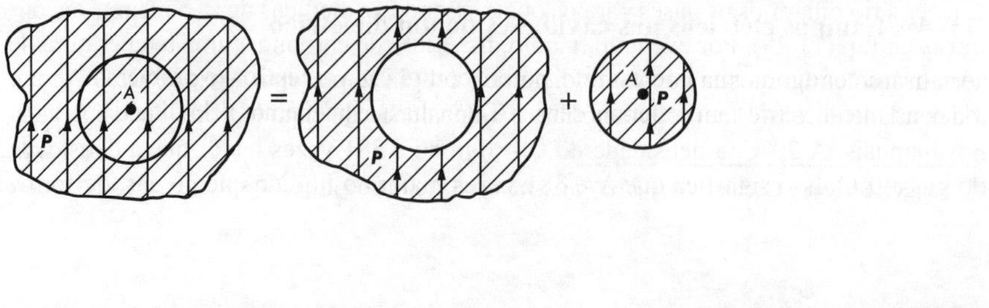

Figura 11–6 O campo em qualquer ponto A em um dielétrico pode ser considerado como a soma do campo de uma cavidade esférica mais o campo devido a uma tampa esférica.

imaginar que a polarização tenha sido "congelada" antes de cortarmos a cavidade). Pela superposição, entretanto, os campos dentro do dielétrico, antes da esfera ser removida, são a soma dos campos de todas as cargas fora do volume esférico mais os campos das cargas dentro da esfera polarizada. Isto é, se chamarmos de E o campo no dielétrico uniforme, podemos escrever

$$E = E_{\text{cav}} + E_{\text{tampa}} \tag{11.23}$$

onde E_{cav} é o campo na cavidade e E_{tampa} é o campo dentro de uma esfera uniformemente polarizada (veja a Figura 11–6). O campo criado por uma esfera uniformemente polarizada é mostrado na Figura 11–7. O campo elétrico dentro da esfera é uniforme, e seu valor é

$$E_{\text{tampa}} = -\frac{P}{3\epsilon_0}. \tag{11.24}$$

Usando (11.23), obtemos

$$E_{\text{cav}} = E + \frac{P}{3\epsilon_0}. \tag{11.25}$$

O campo em uma cavidade esférica é maior que o campo médio pela quantidade $P/3\epsilon_0$ (a cavidade esférica fornece um campo que está a 1/3 entre os campos de uma fenda paralela e uma perpendicular ao campo).

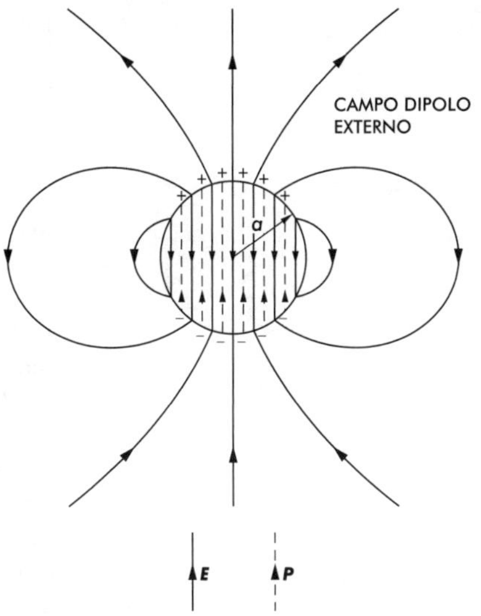

Figura 11–7 O campo elétrico de uma esfera uniformemente polarizada.

11–5 A constante dielétrica dos líquidos; a equação de Clausius-Mossotti

Em um líquido esperamos que o campo que polarizará um átomo individual seja mais parecido com E_{cav} que simplesmente com E. Se usarmos E_{cav} de (11.25) para o campo de polarização na Eq. (11.6), então a Eq. (11.8) se torna

$$P = N\alpha\epsilon_0\left(E + \frac{P}{3\epsilon_0}\right), \tag{11.26}$$

ou

$$P = \frac{N\alpha}{1 - (N\alpha/3)}\,\epsilon_0 E. \tag{11.27}$$

Lembrando que $\kappa - 1$ é simplesmente $P/\epsilon_0 E$, temos

$$\kappa - 1 = \frac{N\alpha}{1 - (N\alpha/3)}, \tag{11.28}$$

que nos dá a constante dielétrica de um líquido em termos de α, a polarizabilidade atômica. Esta é a chamada equação de *Clausius-Mossotti.*

Sempre que $N\alpha$ for muito pequeno, como no caso dos gases (porque a densidade N é pequena), o termo $N\alpha/3$ pode ser desprezado em comparação com 1, e temos então nosso antigo resultado, a Eq. (11.9), ou seja,

$$\kappa - 1 = N\alpha. \tag{11.29}$$

Vamos comparar a Eq. (11.28) com alguns resultados experimentais. Inicialmente é necessário olharmos os gases para os quais, usando as medidas de κ, podemos encontrar α da Eq. (11.29). Por exemplo, para o dissulfeto de carbono a uma temperatura de zero graus centígrados, a constante dielétrica é 1,0029, portanto $N\alpha$ é 0,0029. Agora, a densidade do gás é facilmente obtida, e a densidade do líquido pode ser consultada nos manuais. A 20°C, a densidade do CS_2 líquido é 381 vezes maior que a densidade do gás a 0°C. Isso significa que N é 381 vezes maior no líquido que no gás, de forma que – se fizermos a aproximação de que a polarizabilidade atômica básica do dissulfeto de carbono não muda quando ele se condensa em um líquido – $N\alpha$ no líquido é igual a 381 vezes 0,0029, ou 1,11. Note que o termo $N\alpha/3$ chega a valer quase 0,4, então isso é bastante significativo. Com esses números, podemos prever uma constante dielétrica de 2,76, que concorda razoavelmente com o valor observado de 2,64.

Na Tabela 11-1, damos alguns dados experimentais de vários materiais (retirados do *Handbook of Chemistry and Physics*), juntamente às constantes dielétricas calculadas de (11.28) da forma que acabamos de descrever. A concordância entre as observações e a teoria é ainda melhor para o argônio e o oxigênio que para o CS_2 – e não tão boa para o tetracloreto de carbono. Em geral os resultados mostram que a Eq. (11.28) funciona muito bem.

Nossa dedução da Eq. (11.28) é válida apenas para a polarização *eletrônica* em líquidos. Ela não está correta para uma molécula polar como H_2O. Se efetuarmos os mesmos cálculos para a água, obteremos 13,2 para $N\alpha$, o que significa que a constante dielétrica para esse líquido seria *negativa*, enquanto o valor observado para κ é 80. O problema está relacionado com o tratamento correto dos dipolos permanentes, e Onsager mostrou a forma correta de proceder. Não temos tempo para tratar este caso agora, mas se você estiver interessado isso é discutido no livro de Kittel, *Introdução à Física do Estado Sólido*.

11–6 Dielétricos sólidos

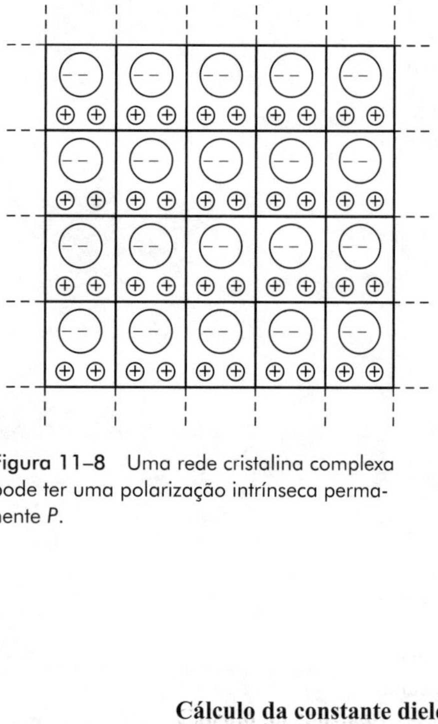

Figura 11–8 Uma rede cristalina complexa pode ter uma polarização intrínseca permanente P.

Analisemos agora os sólidos. O primeiro fato interessante sobre os sólidos é que eles podem ter uma polarização permanente intrínseca – que existe mesmo sem a aplicação de um campo elétrico. Um exemplo ocorre com um material como a cera, a qual apresenta longas moléculas que possuem um momento de dipolo permanente. Se você derreter um pouco de cera e submetê-la a um campo elétrico forte enquanto ela está líquida, de forma que os pequenos dipolos fiquem parcialmente alinhados, esses dipolos permanecerão dessa forma quando o líquido solidificar. O material sólido terá uma polarização permanente que continuará quando o campo for removido. Este tipo de sólido é chamado de *eletreto*.

Um eletreto possui cargas permanentemente polarizadas na sua superfície. Este é o análogo elétrico do magneto. Entretanto, os eletretos não são tão úteis porque as cargas livres do ar são atraídas para a sua superfície, eventualmente cancelando as cargas polarizadas. O eletreto é assim "descarregado", e nenhum campo externo passa a ser percebido.

Uma polarização interna permanente P é também encontrada ocorrendo naturalmente em algumas substâncias cristalinas. Nestes cristais, cada célula unitária da rede possui um momento de dipolo permanente idêntico, como desenhado na Figura 11–8. Todos os dipolos apontam na mesma direção, mesmo quando nenhum campo elétrico é aplicado. Muitos cristais complicados têm, de fato, esta polarização; normalmente não a notamos porque os campos externos são descarregados, como ocorre com os eletretos.

Tabela 11–1

Cálculo da constante dielétrica de líquidos a partir da constante dielétrica dos gases

	Gás			Líquido				
Substância	κ (exp)	$N\alpha$	Densidade	Densidade	Razão*	$N\alpha$	κ (previsto)	κ (exp)
CS_2	1,0029	0,0029	0,00339	1,293	381	1,11	2,76	2,64
O_2	1,000523	0,000523	0,00143	1,19	832	0,435	1,509	1,507
CCl_4	1,0030	0,0030	0,00489	1,59	325	0,977	2,45	2,24
Ar	1,000545	0,000545	0,00178	1,44	810	0,441	1,517	1,54

* Razão = densidade do líquido/densidade do gás.

Se esses momentos de dipolo internos do cristal são alterados, entretanto, surgem campos externos, porque não há tempo para as cargas errantes se amontoarem e cancelarem as cargas de polarização. Se o dielétrico estiver em um condensador, cargas livres serão induzidas nos eletrodos. Por exemplo, os momentos podem ser alterados quando um dielétrico for aquecido, devido à expansão térmica. Este efeito é chamado de *piroeletricidade*. Similarmente, se alterarmos a tensão sobre um cristal – por exemplo, entortando-o –, novamente o momento pode sofrer uma pequena alteração, e um pequeno efeito elétrico, chamado de *piezelétrico*, pode ser detectado.

Para os cristais que não possuem um momento permanente, pode-se desenvolver uma teoria da constante dielétrica que envolva a polarização eletrônica dos átomos. Devemos simplesmente proceder da mesma forma que para um líquido. Alguns cristais possuem também em seu interior dipolos rotativos, e a rotação desses dipolos também contribuirá para κ. Em cristais iônicos, como o NaCl, existe ainda uma *polarizabilidade iônica*. O cristal consiste em um tabuleiro de xadrez de íons positivos e negativos e, em um campo elétrico, os íons positivos são puxados de uma forma e os negativos de outra; existe um movimento líquido relativo das cargas positivas e negativas e, com isso, uma polarização volumétrica. Podemos estimar a magnitude da polarizabilidade iônica por meio de nosso conhecimento da dureza do cristal, mas não entraremos nesse assunto aqui.

11–7 Ferroeletricidade; $BaTiO_3$

Descrevemos agora uma classe especial de cristais que têm, quase que por acidente, um momento permanente intrínseco. A situação é tão marginal que, se aumentarmos a temperatura só um pouco, estes cristais perdem completamente seu momento permanente. Por outro lado, se eles forem cristais aproximadamente cúbicos, de forma que seus momentos possam ser girados em diferentes direções, poderemos detectar uma grande mudança no momento quando alteramos o campo elétrico aplicado. Todos os momentos saltam, e temos um efeito enorme. Substâncias que possuem esse tipo de momento permanente são chamadas de *ferroelétricas*, por analogia com o efeito ferromagnético descoberto primeiramente no ferro.

Gostaríamos de explicar como a ferroeletricidade funciona descrevendo um exemplo particular de material ferroelétrico. Existem várias maneiras com as quais a propriedade ferroelétrica pode se originar; mas tomaremos apenas um caso misterioso – o caso do titanato de bário, $BaTiO_3$. Esse material apresenta uma rede cristalina cujas células básicas estão esquematizadas na Figura 11–9. Verifica-se que, acima de uma certa temperatura, especificamente 118°C, o titanato de bário é um dielétrico comum com uma enorme constante dielétrica. Abaixo dessa temperatura, entretanto, ele subitamente adquire um momento permanente.

No tratamento da polarização de materiais sólidos, tivemos primeiro de encontrar quais eram os campos totais em cada célula unitária. Devemos incluir os campos provenientes da própria polarização, assim como fizemos para o caso de um líquido. No entanto, um cristal não é um líquido homogêneo, de forma que não podemos usar, para o campo local, aquele que obteríamos para uma cavidade esférica. Se você desenvolver isso para um cristal, encontrará que o fator 1/3 na Eq (11.24) se tornará um pouco diferente, mas não muito distante de 1/3 (para um cristal cúbico simples, ele é exatamente 1/3). Assim, suporemos para nossa discussão preliminar que o fator vale 1/3 para o $BaTiO_3$.

Agora, quando escrevemos a Eq. (11.28), você deve ter se perguntado o que aconteceria se $N\alpha$ se tornasse maior que 3. Parece que κ poderia se tornar negativo, mas certamente isso não pode estar correto. Vamos ver o que aconteceria se aumentássemos gradualmente α em um cristal particular. Conforme α fica maior, a polarização aumenta, criando um campo local maior. Um campo local maior irá polarizar mais cada átomo, aumentando ainda mais o campo local. Se os átomos cederem o suficiente, o processo continuará; existe uma espécie de realimentação que faz com que a polarização cresça sem limite – supondo que a polarização de cada átomo aumente proporcionalmente ao campo. A condição de

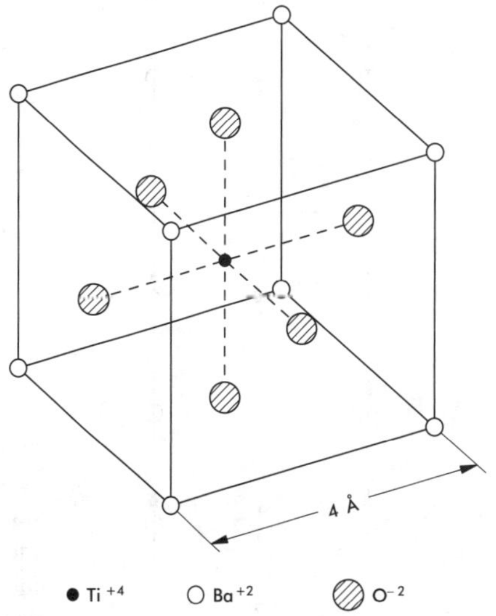

Figura 11–9 A célula unitária do $BaTiO_3$. Os átomos, na verdade, preenchem quase todo o espaço; por clareza, apenas a posição de seus centros é mostrada.

fuga ocorre quando $N\alpha = 3$. A polarização não se torna infinita, obviamente, porque a proporcionalidade entre o momento induzido e o campo elétrico se rompe para campos intensos, de forma que nossas fórmulas não estarão mais corretas. O que ocorre é que a rede se trava com uma enorme polarização interna autoalimentada.

No caso do $BaTiO_3$ existe também, somada com a polarização eletrônica, uma polarização iônica maior ainda, presumivelmente devido ao íon de titânio que pode se mover um pouco dentro da rede cúbica. A rede resiste a grandes movimentos, então, assim que o titânio se afasta um pouco, ele é comprimido e para, mas isso deixa a célula do cristal com um momento de dipolo permanente.

Na maioria dos cristais, essa é realmente a situação para todas as temperaturas que podem ser atingidas. A coisa bastante interessante com relação ao titanato de bário é que existe uma condição delicada na qual, se $N\alpha$ for diminuído só um pouco, ele se destrava. Como N diminui com o aumento da temperatura – devido à expansão térmica –, podemos variar $N\alpha$ variando a temperatura. Abaixo da temperatura crítica, ele está fracamente travado, o que torna fácil – através da aplicação de um campo externo – mudar a polarização e fixá-la em uma direção diferente.

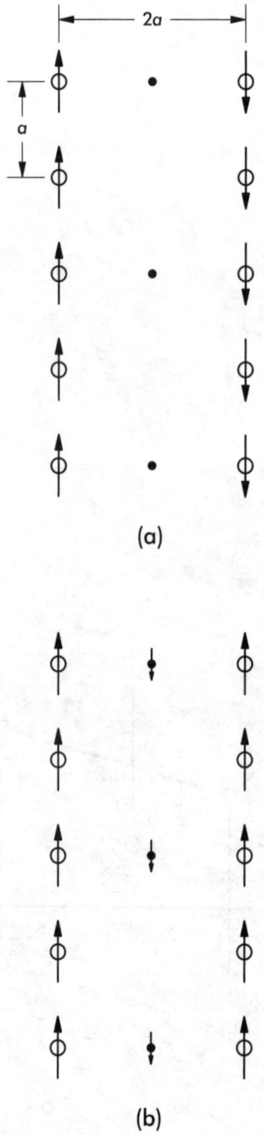

Figura 11–10 Modelo de um ferroelétrico: (a) corresponde a um antiferroelétrico e (b) a um ferroelétrico usual.

Vejamos se podemos analisar o que ocorre mais detalhadamente. Chamemos de T_c a temperatura crítica na qual $N\alpha$ é exatamente 3. Conforme a temperatura aumenta, N diminui um pouco devido à expansão da rede. Como a expansão é pequena, podemos dizer que, próximo à temperatura crítica,

$$N\alpha = 3 - \beta(T - T_c), \tag{11.30}$$

onde β é uma constante pequena, da mesma ordem de magnitude que o coeficiente de expansão térmico, algo entre 10^{-5} e 10^{-6} por grau C. Se substituírmos agora esta relação na Eq. (11.28), teremos que

$$\kappa - 1 = \frac{3 - \beta(T - T_c)}{\beta(T - T_c)/3}.$$

Como supusemos que $\beta(T - T_c)$ é pequeno em comparação a 1, podemos aproximar essa fórmula por

$$\kappa - 1 = \frac{9}{\beta(T - T_c)}. \tag{11.31}$$

Essa relação está correta, obviamente, apenas quando $T > T_c$. Vemos que logo acima da temperatura crítica, κ é enorme. Como $N\alpha$ está muito perto de 3, existe um tremendo efeito de ampliação, e a constante dielétrica pode facilmente aumentar para valores de até 50.000 ou 100.000. Ela também é muito sensível à temperatura. Para aumentos na temperatura, a constante dielétrica diminui inversamente com a temperatura, mas, diferentemente do caso do gás dipolar, para o qual $\kappa - 1$ variava com o inverso da temperatura *absoluta*, para os ferroelétricos ela varia inversamente com a diferença da temperatura absoluta e a temperatura crítica (esta é a chamada lei de Curie-Weiss).

O que acontece quando baixamos a temperatura até a temperatura crítica? Se imaginarmos uma rede de células unitárias como na Figura 11–9, veremos que é possível tomarmos cadeias de íons ao longo de linhas verticais. Uma delas consiste em íons de oxigênio e titânio alternando-se. Há outras linhas constituídas de íons de bário ou de oxigênio, mas o espaçamento ao longo dessas linhas é maior. Faremos um modelo simples para imitar esta situação imaginando, como mostrado na Figura 11–10(a), uma série de cadeias de íons. Ao longo do que chamaremos de cadeia principal, a separação dos íons vale a, que é a *metade* da constante da rede; a distância lateral entre cadeias idênticas vale $2a$. Entre as cadeias principais existem cadeias menos densas que ignoramos por enquanto. Para facilitar a análise, supomos também que todos os íons na cadeia principal sejam idênticos (esta não é uma simplificação muito séria porque todos os efeitos importantes aparecerão. Este é um dos truques da física teórica. Concebe-se um problema diferente porque este é mais fácil de considerar inicialmente – então, quando se entende como as coisas funcionam, é hora de incluir todas as complicações).

Analisemos o que pode acontecer com nosso modelo. Suponhamos que o momento de dipolo de cada átomo seja p e queiramos calcular o campo em uma das cadeias de átomos. Devemos encontrar a soma dos campos devido a todos os outros átomos. Calcularemos primeiro o campo proveniente dos dipolos em apenas uma cadeia vertical; falaremos sobre as outras cadeias depois. O campo a uma distância r do dipolo, em uma direção ao longo do seu eixo, é dado por

$$E = \frac{1}{4\pi\epsilon_0}\frac{2p}{r^3}. \tag{11.32}$$

Para qualquer átomo dado, os dipolos à mesma distância acima e abaixo fornecerão campos na mesma direção assim, para a cadeia inteira, temos

$$E_{\text{cad}} = \frac{p}{4\pi\epsilon_0}\frac{2}{a^3}\cdot\left(2 + \frac{2}{8} + \frac{2}{27} + \frac{2}{64} + \cdots\right) = \frac{p}{\epsilon_0}\frac{0{,}383}{a^3}. \tag{11.33}$$

Não é muito difícil mostrar que, se nosso modelo for como um cristal cúbico completo – isto é, se a próxima linha idêntica estiver apenas a uma distância a –, o número 0,383 poderá ser alterado para 1/3. Em outras palavras, se as próximas linhas estiverem a uma distância a, elas contribuirão apenas com –0,050 unidade para a nossa soma. Entretanto, a próxima cadeia principal que consideramos está à distância de $2a$ e, como você deve se lembrar do Capítulo 7, o campo de uma estrutura periódica cai exponencialmente com a distância. Portanto, estas linhas contribuem bem menos que –0,050, e podemos simplesmente ignorar todas as demais cadeias.

Agora é necessário encontrar qual polarizabilidade α é necessária para fazer o processo de fuga funcionar. Suponha que o momento de dipolo induzido p de cada átomo da cadeia seja proporcional ao campo a que ele está sujeito, como na Figura (11.6). Obtemos o campo de polarização no átomo a partir de E_{cad} usando (11.32). Temos então as duas equações

$$p = \alpha\epsilon_0 E_{\text{cad}}$$

e

$$E_{\text{cad}} = \frac{0{,}383}{a^3}\frac{p}{\epsilon_0}.$$

Existem duas soluções: E_{cad} e p, ambos, nulos ou

$$\alpha = \frac{a^3}{0{,}383},$$

com E_{cad} e p finitos. Assim, se α chegar a valer $a^3/0{,}383$, uma polarização permanente sustentada pelo seu próprio campo estará estabelecida. Essa igualdade crítica deve ser atingida para o titanato de bário exatamente à temperatura T_c (note que se α for maior que o valor crítico para campos pequenos, ele decai em campos mais fortes e, no equilíbrio, a mesma igualdade que encontramos deve ser satisfeita).

Para o $BaTiO_3$, o espaçamento a vale 2×10^{-8} cm, de modo que devemos esperar que $\alpha = 21{,}8 \times 10^{-24}\text{cm}^3$. Podemos comparar esse valor com a polarizabilidade conhecida dos átomos individuais. Para o oxigênio, $\alpha = 30{,}2 \times 10^{-24}$ cm^3; estamos no caminho certo! Contudo, para o titânio, $\alpha = 2{,}4 \times 10^{-24}$ cm^3; pequeno demais. Para usarmos nosso modelo, devemos provavelmente tomar a média (poderíamos calcular a cadeia novamente para átomos alternados, mas o resultado seria praticamente o mesmo). Assim, α (médio) = $16{,}3 \times 10^{-24}$ cm^3, que não é grande o suficiente para criar uma polarização permanente.

Mas espere um momento! Até aqui adicionamos apenas a polarização eletrônica. Existe também alguma polarização iônica decorrente do movimento do íon de titânio. Tudo que precisamos é de uma polarizabilidade iônica de $9{,}2 \times 10^{-24}$ cm^3 (um cálculo mais preciso, usando átomos alternados, mostra que é necessário ter $11{,}9 \times 10^{-24}$ cm^3). Para entender as propriedades do $BaTiO_3$, temos de supor que tal polarizabilidade iônica exista.

Por que o íon de titânio no titanato de bário possui essa polarizabilidade iônica, não se sabe. Além disso, por que, a uma temperatura mais baixa, ele se polariza tanto ao longo da diagonal do cubo quanto da diagonal da face, igualmente não está claro. Se considerarmos o tamanho real das esferas na Figura 11–9 e perguntarmos se o titânio está ligeiramente solto na caixa formada pelos átomos de oxigênio na sua vizinhança – o que seria algo que você poderia esperar, tal que ele pudesse ser facilmente deslocado – encontraremos realmente o contrário. Ele se encaixa de forma bem justa. Os átomos de *bário* estão ligeiramente frouxos, mas se você permitir que sejam eles que se movam, isso não funcionará. Você vê então que o assunto não está realmente 100% claro; ainda existem mistérios que gostaríamos de compreender.

Retornando ao nosso modelo simplificado da Figura 11–10(a), vemos que o campo de uma cadeia tende a polarizar a cadeia vizinha na direção *oposta*, o que significa que, embora cada cadeia possa estar travada, não haveria nenhum momento permanente resultante por unidade de volume! (Embora possa não haver efeitos elétricos externos, ainda poderia restar algum efeito termodinâmico que pudesse ser observado.) Tais sistemas existem e são chamados de *antiferroelétricos*. Portanto, o que explicamos é, na verdade, um antiferroelétrico. O titanato de bário, entretanto, é na verdade parecido com o arranjo da Figura 11–10(b). As cadeias de oxigênio-titânio estão todas polarizadas na mesma direção porque existem cadeias de átomos intermediárias entre elas. Embora os átomos nestas cadeias não estejam muito polarizados, ou muito densos, eles terão alguma polarização, em uma direção antiparalela às cadeias de oxigênio-titânio. O pequeno campo produzido na próxima cadeia de oxigênio-titânio terá seu início paralelo ao primeiro. Assim, o $BaTiO_3$ é realmente um ferromagnético, e isso graças aos átomos intermediários. Você pode estar perguntando: “Mas e quanto ao efeito direto entre as duas cadeias de O-Ti?” Lembre, entretanto, que o efeito direto decresce exponencialmente com a separação; o efeito da cadeia de dipolos *fortes* em $2a$ pode ser menor que o efeito de uma cadeia de dipolos fracos a uma distância a.

Isso completa este relatório bastante detalhado da nossa compreensão atual da constante dielétrica dos gases, líquidos e sólidos.

12

Análogos Eletrostáticos

12–1 As mesmas equações têm as mesmas soluções

A quantidade total de informação sobre o mundo físico adquirida desde o início do progresso da ciência é descomunal, e parece impossível que qualquer pessoa, individualmente, possa saber uma fração razoável deste conhecimento. No entanto, na verdade, é bem possível para um físico manter um amplo conhecimento do mundo físico, ao invés de se tornar um especialista em alguma área restrita. Há três razões para isso: primeiro, existem grandes princípios que se aplicam a todos os diferentes tipos de fenômenos – como o princípio da conservação da energia e do momento angular. Uma compreensão minuciosa de tais princípios fornece, de uma só vez, o entendimento de várias coisas. Além disso, existe o fato de que vários fenômenos complicados, como o comportamento dos sólidos comprimidos, na verdade dependem basicamente de forças elétricas e quânticas, de modo que, ao se compreender as leis fundamentais da eletricidade e da mecânica quântica, haverá pelo menos a possibilidade de se compreender muitos dos fenômenos que ocorrem em situações complicadas. E, finalmente, existe uma coincidência notável: *as equações de muitas situações físicas diferentes têm exatamente a mesma aparência.* Obviamente, os símbolos podem ser diferentes – uma letra é substituída por outra –, mas a forma matemática das equações é a mesma. Isso significa que, tendo-se estudado um assunto, adquirimos imediatamente um conhecimento direto e preciso sobre as soluções do outro problema.

Estamos agora terminando com o assunto da eletrostática, e em breve entraremos no estudo do magnetismo e da eletrodinâmica. Antes disso, gostaríamos de mostrar que, enquanto aprendíamos sobre a eletrostática, estávamos simultaneamente aprendendo sobre um grande número de outros assuntos. Descobriremos que as equações da eletrostática aparecem em vários outros lugares em física. Por meio de uma tradução direta das soluções (obviamente, a mesma equação matemática deve ter a mesma solução), é possível resolver problemas em outros campos com a mesma facilidade – ou com a mesma dificuldade – que na eletrostática.

As equações da eletrostática, como sabemos, são

$$\nabla \cdot (\kappa \boldsymbol{E}) = \frac{\rho_{\text{livre}}}{\epsilon_0}, \tag{12.1}$$

$$\nabla \times \boldsymbol{E} = 0. \tag{12.2}$$

Consideramos as equações da eletrostática com dielétricos, pois assim teremos a situação mais geral. A mesma física pode ser expressa em outra forma matemática:

$$\boldsymbol{E} = -\nabla\phi, \tag{12.3}$$

$$\nabla \cdot (\kappa\, \nabla\phi) = -\frac{\rho_{\text{livre}}}{\epsilon_0}. \tag{12.4}$$

O ponto agora é que existem muitos problemas físicos cujas equações matemáticas possuem a mesma forma. Há um potencial (ϕ) cujo gradiente multiplicado por um escalar (κ) tem um divergente igual a outra função escalar ($-\rho_{\text{livre}}/\epsilon_0$).

Tudo aquilo que sabemos sobre a eletrostática pode imediatamente ser transferido ao outro assunto, e vice-versa (isso funciona nas duas direções – se o outro assunto tiver alguma característica particular que conhecemos, podemos então aplicar este conhecimento para o problema eletrostático correspondente). Vamos considerar uma série de exemplos de diferentes assuntos que produzem equações desta forma.

12–2 O fluxo de calor; uma fonte pontual próxima a uma fronteira plana infinita

Discutimos um exemplo anteriormente (Seção 3-4) – o fluxo de calor. Imagine um bloco de um material, que não precisa ser homogêneo e pode ser constituído de diferentes materiais em diferentes lugares, no qual a temperatura varia de ponto a ponto. Como uma consequência destas variações da temperatura haverá um fluxo de calor, que pode ser representado por um vetor $\boldsymbol{h}$. Esse vetor representa a quantidade de energia térmica que flui por unidade de tempo através de uma área unitária perpendicular ao fluxo. O divergente de $\boldsymbol{h}$ representa a taxa, por unidade de volume, com a qual o calor está deixando uma região:

$$\nabla \cdot \boldsymbol{h} = \text{taxa de calor saindo por unidade de volume.}$$

Podemos, obviamente, escrever essa equação na forma integral – como fizemos na eletrostática com a lei de Gauss – o que diria que o fluxo através da superfície é igual à taxa de variação da energia térmica dentro do material. Não nos preocuparemos em traduzir as equações entre suas formas diferencial e integral, porque isso é exatamente o mesmo que na eletrostática.

A taxa com a qual o calor é gerado ou absorvido em vários lugares depende, obviamente, do problema específico. Suponha, por exemplo, que exista uma fonte de calor dentro do material (talvez uma fonte radioativa ou um resistor aquecido por uma corrente elétrica). Chamemos de s a energia térmica produzida, por unidade de volume e por unidade de tempo, por esta fonte. Pode haver também perdas (ou ganhos) de energia térmica em outras formas de energias internas no volume. Se u for a energia interna por unidade de volume, $-du/dt$ também será uma "fonte" de energia térmica. Assim, temos

$$\nabla \cdot \boldsymbol{h} = s - \frac{du}{dt}. \tag{12.5}$$

Não discutiremos agora a equação completa na qual as coisas mudam com o tempo, porque estamos fazendo uma analogia com a eletrostática, na qual nada depende do tempo. Consideraremos apenas problemas com *fluxo de calor estacionário*, em que fontes constantes produziram um estado de equilíbrio. Nestes casos,

$$\nabla \cdot \boldsymbol{h} = s. \tag{12.6}$$

Obviamente, é necessário termos outra equação, que descreve como o calor flui em vários lugares. Em muitos materiais, a corrente de calor é aproximadamente proporcional à taxa de variação da temperatura com a posição: quanto maior a diferença de temperatura, maior a corrente de calor. Como vimos, o *vetor* da corrente de calor é proporcional ao gradiente de temperatura. A constante de proporcionalidade K, uma propriedade do material, é chamada de *condutividade térmica*.

$$\boldsymbol{h} = -K\,\nabla T. \tag{12.7}$$

Se as propriedades do material variarem de uma região a outra, então $K = K(x, y, z)$ será uma função da posição (a Eq. (12.7) não é uma equação fundamental como (12.5), que expressa a conservação da energia térmica, pois (12.7) depende de uma característica especial da substância). Se substituirmos agora (12.7) em (12.6), teremos

$$\nabla \cdot (K\,\nabla T) = -s, \tag{12.8}$$

que possui exatamente a mesma forma que a Eq. (12.4). *Problemas com fluxo de calor estacionário são análogos aos problemas eletrostáticos*. O vetor do fluxo de calor $\boldsymbol{h}$ corresponde a $\boldsymbol{E}$, e a temperatura T corresponde a ϕ. Já havíamos observado que uma fonte de calor pontual produz um campo de temperatura que varia com $1/r$ e um fluxo de calor que varia com $1/r^2$. Isso nada mais é que uma tradução da afirmação da eletrostática de que uma carga pontual gera um potencial que varia com $1/r$ e que o campo elétrico desta carga varia com $1/r^2$. Podemos, em geral, resolver problemas de calor estático com a mesma facilidade com que resolvemos problemas eletrostáticos.

Considere um exemplo simples. Suponha que tenhamos um cilindro de raio a a uma temperatura T_1, mantida pelo calor gerado no cilindro (isso pode ser, por exemplo, um fio carregando uma corrente, ou um tubo com vapor condensando em seu interior). O cilindro é coberto por uma envoltura concêntrica de material isolante que possui uma condutividade K. Digamos que o raio externo desse isolante seja b e seu exterior seja mantido a uma temperatura T_2 (Figura 12–1(a)). Queremos encontrar a que taxa o calor será perdido pelo fio, pelo tubo com vapor, ou pelo que estiver no centro. Vamos chamar de G – que é aquilo que desejamos encontrar – a quantidade total de calor perdida por um comprimento L do tubo.

Como podemos resolver esse problema? Temos as equações diferenciais, mas uma vez que estas são as mesmas daquelas da eletrostática, na verdade já resolvemos o problema matemático. O problema análogo é o de um condutor de raio a com um potencial ϕ_1, separado de outro condutor de raio b com um potencial ϕ_2, com uma camada concêntrica de material dielétrico entre eles, como mostrado na Figura 12–1(b). Agora, como o fluxo de calor $\boldsymbol{h}$ corresponde ao campo elétrico $\boldsymbol{E}$, a quantidade G que queremos encontrar corresponde ao fluxo do campo elétrico em uma unidade de comprimento (em outras palavras, a carga elétrica por unidade de comprimento sobre ϵ_0). Resolvemos o problema eletrostático usando a lei de Gauss. Seguiremos o mesmo procedimento neste nosso problema do fluxo de calor.

Pela simetria da situação, sabemos que h depende apenas da distância ao centro. Assim, envolvemos o tubo com uma superfície gaussiana cilíndrica de comprimento L e raio r. Pela lei de Gauss, sabemos que o fluxo de calor h multiplicado pela área $2\pi rL$ da superfície deve ser igual à quantidade total de calor gerado em seu interior, que é aquilo que estamos chamando de G:

$$2\pi rLh = G \quad \text{ou} \quad h = \frac{G}{2\pi rL}. \tag{12.9}$$

O fluxo de calor é proporcional ao gradiente de temperatura:

$$\boldsymbol{h} = -K\,\boldsymbol{\nabla} T,$$

portanto, neste caso, a magnitude de $\boldsymbol{h}$ será

$$h = -K\frac{dT}{dr}.$$

Utilizando (12.9), temos

$$\frac{dT}{dr} = -\frac{G}{2\pi KLr}. \tag{12.10}$$

Integrando de $r = a$ até $r = b$, temos

$$T_2 - T_1 = -\frac{G}{2\pi KL}\ln\frac{b}{a}. \tag{12.11}$$

Resolvendo para G, encontramos

$$G = \frac{2\pi KL(T_1 - T_2)}{\ln(b/a)}. \tag{12.12}$$

Esse resultado corresponde exatamente ao resultado para a carga em um condensador cilíndrico:

$$Q = \frac{2\pi\epsilon_0 L(\phi_1 - \phi_2)}{\ln(b/a)}.$$

Os problemas são os mesmos e têm a mesma solução. Por meio do nosso conhecimento da eletrostática, sabemos também quanto calor é perdido por um tubo isolado.

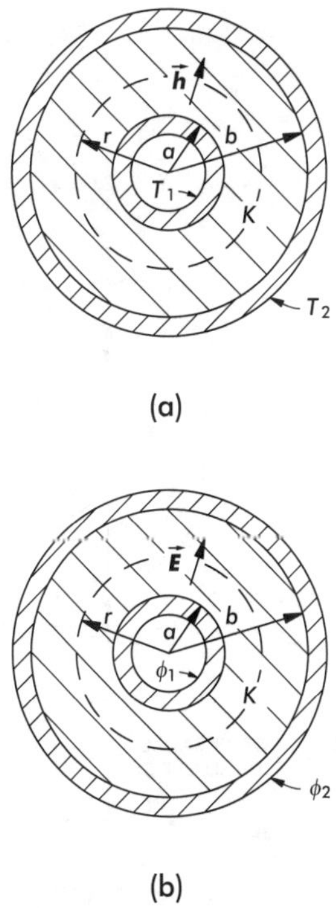

Figura 12–1 (a) O fluxo de calor em uma geometria cilíndrica. (b) O problema elétrico correspondente.

Consideremos outro exemplo de fluxo de calor. Suponha que queiramos saber o fluxo de calor nas vizinhanças de uma fonte pontual de calor situada logo abaixo da superfície da terra, ou próxima à superfície de um grande bloco de metal. A fonte de calor localizada pode ser uma bomba atômica que foi colocada no subsolo, deixando uma intensa fonte de calor, ou pode corresponder a uma pequena fonte radioativa dentro de um bloco de ferro – existem inúmeras possibilidades.

Trataremos o problema idealizado de uma fonte de calor pontual de intensidade G, a uma distância a abaixo da superfície de um bloco infinito de um material com condutividade térmica K. Desprezaremos a condutividade térmica do ar fora do material. Queremos determinar a distribuição de temperatura na superfície do bloco. Quão quente é logo acima da fonte e em vários outros lugares na superfície do bloco?

Como resolveremos isso? Esse caso é similar a um problema eletrostático com dois materiais com coeficientes dielétricos κ diferentes localizados nos lados opostos de uma fronteira plana. Ah! Talvez este seja o análogo de uma carga pontual próxima à fronteira entre um dielétrico e um condutor, ou algo parecido. Vejamos qual é a situação próxima da superfície. A condição física é que a componente normal de $\boldsymbol{h}$ na superfície é *zero*, uma vez que supusemos que não haja fluxo de calor fora do bloco. Poderíamos perguntar: em qual problema eletrostático temos a condição de que a componente normal do campo elétrico $\boldsymbol{E}$ (que é o análogo de $\boldsymbol{h}$) é zero na superfície? Não existe nenhum!

Esta é uma das coisas a que devemos atentar. Por razões físicas, podem existir certas restrições nos tipos de condições matemáticas que podem surgir em um assunto específico. Assim, se tivermos analisado a equação diferencial apenas para certos casos limitados, podemos ter perdido alguns tipos de soluções que podem ocorrer em outras situações físicas. Por exemplo, não existe nenhum material com constante dielétrica nula, enquanto o vácuo possui condutividade térmica nula. Portanto, não existe nenhum análogo eletrostático para um isolante térmico perfeito. Podemos, entretanto, continuar usando os mesmos *métodos*. Podemos *imaginar* o que aconteceria se a constante dielétrica *fosse* zero (obviamente, a constante dielétrica nunca é zero em nenhuma situação real. No entanto, poderíamos ter um caso no qual há um material com uma constante dielétrica muito alta, de forma que poderíamos desprezar a constante dielétrica do ar fora deste material).

Como encontraremos um campo elétrico que *não* possui nenhuma componente perpendicular à superfície? Isto é, um campo sempre *tangencial* à superfície? Você notará que o nosso problema é o oposto ao de uma carga pontual próxima a um condutor plano. Lá queríamos que o campo fosse *perpendicular* à superfície, porque todo o condutor estava no mesmo potencial. No problema elétrico, inventamos uma solução imaginando uma carga pontual atrás do plano condutor. Queremos usar a mesma ideia novamente. Tentaremos tomar uma "fonte imagem" que automaticamente fará com que a componente normal do campo seja zero na superfície. A solução é mostrada na Figura 12–2. Uma fonte imagem de *mesmo sinal* e mesma intensidade colocada a uma distância a sobre a superfície fará com que o campo seja horizontal em toda parte da superfície. As componentes normais dos dois campos se cancelam.

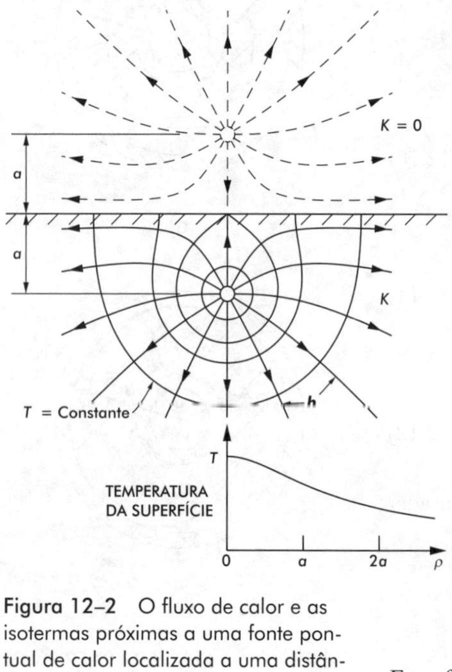

Figura 12–2 O fluxo de calor e as isotermas próximas a uma fonte pontual de calor localizada a uma distância a abaixo da superfície de um bom condutor térmico. Uma fonte imagem é mostrada fora do material.

Desse modo, nosso problema do fluxo de calor está resolvido. Por analogia direta, a temperatura em toda parte é a mesma que o potencial devido a duas cargas pontuais iguais! A temperatura T a uma distância r de uma única fonte pontual G em um meio infinito vale

$$T = \frac{G}{4\pi K r}. \tag{12.13}$$

(Isso, obviamente, é simplesmente o análogo de $\phi = q/4\pi\epsilon_0 r$.) A temperatura para uma fonte pontual, junto à sua imagem, é

$$T = \frac{G}{4\pi K r_1} + \frac{G}{4\pi K r_2}. \tag{12.14}$$

Essa fórmula nos dá a temperatura em qualquer lugar no bloco. Várias superfícies isotérmicas são mostradas na Figura 12–2. Também são mostradas as linhas de $\boldsymbol{h}$, que podem ser obtidas de $\boldsymbol{h} = -K\nabla T$.

Originalmente perguntamos pela distribuição de temperatura na superfície. Para um ponto na superfície a uma distância ρ dos eixos, $r_1 = r_2 = \sqrt{\rho^2 + a^2}$, portanto

$$T(\text{superfície}) = \frac{1}{4\pi K}\frac{2G}{\sqrt{\rho^2 + a^2}}. \quad (12.15)$$

Essa função também é mostrada na figura. A temperatura é, naturalmente, maior logo acima da fonte. Este é o tipo de problema que os geofísicos frequentemente precisam resolver. Vemos agora que este é o mesmo tipo de coisa que já havíamos resolvido para a eletricidade.

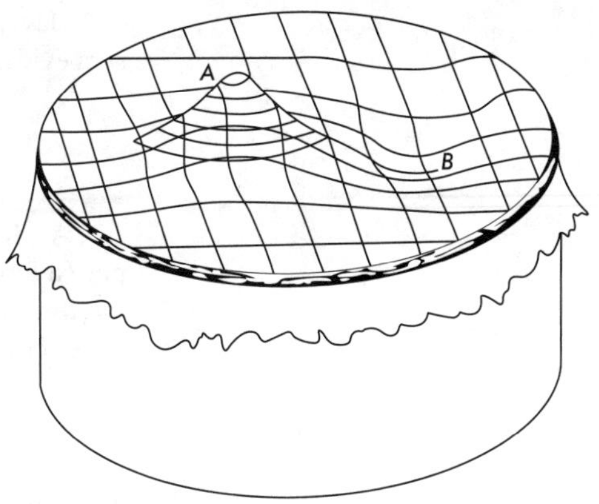

Figura 12–3 Uma fina folha de borracha sobre uma armação cilíndrica (como a pele de um tambor). Se a folha for empurrada para cima em A e para baixo em B, qual será a forma da superfície?

12–3 A membrana esticada

Consideremos agora uma situação física completamente diferente, que, contudo, nos dá a mesma equação novamente. Considere uma fina folha de borracha – uma membrana – que foi esticada sobre uma grande armação horizontal (como a pele de um tambor). Suponha agora que a membrana seja empurrada para cima em um lugar e para baixo em outro, como mostrado na Figura 12–3. Será que podemos descrever a forma desta superfície? Mostraremos como este problema pode ser resolvido quando a deflexão da membrana não for muito grande.

Há forças na folha porque ela está esticada. Se fizermos um pequeno corte em qualquer lugar, os dois lados do corte serão puxados e se afastarão (veja a Figura 12–4). Portanto, existe uma *tensão superficial* na folha, análoga à tensão unidimensional em uma corda esticada. Definimos a magnitude da tensão superficial τ como a força *por unidade de comprimento* necessária para manter juntos os dois lados de um corte como o mostrado na Figura 12–4.

Suponha agora que olhemos uma seção de corte vertical da membrana. Esta se parecerá com uma curva, como a mostrada na Figura 12–5. Seja u o deslocamento vertical da membrana em relação à sua posição normal, e x e y as coordenadas no plano horizontal (a seção de corte mostrada é paralela ao eixo x).

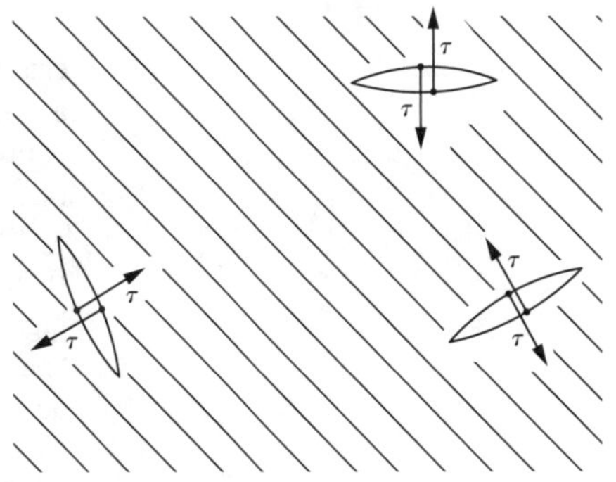

Figura 12–4 A tensão superficial τ de uma folha de borracha esticada é a força por unidade de comprimento através de uma linha.

Considere um pequeno pedaço da superfície de comprimento Δx e largura Δy. A tensão superficial exercerá forças em cada extremidade deste pedaço. A força ao longo da extremidade 1 da figura será $\tau_1\Delta y$, direcionada tangencialmente à superfície – isto é, em um ângulo θ_1 com a horizontal. Ao longo da extremidade 2, a força será $\tau_2\Delta y$ a um ângulo θ_2 (haverá forças similares nas outras duas extremidades do pedaço, mas as esqueceremos por enquanto). A força resultante *para cima* devido às extremidades 1 e 2 é

$$\Delta F = \tau_2\,\Delta y \operatorname{sen}\theta_2 - \tau_1\,\Delta y \operatorname{sen}\theta_1.$$

Limitaremos nossas considerações a pequenas distorções da membrana, ou seja, para *pequenas curvaturas*: podemos então substituir sen θ por tg θ, que pode ser escrito como $\partial u/\partial x$. A força é, então,

$$\Delta F = \left[\tau_2\left(\frac{\partial u}{\partial x}\right)_2 - \tau_1\left(\frac{\partial u}{\partial x}\right)_1\right]\Delta y.$$

A quantidade entre colchetes pode igualmente ser escrita (para pequenos Δx) como

$$\frac{\partial}{\partial x}\left(\tau\,\frac{\partial u}{\partial x}\right)\Delta x;$$

então

$$\Delta F = \frac{\partial}{\partial x}\left(\tau\,\frac{\partial u}{\partial x}\right)\Delta x\,\Delta y.$$

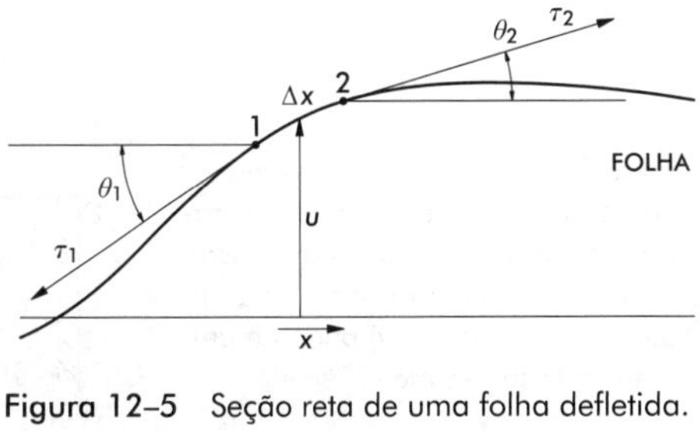

Figura 12–5 Seção reta de uma folha defletida.

Haverá outra contribuição para ΔF das forças das outras duas extremidades; o total será evidentemente

$$\Delta F = \left[\frac{\partial}{\partial x}\left(\tau\,\frac{\partial u}{\partial x}\right) + \frac{\partial}{\partial y}\left(\tau\,\frac{\partial u}{\partial y}\right)\right]\Delta x\,\Delta y. \tag{12.16}$$

As distorções do diafragma são causadas por forças externas. Vamos representar por f a força na folha *por unidade de área* para *cima* (um tipo de "pressão") *devido às forças externas*. Quando a membrana estiver em equilíbrio (o caso *estático*), essa força deve ser balanceada pela força interna que acabamos de calcular, Eq. (12.16); isto é

$$f = -\,\frac{\Delta F}{\Delta x\,\Delta y}\cdot$$

A Eq. (12.16) pode então ser escrita como

$$f = -\,\nabla\cdot(\tau\,\nabla u), \tag{12.17}$$

onde por ∇ indicamos agora o operador gradiente bidimensional ($\partial/\partial x$, $\partial/\partial y$). Temos a equação diferencial que relaciona $u(x, y)$ com a força aplicada $f(x, y)$ e a tensão superficial $\tau(x, y)$, que pode, em geral, variar em cada ponto da folha. (As distorções de um corpo elástico tridimensional são governadas por equações similares, mas vamos nos fixar em duas dimensões.) Estamos preocupados apenas com o caso no qual a tensão τ é constante por toda a folha. Podemos então escrever, para a Eq. (12.17),

$$\nabla^2 u = -\,\frac{f}{\tau}\cdot \tag{12.18}$$

Temos outra equação que é a mesma da eletrostática! Só que desta vez a equação está limitada a duas dimensões. O deslocamento u corresponde a ϕ, e f/τ corresponde a ρ/ϵ_0. Assim, todo o trabalho que fizemos para as folhas de carga planas infinitas, para os longos fios paralelos ou para os cilindros carregados é diretamente aplicável à membrana esticada.

Suponha que empurremos a membrana até certos pontos de *altura* definida – isto é, fixamos o valor de u em alguns lugares. Isso é o análogo a ter um *potencial* definido nos lugares correspondentes em uma situação elétrica. Assim, por exemplo, podemos criar um "potencial" positivo empurrando a membrana para cima com um objeto que tenha a seção de corte na forma do condutor cilíndrico correspondente. Por exemplo, se empurrarmos a folha para cima com uma vareta roliça, a superfície irá adquirir a forma mostrada na Figura 12–6. A altura u é a mesma do potencial eletrostático ϕ de uma vara cilíndrica carregada. Ela decai com ln $(1/r)$ (a *curvatura*, que corresponde ao campo elétrico E, cai com $1/r$).

A folha de borracha esticada foi muito usada como uma forma de resolver experimentalmente problemas *elétricos* complicados. A analogia é usada no sentido oposto! Várias varetas e barras são empurradas contra a folha em uma altura que corresponda ao potencial de um conjunto de eletrodos. Uma medida da altura então fornece o potencial elétrico para a situação elétrica. Essa analogia tem sido levada ainda mais longe. Se pequenas bolas são colocadas na membrana, o movimento dessas bolas corresponderá aproximadamente ao movimento dos elétrons no campo elétrico correspondente. Pode-se realmente *assistir* aos "elétrons" movendo-se em suas trajetórias. Esse método foi usado para projetar a geometria complicada de muitos tubos fotomultiplicadores (como os usados nos contadores de cintilação e os usados para controlar o feixe dos faróis nos Cadillacs.) Esse método ainda é

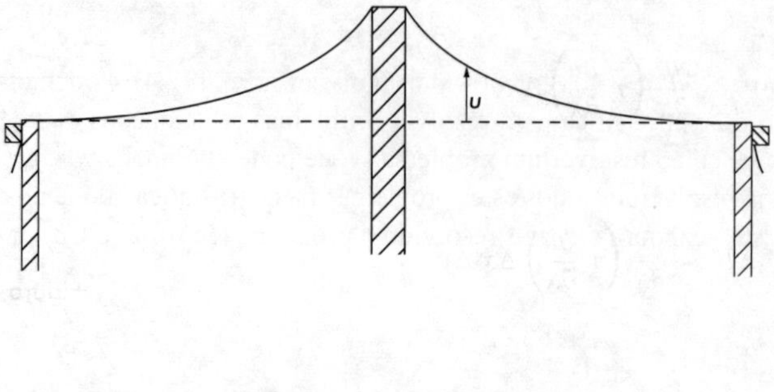

Figura 12–6 Seção reta de uma folha de borracha esticada empurrada para cima por uma vareta roliça. A função $u(x, y)$ é a mesma que a do potencial elétrico $\phi(x, y)$ perto de uma longa vara carregada.

usado, mas sua precisão é limitada. Para os trabalhos mais precisos, é melhor determinar os campos por meio de métodos numéricos, usando enormes computadores.

12–4 A difusão de nêutrons; uma fonte esférica uniforme em um meio homogêneo

Tomemos outro exemplo que fornece o mesmo tipo de equação, desta vez relacionado com a difusão. No Capítulo 43 do Vol. I, consideramos a difusão de íons em um único gás e de um gás através de outro. Desta vez, vamos tomar um exemplo diferente – a difusão de nêutrons em um material como a grafite. Escolhemos falar da grafite (uma forma pura do carbono) porque o carbono não absorve nêutrons lentos. Neste material, os nêutrons vagueiam livremente. Eles viajam em uma linha reta por vários centímetros, em média, antes de serem espalhados por um núcleo e defletidos em uma nova direção. Assim, se tivermos um grande bloco – vários metros em um lado –, os nêutrons inicialmente em uma região se difundirão para outra região. Queremos encontrar uma descrição do comportamento médio desses nêutrons – isto é, o seu *fluxo médio*.

Seja $N(x, y, z)\,\Delta V$ o número de nêutrons no elemento de volume ΔV localizado no ponto (x, y, z). Devido aos seus movimentos, alguns nêutrons estarão saindo de ΔV, e outros estarão entrando. Se, em duas regiões próximas, houver mais nêutrons na primeira que na segunda, teremos mais nêutrons indo que voltando desta primeira região em direção à segunda; haverá um fluxo resultante. Seguindo os argumentos do Capítulo 43 do Vol. I, descreveremos o fluxo por um vetor $\boldsymbol{J}$. Sua componente x (J_x) é o número *líquido* de nêutrons que passam por unidade de tempo em uma área unitária perpendicular à direção x. Encontramos

$$J_x = -D\,\frac{\partial N}{\partial x}, \tag{12.19}$$

onde a constante de difusão D é dada em termos da velocidade média v, e o caminho médio livre l entre os espalhamentos é dado por

$$D = \frac{1}{3}\,lv.$$

A equação vetorial para $\boldsymbol{J}$ é

$$\boldsymbol{J} = -D\,\nabla N. \tag{12.20}$$

A taxa com que os nêutrons fluem através de qualquer elemento de superfície da é $\boldsymbol{J}\cdot\boldsymbol{n}\,da$ (onde, como de costume, $\boldsymbol{n}$ é o vetor normal unitário). O fluxo resultante para *fora de um elemento de volume* é então (seguindo os argumentos gaussianos usuais) $\nabla\cdot\boldsymbol{J}\,dV$. Esse fluxo poderá resultar em um decréscimo com o tempo do número de nêutrons em ΔV, a menos que nêutrons estejam sendo criados neste elemento de volume (por algum processo nuclear). Se houver fontes no volume que geram S nêutrons por unidade de tempo em um volume unitário, então o fluxo resultante saindo de ΔV será igual a $(S - \partial N/\partial t)\Delta V$. Temos então que

$$\nabla\cdot\boldsymbol{J} = S - \frac{\partial N}{\partial t}. \tag{12.21}$$

Combinando (12.21) com (12.20), obtemos a *equação da difusão de nêutrons*

$$\nabla\cdot(-D\,\nabla N) = S - \frac{\partial N}{\partial t}. \tag{12.22}$$

No caso estático – no qual $\partial N/\partial t = 0$ –, temos mais uma vez a Eq. (12.4)! Podemos usar nosso conhecimento de eletrostática para resolver problemas relacionados com a difusão de nêutrons. Vamos então resolver um problema (você pode perguntar: *por que* resolver um problema se já resolvemos todos estes problemas na eletrostática? Podemos fazer isso *mais rápido* desta vez, por já *termos* resolvido o problema eletrostático!).

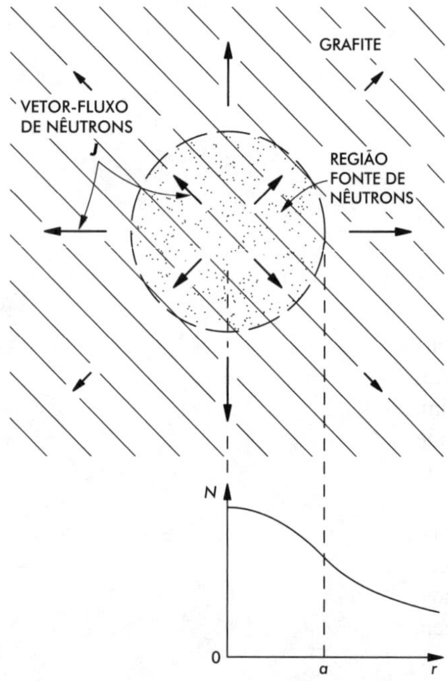

(a)

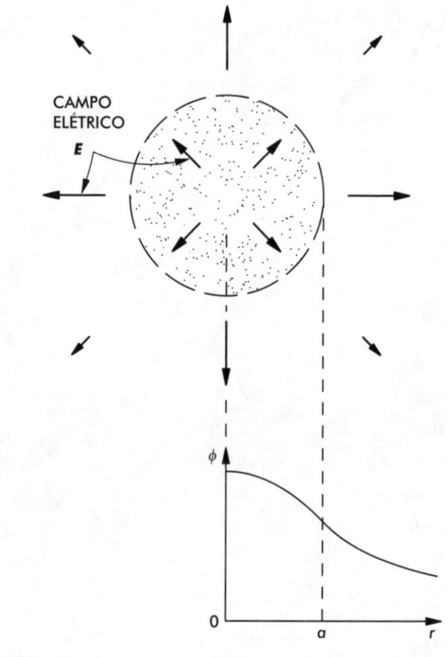

(b)

Figura 12–7 (a) Nêutrons são produzidos uniformemente através de uma esfera de raio a em um grande bloco de grafita e se difundem para fora. A densidade de nêutrons N é encontrada como uma função de r, a distância ao centro da superfície. (b) A situação eletrostática análoga: uma esfera uniformemente carregada, onde N corresponde a ϕ e J corresponde a E.

Suponha que tenhamos um bloco de material no qual nêutrons estão sendo gerados – digamos pela fissão do urânio – uniformemente dentro de uma região esférica de raio a (Figura 12–7). Gostaríamos de saber: qual a densidade de nêutrons em toda parte? Quão uniforme é a densidade de nêutrons na região onde eles estão sendo gerados? Qual a razão entre a densidade de nêutrons no centro e a densidade de nêutrons na superfície da região geradora? Encontrar as respostas é fácil. A densidade S_0 da fonte substitui a densidade de cargas ρ, portanto nosso problema é o mesmo que o problema de uma esfera com uma densidade de cargas uniforme. Encontrar N é simplesmente como encontrar o potencial ϕ. Já determinamos os campos dentro e fora de uma esfera uniformemente carregada; podemos integrá-los para obter o potencial. Na parte externa, o potencial é $Q/4\pi\epsilon_0 r$, com a carga total Q dada por $4\pi a^3\rho/3$. Portanto,

$$\phi_{\text{fora}} = \frac{\rho a^3}{3\epsilon_0 r}. \tag{12.23}$$

Para os pontos no interior, o campo é decorrente apenas das cargas $Q(r)$ dentro da esfera de raio r, $Q(r) = 4\pi r^3\rho/3$, então

$$E = \frac{\rho r}{3\epsilon_0}. \tag{12.24}$$

O campo aumenta linearmente com r. Integrando E para obter ϕ, temos

$$\phi_{\text{dentro}} = -\frac{\rho r^2}{6\epsilon_0} + \text{uma constante.}$$

No raio a, ϕ_{dentro} deve ser o mesmo que ϕ_{fora}, então a constante deve ser $\rho a^2/2\epsilon_0$ (onde supusemos que ϕ seja zero para grandes distâncias da fonte, o que corresponde a N sendo zero para os nêutrons). Com isso,

$$\phi_{\text{ dentro}} = \frac{\rho}{3\epsilon_0}\left(\frac{3a^2}{2} - \frac{r^2}{2}\right). \tag{12.25}$$

Sabemos imediatamente a densidade de nêutrons em nosso novo problema. A resposta é

$$N_{\text{fora}} = \frac{Sa^3}{3Dr}, \tag{12.26}$$

e

$$N_{\text{dentro}} = \frac{S}{3D}\left(\frac{3a^2}{2} - \frac{r^2}{2}\right). \tag{12.27}$$

N é mostrado como função de r na Figura 12–7.

Agora, qual a razão entre as densidades do centro e da borda? No centro ($r = 0$), a densidade é proporcional a $3a^2/2$. Na borda ($r = a$) ela é proporcional a $2a^2/2$, portanto a razão vale 3/2. Uma fonte uniforme não produz uma densidade uniforme de nêutrons. Como podemos ver, nosso conhecimento da eletrostática nos dá um ótimo começo para a física dos reatores nucleares.

Existem várias circunstâncias físicas nas quais a difusão é muito importante. O movimento de íons através de um líquido, ou de elétrons através de um semicondutor, obedece à mesma equação. Encontramos as mesmas equações de novo e de novo...

12–5 Fluxo de fluidos irrotacionais; o fluxo através de uma esfera

Vamos agora considerar um exemplo que não é, na verdade, um bom exemplo, porque as equações que usaremos não representam realmente o assunto em sua completa generalidade, mas apenas uma situação artificialmente idealizada. Tomaremos o problema do *fluxo de água*. No caso da folha esticada, nossas equações eram uma aproximação que correspondia a *pequenas deflexões*. Na nossa consideração do fluxo de água, não faremos esse tipo de aproximação; teremos de fazer restrições que, de forma alguma, se aplicam à água real. Trataremos apenas o caso de um fluxo estacionário de um líquido *incompressível, não viscoso e sem circulação*. Assim, representaremos o fluxo dando a velocidade $\boldsymbol{v}(\boldsymbol{r})$ como função da posição $\boldsymbol{r}$. Se o movimento for estacionário (o único caso para o qual existe um análogo eletrostático), $\boldsymbol{v}$ será independente do tempo. Se ρ for a densidade do fluido, então $\rho\boldsymbol{v}$ será a quantidade de massa que passa por unidade de tempo por uma área unitária. Pela conservação da matéria, o divergente de $\rho\boldsymbol{v}$ será, em geral, a taxa de variação temporal da massa do material por unidade de volume. Suporemos que não haja nenhum processo contínuo de criação ou destruição de matéria. A conservação da matéria requer então que $\nabla \cdot \rho\boldsymbol{v} = 0$ (isto seria, em geral, igual a $-\partial\rho/\partial t$, mas como nosso fluido é incompressível, ρ não pode variar). Como ρ é o mesmo em toda parte, podemos fatorá-lo, e nossa equação será simplesmente

$$\nabla \cdot \boldsymbol{v} = 0.$$

Muito bom! Temos novamente a eletrostática (sem cargas); isto é simplesmente como $\nabla \cdot \boldsymbol{E} = 0$. Não exatamente! A eletrostática *não é simplesmente* $\nabla \cdot \boldsymbol{E} = 0$. Ela é um *par* de equações. Uma só equação não nos diz o suficiente; precisamos ainda de uma equação adicional. Para equiparar com a eletrostática, precisamos ter também que o *rotacional* de $\boldsymbol{v}$ é zero, mas isso não é geralmente verdade para os líquidos. Muitos líquidos irão usualmente desenvolver alguma circulação. Portanto, estamos nos restringindo a uma situação na qual não há nenhuma circulação do fluido. Tal fluido é frequentemente chamado de *irrotacional*. De qualquer forma, se fizermos todas as nossas suposições, podemos *imaginar* um caso do fluxo de um fluido que será análogo à eletrostática. Tomemos então

$$\nabla \cdot \boldsymbol{v} = 0 \tag{12.28}$$

e

$$\nabla \times \boldsymbol{v} = 0. \tag{12.29}$$

Enfatizamos que pouquíssimos líquidos fluem respeitando essas equações, mas existem alguns. Estes devem ser os casos nos quais podemos desprezar a tensão superficial, a compressibilidade e a viscosidade e nos quais podemos supor que o fluxo seja irrotacional. Estas suposições são tão raramente válidas para a água real que o matemático John von Neumann dizia que as pessoas que analisavam as Eq. (12.28) e (12.29) estavam estudando a "água seca"! (Veremos o problema do fluxo de um fluido com mais detalhes nos Capítulos 40 e 41.)

Pelo fato de termos $\nabla \times \boldsymbol{v} = 0$, a velocidade da "água seca" pode ser escrita como o gradiente de um potencial:

$$\boldsymbol{v} = -\nabla\psi. \tag{12.30}$$

Qual o significado físico de ψ? Não existe nenhum significado útil profundo. A velocidade pode ser escrita como o gradiente de um potencial simplesmente porque o fluxo é irrotacional. E, por analogia com a eletrostática, ψ é chamado de *potencial da velocidade*, mas isso não está relacionado com uma energia potencial, como no caso de ϕ. Como o divergente de $\boldsymbol{v}$ é zero, temos

$$\nabla \cdot (\nabla\psi) = \nabla^2\psi = 0. \tag{12.31}$$

O potencial da velocidade ψ obedece à mesma equação diferencial que o potencial eletrostático no espaço vazio ($\rho = 0$).

Tomemos um problema com um fluido irrotacional e vejamos se podemos resolvê-lo pelos métodos que aprendemos. Considere o problema de uma bola esférica caindo através de um líquido. Se a bola se move bem devagar, as forças viscosas, que estamos descartando, serão importantes. Se a bola for muito depressa, pequenos redemoinhos (turbulências) aparecerão atrás dela, e haverá alguma circulação na água. Contudo, se a bola não se mover nem muito rápido nem muito devagar, será mais ou menos verdade que o fluxo da água respeitará as nossas suposições, e poderemos descrever o movimento da água com as nossas equações simplificadas.

É conveniente descrever o que está acontecendo em um sistema de referência *fixado na esfera*. Neste sistema estaremos perguntando: como o fluxo de água passa através de uma esfera em repouso quando o fluxo a grandes distâncias for uniforme? Isto é, longe da esfera, o fluxo é o mesmo em toda parte. O fluxo próximo da esfera será como as linhas aerodinâmicas desenhadas na Figura 12–8. Estas linhas, sempre paralelas a $\boldsymbol{v}$, correspondem às linhas de campo elétrico. Queremos uma descrição quantitativa da velocidade do campo, ou seja, uma expressão para a velocidade em qualquer ponto P.

Podemos encontrar a velocidade através do gradiente de ψ, então primeiro calcularemos o potencial. Queremos um potencial que satisfaça à Eq. (12.31) em toda parte, e que satisfaça a duas restrições: (1) não há fluxo dentro da região esférica da bola, e (2) o fluxo é constante a grandes distâncias. Para satisfazer a (1), a componente de $\boldsymbol{v}$ normal à superfície da esfera deve ser zero. Isso significa que $\partial\psi/\partial r$ é zero em $r = a$. Para satisfazer a (2), devemos ter $\partial\psi/\partial z = v_0$ em todos os pontos onde $r \gg a$. Estritamente falando, não existe nenhum caso elétrico que corresponda exatamente ao nosso problema. Na verdade, nosso problema corresponde a colocar uma esfera com constante dielétrica *zero* em um campo elétrico uniforme. Se tivéssemos calculado a solução do problema de uma esfera com constante dielétrica κ em um campo uniforme, então fazendo $\kappa = 0$ poderíamos imediatamente obter a solução desse problema.

Na verdade, não calculamos este particular problema eletrostático em detalhes, mas faremos isso agora (poderíamos trabalhar diretamente no problema de um fluido com $\boldsymbol{v}$ e ψ, mas usaremos $\boldsymbol{E}$ e ϕ porque estamos muito acostumados com eles).

O problema é: encontrar uma solução de $\nabla^2\phi = 0$ tal que $\boldsymbol{E} = -\nabla\phi$ seja constante, digamos $\boldsymbol{E}_0$, para grandes valores de r, e tal que a componente radial de $\boldsymbol{E}$ seja igual a zero em $r = a$. Isto é,

$$\left.\frac{\partial\phi}{\partial r}\right|_{r=a} = 0. \tag{12.32}$$

Nosso problema envolve um novo tipo de condição de contorno, uma na qual ϕ não é uma constante na superfície, mas em que $\partial\phi/\partial r$ é uma constante. Isso é um pouco diferente. Não é fácil obter a resposta imediatamente. Antes de tudo, sem a esfera, ϕ será $-E_0z$. Então $\boldsymbol{E}$ estará na direção z e terá a magnitude constante E_0 em toda parte. Agora, analisamos o caso de uma esfera dielétrica com uma polarização uniforme em seu interior e encontramos que o campo dentro de tal esfera polarizada é um campo uniforme e que no exterior da esfera ele é o mesmo campo de um dipolo pontual localizado no centro. Assim, vamos supor que a solução que queremos é uma superposição de um campo uniforme mais o campo de um dipolo. O potencial de um dipolo (Capítulo 6) é $pz/4\pi\epsilon_0 r^3$. Então vamos supor que

$$\phi = -E_0 z + \frac{pz}{4\pi\epsilon_0 r^3}. \tag{12.33}$$

Como o campo de um dipolo cai com $1/r^3$, a grandes distâncias teremos apenas o campo E_0. Nossa suposição satisfaz automaticamente à condição (2) acima, mas o que vamos tomar como a intensidade do dipolo p? Para encontrar este valor, podemos usar a outra condição para ϕ, Eq. (12.32). Precisamos diferenciar ϕ com respeito a r, mas obviamente precisamos fazer isso em um ângulo constante θ, portanto é mais conveniente se primeiro expressarmos ϕ em termos de r e θ, em vez de z e r. Como $z = r\cos\theta$, temos

$$\phi = -E_0 r\cos\theta + \frac{p\cos\theta}{4\pi\epsilon_0 r^2}. \tag{12.34}$$

A componente radial de $\boldsymbol{E}$ é

$$-\frac{\partial\phi}{\partial r} = +E_0\cos\theta + \frac{p\cos\theta}{2\pi\epsilon_0 r^3}. \tag{12.35}$$

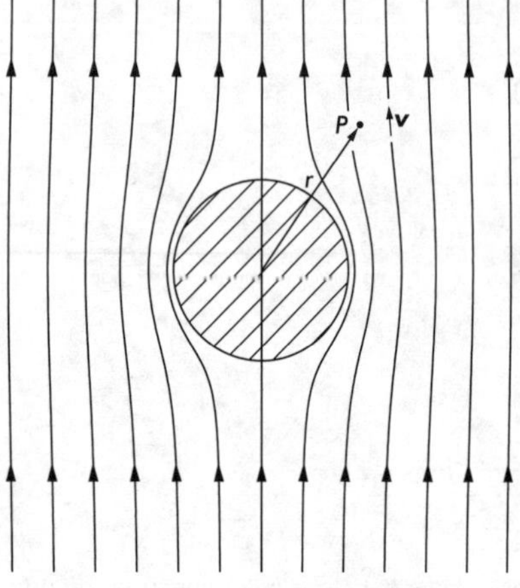

Figura 12–8 O campo de velocidades de um fluido irrotacional fluindo através de uma esfera.

Isso precisa ser zero em $r = a$ para todo θ. Isso será verdade se

$$p = -2\pi\epsilon_0 a^3 E_0. \qquad (12.36)$$

Observe cuidadosamente que se ambos os termos da Eq. (12.35) não tivessem a mesma dependência em θ, não seria possível escolher p tal que (12.35) fosse zero em $r = a$ para todos os ângulos. O fato de isso ter funcionado significa que fizemos uma suposição sábia ao escrever a Eq. (12.33). Obviamente, quando fizemos a suposição, estávamos olhando adiante; sabíamos que precisaríamos de um outro termo que (a) satisfizesse a $\nabla^2\phi = 0$, (qualquer campo real faria isso), (b) dependesse do cos θ e (c) fosse a zero para grandes valores de r. O campo do dipolo é o único que faz todas as três coisas.

Usando a Eq. (12.36), nosso potencial é

$$\phi = -E_0 \cos\theta \left(r + \frac{a^3}{2r^2}\right). \qquad (12.37)$$

A solução do problema do fluxo deste fluido pode ser escrita simplesmente como

$$\psi = -v_0 \cos\theta \left(r + \frac{a^3}{2r^2}\right). \qquad (12.38)$$

A velocidade $\boldsymbol{v}$ pode ser encontrada imediatamente desse potencial. Não continuaremos seguindo esta matéria.

12–6 Iluminação; a iluminação uniforme de um plano

Nesta seção, consideramos um problema físico completamente diferente – queremos ilustrar a grande variedade de possibilidades. Desta vez, faremos algo que conduz ao mesmo tipo de *integral* que encontramos na eletrostática (se temos um problema matemático que nos dá uma certa integral, então saberemos algo sobre as propriedades desta integral se esta for a mesma integral que tivemos de resolver em outro problema). Considere nosso exemplo da engenharia de iluminação. Suponha que exista uma fonte de luz a uma distância z acima de uma superfície plana. Qual é a iluminação na superfície? Isto é, qual a energia irradiada por unidade de tempo que atinge uma área unitária da superfície (veja a Figura 12–9)? Vamos supor que a fonte seja esfericamente simétrica, de forma que a luz seja irradiada igualmente em todas as direções. Assim, a quantidade de energia irradiada que passa através de uma área unitária a um *ângulo normal* ao fluxo de luz varia inversamente com o quadrado da distância. É evidente que a intensidade da luz em uma direção normal ao fluxo é dada pelo mesmo tipo de fórmula do campo elétrico de uma fonte pontual. Se os raios de luz atingem a superfície com um ângulo θ com a normal, então I_n, a energia incidente *por unidade de área*, terá apenas um fator cosθ, porque a mesma energia estará

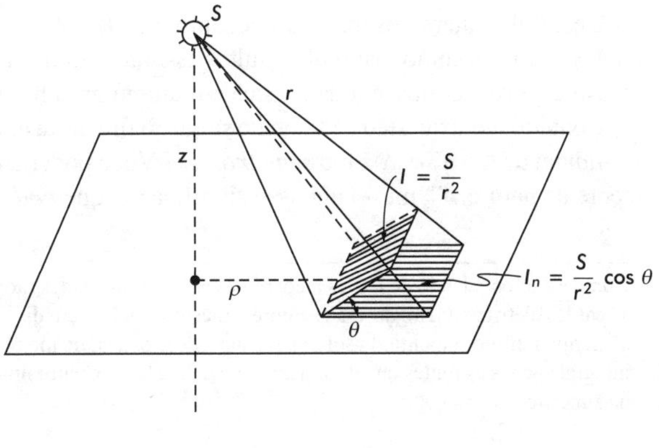

Figura 12–9 A iluminação I_n de uma superfície é a energia irradiada por unidade de tempo que atinge uma área unitária da superfície.

passando por uma área aumentada pelo fator $1/\cos\theta$. Se chamarmos a intensidade da nossa fonte de luz de S, então I_n, a iluminação de uma superfície, será

$$I_n = \frac{S}{r^2}\,\boldsymbol{e}_r \cdot \boldsymbol{n}, \tag{12.39}$$

onde $\boldsymbol{e}_r$ é o vetor unitário a partir da fonte e $\boldsymbol{n}$ é o vetor unitário normal à superfície. A iluminação I_n corresponde à componente normal do campo elétrico de uma carga pontual de intensidade $4\pi\epsilon_0 S$. Sabendo disso, vemos que, para qualquer distribuição de fontes luminosas, podemos encontrar a resposta resolvendo o problema eletrostático correspondente. Calculamos a componente vertical do campo elétrico em um plano, devido a uma distribuição de cargas, da mesma forma que para as fontes luminosas[1].

Considere o seguinte exemplo. Para uma situação experimental particular, precisamos providenciar para que a superfície superior de uma mesa tenha uma iluminação bastante uniforme. Temos à nossa disposição longas lâmpadas fluorescentes tubulares que irradiam uniformemente ao longo de seus comprimentos. Podemos iluminar a mesa colocando os tubos fluorescentes em um arranjo regular no teto, que está a uma altura z acima da mesa. Qual o maior espaçamento b entre os tubos que podemos usar se desejamos que a iluminação da superfície tenha uma uniformidade de, digamos, um parte em mil? *Resposta*: (1) encontre o campo elétrico para uma grade de fios com espaçamento b, cada um carregado uniformemente; (2) calcule a componente vertical do campo elétrico; (3) encontre quanto deve valer b para que as ondulações do campo não sejam maiores que uma parte em mil.

No Capítulo 7, vimos que o campo elétrico de uma grade de fios carregados pode ser representado como uma soma de termos, cada um fornecendo uma variação senoidal do campo com um período de b/n, onde n é um inteiro. A amplitude de qualquer um desses termos é dada pela Eq. (7.44):

$$F_n = A_n e^{-2\pi n z/b}.$$

Precisamos considerar apenas $n = 1$, pois queremos apenas o campo em pontos não muito próximos à grade. Para uma solução completa, precisaríamos ainda determinar os coeficientes A_n, o que não fizemos ainda (embora isso seja um cálculo direto). Como precisamos apenas de A_1, podemos estimar que sua magnitude seja aproximadamente a mesma que a do campo médio. O fator exponencial pode então nos dar diretamente a amplitude *relativa* das variações. Se quisermos que esse fator seja 10^{-3}, encontramos que b deve ser $0{,}91z$. Se fizermos o espaçamento dos tubos fluorescentes 3/4 da distância ao teto, o fator exponencial será então 1/4000, e teremos um fator de segurança de 4, tendo assim plena certeza de que conseguiremos uma iluminação constante de uma parte em mil (um cálculo exato mostra que A_1 é, na verdade, o dobro do campo médio, portanto $b \approx 0{,}83z$). É um pouco surpreendente que para uma iluminação tão uniforme a separação dos tubos possa ser tão grande.

12–7 A "unidade subjacente" da natureza

Neste capítulo, queremos mostrar que, aprendendo sobre a eletrostática, você aprendeu ao mesmo tempo como manipular muitos assuntos em física e, mantendo isso em mente, é possível aprender quase toda a física em um número limitado de anos.

Contudo, uma questão certamente surge ao fim desta discussão: *por que as equações de fenômenos tão distintos são semelhantes*? Você poderia dizer: "esta é a unidade subjacente da natureza", mas o que isso significa? O que *poderia* significar tal afirmação?

[1] Como estamos falando de fontes incoerentes cujas intensidades são sempre adicionadas linearmente, as cargas elétricas análogas terão sempre o mesmo sinal. Além disso, nossa analogia se aplica apenas à energia luminosa incidindo sobre uma superfície opaca, de modo que precisamos incluir em nossa integral apenas as fontes que iluminam a superfície (e não, naturalmente, as fontes localizadas abaixo da superfície!).

Isso poderia significar simplesmente que as equações são semelhantes para diferentes fenômenos; mas então, obviamente, não teremos dado nenhuma explicação. A "unidade subjacente" pode significar que tudo é constituído da mesma essência e, portanto, obedece às mesmas equações. Isso parece uma boa explicação, mas vamos pensar. O potencial eletrostático, a difusão de nêutrons, o fluxo de calor – estamos realmente tratando com a mesma essência? Podemos realmente imaginar que o potencial eletrostático é *fisicamente* idêntico à temperatura, ou a densidade de partículas? Claramente ϕ não é *exatamente a mesma coisa* que a energia térmica das partículas. O deslocamento de uma membrana certamente *não* é igual à temperatura. Então, por que existe uma "unidade subjacente"?

Uma olhada mais de perto na física dos vários assuntos mostra, de fato, que as equações não são realmente as mesmas. A equação que encontramos para a difusão é apenas uma aproximação, boa somente quando a distância em que estamos observando é grande em comparação com o caminho médio livre. Se olharmos mais de perto, poderemos ver os nêutrons individuais circulando. Certamente o movimento dos nêutrons individuais é uma coisa completamente diferente da variação suave que obtivemos resolvendo as equações diferenciais. A equação diferencial é uma aproximação, porque supusemos que os nêutrons estejam suavemente distribuídos no *espaço*.

Será possível que *esta* seja a pista? Que a coisa comum a todos os fenômenos seja o *espaço*, a estrutura na qual a física é montada? Contanto que as coisas sejam razoavelmente suaves no espaço, as coisas importantes que estarão envolvidas serão as taxas de variações das quantidades com a posição no espaço. É por isso que sempre obtemos uma equação com um gradiente. As derivadas *devem* aparecer na forma de um gradiente ou de um divergente; uma vez que as leis da física são *independentes da direção*, deve ser possível exprimi-las na forma vetorial. As equações da eletrostática são as equações vetoriais mais simples que se pode obter envolvendo apenas as derivadas espaciais das quantidades. Qualquer outro problema *simples* – ou a simplificação de um problema complicado – deve se parecer com a eletrostática. O que todos os nossos problemas têm em comum é que eles envolvem o espaço e que *simulamos* o que é na verdade um fenômeno complicado, com uma equação diferencial simples.

Isso nos conduz a uma outra questão interessante. Será que estas mesmas suposições não são válidas também para as equações da eletrostática? Estarão estas equações corretas apenas como uma simulação suavizada de um mundo microscópico realmente muito mais complicado? Poderia ser que o mundo real consistisse em pequenos X-ons que poderiam ser vistos apenas a distâncias *extremamente* pequenas? E que em todas as nossas medidas estamos sempre observando em uma escala tão grande que não podemos ver os pequenos X-ons, e talvez por isso obtemos essas equações diferenciais?

Nossa teoria atualmente mais completa da eletrodinâmica realmente apresenta esta dificuldade para distâncias muito pequenas. Assim, é possível, em princípio, que estas equações sejam uma versão suavizada de alguma coisa. Elas se apresentam corretas a distâncias da ordem de 10^{-14} cm. Abaixo disso, elas parecem começar a falhar. É possível que exista algum "mecanismo" subjacente ainda desconhecido, e que os detalhes de uma complexidade subjacente esteja escondida em uma equação de aparência suave – como ocorre na difusão "suave" dos nêutrons. Ainda assim, ninguém ainda formulou uma teoria bem-sucedida que funcione dessa forma.

Por incrível que pareça, verifica-se (por razões que não entendemos totalmente) que a combinação da relatividade e da mecânica quântica, como as conhecemos, parece *proibir* a invenção de uma equação que seja fundamentalmente diferente da Eq. (12.4) e que ao mesmo tempo não leve a algum tipo de contradição. Não apenas um desacordo com a experiência, mas uma *contradição interna*. Como, por exemplo, a previsão de que a soma das probabilidades de todas as ocorrências possíveis não seja igual a um, ou que a energia possa algumas vezes surgir como um número complexo, ou uma outra idiotice qualquer. Ninguém ainda construiu uma teoria da eletricidade na qual $\nabla^2\phi = -\rho/\epsilon_0$ seja entendido como uma aproximação suavizada de um mecanismo oculto e que não leve imediatamente a algum tipo de absurdo. No entanto, precisa ser acrescentado que também é verdade que supor que $\nabla^2\phi = -\rho/\epsilon_0$ seja verdade para todas as distâncias, não importando quão pequena, leva a seus próprios absurdos (a energia elétrica de um elétron é infinita) – absurdos para os quais ninguém conhece ainda uma saída.

13

Magnetostática

13–1 O campo magnético

Revisão: Capítulo 15, Vol. I, *A Teoria da Relatividade Restrita*

A força em uma carga elétrica depende não apenas de onde essa carga se encontra, mas também de como ela está se movendo. Todo ponto no espaço é caracterizado por duas quantidades vetoriais que determinam a força em qualquer carga. Primeiro, existe a *força elétrica* que nos dá a componente da força que independe do movimento da carga. Nós a descrevemos por meio do campo elétrico, $\boldsymbol{E}$. Existe também uma componente adicional da força, chamada de *força magnética*, que depende da velocidade da carga. Esta força magnética possui uma estranha característica direcional: em qualquer ponto no espaço, tanto a *direção* quanto a *magnitude* dessa força dependem da direção do movimento da partícula: em cada instante, essa força é sempre perpendicular ao vetor velocidade; além disso, em qualquer ponto, essa força é sempre perpendicular a uma *direção fixa do espaço* (veja a Figura 13–1); finalmente, a magnitude desta força é proporcional à componente da velocidade perpendicular a esta direção única. É possível descrever todo este comportamento definindo o vetor do campo magnético $\boldsymbol{B}$, que especifica tanto esta direção única no espaço, quanto a constante de proporcionalidade com a velocidade, o que permite escrever essa força como $q\boldsymbol{v} \times \boldsymbol{B}$. Então, a força eletromagnética total em uma carga pode ser escrita como

$$\boldsymbol{F} = q(\boldsymbol{E} + \boldsymbol{v} \times \boldsymbol{B}). \tag{13.1}$$

Esta é a chamada *força de Lorentz*.

A força magnética é facilmente demonstrada trazendo uma barra de magneto para próximo de um tubo de raios catódicos. A deflexão do feixe de elétrons mostra que a presença do magneto resulta em uma força nos elétrons, transversa à direção do seu movimento, como descrevemos no Capítulo 12 do Vol. I.

A unidade do campo magnético $\boldsymbol{B}$ é evidentemente um newton-segundo por Coulomb--metro. A mesma unidade é também um volt-segundo por metro^2, que também é chamada de um *weber por metro quadrado*.

13–2 A corrente elétrica; a conservação da carga

Consideramos primeiro como podemos entender a força magnética em fios que conduzem correntes elétricas. Para isso, definiremos o que se entende por densidade de corrente. Correntes elétricas são elétrons, ou outras cargas, movendo-se na forma de uma corrente, com um fluxo resultante. Podemos representar o fluxo de carga por um vetor que fornece a quantidade de carga que passa por unidade de área e por unidade de tempo através de um elemento de superfície perpendicular ao fluxo (exatamente como fizemos no caso do fluxo de calor). Denominamos essa entidade de *densidade de corrente* e a representamos pelo vetor $\boldsymbol{j}$. Esse vetor está direcionado ao longo do movimento das cargas. Se tomarmos uma pequena área ΔS em um dado lugar do material, a quantidade de carga fluindo através desta área por unidade de tempo é

$$\boldsymbol{j} \cdot \boldsymbol{n}\, \Delta S, \tag{13.2}$$

onde $\boldsymbol{n}$ é o vetor unitário normal a ΔS.

A densidade de corrente está relacionada com a velocidade média do fluxo das cargas. Suponhamos que haja uma distribuição de cargas cujo movimento médio é uma corrente com velocidade $\boldsymbol{v}$. Conforme essa distribuição passa através de um elemento de superfície ΔS, a carga Δq passando através deste elemento de superfície, em um intervalo Δt, será igual à carga contida em um paralelepípedo cuja base é ΔS e cuja altura é $\boldsymbol{v}\, \Delta t$, como mostrado na Figura 13–2. O volume do paralelepípedo é a projeção de ΔS em um

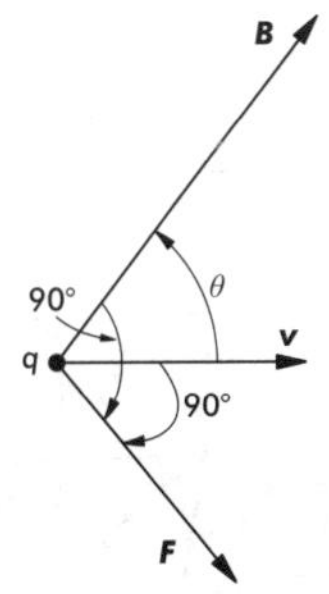

Figura 13–1 A componente da força dependente da velocidade em uma carga em movimento é perpendicular a v e à direção de $\boldsymbol{B}$. Ela é também proporcional à componente de v perpendicular a $\boldsymbol{B}$, isto é, a v sen θ.

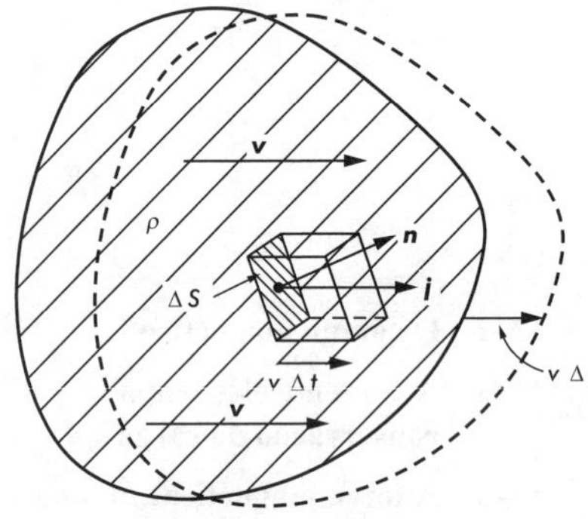

Figura 13–2 Se uma distribuição de cargas de densidade ρ move-se com velocidade **v**, a carga por unidade de tempo através de ΔS vale $\rho \boldsymbol{v} \cdot \boldsymbol{n} \Delta S$.

ângulo perpendicular a $\boldsymbol{v}$ vezes $\boldsymbol{v}\,\Delta t$. Este volume, multiplicado pela densidade de carga ρ, dará Δq. Então,

$$\Delta q = \rho \boldsymbol{v} \cdot \boldsymbol{n}\, \Delta S\, \Delta t.$$

A carga por unidade de tempo é então $\rho \boldsymbol{v} \cdot \boldsymbol{n}\, \Delta S$, de onde temos

$$\boldsymbol{j} = \rho \boldsymbol{v}. \tag{13.3}$$

Se a distribuição de cargas for constituída de cargas individuais, digamos elétrons, cada uma com uma carga q e movendo-se com uma velocidade média $\boldsymbol{v}$, então a densidade de corrente será

$$\boldsymbol{j} = Nq\boldsymbol{v}, \tag{13.4}$$

onde N é o número de cargas por unidade de volume.

A carga total por unidade de tempo passando através de qualquer superfície S é chamada de *corrente elétrica*, I. Esta corrente é igual à integral da componente normal do fluxo sobre todos os elementos da superfície:

$$I = \int_S \boldsymbol{j} \cdot \boldsymbol{n}\, dS \tag{13.5}$$

(veja a Figura 13–3).

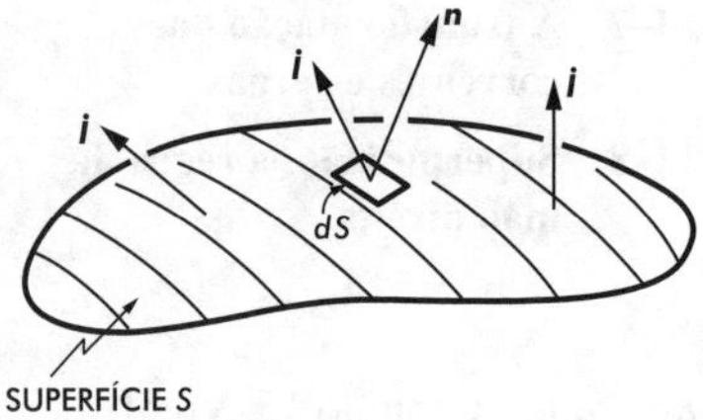

Figura 13–3 A corrente I através da superfície S é $\int \boldsymbol{j} \cdot \boldsymbol{n}\, dS$.

A corrente I para fora de uma superfície fechada S representa a taxa com que as cargas estão deixando o volume V encerrado por S. Uma das leis básicas da física é que *a carga elétrica é indestrutível*; ela nunca é perdida ou criada. As cargas elétricas podem se mover de um lugar para outro, mas nunca aparecer do nada. Dizemos que *a carga se conserva*. Se houver uma corrente resultante para fora de uma superfície fechada, a quantidade de carga dentro dessa superfície deve diminuir pela quantidade correspondente (Figura 13–4). Podemos, portanto, escrever a lei da conservação da carga como

$$\int_{\substack{\text{qualquer superfície}\\ \text{fechada}}} \boldsymbol{j} \cdot \boldsymbol{n}\, dS = -\frac{d}{dt}(Q_{\text{interna}}). \tag{13.6}$$

A carga interna pode ser escrita como uma integral de volume da densidade de carga:

$$Q_{\text{interna}} = \int_{\substack{V\\ \text{interna } S}} \rho\, dV. \tag{13.7}$$

Se aplicarmos (13.6) em um pequeno volume ΔV, sabemos que a integral do lado direito será $\nabla \cdot \boldsymbol{j}\, \Delta V$. A carga interna é $\rho\, \Delta V$, então a conservação da carga pode também ser escrita como

$$\nabla \cdot \boldsymbol{j} = -\frac{\partial \rho}{\partial t} \tag{13.8}$$

(Novamente a matemática de Gauss!)

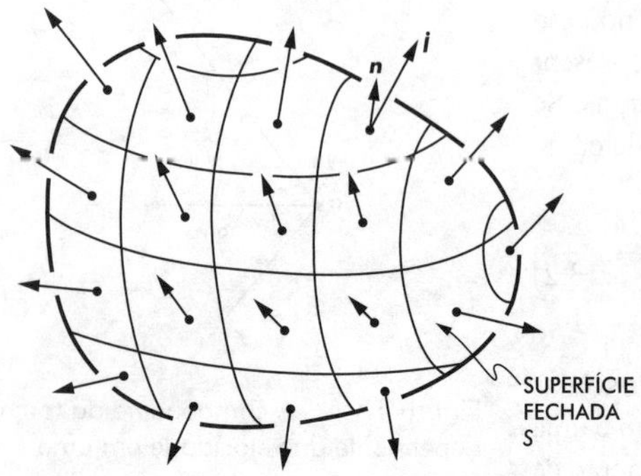

Figura 13–4 A integral de $\boldsymbol{j} \cdot \boldsymbol{n}$ sobre uma superfície fechada é menos a taxa de variação da carga interna Q.

13–3 A força magnética em uma corrente

Estamos prontos para encontrar a força em um fio conduzindo uma corrente em um campo magnético. A corrente consiste em partículas carregadas movendo--se com velocidade $\boldsymbol{v}$ ao longo do fio. Cada carga sente a força transversa

$$\boldsymbol{F} = q\boldsymbol{v} \times \boldsymbol{B}$$

(Figura 13–5a). Se houver N destas cargas por unidade de volume, a quantidade em um pequeno volume ΔV do fio será $N\,\Delta V$. A força magnética total $\Delta \boldsymbol{F}$ no volume ΔV é a soma das forças nas cargas individuais, isto é,

$$\Delta \boldsymbol{F} = (N\,\Delta V)(q\boldsymbol{v} \times \boldsymbol{B}).$$

Mas $Nq\boldsymbol{v}$ é simplesmente $\boldsymbol{j}$, então

$$\Delta \boldsymbol{F} = \boldsymbol{j} \times \boldsymbol{B}\,\Delta V \qquad (13.9)$$

(Figura 13–5b). A força por unidade de volume é $\boldsymbol{j} \times \boldsymbol{B}$.

Se a corrente for uniforme através de um fio cuja área da seção reta vale A, podemos tomar como elemento de volume um cilindro com a área da base A e comprimento ΔL. Então

$$\Delta \boldsymbol{F} = \boldsymbol{j} \times \boldsymbol{B}A\,\Delta L. \qquad (13.10)$$

Podemos agora chamar de $\boldsymbol{j}A$ o vetor de corrente $\boldsymbol{I}$ no fio (sua magnitude é a corrente elétrica no fio, e sua direção está ao longo do fio). Então

$$\Delta \boldsymbol{F} = \boldsymbol{I} \times \boldsymbol{B}\,\Delta L. \qquad (13.11)$$

A força por unidade de área no fio vale $\boldsymbol{I} \times \boldsymbol{B}$.

Essa equação fornece o importante resultado que a força magnética no fio, devido ao movimento das cargas nele contidas, depende apenas da corrente total, e não da quantidade de cargas carregada por cada partícula – nem mesmo do sinal dessas cargas! A força magnética em um fio próximo a um magneto é facilmente obtida observando a deflexão desse fio quando a corrente é ligada, como descrevemos no Capítulo 1 (veja a Figura 1-6).

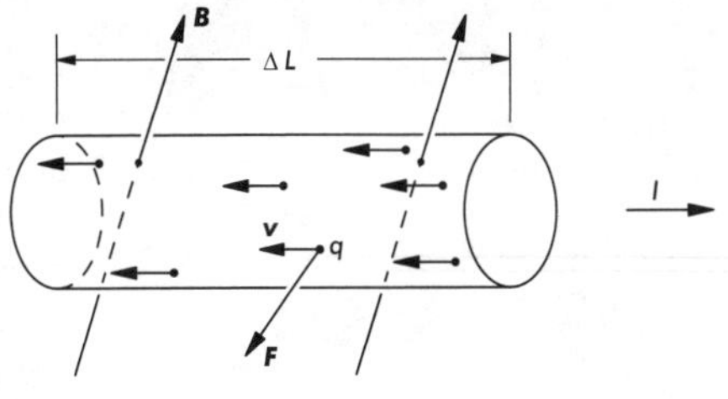

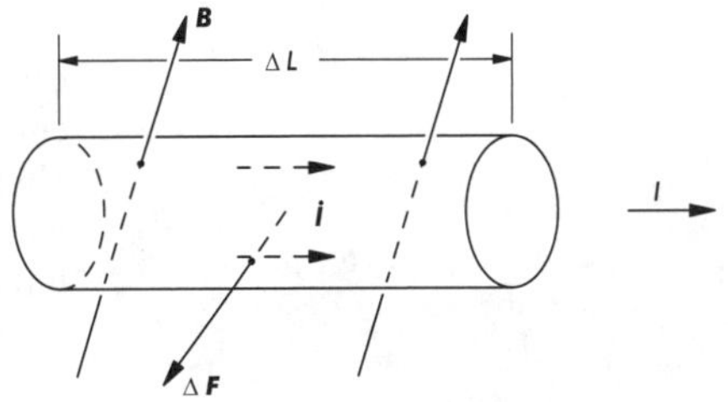

Figura 13–5 A força magnética sobre um fio que carrega correntes é a soma das forças sobre as cargas individuais que se movem.

13–4 O campo magnético de uma corrente estacionária; a lei de Ampère

Vimos que existe uma força em um fio conduzindo corrente na presença de um campo magnético produzido, digamos, por um magneto. Pelo princípio da ação e reação, devemos esperar que haja uma força na fonte do campo magnético, ou seja, no magneto, quando houver uma corrente no fio[1]. Realmente existem tais forças, como pode ser visto pela deflexão da agulha de uma bússola próxima de um fio com uma corrente. Sabemos que magnetos sentem as forças de outros magnetos, o que significa que quando há uma corrente no fio, o próprio fio gera um campo magnético. Portanto, cargas em movimento *produzem* um campo magnético. Gostaríamos agora de tentar descobrir as leis que determinam como estes campos são criados. A questão é: dada uma corrente, qual o campo magnético criado por ela? A resposta para essa pergunta foi determinada experimentalmente por três experiências críticas e um argumento teórico brilhante dado por Ampère. Passaremos por cima deste interessante desenvolvimento histórico e simplesmente diremos que um grande número de experiências demonstrou a validade das equações de Maxwell. Vamos tomar estas equações como nosso ponto de partida. Se eliminarmos os termos que envolvem derivadas temporais nestas equações, obteremos as equações da magnetostática:

$$\boldsymbol{\nabla} \cdot \boldsymbol{B} = 0 \qquad (13.12)$$

e

$$c^2 \boldsymbol{\nabla} \times \boldsymbol{B} = \frac{\boldsymbol{j}}{\epsilon_0}. \qquad (13.13)$$

Essas equações são válidas apenas se todas as densidades de cargas elétricas forem constantes e todas as correntes forem estacionárias, de forma que os campos elétricos e magnéticos não mudem com o tempo – todos os campos são "estáticos".

[1] Veremos, entretanto, que estas suposições *não* são geralmente corretas para as forças eletromagnéticas!

Devemos notar que é muito perigoso pensar que existe algo como uma situação magnética estática, porque deve haver correntes para se obter um campo magnético – e correntes são oriundas de cargas em movimento. A "magnetostática" é, portanto, uma aproximação. Ela se refere a um tipo especial de situação dinâmica com um *grande número* de cargas em movimento, que podem ser aproximadas por um fluxo de cargas *estacionário*. Somente assim podemos falar de uma densidade de correntes $\boldsymbol{j}$ que não varia com o tempo. O assunto pode ser mais precisamente chamado de o estudo das correntes estacionárias. Supondo que todos os campos sejam estacionários, abandonamos todos os termos $\partial \boldsymbol{E}/\partial t$ e $\partial \boldsymbol{B}/\partial t$ nas equações de Maxwell, Eqs. (2.41), e obtemos as duas equações (13.12) e (13.13) anteriores. Note também que, uma vez que o divergente do rotacional de qualquer vetor é necessariamente zero, a Eq. (13.13) exige que $\nabla \cdot \boldsymbol{j} = 0$. Devido à Eq. (13.8), isso será verdade apenas se $\partial\rho/\partial t$ for zero, mas isso deve acontecer se $\boldsymbol{E}$ não estiver variando com o tempo, então nossas suposições são todas consistentes.

A exigência de que $\nabla \cdot \boldsymbol{j} = 0$ significa que podemos ter apenas cargas que fluem em caminhos que retornem ao seu ponto de origem. Essas cargas podem, por exemplo, fluir em fios que formem caminhos fechados – chamados de circuitos. Os circuitos podem, obviamente, conter geradores ou baterias que mantêm as cargas fluindo, mas não podem incluir condensadores que estejam se carregando ou descarregando. Obviamente, no futuro, estenderemos a teoria para contemplar campos dinâmicos, mas queremos primeiro tratar o caso mais simples das correntes estacionárias.

Vamos olhar agora para as Eqs. (13.12) e (13.13) para ver o que elas significam. A primeira diz que o divergente de $\boldsymbol{B}$ é zero. Comparando com a equação análoga da eletrostática, que diz que $\nabla \cdot \boldsymbol{E} = -\rho/\epsilon_0$, podemos concluir que não existem análogos magnéticos para as cargas elétricas. Não existem cargas magnéticas das quais emergem as linhas de $\boldsymbol{B}$. Se pensarmos em termos de "linhas" do campo vetorial $\boldsymbol{B}$, estas linhas nunca podem nem começar nem terminar. Então de onde elas vêm? Campos magnéticos "aparecem" *na presença de* correntes; eles possuem um *rotacional* proporcional à densidade de corrente. Onde quer que existam correntes, haverá linhas de campo magnético efetuando caminhos fechados ao redor das correntes. Como as linhas de $\boldsymbol{B}$ não começam nem terminam, elas frequentemente se fecharão em si mesmas, criando circuitos fechados. No entanto, pode haver também situações complicadas nas quais essas linhas não sejam simples circuitos fechados. Seja lá o que elas façam, elas nunca divergem de um ponto. Nenhuma carga magnética jamais foi descoberta, portanto $\nabla \cdot \boldsymbol{B} = 0$. Isto não é válido apenas para a magnetostática; isso é *sempre* verdade – mesmo para campos dinâmicos.

A conexão entre o campo $\boldsymbol{B}$ e as correntes está contida na Eq. (13.13). Temos aqui um novo tipo de situação que é completamente diferente da eletrostática, na qual tínhamos o $\nabla \times \boldsymbol{E} = 0$. Dizer que o rotacional de $\boldsymbol{E}$ se anula significa que a integral de linha de $\boldsymbol{E}$ através de qualquer caminho fechado é zero:

$$\oint_{\text{curva}} \boldsymbol{E} \cdot d\boldsymbol{s} = 0.$$

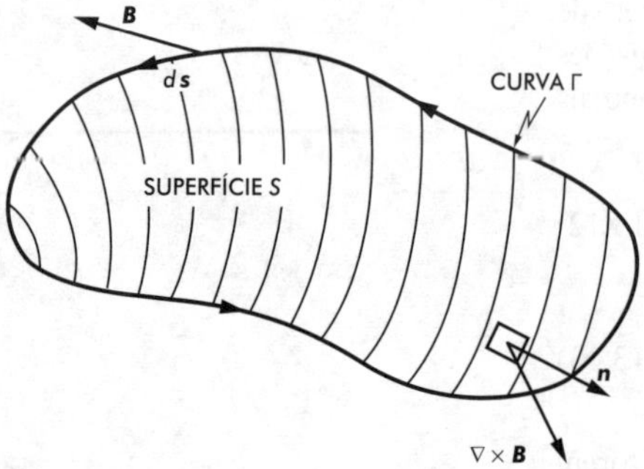

Figura 13–6 A integral de linha da componente tangencial de $\boldsymbol{B}$ é igual à integral de superfície da componente normal de $\nabla \times \boldsymbol{B}$.

Obtivemos também o resultado do teorema de Stokes, que afirma que a integral de *qualquer* campo vetorial ao redor de qualquer caminho fechado é igual à integral de superfície da componente normal do rotacional do vetor (para qualquer superfície que tenha o caminho fechado como borda). Aplicando o mesmo teorema para o campo magnético e usando os símbolos mostrados na Figura 13–6, temos

$$\oint_{\Gamma} \boldsymbol{B} \cdot d\boldsymbol{s} = \int_S (\nabla \times \boldsymbol{B}) \cdot \boldsymbol{n}\, dS. \qquad (13.14)$$

Tomando o rotacional de $\boldsymbol{B}$ da Eq. (13.13), temos

$$\oint_{\Gamma} \boldsymbol{B} \cdot d\boldsymbol{s} = \frac{1}{\epsilon_0 c^2} \int_S \boldsymbol{j} \cdot \boldsymbol{n}\, dS. \qquad (13.15)$$

A integral de S, de acordo com (13.5), é a corrente total através da superfície I. Como para correntes estacionárias a corrente através de S independe da forma de S, desde que esta seja limitada pela curva Γ, normalmente fala-se "da corrente através do circuito fechado Γ". Temos assim uma lei geral: a circulação de $\boldsymbol{B}$ ao redor de qualquer curva fechada é igual à corrente I através desta curva, dividida por $\epsilon_0 c^2$:

$$\oint_\Gamma \boldsymbol{B} \cdot d\boldsymbol{s} = \frac{I_{\text{através de }\Gamma}}{\epsilon_0 c^2}. \tag{13.16}$$

Esta lei – denominada *lei de Ampère* – tem o mesmo papel na magnetostática que a lei de Gauss na eletrostática. A lei de Ampère sozinha não determina $\boldsymbol{B}$ a partir das correntes; em geral, temos de usar que o $\nabla \cdot \boldsymbol{B} = 0$. Contudo, como veremos na próxima seção, esta lei pode ser usada para encontrar o campo em circunstâncias especiais que possuem certas simetrias simples.

13–5 O campo magnético de um fio reto e de um solenoide; correntes atômicas

Podemos ilustrar o uso da lei de Ampère calculando o campo magnético próximo a um fio. Perguntamos: qual é o campo no exterior de um longo fio reto com uma seção de corte cilíndrica? Supomos algo que pode não ser completamente evidente, mas que, no entanto, é verdade: que as linhas de campo de $\boldsymbol{B}$ são círculos fechados ao redor do fio. Se fizermos essa suposição, então a lei de Ampère, Eq. (13.16), nos diz qual a intensidade do campo. Pela simetria do problema, $\boldsymbol{B}$ tem a mesma magnitude em todos os pontos de um círculo concêntrico ao fio (veja a Figura 13–7). Podemos então fazer a integral de $\boldsymbol{B} \cdot d\boldsymbol{s}$ de modo muito fácil; essa integral é simplesmente a magnitude de $\boldsymbol{B}$ vezes o comprimento da circunferência. Se r for o raio do círculo, então

$$\oint \boldsymbol{B} \cdot d\boldsymbol{s} = B \cdot 2\pi r.$$

A corrente total através do circuito fechado é simplesmente a corrente I no fio, portanto

$$B \cdot 2\pi r = \frac{I}{\epsilon_0 c^2},$$

ou

$$B = \frac{1}{4\pi\epsilon_0 c^2}\frac{2I}{r}. \tag{13.17}$$

A intensidade do campo magnético cai com o inverso de r, a distância ao eixo do fio. Se quisermos, podemos escrever a Eq. (13.17) em forma vetorial. Lembrando que $\boldsymbol{B}$ é simultaneamente ortogonal a $\boldsymbol{I}$ e a $\boldsymbol{r}$, temos

$$\boldsymbol{B} = \frac{1}{4\pi\epsilon_0 c^2}\frac{2\boldsymbol{I} \times \boldsymbol{e}_r}{r}. \tag{13.18}$$

Separamos o fator $1/4\pi\epsilon_0 c^2$ porque ele aparece frequentemente. É bom lembrar que esse fator vale exatamente 10^{-7} (no sistema mks), já que uma equação como (13.17) é usada para *definir* a unidade de corrente, o ampère. A um metro de uma corrente de um ampère o campo magnético vale 2×10^{-7} webers por metro quadrado.

Como uma corrente produz um campo magnético, ela irá exercer uma força em um fio próximo que também transporte uma corrente. No Capítulo 1, descrevemos uma demonstração simples das forças entre dois fios conduzindo uma corrente. Se os fios forem paralelos, cada um estará perpendicular ao campo do outro; assim, os fios sentirão uma força atrativa ou repulsiva. Quando as correntes estiverem na mesma direção, os fios se atrairão; quando as correntes se moveremm em sentidos opostos, os fios irão se repelir.

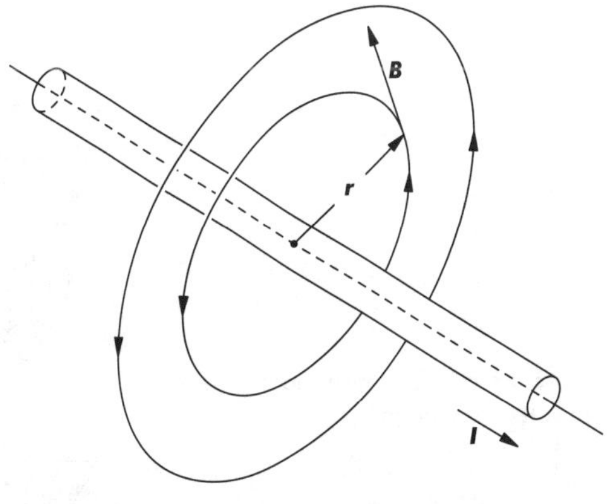

Figura 13–7 O campo magnético fora de um fio longo que carrega uma corrente I.

Tomemos outro exemplo que pode ser analisado pela lei de Ampère se adicionarmos algum conhecimento sobre o campo. Suponha que tenhamos uma longa bobina de fio enrolada em uma espiral justa, como mostrado pela seção de corte na Figura 13–8. Esse tipo de bobina é chamado de *solenoide*. Observamos experimentalmente que, quando um solenoide for muito longo, em comparação com seu diâmetro, o campo em seu exterior é muito pequeno em comparação com o campo em seu interior. Usando apenas esse fato, juntamente à lei de Ampère, podemos encontrar a intensidade do campo interno.

Como o campo permanece no interior do solenoide (e tem divergência nula), suas linhas devem seguir paralelas ao eixo, como mostrado na Figura 13–8. Sendo este o caso, podemos usar a lei de Ampère com a "curva" retangular Γ mostrada na figura. Este caminho percorre uma distância L dentro do solenoide, onde o campo vale, digamos, $\boldsymbol{B}_0$, segue então perpendicular às linhas de campo e retorna pelo lado de fora, onde o campo pode ser desprezado. A integral de linha de $\boldsymbol{B}$ nesta curva é simplesmente B_0L, e deve ser $1/\epsilon_0c^2$ vezes a corrente total através de Γ, que vale NI se houver N voltas do solenoide dentro de L. Temos

$$B_0L = \frac{NI}{\epsilon_0c^2}.$$

Ou, sendo n o número de voltas por unidade de comprimento do solenoide (isto é, $n = N/L$), temos

$$B_0 = \frac{nI}{\epsilon_0c^2}. \qquad (13.19)$$

O que acontece com as linhas de $\boldsymbol{B}$ quando elas atingem o fim do solenoide? Presumivelmente, elas se espalham de alguma forma e voltam a entrar no solenoide pelo outro lado, como esquematizado na Figura 13–9. Tal campo é exatamente o que se observa na parte externa de um magneto. O que é um magneto afinal? Nossas equações dizem que $\boldsymbol{B}$ vem da presença de correntes. Por outro lado, sabemos que barras comuns de ferro (sem baterias ou geradores) também produzem campos magnéticos. Você poderia esperar que houvesse outros termos no lado direito de (13.12) ou (13.13) para representar "a densidade de ferro magnético" ou alguma quantidade parecida, mas não existe esse termo. Nossa teoria afirma que os efeitos magnéticos do ferro são provenientes de algumas correntes internas que já estão sendo levadas em conta pelo termo $\boldsymbol{j}$.

A matéria é muito complexa quando observada de um ponto de vista fundamental – como vimos quando tentamos entender os dielétricos. Com o objetivo de não interromper nossa presente discussão, vamos deixar para depois os detalhes do mecanismo interno dos materiais magnéticos como o ferro. Você terá de aceitar, no momento, que todo o magnetismo é produzido por correntes, e que em um magneto permanente existem correntes internas permanentes. No caso do ferro, essas correntes vêm dos elétrons girando em torno de seus próprios eixos (o *spin* dos elétrons*). Cada elétron possui este giro (*spin*), que corresponde a uma minúscula corrente de circulação. Obviamente, um

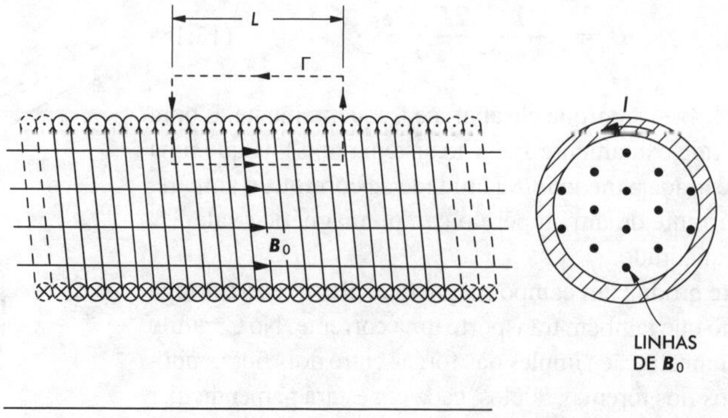

Figura 13–8 O campo magnético de um solenoide longo.

* N. de T.: Perde-se aqui a igualdade entre o termo em inglês para a ação de girar e a propriedade intrínseca dos elétrons chamada spin. É importante notar que, apesar da semelhança nos efeitos observados, esta propriedade *não* pode rigorosamente ser associada com um movimento de rotação dos elétrons.

elétron não produz um campo magnético intenso, mas em um pedaço comum de matéria existem bilhões e bilhões de elétrons. O milagre é que, em muito poucas substâncias, como o ferro, uma grande fração dos elétrons gira com seus eixos na mesma direção (possui o eixo de seus spins na mesma direção) – no ferro, dois elétrons em cada átomo tomam parte neste movimento cooperativo. Em uma barra de magneto existe um grande número de elétrons, todos girando na mesma direção e, como veremos, o efeito total é equivalente a uma corrente circulando na superfície da barra. Isso é completamente análogo ao que encontramos para os dielétricos – que um dielétrico uniformemente polarizado é equivalente a uma distribuição superficial de cargas. Portanto, não é acidental que uma barra de magneto seja equivalente a um solenoide.

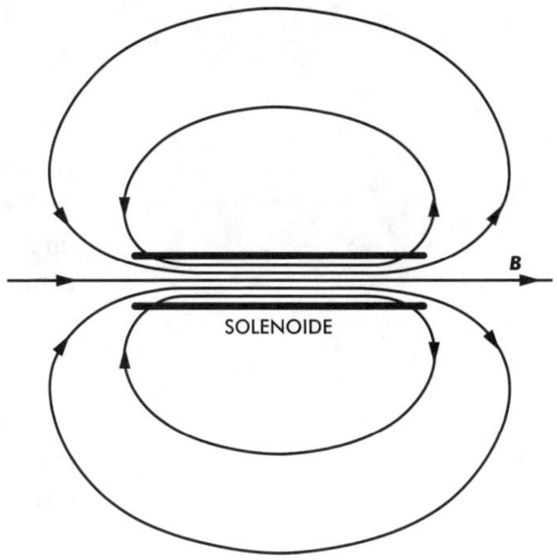

Figura 13–9 O campo magnético fora de um solenoide.

13–6 A relatividade dos campos magnéticos e elétricos

Quando dissemos que a força magnética em uma carga é proporcional à sua velocidade, você pode ter se perguntado: "que velocidade? Em relação a qual sistema de referência?" Na verdade, é claro que, pela definição de $\boldsymbol{B}$ dada no início deste capítulo, este vetor dependerá de qual sistema de referência escolhemos para especificar a velocidade das cargas. Contudo, não falamos nada sobre qual o referencial apropriado para se especificar o campo magnético.

Verifica-se que *qualquer* referencial inercial pode ser usado. Veremos também que o magnetismo e a eletricidade não são coisas independentes – eles sempre podem ser considerados em conjunto como um *único* campo eletromagnético. Embora no caso estático as equações de Maxwell se separem em dois pares distintos, um par para a eletricidade e um par para o magnetismo, sem nenhuma conexão aparente entre esses dois campos, na própria natureza existe um relacionamento muito íntimo entre eles, que surge do princípio da relatividade. Historicamente, o princípio da relatividade foi descoberto depois das equações de Maxwell. Foi, na verdade, o estudo da eletricidade e do magnetismo que levou à descoberta de Einstein do seu princípio da relatividade. Vamos ver o que nosso conhecimento da relatividade pode nos dizer sobre as forças magnéticas se supusermos que o princípio da relatividade pode ser aplicado – e ele pode – ao eletromagnetismo.

Vamos pensar sobre o que acontece quando uma carga negativa se move com velocidade v_0 paralela a um fio que conduz uma corrente, como na Figura 13–10. Tentaremos entender o que ocorre em dois referenciais diferentes: um fixo com respeito ao fio, como na parte (a) da figura, e outro fixo com respeito à partícula, como na parte (b). Chamaremos o primeiro referencial de S e o segundo de S'.

No referencial S', claramente existe uma força magnética na partícula. Essa força está na direção do fio, portanto, se a carga se mover livremente, poderemos vê-la se curvar na direção do fio. Contudo, no sistema S' não pode haver nenhuma força magnética na partícula, porque sua velocidade é zero. Será que, com isso, ela permanecerá parada? Veríamos coisas diferentes acontecendo nos dois referenciais? O princípio da relatividade nos diz que em S' também devemos ver a partícula mover-se para mais perto do fio. Devemos tentar entender por que isso aconteceria.

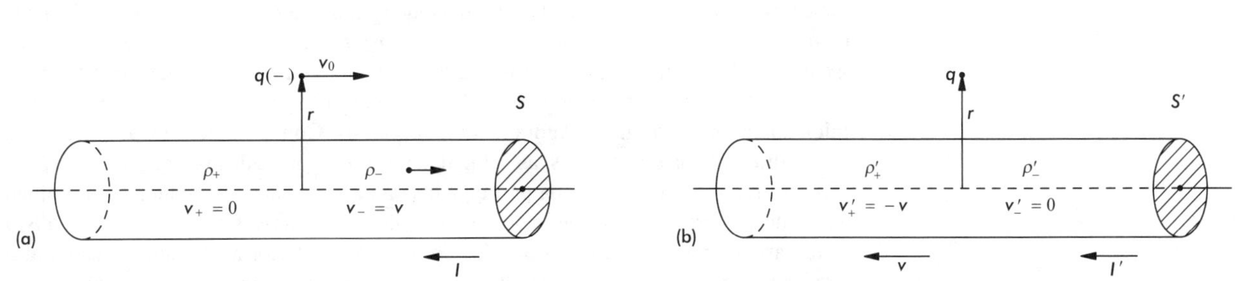

Figura 13–10 A interação de um fio carregando corrente e uma partícula com carga q conforme vista por dois referenciais. No referencial S (parte a), o fio está em repouso; no referencial S' (parte b), a carga está em repouso.

Retornemos à nossa descrição atômica de um fio conduzindo uma corrente. Em um condutor normal, como o cobre, as correntes elétricas são provenientes dos movimentos de alguns elétrons negativos – chamados de elétrons de condução –, enquanto as cargas nucleares positivas e os demais elétrons permanecem fixos no corpo do material. Seja ρ_- a densidade das cargas dos elétrons de condução e $\boldsymbol{v}$ sua velocidade no referencial S. A densidade das cargas em repouso em S é ρ_+ que deve ser igual ao negativo de ρ_-, uma vez que estamos considerando um fio descarregado. Portanto, não existe nenhum campo elétrico no exterior do fio, e a força na partícula que se move é simplesmente

$$\boldsymbol{F} = q\boldsymbol{v}_0 \times \boldsymbol{B}.$$

Usando o resultado que encontramos na Eq. (13.18) para o campo magnético a uma distância r do eixo de um fio, concluímos que a força na partícula está direcionada para o fio e possui magnitude

$$F = \frac{1}{4\pi\epsilon_0 c^2} \cdot \frac{2Iqv_0}{r}.$$

Usando as Eqs. (13.3) e (13.5), a corrente I pode ser escrita como $\rho_- vA$, onde A é a área da seção reta do fio. Portanto

$$F = \frac{1}{4\pi\epsilon_0 c^2} \cdot \frac{2q\rho_- Avv_0}{r}. \tag{13.20}$$

Podemos continuar tratando o caso geral de velocidades $\boldsymbol{v}$ e $\boldsymbol{v}_0$ arbitrárias, mas não perderemos nada se olharmos para o caso especial no qual a velocidade $\boldsymbol{v}_0$ da partícula é a mesma que a velocidade $\boldsymbol{v}$ dos elétrons de condução. Escreveremos então $\boldsymbol{v}_0 = \boldsymbol{v}$, e a Eq. (13.20) se torna

$$F = \frac{q}{2\pi\epsilon_0} \frac{\rho_- A}{r} \frac{v^2}{c^2}. \tag{13.21}$$

Vejamos agora para o que acontece em S' onde a partícula está em repouso e o fio está passando correndo por ela (para a esquerda na figura) com velocidade $\boldsymbol{v}$. As cargas positivas que se movem com o fio criarão um campo magnético B' na partícula, mas a partícula está agora em *repouso*, ela não sentirá nenhuma força *magnética*. O fio em movimento deve, portanto, estar produzindo algum campo elétrico, mas isso só pode acontecer se cargas *surgirem* neste fio – então um fio neutro, com uma corrente passando, deve parecer carregado quando colocado em movimento.

Precisamos analisar isso. Precisamos tentar calcular a densidade de carga do fio em S', partindo do que sabemos do valor desta densidade em S. Pode-se, a princípio, pensar que estas densidades serão iguais; mas sabemos que os comprimentos são diferentes em S e S' (veja o Capítulo 15 do Vol. I), portanto os volumes também o serão. Como a densidade de cargas depende do volume ocupado pelas cargas, as densidades também se alterarão.

Antes de podermos decidir sobre a *densidade* de cargas em S', precisamos saber o que acontece com a *carga* elétrica de um monte de elétrons quando as cargas estão se movendo. Sabemos que a massa aparente da partícula muda por um fator $1/\sqrt{1 - v^2/c^2}$. Será que com a carga ocorre algo semelhante? Não! As *cargas* são sempre as *mesmas*, movendo-se ou não. De outra forma, não observaríamos sempre que a carga total é conservada.

Suponha que tomemos um bloco de um material, digamos um condutor, que está inicialmente descarregado. Agora nós o aquecemos. Como os elétrons possuem uma massa diferente da dos prótons, as velocidades dos elétrons e dos prótons sofrerão alterações diferentes. Se a carga da partícula dependesse de sua velocidade, em um bloco aquecido, as cargas dos prótons e dos elétrons não estariam mais balanceadas. Um bloco se tornaria carregado quando aquecido. Como vimos anteriormente, uma fração muito pequena de mudança na carga de todos os elétrons em um bloco acarretaria um enorme campo elétrico. Esse efeito nunca foi observado.

Podemos também mencionar que a velocidade média dos elétrons na matéria depende de sua composição química. Se a carga de um elétron mudar com sua velocidade, a carga líquida em um pedaço de material poderia mudar em uma reação química. Novamente, um cálculo direto mostra que, mesmo uma pequena dependência da carga com a velocidade faria com que a mais simples reação química resultasse em campos enormes. Esse efeito não é observado, e concluímos que a carga elétrica de uma única partícula é independente do seu estado de movimento.

Portanto, a carga q em uma partícula é um invariante escalar, independentemente do sistema de referência. Isso significa que, em qualquer referencial, a densidade de carga de uma distribuição de elétrons é simplesmente proporcional ao número de elétrons por unidade de volume. Precisamos nos preocupar apenas com o fato de o volume *poder* mudar devido à contração relativística da distância.

Aplicaremos agora tais ideias ao nosso fio em movimento. Se tomarmos um comprimento L_0 do fio, no qual existe uma densidade de carga *estacionária* ρ_0, este comprimento conterá uma carga total $Q = \rho_0 L_0 A_0$. Se a mesma carga for observada em um referencial diferente, que se move com velocidade v, toda ela estará contida em um pedaço do material que tem um comprimento *menor*

$$L = L_0\sqrt{1 - v^2/c^2}, \tag{13.22}$$

mas com a mesma área A_0 (uma vez que as dimensões transversas ao movimento não se alteram). Veja a Figura 13–11.

Se chamarmos de ρ a densidade de cargas no referencial no qual elas estão se movendo, a carga total Q será $\rho L A_0$. Esta carga deve ser igual a $\rho_0 L_0 A_0$, porque as cargas são as mesmas em ambos os referenciais, portando $\rho L = \rho_0 L_0$ ou, de (13.22),

$$\rho = \frac{\rho_0}{\sqrt{1 - v^2/c^2}}. \tag{13.23}$$

A *densidade* de cargas de uma *distribuição* de cargas que se move varia da mesma forma que a massa relativística da partícula.

Usaremos agora este resultado geral para a densidade de cargas positivas ρ_+ do fio. Estas cargas estão em repouso no referencial S. Em S', entretanto, onde o fio se move com velocidade v, a densidade de cargas positivas se torna

$$\rho'_+ = \frac{\rho_+}{\sqrt{1 - v^2/c^2}}. \tag{13.24}$$

As cargas *negativas* estão em repouso no referencial S'. Portanto, elas possuem sua "densidade de repouso" ρ_0 neste referencial. Na Eq. (13.23) $\rho_0 = \rho'_-$, porque as cargas têm a densidade ρ_- quando o fio está em repouso, ou seja, no referencial S, onde a velocidade das cargas negativas é v. Temos então que, para os elétrons de condução,

$$\rho_- = \frac{\rho'_-}{\sqrt{1 - v^2/c^2}}, \tag{13.25}$$

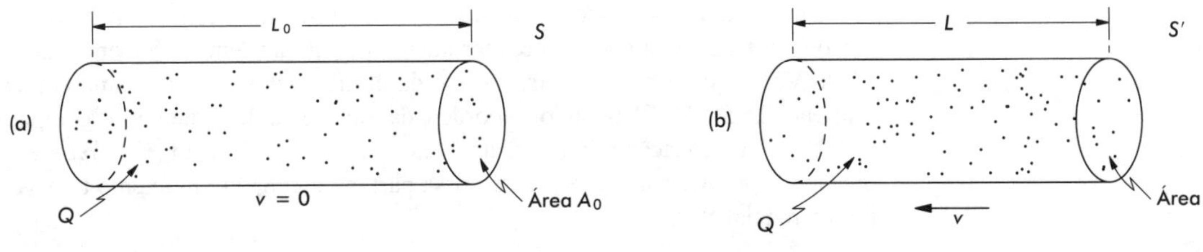

Figura 13–11 Se uma distribuição de partículas carregadas em repouso tem uma densidade de cargas ρ_0, as mesmas cargas terão densidade $\rho = \rho_0/\sqrt{1 - v^2/c^2}$ quando vistas de um referencial com velocidade v.

ou

$$\rho'_- = \rho_- \sqrt{1 - v^2/c^2}. \tag{13.26}$$

Podemos agora ver por que existe um campo elétrico em S' – porque nesse referencial o fio possui uma densidade líquida de cargas ρ' dada por

$$\rho' = \rho'_+ + \rho'_-.$$

Usando (13.24) e (13.26), temos

$$\rho' = \frac{\rho_+}{\sqrt{1 - v^2/c^2}} + \rho_- \sqrt{1 - v^2/c^2}.$$

Como o fio estacionário é neutro, $\rho_- = -\rho_+$, e temos

$$\rho' = \rho_+ \frac{v^2/c^2}{\sqrt{1 - v^2/c^2}}. \tag{13.27}$$

Nosso fio em movimento está positivamente carregado e produzirá um campo elétrico $\boldsymbol{E}'$ na carga externa estacionária. Já resolvemos o problema eletrostático de um cilindro uniformemente carregado. O campo elétrico a uma distância r do eixo do cilindro vale

$$E' = \frac{\rho' A}{2\pi\epsilon_0 r} = \frac{\rho_+ A v^2/c^2}{2\pi\epsilon_0 r \sqrt{1 - v^2/c^2}}. \tag{13.28}$$

A força na partícula negativamente carregada está na direção do fio. Temos, pelo menos, uma força na mesma direção nos dois pontos de vista; a força elétrica em S possui a mesma direção da força magnética em S.

A magnitude da força em S' é

$$F' = \frac{q}{2\pi\epsilon_0} \frac{\rho_+ A}{r} \frac{v^2/c^2}{\sqrt{1 - v^2/c^2}}. \tag{13.29}$$

Comparando este resultado para F' com nosso resultado para F na Eq. (13.21), vemos que a magnitude das forças é quase idêntica pelos dois pontos de vista. Na verdade,

$$F' = \frac{F}{\sqrt{1 - v^2/c^2}}, \tag{13.30}$$

então, para as pequenas velocidades que estamos considerando, as duas forças são iguais. Podemos dizer que, para pequenas velocidade, entendemos o magnetismo e a eletricidade apenas como "duas maneiras de olhar para a mesma coisa".

Mas as coisas são ainda melhores que isso. Se levarmos em conta o fato de que as *forças* também se transformam quando vamos de um referencial para outro, descobrimos que as duas maneiras de olhar o que está acontecendo realmente fornecem o mesmo resultado *físico* para qualquer velocidade.

Uma forma de ver isso é respondendo a uma pergunta como: que momento transverso a partícula terá após a força ter atuado por algum tempo? Sabemos do Capítulo 16 do Vol. I que o momento transverso da partícula deve ser o mesmo em ambos os referenciais, S e S'. Chamando a coordenada transversa de y, queremos comparar Δp_y e $\Delta p'_y$. Usando a equação relativisticamente correta do movimento, $\boldsymbol{F} = d\boldsymbol{p}/dt$, esperamos que após um intervalo de tempo Δt nossa partícula tenha um momento transverso Δp_y, no referencial S, dado por

$$\Delta p_y = F\,\Delta t. \tag{13.31}$$

No referencial S', o momento transverso será

$$\Delta p'_y = F' \Delta t'. \tag{13.32}$$

Precisamos, obviamente, comparar Δp_y com $\Delta p'_y$ para intervalos de tempo correspondentes Δt e $\Delta t'$. Vimos no Capítulo 15 do Vol. I que intervalos de tempo que se referem a partículas *que se movem* parecem ser *maiores* que aqueles no referencial de repouso da partícula. Como nossa partícula está inicialmente em repouso em S', esperamos, para pequenos Δt, que

$$\Delta t = \frac{\Delta t'}{\sqrt{1 - v^2/c^2}}, \tag{13.33}$$

e tudo se apresenta corretamente. De (13.31) e (13.32),

$$\frac{\Delta p'_y}{\Delta p_y} = \frac{F' \Delta t'}{F \Delta t},$$

que é apenas =1 se combinarmos (13.30) e (13.33).

Descobrimos que temos o mesmo resultado físico quando analisamos o movimento de uma partícula movendo-se ao longo de um fio em um sistema de coordenadas em repouso com respeito ao fio ou em um referencial em repouso com respeito à partícula. No primeiro caso, a força era puramente "magnética"; já no segundo, puramente "elétrica". Os dois pontos de vista estão ilustrados na Figura 13–12 (embora ainda exista um campo magnético B' no segundo referencial, este não produz nenhuma força na partícula estacionária).

Se tivéssemos escolhido ainda outro sistema de coordenadas, teríamos encontrado uma mistura diferente dos campos $\boldsymbol{E}$ e $\boldsymbol{B}$. Forças elétricas e magnéticas são parte de um mesmo fenômeno físico – a interação eletromagnética das partículas. A separação desta interação em parte elétrica e magnética depende muito do sistema de referência escolhido para a descrição. No entanto, uma descrição eletromagnética completa é invariante; a eletricidade e o magnetismo, considerados juntos, são compatíveis com a relatividade de Einstein.

Como forças elétricas e magnéticas aparecem em diferentes misturas se mudarmos nosso sistema de referência, precisamos ser cuidadosos sobre como olhamos para os campos $\boldsymbol{E}$ e $\boldsymbol{B}$. Por exemplo, se pensarmos sobre as "linhas" de $\boldsymbol{E}$ e $\boldsymbol{B}$, não podemos vincular muita realidade a estas linhas. As linhas podem desaparecer se tentarmos observá-las por um outro sistema de coordenadas. Por exemplo, no sistema S existem linhas de campo elétrico, que *não* encontraremos passando por nós com velocidade v no sistema S. No sistema S' não existe nenhuma linha de campo elétrico! Portanto, não faz nenhum sentido dizer algo como: quando eu movo um magneto, ele leva seu campo com ele, de modo que as linhas de campo também são movidas. Não há nenhuma forma de dar sentido, em geral, para a ideia da "velocidade das linhas de campo em movimento". Os campos são nossa maneira de descrever o que está acontecendo em um ponto do espaço. Em particular, $\boldsymbol{E}$ e $\boldsymbol{B}$ nos dizem sobre as forças que atuam em uma partícula em movimento. A questão "qual a força sobre uma carga devido a um campo magnético em *movimento*?" não tem nenhum significado preciso. A força é dada pelos valores de $\boldsymbol{E}$ e $\boldsymbol{B}$ na carga, e a fórmula (13.1) não deve ser alterada se a *fonte* de $\boldsymbol{E}$ e $\boldsymbol{B}$ está se movendo (são os valores de $\boldsymbol{E}$ e $\boldsymbol{B}$ que serão alterados com o movimento). Nossa descrição matemática trata apenas com campos como funções de x, y, z e t *com relação a algum referencial inercial*.

No futuro estaremos falando de "uma onda de campos elétricos e magnéticos viajando pelo espaço", como, por exemplo, uma onda de luz, mas isso é como falar de uma onda viajando em uma corda. Não queremos dizer que uma parte da *corda* está se movendo na direção da onda, estamos dizendo que o *deslocamento* da corda surge primeiro em um lugar e depois em outro. Da mesma forma, em uma onda eletromagnética, a *onda* viaja, mas quem *muda* é a magnitude do campo. Assim, no futuro quando nós – ou alguma outra pessoa – falarmos sobre um campo se "movendo", você deve pensar que isso é apenas uma maneira mais curta e conveniente de descrever um campo variando em alguma circunstância.

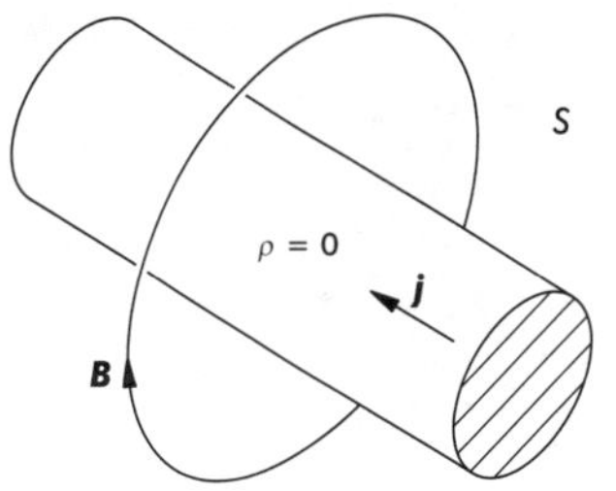

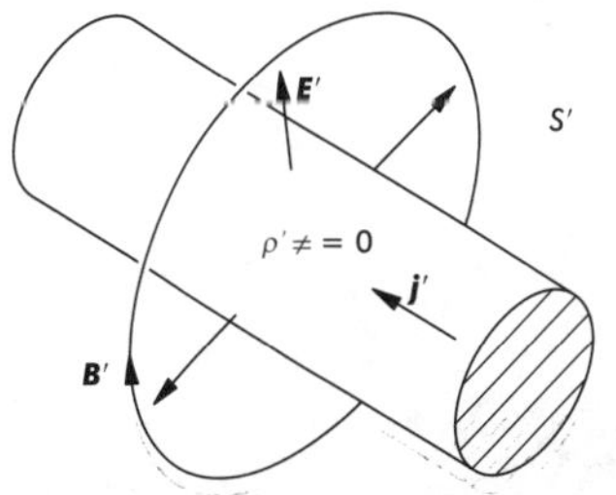

Figura 13–12 No sistema S, a densidade de cargas é zero se a densidade de correntes for $\boldsymbol{j}$. Há apenas campo magnético. Em S' há uma densidade de cargas ρ' e uma densidade de correntes $\boldsymbol{j}'$. O campo magnético $\boldsymbol{B}'$ é diferente, e há um campo elétrico $\boldsymbol{E}'$.

13–7 A transformação das correntes e cargas

Você pode estar se perguntando sobre a simplificação que fizemos acima, quando usamos a mesma velocidade v para a partícula e para os elétrons de condução no fio. Podemos retornar e realizar a mesma análise novamente para duas velocidades diferentes, mas é mais fácil simplesmente notar que as cargas e as densidades de corrente são os componentes de um quadrivetor (veja o Capítulo 17, Vol. I).

Vimos que se ρ_0 for a densidade de cargas no referencial de repouso das cargas, então em um referencial no qual elas têm uma velocidade v, a densidade será

$$\rho = \frac{\rho_0}{\sqrt{1 - v^2/c^2}}.$$

Nesse referencial, a densidade de corrente dessas cargas vale

$$j = \rho v = \frac{\rho_0 v}{\sqrt{1 - v^2/c^2}}. \tag{13.34}$$

Agora, sabemos que a energia U e o momento $\boldsymbol{p}$ de uma partícula que se move com velocidade v são dados por

$$U = \frac{m_0 c^2}{\sqrt{1 - v^2/c^2}}, \quad \boldsymbol{p} = \frac{m_0 \boldsymbol{v}}{\sqrt{1 - v^2/c^2}},$$

onde m_0 é a massa de repouso. Sabemos também que U e $\boldsymbol{p}$ formam um quadrivetor relativístico. Como ρ e $\boldsymbol{j}$ dependem da velocidade v exatamente como U e $\boldsymbol{p}$, podemos concluir que ρ e $\boldsymbol{j}$ também são as componentes de um quadrivetor relativístico. Esta propriedade é a chave para uma análise geral do campo de um fio movendo-se com uma velocidade qualquer, que é a análise de que precisamos se queremos resolver o problema novamente com a velocidade v_0 da partícula diferente da velocidade dos elétrons de condução.

Se quisermos transformar ρ e $\boldsymbol{j}$ para um sistema de coordenadas que se move com velocidade u na direção x, sabemos que eles se transformam simplesmente como t e (x, y, z), de modo que temos (veja o Capítulo 15, Vol. I)

$$\begin{aligned} x' &= \frac{x - ut}{\sqrt{1 - u^2/c^2}}, & j'_x &= \frac{j_x - u\rho}{\sqrt{1 - u^2/c^2}}, \\ y' &= y, & j'_y &= j_y, \\ z' &= z, & j'_z &= j_z, \\ t' &= \frac{t - ux/c^2}{\sqrt{1 - u^2/c^2}}, & \rho' &= \frac{\rho - uj_x/c^2}{\sqrt{1 - u^2/c^2}}. \end{aligned} \tag{13.35}$$

Com essas equações, podemos relacionar cargas e correntes em um referencial com as de outro. Considerando as cargas e correntes em qualquer um dos referenciais, podemos resolver o problema eletromagnético neste sistema usando nossas equações de Maxwell. O resultado que obteremos *para o movimento das partículas* será o mesmo, não importando qual referencial escolhemos. No futuro, retornaremos às transformações relativísticas dos campos eletromagnéticos.

13–8 Superposição; a regra da mão direita

Concluiremos este capítulo fazendo mais duas observações com respeito ao assunto da magnetostática. Primeiro, nossas equações básicas para o campo magnético,

$$\nabla \cdot \boldsymbol{B} = 0, \quad \nabla \times \boldsymbol{B} = \boldsymbol{j}/c^2\epsilon_0,$$

são lineares em $\boldsymbol{B}$ e $\boldsymbol{j}$, o que significa que o princípio da superposição também se aplica aos campo magnéticos. O campo produzido por duas correntes estacionárias diferentes é a soma dos campos individuais de cada corrente atuando sozinha. Nossa segunda observação diz respeito à regra da mão direita com a qual nos deparamos (como a regra da mão direita para o campo magnético produzido por uma corrente). Observamos também que a magnetização de um magneto de ferro deve ser entendida a partir do *spin* dos elétrons no material. A direção do campo magnético de um elétron girando está relacionada com o eixo do giro pela mesma regra da mão direita. Uma vez que $\boldsymbol{B}$ é determinado por uma regra "com a mão"– envolvendo ou um produto vetorial ou um rotacional –, ele é chamado de vetor *axial*. (Vetores cuja direção no espaço não dependem de uma referência com a mão esquerda ou direita são chamados de vetores *polares*. O deslocamento, a velocidade, a força e $\boldsymbol{E}$, por exemplo, são vetores polares.)

As quantidades *fisicamente observáveis* no eletromagnetismo, entretanto, *não* são orientadas pela mão direita (ou esquerda). Interações eletromagnéticas são simétricas por reflexões (veja o Capítulo 52, Vol. I). Sempre que as forças magnéticas entre dois conjuntos de correntes são calculadas, o resultado é invariante com respeito a uma mudança na convenção da mão (ou da orientação do espaço*). Nossas equações conduzem, independentemente da escolha da convenção da mão, ao resultado final de que correntes paralelas se atraem, ou que correntes em direções opostas se repelem. Tente obter a força usando a "regra da mão esquerda". Uma atração, ou uma repulsão, é um vetor polar. Isso acontece porque, ao se descrever qualquer interação completa, usamos a regra da mão direita duas vezes – para encontrar $\boldsymbol{B}$ a partir das correntes e novamente para encontrar a força que este $\boldsymbol{B}$ produz na segunda corrente. Usar a regra da mão direita duas vezes é o mesmo que usar a regra da mão esquerda duas vezes. Se mudarmos nossas convenções para um sistema orientado pela mão esquerda, todos os nossos campos $\boldsymbol{B}$ terão seu sentido invertido, mas todas as forças – ou, o que talvez seja mais relevante, as acelerações observadas nos objetos – permanecerão inalteradas.

Embora os físicos tenham descoberto recentemente, para a surpresa deles, que as leis da natureza não são sempre invariantes por reflexões especulares, as leis do eletromagnetismo realmente possuem essa simetria.

* N. de T.: Orientar o espaço significa *escolher* uma orientação para o sistema de coordenadas espacial, o que define o sentido do produto vetorial. Sistemas orientados segundo a regra da mão direita são chamados de *dextrógiros*, enquanto os orientados pela regra da mão esquerda são os *levógiros*. Os vetores polares são aqueles cuja direção independe da escolha da orientação.

14

O Campo Magnético em Várias Situações

14–1 O potencial vetor

Neste capítulo, continuaremos com a nossa discussão sobre os campos magnéticos associados com as correntes estacionárias – o assunto da magnetostática. O campo magnético está relacionado com as correntes elétricas pelas nossas equações básicas

$$\nabla \cdot \boldsymbol{B} = 0, \tag{14.1}$$

$$c^2\nabla \times \boldsymbol{B} = \frac{\boldsymbol{j}}{\epsilon_0}. \tag{14.2}$$

Queremos agora resolver tais equações matematicamente de uma forma *geral*, ou seja, sem impor qualquer simetria especial ou fazer qualquer suposição intuitiva. Na eletrostática, tínhamos um procedimento direto para encontrar o campo quando as posições de todas as cargas elétricas eram conhecidas: simplesmente se obtinha o potencial escalar ϕ fazendo-se uma integral sobre as cargas – como na Eq. (4.25). Então, caso se queira o campo elétrico, ele é obtido das derivadas de ϕ. Mostraremos agora que existe um procedimento correspondente para encontrar o campo magnético $\boldsymbol{B}$, se conhecermos a densidade de correntes $\boldsymbol{j}$ de todas as cargas em movimento.

Na eletrostática, mostramos que (em decorrência do fato de o rotacional de $\boldsymbol{E}$ ser sempre zero) era possível representar $\boldsymbol{E}$ como o gradiente de um campo escalar ϕ. Agora o rotacional de $\boldsymbol{B}$ *não* é sempre zero, portanto não é possível, em geral, representá-lo como um gradiente. Entretanto, o *divergente* de $\boldsymbol{B}$ é sempre zero, o que significa que sempre podemos representar $\boldsymbol{B}$ como o *rotacional* de um outro campo vetorial, porque, como vimos na Seção 2-8, o divergente do rotacional é sempre zero. Portanto, podemos sempre relacionar $\boldsymbol{B}$ com um campo que chamaremos de $\boldsymbol{A}$ por

$$\boldsymbol{B} = \nabla \times \boldsymbol{A}. \tag{14.3}$$

Ou, escrevendo explicitamente as componentes,

$$B_x = (\nabla \times \boldsymbol{A})_x = \frac{\partial A_z}{\partial y} - \frac{\partial A_y}{\partial z},$$

$$B_y = (\nabla \times \boldsymbol{A})_y = \frac{\partial A_x}{\partial z} - \frac{\partial A_z}{\partial x},$$

$$B_z = (\nabla \times \boldsymbol{A})_z = \frac{\partial A_y}{\partial x} - \frac{\partial A_x}{\partial y}. \tag{14.4}$$

Escrevendo $\boldsymbol{B} = \nabla \times \boldsymbol{A}$, garantimos que a Eq. (14-1) seja satisfeita, pois, necessariamente,

$$\nabla \cdot \boldsymbol{B} = \nabla \cdot (\nabla \times \boldsymbol{A}) = 0.$$

O campo $\boldsymbol{A}$ é chamado de *potencial vetor*.

Você se lembra de que o potencial escalar ϕ não estava completamente especificado pela sua definição. Se encontrarmos ϕ para algum problema, podemos sempre encontrar um outro ϕ', igualmente apropriado, pela adição de uma constante:

$$\phi' = \phi + C.$$

O novo potencial ϕ' fornece o mesmo campo elétrico, uma vez que o gradiente de ∇C é zero; ϕ' e ϕ representam a mesma física.

Da mesma forma, podemos ter diferentes potenciais vetores $\boldsymbol{A}$ que fornecem os mesmos campos magnéticos. Novamente, como $\boldsymbol{B}$ é obtido de $\boldsymbol{A}$ por uma diferenciação, adicionar uma constante a $\boldsymbol{A}$ não muda nada fisicamente, mas $\boldsymbol{A}$ possui uma liberdade ainda maior. Podemos adicionar a $\boldsymbol{A}$ qualquer campo que seja o gradiente de algum campo escalar sem alterar a física. Podemos mostrar esse fato como segue. Suponha que tenhamos um $\boldsymbol{A}$ que fornece corretamente o campo magnético $\boldsymbol{B}$ para alguma situação real, e que perguntemos sob quais circunstâncias algum outro vetor $\boldsymbol{A}'$ dará o *mesmo* campo $\boldsymbol{B}$ se substituído em (14.3). Assim, $\boldsymbol{A}$ e $\boldsymbol{A}'$ devem ter o mesmo rotacional:

$$\boldsymbol{B} = \nabla \times \boldsymbol{A}' = \nabla \times \boldsymbol{A}.$$

Portanto,

$$\nabla \times \boldsymbol{A}' - \nabla \times \boldsymbol{A} = \nabla \times (\boldsymbol{A}' - \boldsymbol{A}) = 0.$$

Contudo, se o rotacional de um vetor vale zero, ele deve ser o gradiente de algum campo escalar, digamos ψ, portanto $\boldsymbol{A}' - \boldsymbol{A} = \nabla\psi$. Isso significa que se $\boldsymbol{A}$ for um potencial vetor satisfatório para o problema, então, para qualquer ψ,

$$\boldsymbol{A}' = \boldsymbol{A} + \nabla\psi \tag{14.5}$$

será um potencial vetor igualmente satisfatório, conduzindo ao mesmo campo $\boldsymbol{B}$.

Normalmente é conveniente reduzir a liberdade de $\boldsymbol{A}$ impondo arbitrariamente que ele obedeça a alguma outra condição (como achamos conveniente – frequentemente – fixar o potencial ϕ como zero a longas distâncias). Podemos, por exemplo, restringir $\boldsymbol{A}$ escolhendo arbitrariamente seu divergente. Podemos sempre fazer isso sem afetar $\boldsymbol{B}$. Isso ocorre porque, embora $\boldsymbol{A}'$ e $\boldsymbol{A}$ possuam o mesmo rotacional e forneçam o mesmo $\boldsymbol{B}$, eles não precisam ter o mesmo divergente. De fato, $\nabla \cdot \boldsymbol{A}' = \nabla \cdot \boldsymbol{A} + \nabla^2\psi$, e por uma escolha adequada de ψ podemos fazer o $\nabla \cdot \boldsymbol{A}'$ igual a qualquer coisa que desejarmos.

Que escolha podemos fazer para $\nabla \cdot \boldsymbol{A}$? A escolha deve ser feita visando a obter a maior conveniência matemática e dependerá do problema que estamos tratando. Para a *magnetostática*, faremos a escolha simples

$$\nabla \cdot \boldsymbol{A} = 0. \tag{14.6}$$

(Mais tarde, quando tratarmos da eletrodinâmica, mudaremos nossa escolha.) Portanto, nossa definição[1] completa de $\boldsymbol{A}$, no momento, é $\nabla \times \boldsymbol{A} = \boldsymbol{B}$ e $\nabla \cdot \boldsymbol{A} = 0$.

Para adquirir alguma experiência com o potencial vetor, vamos ver primeiro como é esse potencial para um campo magnético uniforme $\boldsymbol{B}_0$. Tomando nosso eixo z na direção de $\boldsymbol{B}_0$, devemos ter

$$\begin{aligned} B_x &= \frac{\partial A_z}{\partial y} - \frac{\partial A_y}{\partial z} = 0, \\ B_y &= \frac{\partial A_x}{\partial z} - \frac{\partial A_z}{\partial x} = 0, \\ B_z &= \frac{\partial A_y}{\partial x} - \frac{\partial A_x}{\partial y} = B_0. \end{aligned} \tag{14.7}$$

Por inspeção, vemos que uma solução *possível* dessas equações é

$$A_y = xB_0, \qquad A_x = 0, \qquad A_z = 0.$$

Poderíamos igualmente escolher

$$A_x = -yB_0, \qquad A_y = 0, \qquad A_z = 0.$$

Ainda uma outra solução é uma combinação linear destas duas:

$$A_x = -\tfrac{1}{2}yB_0, \qquad A_y = \tfrac{1}{2}xB_0, \qquad A_z = 0. \tag{14.8}$$

[1] Nossa definição ainda não determina univocamente $\boldsymbol{A}$. Para uma especificação *unívoca*, precisamos também dizer algo sobre o comportamento de $\boldsymbol{A}$ em alguma fronteira, ou a grandes distâncias. Às vezes é conveniente, por exemplo, escolher um campo que vai a zero a longas distâncias.

Está claro que, para qualquer campo $\boldsymbol{B}$ particular, o potencial vetor $\boldsymbol{A}$ não é único; existem muitas possibilidades.

A terceira solução, Eq. (14.8), tem algumas propriedades interessantes. Como a componente x é proporcional a $-y$ e a componente y é proporcional a $+x$, $\boldsymbol{A}$ deve ser perpendicular ao vetor que parte do eixo z, que denominamos $\boldsymbol{r}'$ (a "linha" serve para nos lembrar de que este *não* é o vetor deslocamento a partir da origem). Além disso, a magnitude de A é proporcional a $\sqrt{x^2 + y^2}$ e, consequentemente, a r'. Então $\boldsymbol{A}$ pode ser escrito simplesmente (para nosso campo uniforme) como

$$\boldsymbol{A} = \tfrac{1}{2}\boldsymbol{B}_0 \times \boldsymbol{r}'. \tag{14.9}$$

O potencial vetor $\boldsymbol{A}$ possui magnitude $B_0 r'/2$ e gira em torno do eixo z, como mostrado na Figura 14–1. Se, por exemplo, o campo $\boldsymbol{B}$ for o campo axial no interior de um solenoide, então o potencial vetor circulará no mesmo sentido das correntes desse solenoide.

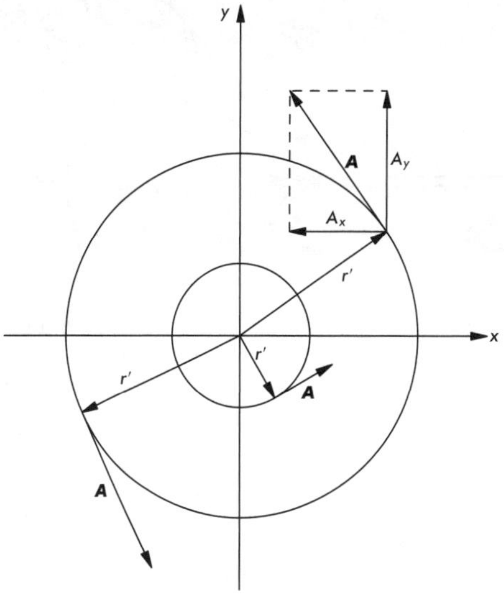

Figura 14–1 Um campo magnético uniforme B na direção z corresponde a um potencial vetor A que gira em torno do eixo z, com magnitude $A = Br'/2$ (r' é o deslocamento a partir do eixo z).

O potencial vetor para um campo uniforme pode ser obtido de outra forma. A circulação de $\boldsymbol{A}$ em um circuito fechado Γ pode ser relacionada com a integral de superfície do $\nabla \times \boldsymbol{A}$ pelo teorema de Stokes, Eq. (3.38):

$$\oint_{\Gamma} \boldsymbol{A} \cdot d\boldsymbol{s} = \int_{\text{dentro de }\Gamma} (\nabla \times \boldsymbol{A}) \cdot \boldsymbol{n}\, da. \tag{14.10}$$

A integral no lado direito é igual ao fluxo de $\boldsymbol{B}$ através do circuito, assim

$$\oint_{\Gamma} \boldsymbol{A} \cdot d\boldsymbol{s} = \int_{\text{dentro de }\Gamma} \boldsymbol{B} \cdot \boldsymbol{n}\, da. \tag{14.11}$$

Portanto, a circulação de $\boldsymbol{A}$ ao redor de *qualquer* circuito fechado é igual ao fluxo de $\boldsymbol{B}$ através deste circuito. Se tomarmos um circuito fechado circular, com um raio r' em um plano perpendicular a um campo uniforme $\boldsymbol{B}$, o fluxo será apenas

$$\pi r'^2 B.$$

Se escolhermos nossa origem em qualquer eixo de simetria, de modo que possamos tomar $\boldsymbol{A}$ circular e como função apenas de r', a circulação será

$$\oint \boldsymbol{A} \cdot d\boldsymbol{s} = 2\pi r' A = \pi r'^2 B.$$

Obtemos, como antes,

$$A = \frac{Br'}{2}.$$

No exemplo que acabamos de dar, calculamos o potencial vetor a partir de um campo magnético, o que é o oposto do que normalmente se faz. Em problemas complicados normalmente é mais fácil resolver o potencial vetor e então determinar o campo magnético a partir deste potencial. Mostraremos agora como isso pode ser feito.

14–2 O potencial vetor de correntes conhecidas

Como $\boldsymbol{B}$ é determinado pelas correntes, então $\boldsymbol{A}$ também o será. Queremos agora encontrar $\boldsymbol{A}$ em termos das correntes. Começamos com a nossa equação básica (14.2):

$$c^2 \nabla \times \boldsymbol{B} = \frac{\boldsymbol{j}}{\epsilon_0},$$

que significa, obviamente,

$$c^2\nabla \times (\nabla \times A) = \frac{j}{\epsilon_0}. \tag{14.12}$$

Essa equação é para a magnetostática o que a equação

$$\nabla \cdot \nabla\phi = -\frac{\rho}{\epsilon_0} \tag{14.13}$$

era para a eletrostática.

Nossa Equação (14.12) para o potencial vetor se parecerá ainda mais com a equação para ϕ se reescrevermos $\nabla \times (\nabla \times A)$ usando a identidade vetorial Eq. (2.58):

$$\nabla \times (\nabla \times A) = \nabla(\nabla \cdot A) - \nabla^2 A. \tag{14.14}$$

Como escolhemos o $\nabla \cdot A = 0$ (e agora você vê por que), a Eq. (14.12) se torna

$$\nabla^2 A = -\frac{j}{\epsilon_0 c^2}. \tag{14.15}$$

Essa equação vetorial significa, obviamente, três equações:

$$\nabla^2 A_x = -\frac{j_x}{\epsilon_0 c^2}, \quad \nabla^2 A_y = -\frac{j_y}{\epsilon_0 c^2}, \quad \nabla^2 A_z = -\frac{j_z}{\epsilon_0 c^2}. \tag{14.16}$$

Cada uma dessas equações é *matematicamente idêntica* a

$$\nabla^2\phi = -\frac{\rho}{\epsilon_0}. \tag{14.17}$$

Tudo que aprendemos sobre como encontrar o potencial quando ρ for conhecido pode ser usado para encontrar cada uma das componentes de A quando j for conhecido!

Vimos no Capítulo 4 que a solução geral para a equação eletrostática (14.17) é

$$\phi(1) = \frac{1}{4\pi\epsilon_0}\int \frac{\rho(2)\,dV_2}{r_{12}}.$$

Sabemos então que uma solução geral para A_x é

$$A_x(1) = \frac{1}{4\pi\epsilon_0 c^2}\int \frac{j_x(2)\,dV_2}{r_{12}}, \tag{14.18}$$

e de forma similar para A_y e A_z (a Figura 14–2 irá lembrá-los de nossas convenções para r_{12} e dV_2). Podemos combinar as três soluções na forma vetorial

$$A(1) = \frac{1}{4\pi\epsilon_0 c^2}\int \frac{j(2)\,dV_2}{r_{12}}. \tag{14.19}$$

Se quiser, você pode verificar, por diferenciação direta das componentes, que essa integral para A satisfaz a $\nabla \cdot A = 0$ desde que $\nabla \cdot j = 0$, o que, como vimos, deve ocorrer para correntes estacionárias.

Temos, portanto, um método geral para encontrar o campo magnético para correntes estacionárias. O princípio é: a componente x do potencial vetor que surge de uma corrente j é a mesma que o potencial elétrico ϕ que seria produzido por uma densidade de carga ρ igual a j_x/c^2 – e de forma similar para as componentes y e z. (Esse princípio funciona apenas com componentes em direções fixas. A componente "radial" de A não pode ser obtida da mesma forma a partir da componente "radial" de j, por exemplo.) Assim, do vetor da densidade de corrente j, podemos encontrar A usando

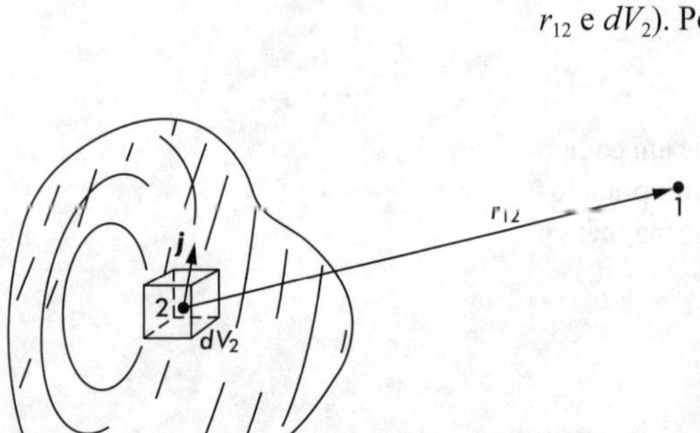

Figura 14–2 O potencial vetor A no ponto 1 é dado por uma integral dos elementos de corrente j dV sobre todos os pontos 2.

a Eq. (14.19) – isto é, encontramos cada componente de $\boldsymbol{A}$ resolvendo três problemas eletrostáticos imaginários para as distribuições de cargas $\rho_1 = j_x/c^2$, $\rho_2 = j_y/c^2$ e $\rho_3 = j_z/c^2$. Obtemos então $\boldsymbol{B}$ tomando as derivadas de $\boldsymbol{A}$ para formar o $\nabla \times \boldsymbol{A}$. Isso é um pouco mais complicado que na eletrostática, mas a ideia é a mesma. Ilustraremos agora a teoria resolvendo o potencial vetor para alguns casos especiais.

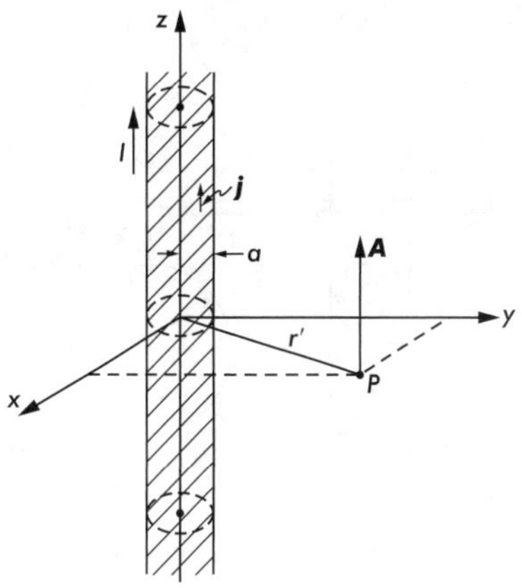

Figura 14–3 Um fio cilíndrico longo sobre o eixo z com uma densidade de correntes j uniforme.

14–3 Um fio reto

Como nosso primeiro exemplo, encontraremos novamente o campo de um fio reto – que resolvemos no último capítulo usando a Eq. (14.2) e alguns argumentos de simetria. Peguemos um longo fio reto de raio a, conduzindo uma corrente I. De modo diferente da carga em um condutor no caso eletrostático, uma corrente estacionária em um fio está uniformemente distribuída através da seção reta desse fio. Se escolhermos nossas coordenadas como mostrado na Figura 14–3, o vetor da densidade de corrente $\boldsymbol{j}$ terá apenas a componente z. Sua magnitude será

$$j_z = \frac{I}{\pi a^2} \tag{14.20}$$

dentro do fio e zero fora.

Como j_x e j_y são, ambos, nulos, temos imediatamente

$$A_x = 0, \qquad A_y = 0.$$

Para obter A_z, podemos usar nossa solução para o potencial eletrostático ϕ de um fio com uma densidade uniforme de cargas $\rho = j_z/c^2$. Para pontos no exterior de um cilindro infinito carregado, o potencial eletrostático vale

$$\phi = -\frac{\lambda}{2\pi\epsilon_0}\ln r',$$

onde $r' = \sqrt{x^2 + y^2}$ e λ é a carga por unidade de comprimento, $\pi a^2 \rho$. Com isso, A_z será

$$A_z = -\frac{\pi a^2 j_z}{2\pi\epsilon_0 c^2}\ln r'$$

para pontos no exterior de um fio longo que conduz uma corrente uniforme. Como $\pi a^2 j_z = I$, podemos também escrever

$$A_z = -\frac{I}{2\pi\epsilon_0 c^2}\ln r'. \tag{14.21}$$

Podemos agora encontrar $\boldsymbol{B}$ de (14.4). Das seis derivadas, apenas duas não são zero. Temos

$$B_x = -\frac{I}{2\pi\epsilon_0 c^2}\frac{\partial}{\partial y}\ln r' = -\frac{I}{2\pi\epsilon_0 c^2}\frac{y}{r'^2}, \tag{14.22}$$

$$B_y = \frac{I}{2\pi\epsilon_0 c^2}\frac{\partial}{\partial x}\ln r' = \frac{I}{2\pi\epsilon_0 c^2}\frac{x}{r'^2}, \tag{14.23}$$

$$B_z = 0.$$

Temos o mesmo resultado de antes: $\boldsymbol{B}$ circula ao redor do fio e tem magnitude

$$B = \frac{1}{4\pi\epsilon_0 c^2}\frac{2I}{r'}. \tag{14.24}$$

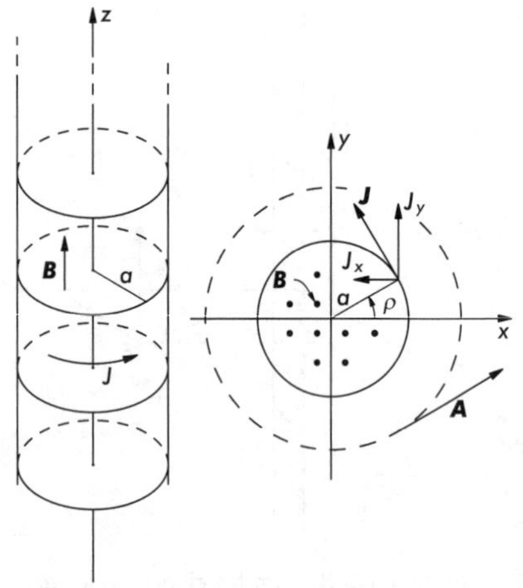

Figura 14–4 Um solenoide longo com uma densidade superficial de corrente J.

14–4 Um solenoide longo

Em seguida, consideraremos novamente um solenoide infinitamente longo, com uma corrente circular na superfície de intensidade nI por unidade de comprimento. Imaginemos que haja n voltas do fio por unidade de comprimento, conduzindo uma corrente I, e desprezemos o pequeno avanço da volta da espira.

Assim como definimos uma "densidade superficial de cargas" σ, definiremos aqui uma "densidade superficial de corrente" $\boldsymbol{J}$ igual à corrente por unidade de comprimento na superfície do solenoide (que é, obviamente, simplesmente a média de $\boldsymbol{j}$ vezes a espessura da fina espira). A magnitude de $\boldsymbol{J}$ é, aqui, nI. Essa corrente superficial (veja a Figura 14–4) tem as componentes

$$J_x = -J \operatorname{sen} \phi, \qquad J_y = J \cos \phi, \qquad J_z = 0.$$

Precisamos agora encontrar $\boldsymbol{A}$ para esta distribuição de corrente.

Primeiro, queremos encontrar A_x para pontos fora do solenoide. O resultado é o mesmo que o potencial eletrostático fora de um cilindro com uma densidade de carga superficial

$$\sigma = \sigma_0 \operatorname{sen} \phi,$$

com $\sigma_0 = -J/c^2$. Não resolvemos essa distribuição de cargas, mas fizemos algo similar. Essa distribuição de cargas é equivalente a dois cilindros de carga *sólidos*, um positivo e outro negativo, com um ligeiro deslocamento relativo de seus eixos na direção y. O potencial desse par de cilindros é proporcional à derivada com respeito a y do potencial de um único cilindro uniformemente carregado. Poderíamos calcular a constante de proporcionalidade, mas não vamos nos preocupar com isso no momento.

O potencial de um cilindro de carga é proporcional a $\ln r'$; o potencial do par é, portanto,

$$\phi \propto \frac{\partial \ln r'}{\partial y} = \frac{y}{r'^2}.$$

Sabemos então que

$$A_x = -K \frac{y}{r'^2}, \tag{14.25}$$

onde K é alguma constante. Seguindo o mesmo argumento, encontramos

$$A_y = K \frac{x}{r'^2}. \tag{14.26}$$

Embora tenhamos dito antes que não existe campo magnético no exterior do solenoide, vemos agora que *existe* um campo $\boldsymbol{A}$ que circula ao redor do eixo z, como na Figura 14–4. A questão é: o rotacional deste campo é zero?

Claramente, B_x e B_y são zero, e

$$B_z = \frac{\partial}{\partial x}\left(K \frac{x}{r'^2}\right) - \frac{\partial}{\partial y}\left(-K \frac{y}{r'^2}\right)$$

$$= K\left(\frac{1}{r'^2} - \frac{2x^2}{r'^4} + \frac{1}{r'^2} - \frac{2y^2}{r'^4}\right) = 0.$$

Portanto, o campo magnético fora de um longo solenoide é realmente zero, embora o potencial vetor não seja.

Podemos controlar nosso resultado contrapondo com algo que já conhecemos: a circulação do potencial vetor ao redor do solenoide deve ser igual ao fluxo de $\boldsymbol{B}$ dentro da espira (Eq. 14.11). A circulação vale $A \cdot 2\pi r'$ ou, como $A = K/r'$, a circulação é $2\pi K$. Note que ela é independente de r'. Isso é simplesmente o que ela deve ser se não houver $\boldsymbol{B}$ na parte externa, porque o fluxo é apenas a magnitude de $\boldsymbol{B}$ *dentro* do solenoide vezes πa^2. Isso é o mesmo para todos os círculos de raio $r' > a$. No último capítulo, encontramos que o campo interno vale $nI/\epsilon_0 c^2$, podemos então determinar a constante K:

$$2\pi K = \pi a^2 \frac{nI}{\epsilon_0 c^2},$$

ou

$$K = \frac{nIa^2}{2\epsilon_0 c^2}.$$

Portanto, o potencial vetor na parte *externa* tem magnitude

$$A = \frac{nIa^2}{2\epsilon_0 c^2}\frac{1}{r'}, \tag{14.27}$$

e é sempre perpendicular ao vetor $\boldsymbol{r}'$.

Estivemos pensando em uma bobina de fio solenoidal, mas podemos produzir os mesmos campos se rodarmos um longo cilindro com uma carga eletrostática na superfície. Se tivermos uma fina casca cilíndrica de raio a com uma densidade superficial σ, rodando este cilindro produziremos uma corrente superficial $J = \sigma v$, onde $v = a\omega$ é a velocidade da carga superficial. Haverá então um campo magnético $B = \sigma a\omega/\epsilon_0 c^2$ dentro do cilindro.

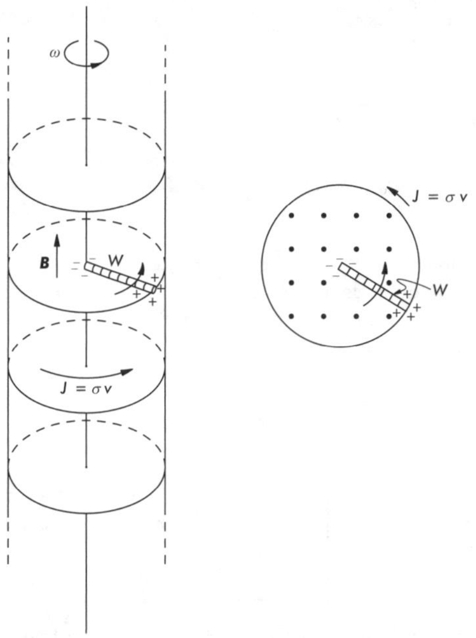

Figura 14–5 Um cilindro carregado girando produz um campo magnético em seu interior. Um pequeno fio radial girando com o cilindro, terá uma carga induzida em suas extremidades.

Podemos agora levantar uma questão interessante. Suponha que coloquemos um curto pedaço de fio W perpendicular ao eixo do cilindro, estendendo-se do eixo até a superfície e fixado no cilindro de forma a rodar junto com ele, como na Figura 14–5. Este fio está se movendo em um campo magnético, então a força $\boldsymbol{v} \times \boldsymbol{B}$ fará com que as extremidades do fio se tornem carregadas (elas se carregarão até que o campo $\boldsymbol{E}$ destas cargas seja capaz de balancear a força $\boldsymbol{v} \times \boldsymbol{B}$). Se o cilindro tiver uma carga positiva, a extremidade do fio no eixo ficará com uma carga negativa. Medindo a carga na extremidade do fio, podemos medir a velocidade de rotação do sistema. Podemos obter um "medidor de velocidade angular"!

Você está se perguntando: "E se eu me colocar no sistema de referência que gira com o cilindro? Então haverá apenas um cilindro carregado em repouso, e eu sei que as equações da eletrostática afirmam que não haverá *nenhum* campo elétrico no seu interior, então não haverá nenhuma força puxando as cargas para o centro. Portanto, algo deve estar errado". Não há nada errado. Não existe uma "relatividade das rotações". Um sistema em rotação *não* é um referencial inercial, e as leis da física são diferentes. Precisamos ter certeza de que estamos usando as equações do eletromagnetismo apenas com respeito a sistemas de coordenadas inerciais.

Seria ótimo se pudéssemos medir a rotação da terra com um cilindro como este, mas infelizmente o efeito é muito pequeno para ser observado, mesmo com os mais delicados instrumentos à nossa disposição.

14–5 O campo de um pequeno circuito fechado; o dipolo magnético

Vamos usar o método do potencial vetor para encontrar o campo magnético de um pequeno circuito fechado de corrente. Como de costume, por "pequeno" queremos simplesmente dizer que estamos interessados nos campos apenas a distâncias grandes comparadas com o tamanho do circuito. Verificaremos que qualquer circuito fechado pequeno é um "dipolo magnético". Isto é, ele produz um campo *magnético* semelhante ao campo elétrico de um dipolo elétrico.

Tomaremos primeiro um circuito fechado retangular, e escolheremos nossas coordenadas como mostrado na Figura 14–6. Não existem correntes na direção z, portanto A_z é zero. Existem correntes na direção x nos dois lados de comprimento a. Em cada lado, a densidade de correntes (assim como a própria corrente) é uniforme. Assim, a solução para A_x é simplesmente como a do potencial eletrostático de duas barras carregadas (veja a Figura 14–7). Como as barras têm cargas opostas, o potencial elétrico, a grandes distâncias, será apenas o potencial de um dipolo (Seção 6-5). No ponto P da Figura 14–6, o potencial será

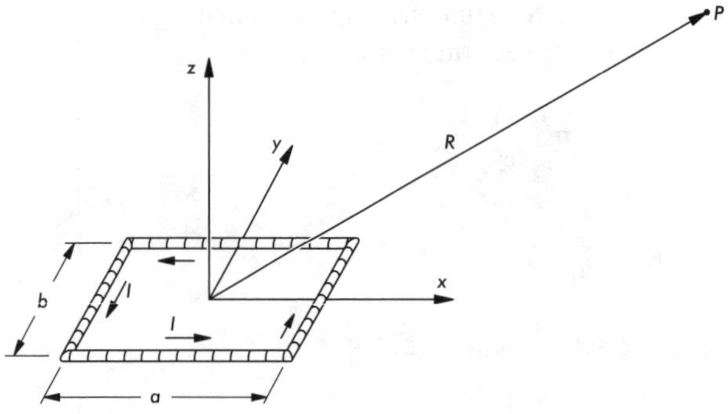

Figura 14–6 Um circuito fechado retangular de fio com a corrente I. Qual é o campo magnético em P? ($R \gg a$ ou $R \gg b$).

$$\phi = \frac{1}{4\pi\epsilon_0}\frac{\boldsymbol{p}\cdot\boldsymbol{e}_R}{R^2}, \tag{14.28}$$

onde $\boldsymbol{p}$ é o momento de dipolo da distribuição de carga. O momento de dipolo, neste caso, é a carga total em uma barra vezes a separação entre as barras:

$$p = \lambda ab. \tag{14.29}$$

O momento de dipolo aponta na direção negativa de y, então o cosseno do ângulo entre $\boldsymbol{R}$ e $\boldsymbol{p}$ é $-y/R$ (onde y é a coordenada de P). Temos com isso

$$\phi = -\frac{1}{4\pi\epsilon_0}\frac{\lambda ab}{R^2}\frac{y}{R}.$$

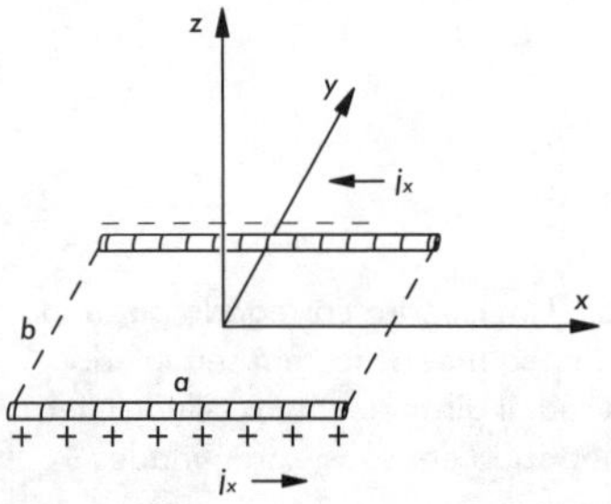

Figura 14–7 A distribuição de j_x no circuito de corrente da Figura 14–6.

Obtemos A_x simplesmente substituindo λ por I/c^2:

$$A_x = -\frac{Iab}{4\pi\epsilon_0 c^2}\frac{y}{R^3}. \tag{14.30}$$

Pela mesma razão,

$$A_y = \frac{Iab}{4\pi\epsilon_0 c^2}\frac{x}{R^3}. \tag{14.31}$$

Novamente, A_y é proporcional a x e A_x é proporcional a $-y$; portanto, o potencial vetor (a grandes distâncias) percorre círculos ao redor do eixo z, circulando no mesmo sentido de I em um circuito fechado, como mostrado na Figura 14–8.

A intensidade de $\boldsymbol{A}$ é proporcional a Iab, que é a corrente vezes a área do circuito. Esse produto é chamado de *momento de dipolo magnético* (ou, frequentemente, apenas de "momento magnético") do circuito fechado. Aqui representando por μ:

$$\mu = Iab. \tag{14.32}$$

O potencial vetor de um pequeno circuito fechado plano de *qualquer* formato (circular, triangular, etc.) também é dado pelas Eqs. (14.30) e (14.31), contanto que substituamos Iab por

$$\mu = I\cdot\text{(área do circuito fechado)}. \tag{14.33}$$

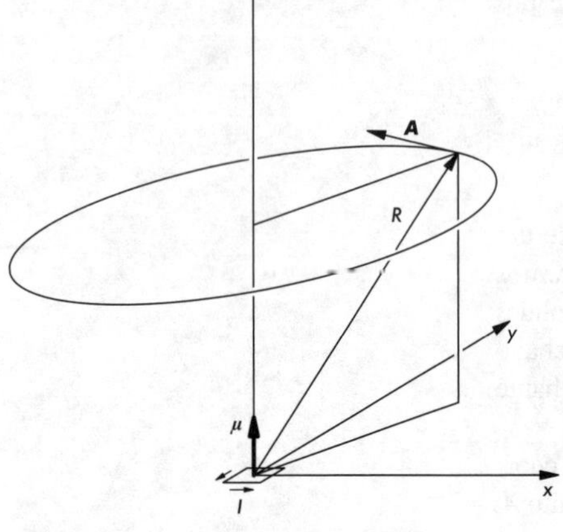

Figura 14–8 O potencial vetor de um pequeno circuito fechado de corrente na origem (no plano x,y); um campo de dipolo magnético.

Deixaremos a prova disso para você.

Podemos colocar nossa equação em uma forma vetorial se definirmos a direção do vetor μ como sendo normal ao plano do circuito, com o sentido positivo dado pela regra da mão direita (Figura 14–8). Podemos então escrever

$$\boldsymbol{A} = \frac{1}{4\pi\epsilon_0 c^2}\frac{\boldsymbol{\mu}\times\boldsymbol{R}}{R^3} = \frac{1}{4\pi\epsilon_0 c^2}\frac{\boldsymbol{\mu}\times\boldsymbol{e}_R}{R^2}. \tag{14.34}$$

Precisamos ainda encontrar $\boldsymbol{B}$. Usando (14.33) e (14.34), juntamente a (14.4), temos

$$B_x = -\frac{\partial}{\partial z}\frac{\mu}{4\pi\epsilon_0 c^2}\frac{x}{R^3} = \cdots \frac{3xz}{R^5} \tag{14.35}$$

(onde por . . . queremos dizer $\mu/4\pi\epsilon_0 c^2$),

$$B_y = \frac{\partial}{\partial z}\left(-\cdots\frac{y}{R^3}\right) = \cdots\frac{3yz}{R^5},$$

$$B_z = \frac{\partial}{\partial x}\left(\cdots\frac{x}{R^3}\right) - \frac{\partial}{\partial y}\left(-\cdots\frac{y}{R^3}\right) \tag{14.36}$$

$$= -\cdots\left(\frac{1}{R^3} - \frac{3z^2}{R^5}\right).$$

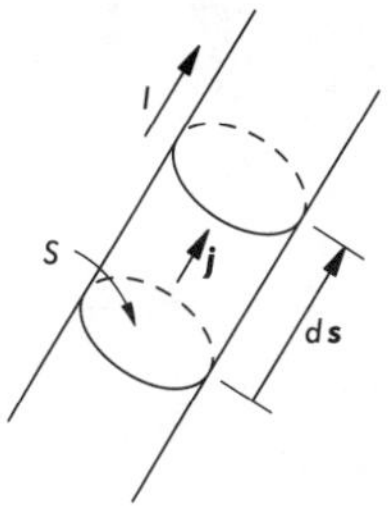

Figura 14–9 Para um fio fino, $j\,dV$ é igual a $I\,ds$.

As componentes do campo $\boldsymbol{B}$ se comportam exatamente como as do campo $\boldsymbol{E}$ de um dipolo orientado ao longo do eixo z. (Veja as Eqs. (6.14) e (6.15); e também a Figura 6-4.) Por isso chamamos esse circuito fechado de um dipolo magnético. A palavra "dipolo" é um pouco enganosa quando aplicada a um campo magnético porque *não* existem "polos" magnéticos que correspondam às cargas elétricas. O "campo do dipolo" magnético não é produzido por duas "cargas", mas por um circuito fechado de corrente elementar.

É curioso, entretanto, que começando com leis completamente diferentes, $\nabla \cdot \boldsymbol{E} = \rho/\epsilon_0$ e $\nabla \times \boldsymbol{B} = \boldsymbol{j}/\epsilon_0 c^2$, terminamos com o mesmo tipo de campo. Por quê? Isso ocorre porque os campos do dipolo aparecem apenas quando estamos muito distantes de todas as cargas e correntes. Assim, na maior parte relevante do espaço as equações para $\boldsymbol{E}$ e $\boldsymbol{B}$ são idênticas: ambas possuem divergência nula e rotacional nulo. Portanto elas fornecem as mesmas soluções. Entretanto, as *fontes* cuja configuração resumimos pelo momento de dipolo são fisicamente completamente diferentes – em um caso, essa fonte é uma corrente circular; no outro, um par de cargas, uma acima e outra abaixo do plano do circuito fechado para o campo correspondente.

14–6 O potencial vetor de um circuito

Frequentemente estamos interessados nos campos magnéticos produzidos por circuitos de fios nos quais o diâmetro destes fios é muito pequeno em comparação com as dimensões do sistema como um todo. Nestes casos, podemos simplificar as equações para o campo magnético. Para um fio fino podemos escrever nosso elemento de volume como

$$dV = S\,ds,$$

onde S é a área da seção reta do fio e ds é o elemento de distância ao longo do fio. Na verdade, como o vetor $d\boldsymbol{s}$ está na mesma direção de $\boldsymbol{j}$, como mostrado na Figura 14–9 (e como podemos assumir que $\boldsymbol{j}$ é constante através de qualquer seção reta), podemos escrever uma equação vetorial:

$$\boldsymbol{j}\,dV = jS\,d\boldsymbol{s}. \tag{14.37}$$

Mas jS é apenas o que chamamos de corrente I no fio, então nossa integral para o potencial vetor (14.19) torna-se

$$\boldsymbol{A}(1) = \frac{1}{4\pi\epsilon_0 c^2}\int \frac{I\,d\boldsymbol{s}_2}{r_{12}} \tag{14.38}$$

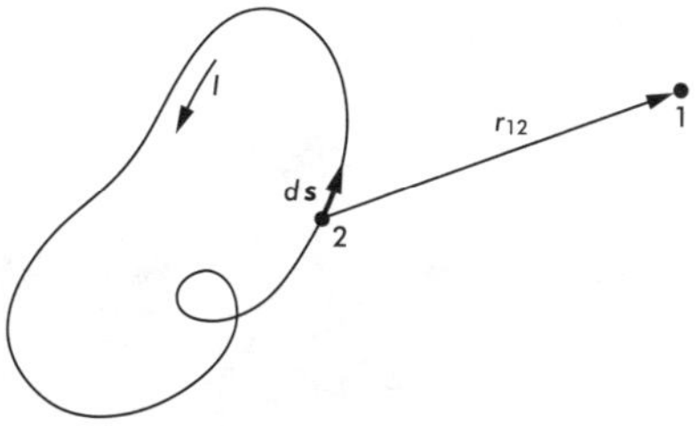

Figura 14–10 O campo magnético de um fio pode ser obtido por meio de uma integral ao redor do circuito.

(veja a Figura 14–10). (Estamos supondo que I seja a mesma ao longo do circuito. Se houver muitas ramificações com correntes diferentes, devemos, obviamente, usar a I apropriada para cada ramo.)

Novamente, podemos encontrar os campos de (14.38) tanto por uma integral como resolvendo os problemas eletrostáticos correspondentes.

14–7 A lei de Biot e Savart

Ao estudarmos a eletrostática, encontramos que o campo elétrico de uma distribuição de carga conhecida poderia ser obtido diretamente com uma integral (Eq. 4.16):

$$\boldsymbol{E}(1) = \frac{1}{4\pi\epsilon_0}\int \frac{\rho(2)\boldsymbol{e}_{12}\,dV_2}{r_{12}^2}.$$

Como vimos, é normalmente mais trabalhoso calcular essa integral – que representa na verdade três integrais, uma para cada componente – que realizar a integral para o potencial e tomar seu gradiente.

Existe uma integral semelhante relacionando o campo magnético com as correntes. Já temos uma integral para $\boldsymbol{A}$, Eq. (14.19); podemos obter uma integral para $\boldsymbol{B}$ tomando o rotacional de ambos os lados:

$$\boldsymbol{B}(1) = \nabla \times \boldsymbol{A}(1) = \nabla \times \left[\frac{1}{4\pi\epsilon_0 c^2}\int \frac{\boldsymbol{j}(2)\,dV_2}{r_{12}}\right]. \tag{14.39}$$

Precisamos ser cuidadosos agora: o operador rotacional significa tomar as derivadas de $\boldsymbol{A}(1)$, isto é, ele opera apenas nas coordenadas (x_1, y_1, z_1). Podemos mover o operador $\nabla\times$ para dentro do sinal da integral se lembrarmos que ele opera apenas nas variáveis com índice 1, que obviamente aparecem apenas em

$$r_{12} = [(x_1 - x_2)^2 + (y_1 - y_2)^2 + (z_1 - z_2)^2]^{1/2}. \tag{14.40}$$

Temos, para a componente x de $\boldsymbol{B}$,

$$\begin{aligned} B_x &= \frac{\partial A_z}{\partial y_1} - \frac{\partial A_y}{\partial z_1} \\ &= \frac{1}{4\pi\epsilon_0 c^2}\int\left[j_z\frac{\partial}{\partial y_1}\left(\frac{1}{r_{12}}\right) - j_y\frac{\partial}{\partial z_1}\left(\frac{1}{r_{12}}\right)\right]dV_2 \\ &= -\frac{1}{4\pi\epsilon_0 c^2}\int\left[j_z\frac{y_1 - y_2}{r_{12}^3} - j_y\frac{z_1 - z_2}{r_{12}^3}\right]dV_2. \end{aligned} \tag{14.41}$$

A quantidade entre colchetes é simplesmente a componente x de

$$\frac{\boldsymbol{j}\times\boldsymbol{r}_{12}}{r_{12}^3} = \frac{\boldsymbol{j}\times\boldsymbol{e}_{12}}{r_{12}^2}.$$

Resultados correspondentes são encontrados para as demais componentes, e com isso temos

$$\boldsymbol{B}(1) = \frac{1}{4\pi\epsilon_0 c^2}\int \frac{\boldsymbol{j}(2)\times\boldsymbol{e}_{12}}{r_{12}^2}\,dV_2. \tag{14.42}$$

Essa integral fornece $\boldsymbol{B}$ diretamente em termos das correntes conhecidas. A geometria envolvida é a mesma que aquela mostrada na Figura 14–2.

Se as correntes existem apenas em circuitos de fios pequenos, podemos, como na seção anterior, realizar imediatamente a integral através do fio, substituindo $\boldsymbol{j}\,dV$ por $I\,d\boldsymbol{s}$, onde *ds* é um elemento de comprimento ao longo do fio. Portanto, usando os símbolos da Figura 14–10,

$$\boldsymbol{B}(1) = -\frac{1}{4\pi\epsilon_0 c^2}\int \frac{I\boldsymbol{e}_{12} \times d\boldsymbol{s}_2}{r_{12}^2}. \tag{14.43}$$

O sinal de menos aparece porque invertemos a ordem do produto vetorial. Essa equação para $\boldsymbol{B}$ é chamada de *lei de Biot-Savart*, graças ao seus descobridores. Ela fornece uma fórmula para obter diretamente o campo magnético produzido por fios conduzindo correntes.

Você pode estar se perguntando: "qual a vantagem do potencial vetor se podemos encontrar $\boldsymbol{B}$ diretamente com uma integral vetorial? Afinal de contas, $\boldsymbol{A}$ também envolve três integrais!" Devido ao produto vetorial, as integrais para $\boldsymbol{B}$ são normalmente muito mais complicadas, como fica evidente pela Eq. (14.41). Além disso, como as integrais para $\boldsymbol{A}$ são semelhantes às da eletrostática, podemos já conhecê-las. Finalmente, veremos que em matérias teóricas mais avançadas (na relatividade, nas formulações avançadas das leis da mecânica, como o princípio da mínima ação que será discutido mais adiante, e na mecânica quântica) o potencial vetor desempenha um papel importante.

15

O Potencial Vetor

15–1 Forças em uma espira; energia de um dipolo

No capítulo anterior, estudamos o campo magnético produzido por uma espira retangular pequena. Verificamos que este é um campo de dipolo, com o momento de dipolo dado por

$$\mu = IA, \tag{15.1}$$

onde I é a corrente e A é a área da espira. A direção do momento é normal ao plano da espira, de modo que também podemos escrever

$$\boldsymbol{\mu} = IA\mathbf{n},$$

onde **n** é a normal de módulo unitário à área A.

Uma espira – ou dipolo magnético – não apenas produz campos magnéticos, mas também sofre a ação de forças quando colocada no campo magnético de outras correntes. Vamos estudar primeiramente as forças em uma espira retangular em um campo magnético uniforme. Tomemos o eixo z na direção do campo, e o plano da espira cruzando o eixo y, fazendo um ângulo θ com o plano xy como na Figura 15–1. Desse modo, o momento magnético da espira – que é normal a este plano – fará um ângulo θ com o campo magnético.

Como as correntes são opostas em lados opostos da espira, as forças também são opostas, logo não há força resultante na espira (quando o campo é uniforme). No entanto, devido às forças nos dois lados marcados como 1 e 2 na figura, existe um torque que tende a girar a espira ao redor do eixo y. A magnitude destas forças, F_1 e F_2, é

$$F_1 = F_2 = IBb.$$

O braço do momento é

$$a \operatorname{sen} \theta,$$

então o torque é

$$\tau = Iab\, B \operatorname{sen} \theta,$$

ou, como Iab é o momento magnético da espira,

$$\tau = \mu B \operatorname{sen} \theta.$$

O torque pode ser escrito em notação vetorial:

$$\boldsymbol{\tau} = \boldsymbol{\mu} \times \boldsymbol{B}. \tag{15.2}$$

Apesar de apenas termos mostrado que o torque é dado pela Eq. (15.2) em um caso particular, o resultado é válido para uma espira pequena com qualquer forma, como veremos. O mesmo tipo de relação ocorre para o torque em um dipolo elétrico em um campo elétrico:

$$\boldsymbol{\tau} = \boldsymbol{p} \times \boldsymbol{E}.$$

Queremos saber agora qual é a energia da nossa espira. Como existe torque, a energia depende, evidentemente, da orientação. O princípio dos trabalhos virtuais afirma que o torque é a taxa de variação da energia com o ângulo, de modo que podemos escrever

$$dU = \tau\, d\theta.$$

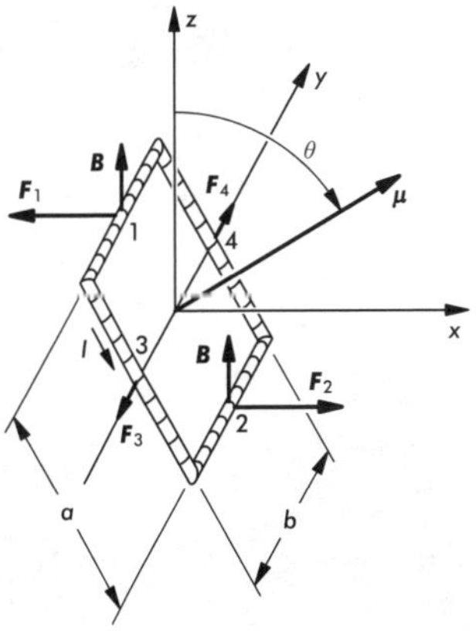

Figura 15–1 Uma espira retangular conduz uma corrente I em um campo magnético **B** uniforme (na direção z). O torque na espira é $\boldsymbol{\tau} = \boldsymbol{\mu} \times \mathbf{B}$, onde o momento magnético é $\mu = Iab$.

Tomando $\tau = \mu B$ senθ e integrando, obtemos o seguinte resultado para a energia

$$U = -\mu B \cos\theta + \text{uma constante.} \tag{15.3}$$

(O sinal é negativo porque o torque tenta alinhar o momento com o campo; a energia é mínima quando $\boldsymbol{\mu}$ e $\boldsymbol{B}$ são paralelos.)

Por razões que discutiremos mais adiante, essa energia *não* é a energia total da espira. (Não levamos em conta, por exemplo, a energia necessária para manter a corrente na espira.) Portanto, denominaremos esta energia U_{mec}, para lembrar que se trata de apenas parte da energia. Além disso, como já não estamos considerando uma parte da energia, podemos tomar a constante de integração igual a zero na Eq. (15.3). Assim, reescrevemos a equação:

$$U_{\text{mec}} = -\boldsymbol{\mu}\cdot\boldsymbol{B}. \tag{15.4}$$

Novamente, essa equação corresponde ao resultado para um dipolo elétrico:

$$U = -\boldsymbol{p}\cdot\boldsymbol{E}. \tag{15.5}$$

A energia U na Eq. (15.5) é a energia verdadeira, enquanto U_{mec} na (15.4) não é a energia verdadeira. Ela *pode*, no entanto, ser usada para o cálculo das forças, pelo princípio dos trabalhos virtuais, supondo que a corrente na espira – ou pelo menos μ – seja mantida constante.

Podemos mostrar que, para a nossa espira retangular, U_{mec} também corresponde ao trabalho mecânico realizado para trazer a espira até o campo. A força total na espira é nula somente em um campo uniforme; em um campo não uniforme, *existem* forças resultantes em uma espira. Ao trazer a espira para uma região com campo, devemos ter passado por regiões em que o campo não era uniforme, então algum trabalho foi realizado. Para deixar os cálculos simples, imaginemos que a espira tenha sido trazida para o campo com o momento apontando na direção do campo. (Sempre podemos girar a espira após chegar à sua posição final.)

Imagine que queiramos mover a espira na direção x – na direção de campo crescente – e que a espira esteja orientada como mostrado na Figura 15–2. Começamos em alguma região onde o campo é nulo e integramos a força vezes a distância à medida que trazemos a espira para o campo.

Primeiramente, vamos calcular o trabalho realizado sobre cada lado separadamente, para depois somarmos os resultados (em vez de somar as forças antes de integrar). As forças nos lados 3 e 4 são perpendiculares à direção do movimento, logo nenhum trabalho é realizado nestes lados. A força no lado 2 é $IbB(x)$ na direção x, e para calcular o trabalho feito contra as forças magnéticas devemos realizar a integração a partir de um x onde o campo é nulo, por exemplo, em $x = -\infty$, até x_2, sua posição atual:

$$W_2 = -\int_{-\infty}^{x_2} F_2\,dx = -Ib\int_{-\infty}^{x_2} B(x)\,dx. \tag{15.6}$$

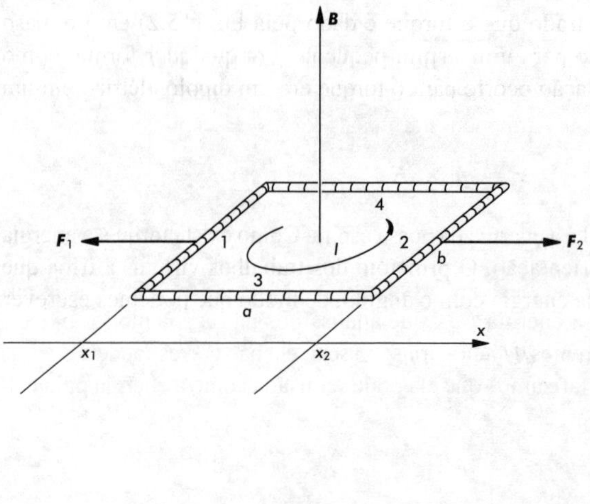

Figura 15–2 Uma espira é movimentada ao longo da direção x através do campo $\boldsymbol{B}$, perpendicular a x.

Do mesmo modo, o trabalho feito contra as forças no lado 1 é

$$W_1 = -\int_{-\infty}^{x_1} F_1\,dx = Ib\int_{-\infty}^{x_1} B(x)\,dx. \tag{15.7}$$

Para resolver cada integral, precisamos saber como $B(x)$ depende de x. Repare que o lado 1 está logo atrás do lado 2, de modo que a sua integral inclui a maior parte do trabalho realizado no lado 2. De fato, a soma de (15.6) e (15.7) é apenas

$$W = -Ib\int_{x_1}^{x_2} B(x)\,dx. \tag{15.8}$$

Se estivermos em uma região onde B é aproximadamente o mesmo nos dois lados, 1 e 2, podemos escrever a integral como

$$\int_{x_1}^{x_2} B(x)\,dx = (x_2 - x_1)B = aB,$$

onde B é o campo no centro da espira. A energia mecânica total utilizada nisso é

$$U_{\text{mec}} = W = -IabB = -\mu B. \tag{15.9}$$

O resultado concorda com a energia da Eq. (15.4).

É claro que teríamos obtido o mesmo resultado se tivéssemos somado as forças na espira antes da integração para calcular o trabalho. Sejam B_1 o campo no lado 1 e B_2 o campo no lado 2, então a força resultante na direção x é

$$F_x = Ib(B_2 - B_1).$$

Se a espira for "pequena", ou seja, se B_2 e B_1 não forem muito diferentes, podemos escrever

$$B_2 = B_1 + \frac{\partial B}{\partial x}\,\Delta x = B_1 + \frac{\partial B}{\partial x}\,a.$$

Logo, a força é

$$F_x = Iab\,\frac{\partial B}{\partial x}\cdot \tag{15.10}$$

O trabalho total realizado sobre a espira por forças *externas* é

$$-\int_{-\infty}^{x} F_x\,dx = -Iab\int\frac{\partial B}{\partial x}\,dx = -IabB,$$

que é novamente igual a $-\mu B$. Somente agora vemos por que a *força* em uma espira pequena é proporcional à derivada do campo magnético, como esperaríamos da relação

$$F_x\,\Delta x = -\Delta U_{\text{mec}} = -\Delta(-\boldsymbol{\mu}\cdot\boldsymbol{B}). \tag{15.11}$$

Nosso resultado, portanto, estabelece que apesar de $U_{\text{mec}} = -\boldsymbol{\mu}\cdot\boldsymbol{B}$ não incluir toda a energia do sistema – é uma energia falsa –, tal expressão ainda pode ser utilizada com o princípio dos trabalhos virtuais para encontrarmos as forças em espiras com corrente estacionária.

15–2 Energias mecânica e elétrica

Vamos mostrar agora por que a energia U_{mec} que analisamos na seção anterior não é a energia correta associada a correntes estacionárias, ou seja, ela não corresponde à energia total no mundo. Realmente, enfatizamos que ela pode ser usada como a energia para calcular as forças através do princípio dos trabalhos virtuais, *desde que* a corrente na espira (e todas as *outras* correntes) sejam constantes. Vejamos agora por que isso funciona.

Imagine que a espira na Figura 15–2 esteja se movendo na direção de x positivo, com o eixo z apontando na direção de $\boldsymbol{B}$. Os elétrons de condução no lado 2 sentirão uma força ao longo do fio, na direção y. Contudo, devido ao seu fluxo – como uma corrente elétrica – existe uma componente de seu movimento com a mesma direção da força. Portanto, um certo trabalho está sendo realizado sobre cada elétron a uma taxa $F_y v_y$, onde v_y é a componente da velocidade do elétron ao longo do fio. Denominaremos este trabalho realizado sobre os elétrons como trabalho *elétrico*. Agora podemos ver que se a espira estiver se movendo em um campo *uniforme*, o trabalho elétrico total é nulo, uma vez que trabalho positivo é realizado sobre algumas partes da espira, e trabalho negativo é realizado sobre outras partes. No entanto, isso não é verdade se a espira estiver se movendo em um campo não uniforme – então *haverá* uma certa quantidade de trabalho resultante realizada sobre os elétrons. Em geral, esse trabalho tenderia a mudar o fluxo dos elétrons, mas se a corrente estiver sendo mantida constante, então energia deve ser absorvida ou liberada pela bateria ou alguma outra fonte que está mantendo a corrente constante. Essa energia não foi incluída quando calculamos U_{mec} na Eq. (15.9), porque nossos cálculos incluíam apenas as forças mecânicas no fio.

Você deve estar pensando: mas a força nos elétrons depende da *velocidade* com a qual o fio se move; talvez se o fio se mover devagar o suficiente, esta energia elétrica possa ser desprezada. É verdade que a *taxa* na qual a energia elétrica é recebida depende da velocidade do fio, mas a energia *total* recebida é proporcional também ao *tempo* que essa taxa dura. Portanto, a energia elétrica total é proporcional à velocidade vezes o tempo, que é exatamente a distância percorrida. Para uma dada distância percorrida em um campo, a mesma quantidade de trabalho elétrico é realizada.

Consideremos um segmento de fio com comprimento unitário conduzindo uma corrente I e movendo-se em uma direção perpendicular a si mesmo e ao campo magnético $\boldsymbol{B}$ com velocidade v_{fio}. Devido à corrente, os elétrons terão uma velocidade de deslocamento v_{desloc} ao longo do fio. A componente da força magnética em cada elétron na direção do deslocamento é $q_e v_{\text{fio}} B$. Logo a taxa na qual o trabalho elétrico está sendo realizado é $F v_{\text{desloc}} = (q_e v_{\text{fio}} B) v_{\text{desloc}}$. Se houver N elétrons de condução em uma unidade de comprimento do fio, a taxa total em que o trabalho elétrico está sendo realizado será

$$\frac{dU_{\text{elét}}}{dt} = N q_e v_{\text{fio}} B v_{\text{deslocamento}}.$$

Mas $N q_e v_{\text{desloc}} = I$, a corrente no fio, portanto

$$\frac{dU_{\text{elét}}}{dt} = I v_{\text{fio}} B.$$

Como a corrente está sendo mantida constante, as forças nos elétrons de condução não os aceleram; a energia elétrica não está indo para os elétrons, mas para a fonte que está mantendo a corrente constante.

Note que a força no fio é IB, logo IBv_{fio} é também a taxa de *trabalho mecânico* realizado sobre o fio, $dU_{\text{mec}}/dt = IBv_{\text{fio}}$. Concluímos que o trabalho mecânico realizado sobre o fio é igual ao trabalho elétrico realizado sobre a fonte de corrente, de modo que a energia na espira *é uma constante*!

Isso não é uma coincidência, mas consequência de uma lei que já conhecemos. A força total em cada carga no fio é

$$\boldsymbol{F} = q(\boldsymbol{E} + \boldsymbol{v} \times \boldsymbol{B}).$$

A taxa na qual o trabalho é feito é

$$\boldsymbol{v} \cdot \boldsymbol{F} = q[\boldsymbol{v} \cdot \boldsymbol{E} + \boldsymbol{v} \cdot (\boldsymbol{v} \times \boldsymbol{B})]. \tag{15.12}$$

Se não houver campos elétricos, teremos apenas o segundo termo, que é sempre nulo. Veremos mais adiante que campos magnéticos *variáveis* produzem campos elétricos; logo, nosso raciocínio se aplica somente a fios se movendo em campos magnéticos constantes.

Então o que está acontecendo para que o princípio dos trabalhos virtuais dê a resposta certa? A resposta é que ainda não estamos levando em conta a energia *total* no mundo. Não incluímos a energia das correntes que estão *produzindo* o campo magnético que estamos considerando.

Imagine agora um sistema completo tal como o desenhado na Figura 15–3(a), no qual estamos movendo nossa espira com uma corrente I_1 em direção ao campo magnético $\boldsymbol{B}_1$ produzido pela corrente I_2 em uma bobina. A corrente I_1 na espira também produzirá um campo magnético $\boldsymbol{B}_2$ na bobina. Se a espira estiver se movendo, o campo $\boldsymbol{B}_2$ estará variando. Como veremos no próximo capítulo, um campo magnético variável produz um campo elétrico $\boldsymbol{E}$; e este campo $\boldsymbol{E}$ realizará trabalho sobre as cargas da bobina. Essa energia também deve ser incluída no balanço da energia total.

Poderíamos esperar até o próximo capítulo para aprender sobre este novo termo na energia, mas também podemos ver qual é a sua contribuição se usarmos o princípio da relatividade da seguinte maneira. Quando movemos a espira em direção à bobina estacionária, sabemos que sua energia elétrica é igual e oposta ao trabalho mecânico realizado. Logo

$$U_{\text{mec}} + U_{\text{elét}}(\text{espira}) = 0$$

Suponha agora que analisemos a situação de um ponto de vista diferente, no qual a espira está em repouso e a bobina se move em sua direção. Então a bobina está se movendo em direção ao campo produzido pela espira. Os mesmos argumentos dariam então

$$U_{\text{mec}} + U_{\text{elét}}(\text{bobina}) = 0$$

A energia mecânica é a mesma nos dois casos porque ela vem da força entre os dois circuitos.

A soma das duas equações resulta em

$$2U_{\text{mec}} + U_{\text{elét}}(\text{espira}) + U_{\text{elét}}(\text{bobina}) = 0$$

É claro que a energia total do sistema é igual à soma das duas energias elétricas mais a energia mecânica somada apenas *uma vez*. Assim temos

$$U_{\text{total}} = U_{\text{elét}}(\text{espira}) + U_{\text{elét}}(\text{bobina}) + U_{\text{mec}} = -U_{\text{mec}}. \tag{15.13}$$

A energia total é na verdade o *negativo* de U_{mec}. Se quisermos a energia verdadeira de um dipolo magnético, devemos escrever

$$U_{\text{total}} = +\boldsymbol{\mu}\cdot\boldsymbol{B}.$$

Somente se impusermos a condição de que todas as correntes são constantes poderemos usar só uma parte da energia, U_{mec} (que é sempre o negativo da energia verdadeira) para determinar as forças mecânicas. Em um problema mais geral, devemos ser mais cuidadosos e incluir todas as energias.

Já vimos uma situação análoga na eletrostática. Mostramos que a energia de um capacitor é igual a $Q^2/2C$. Quando usamos o princípio dos trabalhos virtuais para de-

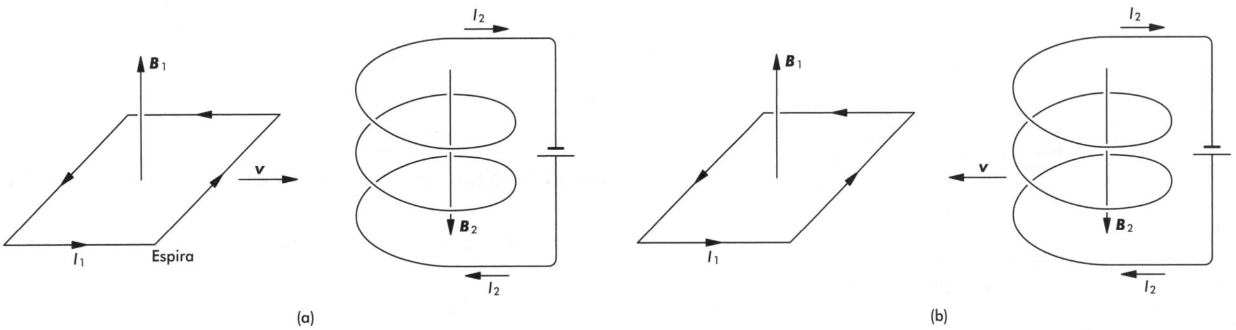

Figura 15–3 Obtenção da energia de uma espira pequena em um campo magnético.

terminar a força entre as placas do capacitor, a variação da energia resulta igual a $Q^2/2$ vezes a variação de $1/C$. Ou seja,

$$\Delta U = \frac{Q^2}{2}\,\Delta\left(\frac{1}{C}\right) = -\frac{Q^2}{2}\,\frac{\Delta C}{C^2}. \tag{15.14}$$

Agora suponha que calculemos o trabalho realizado para movimentar dois condutores, sujeitos à condição de que a diferença de potencial entre eles seja mantida constante. Neste caso, podemos obter as respostas corretas para a força a partir do princípio dos trabalhos virtuais se utilizarmos um artifício. Como $Q = CV$, a energia real é $\frac{1}{2}CV^2$. Se definirmos uma energia artificial igual a $-\frac{1}{2}CV^2$, então o princípio dos trabalhos virtuais pode ser usado para obtermos as forças, tomando a variação na energia artificial como sendo igual ao trabalho mecânico, uma vez que a diferença de potencial V seja mantida constante. Então

$$\Delta U_{\text{mec}} = \Delta\left(-\frac{CV^2}{2}\right) = -\frac{V^2}{2}\,\Delta C, \tag{15.15}$$

que é igual à Eq. (15.14). O resultado correto foi obtido, mesmo desprezando-se o trabalho realizado pelo sistema elétrico para manter a tensão constante. Novamente, esta energia elétrica é o dobro da energia mecânica e tem sinal oposto.

Portanto, se calcularmos artificialmente, desprezando o fato de que a fonte do potencial tem de realizar trabalho para manter a tensão constante, obteremos a resposta correta. Isso é análogo à situação da magnetostática.

15–3 A energia de correntes estacionárias

Podemos agora usar nosso conhecimento de que $U_{\text{total}} = -U_{\text{mec}}$ para encontrarmos a verdadeira energia de correntes estacionárias em campos magnéticos. Podemos começar com a energia verdadeira de uma espira pequena. Denominando U_{total} simplesmente como U, escrevemos

$$U = \boldsymbol{\mu}\cdot\boldsymbol{B}. \tag{15.16}$$

Apesar de realizarmos o cálculo dessa energia para uma espira retangular plana, o mesmo resultado vale para uma pequena espira plana com qualquer forma.

Podemos obter a energia de um circuito de qualquer forma imaginando que ele seja feito de pequenas espiras. Suponha que tenhamos um fio com a forma da espira Γ da Figura 15–4. Preenchemos esta curva com a superfície S e, nesta superfície, marcamos uma grande quantidade de pequenas espiras, cada uma das quais pode ser considerada plana. Se deixarmos a corrente I circular ao redor de *cada uma* das pequenas espiras, o resultado final será o mesmo da corrente circulando Γ, uma vez que as correntes irão se cancelar em todas as linhas internas a Γ. Fisicamente, o sistema de correntes pequenas é indistinguível do circuito original. A energia também deve ser a mesma, e é dada pela soma das energias de todas as espiras pequenas.

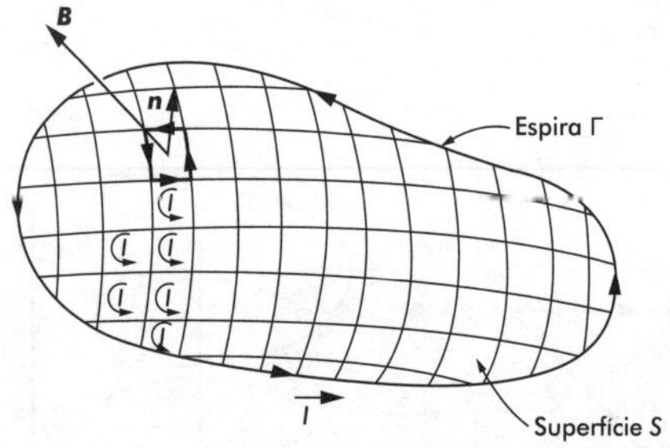

Figura 15–4 A energia de uma espira grande em um campo magnético pode ser considerada como a soma das energias de espiras menores.

Se a área de cada espira pequena for Δa, sua energia será $I\Delta a B_n$, onde B_n é a componente normal a Δa. A energia total é

$$U = \sum IB_n\,\Delta a.$$

Passando para o limite de espiras infinitesimais, a soma se torna uma integral, e

$$U = I\int B_n\,da = I\int \boldsymbol{B}\cdot\boldsymbol{n}\,da, \tag{15.17}$$

onde $\boldsymbol{n}$ é o vetor unitário normal a da.

Se definirmos $\boldsymbol{B} = \nabla \times \boldsymbol{A}$, podemos relacionar a integral de superfície a uma integral de linha, utilizando o teorema de Stokes,

$$I\int_S (\nabla \times \boldsymbol{A}) \cdot \boldsymbol{n}\, da = I\oint_\Gamma \boldsymbol{A} \cdot d\boldsymbol{s}, \qquad (15.18)$$

onde $d\boldsymbol{s}$ é o elemento de linha ao longo de Γ. Desse modo, obtemos a energia para um circuito com qualquer forma:

$$U = I \oint_{\text{circuito}} \boldsymbol{A} \cdot d\boldsymbol{s}. \qquad (15.19)$$

Nesta expressão $\boldsymbol{A}$ se refere, obviamente, ao potencial vetor devido às correntes (outras que não a corrente I no fio) que produzem o campo $\boldsymbol{B}$ no fio.

Qualquer distribuição de correntes estacionárias pode ser imaginada como sendo constituída de filamentos que seguem paralelamente às linhas de fluxo de corrente. Para cada par de circuitos dessa forma, a energia é dada pela Eq. (15.19), em que a integral é realizada ao redor de um dos circuitos, usando o potencial vetor $\boldsymbol{A}$ do outro circuito. Para obtermos a energia total, precisamos da soma de todos os pares de circuitos. Se, em vez de contar os pares, fizéssemos a soma de todos os filamentos, estaríamos contando a energia duas vezes (já vimos um efeito semelhante na eletrostática), de modo que a energia total pode ser escrita como

$$U = \tfrac{1}{2}\int \boldsymbol{j} \cdot \boldsymbol{A}\, dV. \qquad (15.20)$$

Essa fórmula corresponde ao resultado encontrado para a energia eletrostática:

$$U = \tfrac{1}{2}\int \rho\phi\, dV. \qquad (15.21)$$

Podemos pensar em $\boldsymbol{A}$ como sendo um tipo de potencial para correntes na magnetostática. Infelizmente, essa ideia não é muito útil, pois só é verdadeira para campos estáticos. De fato, nenhuma das Equações (15.20) e (15.21) dá a energia correta quando os campos variam com o tempo.

15–4 B *versus* A

Nesta seção, discutiremos as seguintes questões: o potencial vetor é meramente um instrumento útil para realizarmos os cálculos – como o potencial escalar é útil na eletrostática – ou o potencial vetor é um campo "real"? Não deveríamos considerar o campo magnético como o campo real, já que ele é o responsável pela força sobre uma partícula em movimento? Primeiramente deveríamos notar que a frase "um campo real" não é muito significativa. Por exemplo, você provavelmente não sente que o campo magnético seja muito "real", porque a própria ideia de campo é bastante abstrata. Você não consegue estender a sua mão e sentir o campo magnético. Além disso, o valor do campo magnético não é muito definido; ao escolher um sistema de coordenadas adequado em movimento, por exemplo, você pode fazer o campo magnético em um dado ponto desaparecer.

O que queremos dizer aqui por campo "real" é o seguinte: um campo real é uma função matemática que usamos para evitar a ideia de ação à distância. Se temos uma partícula carregada na posição P, ela é afetada por outras cargas localizadas a uma certa distância de P. Uma maneira de descrever a interação é dizer que as outras cargas criam uma certa "condição" – qualquer que ela seja – no ambiente em P. Se conhecermos essa condição, que descrevemos por meio dos campos elétrico e magnético, então podemos determinar completamente o comportamento da partícula – sem nenhuma referência posterior a como aquelas condições surgiram.

Em outras palavras, se aquelas outras cargas forem alteradas de alguma maneira, mas as condições em P que são descritas pelo campo elétrico e magnético em P continuarem as mesmas, então o movimento da carga também será o mesmo. Um campo "real" é, portanto, um conjunto de números que especificamos de tal maneira que o que acontece *em um ponto* depende apenas dos números *naquele ponto*. Não precisamos mais saber o que está acontecendo em outras regiões. É nesse sentido que discutiremos se o potencial vetor é um campo "real" ou não.

Você deve estar intrigado pelo fato de o potencial vetor não ser único – ele pode ser mudado adicionando-se a ele o gradiente de qualquer escalar sem que haja qualquer mudança nas forças sobre as partículas. No entanto, isso não tem nada a ver com a realidade do potencial vetor no sentido que estamos discutindo. Por exemplo, o campo magnético pode ser alterado em um certo sentido por uma mudança de referencial (assim como $\boldsymbol{E}$ e $\boldsymbol{A}$), mas não nos preocupamos com o que acontece se o campo *pode* ser modificado desta maneira. Não faz realmente nenhuma diferença; e não tem nada a ver com a questão de se o potencial vetor é um verdadeiro campo "real" para descrever efeitos magnéticos ou se ele é só uma ferramenta matemática útil.

Precisamos fazer também alguns comentários sobre a utilidade do potencial vetor $\boldsymbol{A}$. Vimos que ele pode ser utilizado em um procedimento formal para calcularmos os campos magnéticos de correntes conhecidas, assim como ϕ pode ser usado para que se obtenham campos elétricos. Na eletrostática vimos que ϕ é dado pela integral escalar

$$\phi(1) = \frac{1}{4\pi\epsilon_0}\int \frac{\rho(2)}{r_{12}}\, dV_2. \tag{15.22}$$

A partir deste ϕ, obtemos as três componentes de $\boldsymbol{E}$ por meio de três operações diferenciais. Esse procedimento é normalmente mais fácil de se realizar do que resolver as três integrais na fórmula vetorial

$$\boldsymbol{E}(1) = \frac{1}{4\pi\epsilon_0}\int \frac{\rho(2)\boldsymbol{e}_{12}}{r_{12}^2}\, dV_2. \tag{15.23}$$

Primeiro, são três integrais; e depois, cada integral é geralmente um pouco mais difícil.

As vantagens são muito menos claras para a magnetostática. A integral para $\boldsymbol{A}$ já é uma integral vetorial:

$$\boldsymbol{A}(1) = \frac{1}{4\pi\epsilon_0 c^2}\int \frac{\boldsymbol{j}(2)\, dV_2}{r_{12}}, \tag{15.24}$$

que representa, obviamente, três integrais. Além disso, quando tomamos o rotacional de $\boldsymbol{A}$ para obter $\boldsymbol{B}$, temos de fazer seis derivadas e combiná-las aos pares. Não é imediatamente óbvio se na maioria dos problemas esse procedimento será realmente mais fácil do que calcular $\boldsymbol{B}$ diretamente por meio da fórmula

$$\boldsymbol{B}(1) = \frac{1}{4\pi\epsilon_0 c^2}\int \frac{\boldsymbol{j}(2)\times \boldsymbol{e}_{12}}{r_{12}^2}\, dV_2. \tag{15.25}$$

Usar o potencial vetor para problemas simples é frequentemente mais difícil pela seguinte razão. Suponha que estejamos interessados somente no campo magnético $\boldsymbol{B}$ em um único ponto, e que o problema tenha alguma simetria – por exemplo, queremos o campo em um ponto sobre o eixo de um anel com uma corrente. Devido à simetria, podemos obter $\boldsymbol{B}$ facilmente resolvendo a integral da Eq. (15.25). Entretanto, se fôssemos calcular $\boldsymbol{A}$ primeiro, teríamos de calcular $\boldsymbol{B}$ com as *derivadas* de $\boldsymbol{A}$, de modo que precisaríamos conhecer $\boldsymbol{A}$ em todos os pontos na *vizinhança* do ponto de interesse. Muitos desses pontos estão fora do eixo de simetria, de modo que a integral para $\boldsymbol{A}$ fica complicada. No problema do anel, por exemplo, precisaríamos usar integrais elípticas. Em tais problemas, claramente $\boldsymbol{A}$ não é muito útil. É verdade que em muitos problemas complexos é mais fácil trabalhar com $\boldsymbol{A}$, mas seria difícil argumentar que essa facilidade técnica justificaria fazer você aprender mais um campo vetorial.

Introduzimos $\boldsymbol{A}$ porque esse campo *possui* um significado físico importante. Ele não está relacionado só às energias das correntes, como vimos na última seção, mas também é um campo "real" no sentido que descrevemos anteriormente. Na mecânica clássica, é fácil ver que podemos descrever a força sobre uma partícula como

$$\boldsymbol{F} = q(\boldsymbol{E} + \boldsymbol{v} \times \boldsymbol{B}), \tag{15.26}$$

de modo que, dadas as forças, todo o movimento está determinado. Em qualquer região onde $\boldsymbol{B} = 0$, mesmo que $\boldsymbol{A}$ não seja nulo, como o exterior de um solenoide, não há nenhum efeito discernível de $\boldsymbol{A}$. Por isso, durante muito tempo acreditou-se que $\boldsymbol{A}$ não era um campo "real". Apesar disso, acontece que existem fenômenos envolvendo a mecânica quântica que mostram que o campo $\boldsymbol{A}$ é de fato um campo "real" no sentido em que o definimos. Na próxima seção, mostraremos como isso funciona.

15–5 O potencial vetor e a mecânica quântica

Existem muitas mudanças em quais conceitos são importantes quando vamos da mecânica clássica para a quântica. Já discutimos alguns deles no Vol. I. Em particular, o conceito de força desaparece gradualmente, enquanto os conceitos de energia e momento se tornam de fundamental importância. Você deve se lembrar de que em vez de lidarmos com movimentos de partículas, trabalhamos com amplitudes de probabilidade que variam com o espaço e o tempo. Nessas amplitudes existem comprimentos de onda relacionados com os momentos, e frequências relacionadas com as energias. Os momentos e energias, que determinam as fases das funções de onda, são as quantidades importantes na mecânica quântica. Em vez das forças, lidamos com a maneira com que as interações mudam o comprimento de onda. A ideia de força se torna bastante secundária – se é que ela existe neste contexto. Quando as pessoas falam a respeito das forças nucleares, por exemplo, elas normalmente analisam e trabalham com as energias de interação de dois núcleons, e não com a força entre eles. Ninguém calcula a derivada da energia para descobrir como a força parece. Nesta seção queremos descrever como os potenciais vetor e escalar entram na mecânica quântica. De fato, é apenas porque momento e energia têm um papel central na mecânica quântica que $\boldsymbol{A}$ e ϕ proporcionam a maneira mais direta de introduzir efeitos eletromagnéticos nas descrições quânticas.

É necessário revisar um pouco como a mecânica quântica funciona. Vamos considerar novamente o experimento imaginário descrito no Capítulo 37 do Vol. I, no qual elétrons são difratados por duas fendas. O arranjo é mostrado novamente na Figura 15–5. Os elétrons, todos com aproximadamente a mesma energia, deixam a fonte e viajam em direção ao anteparo com duas fendas estreitas. Além do anteparo, existe uma tela com um

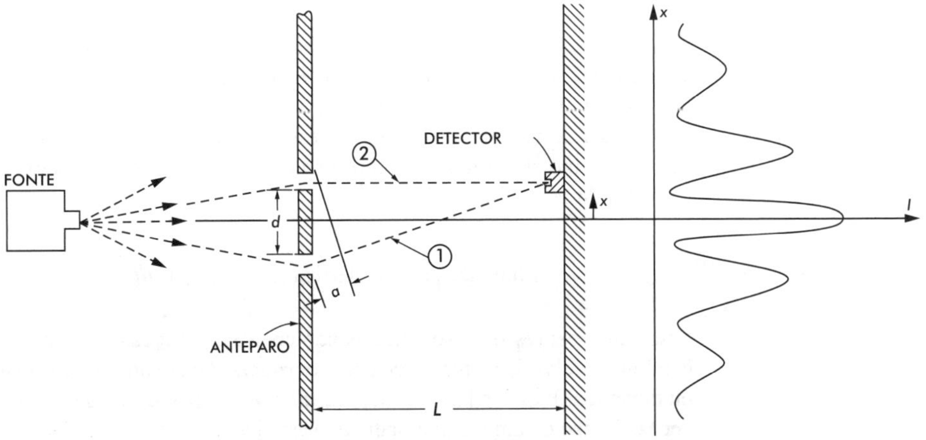

Figura 15–5 Um experimento de interferência de elétrons (ver também o Capítulo 37 do Vol. I).

detector móvel. O detector mede a taxa, que chamaremos de I, na qual os elétrons atingem uma pequena região da tela a uma distância x do eixo de simetria. A taxa é proporcional à probabilidade de um elétron individual, que deixa a fonte, atingir aquela região da tela. Essa probabilidade tem a distribuição aparentemente complicada vista na figura, que entendemos como sendo decorrente da interferência das duas amplitudes, uma de cada fenda. A interferência entre as duas amplitudes depende da sua diferença de fase. Isto é, se as amplitudes forem $C_1e^{i\Phi_1}$ e $C_2e^{i\Phi_2}$, a diferença de fase $\delta = \Phi_1 - \Phi_2$ determina o seu padrão de interferência [ver Eq. (29.12) no Vol. I]. Seja L a distância entre a tela e as fendas, e a a diferença nos comprimentos dos caminhos de elétrons passando através das duas fendas, como mostrado na figura, então a diferença de fase entre as duas ondas será dada por

$$\delta = \frac{a}{\lambdabar}. \tag{15.27}$$

Definimos $\lambdabar = \lambda/2\pi$, da maneira usual, onde λ é o comprimento de onda da variação espacial da amplitude de probabilidade. Por simplicidade, vamos considerar somente valores de x muito menores do que L; então temos

$$a = \frac{x}{L}d$$

e

$$\delta = \frac{x}{L}\frac{d}{\lambdabar}. \tag{15.28}$$

Quando x for zero, δ também se anula; as ondas estão em fase, e a probabilidade tem um máximo. Quando δ for igual a π, as ondas estão fora de fase, a interferência é destrutiva e a probabilidade tem um mínimo. Assim, obtemos a função oscilante para a intensidade dos elétrons.

Agora gostaríamos de enunciar a lei que substitui a força $\boldsymbol{F} = q\boldsymbol{v} \times \boldsymbol{B}$ na mecânica quântica. Essa será a lei que determinará o comportamento de partículas quânticas em um campo eletromagnético. Como tudo o que acontece é determinado pelas amplitudes, a lei deve nos dizer como a influência do campo magnético afeta as amplitudes; não estamos mais lidando com a aceleração da partícula. A lei é a seguinte: a fase da amplitude de uma partícula que segue por qualquer trajetória é alterada pela presença do campo magnético, por uma quantidade igual à integral do potencial vetor ao longo da mesma trajetória, vezes a carga da partícula sobre a constante de Planck. Ou seja,

$$\text{Mudança na fase magnética} = \frac{q}{\hbar}\int_{\text{trajetória}} \boldsymbol{A} \cdot d\boldsymbol{s}. \tag{15.29}$$

Se não houvesse campos magnéticos, a fase teria um determinado valor quando a partícula atingisse a tela. Se houver um campo magnético, a fase da onda incidente será acrescida do valor da integral na Eq. (15.29).

Apesar de não precisarmos desse resultado nesta discussão, é importante mencionar que um campo eletrostático produz uma diferença de fase dada pelo oposto da integral temporal do potencial escalar ϕ:

$$\text{Mudança na fase elétrica} = -\frac{q}{\hbar}\int \phi\, dt.$$

Essas duas expressões são corretas não apenas para o caso de campos estáticos, pois combinadas elas dão o resultado correto para *qualquer* campo eletromagnético, estático ou dinâmico. Essa é a lei que substitui $\boldsymbol{F} = q(\boldsymbol{E} + \boldsymbol{v} \times \boldsymbol{B})$, mas vamos considerar agora apenas o caso de um campo magnético estático.

Suponha que exista um campo magnético presente na experiência das duas fendas. Queremos saber qual a fase de chegada na tela das duas ondas cujos caminhos passam pelas duas fendas. A sua interferência determina onde estarão os máximos de probabilidade. Denominemos Φ_1 a fase da onda que segue a trajetória (1). Se $\Phi_1(B = 0)$ for a fase sem o campo magnético, então quando o campo for ligado a fase será

$$\Phi_1 = \Phi_1(B = 0) + \frac{q}{\hbar}\int_{(1)} \boldsymbol{A} \cdot d\boldsymbol{s}. \tag{15.30}$$

De maneira análoga, a fase da trajetória (2) será

$$\Phi_2 = \Phi_2(B = 0) + \frac{q}{\hbar}\int_{(2)} \boldsymbol{A} \cdot d\boldsymbol{s}. \tag{15.31}$$

A interferência das ondas no detector depende da diferença de fase

$$\delta = \Phi_1(B = 0) - \Phi_2(B = 0) + \frac{q}{\hbar}\int_{(1)} \boldsymbol{A} \cdot d\boldsymbol{s} - \frac{q}{\hbar}\int_{(2)} \boldsymbol{A} \cdot d\boldsymbol{s}. \tag{15.32}$$

Denominemos a diferença de fase sem campo como $\delta(B = 0)$; esta é simplesmente a diferença de fase que calculamos acima na Eq. (15.28). Além disso, podemos notar que as duas integrais podem ser escritas como *uma* integral que segue por (1) e volta por (2); denominaremos este caminho fechado (1-2). Assim, temos

$$\delta = \delta(B = 0) + \frac{q}{\hbar}\oint_{(1-2)} \boldsymbol{A} \cdot d\boldsymbol{s}. \tag{15.33}$$

Essa equação mostra como o movimento dos elétrons é modificado pelo campo magnético; com ela podemos encontrar as novas posições para os máximos e os mínimos na tela.

No entanto, antes de fazer isto, vamos observar um ponto interessante e importante. Você deve se lembrar de que a função do potencial vetor possui uma certa arbitrariedade. Duas funções diferentes para o potencial vetor, $\boldsymbol{A}$ e $\boldsymbol{A}'$, cuja diferença seja o gradiente de uma função escalar $\nabla\psi$, representam o mesmo campo magnético, já que o rotacional do gradiente é zero. Portanto, elas dão a mesma força clássica $q\boldsymbol{v} \times \boldsymbol{B}$. Se na mecânica quântica os efeitos dependem do potencial vetor, *qual* das possíveis funções $\boldsymbol{A}$ é a correta?

A resposta é que a mesma arbitrariedade em $\boldsymbol{A}$ continua a existir na mecânica quântica. Se substituirmos $\boldsymbol{A}$ por $\boldsymbol{A}' = \boldsymbol{A} + \nabla\psi$ na Eq. (15.33), a integral em $\boldsymbol{A}$ se torna

$$\oint_{(1-2)} \boldsymbol{A}' \cdot d\boldsymbol{s} = \oint_{(1-2)} \boldsymbol{A} \cdot d\boldsymbol{s} + \oint_{(1-2)} \nabla\psi \cdot d\boldsymbol{s}.$$

A integral de $\nabla\psi$ é feita ao longo do caminho fechado (1-2), mas a integral da componente tangencial de um gradiente ao longo de um caminho fechado é sempre zero, pelo teorema de Stokes. Desse modo, tanto $\boldsymbol{A}$ como $\boldsymbol{A}'$ dão as mesmas diferenças de fase e os mesmos efeitos de interferência quânticos. Em ambas as teorias, clássica e quântica, apenas o rotacional de $\boldsymbol{A}$ é relevante; qualquer escolha para a função $\boldsymbol{A}$ que tenha o rotacional correto dará a física correta.

A mesma conclusão é evidente se usarmos os resultados da Seção 14-1, na qual verificamos que a integral de linha em $\boldsymbol{A}$ sobre um caminho fechado é o fluxo de $\boldsymbol{B}$ através do caminho, que aqui é o fluxo entre os caminhos (1) e (2). A Eq. (15.33) pode, se quisermos, ser reescrita na forma

$$\delta = \delta(B = 0) + \frac{q}{\hbar}\,[\text{fluxo de } \boldsymbol{B} \text{ entre (1) e (2)}], \tag{15.34}$$

onde o fluxo de $\boldsymbol{B}$ é definido da maneira usual, como sendo a integral de superfície da componente normal de $\boldsymbol{B}$. O resultado depende somente de $\boldsymbol{B}$ e, portanto, apenas do rotacional de $\boldsymbol{A}$.

Como podemos escrever o resultado em termos de $\boldsymbol{B}$ assim como em termos de $\boldsymbol{A}$, você pode estar inclinado a acreditar que $\boldsymbol{B}$ se mantém como um campo "real", enquanto ainda podemos pensar que $\boldsymbol{A}$ seja construção artificial. Contudo, a definição de campo

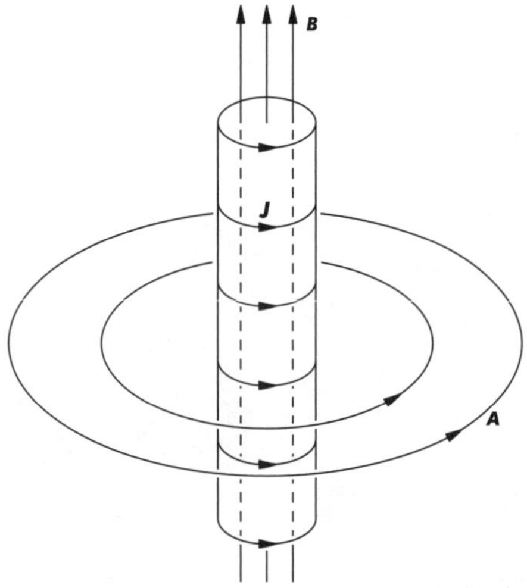

Figura 15–6 O campo magnético e o potencial vetor de um solenoide longo.

"real" que propusemos originalmente era baseada na ideia de que um campo "real" não agiria à distância sobre uma partícula. No entanto, podemos dar um exemplo no qual **B** é nulo – ou pelo menos arbitrariamente pequeno – em todos as regiões onde existe alguma possibilidade de encontrarmos partículas, de maneira que não é possível pensar no campo agindo *diretamente* sobre elas.

Você deve se lembrar de que quando consideramos um solenoide longo conduzindo uma corrente elétrica, existe um campo **B** em seu interior, mas não existe campo no seu exterior, enquanto existem montes de **A** circulando no seu exterior, como mostrado na Figura 15–6. Se arranjarmos uma situação na qual os elétrons só possam ser encontrados *fora* do solenoide – só onde existe **A** –, ainda haverá uma influência no movimento, de acordo com a Eq. (15.33). Classicamente, isso é impossível. Classicamente, a força depende apenas de **B**; para saber que o solenoide está conduzindo uma corrente, a partícula deve atravessá-lo. Quanticamente, você pode descobrir que existe um campo magnético dentro do solenoide só passando *ao redor* dele – sem nunca chegar perto!

Suponha que coloquemos um solenoide muito longo de diâmetro pequeno logo atrás do anteparo, entre as duas fendas, como visto na Figura 15–7. O diâmetro do solenoide deve ser muito menor do que a distância d entre as duas fendas. Nestas circunstâncias, a difração dos elétrons pelas duas fendas não produz uma probabilidade apreciável de que os elétrons cheguem perto do solenoide. Qual será o efeito em nosso experimento de interferência?

Comparemos as situações com e sem uma corrente percorrendo o solenoide. Se não houver corrente, não haverá **B** ou **A**, e obtemos o padrão original de intensidade eletrônica na tela. Se ligarmos a corrente no solenoide, gerando um campo magnético **B** em seu interior, então haverá **A** do lado de fora. Existe então um deslocamento na diferença de fase proporcional à circulação de **A** fora do solenoide, o que significa que o padrão de máximos e mínimos é deslocado para uma nova posição. De fato, como o fluxo de **B** no interior é uma constante para qualquer par de trajetórias, a circulação de **A** também será uma constante. Para cada ponto de chegada temos a mesma mudança na fase; isso corresponde a deslocar o padrão inteiro em x em uma quantidade constante x_0, que podemos calcular facilmente. A intensidade máxima irá ocorrer onde a diferença de fase entre as duas ondas for zero. Usando a Eq. (15.33) ou a Eq. (15.34) para δ e a Eq. (15.28) para x, obtemos

$$x_0 = -\frac{L}{d}\,ƛ\,\frac{q}{\hbar}\oint_{(1-2)} \boldsymbol{A}\cdot d\boldsymbol{s}, \tag{15.35}$$

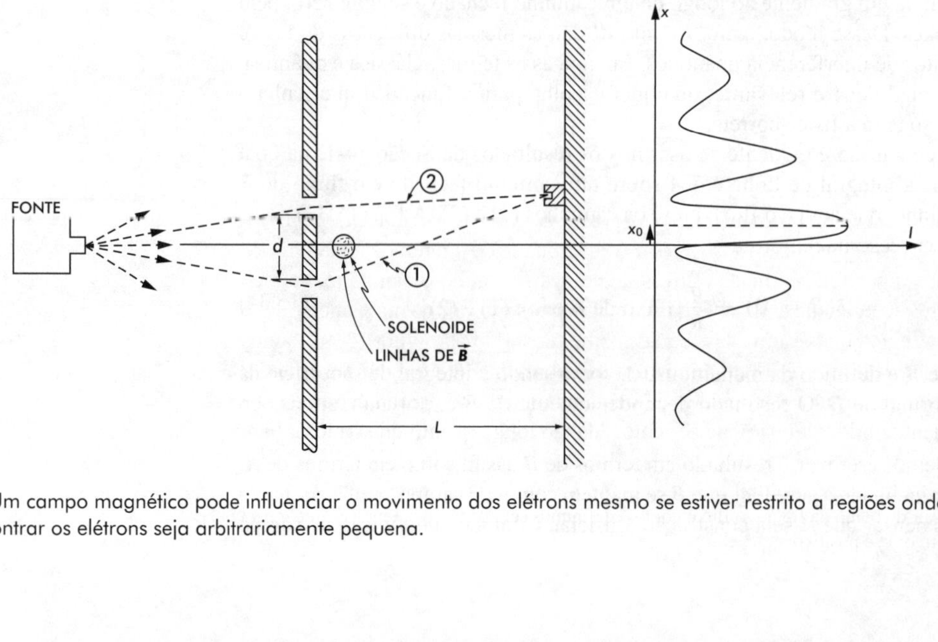

Figura 15–7 Um campo magnético pode influenciar o movimento dos elétrons mesmo se estiver restrito a regiões onde a probabilidade de se encontrar os elétrons seja arbitrariamente pequena.

ou

$$x_0 = -\frac{L}{d}\,\lambda\!\!\!^{-}\,\frac{q}{\hbar}\ [\text{fluxo de } \boldsymbol{B} \text{ entre (1) e (2)}]. \qquad (15.36)$$

O padrão, com o solenoide no lugar, deveria aparecer[1] como mostrado na Figura 15–7. Pelo menos, essa é a predição da mecânica quântica.

Tal experimento foi realizado recentemente. Trata-se de um experimento muito, muito difícil. Como o comprimento de onda dos elétrons é tão pequeno, o aparato deve ter uma escala minúscula para observar a interferência. As fendas devem estar muito próximas, e isso significa que um solenoide demasiadamente pequeno deve ser utilizado. Contudo, sob certas circunstâncias, cristais de ferro podem crescer na forma de filamentos microscopicamente finos e muito longos, chamados de "*whiskers*". Quando estes filamentos de ferro são magnetizados, eles funcionam como solenoides minúsculos, sem campo no exterior exceto próximo às extremidades. O experimento de interferência de elétrons foi feito com um desses filamentos entre as duas fendas, e o deslocamento previsto no padrão dos elétrons foi observado.

Então, no sentido que definimos, o campo $\boldsymbol{A}$ é "real". Você poderia dizer: "Mas *existia* um campo magnético". Existia, mas lembre-se de nossa ideia original – um campo é "real" se ele pode ser especificado *na posição* da partícula para que se possa obter o movimento. O campo magnético $\boldsymbol{B}$ no filamento está atuando à distância. Se quisermos descrever sua influência não como uma ação-a-distância, precisamos usar o potencial vetor.

Este assunto tem uma história interessante. A teoria que descrevemos já era conhecida desde o começo da mecânica quântica em 1926. Que o potencial vetor deveria aparecer na equação de onda da mecânica quântica (chamada de equação de Schrödinger) era óbvio desde o dia em que ela foi escrita. E tentativas após tentativas mostraram que não havia uma maneira fácil de substituí-lo pelo campo magnético. Isso pode ser visto claramente no nosso exemplo no qual os elétrons se movem em uma região onde não há campo, e são afetados mesmo assim. Como na mecânica clássica $\boldsymbol{A}$ não parecia ter nenhuma importância direta, e, além disso, podia ser modificado pela adição de um gradiente, as pessoas diziam repetidamente que o potencial vetor não tinha um significado físico direto – que só os campos elétrico e magnético eram "certos", mesmo na mecânica quântica. Parece estranho, olhando em retrospecto, que ninguém tenha pensado em discutir esse experimento até 1956, quando Bohm e Aharonov o sugeriram pela primeira vez e tornaram a questão totalmente clara. A implicação estava lá o tempo todo, mas ninguém tinha prestado atenção. Por isso muitas pessoas ficaram bastante chocadas quando o assunto foi trazido à tona. É por isso que alguém pensou que valia a pena realizar a experiência para ver qual era realmente a resposta correta, apesar de a mecânica quântica, que já era considerada confiável havia tantos anos, dar uma resposta inequívoca. É interessante que uma situação como essa possa seguir durante trinta anos e continuar a ser ignorada, por causa de preconceitos a respeito do que é ou não é significativo.

Agora vamos continuar a nossa análise. Vamos mostrar a conexão entre a fórmula quântica e a fórmula clássica – para mostrar por que, quando examinamos a situação em uma escala grande o suficiente, parece que uma força igual a $q\boldsymbol{v} \times$ o rotacional de $\boldsymbol{A}$ atua sobre as partículas. Para obter a mecânica clássica a partir da mecânica quântica, precisamos considerar casos nos quais todos os comprimentos de onda são muito pequenos comparados com as distâncias nas quais as condições externas, como os campos, variam apreciavelmente. Não vamos provar o resultado com grande generalidade, apenas em um exemplo muito simples, para mostrar como funciona. Consideremos novamente a mesma experiência das fendas, mas ao invés de colocarmos todo o campo magnético em uma região muito pequena entre as fendas, imaginemos um campo magnético que se estende por uma região maior atrás das fendas, como mostrado na Figura 15–8. Vamos considerar o caso idealizado em que temos um campo magnético que é uniforme em uma faixa estreita de largura w, considerada pequena quando comparada com L (isso pode ser facilmente obtido; a tela pode ser colocada tão longe quanto quisermos). Para

[1] Se o campo $\boldsymbol{B}$ sair do plano da figura, o fluxo como o definimos será positivo e, uma vez que q para elétrons é negativo, x_0 é positivo.

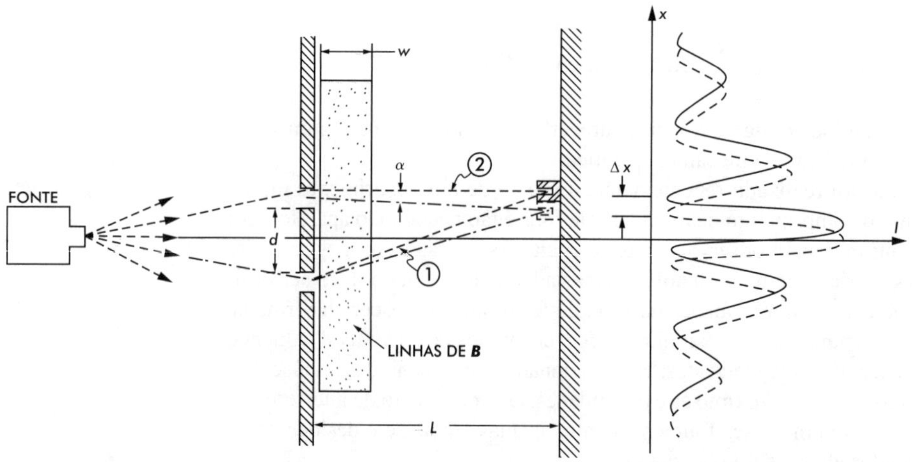

Figura 15–8 O deslocamento do padrão de interferência causado por uma faixa de campo magnético.

calcular o deslocamento na fase, precisamos calcular as duas integrais em $\boldsymbol{A}$ ao longo das duas trajetórias, (1) e (2). Como já vimos, a diferença entre as duas integrais é dada somente pelo fluxo de $\boldsymbol{B}$ entre os dois caminhos. Em nossa aproximação, o fluxo é Bwd. A diferença de fase entre os dois caminhos é, portanto,

$$\delta = \delta(B = 0) + \frac{q}{\hbar} Bwd. \tag{15.37}$$

Podemos reparar que, em nossa aproximação, o deslocamento da fase é independente do ângulo. Dessa maneira, novamente o efeito será o mesmo que deslocar o padrão completo de uma quantidade Δx para cima. Usando a Eq. (15.35),

$$\Delta x = -\frac{L\lambda\!\!\!^{-}}{d}\Delta\delta = -\frac{L\lambda\!\!\!^{-}}{d}[\delta - \delta(B = 0)].$$

Usando (15.37) para $\delta - \delta(B = 0)$,

$$\Delta x = -L\lambda\!\!\!^{-}\frac{q}{\hbar} Bw. \tag{15.38}$$

Esse deslocamento é equivalente a defletir todas as trajetórias em um ângulo α pequeno (ver a Figura 15–8), onde

$$\alpha = \frac{\Delta x}{L} = -\frac{\lambda\!\!\!^{-}}{\hbar} qBw. \tag{15.39}$$

Classicamente também esperaríamos que uma faixa estreita de campo magnético defletisse todas as trajetórias de algum ângulo pequeno, que chamaremos de α', como mostrado na Figura 15–9(a). À medida que os elétrons atravessam o campo magnético, eles sentem uma força transversal $q\boldsymbol{v} \times \boldsymbol{B}$ durante um tempo w/v. A mudança em seu momento transversal é igual a este impulso, logo

$$\Delta p_x = -qwB. \tag{15.40}$$

A deflexão angular [Figura 15–9(b)] é igual à razão entre esse momento transversal e o momento total p. Obtemos então

$$\alpha' = \frac{\Delta p_x}{p} = -\frac{qwB}{p}. \tag{15.41}$$

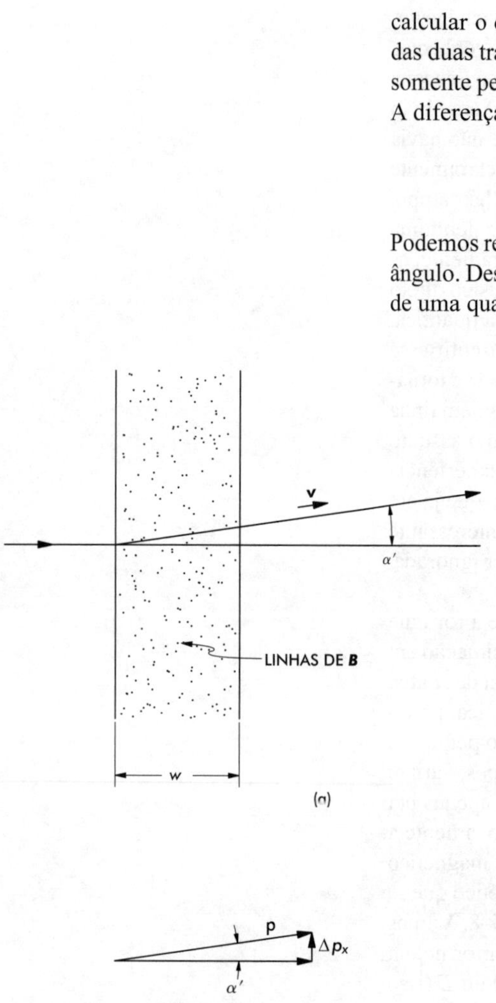

Figura 15–9 Deflexão de uma partícula causada pela passagem através de uma faixa de campo magnético.

Podemos comparar esse resultado com a Eq. (15.39), que dá a mesma quantidade calculada quanticamente. Contudo, a conexão entre a mecânica clássica e a mecânica quântica é a seguinte: uma partícula de momento p corresponde a uma amplitude quântica variando com o comprimento de onda $\lambda\!\!\!^{-} = \hbar/p$. Com essa igualdade, α e α' são idênticos; os cálculos clássico e quântico fornecem o mesmo resultado.

A partir dessa análise, podemos ver como o potencial vetor, que aparece de maneira explícita na mecânica quântica, produz uma força clássica que só depende de suas derivadas. Na mecânica quântica o que importa é a interferência entre caminhos próximos; o resultado final é que os efeitos dependem apenas de quanto o campo $\boldsymbol{A}$ *varia* de ponto a ponto, e por isso só depende das derivadas de $\boldsymbol{A}$, e não do seu valor. Apesar disso, o potencial vetor $\boldsymbol{A}$ (juntamente ao potencial escalar ϕ) parece dar a descrição física mais direta. Isso se torna mais e mais evidente quanto mais profundamente entramos na mecânica quântica. Na teoria mais geral da eletrodinâmica quântica, os potenciais vetor e escalar são as quantidades fundamentais em um conjunto de equações que substitui as equações de Maxwell: $\boldsymbol{E}$ e $\boldsymbol{B}$ estão desaparecendo lentamente da expressão moderna das leis físicas; estão sendo substituídos por $\boldsymbol{A}$ e ϕ.

15–6 O que é verdadeiro para a estática é falso para a dinâmica

Estamos agora no final da nossa exploração dos campos estáticos. Mesmo neste capítulo, já chegamos perigosamente perto de ter de nos preocupar com o que acontece quando os campos variam com o tempo. Quase não fomos capazes de evitá-lo em nosso tratamento da energia magnética, e só conseguimos prosseguir usando um argumento relativístico. Mesmo assim, nosso tratamento do problema da energia foi um pouco artificial e talvez até misterioso, porque ignoramos o fato de que bobinas em movimento devem, de fato, produzir campos variáveis. Agora é a hora de começarmos o tratamento dos campos dependentes do tempo – a eletrodinâmica. Faremos isso no próximo capítulo. Antes, no entanto, gostaríamos de enfatizar alguns pontos.

Apesar de termos começado este curso com uma apresentação das equações completas e corretas do eletromagnetismo, começamos imediatamente a estudar algumas partes incompletas – porque era mais fácil. Há uma grande vantagem em começar com a teoria mais simples dos campos estáticos, e só depois progredir para a teoria mais complicada que inclui campos dinâmicos. Há menos material novo para aprender de uma só vez, e você tem tempo para desenvolver os seus músculos intelectuais e se preparar para a tarefa mais difícil.

No entanto, neste processo existe o perigo de que, antes de vermos a figura completa, as verdades incompletas aprendidas no caminho se tornem enraizadas e sejam tomadas como a verdade completa – ou seja, que o que é verdade e o que é verdade só às vezes sejam confundidos. Por isso apresentamos, na Tabela 15-1, um resumo das fórmulas importantes que vimos, separando aquelas que são verdadeiras em geral daquelas que são verdadeiras para a estática, mas falsas para a dinâmica. Esse resumo também mostra em parte para onde estamos caminhando, já que, quando abordarmos a dinâmica, estaremos desenvolvendo em detalhe o que estamos enunciando aqui sem provas.

Pode ser útil fazer alguns comentários sobre a tabela. Primeiramente, você deve notar que começamos com as equações *verdadeiras* – não os enganamos. A força eletromagnética (frequentemente chamada de *força de Lorentz*) $\boldsymbol{F} = q(\boldsymbol{E} + \boldsymbol{v} \times \boldsymbol{B})$ é *verdadeira*. É somente a lei de Coulomb que é falsa, e só deve ser usada na estática. As quatro equações de Maxwell para $\boldsymbol{E}$ e $\boldsymbol{B}$ também são verdadeiras. As equações que usamos na estática são falsas, é claro, porque deixamos de fora todos os termos com derivadas temporais.

A lei de Gauss, $\nabla \cdot \boldsymbol{E} = \rho/\epsilon_0$, continua, mas o rotacional de $\boldsymbol{E}$ *não é* sempre nulo. Logo, $\boldsymbol{E}$ pode ser sempre igualado ao gradiente de um escalar – o potencial eletrostático. Podemos ver que o potencial escalar continua, mas é uma quantidade dependente do tempo que deve ser usada junto ao potencial vetor para dar uma descrição completa do campo elétrico. As equações que governam este novo potencial escalar são também, necessariamente, novas.

Também devemos abandonar a ideia de que $\boldsymbol{E}$ é nulo em condutores. Quando os campos estão variando, as cargas nos condutores geralmente não têm tempo para se rearranjar para anular o campo. Elas são colocadas em movimento, mas nunca atingem

Tabela 15–1

FALSO EM GERAL (verdadeiro apenas para a estática)	SEMPRE VERDADEIRO
$F = \frac{1}{4\pi\epsilon_0}\frac{q_1q_2}{r^2}$ (Lei de Coulomb)	$\boldsymbol{F} = q(\boldsymbol{E} + \boldsymbol{v} \times \boldsymbol{B})$ (Força de Lorentz) $\rightarrow \nabla \cdot \boldsymbol{E} = \frac{\rho}{\epsilon_0}$ (Lei de Gauss)
$\nabla \times \boldsymbol{E} = 0$ $\boldsymbol{E} = -\nabla\phi$ $\boldsymbol{E}(1) = \frac{1}{4\pi\epsilon_0}\int \frac{\rho(2)\boldsymbol{e}_{12}}{r_{12}^2}\,dV_2$ Para condutores, $\boldsymbol{E} = 0$, ϕ = constante, $Q = CV$	$\rightarrow \nabla \times \boldsymbol{E} = -\frac{\partial \boldsymbol{B}}{\partial t}$ (Lei de Faraday) $\boldsymbol{E} = -\nabla\phi - \frac{\partial \boldsymbol{A}}{\partial t}$ Em um condutor, $\boldsymbol{E}$ gera correntes.
$c^2\nabla \times \boldsymbol{B} = \frac{\boldsymbol{j}}{\epsilon_0}$ (Lei de Ampère) $\boldsymbol{B}(1) = \frac{1}{4\pi\epsilon_0 c^2}\int \frac{\boldsymbol{j}(2) \times \boldsymbol{e}_{12}}{r_{12}^2}\,dV_2$	$\rightarrow \nabla \cdot \boldsymbol{B} = 0$ (Não há cargas magnéticas) $\boldsymbol{B} = \nabla \times \boldsymbol{A}$ $\rightarrow c^2\nabla \times \boldsymbol{B} = \frac{\boldsymbol{j}}{\epsilon_0} + \frac{\partial \boldsymbol{E}}{\partial t}$
$\nabla^2\phi = -\frac{\rho}{\epsilon_0}$ (Equação de Poisson) com $\nabla^2\boldsymbol{A} = -\frac{\boldsymbol{j}}{\epsilon_0 c^2}$ $\nabla \cdot \boldsymbol{A} = 0$	$\nabla^2\phi - \frac{1}{c^2}\frac{\partial^2\phi}{\partial t^2} = -\frac{\rho}{\epsilon_0}$ e $\nabla^2\boldsymbol{A} - \frac{1}{c^2}\frac{\partial^2\boldsymbol{A}}{\partial t^2} = -\frac{\boldsymbol{j}}{\epsilon_0 c^2}$ com $c^2\nabla \cdot \boldsymbol{A} + \frac{\partial\phi}{\partial t} = 0$
$\phi(1) = \frac{1}{4\pi\epsilon_0}\int \frac{\rho(2)}{r_{12}}\,dV_2$ $\boldsymbol{A}(1) = \frac{1}{4\pi\epsilon_0 c^2}\int \frac{\boldsymbol{j}(2)}{r_{12}}\,dV_2$	$\phi(1, t) = \frac{1}{4\pi\epsilon_0}\int \frac{\rho(2, t')}{r_{12}}\,dV_2$ e $\boldsymbol{A}(1, t) = \frac{1}{4\pi\epsilon_0 c^2}\int \frac{\boldsymbol{j}(2, t')}{r_{12}}\,dV_2$ com $t' = t - \frac{r_{12}}{c}$
$U = \frac{1}{2}\int \rho\phi\,dV + \frac{1}{2}\int \boldsymbol{j} \cdot \boldsymbol{A}\,dV$	$U = \int \left(\frac{\epsilon_0}{2}\boldsymbol{E} \cdot \boldsymbol{E} + \frac{\epsilon_0 c^2}{2}\boldsymbol{B} \cdot \boldsymbol{B}\right) dV$

As equações marcadas com uma flecha ($\rightarrow$) são as equações de Maxwell.

o equilíbrio. O único enunciado geral é: campos elétricos em condutores produzem correntes. Logo, um condutor *não* é uma equipotencial se estiver em campos variáveis. Também segue que a ideia de capacitância não é mais precisa.

Como não existem cargas magnéticas, o divergente de $\boldsymbol{B}$ é *sempre* nulo. De modo que $\boldsymbol{B}$ sempre pode ser igualado a $\nabla \times \boldsymbol{A}$. (Nem tudo muda!) Contudo, $\boldsymbol{B}$ não é criado apenas a partir de correntes: $\nabla \times \boldsymbol{B}$ é proporcional à densidade de corrente *mais* um novo termo $\partial \boldsymbol{E}/\partial t$. Isso significa que $\boldsymbol{A}$ está relacionado às correntes por uma nova equação. O potencial vetor também está relacionado a ϕ. Se usarmos a nossa liberdade de escolher $\nabla \cdot \boldsymbol{A}$ segundo a nossa conveniência, as equações para $\boldsymbol{A}$ e ϕ podem ser arranjadas de modo a tomar uma forma simples e elegante. Então tomamos a condição $c^2 \nabla \cdot \boldsymbol{A} = -\partial\phi/\partial t$, e as equações diferenciais para $\boldsymbol{A}$ e ϕ aparecem como mostrado na tabela.

Os potenciais $\boldsymbol{A}$ e ϕ ainda podem ser obtidos por meio de integrais sobre as correntes e as cargas, mas não as *mesmas* integrais que na eletrostática. É impressionante, no entanto, que as integrais verdadeiras são como as estáticas, com apenas uma modificação pequena e fisicamente motivada. Quando resolvemos as integrais para obter os potenciais em um certo ponto, como o ponto (1) na Figura 15–10, devemos usar os valores de $\boldsymbol{j}$ e ρ no ponto (2) *em um tempo anterior* $t' = t - r_{12}/c$. Como você deveria esperar, as influências se propagam do ponto (2) para o ponto (1) com velocidade c. Com essa pequena mudança, podemos resolver os problemas com campos variáveis, pois uma vez que temos $\boldsymbol{A}$ e ϕ, obtemos $\boldsymbol{B}$ de $\nabla \times \boldsymbol{A}$, como antes, e obtemos $\boldsymbol{E}$ de $-\nabla\phi - \partial\boldsymbol{A}/\partial 0t$.

Finalmente, você pode notar que alguns resultados – por exemplo, que a densidade de energia de um campo elétrico é $\epsilon_0 E^2/2$ – são verdadeiros para a eletrodinâmica assim como para a eletrostática. Você não deve se enganar pensando que isso é tudo muito "natural". A validade de qualquer fórmula derivada para o caso estático deve ser demonstrada de novo para o caso dinâmico. Um exemplo é a expressão para a energia eletrostática em termos de uma integral de volume de $\rho\phi$. Esse resultado é verdadeiro *apenas* para a estática.

Vamos considerar todos esses pontos em maior detalhe oportunamente, mas talvez seja útil manter este resumo em mente, para que você saiba o que pode esquecer e o que você deveria lembrar como sendo sempre válido.

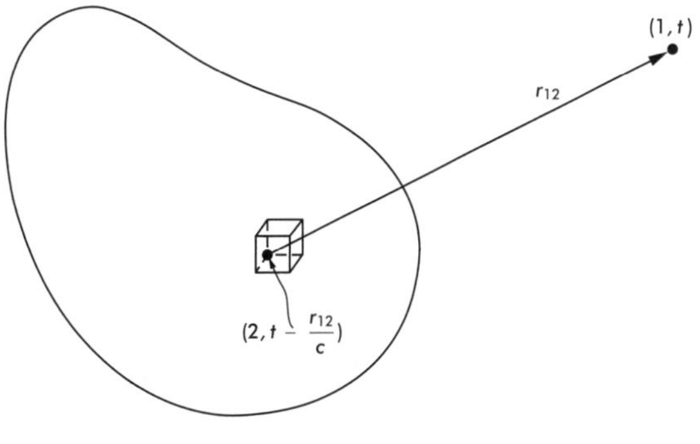

Figura 15–10 Os potenciais no ponto (1) e no tempo t são dados pela soma das contribuições de cada elemento da fonte em cada ponto (2), usando as correntes e as cargas que estavam presentes em um tempo anterior $t - r_{12}/c$.

16

Correntes Induzidas

16–1 Motores e geradores

A descoberta, em 1820, de que existe uma conexão próxima entre eletricidade e magnetismo foi muito estimulante – até então, os dois assuntos eram considerados bastante independentes. Primeiro, descobriu-se que correntes em fios geram campos magnéticos; então, no mesmo ano, descobriu-se que fios conduzindo correntes em campos magnéticos sofrem a ação de forças.

Um dos motivos de estímulo é o fato de que, em qualquer lugar onde haja uma força mecânica, é possível utilizá-la em uma máquina para realizar trabalho. Quase imediatamente após a sua descoberta, as pessoas começaram a projetar motores usando as forças em fios condutores de correntes. O princípio do motor eletromagnético é mostrado em um esquema simples na Figura 16–1. Um ímã permanente – normalmente feito com algumas peças de ferro doce – é usado para produzir um campo magnético em duas fendas. Na extremidade de cada fenda tem-se um polo norte e um polo sul, como mostrado. Uma bobina retangular de cobre é colocada com um lado em cada fenda. Quando a corrente passa pela bobina, ela flui em direções opostas nas duas fendas, de modo que as forças também são opostas, produzindo um torque na bobina ao redor do eixo mostrado. Se a bobina estiver montada em uma haste, de modo que ela possa girar, ela poderá ser acoplada a roldanas ou engrenagens e realizar trabalho.

A mesma ideia pode ser usada para fazer um instrumento sensível para realizar medições elétricas. Portanto, no momento em que a lei de força foi descoberta, a precisão das medições elétricas aumentou enormemente. Inicialmente, o torque deste tipo de motor pode se tornar muito maior para uma dada corrente fazendo-se a corrente circular muitas voltas, ao invés de apenas uma. Depois, a bobina pode ser montada de maneira a girar com muito pouco torque – seja sustentando a haste em suportes muito delicados, ou pendurando a bobina em um fio muito fino ou em uma fibra de quartzo. Então uma corrente muito pequena fará a bobina girar, e para ângulos pequenos a rotação será proporcional à corrente. A rotação pode ser medida colando um ponteiro na bobina ou, para os instrumentos mais delicados, anexando um pequeno espelho à bobina e vendo a mudança no desvio da imagem de uma escala. Tais instrumentos são denominados galvanômetros. Voltímetros e amperímetros funcionam com o mesmo princípio.

As mesmas ideias podem ser aplicadas em larga escala para fazer motores grandes para gerar energia mecânica. Pode-se fazer a bobina girar sempre no mesmo sentido, com um arranjo que inverta as conexões da bobina a cada meia volta. Assim o torque terá sempre a mesma direção. Motores cc pequenos são feitos exatamente dessa maneira. Motores maiores, ca ou cc*, são feitos frequentemente substituindo o ímã permanente por um eletroímã, alimentado pela fonte de energia elétrica.

Percebendo que correntes elétricas geram campos magnéticos, as pessoas imediatamente sugeriram que, de uma maneira ou de outra, ímãs também poderiam criar campos elétricos. Muitos experimentos foram tentados. Por exemplo, dois fios foram colocados paralelamente um em relação ao outro e uma corrente foi passada por um deles, na esperança de medir uma corrente no outro. A ideia era que o campo magnético poderia de alguma maneira arrastar os elétrons no outro fio, dando uma lei do tipo "os iguais tendem a se mover de modo igual". Com a maior corrente disponível e o galvanômetro mais sensível para detectar qualquer corrente, o resultado foi negativo. Ímãs grandes colocados próximos a fios também não produziram efeitos observáveis. Finalmente, Faraday descobriu em 1840 o detalhe essencial que estava faltando – os efeitos elétricos só existem quando algo está *variando*. Se um dos fios de um par possui uma corrente

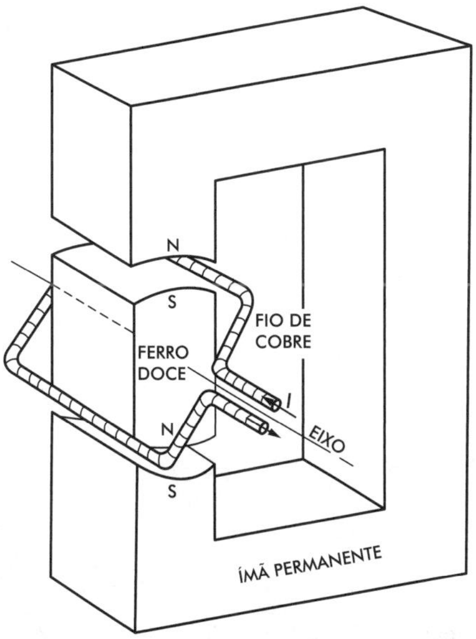

Figura 16–1 Esquema de um motor eletromagnético simples.

*N. de T.: cc significa corrente contínua e ca significa corrente alternada.

variável, uma corrente é induzida no outro fio, ou se um ímã é *movido* próximo a um circuito elétrico, surge uma corrente. Dizemos que correntes são *induzidas*. Este foi o efeito de indução descoberto por Faraday. Ele transformou o tópico bastante aborrecido dos campos estáticos em um tópico dinâmico extremamente fascinante com um âmbito enorme de fenômenos interessantes. Este capítulo é dedicado a uma descrição qualitativa de alguns deles. Como veremos, pode-se cair rapidamente em situações consideravelmente complicadas, difíceis de serem analisadas qualitativamente em todos os seus detalhes, mas não esqueça: o objetivo principal deste capítulo é fazer você se familiarizar com o fenômeno envolvido. Nos ocuparemos com uma análise detalhada mais adiante.

Podemos entender facilmente uma característica da indução magnética com algo que já sabemos, mas isso era desconhecido na época de Faraday. Esta característica vem da força $\boldsymbol{v} \times \boldsymbol{B}$ em uma carga em movimento, que é proporcional à sua velocidade em um campo magnético. Suponha que tenhamos um fio que passe perto de um ímã, como na Figura 16–2, e que liguemos as pontas do fio a um galvanômetro. Se movermos o fio sobre a extremidade do ímã, o ponteiro do galvanômetro se move.

O ímã produz um campo magnético vertical, e quando empurramos o fio através do campo, os elétrons no fio sentem uma força *lateral* – perpendicular à direção do campo e do movimento. A força empurra os elétrons ao longo do fio, mas por que isso move o galvanômetro, que está tão distante da força? Porque quando os elétrons que sentem a força tentam se mover, eles empurram – por repulsão elétrica – os elétrons um pouco mais longe no fio, e estes, por sua vez, repelem os elétrons um pouco mais longe, e assim por diante por uma distância grande. Uma coisa admirável.

Isso era tão admirável para Gauss e Weber – que construíram o primeiro galvanômetro – que eles tentaram descobrir quão longe as forças no fio poderiam ir. Eles estenderam um fio através de sua cidade inteira. O sr. Gauss, em uma ponta, ligou os fios a uma bateria (as baterias já eram conhecidas antes dos geradores) e o sr. Weber observou o galvanômetro se mover. Eles conseguiram uma maneira de enviar sinais a grandes distâncias – era o começo do telégrafo! É claro que isso não tem a ver diretamente com indução – tem a ver com o modo como fios conduzem correntes, não importa se as correntes são geradas por indução ou não.

Agora suponha que no aparato da Figura 16–2 deixemos o fio parado e movamos o ímã. Ainda veremos um efeito no galvanômetro. Como Faraday descobriu, mover o ímã sob o fio – para um lado – tem o mesmo efeito que mover o fio sobre o ímã – para o outro lado. No entanto, quando o ímã se move, não existe mais nenhuma força $\boldsymbol{v} \times \boldsymbol{B}$ sobre os elétrons no fio. Esse é o novo efeito que Faraday descobriu. Hoje esperamos poder compreendê-lo a partir de um argumento relativístico.

Já compreendemos que o campo magnético de um ímã vem das suas correntes internas. Logo, esperamos observar o mesmo efeito se na Figura 16–2 usarmos uma bobina de fio

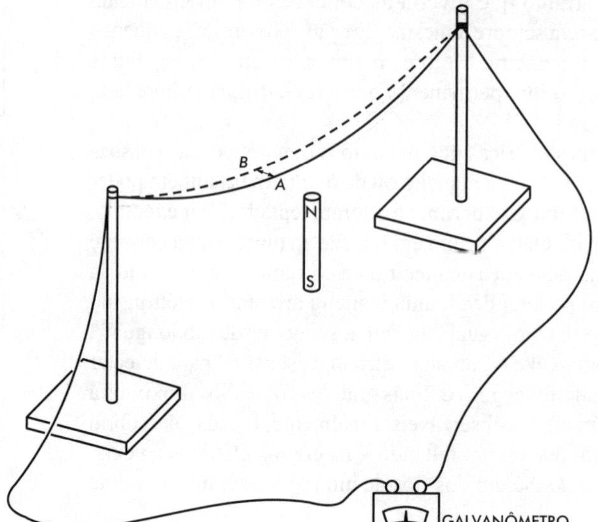

Figura 16–2 Mover um fio através de um campo magnético gera uma corrente, como mostrado pelo galvanômetro.

que conduz uma corrente. Se movermos o fio perto da bobina, passará uma corrente pelo galvanômetro, assim como se movermos a bobina perto do fio. Existe algo ainda mais interessante: se mudarmos o campo magnético da bobina *variando* a sua corrente *em vez* de movimentá-la, teremos novamente um efeito no galvanômetro. Por exemplo, se tivermos uma espira próxima de uma bobina, como mostrado na Figura 16–3, e mantivermos as duas estacionárias, mas desligarmos a corrente, haverá um pulso de corrente através do galvanômetro. Quando ligamos a bobina de novo, o galvanômetro oscila na outra direção.

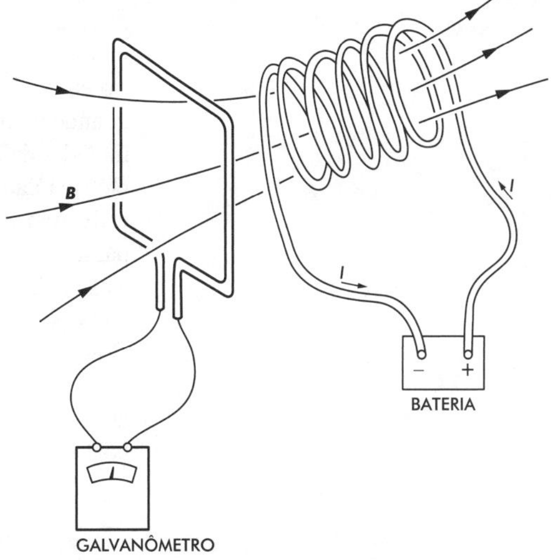

Figura 16–3 Uma bobina com corrente gera uma corrente em uma segunda bobina, se a primeira bobina se mover ou se sua corrente variar.

Sempre que em uma situação como a mostrada na Figura 16–2, ou na Figura 16–3, o galvanômetro mostra uma corrente, há uma força líquida sobre os elétrons no fio em uma direção ao longo do fio. Pode haver forças em diferentes direções em diferentes lugares, mas existe mais força em uma direção do que nas outras. O que importa é a força integrada ao redor de todo o circuito. Chamamos esta força líquida integrada de *força eletromotriz* (abreviadamente fem) do circuito. Mais precisamente, a fem é definida como a força tangente por unidade de carga no fio, integrada ao redor do circuito completo. A descoberta completa de Faraday era que a fem pode ser gerada em um fio de três maneiras diferentes: movendo o fio, movendo o ímã perto do fio ou variando a corrente em um fio próximo.

Consideremos a máquina simples da Figura 16–1 novamente, só que agora em vez de passar a corrente pelo fio e fazê-lo girar, vamos girar a bobina com uma força externa, com a mão ou uma roda d'água, por exemplo. Quando a bobina gira, os seus fios estão se movendo no campo magnético, e aparece uma fem no circuito da bobina. O motor se torna um gerador.

A bobina do gerador apresenta uma fem devido ao seu movimento. A quantidade de fem é dada por uma regra simples descoberta por Faraday. (Agora vamos apenas enunciar a lei e esperaremos um pouco mais para examiná-la em detalhe.) A regra diz que quando o fluxo magnético que atravessa a bobina (este fluxo é a componente normal de ***B*** integrada sobre a superfície da bobina) varia com o tempo, a fem é igual à taxa de variação do fluxo. Iremos nos referir a esta regra como "regra do fluxo". Você pode ver que quando a bobina da Figura 16–1 gira, o fluxo através dela muda. No começo o fluxo a atravessa em um sentido, depois a bobina é girada em 180º e o fluxo a atravessa no sentido contrário. Se girarmos a bobina continuamente, o fluxo será positivo, depois negativo, depois positivo e assim por diante. A taxa de variação do fluxo também deve se alternar. Logo, existe uma fem alternada na bobina. Se ligarmos as duas extremidades da bobina a fios externos através de contatos deslizantes – chamados de anéis deslizantes – (de modo que os fios não fiquem torcidos), teremos um gerador de corrente alternada.

Também podemos fazer, por meio de contatos deslizantes, com que a conexão entre as extremidades da bobina e os fios externos seja revertida a cada meia rotação, de modo que, quando a fem for invertida, as conexões também o serão. Então os pulsos de fem irão sempre causar correntes na mesma direção através do circuito externo. Teremos então um gerador de corrente contínua.

A máquina da Figura 16–1 é tanto um motor quanto um gerador. A reciprocidade entre motores e geradores pode ser bem demonstrada usando-se dois "motores" idênticos do tipo com ímã permanente, com suas bobinas conectadas por dois fios de cobre. Quando a haste de um deles é girada mecanicamente, ele se torna um gerador e movimenta o outro como um motor. Se a haste do segundo é girada, é ele que se torna um gerador e movimenta o primeiro como um motor. Aqui temos um exemplo interessante de um novo tipo de equivalência na natureza: motores e geradores são equivalentes. De fato, esta equivalência quantitativa não é completamente acidental, mas está relacionada com a lei de conservação da energia.

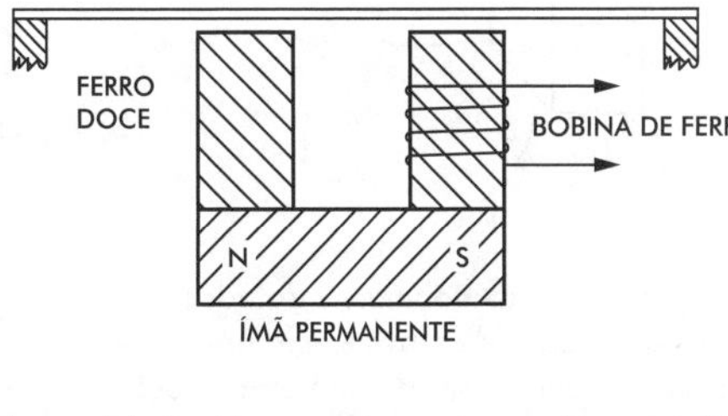

Figura 16–4 Um receptor ou transmissor telefônico.

Outro exemplo de um aparelho que pode operar tanto para gerar fem como para responder a fem é o receptor de um telefone comum – ou seja, um "fone". O telefone original de Bell consistia em dois "fones" ligados por dois fios longos. O princípio básico é mostrado na Figura 16–4. Um ímã permanente produz um campo magnético em dois "garfos" de ferro doce e em um diafragma fino que se move com a pressão do som. Quando o diafragma se move, ele muda a quantidade de campo magnético nos garfos. Consequentemente, uma bobina de fio enrolada ao redor de um dos garfos sofrerá uma mudança no fluxo que a atravessa quando uma onda sonora atingir o diafragma. Logo, há uma fem na bobina. Se as extremidades da bobina estiverem ligadas a um circuito, uma corrente que é a representação elétrica daquele som será produzida. Se as extremidades da bobina da Figura 16–4 estiverem ligadas por dois fios a um outro aparelho idêntico, correntes variáveis irão passar pela segunda bobina. Essas correntes irão produzir um campo magnético variável e causarão uma atração variável no diafragma de ferro. O diafragma vibrará e produzirá ondas sonoras aproximadamente similares àquelas que moveram o diafragma original. Com uns poucos pedaços de ferro e cobre, a voz humana é transmitida através de fios!

O telefone doméstico moderno usa um receptor parecido com o que descrevemos, mas usa uma invenção aprimorada para ter um transmissor mais poderoso. É o "microfone de botão de carbono", que usa a pressão do som para variar a corrente elétrica de uma bateria.

16–2 Transformadores e indutâncias

Uma das características mais interessantes das descobertas de Faraday não é que uma fem exista em uma bobina em movimento – isso pode ser entendido em termos da força magnética $q\boldsymbol{v} \times \boldsymbol{B}$ –, mas o fato de que uma corrente variável em uma bobina cria uma fem em uma segunda bobina. E, surpreendentemente, a quantidade de fem criada na segunda bobina é dada pela mesma "regra do fluxo": a fem é igual à taxa de variação do fluxo magnético através da bobina. Suponha que tenhamos duas bobinas, cada uma enrolada ao redor de um pacote de chapas de ferro (para ajudar a criar campos magnéticos mais intensos), como mostrado na Figura 16–5. Uma das bobinas – a bobina (a) – é ligada a um gerador de corrente alternada. A corrente, variando continuamente, produz um campo magnético variando continuamente. Este campo variável gera uma fem alternada na segunda bobina – a bobina (b). Esta fem pode, por exemplo, produzir energia suficiente para acender uma lâmpada.

A fem se alterna na bobina (b) com uma frequência que é, obviamente, a mesma frequência do gerador original, mas a corrente na bobina (b) pode ser maior ou menor do que a corrente na bobina (a). A corrente na bobina (b) depende da fem induzida e da resistência e indutância do resto do circuito. A fem pode ser menor do que no gerador se, por exemplo, a variação do fluxo for pequena. Ou a fem na bobina (b) pode se tornar muito maior do que no gerador, se a bobina (b) for enrolada com muitas voltas, pois para um dado campo magnético o fluxo é maior neste caso. Ou, se você preferir visualizar a situação de uma outra maneira, a fem é a mesma em cada volta, e como fem total é a soma das fem de cada volta separada, muitas voltas em série produzem uma fem grande.

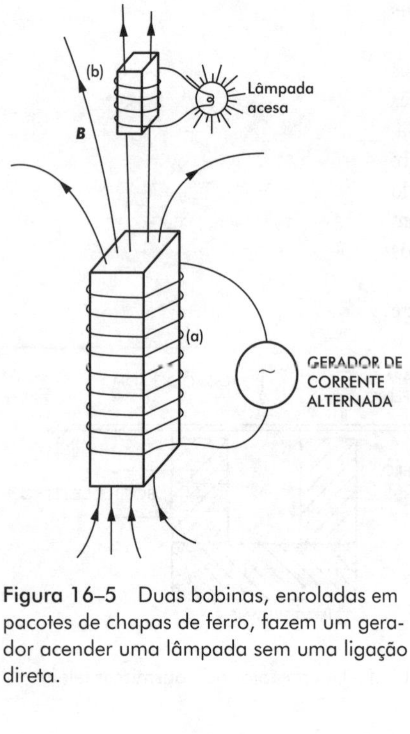

Figura 16–5 Duas bobinas, enroladas em pacotes de chapas de ferro, fazem um gerador acender uma lâmpada sem uma ligação direta.

Este tipo de combinação de duas bobinas – normalmente com um arranjo de chapas de ferro para guiar os campos magnéticos – é chamado de transformador. Ele pode "transformar" uma fem (também chamada de tensão ou "voltagem") em outra.

Também existem efeitos de indução em uma única bobina. Por exemplo, no arranjo da Figura 16–5 existe um fluxo variável não apenas através da bobina (b), que acende a lâmpada, mas também através da bobina (a). A corrente variável na bobina (a) produz um campo magnético variável dentro da própria bobina, e o fluxo desse campo está variando continuamente, de modo que existe uma fem *autoinduzida* na bobina (a). Existe uma fem atuando em qualquer corrente que estiver começando um campo magnético – ou, em geral, quando o seu campo estiver variando de alguma maneira. Esse efeito é denominado *autoindutância*.

Quando enunciamos "a regra do fluxo", que a fem é igual à taxa de variação do fluxo enlaçado, não especificamos a direção da fem. Existe uma regra simples, chamada lei de Lenz, para descobrir qual o sentido da fem: a fem *tenta se opor* a qualquer variação de fluxo. Ou seja, a direção de uma fem é sempre tal que se uma corrente fluísse na direção da fem, ela iria produzir um fluxo de $\boldsymbol{B}$ oposto à variação de $\boldsymbol{B}$ que produziu a fem. A lei de Lenz pode ser usada para se encontrar a direção da fem no gerador da Figura 16–1, ou no transformador da Figura 16–3.

Em particular, se houver uma corrente variando em uma única bobina (ou em qualquer fio), existe uma fem de reação no circuito. Esta fem atua nas cargas fluindo na bobina (a) da Figura 16–5 para se opor à mudança no campo magnético, logo ela tem a direção oposta da mudança na corrente. A fem tenta manter a corrente constante; ela é oposta à corrente quando a corrente está aumentando, e tem a direção da corrente quando ela está diminuindo. Uma corrente com autoindutância possui "inércia", pois os efeitos indutivos tentam manter o fluxo constante, assim como a inércia mecânica tenta manter a velocidade de um objeto constante.

Todo eletroímã grande possui uma autoindutância grande. Suponha que uma bateria esteja ligada à bobina de um eletroímã grande, como na Figura 16–6, e que um campo magnético forte tenha sido gerado. (A corrente atinge um valor estacionário determinado pela tensão da bateria e pela resistência do fio na bobina.) Agora suponha que tentemos desligar a bateria abrindo a chave. Se realmente abríssemos o circuito, a corrente iria a zero rapidamente, e ao fazê-lo geraria uma fem enorme. Na maioria dos casos, esta fem seria grande o suficiente para fazer um arco entre os contatos abertos da chave. A alta tensão resultante poderia danificar o isolamento da bobina – ou você, se você fosse a pessoa abrindo a chave! Por essas razões, eletroímãs geralmente são ligados em circuitos como o mostrado na Figura 16–6. Quando a chave é aberta, a corrente não varia rapidamente, mas permanece constante, fluindo através da lâmpada, sendo conduzida pela fem gerada pela autoindutância da bobina.

16–3 Forças em correntes induzidas

Vocês provavelmente já viram uma demonstração dramática da lei de Lenz feita com o equipamento mostrado na Figura 16–7. Trata-se de um eletroímã, exatamente como a bobina (a) na Figura 16–5. Um anel de alumínio é colocado sobre a extremidade do ímã. Quando a bobina é ligada a um gerador de corrente alternada, ao se fechar a chave, o anel voa para o ar. A força vem, é claro, das correntes induzidas no anel. O fato de o anel voar para longe mostra que as correntes no anel são opostas à variação do campo através dele. Quando o ímã está criando um polo norte em sua extremidade, as correntes induzidas no anel estão criando um polo norte apontando para baixo. O anel e a bobina são repelidos como dois ímãs com os polos iguais próximos. Se um corte radial fino for feito no anel, a força desaparece, mostrando que ela realmente depende das correntes no anel.

Se, ao invés de um anel, colocarmos um disco de alumínio ou cobre sobre a extremidade do eletroímã da Figura 16–7, ele também será repelido; as correntes induzidas circulam no material do disco e produzem novamente a repulsão.

Um efeito interessante de origem similar ocorre com uma chapa de um condutor perfeito. Em um "condutor perfeito" não há nenhuma resistência à corrente. Logo, se correntes forem geradas neste condutor, elas poderão continuar para sempre. De fato, a *menor* fem poderia gerar uma corrente arbitrariamente grande – o que quer dizer que na verdade não pode haver nenhuma fem. Qualquer tentativa para fazer passar um fluxo

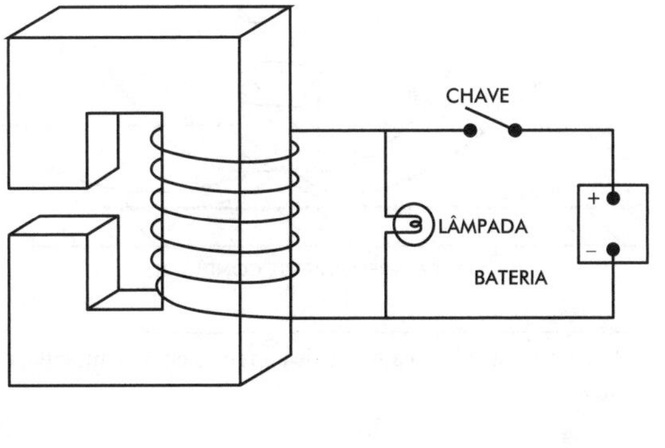

Figura 16–6 Circuito para um eletroímã. A lâmpada permite a passagem da corrente quando a chave é aberta, evitando o aparecimento de fem excessivas.

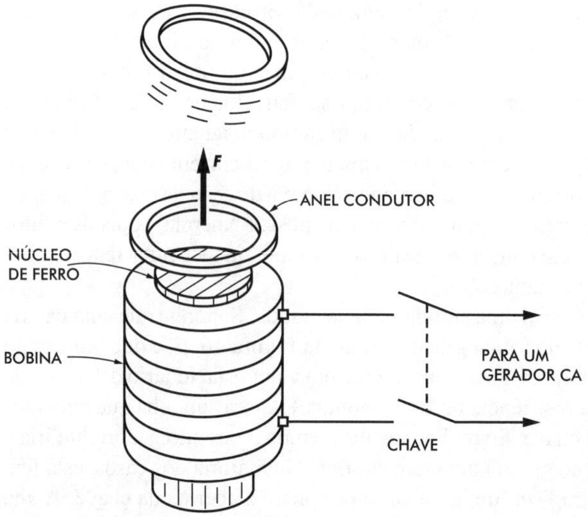

Figura 16–7 Um anel condutor é fortemente repelido por um eletroímã com uma corrente variável.

magnético através da chapa cria campos ***B*** opostos – todos com fem's infinitesimais –, de modo que não há fluxo entrando.

Se tivermos uma chapa de um condutor perfeito e colocarmos um eletroímã próximo, quando ligarmos a corrente no eletroímã, as chamadas correntes de Foucault* aparecerão na chapa, de modo a barrar o fluxo magnético. As linhas de campo têm a forma mostrada na Figura 16–8. A mesma coisa acontece, é claro, se colocarmos um ímã em formato de barra próximo a um condutor perfeito. Como as correntes de Foucault estão gerando campos opostos, os ímãs são repelidos do condutor. Isso torna possível suspender um ímã em formato de barra sobre um condutor em formato de prato, como mostrado na Figura 16–9. O ímã fica suspenso pela repulsão das correntes de Foucault induzidas no condutor perfeito. Não há condutores perfeitos à temperatura ambiente, mas alguns materiais se tornam condutores perfeitos em temperaturas suficientemente baixas. Por exemplo, abaixo de 3,8°K, o latão conduz perfeitamente. É denominado então um supercondutor.

Se o condutor na Figura 16–8 não for perfeito, haverá alguma resistência ao fluxo das correntes de Foucault. As correntes desaparecerão e o ímã descerá vagarosamente. As correntes de Foucault em um condutor imperfeito necessitam de uma fem para mantê-las em movimento, e para gerar uma fem o fluxo deve permanecer variando. No fim o fluxo do campo magnético penetra gradualmente no condutor.

Em um condutor normal, não existem apenas forças repulsivas devido às correntes de Foucault, mas também podemos ter forças laterais. Por exemplo, se movermos um

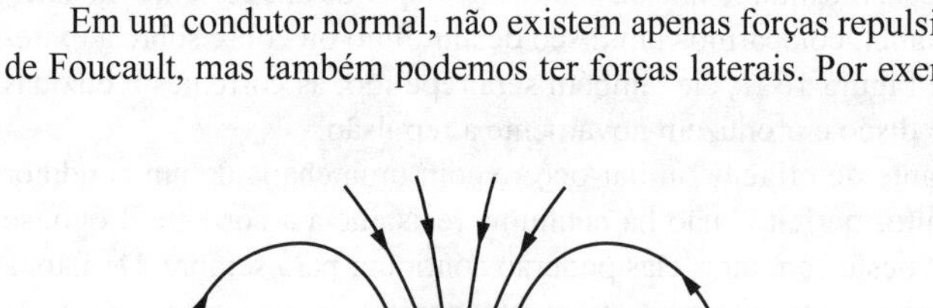

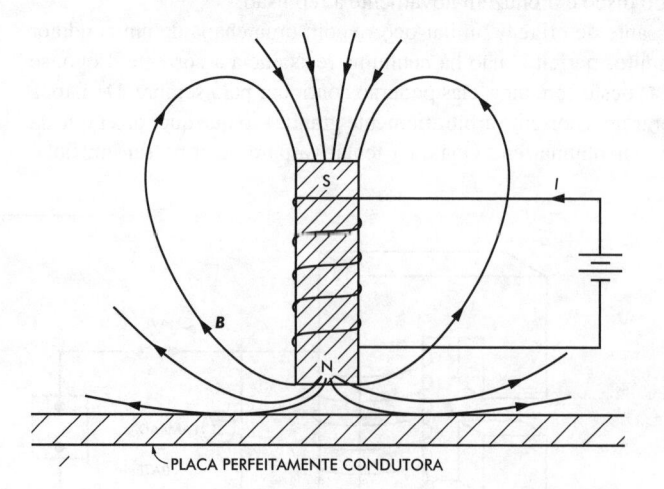

Figura 16–8 Um eletroímã próximo a uma placa perfeitamente condutora.

* N. de T.: Também chamadas de correntes em redemoinho, correntes parasitas ou *eddy currents* em inglês.

ímã lateralmente ao longo de uma superfície condutora, as correntes de Foucault produzem uma força de arrasto, porque as correntes induzidas estão se opondo à variação da localização do fluxo. Tais forças são proporcionais à velocidade e são como um tipo de força de atrito viscoso.

Esses efeitos aparecem bem no arranjo mostrado na Figura 16–10. Uma chapa quadrada de cobre está suspensa na ponta de uma barra para formar um pêndulo. O cobre balança para frente e para trás entre os polos de um eletroímã. Quando o eletroímã for ligado, o movimento do pêndulo será freado subitamente. Assim que a chapa de metal penetra na abertura do ímã, surge uma corrente induzida na chapa que age para se opor à variação do fluxo na chapa. Se a chapa fosse um condutor perfeito, as forças seriam tão grandes que iriam empurrar a chapa de volta – ela voltaria para trás. Em uma chapa de cobre existe uma resistência na chapa, de modo que, primeiro, as correntes fazem a chapa parar quase instantaneamente quando ela começa a entrar no campo magnético. Depois, à medida que as correntes diminuem, a chapa vai lentamente para o estado de repouso no campo magnético.

A natureza das correntes de Foucault no pêndulo de cobre pode ser vista na Figura 16–11. Se, por exemplo, a chapa de cobre for substituída por uma chapa cortada por diversas fendas estreitas, como mostrado na Figura 16–12, os efeitos das correntes de Foucault são drasticamente reduzidos. O pêndulo oscila através do campo magnético com apenas uma pequena força retardadora. A razão é que existe menos fluxo para gerar as correntes em cada seção do cobre. As correntes são menores e há menos arrasto. O caráter viscoso da força é visto ainda mais claramente se uma folha de cobre for colocada entre os polos do ímã da Figura 16–10 e então for liberada. Ela não cai; ela apenas desce lentamente. As correntes de Foucault exercem uma forte resistência ao movimento – assim como o empuxo viscoso no mel.

Se, em vez de arrastar um condutor próximo a um ímã, tentarmos girá-lo em um campo magnético, surgirá um torque resistivo a partir dos mesmos efeitos. Alternativamente, se girarmos um ímã próximo a uma placa ou um anel condutor, o anel será arrastado junto; as correntes no anel criarão um torque que tende a girar o anel junto com o ímã.

Um campo igual ao de um ímã girando pode ser feito com uma composição de bobinas tal como mostrada na Figura 16–13. Tomamos um toro de ferro (um anel de ferro com formato de rosquinha) e o usamos para enrolar seis bobinas. Se passarmos uma corrente, como mostrado na parte (a), através dos enrolamentos (1) e (4), teremos um campo magnético na direção mostrada na figura. Se transferirmos as correntes para os enrolamentos (2) e (5), o campo magnético terá uma nova direção, como mostrado na parte (b) da figura. Continuando o processo, obtemos a sequência de campos mostrada no resto da figura. Se o processo for feito de maneira suave, teremos um campo magnético "em rotação". Podemos obter facilmente a necessária sequência de correntes ligando as bobinas a uma linha de energia trifásica, que fornece exatamente esta sequência de correntes. "Energia trifásica" é obtida em um gerador com o mesmo princípio da Figura 16–1, exceto que agora existem três bobinas agrupadas juntas na mesma haste de maneira simétrica, ou seja, com um ângulo de 120° entre uma bobina e a próxima. Quando as bobinas são rodadas como um conjunto, a fem é máxima em uma, depois na próxima, e assim por diante em uma sequência regular. Existem muitas vantagens práticas da energia trifásica. Uma delas é a possibilidade de gerar um campo magnético em rotação. O torque produzido em um condutor por um campo em rotação é facilmente mostrado colocando-se um anel de metal em uma mesa isolante sobre o toro, como visto na Figura 16–14. O campo em rotação faz com que o anel gire ao redor de um eixo vertical. Os elementos básicos vistos aqui são bastante semelhantes aos utilizados em um grande motor de indução trifásico.

Outra forma de motor de indução é mostrada na Figura 16–15. O arranjo mostrado não é apropriado para um motor prático de alta eficiência, mas irá ilustrar o princípio. O ímã *M*, consistindo em uma bobina solenoidal enrolada

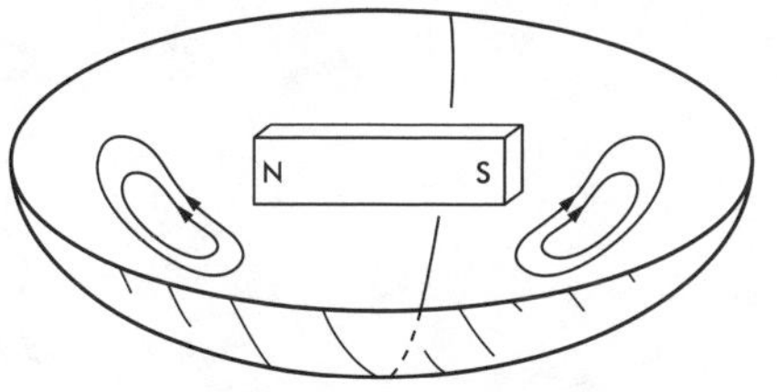

Figura 16–9 Um ímã em forma de barra fica suspenso sobre um prato supercondutor, pela repulsão das correntes de Foucault.

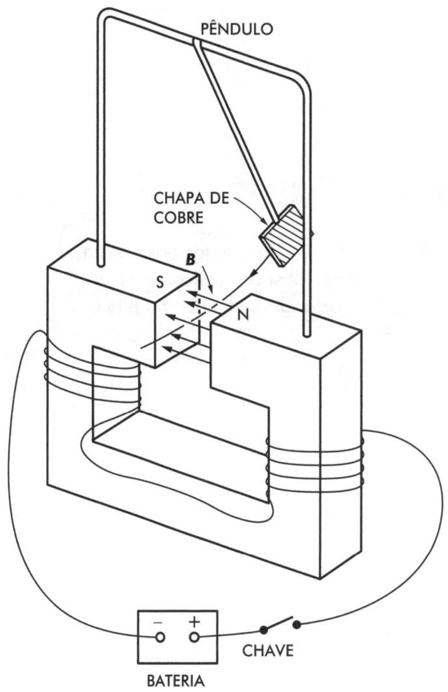

Figura 16–10 A desaceleração do pêndulo mostra as forças causadas pelas correntes de Foucault.

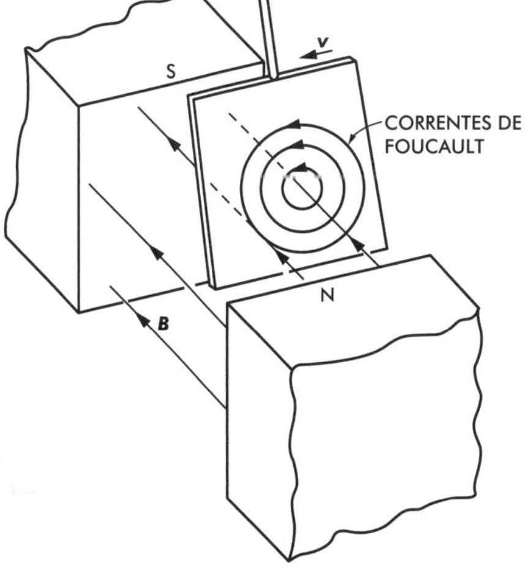

Figura 16–11 As correntes de Foucault no pêndulo de cobre.

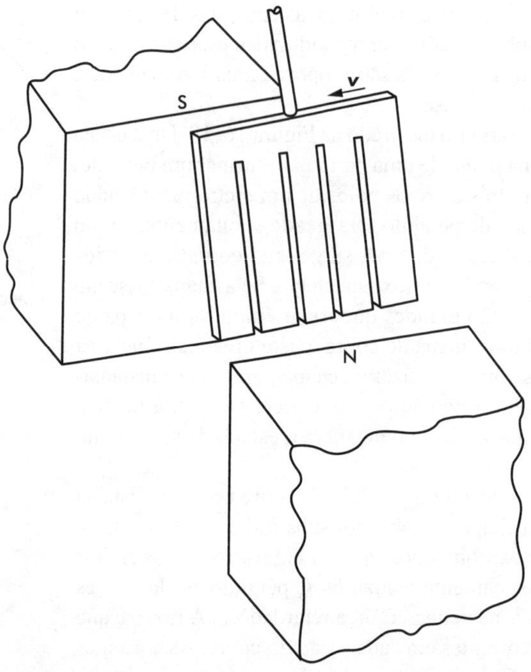

Figura 16–12 Os efeitos das correntes de Foucault são drasticamente reduzidos cortando-se fendas na placa.

em um pacote de chapas de ferro laminadas, é alimentado com a corrente alternada de um gerador. O ímã produz um fluxo variável de ***B*** através do disco de alumínio. Se tivermos apenas estes dois componentes, como mostrado na parte (a) da figura, ainda não teremos um motor. Existem correntes de Foucault no disco, mas são simétricas e não há torque. (O disco se aquecerá um pouco devido às correntes induzidas.) Se cobrirmos agora apenas metade do polo magnético com um chapa de alumínio, como mostrado na parte (b) da figura, o disco começa a girar, e temos um motor. A operação depende de dois efeitos de correntes de Foucault. Primeiramente as correntes de Foucault na chapa de alumínio se opõem à variação de fluxo através da chapa, de modo que o campo sobre a chapa sempre atrasa o campo sobre a metade do polo que não está coberta. O chamado efeito de "polo-sombreado" produz um campo que na região sombreada varia quase da mesma maneira que na região "não sombreada", com a diferença de que ele é atrasado em uma quantidade constante de tempo. O efeito completo é como se houvesse um ímã com apenas a metade da largura sendo movido da região não sombreada para a região

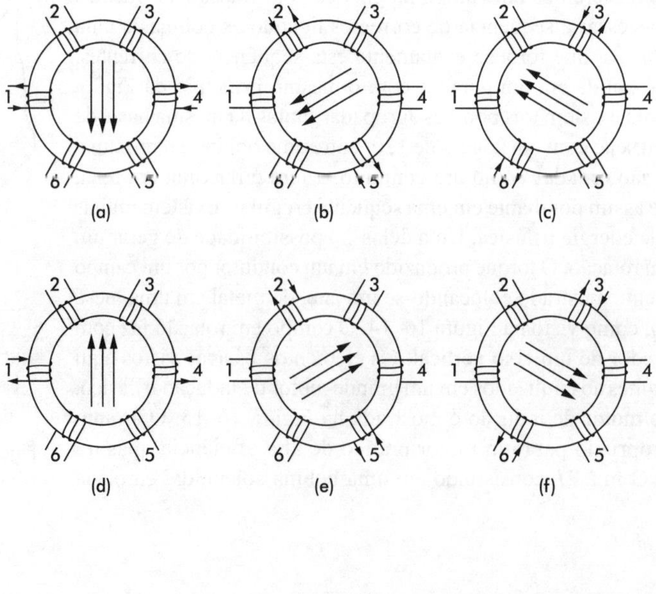

Figura 16–13 Criação de um campo magnético em rotação.

sombreada. Assim os campos variáveis interagem com as correntes de Foucault no disco para produzir o torque.

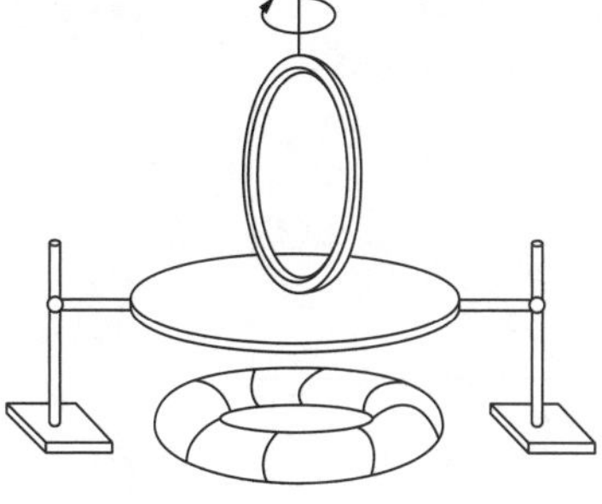

Figura 16–14 O campo em rotação da Figura 16–13 pode ser usado para gerar um torque em um anel condutor.

16–4 Tecnologia elétrica

Quando Faraday tornou pública a sua descoberta de que um fluxo magnético variável produz uma fem, alguém perguntou (tem sempre alguém que pergunta isto quando um novo fato da natureza é descoberto), "para que serve isso?" Tudo o que ele havia descoberto era que uma corrente minúscula aparecia quando ele movia um fio perto de um ímã. Para que aquilo poderia servir? A sua resposta foi: "para que serve um bebê recém-nascido?"

Pense nas tremendas aplicações práticas que se seguiram a essa descoberta. O que descrevemos aqui não são apenas brinquedos, mas sim exemplos escolhidos em muitos casos para representar o princípio de uma máquina real. Por exemplo, o anel girando no campo em rotação é um motor de indução. Existem, é claro, algumas diferenças entre este anel e um motor de indução real. O anel possui um torque muito pequeno; ele pode até ser parado com a mão. Em um bom motor, os componentes devem ser montados mais próximos uns dos outros, não poderia haver tanto campo magnético "desperdiçado" no ar. Primeiro, o campo é concentrado usando ferro. Não discutimos como o ferro faz isso, mas ele pode tornar o campo magnético dezenas de milhares de vezes mais forte do que uma bobina sozinha poderia fazer. Além disso, os intervalos entre os pedaços de ferro são diminuídos; para fazer isso, certa quantidade de ferro é colocada até mesmo no anel. Tudo é arranjado de maneira a conseguir as maiores forças e a maior eficiência – ou seja, conversão de energia elétrica em energia mecânica – até que o "anel" não possa mais ser parado com a mão.

O problema de diminuir os espaços e fazer a coisa funcionar da maneira mais prática é *engenharia*. E requer um estudo sério de problemas de projeto, apesar de não haverem princípios novos dos quais as forças sejam obtidas. Existe uma grande distância entre os princípios básicos e um projeto econômico e prático. Mesmo assim, apenas um projeto de engenharia cuidadoso tornou possível uma coisa incrível como uma hidrelétrica e todas as suas consequências.

O que é uma hidrelétrica? Um rio enorme interrompido por uma parede de concreto. E que parede! Seu formato possui uma curva perfeita que foi projetada para que a menor quantidade possível de concreto pudesse segurar um rio inteiro. Ela se torna mais espessa no fundo de uma forma maravilhosa que os artistas gostam, mas que os engenheiros podem apreciar porque eles sabem que esse espessamento está relacionado com o aumento da pressão com a profundidade da água. Mas estamos nos afastando da eletricidade aqui.

A água do rio é desviada então para um cano enorme. Por si só, isso já seria um feito admirável de engenharia. O cano leva a água para uma "roda d'água" – uma turbina enorme – e faz rodas girarem. (Outro feito de engenharia.) E por que girar rodas? Elas estão acopladas a uma confusão incrivelmente intrincada de ferro e cobre, tudo torcido e interligado. Com duas partes – uma gira e a outra não. Toda uma mistura complexa de

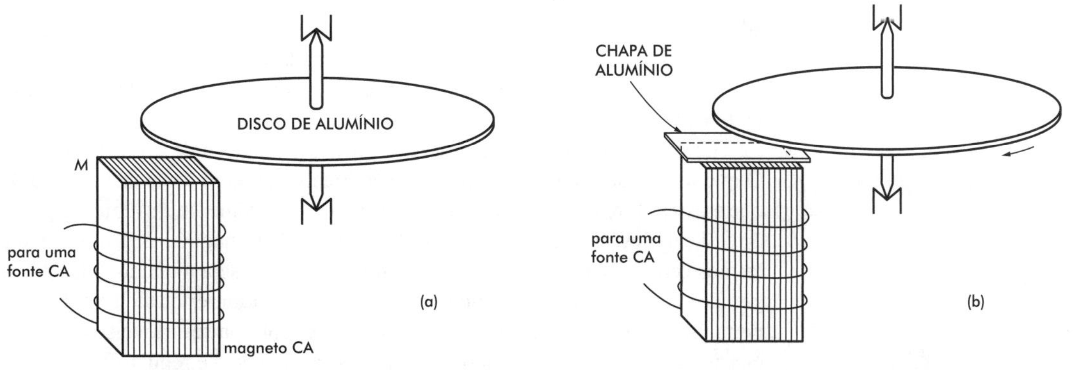

Figura 16–15 Um exemplo simples de um motor de indução de polo-sombreado.

alguns materiais, principalmente ferro e cobre, mas também papel e goma-laca para o isolamento. Uma coisa enorme em movimento. Um gerador. De algum lugar no meio da confusão de cobre e ferro saem algumas peças especiais de cobre. A represa, a turbina, o ferro, o cobre, tudo está lá para que algo especial aconteça em algumas peças de cobre – uma fem. Então as barras de cobre se afastam um pouco e circulam várias vezes uma outra peça de ferro em um transformador; aí a sua tarefa termina.

Ao redor daquela mesma peça de ferro está enrolado um cabo de cobre que não tem ligação direta com as barras do gerador; eles sofreram a sua influência só de passar perto do gerador – para receber a sua fem. O transformador converte a energia da diferença de potencial relativamente baixa necessária para o projeto eficiente do gerador nas tensões muito altas que são a melhor forma para a transmissão eficiente de energia elétrica através de cabos longos.

E tudo deve ser incrivelmente eficiente – não pode haver nenhum desperdício, nenhuma perda. Por quê? A energia de uma metrópole está passando. Se uma pequena fração for perdida – 1 ou 2% –, pense na energia deixada para trás! Se 1% da energia ficasse no transformador, esta energia precisaria sair de alguma maneira. Se ela aparecesse como calor, a coisa toda derreteria rapidamente. Existe, é claro, alguma pequena ineficiência, mas apenas algumas bombas são necessárias para circular óleo pelo radiador para evitar que o transformador superaqueça.

Algumas dúzias de barras de cobre saem da hidrelétrica – longas, longas, longas barras de cobre talvez com a grossura do seu pulso que seguem por centenas de milhas em todas as direções. Pequenas barras de cobre que levam a energia de um rio gigante. As barras se dividem para fazer mais barras... mais transformadores... às vezes vão para grandes geradores que recriam a corrente em outra forma... às vezes para motores funcionando para grandes indústrias... mais transformadores... dividindo e espalhando mais... até que finalmente o rio é espalhado por toda a cidade – girando motores, produzindo calor, produzindo luz, fazendo máquinas funcionarem. O milagre de luzes quentes a partir de água fria a mais de mil quilômetros de distância – tudo feito com um arranjo especial de peças de ferro e cobre. Motores grandes para carregar aço, ou motores minúsculos para a broca do dentista. Milhares de pequenas rodas, girando em resposta ao movimento da roda maior da hidrelétrica. Pare a roda maior, e todas as rodas param; as luzes se apagam. Tudo está realmente interligado.

Mas ainda tem mais. Os mesmos fenômenos que tomam o tremendo poder do rio e o espalham por toda a região, até algumas gotas do rio estão fazendo a broca do dentista funcionar, aparecem novamente na fabricação de instrumentos extremamente delicados... para a detecção de quantidades incrivelmente pequenas de corrente... para a transmissão de vozes, música e pinturas... computadores... máquinas automáticas de precisão fantástica.

Tudo isso é possível devido a arranjos cuidadosamente desenhados de ferro e cobre – campos magnéticos eficientemente criados... blocos de ferro em rotação com dois metros de diâmetro, girando com folgas milimétricas... proporções cuidadosas de cobre para se atingir a eficiência máxima... muitas formas estranhas servindo a um propósito, como a curva da represa.

Se algum arqueólogo futuro encontrar uma hidrelétrica, podemos imaginar que ele admirará a beleza de suas curvas. Mesmo os exploradores de alguma grande civilização futura irão olhar para os geradores e transformadores e dizer: "Veja como cada peça de ferro tem uma forma lindamente eficiente. Pense em quanto trabalho foi necessário para fazer cada peça de cobre!"

Esse é o poder da engenharia e do projeto cuidadoso de nossa tecnologia elétrica. O que foi criado no gerador não existe em nenhuma outra parte da natureza. É verdade que existem forças de indução em outros lugares. Certamente em alguns lugares ao redor do Sol e das estrelas existem efeitos de indução eletromagnética. Talvez (apesar de não termos certeza) também o campo magnético da Terra seja mantido pelo análogo de um gerador elétrico operando em correntes circulando no interior da terra. No entanto, em nenhum outro lugar existem peças combinadas com partes móveis para gerar energia elétrica como é feito no gerador – com grande eficiência e regularidade.

Você pode achar que desenhar geradores elétricos não é mais um assunto interessante, que é um assunto morto porque todos os geradores já estão projetados. Geradores e motores quase perfeitos podem ser escolhidos em uma prateleira. Mesmo se isso fosse verdade, podemos admirar a maravilhosa realização que é um problema resolvido quase à perfeição, mas ainda existem muitos problemas inacabados. Mesmo geradores e transformadores estão voltando como problemas para serem resolvidos. É possível que todo o campo de baixas temperaturas e supercondutores seja aplicado em breve ao problema da distribuição de energia elétrica. Com um fator radicalmente novo no problema, novos projetos ótimos precisarão ser criados. As redes de energia do futuro podem se assemelhar muito pouco às que temos hoje.

Você pode ver que existe um número infinito de aplicações e problemas com os quais podemos trabalhar, quando estudamos as leis de indução. O estudo do projeto de equipamentos elétricos é trabalho para uma vida inteira. Não podemos ir muito longe nesta direção, mas devemos estar cientes do fato de que quando descobrimos as leis de indução, subitamente ligamos a nossa teoria a um desenvolvimento prático enorme. Entretanto, devemos deixar o assunto para engenheiros e pesquisadores de ciências aplicadas que se interessam em desenvolver os detalhes de aplicações particulares. A Física apenas proporciona a base – os princípios básicos que são sempre válidos, em quaisquer circunstâncias. Ainda não completamos esta base, pois ainda temos de considerar em detalhe as propriedades do ferro e do cobre. A Física tem algo a dizer sobre este assunto, como veremos um pouco mais adiante.

A tecnologia elétrica moderna começou com as descobertas de Faraday. O bebê sem serventia se transformou em um prodígio e mudou a face da Terra de uma forma que o seu pai orgulhoso nunca poderia ter imaginado.

17

As Leis de Indução

17–1 A física da indução

No capítulo anterior, descrevemos muitos fenômenos que mostram que os efeitos da indução são bastante complexos e interessantes. Agora queremos discutir os princípios fundamentais que governam esses efeitos. Já definimos a fem em um circuito condutor como a força total acumulada nas cargas em todo o comprimento do circuito. Mais especificamente, ela é a componente tangencial da força por unidade de carga, integrada ao longo do fio, uma vez, ao redor do circuito. Portanto, essa quantidade é igual ao trabalho realizado sobre uma única carga que viaja uma vez ao redor do circuito.

Também já enunciamos a "regra do fluxo", que diz que a fem é igual à taxa na qual o fluxo do campo magnético através de um circuito condutor está variando. Vamos ver se podemos entender por que isso é assim. Vamos considerar primeiro um caso no qual o fluxo varia porque o circuito se move em um campo estacionário.

Na Figura 17–1, mostramos um circuito simples de um fio cujas dimensões podem ser modificadas. O circuito possui duas partes, uma parte fixa em forma de U (a) e uma barra transversal móvel (b) que pode deslizar ao longo das duas pernas do U. Sempre temos um circuito completo, mas a sua área é variável. Suponha agora que o circuito seja colocado em um campo magnético uniforme tal que o plano do U seja perpendicular ao campo. De acordo com a regra, quando a barra transversal for movida haverá no circuito uma fem proporcional à taxa de variação do fluxo através do circuito. Essa fem irá gerar uma corrente no circuito. Vamos supor que a resistência do fio seja suficiente para que as correntes sejam baixas. Assim podemos desprezar qualquer campo magnético gerado por essa corrente.

O fluxo através do circuito é wLB, de modo que a "regra do fluxo" daria uma fem – que chamaremos de $\mathcal{E}$ –

$$\mathcal{E} = wB\frac{dL}{dt} = wBv,$$

onde v é a velocidade de translação da barra transversal.

Agora devemos ser capazes de entender este resultado a partir das forças magnéticas $\boldsymbol{v} \times \boldsymbol{B}$ nas cargas da barra transversal em movimento. Estas cargas sentirão uma força tangencial ao fio igual a vB por unidade de carga. Esta força é constante ao longo do comprimento w da barra e zero fora dela, de modo que a integral é

$$\mathcal{E} = wvB,$$

que é igual ao resultado obtido da taxa de variação do fluxo.

O argumento que acabamos de expor pode ser estendido a qualquer caso em que exista um campo magnético fixo e os fios sejam movimentados. Pode-se provar, de maneira mais geral, que em qualquer circuito cujas partes se movem em um campo magnético fixo a fem é a derivada temporal do fluxo, não importa qual seja a forma do circuito.

Por outro lado, o que acontece se o circuito estiver parado e o campo magnético variar? Não podemos deduzir a resposta a tal questão a partir do mesmo argumento. Foi Faraday quem descobriu – a partir da experiência – que a "regra do fluxo" é sempre correta, não importando a razão pela qual o fluxo varia. A força nas cargas elétricas é dada de maneira completamente geral por $\boldsymbol{F} = q(\boldsymbol{E} + \boldsymbol{v} \times \boldsymbol{B})$; não existem novas "forças especiais causadas por campos magnéticos variáveis". Todas as forças nas cargas em repouso em um fio vêm do termo elétrico $\boldsymbol{E}$. As observações de Faraday levaram à descoberta de que campos elétricos e magnéticos se relacionam por uma nova lei: em uma região onde o campo magnético estiver variando com o tempo, campos elétricos são gerados. É este campo elétrico que impulsiona os elétrons ao redor do fio – e é responsável pela fem em um circuito parado quando há um fluxo magnético variável.

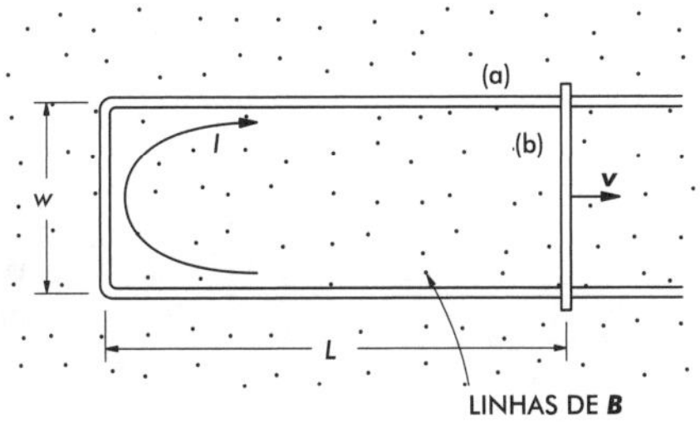

Figura 17–1 Uma fem é induzida em um circuito se o fluxo variar quando a área do circuito for modificada.

A lei geral para o campo elétrico associado a um campo magnético variável é

$$\nabla \times \boldsymbol{E} = -\frac{\partial \boldsymbol{B}}{\partial t}. \tag{17.1}$$

Vamos denominá-la lei de Faraday. Ela foi descoberta por Faraday, mas foi escrita em forma diferencial pela primeira vez por Maxwell, como uma de suas equações. Vamos ver como essa equação fornece a "regra do fluxo" para circuitos.

Usando o teorema de Stokes, essa lei pode ser escrita em forma integral como

$$\oint_\Gamma \boldsymbol{E} \cdot d\boldsymbol{s} = \int_S (\nabla \times \boldsymbol{E}) \cdot \boldsymbol{n}\, da = -\int_S \frac{\partial \boldsymbol{B}}{\partial t} \cdot \boldsymbol{n}\, da, \tag{17.2}$$

onde novamente Γ é uma curva fechada qualquer e S é a superfície limitada por Γ, da maneira usual. Lembre-se de que aqui Γ é uma curva *matemática* fixa no espaço, e S é uma superfície fixa. Logo, a derivada temporal pode ser tirada da integral, e obtemos

$$\begin{aligned} \oint_\Gamma \boldsymbol{E} \cdot d\boldsymbol{s} &= -\frac{d}{dt} \int_S \boldsymbol{B} \cdot \boldsymbol{n}\, da \\ &= -\frac{d}{dt}(\text{fluxo através de } S). \end{aligned} \tag{17.3}$$

Aplicando essa relação à curva Γ de um circuito condutor *fixo*, obtemos novamente a "regra do fluxo". A integral do lado esquerdo é a fem, e a integral do lado direito é o oposto da taxa de variação do fluxo enlaçado pelo circuito. Portanto, aplicar a Eq. (17.1) a um circuito fixo é equivalente à "regra do fluxo".

Desse modo, a "regra do fluxo" – de que a fem em um circuito é igual à taxa de variação do fluxo magnético através do circuito – vale se o fluxo varia tendo como causa a variação do campo, ou porque o circuito se move, ou ambos. As duas possibilidades – "o circuito se move" ou "o campo varia" – são indistinguíveis no enunciado da regra. Ainda assim, usamos duas leis completamente diferentes para explicar os dois casos – $\boldsymbol{v} \times \boldsymbol{B}$ para o caso em que "o circuito se move" e $\nabla \times \boldsymbol{E} = -\partial \boldsymbol{B}/\partial t$ para o caso em que "o campo varia".

Não conhecemos nenhum outro lugar na física onde um princípio geral tão simples e acurado precise ser analisado em termos de *dois fenômenos diferentes* para ser realmente compreendido. Normalmente uma generalização assim surge de um único princípio mais profundo. Mesmo assim, neste caso não parece haver uma implicação mais profunda. É necessário entender a "regra" como a ação combinada dos efeitos de dois fenômenos bastante distintos.

Devemos entender a "regra do fluxo" da seguinte maneira. No caso mais geral, a força por unidade de carga é $\boldsymbol{F}/q = \boldsymbol{E} + \boldsymbol{v} \times \boldsymbol{B}$. Nos fios em movimento existe a força do segundo termo. Além disso, existe um campo $\boldsymbol{E}$ se um campo magnético estiver variando. Esses efeitos são independentes, mas a fem ao longo do circuito é sempre igual à taxa de variação do fluxo magnético através dele.

17–2 Exceções à "regra do fluxo"

Agora vamos dar alguns exemplos, em parte devidos a Faraday, que mostram a importância de se ter em mente uma clara distinção entre os dois efeitos responsáveis pelas fem induzidas. Nossos exemplos envolvem situações nas quais a "regra do fluxo" não pode ser aplicada – seja porque sequer existe um fio ou porque o *caminho* seguido pelas correntes induzidas percorre um volume estendido de um condutor.

Começamos esclarecendo um ponto importante: a parte da fem que vem do campo $\boldsymbol{E}$ não depende da existência de um fio físico (ao contrário da parte $\boldsymbol{v} \times \boldsymbol{B}$). O campo $\boldsymbol{E}$ pode existir no espaço livre, e sua integral de linha ao longo de qualquer linha imaginária fixada no espaço é a taxa de variação do fluxo de $\boldsymbol{B}$ através daquela linha (note que isso é diferente do campo $\boldsymbol{E}$ gerado por cargas estáticas, em que a integral de linha de $\boldsymbol{E}$ ao redor de qualquer caminho fechado é sempre zero).

Agora vamos descrever uma situação na qual o fluxo através do circuito não muda, mas existe uma fem apesar disso. A Figura 17–2 mostra um disco condutor que pode ser girado ao redor de um eixo fixo na presença de um campo magnético. Um contato é feito na haste e o outro encosta na periferia do disco. O circuito é completado com um galvanômetro. À medida que o disco gira, o "circuito", no sentido da região do espaço por onde passam as correntes, é sempre o mesmo, mas a parte do "circuito" no disco é um material que está se movendo. Apesar de o fluxo no circuito ser "constante", ainda existe uma fem, que pode ser observada pela deflexão do galvanômetro. Claramente, este é um caso em que a força $\boldsymbol{v} \times \boldsymbol{B}$ no disco em movimento gera uma fem que não pode ser igualada a uma variação do fluxo.

Consideremos agora, como um exemplo oposto, uma situação pouco usual na qual o fluxo através de um "circuito" (novamente no sentido de uma região onde temos correntes) varia, mas *não* há fem. Imagine duas placas de metal com bordas ligeiramente curvas, como mostrado na Figura 17–3, colocadas em um campo magnético uniforme perpendicular às suas superfícies. Cada placa está ligada a um dos terminais de um galvanômetro, como mostrado. As placas entram em contato em um ponto P, de modo que temos um circuito completo. Se girarmos as placas em um ângulo pequeno, o ponto de contato irá para P'. Se imaginarmos que o "circuito" é completado através das placas pela linha pontilhada mostrada na figura, o fluxo magnético através deste circuito varia grandemente quando as placas são giradas para cima e para baixo, mas esta rotação pode ser feita com movimentos pequenos, de modo que $\boldsymbol{v} \times \boldsymbol{B}$ seja muito pequeno e praticamente não tenhamos nenhuma fem. A "regra do fluxo" não funciona neste caso. Ela deve ser aplicada a circuitos nos quais o *material* do circuito permaneça constante. Quando o material do circuito está mudando, precisamos retornar às leis básicas. A física *correta* é sempre dada pelas duas leis básicas

$$\boldsymbol{F} = q(\boldsymbol{E} + \boldsymbol{v} \times \boldsymbol{B}),$$

$$\nabla \times \boldsymbol{E} = -\frac{\partial \boldsymbol{B}}{\partial t}.$$

17–3 Aceleração de partículas por um campo elétrico induzido; o bétatron

Afirmamos que a força eletromotriz gerada por um campo magnético variável pode existir mesmo sem um condutor; ou seja, podemos ter indução magnética sem fios. Ainda podemos imaginar uma força eletromotriz ao longo de uma curva matemática arbitrária no espaço. Ela é definida como a componente tangencial de $\boldsymbol{E}$ integrada ao longo da curva. A lei de Faraday afirma que essa integral de linha é igual a menos a taxa de variação do fluxo magnético através da curva fechada, Eq. (17.3).

Como um exemplo do efeito de um campo elétrico induzido, vamos considerar agora o movimento de um elétron em um campo magnético variável. Imaginemos um campo magnético que, em todos os pontos de um plano, aponte na direção vertical, como mostrado na Figura 17–4. O campo magnético é produzido por um eletroímã, mas não vamos nos preocupar com os detalhes. Vamos imaginar para o nosso exemplo que o

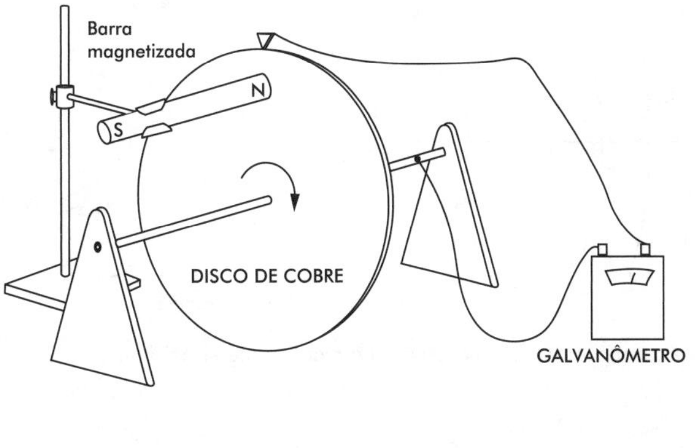

Figura 17–2 Quando o disco gira, surge uma fem de $\boldsymbol{v} \times \boldsymbol{B}$, mas não há variação no fluxo enlaçado.

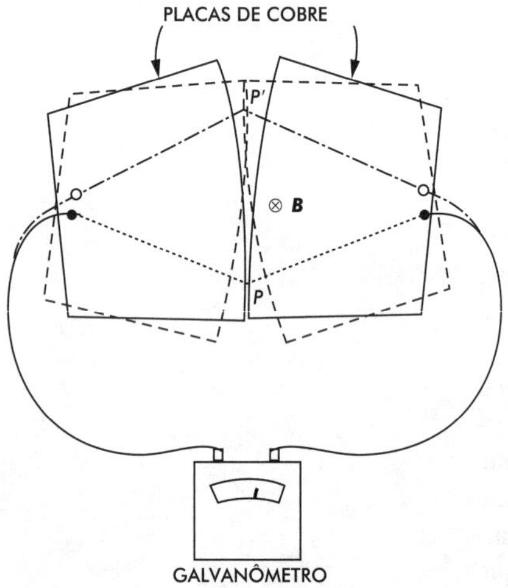

Figura 17–3 Quando as placas são balançadas em um campo magnético uniforme, pode haver uma grande variação no fluxo enlaçado sem que uma fem seja gerada.

campo magnético seja simétrico em relação a algum eixo, ou seja, que a intensidade do campo dependa apenas da distância em relação a este eixo. O campo magnético também está variando com o tempo. Imaginemos agora um elétron se movendo neste campo em um caminho circular de raio constante com o centro sobre o eixo do campo (veremos mais adiante como esse movimento pode ser obtido). Devido ao campo magnético variável, haverá um campo elétrico $\boldsymbol{E}$ tangencial à órbita do elétron, que irá impulsioná-lo ao redor do círculo. Por causa da simetria, este campo elétrico terá o mesmo valor em todos os pontos do círculo. Se a órbita do elétron possui um raio r, a integral de linha de $\boldsymbol{E}$ ao longo da órbita é igual a menos a taxa de variação do fluxo magnético através do círculo. A integral de linha de $\boldsymbol{E}$ é simplesmente sua magnitude vezes a circunferência do círculo, $2\pi r$. O fluxo magnético deve, de maneira geral, ser obtido de uma integral. Por agora, tomemos B_m como representando o campo magnético médio no interior do círculo; o fluxo será dado então por este campo magnético médio vezes a área do círculo. Teremos então

$$2\pi r E = \frac{d}{dt}(B_m \cdot \pi r^2).$$

Como estamos supondo que r seja constante, E é proporcional à derivada temporal do campo médio:

$$E = \frac{r}{2}\frac{dB_m}{dt}. \tag{17.4}$$

O elétron sentirá a força $q\boldsymbol{E}$ e será acelerado por ela. Lembrando que a equação de movimento relativisticamente correta estabelece que a taxa de variação do momento é proporcional à força, temos que

$$qE = \frac{dp}{dt}. \tag{17.5}$$

Para a órbita circular que supusemos, a força elétrica no elétron tem sempre a direção do movimento, de modo que o momento total será aumentado à taxa dada pela Eq. (17.5). Combinando as Eqs. (17.5) e (17.4), podemos relacionar a taxa de variação do momento com o campo magnético médio:

$$\frac{dp}{dt} = \frac{qr}{2}\frac{dB_m}{dt}. \tag{17.6}$$

Integrando em relação a t, obtemos, para o momento do elétron,

$$p = p_0 + \frac{qr}{2}\Delta B_m, \tag{17.7}$$

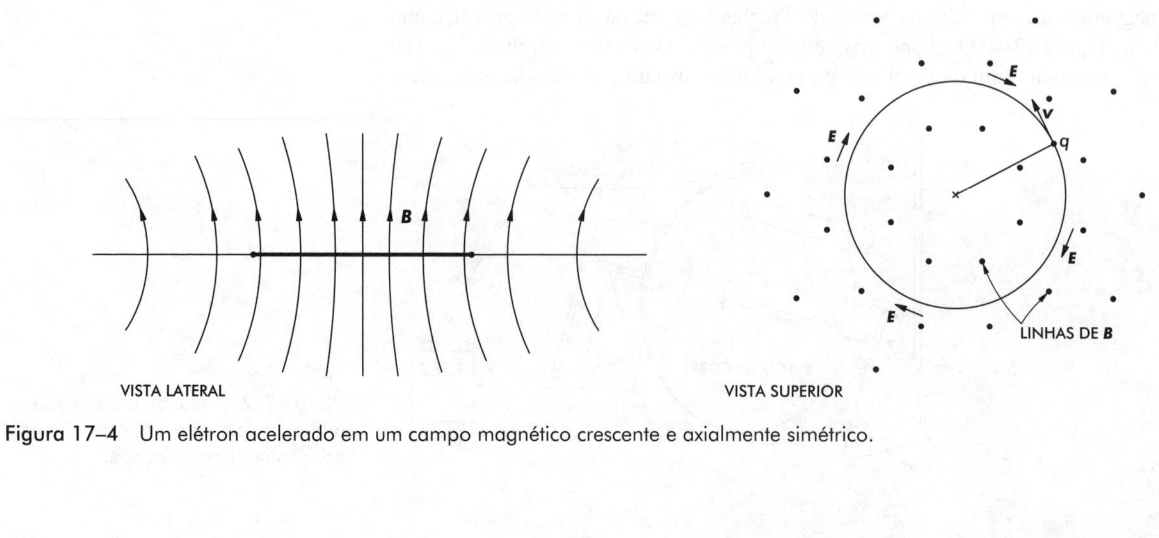

Figura 17–4 Um elétron acelerado em um campo magnético crescente e axialmente simétrico.

onde p_0 é o momento com o qual o elétron inicia o movimento e ΔB_m é a variação subsequente em B_m. A operação de um *bétatron* – uma máquina para acelerar elétrons a altas energias – é baseada nessa ideia.

Para compreender como o bétatron funciona em detalhe, devemos examinar agora como o movimento do elétron pode ser restringido a um círculo. Discutimos o princípio envolvido no Capítulo 11 do Vol. I. Se houver um campo magnético $\boldsymbol{B}$ na órbita do elétron, haverá uma força transversal $q\boldsymbol{v} \times \boldsymbol{B}$ que, para uma escolha conveniente de $\boldsymbol{B}$, pode fazer o elétron se mover em uma órbita circular de raio constante. No bétatron essa força transversa é responsável pelo fato de o elétron se mover em uma órbita circular de raio constante. Podemos obter qual o valor necessário para o campo magnético na órbita, utilizando novamente a equação de movimento relativística, desta vez para a componente transversal da força. No bétatron (ver Figura 17–4), $\boldsymbol{B}$ é perpendicular a $\boldsymbol{v}$, logo a força transversal é qvB. A força é igual à taxa da variação da componente transversal p_t do momento:

$$qvB = \frac{dp_t}{dt}. \tag{17.8}$$

Quando uma partícula se move em um *círculo*, a taxa de variação de seu momento transversal é igual à magnitude do momento total vezes ω, a velocidade angular de rotação (seguindo os argumentos do Capítulo 11, Vol. I):

$$\frac{dp_t}{dt} = \omega p, \tag{17.9}$$

onde, como o movimento é circular,

$$\omega = \frac{v}{r}. \tag{17.10}$$

Igualando a força magnética à força de aceleração transversal (força centrípeta), temos que

$$qvB_{\text{órbita}} = p\,\frac{v}{r}, \tag{17.11}$$

onde $B_{\text{órbita}}$ é o campo no raio r.

Enquanto o bétatron opera, o momento do elétron cresce com B_m, de acordo com a Eq. (17.7), e se o elétron continuar a se mover no mesmo círculo, a Eq. (17.11) deve continuar válida enquanto o momento do elétron aumenta. O valor de $B_{\text{órbita}}$ deve crescer na mesma proporção que o momento p. Comparando a Eq. (17.11) com a Eq. (17.7), que determina p, vemos que a seguinte relação deve ser válida entre B_m, o campo magnético médio *dentro* da órbita de raio r e o campo magnético $B_{\text{órbita}}$ sobre a órbita:

$$\Delta B_{\mathrm{m}} = 2\,\Delta B_{\text{órbita}} \tag{17.12}$$

A operação correta de um bétatron requer que o campo magnético médio dentro da órbita cresça a uma taxa duas vezes maior do que o campo magnético sobre a órbita. Nestas circunstâncias, como a energia da partícula é aumentada pelo campo elétrico induzido, o campo magnético na órbita cresce à taxa exata necessária para manter a partícula se movendo em um círculo.

O bétatron é usado para acelerar elétrons até energias de dezenas de milhões de volts ou de até centenas de milhões de volts. Entretanto, torna-se impraticável acelerar os elétrons a energias muito maiores do que algumas centenas de milhões de volts por diversas razões. Uma delas é a dificuldade prática de se atingir o alto valor médio para o campo magnético necessário dentro da órbita. Outra é que a Eq. (17.6) não é mais válida para energias muito altas porque não inclui a perda de energia sofrida pela partícula por causa de sua irradiação de energia eletromagnética (a radiação síncrotron discutida no Capítulo 36, Vol. I). Por esses motivos, a aceleração de elétrons até energias mais altas – muitos bilhões de elétron-volts – é realizada por meio de um tipo diferente de máquina, denominada *síncrotron*.

17–4 Um paradoxo

Gostaríamos de apresentar agora um paradoxo aparente. Um paradoxo é uma situação que dá uma resposta quando é analisada de uma forma e uma resposta diferente quando analisada de outra forma, de modo que ficamos em um dilema e não sabemos o que realmente acontece. É claro que na física nunca existem verdadeiros paradoxos porque existe somente uma resposta correta; acreditamos que a natureza atua de apenas uma maneira (e esta é a maneira *correta*, naturalmente). Logo, paradoxos são, na física, apenas uma confusão em nosso entendimento. Eis o nosso paradoxo.

Imagine que um aparato como o da Figura 17–5 seja construído. Temos um disco plástico fino e circular suportado por uma haste concêntrica com uma excelente articulação, de modo que o disco fica livre para girar. Sobre o disco há uma bobina enrolada na forma de um solenoide curto concêntrico ao eixo de rotação. Este solenoide conduz uma corrente estacionária I produzida por uma pequena bateria, montada também sobre o disco. Próximas à borda do disco e espaçadas uniformemente sobre a sua circunferência há diversas esferas de metal pequenas isoladas umas das outras e do solenoide pelo material plástico do disco. Cada uma destas pequenas esferas condutoras está carregada com uma carga eletrostática Q. Tudo está estacionário, e o disco está em repouso. Suponha agora que, por algum acidente – ou por um arranjo prévio –, a corrente no solenoide seja interrompida, mas sem qualquer intervenção externa. Enquanto a corrente continuava, havia um fluxo magnético mais ou menos paralelo ao eixo do disco, através do solenoide. Quando a corrente for interrompida, o fluxo irá a zero. Haverá então um campo elétrico induzido que circulará em círculos centrados no eixo. As esferas carregadas no perímetro do disco experimentarão uma força tangencial ao perímetro do disco. Esta força elétrica é a mesma para todas as cargas e resultará em um torque sobre o disco. A partir desses argumentos esperaríamos que, quando a corrente no solenoide desaparecesse, o disco começasse a girar. Se soubermos o momento de inércia no disco, a corrente no solenoide e as cargas das esferas pequenas, poderemos calcular a velocidade angular resultante.

Também poderíamos apresentar um argumento diferente. Usando o princípio da conservação do momento angular, poderíamos dizer que o momento inicial do disco, com todo o seu equipamento, é igual a zero, de modo que o momento angular do sistema deveria se manter nulo. Não deveria haver rotação quando a corrente fosse interrompida. Qual argumento está correto? O disco irá girar ou não? Vamos deixar esta questão em aberto para você pensar a respeito.

Devemos avisá-lo de que a resposta correta não depende de nenhuma característica não essencial, como a posição assimétrica da bateria, por exemplo. De fato, podemos imaginar a seguinte situação ideal: o solenoide é feito de material supercondutor através do qual passa uma corrente. Depois de o disco ter sido colocado cuidadosamente em repouso, permite-se que a temperatura do solenoide aumente lentamente. Quando a temperatura do fio atingir o limite entre a supercondutividade e a condutividade normal, a corrente no solenoide irá a zero devido à resistência do fio. O fluxo também se anulará, como antes, e teremos um campo elétrico ao redor do eixo. Devemos avisá-lo também de que a resposta não é fácil, mas também não é um truque. Quando você entender, terá descoberto um princípio importante do eletromagnetismo.

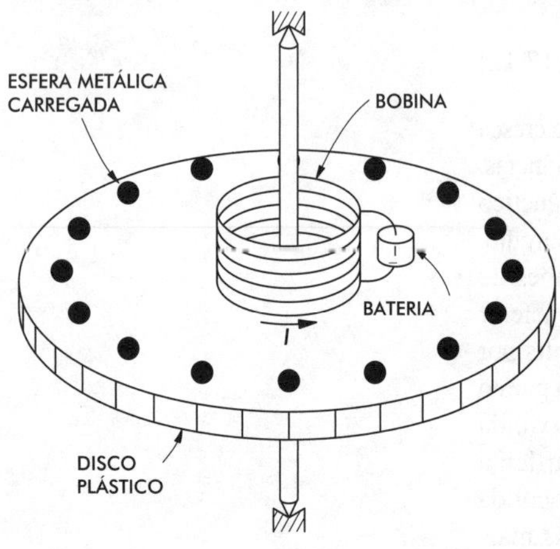

Figura 17–5 O disco vai girar quando a corrente I for interrompida?

17–5 Gerador de corrente alternada

No restante deste capítulo, vamos aplicar os princípios da Seção 17-1 para analisar alguns dos fenômenos discutidos no Capítulo 16. Vamos analisar primeiro, em maior detalhe, o gerador de corrente alternada. Este gerador consiste basicamente em uma bobina de fio, girando em um campo magnético uniforme. O mesmo resultado pode ser obtido com uma bobina fixa em um campo magnético em rotação da maneira descrita no último capítulo. Vamos considerar apenas o primeiro caso. Suponha que tenhamos uma bobina circular de fio que possa ser girada em um eixo ao longo de um de seus diâmetros. Essa bobina é colocada em um campo magnético perpendicular ao eixo de rotação, como na Figura 17–6. Vamos imaginar também que as duas extremidades da bobina sejam ligadas a conexões externas através de algum tipo de contatos deslizantes.

Devido à rotação da bobina, o fluxo magnético que a atravessa estará variando. Portanto, no circuito da bobina haverá uma fem. Seja S a área da bobina e seja θ o ângulo entre o campo magnético e a normal ao plano da bobina.[1] O fluxo através da bobina é dado por

$$BS\cos\theta. \tag{17.13}$$

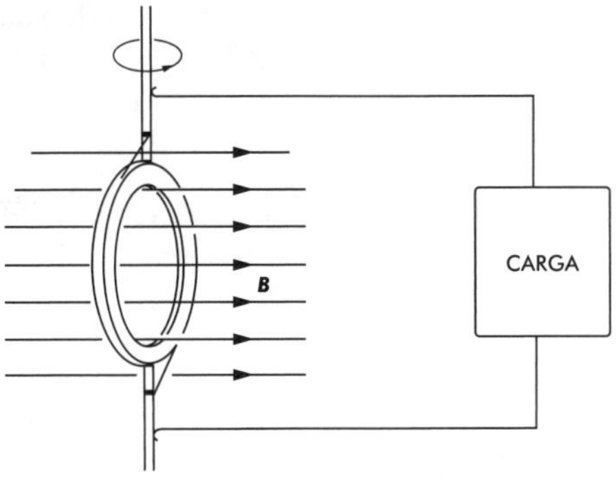

Figura 17–6 Uma bobina de fio girando em um campo magnético – a ideia básica de um gerador ca.

Se a bobina estiver girando com uma velocidade angular uniforme ω, θ varia com o tempo como $\theta = \omega t$.

Cada alça da bobina terá uma fem igual à taxa de variação deste fluxo. Se a bobina tiver N alças de fio, a fem será N vezes maior, portanto

$$\mathcal{E} = -N\frac{d}{dt}(BS\cos\omega t) = NBS\omega \operatorname{sen}\omega t. \tag{17.14}$$

Se trouxermos os fios do gerador até um ponto a uma certa distância da bobina em rotação, onde o campo magnético é nulo, ou pelo menos não está variando com o tempo, o rotacional de $\boldsymbol{E}$ nesta região será zero, e poderemos definir um potencial elétrico. De fato, se não houver corrente sendo puxada do gerador, a diferença de potencial V entre os dois fios será igual à fem na bobina em rotação. Ou seja,

$$V = NBS\omega \operatorname{sen}\omega t = V_0 \operatorname{sen}\omega t.$$

A diferença de potencial entre os fios varia com sen ωt. Um potencial que varia dessa forma é denominado uma tensão alternada.

Como existe um campo elétrico entre os fios, eles devem estar eletricamente carregados. É claro que a fem do gerador impulsionou algumas cargas a mais até o fio, até que o campo elétrico destas cargas fosse suficiente para contrabalançar a força de indução. Vistos de longe do gerador, os dois fios pareceriam como se tivessem sido carregados eletrostaticamente para gerar a diferença de potencial V, e como se a carga estivesse variando com o tempo para gerar a diferença de potencial alternada. Existe também outra diferença em comparação com uma situação eletrostática. Se ligarmos o gerador a um circuito externo que permita a passagem de corrente, verificaremos que a fem não permite que os fios sejam descarregados, mas continua a fornecer carga para os fios à medida que a corrente flui, tentando manter os fios sempre com a mesma diferença de potencial. De fato, se o gerador estiver ligado a um circuito cuja resistência total é R, a corrente através do circuito será proporcional à fem do gerador e inversamente proporcional a R. Como a variação temporal da fem é senoidal, a corrente variará da mesma forma. Temos então uma corrente alternada

$$I = \frac{\mathcal{E}}{R} = \frac{V_0}{R}\operatorname{sen}\omega t.$$

Um diagrama esquemático desse tipo de circuito é mostrado na Figura 17–7.

Também podemos ver que a fem determina quanta energia é fornecida ao circuito pelo gerador. Cada carga no fio está recebendo energia na taxa $\boldsymbol{F}\cdot\boldsymbol{v}$, onde $\boldsymbol{F}$ é a força na carga e $\boldsymbol{v}$ é a sua velocidade. Seja n o número de cargas em movimento por unidade de comprimento do fio; a potência fornecida a cada elemento ds do fio é

$$\boldsymbol{F}\cdot\boldsymbol{v}n\,ds.$$

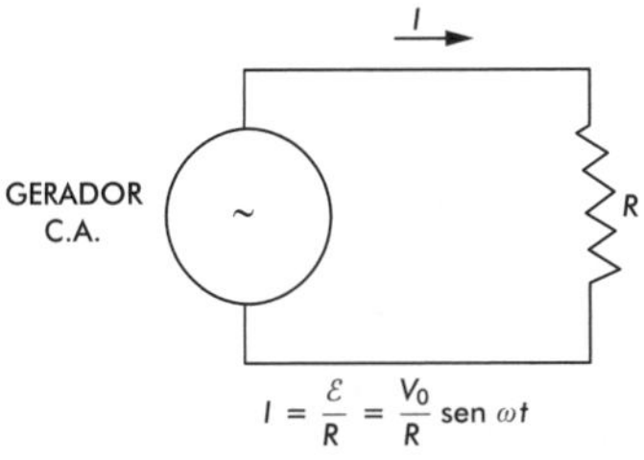

Figura 17–7 Um circuito com um gerador ca e uma resistência.

[1] Agora que estamos utilizando a letra A para o potencial vetor, preferimos usar S para a área de uma superfície.

Em um fio, $\boldsymbol{v}$ está sempre na direção de $d\boldsymbol{s}$, de modo que podemos reescrever a potência como

$$nv\boldsymbol{F}\cdot d\boldsymbol{s}.$$

A potência total fornecida para o circuito completo é a integral dessa expressão ao longo do circuito inteiro:

$$\text{Potência} = \oint nv\boldsymbol{F}\cdot d\boldsymbol{s}. \tag{17.15}$$

Agora, lembre-se de que qnv é a corrente I, e que a fem é definida como a integral de F/q ao longo do circuito. Obtemos então o resultado

$$\text{Potência do gerador} = \mathcal{E}I. \tag{17.16}$$

Quando passa uma corrente pela bobina do gerador, temos também forças mecânicas atuando na bobina. De fato, sabemos que o torque na bobina é proporcional ao seu momento magnético, à intensidade B do campo magnético e ao seno do ângulo entre eles. O momento magnético é a corrente na bobina vezes a sua área. Portanto, o torque é

$$\tau = NISB\,\text{sen}\,\theta. \tag{17.17}$$

A taxa na qual o trabalho mecânico deve ser realizado para manter a bobina girando é igual à velocidade angular ω vezes o torque:

$$\frac{dW}{dt} = \omega\tau = \omega NISB\,\text{sen}\,\theta. \tag{17.18}$$

Comparando esta equação com a Eq. (17.14), vemos que a taxa de trabalho mecânico necessária para girar a bobina contra as forças magnéticas é justamente igual a $\mathcal{E}I$, taxa esta na qual a energia elétrica é fornecida pela fem do gerador. Toda a energia mecânica usada no gerador reaparece como energia elétrica no circuito.

Como outro exemplo das forças e correntes causadas por uma fem induzida, vamos analisar o que acontece no arranjo descrito na Seção 17–1, e mostrado na Figura 17–1. Temos dois fios paralelos e uma barra transversal móvel, todos colocados em um campo magnético uniforme perpendicular ao plano dos fios paralelos. Vamos supor que o "fundo" do U (a parte esquerda da figura) seja feito de fios com alta resistência, enquanto os dois fios laterais são feitos de um bom condutor, como o cobre – assim não precisamos nos preocupar com a variação na resistência do circuito quando a barra for movida. Como já vimos, a fem do circuito é

$$\mathcal{E} = vBw. \tag{17.19}$$

A corrente no circuito é proporcional a essa fem e inversamente proporcional à resistência do circuito:

$$I = \frac{\mathcal{E}}{R} = \frac{vBw}{R}. \tag{17.20}$$

Haverá uma força magnética na barra causada por esta corrente, proporcional ao seu comprimento, à corrente que a atravessa e ao campo magnético, de modo que

$$F = BIw. \tag{17.21}$$

Substituindo I a partir da Eq. (17.20), temos a seguinte expressão para a força

$$F = \frac{B^2w^2}{R}\,v. \tag{17.22}$$

Podemos ver que a força é proporcional à velocidade da barra transversal. A direção da força, como vocês podem verificar facilmente, é oposta a esta velocidade. Este tipo de força "proporcional à velocidade", que é como uma força viscosa, é encontrada sempre que correntes induzidas são produzidas por condutores em movimento em um campo magnético. Os exemplos de correntes de Foucault que mostramos no último capítulo também produzem forças nos condutores proporcionais à velocidade do condutor, apesar de nestas situações, em geral, termos um padrão de correntes bastante difícil de analisar.

Frequentemente é conveniente para o projeto de sistemas mecânicos ter forças de amortecimento proporcionais à velocidade. Forças geradas pelas correntes de Foucault são uma das maneiras mais convenientes de se obter estas forças dependentes da velocidade. Um exemplo de aplicação desse tipo de força é encontrado no wattímetro doméstico convencional. Existe no wattímetro um disco fino de alumínio que gira entre os polos de um ímã permanente. Este disco é impulsionado por um pequeno motor elétrico cujo torque é proporcional à potência sendo consumida no circuito elétrico da casa. Devido às forças das correntes de Foucault, existe uma força resistiva proporcional à velocidade. Portanto, em equilíbrio, a velocidade é proporcional à taxa de consumo de energia elétrica. Por meio de um contador anexado ao disco em rotação, é mantido um histórico do número de voltas. Esta contagem é um indicador da energia total consumida, ou seja, do número de watts-horas usado.

Também podemos enfatizar que a Eq. (17.22) mostra que a força de correntes induzidas – ou seja, qualquer força de uma corrente de Foucault – é inversamente proporcional à resistência. A força será maior, quanto melhor for a condutividade do material. A razão é que a fem produz mais corrente se a resistência for baixa, e correntes maiores representam forças mecânicas maiores.

Também podemos ver, a partir de nossas fórmulas, como a energia mecânica é convertida em energia elétrica. Como já vimos, a energia elétrica fornecida à resistência do circuito é $\mathcal{E}I$. A taxa na qual o trabalho de mover a barra condutora é realizado é igual à força na barra vezes a sua velocidade. Usando a Eq. (17.21) para a força, a taxa de realização do trabalho é

$$\frac{dW}{dt} = \frac{v^2B^2w^2}{R}.$$

Podemos ver que este resultado é realmente igual ao produto $\mathcal{E}I$ que obteríamos das Eqs. (17.19) e (17.20). Novamente o trabalho mecânico reaparece como energia elétrica.

17–6 Indutância mútua

Vamos considerar agora uma situação na qual temos bobinas de fio fixas e campos magnéticos variáveis. Quando descrevemos a produção de campos magnéticos por correntes, consideramos apenas o caso de correntes constantes. No entanto, enquanto as correntes variarem lentamente, o campo magnético em cada instante será aproximadamente igual ao campo magnético de uma corrente constante. Vamos supor, na discussão desta seção, que as correntes estejam sempre variando suficientemente devagar para que isso seja verdade.

Na Figura 17–8, podemos ver um arranjo de duas bobinas que demonstra os efeitos básicos responsáveis pela operação de um transformador. A bobina 1 consiste em um fio condutor enrolado na forma de um solenoide longo. Ao redor desta bobina – e isolada dela – está enrolada a bobina 2, que consiste em algumas voltas de fio. Se uma corrente for passada pela bobina 1, sabemos que um campo magnético aparecerá em seu interior. Este campo magnético também passa através da bobina 2. Quando a corrente na bobina variar, o fluxo magnético também variará, e haverá uma fem induzida na bobina 2. Vamos calcular agora esta fem induzida.

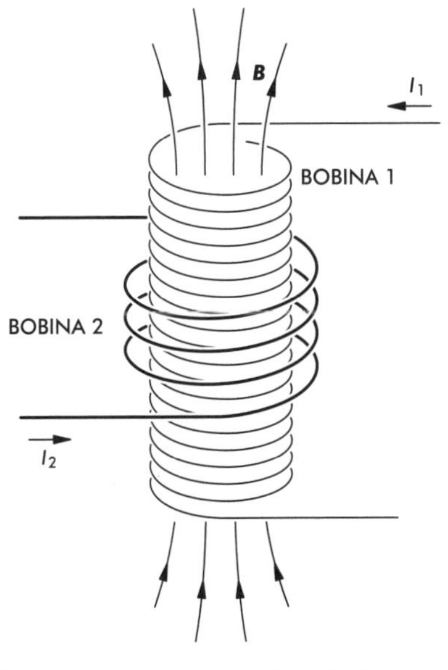

Figura 17–8 Uma corrente na bobina 1 produz um campo magnético através da bobina 2.

Vimos na Seção 13-5 que o campo magnético dentro de um solenoide longo é uniforme e tem magnitude dada por

$$B = \frac{1}{\epsilon_0 c^2}\frac{N_1 I_1}{l}, \tag{17.23}$$

onde N_1 é o número de espiras da bobina 1, I_1 é a corrente que a atravessa e l é o seu comprimento. Seja S a área da seção transversal da bobina 1; então o fluxo de $\boldsymbol{B}$ é a sua magnitude vezes S. Se a bobina 2 possui N_2 espiras, este fluxo é enlaçado pela bobina N_2 vezes. Logo, a fem na bobina 2 é dada por

$$\mathcal{E}_2 = -N_2 S \frac{dB}{dt}. \tag{17.24}$$

A única quantidade na Eq. (17.23) que varia com o tempo é I_1. Portanto a fem é dada por

$$\mathcal{E}_2 = -\frac{N_1 N_2 S}{\epsilon_0 c^2 l} \frac{dI_1}{dt}. \tag{17.25}$$

Pode-se ver que a fem na bobina 2 é proporcional à taxa de variação da corrente na bobina 1. A constante de proporcionalidade, que é basicamente um fator geométrico das duas bobinas, é chamada de *indutância mútua* e é normalmente designada por $\mathfrak{M}_{21}$. A Eq. (17.25) pode ser reescrita como

$$\mathcal{E}_2 = \mathfrak{M}_{21} \frac{dI_1}{dt}. \tag{17.26}$$

Suponha agora que passássemos uma corrente pela bobina 2 e quiséssemos obter a fem na bobina 1. Iríamos calcular o campo magnético, que é proporcional a I_2 em todos os pontos. O fluxo enlaçado pela bobina 2 dependeria da geometria, mas seria proporcional à corrente I_2. A fem na bobina 1 seria, então, novamente proporcional a dI_2/dt: Podemos escrever

$$\mathcal{E}_1 = \mathfrak{M}_{12} \frac{dI_2}{dt}. \tag{17.27}$$

O cálculo de $\mathfrak{M}_{12}$ seria mais difícil do que aquele que acabamos de realizar para obter $\mathfrak{M}_{21}$. Não vamos realizar este cálculo agora, porque vamos demonstrar mais adiante neste capítulo que $\mathfrak{M}_{12}$ é necessariamente igual a $\mathfrak{M}_{21}$.

Como para *qualquer* bobina o campo é proporcional à sua corrente, o mesmo tipo de resultado seria obtido para quaisquer duas bobinas de fio. As Equações (17.26) e (17.27) deveriam ter a mesma forma; apenas as duas constantes $\mathfrak{M}_{12}$ e $\mathfrak{M}_{21}$ seriam diferentes. Seus valores dependeriam das formas das bobinas e de suas posições relativas.

Suponha que quiséssemos encontrar a indutância mútua entre duas bobinas arbitrárias – por exemplo, as bobinas mostradas na Figura 17–9. Sabemos que a expressão geral para a fem na bobina 1 pode ser escrita como

$$\mathcal{E}_1 = -\frac{d}{dt}\int_{(1)} \boldsymbol{B}\cdot\boldsymbol{n}\,da,$$

onde $\boldsymbol{B}$ é o campo magnético e a integral deve ser tomada sobre a superfície limitada pelo circuito 1. Vimos na Seção 14-1 que esta integral de superfície de $\boldsymbol{B}$ pode ser relacionada a uma integral de linha do potencial vetor. Em particular,

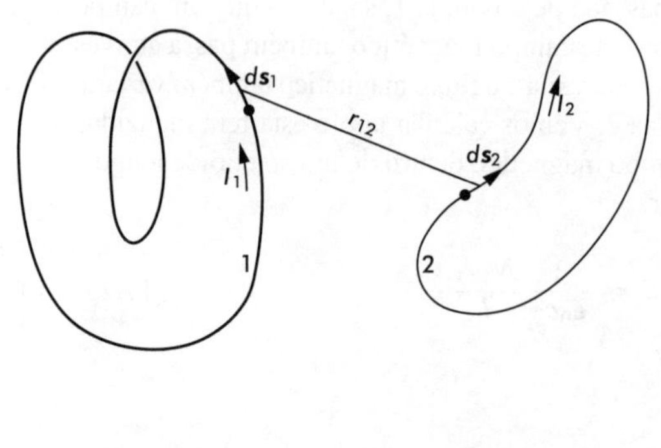

Figura 17–9 Quaisquer duas bobinas possuem uma indutância mútua $\mathfrak{M}$ proporcional à integral de $ds_1 \cdot ds_2/r_{12}$.

$$\int_{(1)} \boldsymbol{B} \cdot \boldsymbol{n}\, da = \oint_{(1)} \boldsymbol{A} \cdot d\boldsymbol{s}_1,$$

onde $\boldsymbol{A}$ representa o potencial vetor e $d\boldsymbol{s}_1$ é um elemento do circuito 1. A integral de linha deve ser realizada ao longo do circuito 1. A fem na bobina 1 pode então ser escrita como

$$\mathcal{E}_1 = -\frac{d}{dt}\oint_{(1)} \boldsymbol{A} \cdot d\boldsymbol{s}_1. \tag{17.28}$$

Agora vamos supor que o potencial vetor no circuito 1 venha das correntes no circuito 2. Então ele pode ser escrito como uma integral de linha ao longo do circuito 2:

$$\boldsymbol{A} = \frac{1}{4\pi\epsilon_0 c^2}\oint_{(2)} \frac{I_2\, d\boldsymbol{s}_2}{r_{12}}, \tag{17.29}$$

onde I_2 é a corrente no circuito 2 e r_{12} é a distância entre o elemento $d\boldsymbol{s}_2$ do circuito até o ponto do circuito 1 no qual estamos calculando o potencial vetor (ver a Figura 17–9). Combinando as Eqs. (17.28) e (17.29), podemos expressar a fem no circuito 1 como uma dupla integral de linha:

$$\mathcal{E}_1 = -\frac{1}{4\pi\epsilon_0 c^2}\frac{d}{dt}\oint_{(1)}\oint_{(2)} \frac{I_2\, d\boldsymbol{s}_2}{r_{12}} \cdot d\boldsymbol{s}_1.$$

Nessa equação, todas as integrais são tomadas em relação a circuitos estacionários. A única quantidade variável é a corrente I_2, que não depende das variáveis de integração. Portanto, podemos tirá-la das integrais. A fem pode ser escrita então como

$$\mathcal{E}_1 = \mathfrak{M}_{12}\frac{dI_2}{dt},$$

onde o coeficiente $\mathfrak{M}_{12}$ é

$$\mathfrak{M}_{12} = -\frac{1}{4\pi\epsilon_0 c^2}\oint_{(1)}\oint_{(2)} \frac{d\boldsymbol{s}_2 \cdot d\boldsymbol{s}_1}{r_{12}}. \tag{17.30}$$

Podemos ver dessa integral que $\mathfrak{M}_{12}$ depende apenas da geometria do circuito. Ele depende de um tipo de separação média entre os circuitos, com o peso maior da média para os segmentos paralelos das duas bobinas. Nossa equação pode ser usada para calcular a indutância mútua entre quaisquer duas bobinas de formato arbitrário. Além disso, ela mostra que a integral para $\mathfrak{M}_{12}$ é idêntica à integral para $\mathfrak{M}_{21}$. Portanto, mostramos que os dois coeficientes são idênticos. Para um sistema com apenas duas bobinas, os coeficientes $\mathfrak{M}_{12}$ e $\mathfrak{M}_{21}$ são frequentemente representados pelo símbolo $\mathfrak{M}$ sem subscritos, chamado simplesmente de *indutância mútua*:

$$\mathfrak{M}_{12} = \mathfrak{M}_{21} = \mathfrak{M}.$$

17–7 Autoindutância

Ao discutir as forças eletromotrizes nas duas bobinas das Figs. 17–8 ou 17–9, consideramos somente o caso em que havia corrente em uma bobina ou na outra. Se as duas bobinas conduzirem corrente simultaneamente, o fluxo magnético enlaçado por cada bobina será a soma dos dois fluxos que existiriam separadamente, pois a lei da superposição se aplica a campos magnéticos. Portanto, a fem em cada bobina será proporcional não apenas à variação da corrente na outra bobina, mas também à variação da corrente nela mesma. Então a fem total na bobina 2 pode ser escrita[2]

[2] Os sinais de $\mathfrak{M}_{12}$ e $\mathfrak{M}_{21}$ nas Eqs. (17.31) e (17.32) dependem de escolhas arbitrárias para o sentido de uma corrente positiva nas duas bobinas.

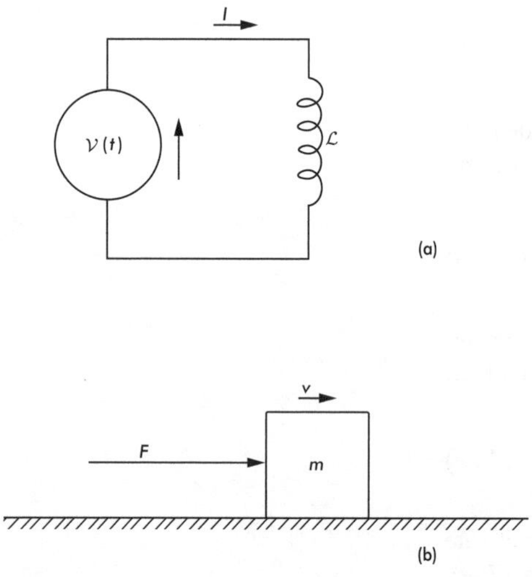

Figura 17–10 (a) Um circuito com uma fonte de tensão e uma indutância. (b) Um sistema mecânico análogo.

$$\mathcal{E}_2 = \mathfrak{M}_{21}\frac{dI_1}{dt} + \mathfrak{M}_{22}\frac{dI_2}{dt}. \tag{17.31}$$

De maneira análoga, a fem na bobina 1 vai depender não somente da corrente variável na bobina 2, mas também da sua própria corrente variável:

$$\mathcal{E}_1 = \mathfrak{M}_{12}\frac{dI_2}{dt} + \mathfrak{M}_{11}\frac{dI_1}{dt}. \tag{17.32}$$

Os coeficientes $\mathfrak{M}_{22}$ e $\mathfrak{M}_{11}$ são sempre números negativos. Normalmente se escreve

$$\mathfrak{M}_{11} = -\mathcal{L}_1, \qquad \mathfrak{M}_{22} = -\mathcal{L}_2, \tag{17.33}$$

onde $\mathcal{L}_1$ e $\mathcal{L}_2$ são denominadas *autoindutâncias* das duas bobinas.

A fem induzida vai existir, obviamente, mesmo quando só houver uma bobina. Qualquer bobina sozinha possui uma autoindutância $\mathcal{L}$. A fem será proporcional à taxa de variação da corrente na bobina. Para uma bobina sozinha, adota-se normalmente a convenção de que a fem e a corrente são consideradas positivas se tiverem a mesma direção. Com essa convenção, podemos escrever para a fem de uma bobina

$$\mathcal{E} = -\mathcal{L}\frac{dI}{dt}. \tag{17.34}$$

O sinal negativo indica que a fem se opõe à mudança na corrente – é normalmente chamada de "fem contrária".

Como qualquer bobina possui uma autoindutância que se opõe à variação da corrente, a corrente na bobina possui um tipo de inércia. De fato, se quisermos variar a corrente em uma bobina, precisamos superar esta inércia ligando a bobina em alguma fonte externa de tensão, como uma bateria ou um gerador, conforme mostrado no diagrama esquemático da Figura 17–10(a). Neste circuito, a corrente I depende da tensão $\mathcal{V}$ de acordo com a relação

$$\mathcal{V} = \mathcal{L}\frac{dI}{dt}. \tag{17.35}$$

Essa equação possui a mesma forma que a lei de movimento de Newton para uma partícula em uma dimensão. Portanto, podemos estudá-la usando o princípio de que "mesmas equações possuem as mesmas soluções". Por isso, se tomarmos a tensão externa aplicada $\mathcal{V}$ como correspondendo a uma força externa aplicada F, e a corrente I na bobina correspondendo à velocidade v de uma partícula, então a indutância $\mathcal{L}$ corresponde à massa m da partícula.[3] Veja a Figura 17–10(b). Podemos estabelecer a seguinte tabela de quantidades correspondentes.

Partícula	*Bobina*
F (força)	$\mathcal{V}$ (diferença de potencial)
v (velocidade)	I (corrente)
x (deslocamento)	q (carga)
$F = m\dfrac{dv}{dt}$	$\mathcal{V} = \mathcal{L}\dfrac{dI}{dt}$
mv (momento)	$\mathcal{L}I$
$\frac{1}{2}mv^2$ (energia cinética)	$\frac{1}{2}\mathcal{L}I^2$ (energia magnética)

[3] Na verdade, esta *não* é a *única* maneira pela qual podemos estabelecer uma correspondência entre as quantidades mecânicas e elétricas.

17–8 Indutância e energia magnética

Continuando com a analogia da seção anterior, poderíamos esperar que, correspondendo ao momento mecânico $p = mv$, cuja taxa de variação dá a força aplicada, deveria haver uma quantidade análoga igual a $\mathcal{L}I$, cuja taxa de variação seria $\mathcal{V}$. É claro que não temos como dizer que $\mathcal{L}I$ seja o momento real do circuito; e na verdade, não é. O circuito completo pode estar parado, e não possuir momento. Somente podemos dizer que $\mathcal{L}I$ é análogo ao momento mv no sentido de satisfazer a equações correspondentes. No mesmo sentido, para a energia cinética $\frac{1}{2}mv^2$, corresponde uma quantidade análoga $\frac{1}{2}\mathcal{L}I^2$. Aqui temos uma surpresa. Esta $\frac{1}{2}\mathcal{L}I^2$ é realmente a energia, também no caso elétrico. Isso acontece porque a taxa na qual o trabalho é realizado sobre a indutância é $\mathcal{V}I$, e no caso mecânico é Fv, a quantidade correspondente. Portanto, no caso da energia, as quantidades não são correspondentes apenas matematicamente, mas também possuem o mesmo significado físico.

Podemos ver isso em maior detalhe no que se segue. Como vimos na Eq. (17.16), a taxa do trabalho elétrico realizado pelas forças indutivas é o produto entre a força eletromotriz e a corrente:

$$\frac{dW}{dt} = \mathcal{E}I.$$

Substituindo $\mathcal{E}$ por sua expressão em termos da corrente da Eq. (17.34), temos

$$\frac{dW}{dt} = -\mathcal{L}I\,\frac{dI}{dt}. \tag{17.36}$$

Integrando essa equação, encontramos que a energia necessária para que uma força externa consiga superar a fem na autoindutância enquanto a corrente está aumentando[4] (esta energia deve ser igual à energia armazenada, U) é

$$-W = U = \tfrac{1}{2}\mathcal{L}I^2. \tag{17.37}$$

Portanto a energia armazenada em uma indutância é $\frac{1}{2}\mathcal{L}I^2$.

Aplicando os mesmos argumentos a um par de bobinas como as das Figs. 17–8 ou 17–9, podemos mostrar que a energia elétrica total do sistema é dada por

$$U = \tfrac{1}{2}\mathcal{L}_1I_1^2 + \tfrac{1}{2}\mathcal{L}_2I_2^2 + \mathfrak{M}I_1I_2. \tag{17.38}$$

Isso se deve ao fato de que, começando com $I = 0$ em ambas as bobinas, poderíamos ligar primeiro a corrente I_1 na bobina 1, com $I_2 = 0$. O trabalho realizado é somente $\frac{1}{2}\mathcal{L}_2I_2^2$. Agora, ligando I_2, realizamos não somente o trabalho $\frac{1}{2}\mathcal{L}_2I_2^2$ contra a fem no circuito 2, mas também uma quantidade adicional $\mathfrak{M}\,I_1I_2$, que é a integral da fem $[\mathfrak{M}\,(dI_2/dt)]$ no circuito 1 vezes a corrente I_1 que agora é *constante* neste circuito.

Suponha que agora queiramos encontrar a força entre duas bobinas conduzindo as correntes I_1 e I_2. A princípio, poderíamos tentar usar o princípio dos trabalhos virtuais, fazendo a variação da energia da Eq. (17.38). Devemos lembrar, é claro, de que, quando variamos as posições relativas das bobinas, a única quantidade que muda é a indutância mútua $\mathfrak{M}$. Poderíamos escrever a equação do trabalho virtual como

$$-F\,\Delta x = \Delta U = I_1I_2\,\Delta\mathfrak{M}\ \text{(errada)}.$$

Essa equação está errada porque, como vimos anteriormente, ela inclui somente a variação na energia das duas bobinas e não inclui a variação na energia das fontes que mantêm as correntes I_1 e I_2 constantes. Podemos entender agora que estas fontes devem fornecer energia contra as fem nas bobinas enquanto elas se movem. Se desejarmos

[4] Estamos desprezando qualquer perda de energia da corrente na forma de calor por causa da resistência da bobina. Tais perdas requerem energia adicional da fonte, mas não mudam a energia que vai para a indutância.

aplicar o princípio dos trabalhos virtuais corretamente, precisamos incluir essas energias. Entretanto, podemos pegar um atalho, como já vimos, e usar o princípio dos trabalhos virtuais lembrando que a energia total é o oposto do que havíamos chamado de U_{mec}, a "energia mecânica". Podemos então escrever para a força

$$-F\,\Delta x = \Delta U_{mec} = -\Delta U. \tag{17.39}$$

A força entre duas bobinas é dada então por

$$F\,\Delta x = I_1 I_2\,\Delta\mathfrak{M}.$$

A Eq. (17.38) para a energia de um sistema de duas bobinas pode ser usada para mostrar que existe uma inequação interessante entre a indutância mútua $\mathfrak{M}$ e as auto-indutâncias $\mathfrak{L}_1$ e $\mathfrak{L}_2$ das duas bobinas. É claro que a energia das duas bobinas deve ser positiva. Se começarmos com correntes iguais a zero nas bobinas e aumentarmos essas correntes até alguns valores determinados, estaremos fornecendo a energia ao sistema. Se não, as correntes aumentariam espontaneamente, liberando energia para o resto do mundo – algo não muito provável de acontecer! Nossa equação para a energia, Eq. (17.38), pode ser igualmente escrita na seguinte forma:

$$U = \frac{1}{2}\,\mathfrak{L}_1\left(I_1 + \frac{\mathfrak{M}}{\mathfrak{L}_1}\,I_2\right)^2 + \frac{1}{2}\left(\mathfrak{L}_2 - \frac{\mathfrak{M}^2}{\mathfrak{L}_1}\right)I_2^2. \tag{17.40}$$

Esta é apenas uma transformação algébrica. Esta quantidade deve ser sempre positiva, para quaisquer valores de I_1 e I_2. Em particular, deve ser positiva se I_2 tiver o valor especial

$$I_2 = -\frac{\mathfrak{L}_1}{\mathfrak{M}}\,I_1. \tag{17.41}$$

Contudo, com esse valor para I_2, o primeiro termo na Eq. (17.40) é zero. Para que a energia seja positiva, o último termo na Eq. (17.40) deve ser maior que zero. Temos então a condição

$$\mathfrak{L}_1\mathfrak{L}_2 > \mathfrak{M}^2.$$

Acabamos de demonstrar o resultado geral de que a magnitude da indutância mútua $\mathfrak{M}$ de duas bobinas é necessariamente menor do que a média geométrica entre as duas autoindutâncias ($\mathfrak{M}$ pode ser positiva ou negativa, dependendo da convenção de sinal para as correntes I_1 e I_2).

$$|\mathfrak{M}| < \sqrt{\mathfrak{L}_1\mathfrak{L}_2}. \tag{17.42}$$

A relação entre $\mathfrak{M}$ e as autoindutâncias é normalmente escrita como

$$\mathfrak{M} = k\sqrt{\mathfrak{L}_1\mathfrak{L}_2}. \tag{17.43}$$

A constante k é chamada de coeficiente de acoplamento. Se a maior parte do fluxo de uma bobina for enlaçada pela outra, o coeficiente de acoplamento é próximo de 1; dizemos então que as bobinas são "perfeitamente acopladas". Se as bobinas estiverem distantes ou dispostas de maneira que exista muito pouco fluxo enlaçado mutuamente, o coeficiente de acoplamento será próximo de zero e a indutância mútua será muito pequena.

Para calcular a indutância mútua entre duas bobinas, demos na Eq. (17.30) uma fórmula que é uma integral dupla ao longo dos dois circuitos. Poderíamos imaginar que a mesma fórmula pudesse ser usada para obtermos a autoindutância de uma bobina, resolvendo as duas integrais de linha ao longo do mesmo circuito. No entanto, isso não funciona porque o denominador r_{12} do integrando vai a zero quando os dois elementos de linha, $d\mathbf{s}_1$ e $d\mathbf{s}_2$ estão no mesmo ponto da bobina. A autoindutância obtida a partir dessa fórmula é infinita. O motivo é que esta fórmula é uma aproximação válida somente quando as seções transversais das bobinas são pequenas quando comparadas com a distância de um circuito ao outro. Claramente, essa aproximação não é válida para uma bobina. De fato, é verdade que a indutância de uma bobina tende logaritmicamente a infinito quando tomamos o diâmetro de seu fio cada vez menor.

Devemos então procurar uma maneira diferente para calcular a autoindutância de uma bobina. É necessário levar em conta a distribuição das correntes dentro dos fios, porque o tamanho do fio é um parâmetro importante. Portanto, não deveríamos perguntar qual é a indutância de um circuito, mas sim qual é a indutância de uma *distribuição* de condutores. Talvez a maneira mais fácil de se obter esta indutância seja fazendo uso da energia magnética. Vimos anteriormente, na Seção 15-3, uma expressão para a energia magnética de uma distribuição de correntes estacionárias:

$$U = \tfrac{1}{2}\int \boldsymbol{j}\cdot\boldsymbol{A}\,dV. \tag{17.44}$$

Se soubermos a distribuição da densidade de corrente $\boldsymbol{j}$, podemos calcular o potencial vetor $\boldsymbol{A}$ e então resolver a integral da Eq. (17.44) para obter a energia. Esta energia é igual à energia magnética da autoindutância, $\tfrac{1}{2}\mathfrak{L}I^2$. Igualando as duas energias, temos uma fórmula para a autoindutância:

$$\mathfrak{L} = \frac{1}{I^2}\int \boldsymbol{j}\cdot\boldsymbol{A}\,dV. \tag{17.45}$$

Esperamos, é claro, que a indutância seja um número que dependa somente da geometria do circuito, e não da corrente I no circuito. Realmente, a fórmula da Eq. (17.45) dá este resultado, pois a integral na equação é proporcional ao quadrado da corrente – a corrente aparece uma vez em $\boldsymbol{j}$ e novamente no potencial vetor $\boldsymbol{A}$. A integral dividida por I^2 depende da geometria do circuito, mas não da corrente I.

A Equação (17.44) para a energia de uma distribuição de correntes pode ser posta em uma forma bastante diferente, que às vezes é mais conveniente para os cálculos. Além disso, como veremos mais adiante, essa é uma forma importante porque é válida de maneira mais geral. Na equação da energia, Eq. (17.44), tanto $\boldsymbol{A}$ como $\boldsymbol{j}$ podem ser relacionados a $\boldsymbol{B}$, de modo que esperamos que seja possível expressar a energia em termos do campo magnético – da mesma forma como foi possível relacionar a energia eletrostática com o campo elétrico. Começamos substituindo $\boldsymbol{j}$ por $\epsilon_0 c^2\nabla\times\boldsymbol{B}$. Não podemos substituir $\boldsymbol{A}$ tão facilmente, já que $\boldsymbol{B} = \nabla\times\boldsymbol{A}$ não pode ser invertida para dar $\boldsymbol{A}$ em termos de $\boldsymbol{B}$. Mesmo assim, podemos escrever

$$U = \frac{\epsilon_0 c^2}{2}\int (\nabla\times\boldsymbol{B})\cdot\boldsymbol{A}\,dV. \tag{17.46}$$

Um fato interessante é que – com algumas restrições – essa integral pode ser escrita como

$$U = \frac{\epsilon_0 c^2}{2}\int \boldsymbol{B}\cdot(\nabla\times\boldsymbol{A})\,dV. \tag{17.47}$$

Para mostrar isto, vamos escrever em detalhe um termo típico. Vamos tomar o termo $(\nabla\times\boldsymbol{B})_z A_z$ que ocorre na integral da Eq. (17.46). Escrevendo as componentes, obtemos

$$\int\left(\frac{\partial B_y}{\partial x} - \frac{\partial B_x}{\partial y}\right)A_z\,dx\,dy\,dz.$$

(Existem, é claro, mais duas integrais do mesmo tipo.) Vamos integrar o primeiro termo em relação a x – integrando por partes. Ou seja, podemos escrever que

$$\int \frac{\partial B_y}{\partial x}A_z\,dx = B_y A_z - \int B_y\frac{\partial A_z}{\partial x}\,dx.$$

Agora suponha que o nosso sistema – incluindo as correntes e os campos – seja finito, de modo que se formos até grandes distâncias todos os campos irão a zero. Então, se as integrais forem resolvidas no espaço todo, o valor do termo B_yA_z nos extremos dará zero. Ficamos apenas com o termo $B_y(\partial A_z/\partial x)$, que é evidentemente uma parte de $B_y(\nabla \times \boldsymbol{A})_y$ e, consequentemente, de $\boldsymbol{B} \cdot (\nabla \times \boldsymbol{A})$. Se você desenvolver os outros cinco termos, verá que a Eq. (17.47) é realmente equivalente à Eq. (17.46).

Agora podemos substituir $(\nabla \times \boldsymbol{A})$ por $\boldsymbol{B}$, obtendo

$$U = \frac{\epsilon_0 c^2}{2} \int \boldsymbol{B} \cdot \boldsymbol{B}\, dV. \tag{17.48}$$

Conseguimos expressar a energia de uma situação magnetostática em termos apenas do campo magnético. Essa expressão corresponde à fórmula que encontramos para a energia eletrostática:

$$U = \frac{\epsilon_0}{2} \int \boldsymbol{E} \cdot \boldsymbol{E}\, dV. \tag{17.49}$$

Uma razão para enfatizar estas duas fórmulas para a energia é que às vezes elas são mais convenientes para os cálculos. Mais importante do que isso, acontece que, para campos dinâmicos (quando $\boldsymbol{E}$ e $\boldsymbol{B}$ variam com o tempo), as duas expressões, (17.48) e (17.49), permanecem verdadeiras, enquanto que outras fórmulas que derivamos para as energias elétrica e magnética não são mais corretas – elas são válidas apenas para campos estáticos.

Se conhecermos o campo magnético de uma bobina, poderemos encontrar a sua auto-indutância igualando a expressão para a energia (17.48) a $\frac{1}{2}\mathfrak{L}I^2$. Vamos ver como isso funciona encontrando a autoindutância de um solenoide longo. Vimos anteriormente que o campo magnético interior a um solenoide é uniforme e $\boldsymbol{B}$ é nulo no exterior. A magnitude do campo no interior é $B = nI/\epsilon_0 c^2$, onde n é o número de voltas por unidade de comprimento no enrolamento e I é a corrente. Seja r o raio da bobina e L o seu comprimento (supomos que L seja muito longo, de modo que podemos desprezar os efeitos de borda, ou seja, $L \gg r$); assim, o volume interno é $\pi r^2 L$. Então a energia magnética é

$$U = \frac{\epsilon_0 c^2}{2} B^2 \cdot (\text{Vol}) = \frac{n^2 I^2}{2\epsilon_0 c^2} \pi r^2 L,$$

que é igual a $\frac{1}{2}\mathfrak{L}I^2$. Ou,

$$\mathfrak{L} = \frac{\pi r^2 n^2}{\epsilon_0 c^2} L. \tag{17.50}$$

18

As Equações de Maxwell

18–1 As equações de Maxwell

Neste capítulo, retornamos ao conjunto completo das quatro equações de Maxwell, que tomamos como ponto de partida no Capítulo 1. Até agora, estudamos as equações de Maxwell por partes; é hora de adicionar uma última peça e colocá-las todas juntas de novo. Teremos então a história completa e correta para campos elétricos e magnéticos que podem estar variando com o tempo de qualquer maneira. Tudo o que é dito neste capítulo e contradiz o que foi dito antes é verdadeiro, e o que foi dito antes é falso – porque o que foi dito antes se aplica a situações especiais como, por exemplo, correntes estacionárias ou cargas fixas. Apesar de termos sido muito cuidadosos, e de termos apontado as devidas restrições, sempre que escrevemos uma equação, é fácil esquecer todas as condições e aprender bem demais as equações erradas. Agora estamos prontos para dar a verdade completa, sem restrições (ou quase sem).

As equações de Maxwell completas estão escritas na Tabela 18-1, em palavras assim como em símbolos matemáticos. O fato de que as palavras são equivalentes às equações já deveria ser familiar agora – você deveria ser capaz de traduzir de uma forma para a outra.

A primeira equação – que o divergente de $\boldsymbol{E}$ é a densidade de carga sobre ϵ_0 – é verdadeira sempre. Em campos dinâmicos assim como nos campos estáticos, a lei de Gauss é sempre válida. O fluxo de $\boldsymbol{E}$ através de qualquer superfície fechada é proporcional à carga em seu interior. A terceira equação é a lei geral correspondente para campos magnéticos. Como não existem cargas magnéticas, o fluxo de $\boldsymbol{B}$ através de qualquer superfície fechada é sempre zero. A segunda equação, que o rotacional de $\boldsymbol{E}$ é $-\partial\boldsymbol{B}/\partial t$, é a lei de Faraday e foi discutida nos últimos dois capítulos. Ela também é verdadeira sempre. A última equação tem algo de novo. Vimos antes apenas a parte válida para correntes estacionárias. Naquele caso dissemos que o rotacional de $\boldsymbol{B}$ era $\boldsymbol{j}/\epsilon_0 c^2$, mas a equação correta e geral possui uma parte nova que foi descoberta por Maxwell.

Até o trabalho de Maxwell, as leis da eletricidade e do magnetismo conhecidas eram aquelas que estudamos do Capítulo 3 até o 17. Em particular, a equação para o campo magnético de correntes estacionárias era conhecida apenas como

$$\nabla \times \boldsymbol{B} = \frac{\boldsymbol{j}}{\epsilon_0 c^2}. \tag{18.1}$$

Maxwell começou considerando as leis conhecidas e expressou-as como equações diferenciais, como fizemos. (Apesar de, naquela época, a notação ∇ ainda não ter sido inventada, é principalmente devido a Maxwell que a importância das combinações de derivadas, que chamamos de rotacional e divergente, tornou-se conhecida.) Ele reparou que havia algo de estranho na Eq. (18.1). Se tomarmos o divergente desta equação, o lado esquerdo será zero, porque o divergente de um rotacional é sempre zero. Assim esta equação requer que o divergente de $\boldsymbol{j}$ também seja zero, mas se o divergente de $\boldsymbol{j}$ for zero, então o fluxo total de corrente saindo de qualquer superfície fechada será zero.

O fluxo de corrente de uma superfície fechada dá a diminuição da carga dentro da superfície. Isso certamente não pode ser zero em geral, porque sabemos que as cargas podem se mover de um lugar para o outro. A equação

$$\nabla \cdot \boldsymbol{j} = -\frac{\partial \rho}{\partial t} \tag{18.2}$$

tem sido, de fato, quase nossa definição de $\boldsymbol{j}$. Essa equação expressa a muito fundamental lei da conservação da carga elétrica – qualquer fluxo de carga deve vir de algum lugar. Maxwell considerou essa dificuldade e propôs que ela poderia ser resolvida adicionando-se o termo $\partial\boldsymbol{E}/\partial t$ ao lado direito da Eq. (18.1); assim, ele obteve a quarta equação da Tabela 18-1:

Tabela 18-1 Física clássica

Equações de Maxwell	
I. $\nabla \cdot \boldsymbol{E} = \dfrac{\rho}{\epsilon_0}$	(Fluxo de $\boldsymbol{E}$ através de uma superfície fechada) = (Carga no interior)/ϵ_0
II. $\nabla \times \boldsymbol{E} = -\dfrac{\partial \boldsymbol{B}}{\partial t}$	(Integral de linha de $\boldsymbol{E}$ ao redor de um caminho fechado) = $-\dfrac{d}{dt}$ (Fluxo de $\boldsymbol{B}$ através do caminho fechado)
III. $\nabla \cdot \boldsymbol{B} = 0$	(Fluxo de $\boldsymbol{B}$ através de uma superfície fechada) = 0
IV. $c^2\nabla \times \boldsymbol{B} = \dfrac{\boldsymbol{j}}{\epsilon_0} + \dfrac{\partial \boldsymbol{E}}{\partial t}$	c^2(Integral de $\boldsymbol{B}$ ao redor de um caminho fechado) = (Corrente através do caminho fechado)/ϵ_0 $+\dfrac{d}{dt}$ (Fluxo de $\boldsymbol{E}$ através do caminho fechado)
[Conservação da carga $\nabla \cdot \boldsymbol{j} = -\dfrac{\partial \rho}{\partial t}$	(Fluxo de corrente através de uma superfície fechada) = $-\dfrac{d}{dt}$(Carga no interior)]
Lei de força $\boldsymbol{F} = q(\boldsymbol{E} + \boldsymbol{v} \times \boldsymbol{B})$	
Lei de movimento $\dfrac{d}{dt}(\boldsymbol{p}) = \boldsymbol{F}$, onde	$\boldsymbol{p} = \dfrac{m\boldsymbol{v}}{\sqrt{1 - v^2/c^2}}$ (Lei de Newton, com as modificações de Einstein)
Gravitação $\boldsymbol{F} = -G\dfrac{m_1 m_2}{r^2}\boldsymbol{e}_r$	

$$\text{IV.} \quad c^2\nabla \times \boldsymbol{B} = \frac{\boldsymbol{j}}{\epsilon_0} + \frac{\partial \boldsymbol{E}}{\partial t}.$$

Ainda não era comum na época de Maxwell pensar em termos de campos abstratos. Maxwell discutiu suas ideias em termos de um modelo no qual o vácuo era como um sólido elástico. Ele também tentou explicar o significado de sua nova equação em termos deste modelo mecânico. Houve muita relutância para se aceitar sua teoria, primeiramente por causa do modelo, e segundo porque não havia uma justificativa experimental. Hoje, entendemos melhor que o que conta são as equações em si, e não o modelo usado para obtê-las. Podemos perguntar apenas se as equações são verdadeiras ou falsas. Isso é respondido realizando-se experimentos, e um número sem fim de experimentos confirmou as equações de Maxwell. Se retirarmos a armação usada para construí-lo, veremos que o belo edifício de Maxwell se mantém de pé. Ele agrupou todas as leis da eletricidade e do magnetismo e construiu uma teoria completa e maravilhosa.

Vamos mostrar que o termo extra é justamente o que faltava para resolver a dificuldade que Maxwell descobriu. Tomando o divergente de sua equação (IV na Tabela 18-1), devemos obter que o divergente do lado direito é zero:

$$\nabla \cdot \frac{\boldsymbol{j}}{\epsilon_0} + \nabla \cdot \frac{\partial \boldsymbol{E}}{\partial t} = 0. \tag{18.3}$$

No segundo termo, a ordem das derivadas em relação às coordenadas espaciais e ao tempo pode ser invertida, de modo que a equação pode ser reescrita como

$$\nabla \cdot \boldsymbol{j} + \epsilon_0 \frac{\partial}{\partial t} \nabla \cdot \boldsymbol{E} = 0. \tag{18.4}$$

A primeira das equações de Maxwell diz que o divergente de $\boldsymbol{E}$ é ρ/ϵ_0. Inserindo esta igualdade na Eq. (18.4), obtemos novamente a Eq. (18.2), que já sabemos ser verdadeira. Reciprocamente, se aceitarmos as equações de Maxwell – e aceitamos, porque ninguém jamais realizou um experimento que contradissesse estas equações –, devemos concluir que a carga é sempre conservada.

As leis da física não têm resposta para a pergunta: "O que acontece se uma carga for subitamente criada neste ponto – quais efeitos eletromagnéticos são produzidos?" Nenhuma resposta pode ser dada, porque nossas equações dizem que isso simplesmente não acontece. Se isso *acontecesse*, precisaríamos de novas leis, mas não sabemos dizer como elas seriam. Não tivemos a chance de observar como um mundo sem conservação de carga se comporta. De acordo com as nossas equações, se você coloca uma carga subitamente em algum lugar, você teve de levá-la até lá de algum outro lugar. Neste caso, podemos dizer o que acontece.

Quando adicionamos um termo novo à equação para o rotacional de $\boldsymbol{E}$, encontramos toda uma nova classe de fenômenos. Veremos que a pequena contribuição de Maxwell na equação para $\nabla \times \boldsymbol{B}$ também possui consequências importantíssimas. Vamos ver apenas algumas delas neste capítulo.

18–2 Como o novo termo funciona

Como nosso primeiro exemplo, vamos considerar o que acontece com uma distribuição de correntes radial e esfericamente simétrica. Imagine uma pequena esfera com material radioativo em seu interior. Este material radioativo está liberando partículas carregadas. (Alternativamente, poderíamos imaginar um bloco grande de gelatina com um pequeno buraco no centro no qual um pouco de carga tivesse sido injetado com uma seringa hipodérmica, de onde a corrente estivesse vazando lentamente.) Em qualquer dos casos, teríamos uma corrente com a mesma magnitude em todas as direções.

Seja $Q(r)$ a carga total dentro de um raio r. Sendo $\boldsymbol{j}(r)$ a densidade de corrente no mesmo raio, então a Eq. (18.2) implica que Q decresce a uma taxa

$$\frac{\partial Q(r)}{\partial t} = -4\pi r^2 j(r). \tag{18.5}$$

Queremos saber agora qual é o campo magnético produzido pelas correntes nesta situação. Seja Γ um caminho fechado sobre uma esfera de raio r, como mostrado na Figura 18–1. Existe alguma corrente passando por este caminho, de modo que esperaríamos encontrar um campo magnético circulando na direção mostrada.

Aqui estamos realmente em dificuldades. Como $\boldsymbol{B}$ pode ter uma direção particular sobre a esfera? Uma escolha diferente de Γ poderia nos levar a concluir que a sua direção é exatamente oposta à direção mostrada. Então *como* pode existir $\boldsymbol{B}$ circulando ao redor das correntes?

Somos resgatados pelas equações de Maxwell. A circulação de $\boldsymbol{B}$ depende não apenas da *corrente* total através de Γ, mas também da taxa de variação com o tempo do *fluxo elétrico* através do caminho fechado. Na verdade, essas duas contribuições devem se cancelar. Vamos ver como isso funciona.

O campo elétrico no raio r deve ser $Q(r)/4\pi\epsilon_0 r^2$ – enquanto a carga for distribuída esfericamente, como supusemos. O campo é radial e a sua taxa de variação é

$$\frac{\partial E}{\partial t} = \frac{1}{4\pi\epsilon_0 r^2}\frac{\partial Q}{\partial t}. \tag{18.6}$$

Comparando esse resultado com a Eq. (18.5), vemos que

$$\frac{\partial E}{\partial t} = -\frac{j}{\epsilon_0}. \tag{18.7}$$

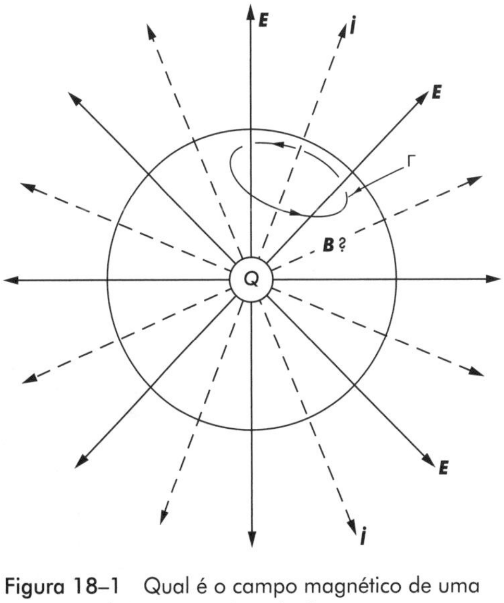

Figura 18–1 Qual é o campo magnético de uma corrente esfericamente simétrica?

Na Eq. IV os dois termos de fonte se cancelam, e o rotacional de $\boldsymbol{B}$ é sempre zero. Não há campo magnético neste exemplo.

Como um segundo exemplo, vamos considerar o campo magnético de um fio usado para carregar um capacitor de placas paralelas (ver Figura 18–2). Se a corrente Q nas placas estiver variando com o tempo (mas não muito rapidamente), a corrente nos fios será igual a dQ/dt. Esperaríamos que esta corrente produzisse um campo magnético circulando o fio. Certamente, a corrente próxima da placa deve produzir um campo magnético normal – o campo não pode depender de onde a corrente vai.

Suponha que tomemos um caminho fechado Γ_1 que é um círculo de raio r, como mostrado na parte (a) da figura. A integral de linha do campo magnético deveria ser igual à corrente I dividida por $\epsilon_0 c^2$. Temos então

$$2\pi r B = \frac{I}{\epsilon_0 c^2}. \tag{18.8}$$

Esse é o resultado que esperaríamos para uma corrente estacionária, mas também está compatível com o termo adicionado por Maxwell, pois se considerarmos a superfície plana S interior ao círculo, não existem campos elétricos presentes (assumindo que o fio seja um condutor muito bom). A integral de superfície de $\partial \boldsymbol{E}/\partial t$ é zero.

Entretanto, suponha que movêssemos a curva Γ lentamente para baixo. Obteremos sempre o mesmo resultado, até ficarmos na altura das placas do capacitor. Então a corrente I vai a zero. Será que o campo magnético desaparece? Isso seria bastante estranho. Vejamos o que diz a equação de Maxwell para a curva Γ_2, um círculo de raio r cujo plano passa entre as placas do capacitor [Figura 18–2 (b)]. A integral de linha de $\boldsymbol{B}$ ao redor de Γ_2 é $2\pi r B$. Esse resultado deve ser igualado à derivada temporal do fluxo de $\boldsymbol{E}$ através da superfície circular plana S_2. Sabemos da lei de Gauss que este fluxo de $\boldsymbol{E}$ deve ser igual a $1/\epsilon_0$ vezes a carga Q em uma das placas do capacitor. Temos então

$$c^2\, 2\pi r B = \frac{d}{dt}\left(\frac{Q}{\epsilon_0}\right). \tag{18.9}$$

Isso é muito conveniente. É o mesmo resultado que obtivemos na Eq. (18.8). Efetuar a integração sobre o campo elétrico variável dá o mesmo resultado que efetuar a integração sobre a corrente elétrica no fio. Isso, obviamente, é exatamente o que a equação de Maxwell afirma. É fácil de se ver que este resultado se mantém sempre, aplicando os mesmos argumentos às duas superfícies, S_1 e S_1', limitadas pelo mesmo círculo Γ_1 na Figura 18–2 (b). Através de S_1 passa a corrente I, mas não há fluxo elétrico. Através de S_1' não há corrente, mas há um fluxo elétrico variando em uma taxa I/ϵ_0. O mesmo $\boldsymbol{B}$ será obtido se usarmos a Eq. IV com qualquer das duas superfícies.

Com a nossa discussão do termo novo de Maxwell, até agora, você pode ter a impressão de que ele não traz nada novo – apenas conserta as equações para concordar com o que já esperávamos. É verdade que se considerarmos *apenas* a Eq. IV, nada

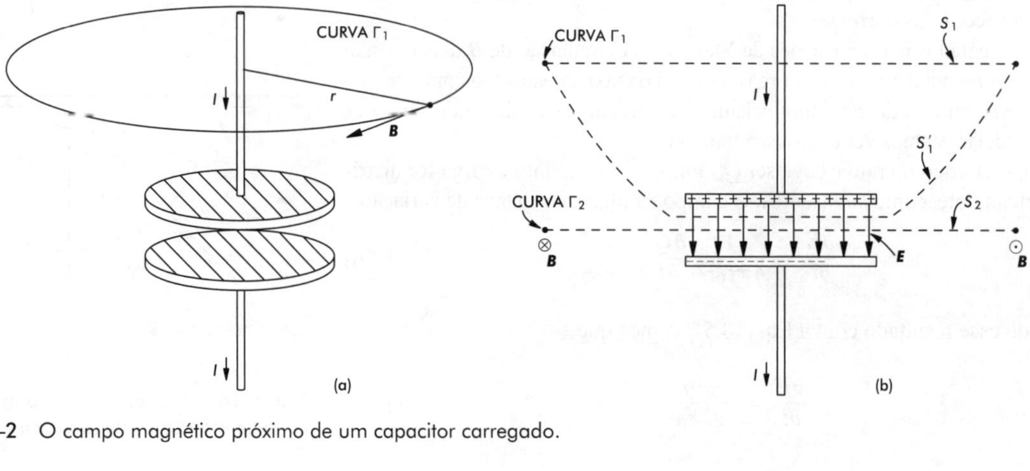

Figura 18–2 O campo magnético próximo de um capacitor carregado.

particularmente novo vai aparecer. No entanto, a palavra "*apenas*" é de extrema importância. A pequena mudança que Maxwell introduziu na Eq. IV, quando *combinada* com as outras equações, produz realmente muitos resultados novos e importantes. Porém, antes de considerar esses assuntos, vamos discutir um pouco mais a Tabela 18-1.

18–3 Toda a física clássica

Na Tabela 18-1 temos tudo o que era conhecido sobre a física *clássica* fundamental, ou seja, a física conhecida até 1905. Aqui está tudo, em uma tabela. Com estas equações, podemos entender todo o campo da física clássica.

Primeiro temos as equações de Maxwell – escritas na forma expandida e na forma matemática curta. Depois temos a conservação da carga, escrita entre parênteses, porque a partir do momento que temos as equações de Maxwell completas, podemos deduzir a conservação da carga. A tabela é até mesmo um pouco redundante. A seguir, temos a lei da força, porque ter todos os campos elétricos e magnéticos não nos diz nada até sabermos como eles atuam sobre as cargas. No entanto, conhecendo $\boldsymbol{E}$ e $\boldsymbol{B}$ podemos obter a força em um objeto com carga q e movendo-se com uma velocidade $\boldsymbol{v}$. Finalmente, saber a força não nos diz nada até sabermos o que acontece quando a força age sobre alguma coisa; precisamos da lei de movimento, que afirma que a força é igual à taxa de variação do momento (lembra-se? Vimos isso no Volume I). Incluímos até os efeitos relativísticos, escrevendo o momento como $p = m_0 v/\sqrt{1 - v^2/c^2}$.

Se quisermos ser realmente completos, devemos acrescentar mais uma lei – a lei da gravitação de Newton –, então a colocamos no final.

Assim temos em uma pequena tabela todas as leis fundamentais da física clássica – com espaço até para escrevê-las em palavras e com alguma redundância. Este é um grande momento. Escalamos um grande pico. Estamos no topo do K-2 – estamos quase prontos para o Monte Everest, que é a mecânica quântica. Escalamos um "Divisor de Águas", e agora podemos descer para o outro lado.

Até agora estivemos principalmente tentando entender as equações. Agora que temos o conjunto completo, vamos estudar o que as equações significam – quais são as coisas novas que elas afirmam e nós ainda não vimos. Trabalhamos bastante para chegar a este ponto. Foi um grande esforço, mas agora vamos ter uma agradável descida montanha abaixo enquanto vemos todas as consequências do que conseguimos.

18–4 Um campo viajante

Agora vamos às consequências. Elas aparecem quando colocamos todas as equações de Maxwell juntas. Primeiro, vamos ver o que aconteceria em uma circunstância particularmente simples. Supondo que todas as quantidades variam apenas em uma coordenada, temos um problema unidimensional. A situação é mostrada na Figura 18–3. Temos uma folha de cargas localizada no plano yz. A folha está inicialmente em repouso, então adquire instantaneamente uma velocidade u na direção y, e se mantém em movimento com velocidade constante. Você poderia se preocupar com esta aceleração "infinita", mas isso realmente não importa; apenas imagine que a velocidade cresce até u muito rapidamente. Assim temos subitamente uma corrente superficial J (J é a corrente por unidade de comprimento na direção z). Para manter o problema simples, vamos supor que exista uma folha estacionária com cargas de sinal oposto superposta ao plano yz, de modo que não existem efeitos eletrostáticos. Além disso, apesar de mostrarmos na figura apenas o que acontece em uma região finita, vamos imaginar que a folha se estende até o infinito em $\pm\, y$ e $\pm\, z$. Em outras palavras, temos uma situação na qual não há corrente, e então subitamente há uma folha de corrente uniforme. O que acontece?

Bem, quando existe uma folha de corrente na direção de y positivo, existe, como sabemos, um campo magnético gerado na direção de z negativo para $x > 0$ e na direção oposta para $x < 0$. Podemos obter a magnitude de $\boldsymbol{B}$ usando o fato de que a integral de linha do campo magnético será igual à corrente sobre $\epsilon_0 c^2$. Obtemos $B = J/2\epsilon_0 c^2$ (pois a corrente I em uma faixa de largura w é Jw e a integral de linha de $\boldsymbol{B}$ é $2Bw$).

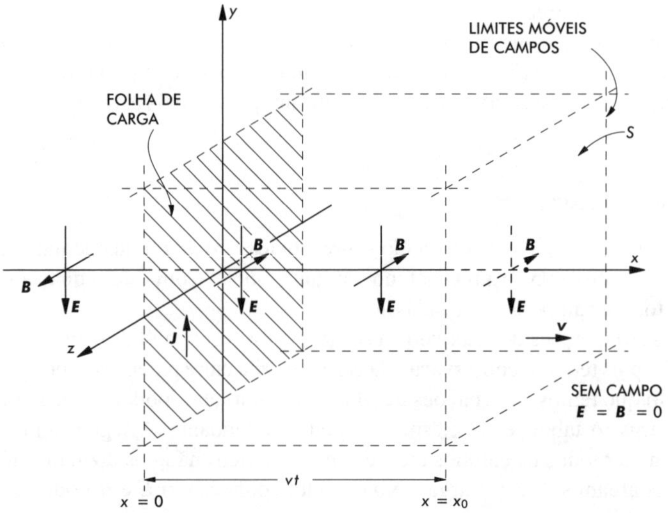

Figura 18–3 Uma folha infinita de carga é subitamente posta em movimento paralelamente a si mesma. Existem campos magnéticos e elétricos que se propagam a partir da folha com velocidade constante.

Este cálculo dá o campo próximo à folha – para x pequeno –, mas como estamos imaginando uma folha infinita poderíamos esperar que o mesmo argumento fornecesse o campo magnético mais longe, para valores maiores de x. Porém, isso significaria que no momento em que ligamos a corrente, o campo magnético muda subitamente de zero para um valor finito em todo o espaço. Mas espere! Se o campo magnético varia subitamente, ele produz efeitos elétricos tremendos (de *qualquer* maneira que ele varie, ele produz efeitos elétricos). Então quando movemos a folha de carga, produzimos um campo magnético variável; logo, campos elétricos devem ser gerados. Se campos elétricos são gerados, eles começam do zero até algum valor. Haverá então algum $\partial \boldsymbol{E}/\partial t$ que, juntamente à corrente J, fará uma contribuição à produção do campo magnético. Consequentemente, temos uma grande mistura entre as equações e precisamos resolver o problema para todos os campos ao mesmo tempo.

Considerando apenas as equações de Maxwell, não é fácil ver diretamente como obter a solução. Portanto, vamos mostrar primeiro qual é a solução, e depois vamos verificar que esta solução realmente satisfaz às equações. A resposta é a seguinte: o campo $\boldsymbol{B}$ que calculamos é, de fato, gerado próximo à folha de corrente (para x pequeno). Isso deve ser assim, porque se fizermos um pequeno caminho fechado ao redor da folha, não haverá espaço para que nenhuma quantidade de fluxo elétrico passe por ele. O campo $\boldsymbol{B}$, mais ao longe – para x maior – é, a princípio, zero. Ele se mantém nulo por algum tempo e depois é ligado subitamente. Resumindo, ligamos a corrente, e o campo magnético imediatamente próximo a ela adquire um valor constante $\boldsymbol{B}$; então o aparecimento de $\boldsymbol{B}$ se espalha a partir da região da fonte. Depois de um certo tempo, existe um campo magnético uniforme em todo lugar até um certo valor x, e além deste x o campo é zero. Devido à simetria, o campo se espalha nas direções de x positivo e negativo.

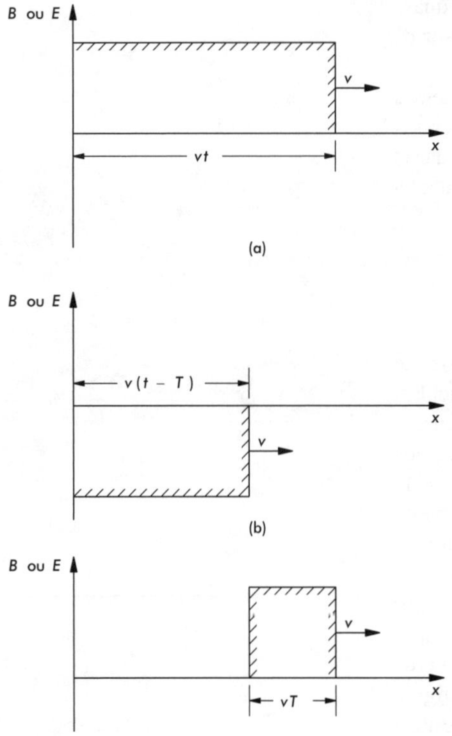

Figura 18–4 (a) A magnitude de B (ou E) como função de x em um tempo t após a folha de cargas ser posta em movimento. (b) Os campos para uma folha de cargas em movimento, na direção de y negativo, em $t = T$. (c) A soma de (a) e (b).

Com o campo $\boldsymbol{E}$ acontece a mesma coisa. Antes de $t = 0$ (quando ligamos a corrente), o campo é zero em todos os pontos. Então, após um tempo t, tanto $\boldsymbol{E}$ quanto $\boldsymbol{B}$ são uniformes até uma distância $x = vt$, e zero além dela. Os campos caminham para frente como uma onda de maré, com uma frente se movendo a uma velocidade constante que veremos que é igual a c, mas que chamaremos de v por enquanto. Um gráfico da magnitude de $\boldsymbol{E}$ ou $\boldsymbol{B}$ contra x para um certo tempo t é mostrado na Figura 18–4(a). Olhando novamente a Figura 18–3, vemos que, no tempo t, a região $x = \pm\ vt$ está "preenchida" pelos campos, mas eles ainda não avançaram. Enfatizamos novamente que estamos considerando que a folha de corrente, portanto também os campos $\boldsymbol{E}$ e $\boldsymbol{B}$, se estende até uma distância infinita nas direções y e z (como não podemos desenhar uma folha infinita, mostramos apenas o que acontece em uma área finita).

Agora vamos analisar quantitativamente o que está acontecendo. Para fazer isso, vamos olhar para duas seções transversais, uma vista superior ao longo do eixo y, como mostrado na Figura 18–5, e uma vista lateral ao longo do eixo z, como mostrado na Figura 18–6. Vamos começar com a vista lateral. Podemos ver a folha carregada se movendo para cima; o campo magnético está entrando na página para $x > 0$ e está saindo da página para $x < 0$, e o campo elétrico aponta para baixo em todos os pontos – até $x = \pm vt$.

Vejamos agora se esses campos são compatíveis com as equações de Maxwell. Primeiro vamos desenhar um caminho fechado como os que usamos para calcular integrais de linha, como o retângulo Γ_2 mostrado na Figura 18–6. Você pode reparar que um lado do retângulo esteja na região onde existem campos, mas o outro lado está na região que os campos ainda não atingiram. Existe algum fluxo magnético através deste circuito. Se o fluxo estiver variando, deverá haver uma fem ao longo do caminho. Se a frente de ondas estiver se movendo, teremos um fluxo magnético variável, pois a área na qual $\boldsymbol{B}$ existe está aumentando progressivamente com velocidade v. O fluxo no interior de Γ_2 é B vezes a parte da área interior a Γ_2 na qual há campo magnético. Como a magnitude de $\boldsymbol{B}$ é constante, a taxa de variação do fluxo é dada pela magnitude de $\boldsymbol{B}$ vezes a taxa de variação da área. A taxa de variação da área é fácil de se obter. Seja L a largura do retângulo Γ_2, então a área na qual temos $\boldsymbol{B}$ varia de $Lv\,\Delta t$ no tempo Δt (vejam a Figura 18–6). A taxa de variação do fluxo é, portanto, BLv. De acordo com a lei de Faraday, esse resultado deveria ser igual a menos a integral de linha de $\boldsymbol{E}$ ao longo de Γ_2, que é apenas EL. Temos então a equação

$$E = vB. \tag{18.10}$$

Então se a razão entre E e B for v, os campos que supusemos satisfarão à equação de Faraday.

Essa não é a única equação; temos a outra equação relacionando $\boldsymbol{E}$ e $\boldsymbol{B}$:

$$c^2\nabla \times \boldsymbol{B} = \frac{\boldsymbol{j}}{\epsilon_0} + \frac{\partial \boldsymbol{E}}{\partial t}. \tag{18.11}$$

Para usar essa equação, vamos olhar a vista superior na Figura 18–5. Já vimos que essa equação fornece o valor de B próximo à folha de corrente. Além disso, para qualquer caminho fechado desenhado fora da folha, mas atrás da frente de onda, não há rotacional de $\boldsymbol{B}$, nem $\boldsymbol{j}$ ou $\boldsymbol{E}$ variável, de modo que a equação está correta nesta região. Agora vamos ver o que acontece com a curva Γ_1 que interseciona a frente de onda, como mostrado na Figura 18–5. Aqui temos correntes, de modo que a Eq. (18.11) pode ser escrita – na forma integral – como

$$c^2 \oint_{\Gamma_1} \boldsymbol{B} \cdot d\boldsymbol{s} = \frac{d}{dt} \int_{\text{dentro de } \Gamma_1} \boldsymbol{E} \cdot \boldsymbol{n}\, da. \tag{18.12}$$

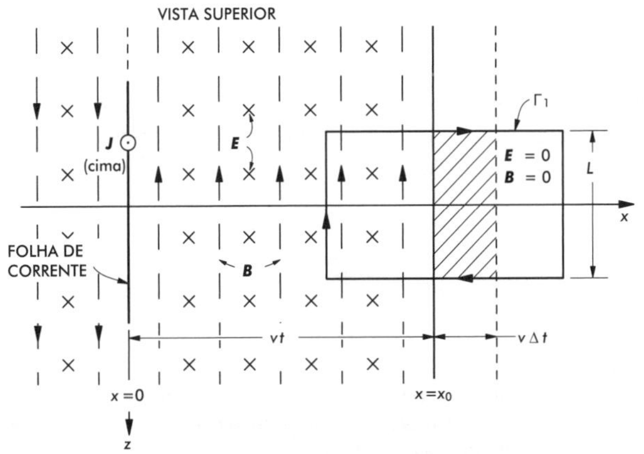

Figura 18–5 Vista superior da Figura 18–3.

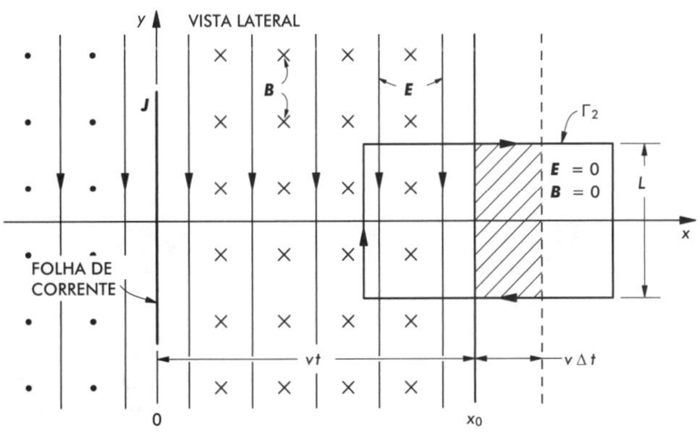

Figura 18–6 Vista lateral da Figura 18–3.

A integral de linha de $\boldsymbol{B}$ é simplesmente B vezes L. A taxa de variação do fluxo de $\boldsymbol{E}$ é decorrente apenas do avanço da frente de onda. A área interior a Γ_1 onde $\boldsymbol{E}$ é diferente de zero, está aumentando a uma taxa vL. O lado direito da Eq. (18.12) é dado então por vLE. Essa equação se torna

$$c^2 B = Ev. \tag{18.13}$$

Temos uma solução com um $\boldsymbol{B}$ constante e um $\boldsymbol{E}$ constante atrás da frente de onda, ambos perpendiculares à direção do movimento da frente de onda e perpendiculares entre si. As equações de Maxwell especificam a razão entre E e B. Das Eqs. (18.10) e (18.13),

$$E = vB \quad \text{e} \quad E = \frac{c^2}{v} B.$$

Mas espere um momento! Encontramos *duas condições diferentes* para a razão E/B. Será que um campo como este que descrevemos realmente pode existir? Existe, é claro, apenas uma velocidade v para a qual as duas equações podem se manter, $v = c$. A frente de onda deve viajar com velocidade c. Temos um exemplo no qual a influência elétrica de uma corrente se propaga com uma velocidade finita igual a c.

Agora vamos considerar o que acontece se interrompermos subitamente o movimento da folha carregada após ela ter estado em movimento por um tempo curto T. Podemos ver o que acontece pelo princípio da superposição. Tínhamos uma corrente igual a zero, que foi ligada subitamente. Conhecemos a solução para esse caso. Agora vamos adicionar outro conjunto de campos. Colocamos outra folha carregada e a colocamos em movimento subitamente, na direção oposta, em um tempo T após termos iniciado a primeira corrente. A corrente total das duas folhas somadas é inicialmente zero, depois é ligada por um tempo T, e depois é desligada novamente – porque as duas correntes se cancelam. Temos um "pulso" quadrado de corrente.

A nova corrente, negativa, produz os mesmos campos que a corrente positiva, mas com todos os sinais ao contrário e, é claro, com um atraso igual a T. A frente de onda viaja novamente com velocidade c. Em um tempo t ela atingiu uma distância $x = \pm\, c(t - T)$, como mostrado na Figura 18–4(b). Temos então dois "blocos" de campo seguindo com velocidade c, como nas partes (a) e (b) da Figura 18–4. Os campos combinados são mostrados na parte (c) da figura. Os campos são zero para $x > ct$, são constantes (com os valores obtidos acima) entre $x = c(t - T)$ e $x = ct$ e são novamente zero para $x < c(t - T)$.

Resumindo, temos um pequeno pedaço de campo – um bloco de espessura cT – que deixou a folha de corrente e está viajando sozinho pelo espaço. Os campos "foram embora"; estão se propagando livremente pelo espaço, não estão mais conectados com a fonte, de nenhuma maneira. A lagarta se transformou em borboleta!

Como este pacote de campos elétricos e magnéticos se mantém? A resposta é: através dos efeitos combinados da lei de Faraday, $\nabla \times \boldsymbol{E} = -\,\partial \boldsymbol{B}/\partial t$, e do termo novo de Maxwell, $c^2 \nabla \times \boldsymbol{B} = \partial \boldsymbol{E}/\partial t$. Eles não podem evitar o fato de se sustentarem. Suponha que o campo magnético desaparecesse. Haveria então um campo magnético variável que produziria um campo elétrico. Se este campo elétrico tentasse se propagar, o campo elétrico variável criaria um campo magnético de novo. Logo, com uma interação perpétua – um campo gerando o outro –, eles seguem em frente para sempre. É impossível que eles desapareçam[1]. Eles se mantêm em um tipo de dança – um criando o outro – o segundo criando o primeiro – se propagando em frente através do espaço.

[1] Bem, não exatamente. Os campos podem ser "absorvidos", se chegarem a uma região com cargas. Queremos dizer com isto que outros campos podem ser produzidos, sobrepondo-se a estes campos que serão "cancelados" pela interferência destrutiva (ver o Capítulo 31, Vol. I).

18–5 A velocidade da luz

Temos uma onda que deixa a fonte material e segue em frente com velocidade c, que é a velocidade da luz. Vamos voltar por um momento. De um ponto de vista histórico, não se sabia que o coeficiente c nas equações de Maxwell também era a velocidade de propagação da luz. Era só uma constante nas equações. Nós a chamamos de c desde o começo, porque já sabíamos o que era. Não achamos que seria sensato fazer você aprender as fórmulas com uma constante diferente e depois voltar e substituir c onde fosse necessário. Entretanto, do ponto de vista da eletricidade e do magnetismo, podemos começar com duas constantes, ϵ_0 e c^2, que aparecem nas equações da eletrostática e da magnetostática:

$$\nabla \cdot \boldsymbol{E} = \frac{\rho}{\epsilon_0} \tag{18.14}$$

e

$$\nabla \times \boldsymbol{B} = \frac{\boldsymbol{j}}{\epsilon_0 c^2}. \tag{18.15}$$

Se tomarmos uma definição *arbitrária* para uma unidade de carga, podemos determinar experimentalmente a constante ϵ_0 na Eq. (18.14) – por exemplo, medindo a força entre duas cargas em repouso, usando a lei de Coulomb. Também devemos determinar experimentalmente a constante $\epsilon_0 c^2$ que aparece na Eq. (18.15), o que podemos fazer, por exemplo, medindo a força entre duas correntes unitárias. (Uma corrente unitária significa uma unidade de carga por segundo.) A razão entre essas duas constantes experimentais é c^2 – simplesmente outra "constante eletromagnética".

Você pode reparar agora que esta constante c^2 é a mesma, não importa qual a nossa escolha para a unidade de carga. Se colocarmos duas vezes mais "carga" – por exemplo, duas vezes mais cargas do próton – em nossa "unidade" de carga, ϵ_0 seria um quarto do valor original. Quando passarmos duas destas "unidades" de carga pelos dois fios, teremos o dobro de carga em cada fio por segundo, então a força entre os dois fios será quatro vezes maior. A constante $\epsilon_0 c^2$ será igual a um quarto do valor original, mas a razão $\epsilon_0 c^2/\epsilon_0$ não é afetada.

Então, simplesmente através de experimentos com cargas e correntes, obtemos um número c^2, que é o quadrado da velocidade de propagação das influências eletromagnéticas. A partir de medidas estáticas – medindo as forças entre duas unidades de carga e duas correntes –, encontramos que $c = 3{,}00 \times 10^8$ m/s. Quando Maxwell resolveu este cálculo pela primeira vez com suas equações, ele disse que pacotes de campos elétricos e magnéticos deveriam se propagar com esta velocidade. Ele também realçou a coincidência misteriosa, de que esta era a velocidade da luz. "Mal podemos evitar a conclusão", disse Maxwell, "de que a luz consiste em ondulações transversais do mesmo meio que é a causa dos efeitos elétricos e magnéticos."

Maxwell havia realizado uma das grandes unificações da física. Antes dele, havia luz, eletricidade e magnetismo. Os dois últimos haviam sido unificados por meio do trabalho experimental de Faraday, Oersted e Ampère. Então, de repente, a luz não era mais uma "outra coisa", mas era simplesmente eletricidade e magnetismo nesta nova forma – pequenos pedaços de campos elétricos e magnéticos que se propagam sozinhos pelo espaço.

Enfatizamos algumas características desta solução especial, que são verdadeiras para *qualquer* onda eletromagnética: o campo magnético é perpendicular à direção da frente de onda; o campo elétrico também é perpendicular à direção da frente de onda; os dois vetores $\boldsymbol{E}$ e $\boldsymbol{B}$ são perpendiculares entre si. Além disso, a magnitude do campo elétrico E é igual a c vezes a magnitude do campo magnético B. Estes três fatos, os dois campos são transversais à direção de propagação, $\boldsymbol{B}$ é perpendicular a $\boldsymbol{E}$, e $E = cB$ – são verdadeiros de maneira geral para qualquer onda eletromagnética. Nosso caso especial é um bom exemplo – ele mostra todas as características principais das ondas eletromagnéticas.

18–6 Resolução das equações de Maxwell; os potenciais e a equação de onda

Agora gostaríamos de fazer algo mais matemático; queremos escrever as equações de Maxwell de uma maneira mais simples. Você poderá achar que estamos complicando as equações, mas se você tiver um pouco de paciência elas aparecerão subitamente em uma forma mais simples. Agora você já deve estar bem acostumado com cada uma das equações de Maxwell, mas existem muitas peças que precisam se juntar. Isso é o que vamos fazer.

Começamos com $\nabla \cdot \boldsymbol{B} = 0$ – a mais simples das equações. Sabemos que essa equação implica que $\boldsymbol{B}$ é o rotacional de alguma função. Deste modo, se escrevermos

$$\boldsymbol{B} = \nabla \times \boldsymbol{A}, \tag{18.16}$$

já teremos resolvido uma das equações de Maxwell (como curiosidade, ainda é verdade que um outro vetor $\boldsymbol{A}'$ continua sendo equivalente se $\boldsymbol{A}' = \boldsymbol{A} + \nabla\psi$ – onde ψ é um campo escalar qualquer – pois o rotacional de $\nabla\psi$ é zero, e $\boldsymbol{B}$ é o mesmo. Já discutimos isto anteriormente).

Consideremos agora a lei de Faraday, $\nabla \times \boldsymbol{E} = -\partial \boldsymbol{B}/\partial t$, já que ela não envolve correntes ou cargas. Se escrevermos $\boldsymbol{B}$ como $\nabla \times \boldsymbol{A}$ e diferenciarmos em relação a t, poderemos escrever a lei de Faraday na forma

$$\nabla \times \boldsymbol{E} = -\frac{\partial}{\partial t}\nabla \times \boldsymbol{A}.$$

Uma vez que podemos diferenciar primeiro em relação ao tempo ou primeiro em relação ao espaço, também podemos escrever essa equação como

$$\nabla \times \left(\boldsymbol{E} + \frac{\partial \boldsymbol{A}}{\partial t}\right) = 0. \tag{18.17}$$

Podemos ver que $\boldsymbol{E} + \partial \boldsymbol{A}/\partial t$ é um vetor cujo rotacional é igual a zero. Portanto, este vetor é o gradiente de alguma função. Quando trabalhamos na eletrostática, tínhamos $\nabla \times \boldsymbol{E} = 0$, e então decidimos que $\boldsymbol{E}$ era o gradiente de alguma função. Supusemos $\boldsymbol{E}$ como sendo o gradiente de $-\phi$ (o sinal de menos é apenas uma conveniência técnica). Fazemos agora a mesma coisa para $\boldsymbol{E} + \partial \boldsymbol{A}/\partial t$; seja

$$\boldsymbol{E} + \frac{\partial \boldsymbol{A}}{\partial t} = -\nabla\phi. \tag{18.18}$$

Usamos aqui o mesmo símbolo ϕ para que, no caso eletrostático, onde nada varia com o tempo, e o termo $\partial \boldsymbol{A}/\partial t$ desaparece, $\boldsymbol{E}$ seja novamente dado por $-\nabla\phi$. Assim, a equação de Faraday pode ser reescrita na forma

$$\boldsymbol{E} = -\nabla\phi - \frac{\partial \boldsymbol{A}}{\partial t}\cdot \tag{18.19}$$

Até agora, já resolvemos duas das equações de Maxwell e verificamos que, para descrever os campos eletromagnéticos $\boldsymbol{E}$ e $\boldsymbol{B}$, precisamos de quatro funções potencial: um potencial escalar ϕ e um potencial vetor $\boldsymbol{A}$, que é, obviamente, três funções.

Agora que $\boldsymbol{A}$ é usado para determinar $\boldsymbol{E}$, assim como para determinar $\boldsymbol{B}$, o que acontece quando substituímos $\boldsymbol{A}$ por $\boldsymbol{A}' = \boldsymbol{A} + \nabla\psi$? De maneira geral, $\boldsymbol{E}$ variaria se não tomássemos algumas precauções especiais. Entretanto, ainda podemos permitir que $\boldsymbol{A}$ varie desta maneira sem afetar os campos $\boldsymbol{E}$ e $\boldsymbol{B}$ – isto é, sem modificar a física – se sempre variarmos $\boldsymbol{A}$ e ϕ *juntos* usando as regras

$$\boldsymbol{A}' = \boldsymbol{A} + \nabla\psi, \qquad \phi' = \phi - \frac{\partial\psi}{\partial t}\cdot \tag{18.20}$$

Então nenhum dos campos $\boldsymbol{B}$ ou $\boldsymbol{E}$ obtido na Eq. (18.19) será modificado.

Anteriormente, escolhemos $\nabla \cdot \boldsymbol{A} = 0$, para tornar as equações da estática um pouco mais simples. Não faremos isso agora; vamos fazer uma escolha diferente. No entanto, ainda vamos esperar um pouco antes de dizer que escolha é essa, porque mais tarde se tornará claro *por que* essa escolha será feita.

Agora vamos voltar às duas equações de Maxwell restantes, que nos darão as relações entre os potenciais e as fontes ρ e $\boldsymbol{j}$. Uma vez que podemos determinar $\boldsymbol{A}$ e ϕ a partir das correntes e cargas, sempre podemos obter $\boldsymbol{E}$ e $\boldsymbol{B}$ das Eqs. (18.16) e (18.19), de modo que teremos outra forma das equações de Maxwell.

Começamos substituindo a Eq. (18.19) na $\nabla \cdot \boldsymbol{E} = \rho/\epsilon_0$; obtemos então

$$\boldsymbol{\nabla} \cdot \left(-\boldsymbol{\nabla}\phi - \frac{\partial \boldsymbol{A}}{\partial t}\right) = \frac{\rho}{\epsilon_0},$$

que também podemos escrever como

$$-\nabla^2\phi - \frac{\partial}{\partial t}\,\boldsymbol{\nabla} \cdot \boldsymbol{A} = \frac{\rho}{\epsilon_0}. \tag{18.21}$$

Essa é uma equação relacionando ϕ e $\boldsymbol{A}$ às fontes.

Nossa última equação será a mais complexa. Começamos reescrevendo a quarta equação de Maxwell

$$c^2\boldsymbol{\nabla} \times \boldsymbol{B} - \frac{\partial \boldsymbol{E}}{\partial t} = \frac{\boldsymbol{j}}{\epsilon_0},$$

e depois substituímos $\boldsymbol{B}$ e $\boldsymbol{E}$ pelos termos com os potenciais, usando as Eqs. (18.16) e (18.19):

$$c^2\boldsymbol{\nabla} \times (\boldsymbol{\nabla} \times \boldsymbol{A}) - \frac{\partial}{\partial t}\left(-\boldsymbol{\nabla}\phi - \frac{\partial \boldsymbol{A}}{\partial t}\right) = \frac{\boldsymbol{j}}{\epsilon_0}.$$

O primeiro termo pode ser reescrito usando a identidade algébrica: $\nabla \times (\nabla \times \boldsymbol{A}) = \nabla(\nabla \cdot \boldsymbol{A}) - \nabla^2\boldsymbol{A}$; obtemos

$$-c^2\nabla^2\boldsymbol{A} + c^2\boldsymbol{\nabla}(\boldsymbol{\nabla} \cdot \boldsymbol{A}) + \frac{\partial}{\partial t}\,\boldsymbol{\nabla}\phi + \frac{\partial^2 \boldsymbol{A}}{\partial t^2} = \frac{\boldsymbol{j}}{\epsilon_0}. \tag{18.22}$$

Ela não é muito simples!

Por sorte, podemos agora fazer uso de nossa liberdade para escolher arbitrariamente o divergente de $\boldsymbol{A}$. O que vamos fazer é usar a nossa escolha para acertar as coisas de maneira que as equações para $\boldsymbol{A}$ e ϕ sejam separadas, mas tenham a mesma forma. Podemos fazer isso escolhendo[2]

$$\boldsymbol{\nabla} \cdot \boldsymbol{A} = -\frac{1}{c^2}\frac{\partial \phi}{\partial t}. \tag{18.23}$$

Fazendo isso, os dois termos do meio em $\boldsymbol{A}$ e ϕ na Eq. (18.22) se cancelam, e essa equação se torna muito mais simples:

$$\nabla^2\boldsymbol{A} - \frac{1}{c^2}\frac{\partial^2 \boldsymbol{A}}{\partial t^2} = -\frac{\boldsymbol{j}}{\epsilon_0 c^2}. \tag{18.24}$$

E nossa equação para ϕ – Eq. (18.21) – toma a mesma forma:

$$\nabla^2\phi - \frac{1}{c^2}\frac{\partial^2 \phi}{\partial t^2} = -\frac{\rho}{\epsilon_0}. \tag{18.25}$$

Que belo conjunto de equações! Elas são belas, primeiramente, porque estão bem separadas – com a densidade de carga, temos ϕ; com a corrente, temos $\boldsymbol{A}$. Além disso,

[2] A escolha para $\nabla \cdot \boldsymbol{A}$ é denominada uma "escolha de calibre". Mudar $\boldsymbol{A}$ adicionando $\nabla\psi$ é denominado uma "transformação de calibre". A Eq. (18.23) representa o "calibre de Lorenz".

apesar de o lado esquerdo parecer um pouco peculiar – um laplaciano junto a um $\partial^2/\partial t^2$ –, quando desenvolvemos esses termos teremos

$$\frac{\partial^2\phi}{\partial x^2}+\frac{\partial^2\phi}{\partial y^2}+\frac{\partial^2\phi}{\partial z^2}-\frac{1}{c^2}\frac{\partial^2\phi}{\partial t^2}=-\frac{\rho}{\epsilon_0}. \tag{18.26}$$

Temos uma bela simetria em x, y, z, t – o $-1/c^2$ é necessário porque, obviamente, tempo e espaço *são* diferentes; eles possuem unidades diferentes.

As equações de Maxwell nos levaram a um novo tipo de equação para os potenciais ϕ e $\boldsymbol{A}$, mas temos a mesma forma matemática para todas as quatro funções ϕ, A_x, A_y e A_z. Quando aprendermos a resolver essas equações, poderemos obter $\boldsymbol{B}$ e $\boldsymbol{E}$ com $\nabla\times\boldsymbol{A}$ e $-\nabla\phi-\partial\boldsymbol{A}/\partial t$. Temos uma nova forma das leis eletromagnéticas, equivalente às equações de Maxwell, e em muitas situações elas são consideravelmente mais simples de lidar nesta nova forma.

Na verdade, já resolvemos uma equação bastante parecida com a Eq. (18.26). Quando estudamos o som no Capítulo 47 do Vol. I, tínhamos uma equação da forma

$$\frac{\partial^2\phi}{\partial x^2}=\frac{1}{c^2}\frac{\partial^2\phi}{\partial t^2},$$

e vimos que ela descrevia a propagação das ondas na direção x com velocidade c. A Eq. (18.26) é a equação de onda correspondente em três dimensões. Logo, nas regiões onde não temos cargas ou correntes, a solução destas equações *não* resulta necessariamente em ϕ e $\boldsymbol{A}$ iguais a zero (apesar de que esta é realmente uma solução possível). Existem soluções nas quais temos um conjunto de ϕ e $\boldsymbol{A}$ que varia no tempo, sempre se movendo com velocidade c. Os campos viajam sempre em frente através do espaço livre, como em nosso exemplo no começo do capítulo.

Com o novo termo de Maxwell na Eq. IV, fomos capazes de escrever as equações dos campos em termos de $\boldsymbol{A}$ e ϕ de uma forma simples e que torna imediatamente aparente a existência de ondas eletromagnéticas. Para muitos propósitos práticos, ainda será conveniente utilizar as equações originais em termos de $\boldsymbol{E}$ e $\boldsymbol{B}$. Contudo, as equações originais já ficaram para trás, na encosta do pico que escalamos. Agora estamos prontos para atravessar o outro lado da montanha. As coisas serão diferentes – estamos prontos para novas e belas paisagens.

19

O Princípio da Mínima Ação

Figura 19–1 Uma aula especial – transcrita praticamente palavra por palavra.

19-1 Uma aula especial – transcrita praticamente palavra por palavra[1]

"Quando eu estava no colégio, o meu professor de física – cujo nome era Sr. Bader – chamou-me um dia depois da aula e disse: 'Você parece entediado; quero lhe contar algo interessante'. Então ele me disse algo que eu achei absolutamente fascinante e continuo achando desde então. Toda vez que este assunto aparece, eu trabalho nele. De fato, quando eu comecei a preparar esta aula, percebi que estava fazendo mais análises sobre este assunto. Em vez de me preocupar com a aula, eu me envolvi com um novo problema. O assunto é este – o princípio da mínima ação."

"O Sr. Bader me disse o seguinte: suponha que você tenha uma partícula (em um campo gravitacional, por exemplo) que está inicialmente em algum ponto e se move livremente até algum outro ponto – você a joga e ela vai para cima e para baixo."

Figura 19–2 Uma nota adicionada após a aula.

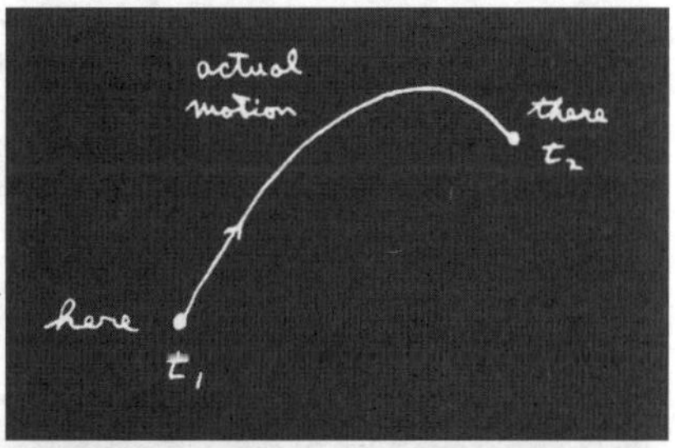

"Ela vai da posição inicial para a posição final em um determinado intervalo de tempo. Agora, tente um movimento diferente. Suponha que, para ir da posição inicial para a final, ela fosse desta maneira

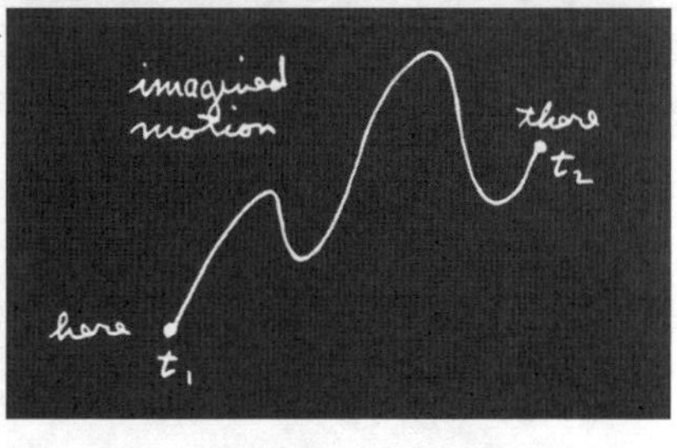

mas chegasse lá após o mesmo tempo. Então ele disse o seguinte: se você calcular a energia cinética em cada instante do caminho, subtrair a energia potencial e integrar em relação ao tempo durante o caminho completo, você vai ver que o número obtido é *maior* do que o resultado para o movimento real."

"Em outras palavras, as leis de Newton poderiam, ao invés da forma $F = ma$, ser enunciadas da seguinte maneira: a energia cinética média menos a energia potencial média é a menor possível para a trajetória de um objeto movendo-se de um ponto a outro."

[1] Os próximos capítulos não dependem do material desta aula especial – que foi pensada como um "entretenimento".

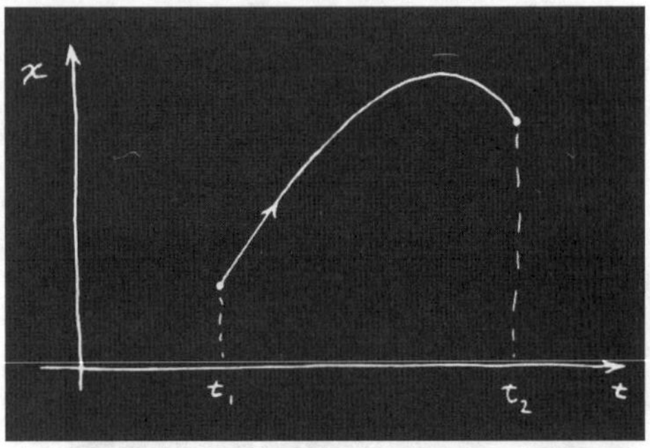

"Deixe-me ilustrar um pouco melhor o que isso significa. Se você olhar para o caso de um campo gravitacional, seja $x(t)$ a trajetória da partícula (vamos considerar no momento apenas uma dimensão; consideraremos uma trajetória que vai para cima e para baixo, e não para os lados), onde x é a altura acima do solo, $\frac{1}{2}m(dx/dt)^2$ é a energia cinética e mgx é a energia potencial a todo instante. Agora vamos tomar a energia cinética menos a energia potencial a cada instante ao longo da trajetória e integrar essa quantidade em relação ao tempo, do instante inicial ao instante final. Vamos supor que no instante inicial, t_1, o movimento começa a uma certa altura e que no instante t_2 o movimento termina em algum outro ponto."

"Então, a integral é"

$$\int_{t_1}^{t_2} \left[\frac{1}{2}\, m \left(\frac{dx}{dt}\right)^2 - mgx\right] dt.$$

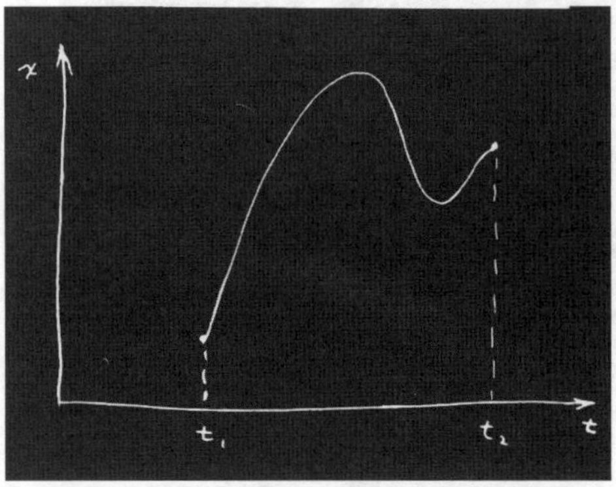

"O movimento real é algum tipo de curva – será uma parábola se fizermos um gráfico de $x \times t$ – e dá um determinado valor para a integral. Poderíamos *imaginar* um outro movimento que subisse bem alto e fosse para cima e para baixo de alguma maneira peculiar."

"Podemos calcular a energia cinética menos a energia potencial e integrar nesta trajetória... ou em qualquer outra trajetória que quisermos. O milagre aqui é que a trajetória verdadeira é aquela para a qual a integral tem o menor valor."

"Vamos verificar isso. Primeiro suponha o caso de uma partícula livre, para a qual não há energia potencial. A regra diz que, ao ir de um ponto a outro, em um dado intervalo de tempo, a integral da energia cinética é mínima, portanto ela deve se mover com uma velocidade constante (sabemos que esta é a resposta correta – um movimento uniforme.) Por que isso é assim? Porque se a partícula se movesse de qualquer outra maneira, as velocidades seriam às vezes maiores e às vezes menores do que a média. A velocidade média é a mesma para cada caso porque a partícula precisa ir de um ponto a outro sempre no mesmo intervalo de tempo dado."

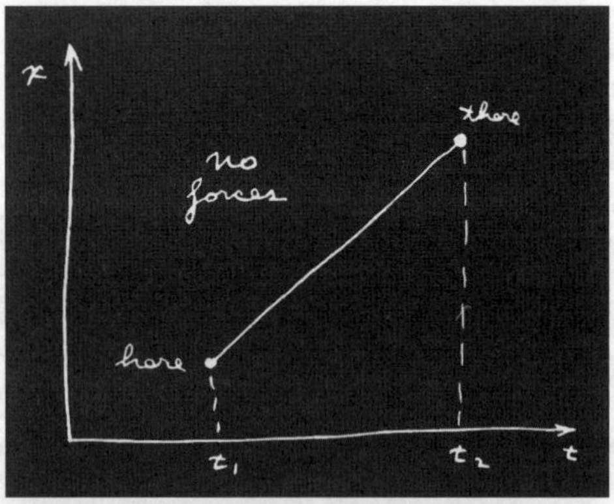

"Como exemplo, pense que você precisa sair de casa e chegar na escola em um dado intervalo de tempo com o carro. Você pode fazê-lo de diversas maneira: você pode acelerar feito um louco no começo e diminuir a velocidade perto do final ou você pode ir para trás por um tempo e depois ir para a frente, e assim por diante. O fato é que a velocidade média deve ser, obviamente, a distância total que você percorreu dividida pelo tempo. Se você não for com uma velocidade constante, então em alguns momentos você estará indo muito rápido e em outros, muito devagar. Mas, como você sabe, a média do quadrado de uma quantidade que varia em torno de um valor médio é sempre maior do que o quadrado da média, e, desse modo, a integral da energia cinética será sempre maior se você oscilar a sua velocidade do que se você for com uma velocidade constante (quando não existem forças). A trajetória correta é desta forma."

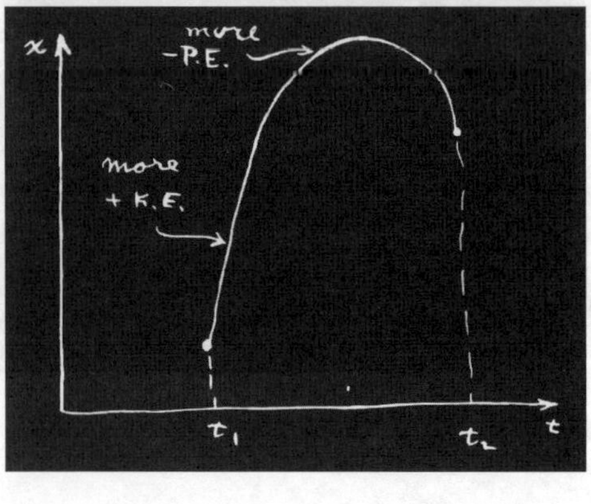

"Agora, um objeto atirado para cima em um campo gravitacional sobe mais rapidamente a princípio e depois desacelera. Isso acontece porque também temos a energia potencial, e precisamos ter, em média, a menor *diferença* entre a energia cinética e a energia potencial. Como a energia potencial aumenta à medida que subimos no espaço, teremos a menor diferença se conseguirmos subir o mais rapidamente possível até onde temos uma alta energia potencial. Então podemos subtrair esta energia potencial da energia cinética e podemos obter uma média mais baixa. Assim sendo, é melhor tomar um caminho que sobe e recebe uma grande quantidade negativa da energia potencial."

"Por outro lado, você não pode ir muito rapidamente, ou muito longe, porque então você teria muita energia cinética envolvida – você tem de ir muito rapidamente para ir bem alto e descer de novo na quantidade fixa de tempo disponível. Então você não pode querer ir muito alto, mas você quer ir um pouco alto. Então acontece que a solução é dada por um tipo de equilíbrio entre tentar obter mais energia potencial com a menor quantidade de energia cinética extra – tentar obter a menor diferença possível entre a energia cinética e a potencial."

"Foi isso que o meu professor me contou, porque ele era um professor muito bom e sabia quando parar de falar. Mas eu não sei quando parar de falar. Por isso em vez de deixar este assunto como uma observação interessante, agora eu vou horrorizá-los e repugná-los com as complexidades da vida, provando que isso realmente é verdade. O tipo de problema matemático que temos é muito difícil e de um tipo novo. Temos uma quantidade que é denominada *ação*, *S*. Ela é a energia cinética, menos a energia potencial, integrada no tempo."

$$\text{Ação} = S = \int_{t_1}^{t_2} (\text{EC} - \text{EP})\, dt.$$

"Lembrem-se de que EC e EP são, ambas, funções do tempo. Para cada trajetória possível diferente, você obterá um valor diferente para esta ação. Nosso problema matemático é descobrir para qual curva esse valor é mínimo."

"Você vai dizer – ah, mas isso é apenas o cálculo normal de máximos e de mínimos. Você só precisa calcular a ação e derivar para encontrar o mínimo."

"Mas preste atenção. Normalmente temos uma função de uma variável, e temos que encontrar o valor desta *variável* para o qual a função possui um máximo ou um mínimo. Por exemplo, temos uma barra que foi aquecida no centro, e o calor se espalha. Em cada ponto da barra, temos uma temperatura, e queremos encontrar o ponto no qual a temperatura é máxima. Mas agora para *cada trajetória no espaço* temos um valor – algo muito diferente – e temos que encontrar a *trajetória no espaço* para a qual aquele valor é mínimo. Este é um ramo completamente diferente da matemática. Não é o cálculo ordinário. De fato, trata-se do *cálculo variacional*."

"Existem muitos problemas neste tipo de matemática. Por exemplo, o círculo é definido normalmente como o lugar geométrico dos pontos a uma distância constante de um dado ponto, mas podemos definir o círculo de uma outra maneira: um círculo é a curva de um *comprimento dado* que limita a maior área. Qualquer outra curva limita uma área menor para um dado perímetro do que o círculo. Portanto, se propusermos o problema 'encontre a curva que limita a maior área para um dado perímetro', teremos um problema de cálculo variacional – um tipo de cálculo diferente daquele com o qual você está acostumado."

"Então vamos fazer os cálculos para a trajetória de um objeto. Vamos fazer isso da seguinte maneira. A ideia é imaginar que existe uma trajetória verdadeira, e que qualquer outra curva que desenharmos será uma trajetória falsa, de modo que se calcularmos a ação para a trajetória falsa obteremos um valor maior do que se calcularmos a ação para a trajetória verdadeira."

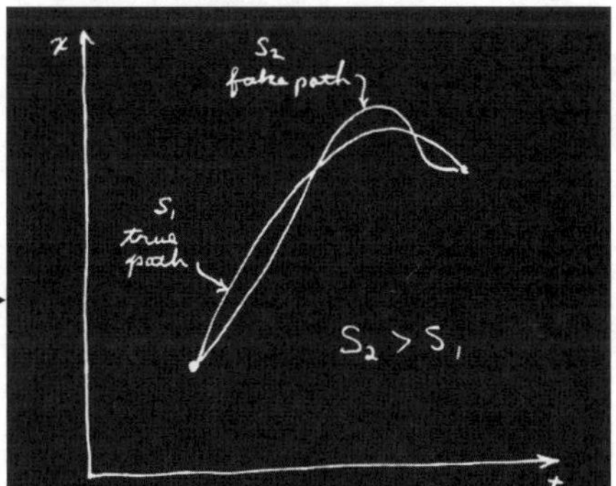

"Problema: encontrar a trajetória verdadeira. Onde ela está? Uma maneira, é claro, é calcular a ação para milhões e milhões de trajetórias e ver em qual a ação é mínima. Quando você encontrar a ação mínima, terá encontrado a trajetória verdadeira."

"Esta é uma maneira possível. Mas podemos fazer melhor do que isso. Quando uma determinada quantidade possui um mínimo – por exemplo, uma função ordinária como a temperatura –, uma das propriedades do mínimo é que se nos afastarmos do mínimo em *primeira* ordem, o desvio do valor da função em relação ao seu valor mínimo será somente de *segunda* ordem. Em qualquer outro ponto sobre a curva, se andarmos uma pequena distância o valor da função também mudará em primeira ordem. Mas em um ponto de mínimo, um pequeno movimento não faz diferença, em primeira ordem."

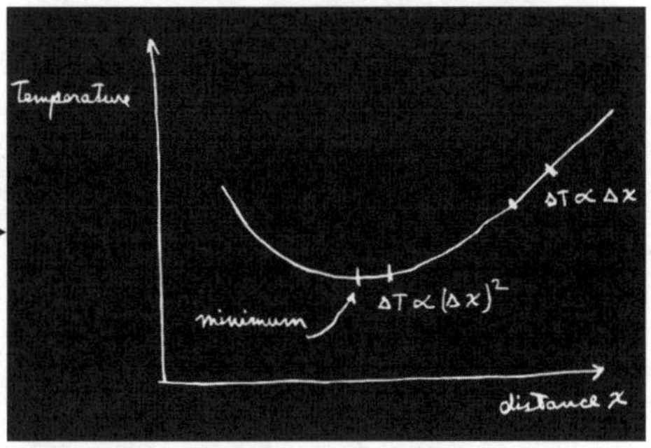

"Vamos usar isso para calcular a trajetória verdadeira. Se tivermos a trajetória verdadeira, uma curva ligeiramente diferente não fará nenhuma diferença no cálculo da ação, pelo menos na primeira aproximação. Qualquer diferença será apenas na segunda aproximação, se realmente tivermos um mínimo."

"Isso é fácil de provar. Se há uma mudança de primeira ordem, quando eu desvio a curva de uma certa maneira, então há uma mudança na ação que é *proporcional* ao desvio. Pode-se presumir que a mudança deixa a ação maior; de outra forma não teríamos um mínimo. Mas se essa mudança for proporcional ao desvio, se invertermos o sinal do desvio o valor da ação ficará menor. O resultado seria que a ação iria aumentar em um sentido e diminuir no outro. A única maneira de fazer com que esse ponto seja realmente um mínimo é se, em *primeira* aproximação, não houver nenhuma mudança, e as mudanças forem então proporcionais ao quadrado dos desvios em relação à trajetória verdadeira."

"Então vamos trabalhar da seguinte maneira: seja $\underline{x}(t)$ (sublinhada) a trajetória verdadeira – aquela que estamos tentando encontrar. Tomemos uma trajetória teste $x(t)$ que difere da trajetória verdadeira por uma pequena quantidade que denominaremos $\eta(t)$ (eta de t)."

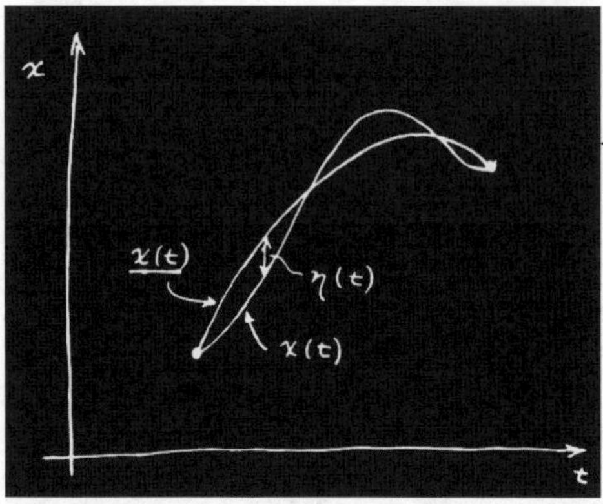

"A ideia é que se calcularmos a ação S para a trajetória $x(t)$, então a diferença entre este valor S e a ação calculada para a trajetória $\underline{x}(t)$ – vamos chamá-la de $\underline{S}$ para simplificar a notação – a diferença entre S e $\underline{S}$ deve ser zero na aproximação de primeira ordem para η pequeno. Pode haver uma diferença em segunda ordem, mas em primeira ordem a diferença deve ser igual a zero."

"E isso deve ser verdade para qualquer η. Bem, não exatamente. O método não significa nada a não ser que você considere somente trajetórias que começam e terminam nos mesmos dois pontos – cada trajetória começa em um certo ponto em t_1 e termina em um outro ponto determinado em t_2, e esses pontos e tempos são mantidos fixos. Logo, os desvios em nosso η devem ser zero nas duas extremidades, $\eta(t_1) = 0$ e $\eta(t_2) = 0$. Com essa condição, terminamos de especificar o nosso problema matemático."

"Se você não conhecesse algum tipo de cálculo, você poderia tentar fazer o mesmo tipo de procedimento para encontrar os pontos de mínimo de uma função ordinária $f(x)$. Você poderia analisar o que acontece se você tomar a $f(x)$ e adicionar uma pequena quantidade h em x, e poderia argumentar que a correção de primeira ordem em h para $f(x)$ deveria ser zero em um mínimo. Você substituiria x por $x + h$ e expandiria até a primeira ordem em h... assim como estamos fazendo com η."

"Então, a ideia é substituir $x(t) = \underline{x}(t) + \eta(t)$ na fórmula da ação:"

$$S = \int \left[\frac{m}{2}\left(\frac{dx}{dt}\right)^2 - V(x)\right] dt,$$

"onde $V(x)$ é a energia potencial. A derivada dx/dt é, obviamente, a derivada de $\underline{x}(t)$ mais a derivada de $\eta(t)$, de modo que eu obtenho a seguinte expressão para a ação:"

$$S = \int_{t_1}^{t_2} \left[\frac{m}{2}\left(\frac{d\underline{x}}{dt} + \frac{d\eta}{dt}\right)^2 - V(\underline{x} + \eta)\right] dt.$$

"Agora é necessário escrever este resultado mais detalhadamente. Obtenho para o termo ao quadrado"

$$\left(\frac{d\underline{x}}{dt}\right)^2 + 2\,\frac{d\underline{x}}{dt}\,\frac{d\eta}{dt} + \left(\frac{d\eta}{dt}\right)^2.$$

"Mas espere um pouco. Como eu não estou preocupado com ordens superiores, além da primeira ordem, vou pegar todos os termos que envolvem η^2 e potências mais altas de η e vou colocá-los em uma caixinha chamada 'segunda ordem e ordens superiores'. Neste termo eu só encontrei segunda ordem, mas teremos mais em outros termos. Dessa maneira, a parte da energia cinética é dada por"

$$\frac{m}{2}\left(\frac{d\underline{x}}{dt}\right)^2 + m\,\frac{d\underline{x}}{dt}\,\frac{d\eta}{dt} + \text{(segunda ordem e ordens superiores).}$$

"Agora, precisamos obter o potencial V em $\underline{x} + \eta$. Estou considerando η pequeno, então posso escrever $V(x)$ como uma série de Taylor. O resultado é aproximadamente

$V(\underline{x})$; na próxima aproximação, a correção é η vezes a taxa de variação de V em relação a x, e assim por diante:"

$$V(\underline{x} + \eta) = V(\underline{x}) + \eta V'(\underline{x}) + \frac{\eta^2}{2} V''(\underline{x}) + \cdots$$

"Eu escrevi V' no lugar da derivada de V em relação a x para escrever menos. O termo com η^2 e os termos seguintes caem todos na categoria de 'segunda ordem e ordens superiores', e não precisamos nos preocupar com eles. Juntando todos os termos,"

$$S = \int_{t_1}^{t_2} \left[\frac{m}{2} \left(\frac{d\underline{x}}{dt} \right)^2 - V(\underline{x}) + m \frac{d\underline{x}}{dt} \frac{d\eta}{dt} \right.$$
$$\left. - \eta V'(\underline{x}) + (\text{segunda ordem e ordens superiores}) \right] dt\,.$$

"Agora, se olharmos cuidadosamente para este resultado, veremos que os dois primeiros termos que escrevi correspondem à ação $\underline{S}$ que eu teria calculado com a trajetória verdadeira $\underline{x}$. Mas quero me concentrar agora na variação de S – a diferença entre S e a ação $\underline{S}$ que obteríamos para a trajetória correta. Vamos escrever essa diferença como δS, a variação em S. Desconsiderando os termos de 'segunda ordem e ordens superiores', eu tenho que δS é dada por"

$$\delta S = \int_{t_1}^{t_2} \left[m \frac{d\underline{x}}{dt} \frac{d\eta}{dt} - \eta V'(\underline{x}) \right] dt.$$

"Agora, o problema é o seguinte: eis aqui uma integral. Eu ainda não sei quem é $\underline{x}$, mas eu sei que *não importa o que seja* η, esta integral deve ser igual a zero. Bem, você vai pensar que a única maneira de isso acontecer é se o coeficiente que multiplica η for zero. Mas e o primeiro termo com $d\eta/dt$? Bem, afinal, se η pode ser qualquer função, a sua derivada também pode ser qualquer função, e você conclui que o coeficiente de $d\eta/dt$ também deve ser zero, mas isso não está exatamente certo. Não está exatamente certo porque existe uma conexão entre η e sua derivada; elas não são totalmente independentes, porque $\eta(t)$ deve ser zero em t_1 e t_2."

"O método para resolver todos os problemas no cálculo variacional usa sempre o mesmo princípio geral. Você faz o desvio na quantidade que você quer variar (como fizemos, adicionando η); você procura os termos de primeira ordem; *então* você sempre rearranja os termos de modo a obter uma integral da forma 'algum tipo de coisa vezes o desvio (η)', mas sem outras derivadas (sem $d\eta/dt$). Tudo deve ser sempre rearranjado para que o resultado seja 'alguma coisa' vezes η. Você vai ver como isso é importante daqui a pouco (há algumas fórmulas que dizem como fazer isso em alguns casos sem fazer a conta, mas elas não são gerais o suficiente para valer a pena nos preocuparmos com elas; o melhor jeito é fazer a conta como vou mostrar)."

"Como posso rearranjar o termo em $d\eta/dt$ para fazer um η aparecer? Posso fazer isso integrando por partes. Acontece que todo o truque do cálculo variacional consiste em escrever a variação de S e depois integrar por partes, para que as derivadas de η desapareçam. É sempre assim em todos os problemas em que aparecem derivadas."

"Você se lembra do princípio da integração por partes. Se você tem uma função qualquer f multiplicada por $d\eta/dt$ e integrada em relação a t, você escreve a derivada de ηf:"

$$\frac{d}{dt}(\eta f) = \eta \frac{df}{dt} + f \frac{d\eta}{dt}.$$

"Você quer calcular a integral do último termo, logo"

$$\int f \frac{d\eta}{dt}\, dt = \eta f - \int \eta \frac{df}{dt}\, dt.$$

"Em nossa fórmula para δS, a função f é m vezes $d\underline{x}/dt$; portanto, eu obtenho a fórmula seguinte para δS."

$$\delta S = m\,\frac{d\underline{x}}{dt}\,\eta(t)\bigg|_{t_1}^{t_2} - \int_{t_1}^{t_2} \frac{d}{dt}\left(m\,\frac{d\underline{x}}{dt}\right)\eta(t)\,dt - \int_{t_1}^{t_2} V'(\underline{x})\,\eta(t)\,dt.$$

"O primeiro termo deve ser calculado nos dois limites, t_1 e t_2. Depois temos a integral do resto da integração por partes. E o último termo simplesmente continua lá."

"Agora vem uma passagem que sempre acontece – a parte integrada desaparece. (De fato, se a parte integrada não desaparecer, você muda o princípio, acrescentando condições para ter certeza de que ela vai desaparecer!) Já vimos que η deve ser zero nas duas extremidades do caminho, porque partimos do princípio de que a ação deve ser mínima desde que a curva variada comece e termine nos pontos escolhidos. A condição é $\eta(t_1) = 0$ e $\eta(t_2) = 0$. Logo, o termo integrado é zero. Rearranjando os outros termos, obtemos:"

$$\delta S = \int_{t_1}^{t_2}\left[-m\,\frac{d^2\underline{x}}{dt^2} - V'(\underline{x})\right]\eta(t)\,dt.$$

"A variação de S está agora na forma que queríamos – temos alguma coisa dentro dos colchetes, uma função F, e tudo está multiplicado por $\eta(t)$ e integrado de t_1 a t_2."

"Temos então que a integral de alguma coisa vezes $\eta(t)$ é sempre zero:"

$$\int F(t)\,\eta(t)\,dt = 0.$$

"Eu tenho uma função de t, multiplico esta função por $\eta(t)$; e integro de uma extremidade até a outra. E, não importa quem seja η, o resultado é sempre igual a zero. Isso significa que a função $F(t)$ é igual a zero. Isso é óbvio, mas eu vou mostrar um tipo de prova assim mesmo."

"Suponha que eu escolhesse uma função $\eta(t)$ igual a zero para todo t, exceto bem perto de um valor particular. Ela é zero até chegar a este t,"

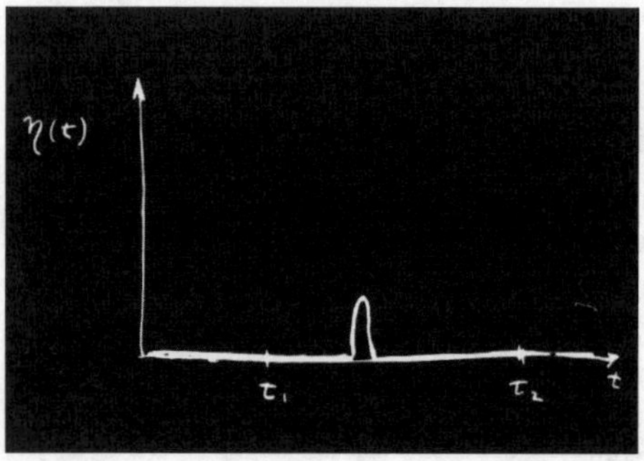

"então ela sobe rapidamente por um momento e depois desce rapidamente de novo. Quando resolvemos a integral deste η vezes uma função F qualquer, o único lugar onde obtemos alguma coisa que não seja zero é onde $\eta(t)$ estava variando, e o resultado é o valor de F naquele lugar, vezes a integral da variação de η. A integral desta variação não é zero, mas o resultado multiplicado por F deve ser; então a função F deve ser zero na posição desta variação. Mas, como η pode variar em qualquer lugar que eu quiser, F deve ser zero sempre."

"Vemos que se a nossa integral for zero para qualquer η, então o coeficiente de η deve ser zero. A integral da ação será mínima para a trajetória que satisfaz a esta equação diferencial complicada:"

$$\left[-m\,\frac{d^2\underline{x}}{dt^2} - V'(\underline{x})\right] = 0.$$

"Mas ela não é realmente muito complicada; você já a viu antes. É simplesmente $F = ma$. O primeiro termo é a massa vezes a aceleração, e o segundo é a derivada da energia potencial, que é a força."

"Então, para um sistema conservativo, mostramos que o princípio da mínima ação dá a resposta correta; ele diz que a trajetória que dá o valor mínimo da ação é aquela que satisfaz à lei de Newton."

"Uma observação: eu não provei que era um *mínimo* – talvez seja um máximo. Na verdade, não precisa realmente ser um mínimo. A situação é bastante parecida com o 'princípio do tempo mínimo' que discutimos na óptica. No caso da óptica, também dissemos a princípio que se tratava do 'menor' tempo. Mas vimos situações nas quais não era o *menor* tempo que importava. O princípio fundamental era que para qualquer *desvio de primeira ordem* em relação ao caminho óptico, a *variação* no tempo era zero; agora temos a mesma coisa. O que realmente queremos dizer com 'mínimo' é que a variação de primeira ordem no valor de S, quando a trajetória é modificada, é zero. Não é necessariamente um 'mínimo'."

"A seguir, vou comentar a respeito de algumas generalizações. Em primeiro lugar, tudo pode ser feito em três dimensões. Em vez de trabalharmos apenas com x, teremos x, y e z como funções de t; a ação se torna mais complicada. Para o movimento tridimensional, você precisa usar a energia cinética completa – $(m/2)$ vezes a velocidade completa ao quadrado. Ou seja,"

$$\text{EC} = \frac{m}{2}\left[\left(\frac{dx}{dt}\right)^2 + \left(\frac{dy}{dt}\right)^2 + \left(\frac{dz}{dt}\right)^2\right].$$

"Além disso, a energia potencial é uma função de x, y e z. E quanto à trajetória? A trajetória é uma curva geral no espaço, que não pode ser desenhada tão facilmente, mas a ideia é a mesma. E quanto a η? Bem, η pode ter três componentes. Você pode desviar as trajetórias em x, ou em y, ou em z – ou pode fazer o desvio nas três direções simultaneamente, de modo que η pode ser um vetor. Mas isso realmente não complica muito as coisas. Uma vez que apenas a variação de *primeira ordem* deve ser zero, podemos fazer os cálculos com três deslocamentos sucessivos. Podemos deslocar η apenas na direção x e dizer que o coeficiente deve ser zero. Obtemos uma equação. Então fazemos o deslocamento na direção y e obtemos mais uma. E na direção z, e obtemos outra. Ou, é claro, em qualquer ordem que você quiser. De qualquer maneira, você obtém três equações. E, é claro, a lei de Newton é na realidade três equações quando estamos em três dimensões – uma para cada componente. Acho que você praticamente pode ver que deve funcionar, mas vamos deixar para você mostrar que tudo isso funciona em três dimensões. Inclusive, você pode usar qualquer sistema de coordenadas que quiser, coordenadas polares ou outras quaisquer, e obterá as leis de Newton apropriadas para este sistema, analisando o que acontece se você tiver um desvio η no raio, ou no ângulo, etc."

"De maneira análoga, o método pode ser generalizado para um número qualquer de partículas. Se você tiver, por exemplo, duas partículas com uma força entre elas, de modo que exista uma energia potencial mútua, então você simplesmente soma a energia cinética das duas partículas e toma a energia potencial da interação mútua. E o que você varia? Você varia as trajetórias de *ambas* as partículas. Então, para duas partículas movendo-se em três dimensões, há seis equações. Você pode variar a posição da partícula 1 na direção x, na direção y e na direção z, e pode fazer a mesma coisa com a partícula 2; então há seis equações. É assim que deveria ser. Há três equações que determinam a aceleração da partícula 1 em termos da força que age sobre ela, e outras três para a aceleração da partícula 2, resultando da força sobre ela. Basta seguir essa regra e você obtém a lei de Newton em três dimensões para qualquer número de partículas."

"Eu estive dizendo que obtemos a lei de Newton. Isso não é exatamente verdade, porque a lei de Newton inclui forças não conservativas, como o atrito. Newton disse que ma é igual a qualquer F. Mas o princípio da mínima ação só funciona para sistemas *conservativos* – nos quais todas as forças podem ser obtidas de uma função potencial. Entretanto, você sabe que em nível microscópico – no nível mais profundo da física – não há forças não conservativas. As forças não conservativas, como o atrito, aparecem apenas porque desprezamos complicações microscópicas – há simplesmente partículas demais para analisar. Mas as *leis fundamentais podem* ser colocadas na forma de um princípio de mínima ação."

"Deixe-me levar a generalização ainda mais longe. Imagine o que acontece se a partícula move-se relativisticamente. Não obtivemos a equação de movimento relativística correta; $F = ma$ está correta apenas nos casos não relativísticos. A questão é: existe um princípio da mínima ação correspondente para o caso relativístico? Existe. A fórmula para o caso da relatividade é a seguinte:

$$S = -m_0c^2 \int_{t_1}^{t_2} \sqrt{1 - v^2/c^2}\, dt - q \int_{t_1}^{t_2} [\phi(x, y, z, t) - \boldsymbol{v} \cdot \boldsymbol{A}(x, y, z, t)]\, dt.$$

A primeira parte da integral da ação é a massa de repouso vezes c^2 vezes a integral de uma função da velocidade, $\sqrt{1 - v^2/c^2}$. E no lugar da energia potencial, temos uma integral sobre o potencial escalar ϕ e sobre v vezes o potencial vetor $\boldsymbol{A}$. Obviamente, só estamos incluindo as forças eletromagnéticas. Todos os campos elétricos e magnéticos são dados em termos de ϕ e $\boldsymbol{A}$. Esta função para a ação fornece a teoria completa do movimento relativístico de uma partícula em um campo eletromagnético."

"É claro que, em todos os lugares onde eu escrevi v, você sabe que antes de tentar qualquer coisa, é necessário substituir v_x por dx/dt, e assim por diante para as outras componentes. Além disso, você deve descrever o ponto da trajetória no tempo t por $x(t)$, $y(t)$ e $z(t)$, onde eu escrevi apenas x, y e z. Somente após fazer as substituições para os v você terá a ação de uma partícula relativística propriamente dita. Vou deixar para os mais habilidosos a tarefa de demonstrar que essa fórmula para a ação realmente dá as equações de movimento corretas da relatividade. Posso sugerir que você tente primeiro sem o $\boldsymbol{A}$, ou seja, sem campo magnético? Então você deverá obter as componentes da equação de movimento, $d\boldsymbol{p}/dt = -q\nabla\phi$, onde, você deve se lembrar, $\boldsymbol{p} = m_0\boldsymbol{v}/\sqrt{1 - v^2/c^2}$."

"É muito mais difícil incluir também o caso com um potencial vetor. As variações se tornam muito mais complicadas. Mas no final o termo da força aparece igual a $q(\boldsymbol{E} + v \times \boldsymbol{B})$, como deveria. Mas eu vou deixar esse problema para você se divertir."

"Eu gostaria de enfatizar que, no caso geral (na fórmula relativística, por exemplo), o integrando da ação não tem mais a forma da energia cinética menos a energia potencial. Isso só é verdadeiro na aproximação não relativística. Por exemplo, o termo $m_0c^2\sqrt{1 - v^2/c^2}$ não é o que chamamos de energia cinética. A questão da forma da ação para um caso particular deve ser determinada por algum tipo de método de tentativa e erro. É o mesmo problema de se determinar as leis de movimento. Você precisa brincar com as equações que você conhece e ver se consegue colocá-las na forma de um princípio de mínima ação."

"Outro ponto é a nomenclatura. A função que é integrada no tempo para se obter a ação é denominada a *Lagrangiana*, $\mathcal{L}$, que é uma função apenas das velocidades e das posições das partículas. De modo que o princípio da mínima ação também pode ser escrito"

$$S = \int_{t_1}^{t_2} \mathcal{L}(x_i, v_i)\, dt,$$

"onde x_i e v_i são todas as componentes das posições e velocidades. Então, se você ouvir alguém falando sobre a 'Lagrangiana', você já sabe que estão falando da função que é usada para se obter S. Para o movimento relativístico em um campo eletromagnético"

$$\mathcal{L} = -m_0c^2\sqrt{1 - v^2/c^2} - q(\phi - \boldsymbol{v} \cdot \boldsymbol{A}).$$

"Além disso, eu deveria dizer que S não é realmente chamada de 'ação' pelas pessoas mais precisas e pedantes. Ela é denominada 'primeira função principal de Hamilton'. Mas eu odiaria dar uma aula sobre 'o-princípio-minimal-da-primeira--função-principal-de-Hamilton'. Então eu a chamei de 'ação'. E cada vez mais pessoas estão usando esse nome. Historicamente, algo que não era assim tão útil foi chamado de ação, mas eu acho que é mais sensato mudar para uma nova definição, de modo que agora você também vai chamar a função nova de ação, e logo todos irão usar o nome mais simples."

"Agora eu gostaria de dizer algumas coisas sobre este assunto que são similares às discussões que eu fiz sobre o princípio do tempo mínimo. Existe uma grande diferença entre as características de uma lei que diz que uma certa integral de um ponto a outro é mínima – o que diz alguma coisa a respeito do caminho inteiro – e uma lei que diz que à medida que você avança, existe uma força causando uma aceleração. A segunda diz como você avança ao longo do caminho, e a primeira é uma afirmação grandiosa sobre o caminho completo. No caso da luz, discutimos a conexão entre as duas. Agora, eu gostaria de explicar por que é verdade que existem leis diferenciais quando temos um princípio da mínima ação deste tipo. A razão é a seguinte: considere a trajetória real no espaço e no tempo. Como antes, vamos considerar apenas uma dimensão, assim podemos fazer o gráfico de x como função de t. Ao longo da trajetória verdadeira, S é mínima. Vamos supor que conheçamos a trajetória verdadeira e que ela passe por um certo ponto a no espaço e no tempo e também por um certo ponto a próximo de b."

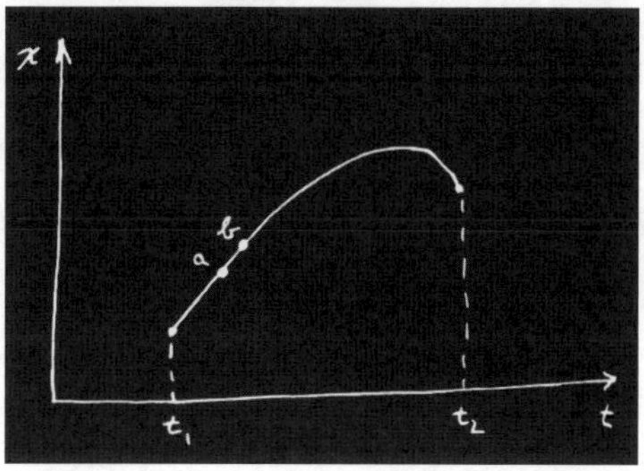

Mas se a integral completa de t_1 a t_2 for mínima, então é necessário que a integral ao longo da trajetória de a até b também seja mínima. Não podemos ter que a parte de a até b seja um pouco maior. Caso contrário, você poderia brincar com apenas este pedaço da trajetória, e abaixar um pouco o valor da integral completa."

"Portanto, cada subseção da trajetória também deve ser um mínimo. E isso é verdade, não importa quão pequena a subseção seja. Logo, o princípio que diz que a integral ao longo do caminho completo é mínima também pode ser enunciado afirmando que uma seção infinitesimal do caminho também possui uma curva tal que a sua ação é mínima. Se escolhermos uma seção da trajetória curta o suficiente – entre dois pontos a e b muito próximos –, a variação do potencial entre dois pontos distantes não é importante, porque você está praticamente sempre no mesmo lugar ao longo de todo o pequeno pedaço do caminho. A única coisa que você precisa analisar é a variação de primeira ordem no potencial. A resposta só pode depender da derivada do potencial, e não do valor do potencial em cada ponto. Então o enunciado sobre uma propriedade global do caminho completo se torna uma afirmação sobre o que acontece em uma seção curta do caminho – um enunciado diferencial. E este enunciado diferencial envolve somente as derivadas do potencial, ou seja, a força em um ponto. Essa é a explicação qualitativa da relação entre a lei global e a lei diferencial."

"No caso da luz, também discutimos a seguinte questão: como a partícula encontra o caminho correto? Do ponto de vista diferencial, isso é fácil de entender. Em cada momento ela tem uma aceleração e sabe o que fazer apenas naquele instante. Mas toda a sua intuição sobre causa e efeito fica de pernas para o ar quando você diz que a partícula decide tomar o caminho que vai dar a menor ação. Será que ela 'cheira' os outros caminhos próximos para descobrir se eles têm mais ação? No caso da luz, quando colocamos blocos no caminho de modo que os fótons não podiam testar todas as trajetórias, vimos que eles não podiam descobrir o caminho, e tínhamos como resultado o fenômeno da difração."

"Será que acontece a mesma coisa na mecânica? Será que é verdade que a partícula não 'pega' simplesmente 'o caminho certo', mas olha todas as outras trajetórias possíveis? E se colocarmos coisas no caminho, impedindo-a de olhar, vamos obter um análogo da difração? E o milagre é que, obviamente, tudo acontece exatamente desse jeito. Isso é o que as leis da mecânica quântica dizem. Então o nosso princípio da mínima ação está formulado de maneira incompleta. A partícula não toma o caminho de mínima ação, ela cheira todos os caminhos próximos e escolhe aquele que tem a menor ação, por um método análogo àquele que a luz usa para escolher o menor tempo. Você se lembra do modo como a luz escolhia o menor tempo: se ela fosse por um caminho que levasse uma quantidade diferente de tempo, ela chegaria com uma fase diferente. A amplitude total em um ponto é a soma das amplitudes de todas as diferentes maneiras pelas quais a luz pode chegar. O caminho importante é aquele para o qual existem muitos caminhos próximos que dão a mesma fase."

"É exatamente a mesma coisa na mecânica quântica. A mecânica quântica completa (para o caso não relativístico e desprezando o spin do elétron) funciona da seguinte maneira: a probabilidade de que uma partícula, saindo do ponto 1 no instante t_1, chegue no ponto 2 no instante t_2, é o quadrado de uma amplitude de probabilidade. A amplitude total pode ser escrita como a soma das amplitudes de cada caminho possível – de cada maneira de chegar. Para cada $x(t)$ que poderíamos ter – para cada trajetória imaginária possível –, temos de calcular uma amplitude. E então somamos todas. Mas o que é a amplitude de cada trajetória? Nossa integral da ação nos diz o que a amplitude de uma trajetória deve ser. A amplitude é proporcional a uma constante vezes $e^{iS/\hbar}$, onde S é a ação para cada trajetória. Ou seja, se representarmos a fase da amplitude por um número complexo, o ângulo da fase será $S/\hbar$. A ação S possui dimensão de energia vezes o tempo, e a constante de Planck $\hbar$ possui as mesmas dimensões. Essa é a constante que determina quando a mecânica quântica é importante."

"É assim que funciona: suponha que, em todos os caminhos, S seja muito grande comparada com $\hbar$. Um caminho contribui com uma certa amplitude. Para um caminho próximo, a fase é muito diferente, porque com um S enorme até mesmo uma pequena variação em S significa uma fase completamente diferente – porque $\hbar$ é tão minúsculo. Então caminhos próximos normalmente cancelam os seus efeitos quando efetuamos a soma – exceto em uma região, quando um caminho e um outro caminho próximo dão a mesma fase em primeira aproximação (mais precisamente, a mesma ação dentro de $\hbar$). Apenas estes caminhos serão importantes. Então, no caso limite em que a constante de Planck tende a zero, as leis da mecânica quântica corretas podem ser resumidas simplesmente por: 'Esqueça todas aquelas amplitudes de probabilidade. A partícula segue por um caminho especial, exatamente aquele para o qual S não varia em primeira aproximação.' Essa é a relação entre o princípio da mínima ação e a mecânica quântica. O fato de que a mecânica quântica pode ser formulada dessa forma foi descoberto em 1942 por um aluno daquele mesmo professor, Bader, que eu mencionei no começo desta aula. [A mecânica quântica foi formulada originalmente com uma equação diferencial para a amplitude (Schrödinger) e também com uma matemática matricial (Heisenberg).]"

"Agora eu gostaria de falar a respeito de outros princípios de mínimo na física. Existem muitos que são bastante interessantes. Eu não vou tentar listar todos agora, mas vou descrever apenas mais um. Mais adiante, quando chegarmos a um fenômeno físico que possui um belo princípio de mínimo, vou falar a respeito dele. Agora eu quero mostrar que podemos descrever a eletrostática, não por meio de uma equação diferencial para o campo, mas dizendo que uma certa integral é máxima ou mínima. Primeiro, vamos analisar o caso no qual a densidade de carga é conhecida em todos os pontos, e o problema é encontrar o potencial ϕ em todo o espaço. Você sabe que a resposta deveria ser"

$$\nabla^2\phi = -\rho/\epsilon_0.$$

"Mas outra forma de enunciar a mesma coisa seria: calcule a integral U^*, onde"

$$U^* = \frac{\epsilon_0}{2}\int (\nabla\phi)^2\,dV - \int \rho\phi\,dV,$$

"que é uma integral de volume sobre o espaço todo. Essa função tem um mínimo para a distribuição de potencial correta $\phi(x, y, z)$."

"Podemos mostrar que as duas afirmações sobre a eletrostática são equivalentes. Considere uma função ϕ qualquer. Queremos mostrar que quando ϕ for o potencial correto $\underline{\phi}$, mais um pequeno desvio f, então a variação em U^* será zero, em primeira ordem. Então escrevemos"

$$\phi = \underline{\phi} + f.$$

"Estamos procurando por $\underline{\phi}$, mas estamos fazendo uma variação nesta função para descobrir qual a forma que ela deve ter para que a variação de U^* seja zero em primeira ordem. Para a primeira parte de U^*, precisamos de"

$$(\nabla\phi)^2 = (\nabla\underline{\phi})^2 + 2\,\nabla\underline{\phi}\cdot\nabla f + (\nabla f)^2.$$

"O único termo de primeira ordem que será variado é"

$$2\,\nabla\underline{\phi}\cdot\nabla f.$$

"No segundo termo da quantidade U^*, o integrando é"

$$\rho\phi = \rho\underline{\phi} + \rho f,$$

"cuja parte variável é ρf. Então, conservando apenas os termos variáveis, precisamos da integral"

$$\Delta U^* = \int (\epsilon_0 \nabla \underline{\phi} \cdot \nabla f - \rho f)\, dV.$$

"Agora, seguindo a velha regra geral, vamos deixar esta coisa livre das derivadas de f. Vamos ver quais são as derivadas. O produto escalar é"

$$\frac{\partial \underline{\phi}}{\partial x}\frac{\partial f}{\partial x} + \frac{\partial \underline{\phi}}{\partial y}\frac{\partial f}{\partial y} + \frac{\partial \underline{\phi}}{\partial z}\frac{\partial f}{\partial z},$$

"que temos de integrar em relação a x, y e z. Agora aqui está o truque: para nos livrarmos de $\partial f/\partial x$, integramos por partes em relação a x. Isso moverá a derivada para $\underline{\phi}$. É a mesma ideia geral que usamos para nos livrarmos das derivadas em relação a t. Usamos a igualdade"

$$\int \frac{\partial \underline{\phi}}{\partial x}\frac{\partial f}{\partial x}\, dx = f\frac{\partial \underline{\phi}}{\partial x} - \int f \frac{\partial^2 \underline{\phi}}{\partial x^2}\, dx.$$

"O termo integrado é zero, pois temos de fazer f igual a zero no infinito (isso corresponde a fazer η igual a zero em t_1 e t_2. O nosso princípio poderia ser enunciado de maneira mais cuidadosa como: U^* é menor para o verdadeiro ϕ do que para qualquer outro $\underline{\phi}(x, y, z)$ que tenha os mesmos valores no infinito). Então fazemos a mesma coisa para y e z, de modo que a nossa integral ΔU^* seja"

$$\Delta U^* = \int (-\epsilon_0 \nabla^2 \underline{\phi} - \rho) f\, dV.$$

"Para que esta variação seja zero para qualquer f, não importa qual seja, o coeficiente de f deve ser zero e, portanto,"

$$\nabla^2 \underline{\phi} = -\rho/\epsilon_0.$$

"Recuperamos a nossa equação antiga. Então a nossa proposta de 'mínimo' está correta."

"Podemos generalizar a nossa proposição se fizermos a álgebra de uma maneira um pouco diferente. Vamos voltar e resolver a nossa integração por partes sem separar as componentes. Comecemos com a seguinte igualdade:"

$$\nabla \cdot (f \nabla \underline{\phi}) = \nabla f \cdot \nabla \underline{\phi} + f \nabla^2 \underline{\phi}$$

"Se eu diferenciar o lado esquerdo, posso mostrar que é exatamente igual ao lado direito. Podemos usar agora essa equação para integrar por partes. Em nossa integral ΔU^*, substituímos $\nabla \underline{\phi} \cdot \nabla f$ por $\nabla \cdot (f \nabla \underline{\phi}) - f \nabla^2 \underline{\phi}$, que é integrado no volume. O termo do divergente integrado no volume pode ser substituído pela integral de superfície:"

$$\int \nabla \cdot (f \nabla \underline{\phi})\, dV = \int f \nabla \underline{\phi} \cdot \boldsymbol{n}\ a$$

"Como estamos integrando no espaço todo, a superfície na qual estamos integrando está no infinito. No infinito f é zero, e obtemos a mesma resposta novamente."

"Somente agora podemos ver como resolver um problema quando não sabemos onde todas as cargas estão. Imagine que temos condutores com cargas espalhadas de alguma maneira. Ainda podemos usar o princípio de mínimo se os potenciais de todos os condutores estiverem fixos. Podemos resolver a integral para U^* somente no espaço exterior a todos os condutores. Então, como não podemos variar $\underline{\phi}$ sobre o condutor, f é zero em todas as superfícies dos condutores, e a integral de superfície"

$$\int f\,\nabla\underline{\phi}\cdot\boldsymbol{n}\,da$$

"continua sendo igual a zero. A integral de volume remanescente"

$$\Delta U^* = \int(-\epsilon_0\nabla^2\underline{\phi} - \rho)f\,dV$$

"só pode ser resolvida nos espaços entre os condutores. Obviamente, obtemos a equação de Poisson novamente,"

$$\nabla^2\underline{\phi} = -\rho/\epsilon_0.$$

"Mostramos então que nossa integral original U^* também é mínima quando calculada no espaço exterior a condutores com potenciais fixos (ou seja, tais que qualquer $\phi(x, y, z)$ de teste deve ser igual ao potencial dado dos condutores quando (x, y, z) for um ponto na superfície do condutor)."

"Há um caso interessante quando todas as cargas estão nos condutores. Então"

$$U^* = \frac{\epsilon_0}{2}\int(\nabla\phi)^2\,dV.$$

"Nosso princípio de mínimo diz que no caso em que temos condutores com determinados potenciais fixos, o potencial entre eles se ajusta de maneira a minimizar a integral U^*. Mas o que é essa integral? O termo $\nabla\phi$ é o campo elétrico, então a integral é a energia eletrostática. O campo verdadeiro é aquele, de todos os que são dados pelo gradiente de um potencial, que possui a menor energia total."

"Eu gostaria de usar esse resultado para calcular algo em particular e mostrar para você que todas essas coisas são realmente bastante práticas. Suponha que eu tenha dois condutores na forma de um capacitor cilíndrico."

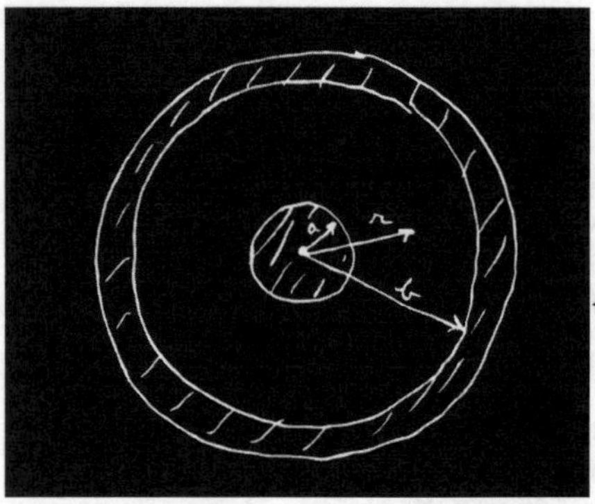

"O condutor interno possui potencial V, e o condutor externo está com potencial zero. Seja a o raio do condutor interno e b o raio do condutor externo. Agora podemos supor *qualquer* distribuição de potencial entre os dois. Se usarmos o $\underline{\phi}$ correto e calcularmos $\epsilon_0/2\int(\nabla\underline{\phi})^2\,dV$, deveremos obter a energia do sistema, $\frac{1}{2}CV^2$. Assim, também podemos calcular C pelo nosso princípio. Mas se usarmos uma distribuição de potencial errada e tentarmos calcular C por este método, obteremos uma capacitância alta demais, uma vez que V está especificado. Qualquer que seja o potencial ϕ que supusermos, que não seja exatamente o potencial correto, dará um valor de C falso, maior do que o valor correto. Mas se meu ϕ falso for uma aproximação razoável, C será uma boa aproximação, porque o erro em C é de segunda ordem no erro em ϕ."

"Suponha que eu não conheça a capacitância de um capacitor cilíndrico. Eu posso usar este princípio para obtê-la. Eu só preciso testar (adivinhar) a função potencial ϕ até obter o valor mais baixo de C. Suponha, por exemplo, que eu escolha um potencial correspondente a um campo constante (você sabe, é claro, que o campo não é realmente constante aqui; ele varia como $1/r$). Um campo constante significa um potencial que varia linearmente com a distância. Para se ajustar às condições nos dois condutores, o potencial deve ser"

$$\phi = V\left(1 - \frac{r-a}{b-a}\right).$$

"Esta função é V em $r = a$, zero em $r = b$, e entre estes dois valores possui uma derivada constante e igual a $-V/(b-a)$. Então para obter a integral U^* basta multiplicar o quadrado desse gradiente por $\epsilon_0/2$ e integrar em todo o volume. Vamos fazer este cálculo para um cilindro com uma unidade de comprimento. Um elemento de volume no raio r é $2\pi r\,dr$. Resolvendo a integral, vejo que a minha primeira tentativa para a capacitância dá"

$$\frac{1}{2}\,CV^2(\text{primeira tentativa}) = \frac{\epsilon_0}{2}\int_a^b \frac{V^2}{(b-a)^2}\,2\pi r\,dr.$$

"A integral é fácil; o resultado é simplesmente"

$$\pi V^2\left(\frac{b+a}{b-a}\right).$$

"Tenho então uma fórmula para a capacitância que não é a verdadeira, mas é um resultado aproximado:"

$$\frac{C}{2\pi\epsilon_0} = \frac{b+a}{2(b-a)}.$$

"Naturalmente, esse resultado é diferente da resposta correta $C = 2\pi\epsilon_0/\ln(b/a)$, mas não está muito mal. Vamos compará-lo com a resposta certa para diferentes valores de b/a. Eu calculei as respostas nesta tabela:"

$\frac{b}{a}$	$\frac{C_{\text{verd}}}{2\pi\epsilon_0}$	$\frac{C(\text{primeira aprox.})}{2\pi\epsilon_0}$
2	1,4423	1,500
4	0,721	0,833
10	0,434	0,612
100	0,217	0,51
1,5	2,4662	2,50
1,1	10,492059	10,500000

"Mesmo quando b/a é igual a 2 – o que dá uma variação bastante grande do campo quando comparado com o campo variando linearmente –, eu obtenho uma aproximação bastante boa. É claro que a resposta é um pouco alta demais, como esperado. E fica muito pior se tivermos um fio fino dentro de um cilindro grande. Neste caso o fio sofre variações enormes, e se você representá-lo por uma constante, não dará muito certo. Com $b/a = 100$, erramos a resposta por um fator de aproximadamente 2. Tudo funciona muito melhor para b/a pequeno. Se formos para o extremo oposto, quando os condutores não estão muito separados – por exemplo, $b/a = 1{,}1$ – então o campo constante é uma aproximação bastante boa, e obtemos o resultado correto dentro de um décimo de 1%."

"Agora eu gostaria de mostrar como melhorar este cálculo (é claro que você *sabe* a resposta certa para a o cilindro, mas o método é o mesmo para outras formas estranhas, para as quais talvez você não saiba a resposta certa). O próximo passo é tentar uma aproximação melhor para o ϕ verdadeiro desconhecido. Por exemplo, podemos tentar uma constante mais uma exponencial, etc. Mas como saber quando temos uma aproximação melhor, se não conhecemos o verdadeiro ϕ? Resposta: calculando C; o menor C é o valor mais próximo do verdadeiro. Vamos tentar esta ideia. Suponha que o potencial não seja linear, mas seja quadrático em r, por exemplo – o campo elétrico não é constante, é linear. A forma quadrática mais *geral* que ajusta $\phi = 0$ em $r = b$ e $\phi = V$ em $r = a$ é dada por "

$$\phi = V\left[1 + \alpha\left(\frac{r-a}{b-a}\right) - (1+\alpha)\left(\frac{r-a}{b-a}\right)^2\right],$$

"onde α é um número constante qualquer. Esta fórmula é um pouco mais complicada. Ela envolve um termo quadrático assim como um termo linear no potencial. É muito fácil obter o campo desta fórmula. O campo é simplesmente"

$$E = -\frac{d\phi}{dr} = -\frac{\alpha V}{b-a} + 2(1+\alpha)\,\frac{(r-a)V}{(b-a)^2}.$$

"Agora temos elevar isso ao quadrado e integrar no volume. Mas, espere um momento. Que valor eu devo tomar para α? Eu posso escolher ϕ como uma parábola; mas qual parábola? Eis aqui o que vou fazer: calcular a capacitância com um α *arbitrário*. O resultado é"

$$\frac{C}{2\pi\epsilon_0} = \frac{a}{b-a}\left[\frac{b}{a}\left(\frac{\alpha^2}{6} + \frac{2\alpha}{3} + 1\right) + \frac{1}{6}\alpha^2 + \frac{1}{3}\right].$$

"Parece um pouco complicado, mas é o resultado da integração do quadrado do campo. Agora eu posso escolher o meu α. Eu sei que o valor verdadeiro é mais baixo do que qualquer resultado que eu vá obter, de modo que qualquer valor que eu escolher para α vai me dar uma resposta grande demais. Mas se eu ficar brincando com α até obter o valor mais baixo possível, este valor mais baixo estará mais próximo do valor verdadeiro do que qualquer outro. Então o que eu faço agora é escolher o α que dá o valor mínimo de C. Trabalhando com o cálculo ordinário, descubro que o mínimo de C ocorre para $\alpha = -2b/(b + a)$. Substituindo esse valor na fórmula, obtenho para a capacitância mínima"

$$\frac{C}{2\pi\epsilon_0} = \frac{b^2 + 4ab + a^2}{3(b^2 - a^2)}.$$

"Calculei os resultados desta fórmula para C para diferentes valores de b/a. Rotulei estes números de C(quadrático). Aqui temos uma tabela que compara C(quadrático) com o verdadeiro C."

$\frac{b}{a}$	$\frac{C_{\text{verd}}}{2\pi\epsilon_0}$	$\frac{C(\text{quadrático})}{2\pi\epsilon_0}$
2	1,4423	1,444
4	0,721	0,733
10	0,434	0,475
100	0,217	0,346
1,5	2,4662	2,4667
1,1	10,492059	10,492065

"Por exemplo, quando a razão entre os raios é 2 para 1, eu obtive 1,444, que é uma aproximação muito boa para a resposta verdadeira, 1,4423. Mesmo para razões b/a maiores, a aproximação continua muito boa – muito, muito melhor do que a primeira aproximação. Ela ainda é razoavelmente boa – só erra por 10% – quando b/a é 10 para 1. Mas quando chegamos a 100 para 1 – bem, as coisas começam a sair do controle. Eu obtive 0,346 ao invés de 0,217. Por outro lado, para uma razão entre os raios igual a 1,5, a resposta é excelente; e para b/a igual a 1,1, a resposta é 10,492065 em vez de 10,492059. Onde a resposta deveria ser boa, ela é muito, muito boa."

"Eu dei esses exemplos, primeiro, para mostrar o valor teórico do princípio da mínima ação e dos princípios de mínimo em geral e, segundo, para mostrar a sua utilidade prática – não só para calcular a capacitância quando já conhecemos a resposta. Para qualquer outra forma, você pode adivinhar um campo aproximado com alguns parâmetros desconhecidos como α e ajustá-los para obter um mínimo. Você terá resultados numéricos excelentes para problemas de outra maneira intratáveis."

19-2 Uma nota adicionada após a aula

"Eu gostaria de acrescentar algo que não tive tempo de falar durante a aula (parece que eu sempre preparo mais material do que eu tenho tempo para apresentar). Como mencionei anteriormente, eu me interessei por um problema enquanto preparava esta aula. Eu gostaria de contar que problema é este. Reparei que a maioria dos princípios de mínimo que eu poderia mencionar deriva de uma maneira ou de outra do princípio da mínima ação da mecânica e da eletrodinâmica. Mas existe uma classe que não é assim. Por exemplo, se fizermos correntes atravessarem um pedaço de material obedecendo à lei de Ohm, as correntes se distribuem dentro do material de forma que a taxa na qual o calor é gerado seja a menor possível. Também podemos dizer (se a situação se mantiver isotérmica) que a taxa na qual a energia é gerada é mínima. Agora, este princípio também é válido, de acordo com a teoria clássica, para se determinar a distribuição de velocidades dos elétrons dentro de um metal conduzindo uma corrente. A distribuição de velocidades não é exatamente a distribuição de equilíbrio [Capítulo 40, Vol. I, Eq.(40.6)] porque os elétrons estão se deslocando lateralmente. A nova distribuição pode ser encontrada a partir do princípio de que ela é a distribuição para uma dada corrente para a qual a entropia desenvolvida por segundo pelas colisões é a menor possível. No entanto, a verdadeira descrição do comportamento dos elétrons deveria ser dada pela mecânica quântica. A questão é: será que o mesmo princípio de mínima geração de entropia continua válido quando a situação é descrita pela mecânica quântica? Eu ainda não descobri."

"A questão é de interesse acadêmico, é claro. Estes princípios são fascinantes, e sempre vale a pena tentar descobrir o quanto eles são gerais. Mas, também de um ponto de vista mais prático, eu *quero* saber. Publiquei com alguns colegas um artigo no qual calculamos aproximadamente com a mecânica quântica a resistência elétrica sentida por um elétron movendo-se através de um cristal iônico como o NaCl. [Feynman, Hellwarth, Iddings e Platzman, "Mobility of Slow Electrons in a Polar Crystal", *Phys. Rev.* **127**, 1004 (1962)]. Mas se um princípio de mínimo existir, poderemos usá-lo para obter resultados muito mais precisos, da mesma maneira que o princípio de mínimo para a capacitância do capacitor nos permitiu obter aquela precisão para a capacitância, apesar de termos apenas um conhecimento aproximado do campo elétrico."

20

Soluções das Equações de Maxwell no Vácuo

20–1 Ondas no vácuo; ondas planas

Referências: Capítulo 47, Vol. I: *Som: A Equação de Onda*
Capítulo 28, Vol. I: *Radiação Eletromagnética*

No Capítulo 18, atingimos o ponto no qual tínhamos as equações de Maxwell na forma completa. Tudo o que existe na teoria clássica dos campos elétricos e magnéticos pode ser encontrado nas quatro equações:

$$\text{I.}\quad \nabla\cdot\boldsymbol{E} = \frac{\rho}{\epsilon_0} \qquad \text{II.}\quad \nabla\times\boldsymbol{E} = -\frac{\partial\boldsymbol{B}}{\partial t}$$
$$\text{III.}\quad \nabla\cdot\boldsymbol{B} = 0 \qquad \text{IV.}\quad c^2\nabla\times\boldsymbol{B} = \frac{\boldsymbol{j}}{\epsilon_0} + \frac{\partial\boldsymbol{E}}{\partial t} \tag{20.1}$$

Quando reunimos todas essas equações, ocorre um novo fenômeno extraordinário: os campos gerados pelas cargas em movimento podem deixar as fontes e viajar sozinhos pelo espaço. Consideramos o caso especial em que uma folha de corrente infinita é ligada subitamente. Decorrido um tempo t do instante em que a corrente foi ligada, existem campos elétricos e magnéticos uniformes até uma distância ct da fonte. Suponha que a folha de corrente esteja sobre o plano yz com uma densidade superficial de corrente J na direção de y positivo. O campo elétrico terá apenas a componente y, e o campo magnético, a componente z. As componentes dos campos são dadas por

$$E_y = cB_z = -\frac{J}{2\epsilon_0 c}, \tag{20.2}$$

para valores positivos de x menores do que ct. Para valores de x maiores, os campos são nulos. Existem, é claro, campos similares ocupando até a mesma distância da folha de corrente na direção de x negativo. Na Figura 20–1, temos um gráfico da magnitude dos campos como uma função de x no instante t. À medida que o tempo passa, a "frente de onda" em ct se move para frente em x com uma velocidade constante c.

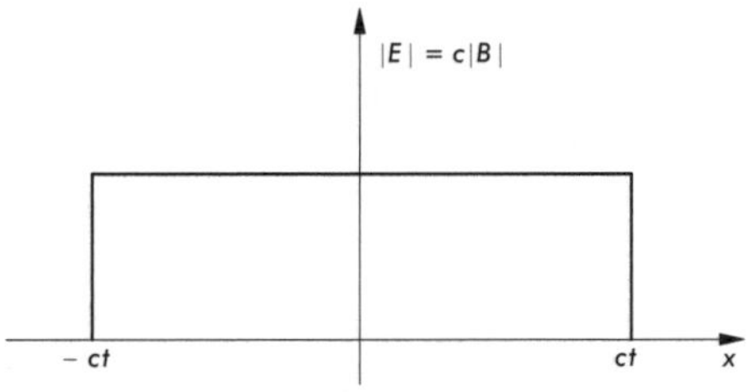

Figura 20–1 O campo elétrico e magnético como função de x em um instante t após a corrente ter sido ligada.

Agora considere a seguinte sequência de eventos. Ligamos uma corrente de intensidade unitária durante um intervalo de tempo, então aumentamos subitamente a intensidade da corrente para três unidades e a mantemos constante neste valor. Como são os campos neste caso? Podemos ver que os campos terão a seguinte forma. Primeiro, vamos imaginar uma corrente de intensidade unitária que é ligada em $t = 0$ e continua constante para sempre. Neste caso, os campos para x positivo estão dados no gráfico (a) da Figura 20–2. Na sequência, vamos ver o que aconteceria se uma corrente constante de duas unidades fosse ligada no instante t_1.

Os campos neste caso serão duas vezes maiores do que no caso anterior, mas se estenderão em x somente até a distância $c(t - t_1)$, como mostrado na parte (b) da figura. Quando somamos essas duas soluções, usando o princípio da superposição, vemos que a soma das duas fontes é uma corrente de uma unidade para o intervalo de tempo de zero até t_1, e uma corrente de três unidades para t maior que t_1. Em um instante t, os campos variam com x como mostrado na parte (c) da Figura 20–2.

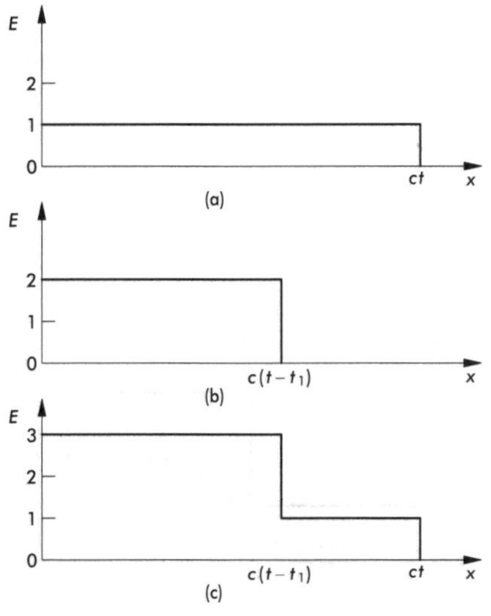

Figura 20–2 O campo elétrico de uma folha de corrente. (a) Uma corrente de uma unidade ligada em $t = 0$; (b) Uma corrente de duas unidades ligada em $t = t_1$; (c) Superposição de (a) e (b).

Agora vamos considerar um problema mais complicado. Considere uma corrente que é ligada com uma unidade durante um tempo, depois é aumentada para três unidades e depois é desligada. Como são os campos para esta corrente? Podemos encontrar a solução da mesma maneira – somando as soluções dos três problemas separados. Primeiro, encontramos os campos para um degrau de corrente de intensidade unitária (já resolvemos esse problema). A seguir encontramos os campos produzidos por um degrau de corrente de duas unidades. Finalmente, obtemos os campos de um degrau de corrente de *menos* três unidades. Quando somamos as três soluções, temos uma corrente de uma unidade de $t = 0$ até um determinado tempo t_1, depois a corrente é de três unidades até um outro tempo t_2, e então é desligada – ou seja, é zero. Um gráfico da corrente em função do tempo é mostrado na Figura 20–3(a). Quando somamos as três soluções para o campo elétrico, vemos que a sua variação em x, em um dado instante t, é como está mostrado na Figura 20–3(b). O campo é uma representação exata da corrente. A distribuição do campo no espaço é um belo gráfico da variação da corrente com o tempo – só que está ao contrário. Na medida em que o tempo passa, a figura se move para frente com velocidade c, de modo que temos uma pequena quantidade de campo, viajando na direção de x positivo, que contém uma memória completamente detalhada da história de todas as variações da corrente. Se estivéssemos a milhas de distância, poderíamos dizer a partir do campo elétrico ou magnético como a corrente variou na fonte.

Repare também que muito tempo após toda a atividade na fonte ter parado completamente e todas as cargas e correntes serem iguais a zero, o bloco de campo continua a viajar pelo espaço. Temos uma distribuição de campos elétricos e magnéticos que existe independentemente de quaisquer cargas ou correntes. Esse é o novo efeito que aparece do conjunto completo das equações de Maxwell. Se quisermos, podemos dar uma representação matemática completa da análise que acabamos de fazer, escrevendo que o campo elétrico em um dado ponto e em um dado instante é proporcional à corrente da fonte, só que não no *mesmo* instante, mas em um instante *anterior* $t - x/c$. Podemos escrever

$$E_y(t) = -\frac{J(t - x/c)}{2\epsilon_0 c}. \tag{20.3}$$

Acredite ou não, já deduzimos essa mesma equação por um outro ponto de vista no Vol. I, quando estávamos estudando a teoria do índice de refração. Naquele caso, precisávamos descobrir quais campos seriam produzidos por uma fina camada de dipolos oscilantes em uma chapa de material dielétrico cujos elétrons haviam sido postos em movimento por uma onda eletromagnética incidente. Nosso problema era calcular os campos combinados da onda original e das ondas irradiadas pelos dipolos oscilantes. Como pudemos calcular os campos gerados por cargas em movimento quando não tínhamos as equações de Maxwell? Naquela ocasião tomamos como ponto de partida (sem qualquer dedução) a fórmula para os campos de radiação produzidos a grandes distâncias por uma carga puntiforme acelerada. Se você consultar o Capítulo 31 do Vol. I, verá que a Eq. (31.9) daquele capítulo é exatamente a Eq. (20.3) que acabamos de escrever. A nossa dedução anterior era correta apenas a grandes distâncias da fonte, mas vemos agora que o mesmo resultado está correto até bem próximo da fonte.

Queremos analisar agora o comportamento geral dos campos elétricos e magnéticos no vácuo bem longe das fontes, ou seja, das correntes e das cargas. Muito perto das fontes – perto o suficiente para que, durante o atraso na transmissão, a fonte não tenha tido tempo para variar muito –, os campos são bastante parecidos com os resultados que encontramos nos casos que denominamos eletrostática e magnetostática. No entanto, se formos até distâncias grandes o suficiente para que os atrasos se tornem importantes, a natureza dos campos pode ser radicalmente diferente das soluções que já obtivemos. Pode-se dizer que os campos começam a tomar uma forma própria quando eles se afastam

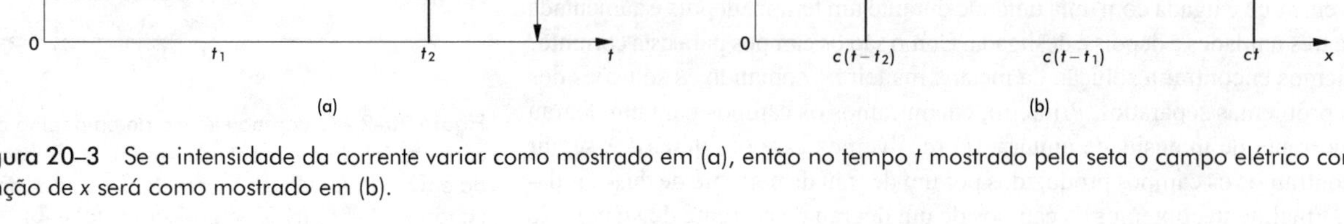

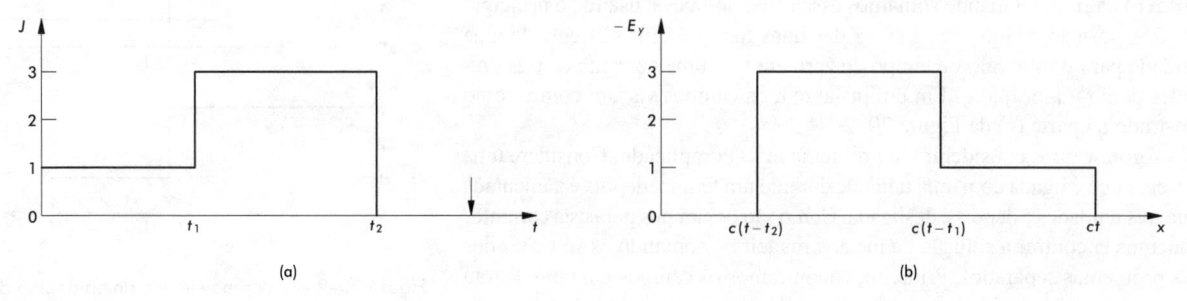

Figura 20–3 Se a intensidade da corrente variar como mostrado em (a), então no tempo t mostrado pela seta o campo elétrico como função de x será como mostrado em (b).

muito de todas as fontes. Então vamos começar discutindo o comportamento dos campos em uma região onde não existem correntes ou cargas.

Suponha que façamos a seguinte pergunta: que tipo de campo pode existir em uma região onde tanto ρ como $\boldsymbol{j}$ são nulos? No Capítulo 18, vimos que a física das equações de Maxwell também pode ser expressa em termos de equações diferenciais para os potenciais escalar e vetor:

$$\nabla^2\phi - \frac{1}{c^2}\frac{\partial^2\phi}{\partial t^2} = -\frac{\rho}{\epsilon_0}, \tag{20.4}$$

$$\nabla^2\boldsymbol{A} - \frac{1}{c^2}\frac{\partial^2\boldsymbol{A}}{\partial t^2} = -\frac{\boldsymbol{j}}{\epsilon_0 c^2}. \tag{20.5}$$

Se ρ e $\boldsymbol{j}$ são nulos, essas equações assumem a forma mais simples

$$\nabla^2\phi - \frac{1}{c^2}\frac{\partial^2\phi}{\partial t^2} = 0, \tag{20.6}$$

$$\nabla^2\boldsymbol{A} - \frac{1}{c^2}\frac{\partial^2\boldsymbol{A}}{\partial t^2} = 0. \tag{20.7}$$

Portanto, no vácuo, o potencial escalar ϕ e cada componente do potencial vetor $\boldsymbol{A}$ satisfazem à mesma equação matemática. Agora vamos escrever ψ (psi) no lugar de qualquer uma das quatro quantidades ϕ, A_x, A_y, A_z; vamos investigar as soluções gerais da seguinte equação:

$$\nabla^2\psi - \frac{1}{c^2}\frac{\partial^2\psi}{\partial t^2} = 0. \tag{20.8}$$

Essa equação é denominada equação de onda tridimensional – tridimensional, pois a função ψ pode depender em geral de x, y e z, e precisamos nos preocupar com as variações em todas as três coordenadas. Isso se torna claro se escrevermos explicitamente os três termos do operador Laplaciano:

$$\frac{\partial^2\psi}{\partial x^2} + \frac{\partial^2\psi}{\partial y^2} + \frac{\partial^2\psi}{\partial z^2} - \frac{1}{c^2}\frac{\partial^2\psi}{\partial t^2} = 0. \tag{20.9}$$

No vácuo, os campos elétricos $\boldsymbol{E}$ e $\boldsymbol{B}$ também satisfazem à equação de onda. Por exemplo, como $\boldsymbol{B} = \nabla \times \boldsymbol{A}$, podemos obter uma equação diferencial para $\boldsymbol{B}$ tomando o rotacional da Eq. (20.7). Como o Laplaciano é um operador escalar, a ordem do Laplaciano e do rotacional pode ser invertida:

$$\nabla \times (\nabla^2\boldsymbol{A}) = \nabla^2(\nabla \times \boldsymbol{A}) = \nabla^2\boldsymbol{B}.$$

De maneira análoga, a ordem do rotacional e de $\partial/\partial t$ pode ser invertida:

$$\nabla \times \frac{1}{c^2}\frac{\partial^2\boldsymbol{A}}{\partial t^2} = \frac{1}{c^2}\frac{\partial^2}{\partial t^2}(\nabla \times \boldsymbol{A}) = \frac{1}{c^2}\frac{\partial^2\boldsymbol{B}}{\partial t^2}.$$

Usando esses resultados, obtemos a seguinte equação para $\boldsymbol{B}$:

$$\nabla^2\boldsymbol{B} - \frac{1}{c^2}\frac{\partial^2\boldsymbol{B}}{\partial t^2} = 0. \tag{20.10}$$

Deste modo cada componente do campo magnético $\boldsymbol{B}$ satisfaz à equação de onda tridimensional. Do mesmo modo, usando $\boldsymbol{E} = -\nabla\phi - \partial\boldsymbol{A}/\partial t$, segue que o campo elétrico $\boldsymbol{E}$ no vácuo também satisfaz à equação de onda tridimensional:

$$\nabla^2\boldsymbol{E} - \frac{1}{c^2}\frac{\partial^2\boldsymbol{E}}{\partial t^2} = 0. \tag{20.11}$$

Todos os nossos campos eletromagnéticos satisfazem à mesma equação de onda, a Eq. (20.8). Então, podemos perguntar: qual é a solução mais geral desta equação? Entretanto, em vez de começarmos lidando com esta pergunta difícil, vamos começar analisando o que pode ser dito em geral sobre as soluções nas quais nada varia em y e z (comece sempre com um caso fácil para ver o que acontece, e depois você pode ir para os casos mais complicados). Vamos supor que as magnitudes dos campos só dependam de x – não há *variações* dos campos com y e z. É claro, estamos considerando ondas planas novamente. Deveríamos esperar resultados parecidos de alguma maneira com os da seção anterior. De fato, vamos encontrar exatamente as mesmas respostas. Você poderia perguntar: "por que vamos fazer tudo de novo?" É importante fazer tudo de novo, primeiro, porque não mostramos que as soluções que encontramos são as soluções mais gerais para ondas planas e, segundo, porque obtivemos os campos somente com um tipo muito particular de fonte de corrente. Poderíamos perguntar agora: qual é o tipo mais geral de onda unidimensional que pode existir no vácuo? Não podemos saber analisando o que acontece para uma ou outra fonte particular, precisamos trabalhar com mais generalidade. Além disso, desta vez vamos trabalhar com as equações diferenciais em vez das formas integrais. Apesar de obtermos os mesmos resultados, essa é uma maneira de praticarmos a mudança de uma forma para a outra, para mostrar que não faz diferença qual caminho você escolhe. Você precisa saber trabalhar de todas as maneiras possíveis, porque quando você tiver um problema difícil, provavelmente vai descobrir que apenas um dos diversos caminhos é tratável.

Poderíamos considerar diretamente a solução da equação de onda para alguma quantidade eletromagnética. Em vez de fazer isso, vamos começar do princípio com as equações de Maxwell no vácuo, para você ver a relação próxima que elas possuem com as ondas eletromagnéticas. Então começamos com as Equações (20.1), fazendo as cargas e as correntes iguais a zero. Elas se tornam

$$\begin{aligned} &\text{I.} \quad \nabla \cdot \boldsymbol{E} = 0 \\ &\text{II.} \quad \nabla \times \boldsymbol{E} = -\frac{\partial \boldsymbol{B}}{\partial t} \\ &\text{III.} \quad \nabla \cdot \boldsymbol{B} = 0 \\ &\text{IV.} \quad c^2 \nabla \times \boldsymbol{B} = \frac{\partial \boldsymbol{E}}{\partial t} \end{aligned} \tag{20.12}$$

Escrevemos a primeira equação em suas componentes:

$$\nabla \cdot \boldsymbol{E} = \frac{\partial E_x}{\partial x} + \frac{\partial E_y}{\partial y} + \frac{\partial E_z}{\partial z} = 0. \tag{20.13}$$

Estamos supondo que não haja variações com y e z, então os dois últimos termos são zero. Essa equação resulta então em

$$\frac{\partial E_x}{\partial x} = 0. \tag{20.14}$$

A solução dessa equação é que E_x, a componente do campo elétrico na direção x, é uma constante no espaço. Se você olhar a Eq. IV na (20.12), supondo que $\boldsymbol{B}$ também não varia em y e z, você pode ver que E_x também é uma constante no tempo. Este campo poderia ser o campo DC estacionário de um capacitor de placas paralelas a uma grande distância. Não estamos interessados agora em um campo estático tão desinteressante; estamos interessados no momento apenas em campos que variam dinamicamente. Para campos *dinâmicos*, $E_x = 0$.

Temos então, como resultado importante, que, para a propagação de ondas planas em qualquer direção, *o campo elétrico deve ser perpendicular à direção de propagação*. Ele ainda pode, é claro, variar de um modo complicado com a coordenada x.

O campo $\boldsymbol{E}$ transversal sempre pode ser separado em duas componentes, por exemplo a componente y e a componente z. Vamos desenvolver primeiro o caso no qual o campo elétrico possui apenas uma componente transversal. Vamos escolher primeiro um campo elétrico que está sempre na direção y, com a componente z igual a zero. Evidentemente, se resolvermos este problema, também poderemos resolver o caso no qual o campo elétrico está sempre na direção z. A solução geral sempre pode ser expressa pela superposição destes dois campos.

Nossas equações ficam muito fáceis agora. A única componente não nula do campo elétrico é E_y, e todas as suas derivadas – com a exceção da derivada em relação a x – são zero. O resto das equações de Maxwell se torna então bastante simples.

Vamos analisar agora a segunda das equações de Maxwell [II da Eq. (20.12)]. Escrevendo as componentes do rotacional de $\boldsymbol{E}$, obtemos

$$(\nabla \times \boldsymbol{E})_x = \frac{\partial E_z}{\partial y} - \frac{\partial E_y}{\partial z} = 0,$$

$$(\nabla \times \boldsymbol{E})_y = \frac{\partial E_x}{\partial z} - \frac{\partial E_z}{\partial x} = 0,$$

$$(\nabla \times \boldsymbol{E})_z = \frac{\partial E_y}{\partial x} - \frac{\partial E_x}{\partial y} = \frac{\partial E_y}{\partial x}.$$

A componente x de $\nabla \times \boldsymbol{E}$ é zero porque as derivadas em relação a y e z são zero. A componente y também é zero; o primeiro termo é zero porque a derivada em relação a z é zero, o segundo termo é zero porque E_z é zero. A única componente do rotacional de $\boldsymbol{E}$ diferente de zero é a componente z, que é igual a $\partial E_y/\partial x$. Igualando as três componentes de $\nabla \times \boldsymbol{E}$ às componentes correspondentes de $-\partial \boldsymbol{B}/\partial t$, podemos concluir o seguinte:

$$\frac{\partial B_x}{\partial t} = 0, \qquad \frac{\partial B_y}{\partial t} = 0. \tag{20.15}$$

$$\frac{\partial B_z}{\partial t} = -\frac{\partial E_y}{\partial x}. \tag{20.16}$$

Como as componentes x e y do campo magnético possuem a derivada temporal igual a zero, essas duas componentes são apenas campos constantes e correspondem às soluções magnetostáticas que obtivemos anteriormente. Alguém poderia ter deixado alguns ímãs permanentes próximos à região onde as ondas estão se propagando. Vamos ignorar estes campos constantes e tomar B_x e B_y iguais a zero.

A propósito, já poderíamos ter concluído que a componente x de $\boldsymbol{B}$ deveria ser zero por uma razão diferente. Como o divergente de $\boldsymbol{B}$ é zero (da terceira equação de Maxwell), fazendo uso dos mesmos argumentos que utilizamos para o campo elétrico concluiríamos que a componente longitudinal de $\boldsymbol{B}$ não pode variar com x. Como estamos ignorando campos uniformes em nossas soluções de onda, teríamos B_x igual a zero. Nas ondas eletromagnéticas planas, o campo $\boldsymbol{B}$, assim como o campo $\boldsymbol{E}$, tem direção perpendicular à direção de propagação.

A Equação (20.16) fornece como proposição adicional que, se o campo elétrico possui apenas a componente y, então o campo magnético possui apenas a componente z. Então $\boldsymbol{E}$ e $\boldsymbol{B}$ são *perpendiculares* entre si. Isso é exatamente o que aconteceu no caso especial que já havíamos considerado.

Agora estamos prontos para usar a última das equações de Maxwell no vácuo [IV da Eq. (20.12)]. Escrevendo as componentes, temos

$$\begin{aligned}
c^2(\nabla \times \boldsymbol{B})_x &= c^2\frac{\partial B_z}{\partial y} - c^2\frac{\partial B_y}{\partial z} = \frac{\partial E_x}{\partial t},\\
c^2(\nabla \times \boldsymbol{B})_y &= c^2\frac{\partial B_x}{\partial z} - c^2\frac{\partial B_z}{\partial x} = \frac{\partial E_y}{\partial t},\\
c^2(\nabla \times \boldsymbol{B})_z &= c^2\frac{\partial B_y}{\partial x} - c^2\frac{\partial B_x}{\partial y} = \frac{\partial E_z}{\partial t}.
\end{aligned} \tag{20.17}$$

Das seis derivadas das componentes de $\boldsymbol{B}$, apenas o termo $\partial B_z/\partial x$ não é igual a zero. Então as três equações resultam simplesmente em

$$-c^2\,\frac{\partial B_z}{\partial x} = \frac{\partial E_y}{\partial t}. \tag{20.18}$$

O resultado de todo o nosso trabalho é que apenas uma componente do campo elétrico e outra do campo magnético são diferentes de zero, e estas componentes devem satisfazer às Eqs. (20.16) e (20.18). As duas equações podem ser combinadas em uma se diferenciarmos a primeira em relação a x e a segunda em relação a t; os lados esquerdos das duas equações serão iguais (exceto pelo fator c^2). Então verificamos que E_y satisfaz à equação

$$\frac{\partial^2 E_y}{\partial x^2} - \frac{1}{c^2}\frac{\partial^2 E_y}{\partial t^2} = 0. \tag{20.19}$$

Já vimos esta mesma equação diferencial antes, quando estudamos a propagação do som. É a equação para ondas unidimensionais.

Você pode notar que durante a dedução desta equação, encontramos algo *mais* que não está contido na Eq. (20.11). As equações de Maxwell nos forneceram a informação adicional de que as ondas eletromagnéticas possuem componentes dos campos apenas em ângulos retos com a direção de propagação da onda.

Vamos fazer uma revisão do que sabemos a respeito das soluções da equação de onda unidimensional. Se uma quantidade qualquer ψ satisfizer à equação de onda unidimensional

$$\frac{\partial^2 \psi}{\partial x^2} - \frac{1}{c^2}\frac{\partial^2 \psi}{\partial t^2} = 0, \tag{20.20}$$

então uma possível solução é uma função $\psi(x, t)$ da forma

$$\psi(x, t) = f(x - ct), \tag{20.21}$$

ou seja, uma função de uma *única* variável $(x - ct)$. A função $f(x - ct)$ representa um padrão "rígido" em x que viaja na direção de x positivo com velocidade c (ver Figura 20–4). Por exemplo, se a função f possui um máximo quando seu argumento é zero, então para $t = 0$ o máximo de ψ ocorre em $x = 0$. Em algum instante posterior, $t = 10$, por exemplo, o máximo de ψ ocorrerá em $x = 10c$. À medida que o tempo passa, o máximo de ψ se move na direção de x positivo com velocidade c.

Às vezes pode ser mais conveniente dizer que a solução da equação de onda unidimensional é uma função de $(t - x/c)$. No entanto, isso é a mesma coisa, pois toda função de $(t - x/c)$ também é função de $(x - ct)$:

$$F(t - x/c) = F\left[-\frac{x - ct}{c}\right] = f(x - ct).$$

Vamos mostrar que $f(x - ct)$ realmente é uma solução da equação de onda. Como f é uma função de uma única variável – a variável $(x - ct)$ – vamos representar por f' a derivada primeira de f em relação a esta variável, e por f'' a derivada segunda de f.

Diferenciando a Eq. (20.21) em relação a x, temos

$$\frac{\partial \psi}{\partial x} = f'(x - ct),$$

pois a derivada de $(x - ct)$ em relação a x é 1. A derivada segunda de ψ em relação a x é claramente

$$\frac{\partial^2 \psi}{\partial x^2} = f''(x - ct). \tag{20.22}$$

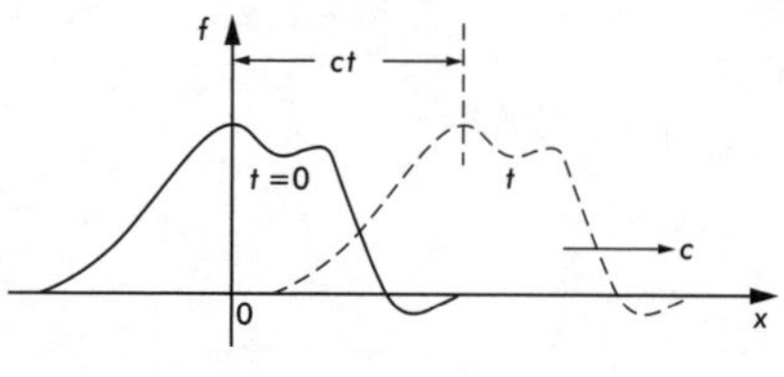

Figura 20–4 A função $f(x - ct)$ representa uma "forma" constante que viaja na direção de x positivo com velocidade c.

Tomando as derivadas de ψ em relação a t, obtemos

$$\frac{\partial\psi}{\partial t} = f'(x - ct)(-c),$$

$$\frac{\partial^2\psi}{\partial t^2} = +c^2 f''(x - ct). \tag{20.23}$$

Podemos ver que ψ realmente satisfaz à equação de onda unidimensional.

Você pode estar pensando: "Se eu tenho uma equação de onda, como eu sei que eu deveria escolher $f(x - ct)$ como solução? Eu não gosto deste método de trás para adiante. Não existe um jeito direto de encontrar a solução?" Bem, um método bom e direto é conhecer a solução. É possível "cozinhar" um argumento matemático aparentemente direto, especialmente porque já sabemos como a solução deve ser, mas com uma equação tão simples quanto esta não precisamos usar truques. Logo você vai ficar tão acostumado, que quando olhar a Eq. (20.20), vai ver quase simultaneamente $\psi = f(x - xt)$ como uma solução (assim como agora, quando você olha a integral de x^2dx, já sabe direto que a resposta é $x^3/3$).

Na verdade, você deveria ver também algo a mais. Não apenas qualquer função de $(x - ct)$ é uma solução, como qualquer função de $(x + ct)$ também é uma solução. Como a equação de onda contém apenas c^2, inverter o sinal de c não faz diferença. De fato, a solução *mais geral* da equação de onda unidimensional é a soma de duas funções arbitrárias, uma de $(x - ct)$ e a outra de $(x + ct)$:

$$\psi = f(x - ct) + g(x + ct). \tag{20.24}$$

O primeiro termo representa uma onda viajando na direção de x positivo, e o segundo termo representa uma onda arbitrária viajando na direção de x negativo. A solução geral é a superposição dessas duas ondas coexistindo ao mesmo tempo.

Vamos deixar uma questão divertida para você pensar. Seja uma função ψ da seguinte forma:

$$\psi = \cos kx \cos kct.$$

Esta equação não está na forma de uma função de $(x - ct)$ ou de $(x + ct)$. Apesar disso, você pode mostrar facilmente que esta função é uma solução da equação de onda por substituição direta na Eq. (20.20). Então como podemos dizer que a solução geral é da forma da Eq. (20.24)?

Aplicando as nossas conclusões a respeito da solução da equação de onda à componente y do campo elétrico, E_y, concluímos que E_y pode depender de x de qualquer maneira arbitrária. Entretanto, os campos reais podem ser sempre considerados como a soma de dois padrões. Uma onda está navegando pelo espaço em uma direção com velocidade c, com um campo magnético associado perpendicular ao campo elétrico; e outra onda está viajando na direção oposta com a mesma velocidade. Essas ondas correspondem às ondas eletromagnéticas que conhecemos – luz, ondas de rádio, radiação infravermelha, radiação ultravioleta, raios X e assim por diante. Já discutimos a radiação luminosa em detalhe no Vol. I. Como tudo o que aprendemos lá se aplica a qualquer onda eletromagnética, não precisamos considerar aqui detalhadamente o comportamento dessas ondas.

No entanto, talvez devêssemos fazer aqui algumas observações adicionais a respeito da questão da polarização das ondas eletromagnéticas. Em nossa solução consideramos um caso especial, no qual o campo elétrico possuía apenas a componente y. Existe, claramente, outra solução para ondas viajando na direção de x positivo ou negativo, com um campo elétrico que possui apenas a componente z. Como as equações de Maxwell são lineares, a solução geral para ondas unidimensionais se propagando na direção x é a soma das ondas de E_y e E_z. Esta solução geral é resumida nas seguintes equações:

$$
\begin{aligned}
\boldsymbol{E} &= (0, E_y, E_z)\\
E_y &= f(x - ct) + g(x + ct)\\
E_z &= F(x - ct) + G(x + ct)\\
\boldsymbol{B} &= (0, B_y, B_z)\\
cB_z &= f(x - ct) - g(x + ct)\\
cB_y &= -F(x - ct) + G(x + ct).
\end{aligned} \tag{20.25}
$$

Estas ondas eletromagnéticas possuem um vetor $\boldsymbol{E}$ que não é constante, mas gira de alguma maneira arbitrária no plano yz. Em cada ponto, o campo magnético é sempre perpendicular ao campo elétrico e à direção de propagação.

Se existem ondas viajando em apenas uma direção, na direção x, por exemplo, temos uma regra simples que fornece a orientação relativa dos campos elétrico e magnético. A regra diz que o produto vetorial $\boldsymbol{E} \times \boldsymbol{B}$ – que é, obviamente, um vetor perpendicular a $\boldsymbol{E}$ e $\boldsymbol{B}$ – aponta na direção de propagação da onda. Se empurrarmos $\boldsymbol{E}$ na direção de $\boldsymbol{B}$ com a mão direita, o polegar aponta na direção da velocidade da onda (veremos mais adiante que o vetor $\boldsymbol{E} \times \boldsymbol{B}$ possui um significado físico especial: é um vetor que descreve o fluxo de energia em um campo eletromagnético).

20–2 Ondas tridimensionais

Vamos voltar agora ao assunto das ondas tridimensionais. Já vimos que o vetor $\boldsymbol{E}$ satisfaz à equação de onda. Também é fácil chegar à mesma conclusão diretamente por meio das equações de Maxwell. Vamos começar com a equação

$$\nabla \times \boldsymbol{E} = -\frac{\partial \boldsymbol{B}}{\partial t}$$

e tomar o rotacional dos dois lados:

$$\nabla \times (\nabla \times \boldsymbol{E}) = -\frac{\partial}{\partial t}(\nabla \times \boldsymbol{B}). \tag{20.26}$$

Você deve se lembrar de que o rotacional do rotacional de qualquer vetor pode ser escrito como a soma de dois termos, um envolvendo o divergente e o outro, o Laplaciano,

$$\nabla \times (\nabla \times \boldsymbol{E}) = \nabla(\nabla \cdot \boldsymbol{E}) - \nabla^2 \boldsymbol{E}.$$

No entanto, o divergente de $\boldsymbol{E}$ é zero no vácuo, de modo que resta apenas o termo do Laplaciano. Além disso, da quarta equação de Maxwell no vácuo [Eq. (20.12)] temos que a derivada temporal de $c^2\, \nabla \times \boldsymbol{B}$ é a derivada segunda de $\boldsymbol{E}$ em relação a t:

$$c^2 \frac{\partial}{\partial t}(\nabla \times \boldsymbol{B}) = \frac{\partial^2 \boldsymbol{E}}{\partial t^2}.$$

A Equação (20.26) se torna

$$\nabla^2 \boldsymbol{E} = \frac{1}{c^2}\frac{\partial^2 \boldsymbol{E}}{\partial t^2},$$

que é a equação de onda tridimensional. Escrita em toda a sua glória, esta equação é, é claro,

$$\frac{\partial^2 \boldsymbol{E}}{\partial x^2} + \frac{\partial^2 \boldsymbol{E}}{\partial y^2} + \frac{\partial^2 \boldsymbol{E}}{\partial z^2} - \frac{1}{c^2}\frac{\partial^2 \boldsymbol{E}}{\partial t^2} = 0. \tag{20.27}$$

Como vamos obter a solução geral do tipo onda? A resposta é que todas as soluções da equação de onda tridimensional podem ser representadas pela superposição das soluções unidimensionais que já encontramos. Obtivemos a equação para ondas se movendo na direção x supondo que o campo não dependia de y e z. Obviamente, existem soluções que não dependem de x e y, representando ondas viajando na direção z. Ou, no caso geral, como escrevemos nossas equações de forma vetorial, a equação de onda tridimensional pode ter soluções que são ondas planas movendo-se em qualquer direção. Novamente, como as equações são lineares, podemos ter simultaneamente quantas ondas planas quisermos, viajando em muitas direções diferentes. Portanto, a solução mais geral da equação de onda tridimensional é uma superposição de todos os tipos de ondas planas se movendo em todas as direções.

Tente imaginar como são os campos elétricos e magnéticos presentes no espaço desta sala de aula. Antes de mais nada, existe um campo magnético estacionário; ele vem das correntes no interior da Terra – ou seja, é o campo magnético estacionário da Terra. Depois temos alguns campos elétricos quase estáticos, irregulares, produzidos talvez por cargas elétricas geradas por fricção enquanto várias pessoas se mexem nas suas cadeiras e esfregam as mangas dos casacos nos braços das cadeiras. Também temos outros campos magnéticos produzidos pelas correntes oscilantes na fiação elétrica – campos que variam com uma frequência de 60 ciclos por segundo, em sincronia com o gerador na hidrelétrica. Ainda mais interessantes são os campos elétricos e magnéticos variando com frequências muito mais altas. Por exemplo, quando a luz viaja da janela para o chão, e de uma parede para a outra, existem pequenas oscilações dos campos elétricos e magnéticos se movendo a 300.000 quilômetros por segundo. Também existem ondas de infravermelho viajando das cabeças mais quentes até o quadro negro frio. E esquecemos a luz ultravioleta, os raios X e as ondas de rádio viajando pela sala.

Voando através da sala, existem ondas eletromagnéticas que carregam a música de uma banda de jazz. Existem ondas moduladas por uma série de impulsos representando cenas de eventos acontecendo em outras partes do mundo, ou de aspirinas imaginárias se dissolvendo em estômagos imaginários. Para demonstrar a realidade destas ondas, precisamos apenas ligar o equipamento eletrônico que converte estas ondas em figuras e sons.

Se formos mais detalhados e analisarmos até mesmo as menores oscilações, existem ondas eletromagnéticas minúsculas que chegaram nesta sala vindas de distâncias enormes. Existem agora oscilações muito pequenas do campo elétrico, cujas cristas são separadas por uma distância de um metro, que vieram de milhões de quilômetros de distância, transmitidas para a Terra pela espaçonave Mariner II que acabou de passar por Vênus. Seus sinais carregam resumos da informação que ela recolheu sobre os planetas (informação obtida por meio das ondas eletromagnéticas que viajaram do planeta até a espaçonave).

Existem oscilações menores ainda dos campos elétricos e magnéticos, que são ondas que se originaram a bilhões de anos-luz de distância – nas galáxias nos cantos mais remotos do universo. Isso foi verificado "enchendo a sala com fios" – construindo antenas tão grandes quanto esta sala. Estas ondas de rádio foram detectadas vindo de regiões no espaço além do alcance dos maiores telescópios ópticos. Mesmo os telescópios ópticos são simplesmente acumuladores de ondas eletromagnéticas. O que chamamos de estrelas são apenas inferências, inferências derivadas da única realidade física que conseguimos extrair até agora – de um estudo cuidadoso das ondulações infinitamente complexas dos campos elétricos e magnéticos chegando até nós na Terra.

Existe, é claro, mais: os campos produzidos por relâmpagos a quilômetros de distância, os campos das partículas de raios cósmicos carregadas que cruzam a sala, e mais, e mais. Que coisa complicada o campo elétrico no espaço ao seu redor! Ainda assim ele satisfaz à equação de onda tridimensional.

20–3 Imaginação científica

Eu pedi para você imaginar estes campos elétricos e magnéticos. O que você faz? Você sabe como fazer? Como é que *eu* imagino os campos elétricos e magnéticos? O que *eu* vejo de verdade? Quais são as pretensões da imaginação científica? Existe alguma diferença entre fazer isso e tentar imaginar que a sala está repleta de anjos invisíveis? É necessário um grau muito maior de imaginação para entender os campos eletromagnéticos do que para entender anjos invisíveis. Por quê? Porque para tornar os anjos invisíveis compreensíveis, eu só preciso alterar as suas propriedades *um pouco* – eu faço os anjos ligeiramente visíveis e então posso ver as formas de suas asas, corpos e auréolas. Uma vez que eu tive sucesso em imaginar um anjo visível, a abstração necessária – tomar anjos praticamente invisíveis e imaginá-los completamente invisíveis – é relativamente fácil. Então você diz, "professor, por favor dê uma descrição aproximada das ondas eletromagnéticas, mesmo que ela seja ligeiramente incorreta, de modo que eu também possa vê-las tão bem como eu posso ver anjos quase invisíveis. Então eu posso modificar a figura com a abstração necessária."

Sinto muito, mas não posso fazer isso para você. Eu não sei como fazer isso. Eu não tenho uma imagem do campo eletromagnético que seja correta de alguma maneira. Eu conheço o campo eletromagnético há bastante tempo – 25 anos atrás eu estava na mesma posição que você está hoje e tive 25 anos de experiência para pensar sobre estes campos oscilantes. Quando eu começo a descrever o campo magnético se movendo pelo espaço, eu falo dos campos $\boldsymbol{E}$ e $\boldsymbol{B}$ e mexo meus braços, e você pode imaginar que eu consigo vê-los. Vou lhe contar o que eu vejo. Eu vejo um tipo de sombra difusa, linhas oscilantes – aqui e ali existe um E e B escritos nelas de alguma forma, e talvez algumas das linhas têm flechas – uma flecha aqui ou acolá que desaparece quando eu olho com muita atenção. Quando eu falo sobre os campos se movendo no espaço, eu faço uma confusão terrível entre os símbolos que eu uso para descrever os objetos e os próprios objetos. Eu realmente não consigo fazer uma imagem que seja aproximadamente como as ondas verdadeiras. Então se você tiver dificuldade em fazer esta imagem, você não deve se preocupar achando que a sua dificuldade é anormal.

Nossa ciência faz exigências terríveis sobre a imaginação. O grau de imaginação necessário é muito mais extremado do que era necessário para as ideias antigas. As ideias modernas são muito mais difíceis de imaginar. Apesar disso, usamos muitas ferramentas. Usamos equações matemáticas e regras e fazemos um monte de figuras. O que eu percebo agora é que quando eu falo sobre o campo eletromagnético no espaço, eu vejo algum tipo de superposição de todos os diagramas que eu já desenhei sobre ele. Eu não vejo pequenos pacotes de linhas de campo correndo porque eu fico preocupado que se eu correr com uma velocidade diferente os pacotes vão desaparecer. Eu deveria ter feito uma figura com o potencial escalar e o potencial vetor, porque estas são talvez as quantidades mais fisicamente relevantes que estão oscilando.

Você vai dizer que talvez a única esperança seja adotar uma visão matemática, mas o que é uma visão matemática? De uma perspectiva matemática, existe um vetor campo elétrico e um vetor campo magnético em cada ponto do espaço; ou seja, existem seis números associados a cada ponto. Você consegue imaginar seis números associados a cada ponto do espaço? Isso é muito difícil. Você consegue imaginar apenas *um* número associado a cada ponto? Eu não consigo! Eu consigo imaginar algo como a temperatura em cada ponto do espaço. Isso parece compreensível. Existe uma distribuição de quente e frio que varia de um lugar a outro. Mas honestamente eu não entendo a ideia de um *número* em cada ponto.

Então talvez devêssemos fazer a questão: podemos representar o campo elétrico por algo mais parecido com a temperatura, como o deslocamento de um pedaço de gelatina? Imagine que o mundo fosse preenchido por uma gelatina leve e os campos representassem uma distorção – um estiramento ou uma torção – da gelatina. Então poderíamos visualizar o campo. Depois de "ver" como o campo é, poderíamos abstrair a gelatina. As pessoas tentaram fazer isso por muitos anos. Maxwell, Ampère, Faraday e outros tentaram entender o eletromagnetismo desta maneira. (Às vezes a gelatina abstrata era denominada "éter".) Acontece que esta tentativa de visualizar o campo eletromagnético estava atrapalhando o progresso. Infelizmente, somos limitados a usar abstrações, a usar instrumentos para detectar o campo, a usar símbolos matemáticos para descrever o campo, etc. Apesar disso, os campos são reais em um certo sentido, porque depois que terminamos de brincar com as equações matemáticas – fazendo ou não figuras e desenhos para tentar visualizar a coisa –, ainda podemos fazer os instrumentos detectarem os sinais da Mariner II e aprender sobre galáxias a um bilhão de milhas de distância, e assim por diante.

Frequentemente, a questão da imaginação na ciência é mal entendida por gente de outras disciplinas. Eles tentam testar a nossa imaginação da seguinte maneira. Eles dizem, "aqui está uma figura de algumas pessoas em uma situação. O que você imagina que vai acontecer a seguir?" Quando respondemos, "não faço ideia", eles acham que temos pouca imaginação. Eles não enxergam o fato de que qualquer coisa que *podemos* imaginar em ciência deve ser *consistente com todo o resto que sabemos:* os campos elétricos e as ondas que estudamos não são apenas pensamentos felizes que podemos imaginar como quisermos, são ideias que precisam ser compatíveis com todas as leis da física que conhecemos. Não podemos nos permitir imaginar seriamente coisas em contradição óbvia com as leis da natureza conhecidas. Por isso o nosso tipo de imaginação é um jogo bastante difícil. É necessário possuir a imaginação para pensar em algo que nunca foi visto ou ouvido antes, mas, ao mesmo tempo, os pensamentos são amarrados em uma camisa de força, por assim dizer, limitados pelas condições que vêm do nosso conhecimento de como a natureza realmente é. O problema de se criar algo novo, mas que seja consistente com tudo o que já foi visto antes, é extremamente difícil.

Enquanto estou tratando deste assunto, gostaria de discutir se é possível imaginar uma *beleza* que não podemos *ver*. Essa é uma pergunta interessante. Quando vemos um arco-íris, ele parece bonito para nós. Todos dizem, "ah, um arco-íris" (você está vendo o quanto eu sou científico. Eu tenho medo de dizer que alguma coisa é bonita, a não ser que eu tenha um meio experimental de definir isso). Como descreveríamos um arco-íris se fôssemos cegos? Nós *somos* cegos quando medimos o coeficiente de reflexão no infravermelho do cloreto de sódio, ou quando falamos a respeito da frequência das ondas que chegam de uma galáxia que não podemos ver – fazemos um diagrama, fazemos um gráfico. Por exemplo, para o arco-íris, este gráfico poderia ser a intensidade da radiação *versus* o comprimento de onda medido com um espectrômetro em cada direção do céu. Geralmente, estas medidas forneceriam uma curva bastante plana. Então, um dia, alguém descobriria que, para certas condições do tempo, e em certos ângulos do céu, o espectro da intensidade como função do comprimento de onda se comportaria de maneira estranha; ele teria um ressalto. E quando o ângulo do instrumento fosse variado só um pouquinho, o máximo do ressalto se moveria de um comprimento de onda para outro. Então um dia o *Physical Review* dos homens cegos publicaria um artigo técnico com o título "A Intensidade da Radiação como Função do Ângulo sob Certas Condições do Clima". Neste artigo apareceria um gráfico como o da Figura 20–5. O autor talvez observasse que para ângulos maiores haveria mais radiação nos comprimentos de onda longos, enquanto que para ângulos menores o máximo da radiação estaria em comprimentos de onda curtos (do nosso ponto de vista, diríamos que a 40° a luz é predominantemente verde e a 42° a luz é predominantemente vermelha).

Como podemos achar o gráfico da Figura 20–5 bonito? Ele contém uma informação muito mais detalhada do que percebemos quando olhamos para um arco-íris, pois os nossos olhos não podem ver os detalhes exatos da forma de um espectro. Apesar disso, o olho vê a beleza do arco-íris. Será que temos imaginação suficiente para ver nas curvas espectrais a mesma beleza que vemos quando olhamos diretamente para o arco-íris? Eu não sei.

Agora suponha que eu tenha um gráfico do coeficiente de reflexão de um cristal de cloreto de sódio como função do comprimento de onda no infravermelho e também como função do ângulo. Seria uma representação de como isso pareceria aos meus olhos se eu pudesse ver no infravermelho – talvez um "verde" brilhante, misturado com reflexos da superfície de um "vermelho metálico". Seria uma coisa linda, mas eu

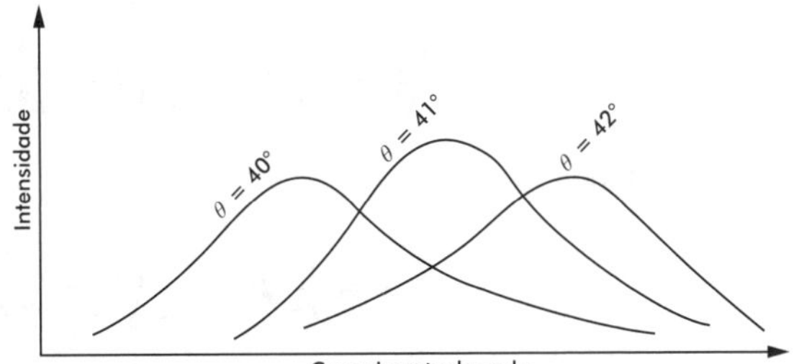

Figura 20–5 A intensidade das ondas eletromagnéticas como função do comprimento de onda para três ângulos (medidos a partir da direção oposta ao sol), observada somente sob certas condições meteorológicas.

não sei se conseguiremos um dia olhar para um gráfico do coeficiente de reflexão do NaCl medido por algum instrumento e dizer que ele possui a mesma beleza.

Por outro lado, mesmo que não possamos ver a beleza em resultados de medições particulares, *podemos* afirmar que vemos uma certa beleza nas equações que descrevem as leis físicas gerais. Por exemplo, na equação de onda (20.9), existe beleza na regularidade com que x, y, z e t aparecem. E essa simetria em x, y, z e t sugere uma beleza maior relacionada com as quatro dimensões, a possibilidade de que o espaço tenha simetria em quatro dimensões, a possibilidade de analisar isso e os desenvolvimentos da teoria da relatividade especial. Então existe muita beleza intelectual associada às equações.

20–4 Ondas esféricas

Vimos que existem soluções das equações de onda que correspondem a ondas planas, e que qualquer onda eletromagnética pode ser descrita como uma superposição de ondas planas. Entretanto, em certos casos especiais, é mais conveniente descrever o campo da onda de uma forma matemática diferente. Gostaríamos de discutir agora a teoria das ondas esféricas – ondas que correspondem a superfícies esféricas espalhando-se a partir de um centro. Quando você joga uma pedra em um lago, as ondulações se espalham como ondas circulares na superfície – são ondas bidimensionais. Uma onda esférica é similar, mas ela se espalha em três dimensões.

Antes de começar a descrever as ondas esféricas, vamos precisar de um pouco de matemática. Considere uma função que dependa apenas da distância radial r até a origem – em outras palavras, uma função esfericamente simétrica. Vamos denominar esta função $\psi(r)$, onde r é

$$r = \sqrt{x^2 + y^2 + z^2},$$

a distância radial até a origem. Para encontrar quais funções $\psi(r)$ satisfazem à equação de onda, vamos precisar de uma expressão para o Laplaciano de ψ. Então queremos encontrar a soma das derivadas segundas de ψ em relação a x, y e z. Vamos escrever $\psi'(r)$ para representar a derivada de ψ em relação a r e $\psi''(r)$ para representar a segunda derivada de ψ em relação a r.

Primeiro, calculamos as derivadas de ψ em relação a x. A primeira derivada é

$$\frac{\partial\psi(r)}{\partial x} = \psi'(r)\,\frac{\partial r}{\partial x}\cdot$$

A segunda derivada de ψ em relação a x é

$$\frac{\partial^2\psi}{\partial x^2} = \psi''\left(\frac{\partial r}{\partial x}\right)^2 + \psi'\,\frac{\partial^2 r}{\partial x^2}\cdot$$

Podemos calcular as derivadas parciais de r em relação a x com

$$\frac{\partial r}{\partial x} = \frac{x}{r}, \qquad \frac{\partial^2 r}{\partial x^2} = \frac{1}{r}\left(1 - \frac{x^2}{r^2}\right).$$

Portanto, a derivada segunda de ψ em relação a x é

$$\frac{\partial^2\psi}{\partial x^2} = \frac{x^2}{r^2}\,\psi'' + \frac{1}{r}\left(1 - \frac{x^2}{r^2}\right)\psi'. \tag{20.28}$$

Da mesma forma,

$$\frac{\partial^2\psi}{\partial y^2} = \frac{y^2}{r^2}\,\psi'' + \frac{1}{r}\left(1 - \frac{y^2}{r^2}\right)\psi', \tag{20.29}$$

$$\frac{\partial^2\psi}{\partial z^2} = \frac{z^2}{r^2}\psi'' + \frac{1}{r}\left(1 - \frac{z^2}{r^2}\right)\psi'. \tag{20.30}$$

O Laplaciano é a soma dessas três derivadas. Lembrando que $x^2 + y^2 + z^2 = r^2$, obtemos

$$\nabla^2\psi(r) = \psi''(r) + \frac{2}{r}\psi'(r). \tag{20.31}$$

Frequentemente é mais conveniente escrever essa equação na seguinte forma:

$$\nabla^2\psi(r) = \frac{1}{r}\frac{d^2}{dr^2}(r\psi). \tag{20.32}$$

Se você efetuar a derivação indicada na Eq. (20.32), verá que o lado direito é o mesmo da Eq. (20.31)

Se quisermos considerar campos esfericamente simétricos que se propagam como ondas esféricas, nosso campo deve ser uma função de r e t. Vamos perguntar, então, quais funções $\psi(r, t)$ são soluções da equação de onda tridimensional

$$\nabla^2\psi(r, t) - \frac{1}{c^2}\frac{\partial^2}{\partial t^2}\psi(r, t) = 0. \tag{20.33}$$

Como $\psi(r, t)$ depende das coordenadas espaciais apenas através de r, podemos usar a equação para o Laplaciano que obtivemos acima, Eq. (20.32). Entretanto, para sermos precisos, como ψ também é função de t, deveríamos escrever as derivadas em relação a r como derivadas parciais. Então a equação de onda se torna

$$\frac{1}{r}\frac{\partial^2}{\partial r^2}(r\psi) - \frac{1}{c^2}\frac{\partial^2}{\partial t^2}\psi = 0.$$

Agora precisamos resolver essa equação, que parece ser muito mais complicada do que o caso da onda plana. Repare que se multiplicarmos esta equação por r, obteremos

$$\frac{\partial^2}{\partial r^2}(r\psi) - \frac{1}{c^2}\frac{\partial^2}{\partial t^2}(r\psi) = 0. \tag{20.34}$$

Essa equação mostra que a função $r\psi$ satisfaz à equação de onda unidimensional na variável r. Usando o princípio geral que enfatizamos tão frequentemente, de que equações iguais possuem as mesmas soluções, sabemos que se $r\psi$ for uma função apenas de $(r - ct)$, então será uma solução da Eq. (20.34). Portanto, sabemos que as ondas esféricas são da forma

$$r\psi(r, t) = f(r - ct).$$

Ou, como já vimos anteriormente, podemos dizer igualmente que $r\psi$ pode ter a forma

$$r\psi = f(t - r/c).$$

Dividindo por r, verificamos que a quantidade ψ (qualquer que seja) possui a seguinte forma:

$$\psi = \frac{f(t - r/c)}{r}. \tag{20.35}$$

Essa função representa uma onda esférica viajando a partir da origem com velocidade c. Se esquecermos o r no denominador por um momento, a amplitude da onda como função da distância até a origem em um dado tempo possui uma forma que viaja com velocidade c. Não obstante, o fator r no denominador faz com que a amplitude da onda diminua com $1/r$ na medida em que a onda se propaga. Em outras palavras, diferentemente da onda plana cuja amplitude permanece constante durante a propagação a amplitude da onda esférica diminui sempre, como mostrado na Figura 20–6. Esse efeito é fácil de entender a partir de um argumento físico simples.

Sabemos que a densidade de energia de uma onda depende do quadrado da amplitude da onda. À medida que a onda se propaga, sua energia se espalha por áreas cada vez maiores, proporcionais à distância radial ao quadrado. Para que a energia total seja conservada, a energia total deve diminuir como $1/r^2$, e a amplitude da onda deve diminuir como $1/r$. Então a Eq. (20.35) é a forma "que faz sentido" para uma onda esférica.

Não consideramos a segunda solução possível para a equação de onda unidimensional:

$$r\psi = g(t + r/c),$$

ou

$$\psi = \frac{g(t + r/c)}{r}.$$

Esta solução também representa uma onda esférica, mas é uma onda que viaja *para dentro*, a partir de um r grande até a origem.

Vamos fazer agora uma suposição especial. Vamos dizer, sem nenhum tipo de demonstração, que as ondas geradas por uma fonte são apenas as ondas que viajam *para fora*. Como sabemos que as ondas são causadas pelo movimento das cargas, queremos pensar que as ondas se afastam das cargas. Seria um pouco estranho imaginar que, antes das cargas serem postas em movimento, uma onda esférica começaria no infinito e chegaria até as cargas no momento exato em que elas começam a se mover. Essa é uma solução possível, mas a experiência mostra que quando as cargas são aceleradas as ondas viajam para longe das cargas. Apesar de as equações de Maxwell permitirem qualquer das duas possibilidades, colocamos um *fato adicional* – baseado na experiência – de que apenas a solução de onda emergente possui "sentido físico".

Entretanto, devemos observar que existe uma consequência interessante desta suposição adicional: estamos removendo a simetria em relação ao tempo que existe nas equações de Maxwell. As equações originais para $\boldsymbol{E}$ e $\boldsymbol{B}$, e também as equações de onda que derivamos a partir delas, possuem a propriedade de que se mudarmos o sinal do tempo a equação permanece a mesma. Estas equações dizem que, para cada solução correspondente a uma onda viajando em uma direção, existe uma solução igualmente válida para uma onda viajando na direção contrária. Quando afirmamos que vamos considerar apenas as ondas esféricas emergentes, esta é uma suposição adicional importante. (Uma formulação da eletrodinâmica na qual esta suposição adicional é evitada foi

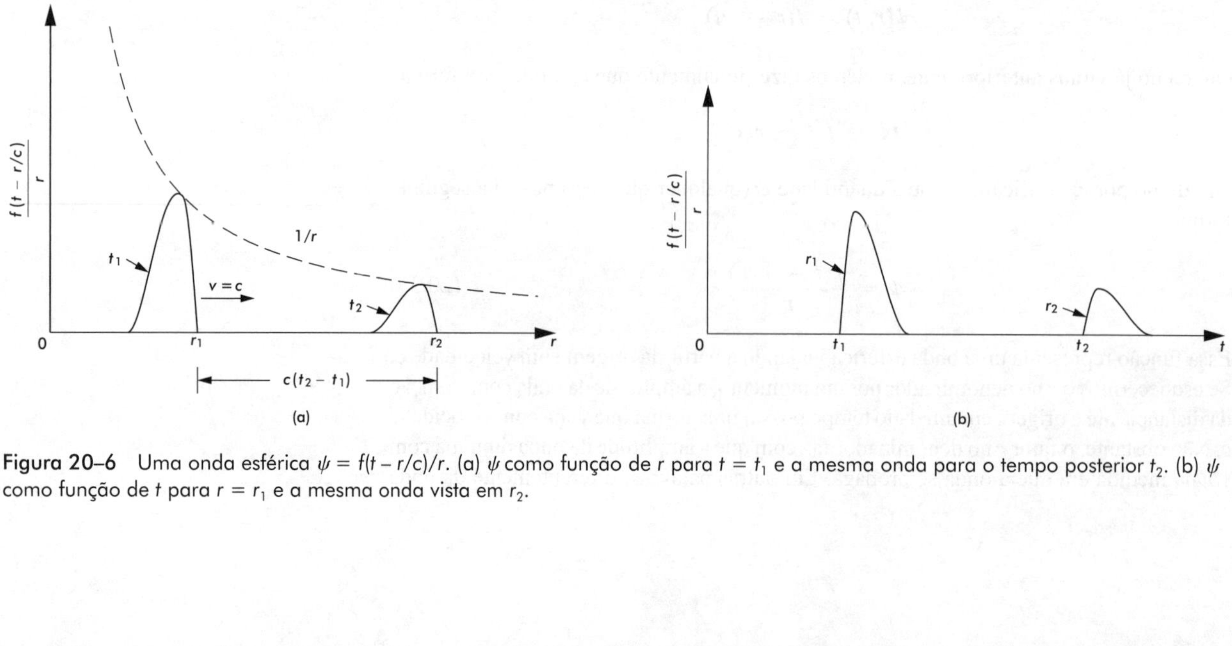

Figura 20–6 Uma onda esférica $\psi = f(t - r/c)/r$. (a) ψ como função de r para $t = t_1$ e a mesma onda para o tempo posterior t_2. (b) ψ como função de t para $r = r_1$ e a mesma onda vista em r_2.

estudada cuidadosamente. Surpreendentemente, em muitas circunstâncias ela *não* leva a conclusões fisicamente absurdas, mas nos desviaríamos muito se fôssemos discutir estas ideias agora. Vamos falar mais a respeito no Capítulo 28.)

Devemos mencionar mais um ponto importante. Em nossa solução para uma onda emergente, Eq. (20.35), a função ψ é infinita na origem. Isto é um pouco peculiar. Gostaríamos de ter uma solução de onda suave em todos os pontos. Nossa solução deve representar fisicamente uma situação na qual existe alguma fonte na origem. Ou seja, cometemos um erro sem perceber. Não resolvemos a equação de onda no vácuo (20.33) em *todo o espaço*; resolvemos a Eq. (20.33) com zero no lado direito em todo o espaço, exceto na origem. Nosso erro apareceu porque alguns passos da nossa derivação não são válidos quando $r = 0$.

Vamos mostrar agora como é fácil cometer o mesmo tipo de erro em um problema eletrostático. Suponha que estejamos procurando uma solução da equação para o potencial eletrostático no vácuo, $\nabla^2\phi = 0$. O Laplaciano é igual a zero, pois estamos assumindo que não existem cargas. Vejamos o que acontece com uma solução esfericamente simétrica desta equação – ou seja, uma função ϕ que depende apenas de r. Usando a fórmula da Eq. (20.32) para o Laplaciano, temos

$$\frac{1}{r}\frac{d^2}{dr^2}(r\phi) = 0.$$

Multiplicando essa equação por r, obtemos uma equação que pode ser prontamente integrada:

$$\frac{d^2}{dr^2}(r\phi) = 0.$$

Se integrarmos uma vez em relação a r, veremos que a primeira derivada de $r\phi$ é uma constante, que vamos denominar a:

$$\frac{d}{dr}(r\phi) = a.$$

Integrando novamente, temos que $r\phi$ é da forma

$$r\phi = ar + b,$$

onde b é uma outra constante de integração. Então temos que a seguinte função ϕ é uma solução para o potencial eletrostático no vácuo:

$$\phi = a + \frac{b}{r}\cdot$$

Evidentemente, algo está errado. Na região onde não existem cargas elétricas, conhecemos a solução para o potencial eletrostático: o potencial é uma constante em todos os pontos. Isso corresponde ao primeiro termo da nossa solução. Também temos o segundo termo, que diz que existe uma contribuição no potencial que varia como o inverso da distância até a origem. No entanto, sabemos que este potencial corresponde a uma carga puntiforme na origem. Então, apesar de pensarmos que estávamos resolvendo o potencial no vácuo, nossa solução também dá o campo de uma carga puntiforme na origem. Você consegue ver a semelhança entre o que aconteceu agora e o que aconteceu quando obtivemos uma solução esfericamente simétrica para a equação de onda? Se realmente não houvesse cargas ou correntes na origem, não haveria ondas esféricas emergentes. As ondas esféricas devem, obviamente, ser produzidas por fontes na origem. No próximo capítulo vamos investigar a conexão entre as ondas eletromagnéticas emergentes e as correntes e tensões que as produzem.

21

Soluções das Equações de Maxwell com Cargas e Correntes

Revisão: Capítulo 28, Vol. I: *Radiação Eletromagnética*
Capítulo 31, Vol. I: *A Origem do Índice de Refração*
Capítulo 34, Vol. I: *Efeitos Relativísticos na Radiação*

21–1 Luz e ondas eletromagnéticas

Vimos no capítulo anterior que as ondas de eletricidade e magnetismo fazem parte das soluções das equações de Maxwell. Estas ondas correspondem aos fenômenos de rádio, luz, raios X e assim por diante, dependendo do comprimento de onda. Já estudamos a luz em detalhe no Vol. I. Neste capítulo, queremos ligar os dois assuntos – queremos mostrar que as equações de Maxwell podem realmente formar a base do nosso tratamento anterior dos fenômenos luminosos.

Quando estudamos a luz, começamos escrevendo uma equação para o campo elétrico produzido por uma carga movendo-se de maneira arbitrária. A equação era

$$\boldsymbol{E} = \frac{q}{4\pi\epsilon_0}\left[\frac{\boldsymbol{e}_{r'}}{r'^2} + \frac{r'}{c}\frac{d}{dt}\left(\frac{\boldsymbol{e}_{r'}}{r'^2}\right) + \frac{1}{c^2}\frac{d^2}{dt^2}\boldsymbol{e}_{r'}\right] \tag{21.1}$$

e

$$c\boldsymbol{B} = \boldsymbol{e}_{r'} \times \boldsymbol{E}.$$

[Ver Eqs. (28.3) e (28.4), Vol. I. Conforme explicado a seguir, os sinais aqui são os opostos dos anteriores.]

Se uma carga se move de maneira arbitrária, o campo elétrico que medimos *agora* em um determinado ponto depende apenas da posição e do movimento da carga não agora, mas em um tempo *anterior* – em um instante anterior o suficiente para que a luz tenha tempo de viajar a distância r' entre a carga e o ponto de teste, com velocidade c. Em outras palavras, se queremos o campo elétrico no ponto (1) no tempo t, precisamos calcular a localização (2′) da carga e o seu movimento no tempo $(t - r'/c)$, onde r' é a distância entre a posição (2′) da carga no instante $(t - r'/c)$ e o ponto (1). A linha é para lembrá-lo de que r' é a chamada "distância retardada" entre o ponto (2′) e o ponto (1), e não a distância real entre o ponto (2), a posição da carga no tempo t e o ponto de teste (1) (ver a Figura 21–1). Note que estamos usando agora uma convenção diferente para a *direção* do vetor unitário $\boldsymbol{e}_r$. Nos Capítulos 28 e 34 do Vol. I era mais conveniente tomar $\boldsymbol{r}$ (e consequentemente $\boldsymbol{e}_r$) apontando *em direção* à fonte. Agora estamos seguindo a definição que usamos para a lei de Coulomb, na qual $\boldsymbol{r}$ é direcionado *da carga*, em (2), *para* o ponto de teste em (1). A única diferença é, obviamente, que o nosso novo $\boldsymbol{r}$ e $\boldsymbol{e}_r$ são os opostos dos antigos.

Também vimos que se a velocidade v de uma carga for sempre muito menor do que c e se considerarmos apenas pontos a grandes distâncias da carga, de modo que somente o último termo da Eq. (21.1) seja importante, os campos também podem ser escritos como

$$E = \frac{q}{4\pi\epsilon_0 c^2 r'}\left[\begin{array}{l}\text{aceleração da carga em } (t - r'/c)\\ \text{projetada perpendicularmente a } r'\end{array}\right] \tag{21.1′}$$

e

$$c\boldsymbol{B} = \boldsymbol{e}_{r'} \times \boldsymbol{E}.$$

Vamos ver mais detalhadamente o que a equação completa, a Eq. (21.1), tem a dizer. O vetor $\boldsymbol{e}_{r'}$ é o vetor unitário que aponta para (1) da posição retardada (2′). Então, o primeiro termo é o que esperaríamos da lei de Coulomb para a carga situada em sua posição retardada – podemos denominá-lo "campo coulombiano retardado". O campo elétrico depende do inverso do quadrado da distância e é dirigido para longe da posição retardada da carga (ou seja, na direção de $\boldsymbol{e}_{r'}$).

No entanto, este é apenas o primeiro termo. Os outros termos nos mostram que as leis da eletricidade *não* dizem que todos os campos são iguais aos campos estáticos, só que retardados (que é o que as pessoas gostam de dizer, às vezes). Devemos somar ao "campo coulombiano retardado" mais dois termos. O segundo termo afirma que existe uma "correção" para o campo coulombiano retardado que é a taxa de variação do campo coulombiano retardado multiplicada por r'/c,

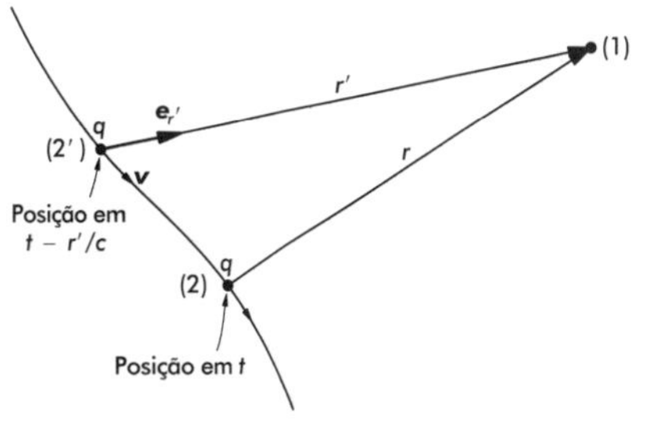

Figura 21–1 Os campos em (1) no tempo t dependem da posição (2′) ocupada pela carga q no tempo $(t - r'/c)$.

o atraso do retardamento. Pode-se dizer que este termo tende a *compensar* o retardamento do primeiro termo. Os primeiros dois termos correspondem a calcular o "campo coulombiano retardado" e depois fazer uma extrapolação de r'/c para o futuro, isto é, *até o tempo t*! A extrapolação é linear, como se supuséssemos que o "campo coulombiano retardado" continuaria variando na taxa calculada para a carga no ponto (2′). Se o campo estiver variando lentamente, o efeito do retardamento será quase completamente removido pelo termo de correção, e os dois termos juntos darão um campo elétrico que é o "campo coulombiano instantâneo" – isto é, o campo coulombiano da carga no ponto (2) – como uma boa aproximação.

Finalmente, existe um terceiro termo na Eq. (21.1) que é a segunda derivada do vetor unitário $\boldsymbol{e}_{r'}$. Em nosso estudo dos fenômenos luminosos, usamos o fato de que bem longe da carga os dois primeiros termos são inversamente proporcionais ao quadrado da distância e, para grandes distâncias, se tornam muito fracos em comparação com o último termo, que é proporcional a $1/r$. Por isso nos concentramos unicamente no último termo, e mostramos que ele é (novamente, para grandes distâncias) proporcional à componente da aceleração da carga perpendicular à linha de visada. (Além disso, na maior parte do nosso trabalho no Vol. I, consideramos o caso em que as cargas estavam realizando um movimento não relativístico. Consideramos os efeitos relativísticos em apenas um capítulo, o Capítulo 34.)

Agora vamos tentar ligar as duas partes. Temos as equações de Maxwell e temos a Eq. (21.1) para o campo de uma carga puntiforme. Certamente deveríamos nos perguntar se elas são equivalentes. Se pudermos deduzir a Eq. (21.1) a partir das equações de Maxwell, realmente teremos compreendido a conexão entre luz e eletromagnetismo. Fazer essa conexão é o objetivo principal deste capítulo.

Acontece que não vamos realmente fazê-lo – as passagens matemáticas são muito complicadas para desenvolvê-las com todos os seus detalhes interessantes. Vamos chegar perto o suficiente para que você possa ver facilmente como a conexão deveria ser feita. As partes faltando serão apenas detalhes matemáticos. Você pode achar que a matemática deste capítulo é muito complicada, e talvez não queira seguir o argumento muito atentamente. Mesmo assim, achamos que é importante fazer a conexão entre o que você aprendeu antes e o que você está aprendendo agora, ou pelo menos indicar como essa conexão pode ser feita. Você irá reparar, se olhar nos capítulos anteriores, que sempre que utilizamos uma afirmação como ponto de partida para uma discussão, explicamos cuidadosamente se esta afirmação era uma nova "suposição", ou seja, uma "lei básica", ou se ela poderia ser deduzida a partir de outras leis. Seguindo o espírito destas aulas, devemos a você a conexão entre a luz e as equações de Maxwell. Se ficar difícil em algumas partes, bem, a vida é assim – não existe outra maneira.

21–2 Ondas esféricas de uma fonte puntiforme

No Capítulo 18, verificamos que as equações de Maxwell podem ser resolvidas se tomarmos

$$\boldsymbol{E} = -\boldsymbol{\nabla}\phi - \frac{\partial \boldsymbol{A}}{\partial t} \tag{21.2}$$

e

$$\boldsymbol{B} = \boldsymbol{\nabla} \times \boldsymbol{A}, \tag{21.3}$$

onde ϕ e $\boldsymbol{A}$ devem ser então as soluções das equações

$$\nabla^2\phi - \frac{1}{c^2}\frac{\partial^2\phi}{\partial t^2} = -\frac{\rho}{\epsilon_0} \tag{21.4}$$

e

$$\nabla^2\boldsymbol{A} - \frac{1}{c^2}\frac{\partial^2\boldsymbol{A}}{\partial t^2} = -\frac{\boldsymbol{j}}{\epsilon_0 c^2}, \tag{21.5}$$

e também devem satisfazer à condição

$$\nabla \cdot \boldsymbol{A} = -\frac{1}{c^2}\frac{\partial \phi}{\partial t}. \tag{21.6}$$

Agora vamos obter a solução das Eqs. (21.4) e (21.5). Para tanto, precisamos encontrar a solução ψ da equação

$$\nabla^2\psi - \frac{1}{c^2}\frac{\partial^2\psi}{\partial t^2} = -s, \tag{21.7}$$

onde s, como denominamos a fonte, é conhecida. É claro, s corresponde a ρ/ϵ_0 e ψ corresponde a ϕ para a Eq. (21.4), enquanto s é $j_x/\epsilon_0 c^2$ se ψ for A_x, etc., mas queremos resolver a Eq. (21.7) como um problema matemático, não importa quem sejam ψ e s fisicamente.

Nas regiões onde ρ e $\boldsymbol{j}$ são zero – o que chamamos de vácuo, ou espaço "livre" – os potenciais ϕ e $\boldsymbol{A}$, e os campos $\boldsymbol{E}$ e $\boldsymbol{B}$, todos satisfazem à equação de onda tridimensional sem fontes, cuja forma matemática é

$$\nabla^2\psi - \frac{1}{c^2}\frac{\partial^2\psi}{\partial t^2} = 0. \tag{21.8}$$

No Capítulo 20, vimos que as soluções destas equações podem representar ondas de vários tipos: ondas planas na direção x, $\psi = f(t - x/c)$; ondas planas na direção y ou na direção z, ou em qualquer outra direção; ou ondas esféricas da forma

$$\psi(x, y, z, t) = \frac{f(t - r/c)}{r}. \tag{21.9}$$

(As soluções ainda podem ser escritas de outras maneiras, como ondas cilíndricas que se propagam a partir de um eixo, por exemplo.)

Também enfatizamos que, fisicamente, a Eq. (21.9) não representa uma onda no vácuo – é necessário que haja cargas na origem para que a onda emergente seja gerada. Em outras palavras, a Eq. (21.9) é uma solução da Eq. (21.8) em todos os pontos exceto bem próximo de $r = 0$, onde ela deve ser uma solução da equação completa (21.7), incluindo alguma fonte. Vamos ver como isso funciona. Que tipo de fonte s na Eq. (21.7) produziria uma onda como a Eq. (21.9)?

Imagine a onda esférica da Eq. (21.9) e veja o que acontece quando r é muito pequeno. Então o retardamento $-r/c$ em $f(t - r/c)$ pode ser desprezado – desde que f seja uma função suave – e ψ torna-se

$$\psi = \frac{f(t)}{r} \qquad (r \to 0). \tag{21.10}$$

Deste modo, ψ é como um campo coulombiano para uma carga na origem que varia com o tempo. Isto é, se tivermos um pequeno aglomerado de carga, limitado a uma região muito pequena próxima da origem, com uma densidade ρ, sabemos que

$$\phi = \frac{Q/4\pi\epsilon_0}{r},$$

onde $Q = \int \rho\, dV$. Agora sabemos que este ϕ satisfaz à equação

$$\nabla^2\phi = -\frac{\rho}{\epsilon_0}.$$

Seguindo a mesma matemática, poderíamos dizer que a função ψ na Eq. (21.10) satisfaz a

$$\nabla^2\psi = -s \qquad (r \to 0), \tag{21.11}$$

onde s está relacionado a f por

$$f = \frac{S}{4\pi},$$

com

$$S = \int s\,dV.$$

A única diferença é que, no caso geral, s, e consequentemente S, podem ser funções do tempo.

O importante é que se ψ satisfaz à Eq. (21.11) para r pequeno, então ψ também satisfaz à Eq. (21.7). À medida que nos aproximamos da origem, a dependência em $1/r$ de ψ se torna muito grande, mas as derivadas temporais mantêm os mesmos valores (são apenas as derivadas temporais de $f(t)$). Então quando r vai a zero, o termo $\partial^2\psi/\partial t^2$ na Eq. (21.7) pode ser desprezado em comparação com $\nabla^2\psi$, e a Eq. (21.7) se torna equivalente à Eq. (21.11).

Resumindo, então, se a função de fonte $s(t)$ da Eq. (21.7) está localizada na origem e possui a intensidade total

$$S(t) = \int s(t)\,dV, \tag{21.12}$$

a solução da Eq. (21.7) é

$$\psi(x, y, z, t) = \frac{1}{4\pi}\frac{S(t - r/c)}{r}. \tag{21.13}$$

O único efeito do termo $\partial^2\psi/\partial t^2$ na Eq. (21.7) é introduzir a retardação $(t - r/c)$ no potencial tipo coulombiano.

21–3 A solução geral das equações de Maxwell

Encontramos a solução da Eq. (21.7) para uma fonte "puntiforme". A próxima questão é: qual é a solução para uma fonte extensa? Isso é fácil; podemos pensar em qualquer fonte $s(x, y, z, t)$ como sendo feita de uma soma de muitas fontes "puntiformes", uma para cada elemento de volume dV, e cada uma com intensidade $s(x, y, z, t)\,dV$. Como a Eq. (21.7) é linear, o campo resultante é a superposição dos campos de todos esses elementos de fonte.

Usando os resultados da seção anterior [Eq. (21.13)], sabemos que o campo $d\psi$ no ponto (x_1, y_1, z_1) – ou, para encurtar, (1) – no tempo t, de um elemento de fonte $s\,dV$ no ponto (x_2, y_2, z_2) – ou (2) – é dado por

$$d\psi(1, t) = \frac{s(2, t - r_{12}/c)\,dV_2}{4\pi r_{12}},$$

onde r_{12} é a distância de (2) a (1). Somar as contribuições de todas as partes da fonte significa fazer uma integral sobre todas as regiões onde $s \neq 0$; portanto temos

$$\psi(1, t) = \int \frac{s(2, t - r_{12}/c)}{4\pi r_{12}}\,dV_2. \tag{21.14}$$

Ou seja, o campo em (1) no tempo t é a soma de todas as ondas esféricas que deixam os elementos de fonte em (2) no tempo $(t - r_{12}/c)$. Essa é a solução da nossa equação de onda para um conjunto qualquer de fontes.

Podemos ver agora como obter uma solução geral para as equações de Maxwell. Se ψ for o potencial escalar ϕ, a função de fonte s se torna ρ/ϵ_0. Ou se ψ representar qualquer uma das componentes do potencial vetor $\boldsymbol{A}$, s é substituída pela componente correspondente de $\boldsymbol{j}/\epsilon_0 c^2$. Assim, se soubermos a densidade de carga $\rho(x, y, z, t)$ e a densidade de corrente $\boldsymbol{j}(x, y, z, t)$ em todos os pontos, poderemos escrever imediatamente as soluções das Eqs. (21.4) e (21.5). Elas são

$$\phi(1, t) = \int \frac{\rho(2, t - r_{12}/c)}{4\pi\epsilon_0 r_{12}} dV_2 \tag{21.15}$$

e

$$A(1, t) = \int \frac{j(2, t - r_{12}/c)}{4\pi\epsilon_0 c^2 r_{12}} dV_2. \tag{21.16}$$

Os campos $\boldsymbol{E}$ e $\boldsymbol{B}$ podem ser encontrados diferenciando os potenciais, usando as Eqs. (21.2) e (21.3) (a propósito, é possível verificar que os potenciais ϕ e $\boldsymbol{A}$ obtidos das Eqs. (21.15) e (21.16) realmente satisfazem à igualdade (21.6)).

Resolvemos as equações de Maxwell. Dadas as correntes e as cargas em qualquer circunstância, podemos obter os potenciais diretamente a partir dessas integrais, e podemos diferenciá-las para obter os campos. Então, terminamos a teoria de Maxwell. E isso também nos permite voltar à nossa teoria da luz, pois para fazer a conexão com o nosso trabalho anterior sobre a luz, precisamos apenas calcular o campo elétrico de uma carga em movimento. Tudo o que resta a fazer é tomar uma carga em movimento, calcular os potenciais a partir destas integrais e depois diferenciar para obter $\boldsymbol{E}$ a partir de $-\nabla\phi - \partial \boldsymbol{A}/\partial t$. Então devemos obter a Eq. (21.1). Dá um trabalho enorme, mas esse é o princípio.

Então aqui está o centro do universo do eletromagnetismo – a teoria completa da eletricidade, do magnetismo e da luz, uma descrição completa dos campos produzidos por cargas em movimento e mais. Está tudo aqui. Aqui está a estrutura construída por Maxwell, completa com todo o seu poder e beleza. É provavelmente um dos maiores feitos da física. Para lembrá-lo de sua importância, colocamos tudo em um belo quadro.

Equações de Maxwell:

$$\nabla \cdot \boldsymbol{E} = \frac{\rho}{\epsilon_0} \qquad \nabla \cdot \boldsymbol{B} = 0$$

$$\nabla \times \boldsymbol{E} = -\frac{\partial \boldsymbol{B}}{\partial t} \qquad c^2\nabla \times \boldsymbol{B} = \frac{\boldsymbol{j}}{\epsilon_0} + \frac{\partial \boldsymbol{E}}{\partial t}$$

Suas soluções:

$$\boldsymbol{E} = -\nabla\phi - \frac{\partial \boldsymbol{A}}{\partial t}$$

$$\boldsymbol{B} = \nabla \times \boldsymbol{A}$$

$$\phi(1, t) = \int \frac{\rho(2, t - r_{12}/c)}{4\pi\epsilon_0 r_{12}} dV_2$$

$$\boldsymbol{A}(1, t) = \int \frac{\boldsymbol{j}(2, t - r_{12}/c)}{4\pi\epsilon_0 c^2 r_{12}} dV_2$$

21–4 Os campos de um dipolo oscilante

Ainda não cumprimos a nossa promessa de deduzir a Eq. (21.1) para o campo elétrico de uma carga puntiforme em movimento. Mesmo com os resultados que já obtivemos, é um resultado relativamente difícil de deduzir. Não encontramos a Eq. (21.1) em lugar nenhum na literatura publicada exceto no Vol. I destas aulas.[1] Então você pode ver que

[1] A fórmula foi publicada pela primeira vez por Oliver Heaviside em 1902. Ela foi descoberta independentemente por R. P. Feynman, por volta de 1950, e apresentada em algumas aulas como uma boa maneira de pensar sobre a radiação síncrotron.

ela não é fácil de deduzir (os campos de uma carga em movimento já foram escritos de muitas outras formas, que são equivalentes, é claro). Aqui teremos que nos limitar a mostrar que, em alguns exemplos, as Eqs. (21.15) e (21.16) dão os mesmos resultados que a Eq. (21.1). Primeiro, vamos mostrar que a Eq. (21.1) dá os campos corretos, apenas com a restrição de que o movimento da partícula carregada seja não relativístico (este caso especial é suficiente para descrever 90%, ou mais, do que vimos sobre a luz).

Consideremos uma situação na qual temos uma bola de carga se movendo de alguma maneira, em uma região pequena, e procuramos obter os campos à distância. Em outras palavras, estamos procurando o campo a uma distância qualquer de uma carga puntiforme que está se movendo de um lado para o outro, com movimentos muito pequenos. Como a luz normalmente é emitida por objetos neutros, como os átomos, vamos considerar que nossa carga irrequieta q está localizada perto de uma carga igual e oposta em repouso. Se a separação entre as cargas for $\boldsymbol{d}$, as cargas possuirão um momento de dipolo $\boldsymbol{p} = q\boldsymbol{d}$, que tomamos como uma função do tempo. Agora, deveríamos esperar que, se olharmos para os campos próximos às cargas, não precisaremos nos preocupar com o atraso; o campo elétrico será exatamente o mesmo que já calculamos para um dipolo eletrostático – usando, é claro, o momento de dipolo instantâneo $\boldsymbol{p}(t)$. Se nos afastarmos bastante, deveremos encontrar um termo no campo proporcional a $1/r$ e dependente da aceleração da carga perpendicular à linha de visada. Vamos ver se conseguimos obter este resultado.

Começamos calculando o potencial vetor $\boldsymbol{A}$, usando a Eq. (21.16). Suponha que a nossa carga em movimento esteja em uma pequena bola cuja densidade de carga seja dada por $\rho(x, y, z)$ e que esteja se movendo em todo instante com velocidade v. Então a densidade de corrente $\boldsymbol{j}(x, y, z)$ será igual a $v\rho(x, y, z)$. Será conveniente tomarmos o nosso sistema de coordenadas com o eixo z na direção de v; então a geometria do problema é como está mostrado na Figura 21–2. Queremos a integral

$$\int \frac{\boldsymbol{j}(2, t - r_{12}/c)}{r_{12}}\, dV_2. \tag{21.17}$$

Se o tamanho da bola de carga for realmente muito pequeno quando comparado com r_{12}, podemos fazer o termo r_{12} no denominador igual a r, a distância até o centro da bola, e colocar r para fora da integral. A seguir, também vamos fazer $r_{12} = r$ no numerador, embora isso não esteja muito certo. Não está certo porque deveríamos calcular $\boldsymbol{j}$ no topo da bola, por exemplo, em um tempo ligeiramente diferente do usado para calcular $\boldsymbol{j}$ na parte de baixo da bola. Quando fazemos $r_{12} = r$ em $\boldsymbol{j}(t - r_{12}/c)$, estamos calculando a densidade de corrente para a bola inteira no mesmo tempo $(t - r/c)$. Esta aproximação será boa apenas se a velocidade v da carga for muito menor do que c. Logo, estamos realizando um cálculo não relativístico. Substituindo $\boldsymbol{j}$ por ρv, a integral (21.17) se torna

$$\frac{1}{r}\int v\rho(2, t - r/c)\, dV_2.$$

Como toda a carga possui a mesma velocidade, esta integral é simplesmente v/r vezes a carga total q, mas qv é exatamente $\partial \boldsymbol{p}/\partial t$, a taxa de variação do momento de dipolo – que deve ser calculado, é claro, no tempo retardado $(t - r/c)$. Podemos escrevê-lo como $\dot{\boldsymbol{p}}(t - r/c)$. Então obtemos para o potencial vetor

$$\boldsymbol{A}(1, t) = \frac{1}{4\pi\epsilon_0 c^2}\frac{\dot{\boldsymbol{p}}(t - r/c)}{r}. \tag{21.18}$$

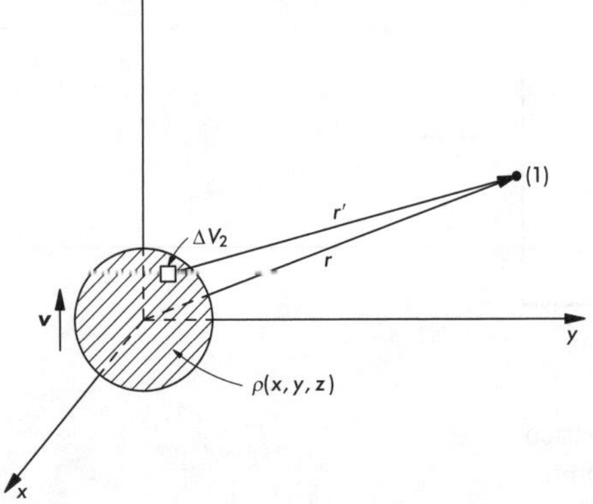

Figura 21–2 Os potenciais em (1) são dados por integrais sobre a densidade de carga ρ.

Nosso resultado afirma que a corrente em um dipolo variável produz um potencial vetor na forma de ondas esféricas cuja intensidade da fonte é $\dot{\boldsymbol{p}}/\epsilon_0 c^2$.

Podemos obter agora o campo magnético a partir de $\boldsymbol{B} = \nabla \times \boldsymbol{A}$. Como $\dot{\boldsymbol{p}}$ está totalmente na direção z, $\boldsymbol{A}$ possui apenas a componente z; existem somente duas derivadas não nulas no rotacional. Logo, $B_x = \partial A_z/\partial y$ e $B_y = -\partial A_z/\partial x$. Vamos analisar primeiro B_x:

$$B_x = \frac{\partial A_z}{\partial y} = \frac{1}{4\pi\epsilon_0 c^2}\frac{\partial}{\partial y}\frac{\dot{p}(t - r/c)}{r}. \tag{21.19}$$

Para desenvolvermos a diferenciação, precisamos lembrar que $r = \sqrt{x^2 + y^2 + z^2}$, de modo que

$$B_x = \frac{1}{4\pi\epsilon_0 c^2}\,\dot{p}(t - r/c)\,\frac{\partial}{\partial y}\left(\frac{1}{r}\right) + \frac{1}{4\pi\epsilon_0 c^2}\,\frac{1}{r}\,\frac{\partial}{\partial y}\,\dot{p}(t - r/c). \tag{21.20}$$

Lembrando que $\partial r/\partial y = y/r$, o primeiro termo dá

$$-\frac{1}{4\pi\epsilon_0 c^2}\,\frac{y\dot{p}(t - r/c)}{r^3} \tag{21.21}$$

que diminui como $1/r^2$, como o potencial de um dipolo estático (pois y/r é constante para uma direção fixa).

O segundo termo na Eq. (21.20) nos dá os efeitos novos. Desenvolvendo a diferenciação, obtemos

$$-\frac{1}{4\pi\epsilon_0 c^2}\,\frac{y}{cr^2}\,\ddot{p}(t - r/c), \tag{21.22}$$

onde $\ddot{p}$ é a derivada segunda de p em relação a t, é claro. Este termo, que vem da diferenciação do numerador, é responsável pela radiação. Primeiro, ele descreve um campo que decresce com a distância apenas como $1/r$. Segundo, ele depende da *aceleração* da carga. Você pode começar a ver como vamos obter um resultado como a Eq. (21.1′), que descreve a irradiação da luz.

Vamos examinar mais detalhadamente como este termo da radiação aparece – é um resultado muito importante e interessante. Começamos com a expressão (21.18), que tem uma dependência em $1/r$ e é, portanto, como um potencial coulombiano, exceto pelo termo de atraso no numerador. Por que, então, quando derivamos em relação às derivadas espaciais para obter os campos, não obtemos um campo proporcional a $1/r^2$ – com os atrasos correspondentes?

Podemos ver o porquê da seguinte maneira: suponha que o nosso dipolo oscile para cima e para baixo em um movimento senoidal. Então teríamos

$$p = p_z = p_0 \operatorname{sen} \omega t$$

e

$$A_z = \frac{1}{4\pi\epsilon_0 c^2}\,\frac{\omega p_0 \cos \omega(t - r/c)}{r}.$$

Se fizermos um gráfico de A_z como função de r em um dado instante, obteremos a curva mostrada na Figura 21–3. A amplitude dos picos decresce como $1/r$, mas existe, além disso, uma oscilação no espaço, limitada pelo envelope $1/r$. Quando tomamos as derivadas espaciais, elas são proporcionais à *inclinação* da curva. Podemos ver na figura que existem inclinações muito mais pronunciadas do que a inclinação da própria curva $1/r$. De fato, é evidente que para uma dada frequência as inclinações nos picos são proporcionais à amplitude da onda, que varia como $1/r$. Isso explica a taxa de decaimento do termo radiativo.

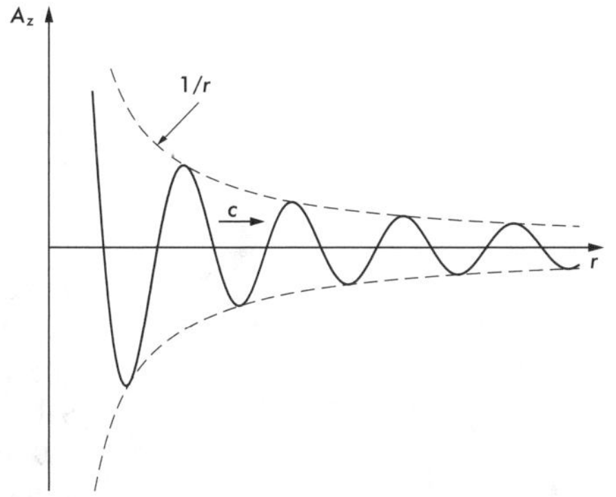

Figura 21–3 A componente z de **A** como função de r no instante t para a onda esférica de um dipolo oscilante.

Tudo isso aparece porque as variações *com o tempo* na fonte são transladadas para variações *no espaço,* quando as ondas se propagam, e os campos magnéticos dependem das derivadas *espaciais* do potencial.

Vamos voltar e terminar o nosso cálculo do campo magnético. Temos para B_x os dois termos (21.21) e (21.22), de modo que

$$B_x = \frac{1}{4\pi\epsilon_0 c^2}\left[-\frac{y\dot{p}(t - r/c)}{r^3} - \frac{y\ddot{p}(t - r/c)}{cr^2}\right].$$

Com o mesmo tipo de manipulação matemática, obtemos

$$B_y = \frac{1}{4\pi\epsilon_0 c^2}\left[\frac{x\dot{p}(t - r/c)}{r^3} + \frac{x\ddot{p}(t - r/c)}{cr^2}\right].$$

Ou podemos colocar todos os termos juntos em uma bela fórmula vetorial:

$$\boldsymbol{B} = \frac{1}{4\pi\epsilon_0 c^2}\frac{[\dot{\boldsymbol{p}} + (r/c)\ddot{\boldsymbol{p}}]_{t-r/c} \times \boldsymbol{r}}{r^3}. \tag{21.23}$$

Agora vamos analisar essa fórmula. Primeiramente, se formos até $\boldsymbol{r}$ muito grande, somente o termo $\ddot{\boldsymbol{p}}$ conta. A direção de $\boldsymbol{B}$ é dada por $\ddot{\boldsymbol{p}} \times \boldsymbol{r}$, que é perpendicular ao raio $\boldsymbol{r}$ e também é perpendicular à aceleração, como na Figura 21–4. Tudo está se acertando; este também é o resultado que obtemos da Eq. (21.1′).

Agora vamos olhar uma parte que não estamos acostumados a examinar – o que acontece bem perto da fonte. Na Seção 14-7 deduzimos a lei de Biot e Savart para o campo magnético de um elemento de corrente. Verificamos que um elemento de corrente $\boldsymbol{j}\, dV$ contribui para o campo magnético com a quantidade

$$d\boldsymbol{B} = \frac{1}{4\pi\epsilon_0 c^2}\frac{\boldsymbol{j} \times \boldsymbol{r}}{r^3}\, dV. \tag{21.24}$$

Você pode ver que essa fórmula se parece muito com o primeiro termo da Eq. (21.23), se lembrarmos que $\dot{\boldsymbol{p}}$ é a corrente. Contudo, existe uma diferença. Na Eq. (21.23), a corrente deve ser calculada no tempo $(t - r/c)$, que não aparece na Eq. (21.24). Na verdade, apesar disso a Eq (21.24) é muito boa para r pequeno, porque o *segundo* termo da Eq. (21.23) tende a cancelar o efeito do retardamento do primeiro termo. Os dois *juntos* dão um resultado muito próximo da Eq. (21.24) quando r é pequeno.

Podemos ver isso desta forma: quando r é pequeno, $(t - r/c)$ não é muito diferente de t, de modo que podemos expandir o colchete na Eq. (21.23) em uma série de Taylor. Para o primeiro termo,

$$\dot{p}(t - r/c) = \dot{p}(t) - \frac{r}{c}\ddot{p}(t) + \text{etc.},$$

e até a mesma ordem em r/c,

$$\frac{r}{c}\ddot{p}(t - r/c) = \frac{r}{c}\ddot{p}(t) + \text{etc.}$$

Quando fazemos a soma, os dois termos em $\ddot{\boldsymbol{p}}$ se cancelam, e ficamos com a corrente *não retardada* $\dot{\boldsymbol{p}}$: ou seja, $\dot{\boldsymbol{p}}(t)$ – mais os termos de ordem $(r/c)^2$ ou superior [por exemplo, $\frac{1}{2}(r/c)^2\dddot{p}$] que serão muito pequenos para r pequeno o suficiente, de modo que $\dot{\boldsymbol{p}}$ não altere significativamente o tempo r/c.

Portanto, a Eq. (21.23) fornece o campo de maneira muito parecida com a teoria instantânea – muito melhor do que a teoria instantânea com um atraso; os efeitos de primeira ordem no atraso são cancelados pelo segundo termo. As fórmulas estáticas são muito precisas, muito mais precisas do que você poderia imaginar. É claro que a compensação só funciona para pontos muito próximos da fonte. Para pontos mais distantes, a correção torna-se muito ruim, porque os atrasos temporais produzem um efeito muito grande, e obtemos o importante termo $1/r$ da radiação.

Ainda temos de calcular o campo elétrico e mostrar que ele possui a mesma forma que a Eq. (21.1′). Para grandes distâncias, podemos ver que a resposta vai ser correta. Sabemos que longe das fontes, onde temos uma onda se propagando, $\boldsymbol{E}$ é perpendicular a $\boldsymbol{B}$ (e também a $\boldsymbol{r}$), como na Figura 21–4, e $cB = E$, de modo que $\boldsymbol{E}$ é proporcional à aceleração $\ddot{\boldsymbol{p}}$, como esperado da Eq. (21.1′).

Para obter o campo elétrico completamente, em todas as distâncias, precisamos obter o potencial eletrostático. Quando calculamos a integral de corrente de $\boldsymbol{A}$ para obter a Eq. (21.18), fizemos uma aproximação desprezando a pequena variação de r nos termos de atraso. Isso não funciona para o potencial eletrostático, porque obteríamos então $1/r$

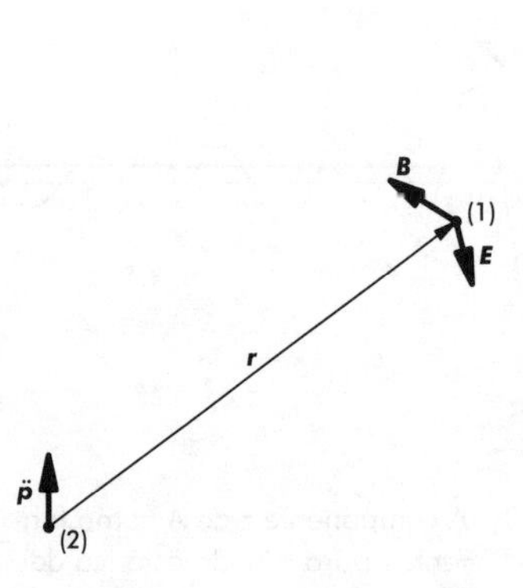

Figura 21–4 Os campos de radiação $\boldsymbol{E}$ e $\boldsymbol{B}$ de um dipolo oscilante.

vezes a integral da densidade de carga, que é uma constante. Essa aproximação é muito tosca. Precisamos ir até uma ordem superior. Em vez de nos envolvermos diretamente com este cálculo de ordens superiores, podemos fazer outra coisa – podemos determinar o potencial escalar a partir da Eq. (21.6), usando o potencial vetor que já obtivemos. O divergente de $\boldsymbol{A}$, no nosso caso, é simplesmente $\partial A_z/\partial z$ – pois A_x e A_y são identicamente nulos. Diferenciando da mesma maneira que fizemos acima para obter $\boldsymbol{B}$,

$$\nabla \cdot \boldsymbol{A} = \frac{1}{4\pi\epsilon_0 c^2}\left[\dot{p}(t - r/c)\frac{\partial}{\partial z}\left(\frac{1}{r}\right) + \frac{1}{r}\frac{\partial}{\partial z}\dot{p}(t - r/c)\right]$$

$$= \frac{1}{4\pi\epsilon_0 c^2}\left[-\frac{z\dot{p}(t - r/c)}{r^3} - \frac{z\ddot{p}(t - r/c)}{cr^2}\right].$$

Ou, em notação vetorial,

$$\nabla \cdot \boldsymbol{A} = -\frac{1}{4\pi\epsilon_0 c^2}\frac{[\dot{\boldsymbol{p}} + (r/c)\ddot{\boldsymbol{p}}]_{t-r/c} \cdot \boldsymbol{r}}{r^3}.$$

Usando a Eq. (21.6), temos uma equação para ϕ:

$$\frac{\partial\phi}{\partial t} = \frac{1}{4\pi\epsilon_0}\frac{[\dot{\boldsymbol{p}} + (r/c)\ddot{\boldsymbol{p}}]_{t-r/c} \cdot \boldsymbol{r}}{r^3}.$$

A integração em relação a t apenas remove um ponto de cada um dos $\boldsymbol{p}$, então

$$\phi(r, t) = \frac{1}{4\pi\epsilon_0}\frac{[\boldsymbol{p} + (r/c)\dot{\boldsymbol{p}}]_{t-r/c} \cdot \boldsymbol{r}}{r^3}. \tag{21.25}$$

(A constante de integração corresponderia a algum campo estático sobreposto que poderia existir, obviamente. Para o dipolo oscilante que analisamos, não há campos estáticos.)

Agora podemos obter o campo elétrico $\boldsymbol{E}$ a partir de

$$\boldsymbol{E} = -\nabla\phi - \frac{\partial \boldsymbol{A}}{\partial t}.$$

Como os passos são tediosos, porém diretos [desde que você se lembre de que $\boldsymbol{p}(t - r/c)$ e suas derivadas temporais dependem de x, y e z através do retardamento r/c], vamos apenas dar o resultado:

$$\boldsymbol{E}(r, t) = \frac{-1}{4\pi\epsilon_0 r^3}\left[-\boldsymbol{p}^* - 3\frac{(\boldsymbol{p}^* \cdot \boldsymbol{r})\boldsymbol{r}}{r^2} + \frac{1}{c^2}\{\ddot{\boldsymbol{p}}(t - r/c) \times \boldsymbol{r}\} \times \boldsymbol{r}\right] \tag{21.26}$$

com

$$\boldsymbol{p}^* = \boldsymbol{p}(t - r/c) + \frac{r}{c}\dot{\boldsymbol{p}}(t - r/c) \tag{21.27}$$

Apesar de parecer bastante complicado, o resultado pode ser interpretado facilmente. O vetor $\boldsymbol{p}^*$ é o momento de dipolo retardado e depois "corrigido" para a retardação, de modo que os dois termos com $\boldsymbol{p}^*$ dão simplesmente o campo do dipolo estático quando r é pequeno (veja o Capítulo 6, Eq. (6.14)). Quando r for grande, o termo em $\ddot{\boldsymbol{p}}$ domina, e o campo elétrico será proporcional à aceleração das cargas, perpendicular a $\boldsymbol{r}$ e, de fato, estará direcionado ao longo da projeção de $\ddot{\boldsymbol{p}}$ em um plano perpendicular a $\boldsymbol{r}$.

Esse resultado concorda com o que teríamos obtido com a Eq. (21.1). Obviamente, a Eq. (21.1) é mais geral; ela funciona para qualquer movimento, já a Eq. (21.26) só é válida para movimentos pequenos, para os quais podemos tomar o retardamento r/c como uma constante em toda a fonte. De qualquer modo, produzimos agora as fundações para toda a nossa discussão anterior a respeito da luz (com a exceção de alguns tópicos discutidos no Capítulo 34 do Vol. I), pois tudo dependia do último termo da Eq. (21.26). Vamos discutir a seguir como os campos podem ser obtidos para cargas se movendo mais rapidamente (levando aos efeitos relativísticos do Capítulo 34 do Vol. I).

21–5 Os potenciais de uma carga em movimento; a solução geral de Liénard e Wiechert

Na última seção, fizemos uma simplificação para calcular a nossa integral para $\boldsymbol{A}$, considerando apenas baixas velocidades. Contudo, fazendo isso, perdemos um ponto importante, em que é fácil errar. Portanto, vamos calcular agora os potenciais para uma carga puntiforme movendo-se de qualquer maneira arbitrária – até mesmo com uma velocidade relativística. Quando obtivermos este resultado, teremos o eletromagnetismo completo das cargas elétricas. Até a Eq. (21.1) poderá ser deduzida fazendo derivadas. O quadro estará completo. Então, aguente firme.

Tentemos calcular o potencial escalar $\phi(1)$ no ponto (x_1, y_1, z_1) produzido por uma carga puntiforme, como um elétron, movendo-se de uma maneira arbitrária. Com uma carga "puntiforme" queremos dizer uma bola muito pequena de carga, encolhida até ficar tão pequena quanto você quiser, com uma densidade de carga dada $\rho(x, y, z)$. Podemos obter ϕ da Eq. (21.15):

$$\phi(1, t) = \frac{1}{4\pi\epsilon_0}\int \frac{\rho(2, t - r_{12}/c)}{r_{12}}\,dV_2 \tag{21.28}$$

A resposta pareceria ser – e quase todos pensariam isto, a princípio – que a integral de ρ sobre toda a carga "puntiforme" seria apenas a carga total q, de modo que

$$\phi(1, t) = \frac{1}{4\pi\epsilon_0}\frac{q}{r'_{12}} \text{ (errada)},$$

onde $\boldsymbol{r}'_{12}$ é o vetor radial da carga no ponto (2) até o ponto (1) no tempo retardado $(t - r_{12}/c)$. Errado.

A resposta correta é

$$\phi(1, t) = \frac{1}{4\pi\epsilon_0}\frac{q}{r'_{12}}\cdot\frac{1}{1 - v_{r'}/c}, \tag{21.29}$$

onde $v_{r'}$ é a componente da velocidade da carga paralela a $\boldsymbol{r}'_{12}$ – ou seja, na direção do ponto (1). Vamos lhe mostrar agora por quê. Para tornar o argumento mais fácil de seguir, vamos fazer primeiro o cálculo para uma carga "puntiforme" que possui a forma de um pequeno cubo de carga movendo-se em direção ao ponto (1) com velocidade v, como mostrado na Figura 21–5(a). Seja a o comprimento de um lado do cubo, que tomamos como sendo muito, muito menor do que r_{12}, a distância do centro da carga até o ponto (1).

Agora, para resolvermos a integral da Eq. (21.28), vamos retornar aos princípios básicos; vamos escrevê-la como a soma

$$\sum_i \frac{\rho_i\,\Delta V_i}{r_i}, \tag{21.30}$$

onde r_i é a distância do ponto (1) até o i-ésimo elemento de volume ΔV_i e ρ_i é a densidade de carga em ΔV_i no instante $t_i = t - r_i/c$. Como $r_i \gg a$, sempre, será conveniente tomarmos nosso ΔV_i na forma de fatias retangulares finas, perpendiculares a $\boldsymbol{r}_{12}$, como mostrado na Figura 21–5(b).

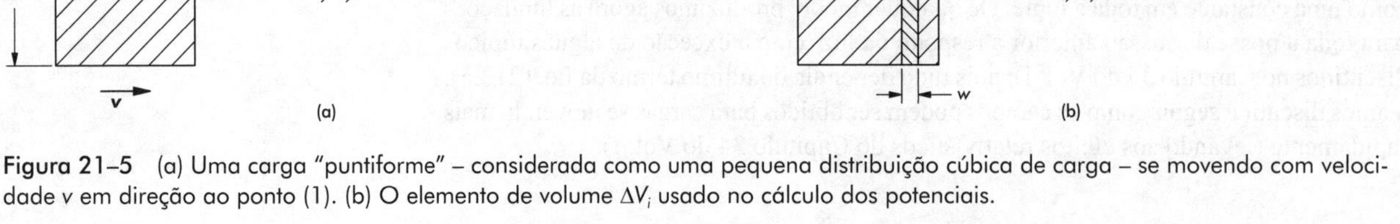

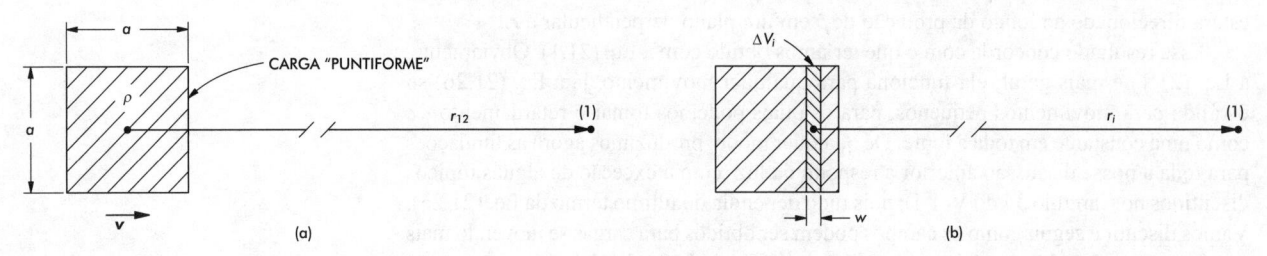

Figura 21–5 (a) Uma carga "puntiforme" – considerada como uma pequena distribuição cúbica de carga – se movendo com velocidade v em direção ao ponto (1). (b) O elemento de volume ΔV_i usado no cálculo dos potenciais.

Vamos começar tomando os elementos de volume ΔV_i com uma espessura w muito menor do que a. Os elementos individuais serão como mostrado na Figura 21–6(a), em que desenhamos uma quantidade de elementos ΔV_i mais do que suficiente para abrigar a carga. No entanto, *não* mostramos a carga, e por uma boa razão. Onde deveríamos desenhá-la? Para cada elemento ΔV_i, devemos tomar ρ no tempo $t_i = (t - r_i/c)$, mas como a carga está se *movendo*, então ela está em um *lugar diferente para cada elemento de volume* ΔV_i!

Comecemos com o elemento de volume com o número "1" na Figura 21–6(a), escolhido de maneira que no tempo $t_1 = (t - r_1/c)$ o "final" da carga ocupa ΔV_1, como mostrado da Figura 21–6(b). Então quando calcularmos $\rho_2 \Delta V_2$, deveremos usar a posição da carga no tempo ligeiramente *posterior* $t_2 = (t - r_2/c)$, quando a carga estará na posição mostrada na Figura 21–6(c). E assim por diante, para ΔV_3, ΔV_4, etc. Agora podemos efetuar a soma.

Como a espessura de cada ΔV_i é w, seu volume é wa^2. Então cada elemento de volume que se sobrepõe à distribuição de carga contém a quantidade de carga $wa^2\rho$, onde ρ é a densidade de carga dentro do cubo – que tomamos como sendo uniforme. Quando a distância da carga até o ponto (1) for grande, fazemos um erro desprezível ao tomar todos os r_i nos denominadores iguais a um valor médio, como a posição retardada r' do centro da carga. Então a soma (21.30) é

$$\sum_{i=1}^{N} \frac{\rho w a^2}{r'}$$

onde ΔV_N é o último ΔV_i que se sobrepõe às distribuições de cargas, como mostrado na Figura 21–6(e). A soma é, claramente,

$$N\,\frac{\rho w a^2}{r'} = \frac{\rho a^3}{r'}\left(\frac{Nw}{a}\right).$$

Agora ρa^3 é simplesmente a carga total q e Nw é a distância b mostrada na parte (e) da Figura. Portanto temos

$$\phi = \frac{q}{4\pi\epsilon_0 r'}\left(\frac{b}{a}\right). \tag{21.31}$$

O que é b? É o comprimento do cubo de carga *mais* a distância que a carga percorreu entre $t_1 = (t - r_1/c)$ e $t_N = (t - r_N/c)$ – que é a distância que a carga percorre no tempo

$$\Delta t = t_N - t_1 = (r_1 - r_N)/c = b/c.$$

Como a velocidade da carga é v, a distância percorrida é $v\Delta t = vb/c$, mas b é essa distância mais a:

$$b = a + \frac{v}{c}\,b.$$

Isolando b, obtemos

$$b = \frac{a}{1 - (v/c)}.$$

É claro que v significa a velocidade no tempo retardado $t' = (t - r'/c)$, o que podemos indicar escrevendo $[1 - v/c]_{\text{ret}}$, e a Eq. (21.31) para o potencial torna-se

$$\phi(1, t) = \frac{q}{4\pi\epsilon_0 r'}\,\frac{1}{[1 - (v/c)]_{\text{ret}}}.$$

Esse resultado concorda com nossa afirmação, a Eq. (21.29). Existe um termo de correção que aparece porque a carga está se movendo enquanto a nossa integral "cobre a carga". Quando a carga está se movendo em direção ao ponto (1), sua contribuição para a integral é aumentada pela razão b/a. Portanto, a integral correta é q/r' multiplicado por b/a, que é $1/[1 - v/c]_{\text{ret}}$.

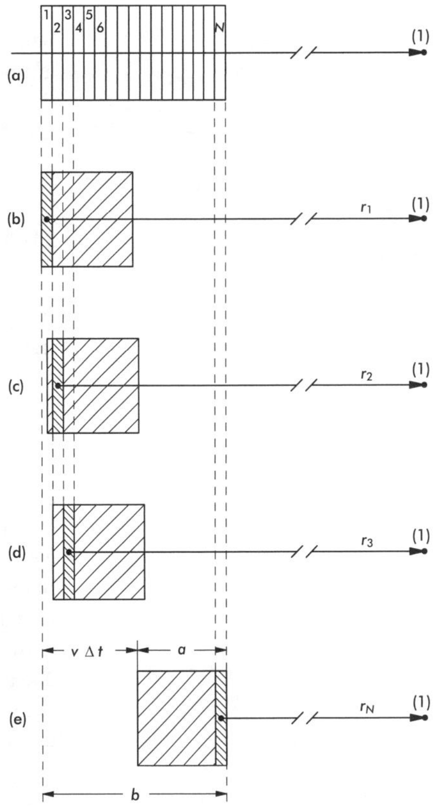

Figura 21–6 Integração de $\rho(t - r'/c)dV$ para uma carga em movimento.

Se a velocidade da carga não estiver direcionada para o ponto de observação (1), você pode ver que o que importa é a *componente* da sua velocidade na direção do ponto (1). Se chamarmos esta componente da velocidade de v_r, o fator de correção será $1/[1 - v_r/c]_{\text{ret}}$. Além disso, a análise que fizemos funciona exatamente da mesma maneira para uma distribuição de carga de *qualquer* formato – não precisa ser um cubo. Finalmente, como o "tamanho" da carga a não entra no resultado final, o mesmo resultado é válido quando fazemos a carga encolher até um tamanho qualquer – até mesmo um ponto. O resultado geral é que o potencial escalar para uma carga puntiforme movendo-se com uma velocidade qualquer é

$$\phi(1, t) = \frac{q}{4\pi\epsilon_0 r'[1 - (v_r/c)]_{\text{ret}}}. \tag{21.32}$$

Essa equação é frequentemente escrita na forma equivalente

$$\phi(1, t) = \frac{q}{4\pi\epsilon_0[r - (\boldsymbol{v}\cdot\boldsymbol{r}/c)]_{\text{ret}}}, \tag{21.33}$$

onde $\boldsymbol{r}$ é o vetor da carga até o ponto (1), ϕ está sendo calculado e todas as quantidades dentro dos colchetes devem ser calculadas no tempo retardado $t' = t - r'/c$.

A mesma coisa acontece quando calculamos $\boldsymbol{A}$ para uma carga puntiforme, a partir da Eq. (21.16). A densidade de corrente é ρv e a integral sobre ρ é a mesma que obtivemos para ϕ. O potencial vetor é

$$\boldsymbol{A}(1, t) = \frac{q\boldsymbol{v}_{\text{ret}}}{4\pi\epsilon_0 c^2[r - (\boldsymbol{v}\cdot\boldsymbol{r}/c)]_{\text{ret}}}. \tag{21.34}$$

Os potenciais para uma carga puntiforme foram deduzidos pela primeira vez nesta forma por Liénard e Wiechert e são denominados os *potenciais de Liénard-Wiechert*.

Para voltar para a Eq. (21.1), é necessário apenas calcular $\boldsymbol{E}$ e $\boldsymbol{B}$ a partir destes potenciais (usando $\boldsymbol{B} = \nabla \times \boldsymbol{A}$ e $\boldsymbol{E} = -\nabla\phi - \partial\boldsymbol{A}/\partial t$). Agora é só aritmética. No entanto, a aritmética é bastante complicada, de modo que não vamos escrever os detalhes. Você pode talvez aceitar a nossa palavra de que a Eq. (21.1) é equivalente aos potenciais de Liénard-Wiecher que deduzimos.[2]

21–6 Os potenciais de uma carga movendo-se com velocidade constante; a fórmula de Lorentz

A seguir queremos usar os potenciais de Liénard-Wiechert em um caso especial – encontrar os campos de uma carga se movendo com velocidade constante em uma linha reta. Vamos fazer isso de novo mais adiante, usando o princípio da relatividade. Já sabemos como são os potenciais quando estamos no referencial de repouso da carga. Quando a carga está se movendo, podemos resolver o problema com uma transformação relativística de um referencial para o outro. No entanto, a relatividade teve sua origem na teoria da eletricidade e do magnetismo. As fórmulas da transformação de Lorentz (Capítulo 15, Vol. I) foram descobertas feitas por Lorentz quando ele estava estudando as equações da eletricidade e do magnetismo. Para que você possa ver de onde as coisas vieram, gostaríamos de mostrar que as equações de Maxwell realmente levam às transformações de Lorentz. Começamos calculando os potenciais de uma carga se movendo com velocidade uniforme, diretamente a partir da eletrodinâmica das equações de Maxwell. Mostramos que as equações de Maxwell levam aos potenciais para uma carga em movimento que obtivemos na última seção. Consequentemente, quando usamos esses potenciais, estamos usando a teoria de Maxwell.

[2] Se você tiver um monte de papel e de tempo livre, pode tentar fazer estes cálculos sozinho. Neste caso, gostaríamos de fazer duas sugestões: primeiro, não esqueça que as derivadas de r' são complicadas, pois r' é função de t'. Segundo, não tente *obter* a (21.1), desenvolva todas as suas derivadas e compare com o $\boldsymbol{E}$ que você obteve dos potenciais (21.33) e (21.34).

Considere uma carga movendo-se ao longo do eixo x com a velocidade v. Queremos os potenciais no ponto $P(x, y, z)$, como mostrado na Figura 21–7. Se no momento $t = 0$ a carga estiver na origem, no tempo t a carga estará em $x = vt$, $y = z = 0$. O que precisamos saber é a sua posição no tempo retardado

$$t' = t - \frac{r'}{c} \tag{21.35}$$

onde r' é a distância da carga até o ponto P *no tempo retardado*. No tempo anterior t', a carga estava em $x = vt'$, então

$$r' = \sqrt{(x - vt')^2 + y^2 + z^2}. \tag{21.36}$$

Para obter r' ou t', precisamos combinar esta equação com a Eq. (21.35). Primeiro, eliminamos r', isolando r' na Eq. (21.35) e substituindo na Eq. (21.36). Depois, elevando os dois lados ao quadrado, temos

$$c^2(t - t')^2 = (x - vt')^2 + y^2 + z^2,$$

que é uma equação quadrática em t'. Expandindo os binômios ao quadrado e fatorando os termos em t', obtemos

$$(v^2 - c^2)t'^2 - 2(xv - c^2t)t' + x^2 + y^2 + z^2 - (ct)^2 = 0.$$

Resolvendo para t',

$$\left(1 - \frac{v^2}{c^2}\right)t' = t - \frac{vx}{c^2} - \frac{1}{c}\sqrt{(x - vt)^2 + \left(1 - \frac{v^2}{c^2}\right)(y^2 + z^2)}\,. \tag{21.37}$$

Para obter r', precisamos substituir esta expressão para t' em

$$r' = c(t - t')$$

Agora estamos prontos para obter ϕ com a Eq. (21.33), que, como v é constante, torna-se

$$\phi(x, y, z, t) = \frac{q}{4\pi\epsilon_0}\frac{1}{r' - (\boldsymbol{v}\cdot\boldsymbol{r}'/c)}\,. \tag{21.38}$$

A componente de v na direção de $\boldsymbol{r}'$ é $v \times (x - vt')/r'$, logo $v \cdot \boldsymbol{r}'$ é simplesmente $v \times (x - vt')$, e o denominador completo é

$$c(t - t') - \frac{v}{c}(x - vt') = c\left[t - \frac{vx}{c^2} - \left(1 - \frac{v^2}{c^2}\right)t'\right].$$

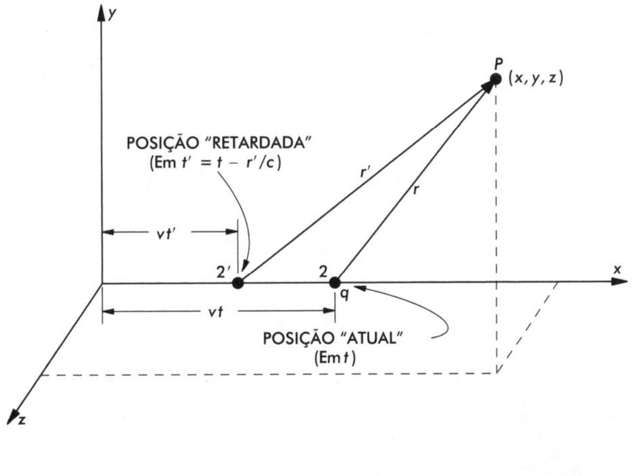

Figura 21–7 Obtenção do potencial em P de uma carga se movendo com velocidade uniforme ao longo do eixo x.

Substituindo $(1 - v^2/c^2)t'$ da Eq. (21.37), obtemos para ϕ

$$\phi(x, y, z, t) = \frac{q}{4\pi\epsilon_0} \frac{1}{\sqrt{(x - vt)^2 + \left(1 - \frac{v^2}{c^2}\right)(y^2 + z^2)}}.$$

Essa equação será mais compreensível se a reescrevermos como

$$\phi(x, y, z, t) = \frac{q}{4\pi\epsilon_0} \frac{1}{\sqrt{1 - \frac{v^2}{c^2}}} \frac{1}{\left[\left(\frac{x - vt}{\sqrt{1 - v^2/c^2}}\right)^2 + y^2 + z^2\right]^{1/2}}. \tag{21.39}$$

O potencial vetor $\boldsymbol{A}$ possui a mesma expressão com um fator adicional v/c^2:

$$\boldsymbol{A} = \frac{v}{c^2}\phi.$$

Na Eq. (21.39), você pode ver claramente o início da transformação de Lorentz. Se a carga estivesse na origem em seu próprio referencial de repouso, seu potencial seria

$$\phi(x, y, z) = \frac{q}{4\pi\epsilon_0} \frac{1}{[x^2 + y^2 + z^2]^{1/2}}.$$

Estamos vendo a carga em um referencial em movimento, e parece que as coordenadas deveriam ser transformadas por

$$x \to \frac{x - vt}{\sqrt{1 - v^2/c^2}}$$
$$y \to y,$$
$$z \to z.$$

Essa é justamente a transformação de Lorentz, e fizemos essencialmente o que Lorentz fez quando a descobriu.

E o fator extra $1/\sqrt{1 - v^2/c^2}$ que aparece na frente da Eq. (21.39)? Além disso, como o potencial $\boldsymbol{A}$ aparece, se ele é zero em todos os pontos no referencial de repouso da partícula? Mostraremos em breve que $\boldsymbol{A}$ e ϕ *juntos* constituem um quadrivetor, como o momento $\boldsymbol{p}$ e a energia total U de uma partícula. O $1/\sqrt{1 - v^2/c^2}$ extra que aparece na Eq. (21.39) é o mesmo fator que sempre aparece quando transformamos as componentes de um quadrivetor – da mesma forma como a densidade ρ se transforma em $\rho/\sqrt{1 - v^2/c^2}$. De fato, é quase aparente nas Eqs. (21.4) e (21.5) que $\boldsymbol{A}$ e ϕ são componentes de um quadrivetor, porque já mostramos no Capítulo 13 que $\boldsymbol{j}$ e ρ são as componentes de um quadrivetor.

Mais adiante estudaremos com mais detalhes a relatividade da eletrodinâmica; aqui quisemos apenas mostrar como as equações de Maxwell levam naturalmente às transformações de Lorentz. Assim você não vai se surpreender quando descobrir que as leis do eletromagnetismo já estão corretas com a relatividade de Einstein. Não precisaremos "consertar as equações", como tivemos de fazer com as leis de Newton da mecânica.

22

Circuitos CA

Revisão: Capítulo 22, Vol. I, *Álgebra*
Capítulo 23, Vol. I, *Ressonância*
Capítulo 25, Vol. I, *Sistemas Lineares e Revisão*

22–1 Impedâncias

A maior parte do nosso trabalho neste curso foi destinada a atingir as equações de Maxwell completas. Nos últimos dois capítulos, discutimos as consequências destas equações. Vimos que as equações contêm todos os fenômenos estáticos que estudamos anteriormente, assim como os fenômenos das ondas eletromagnéticas e da luz que vimos em detalhe no Volume I. As equações de Maxwell descrevem os dois fenômenos, dependendo se os campos são calculados perto das correntes e cargas ou muito longe delas. Não existe nada muito interessante a dizer sobre a região intermediária; lá não aparecem fenômenos especiais.

No entanto, ainda restam muito tópicos que queremos estudar no eletromagnetismo. Queremos discutir a questão da relatividade e as equações de Maxwell – o que acontece quando analisamos as equações de Maxwell em sistemas de coordenadas em movimento. Também existe a questão da conservação da energia em sistemas eletromagnéticos. E então temos o extenso campo das propriedades eletromagnéticas dos materiais; até agora, exceto pelo estudo das propriedades dos dielétricos, consideramos apenas campos eletromagnéticos no vácuo. Embora tenhamos estudado a luz em detalhe no Volume I, ainda existem algumas coisas que gostaríamos de fazer de novo do ponto de vista das equações dos campos.

Em particular, queremos estudar novamente o tópico do índice de refração, particularmente para materiais densos. Finalmente, existem fenômenos associados a ondas confinadas em uma região limitada do espaço. Tocamos neste tipo de problema brevemente quando estudamos as ondas sonoras. As equações de Maxwell também levam a soluções que representam ondas confinadas de campos elétricos e magnéticos. Vamos estudar este assunto, que possui importantes aplicações técnicas, em alguns dos próximos capítulos. Para chegar até este tópico, vamos começar considerando as propriedades dos circuitos elétricos a baixas frequências. Então seremos capazes de fazer a comparação entre as situações nas quais as aproximações quase estáticas das equações de Maxwell são aplicáveis e aquelas situações nas quais os efeitos de alta frequência são dominantes.

Descemos agora das grandes e esotéricas alturas dos capítulos anteriores para o tópico de nível relativamente mais baixo dos circuitos elétricos. Entretanto, veremos que mesmo um assunto tão mundano, quando olhado em suficiente detalhe, pode conter grandes complicações.

Já discutimos algumas das propriedades dos circuitos elétricos nos Capítulos 23 e 25 do Vol. I. Agora vamos cobrir novamente algumas partes deste material, com mais detalhes. Lidaremos novamente apenas com sistemas lineares e com tensões e correntes que variam senoidalmente; em tal caso, somos capazes de representar todas as tensões e correntes por números complexos, usando a notação exponencial descrita no Capítulo 23 do Vol. I. Desse modo, uma tensão dependente do tempo $V(t)$ será escrita como

$$V(t) = \hat{V}e^{i\omega t}, \tag{22.1}$$

onde $\hat{V}$ representa um número complexo independente de t. Está entendido, é claro, que a tensão dependente do tempo real $V(t)$ é dada pela *parte real* da função complexa no lado direito da equação.

De maneira análoga, todas as nossas outras quantidades dependentes do tempo estarão supostamente variando senoidalmente com a mesma frequência ω. Assim, podemos escrever

$$I = \hat{I}\ e^{i\omega t}\ \text{(corrente)},$$
$$\mathcal{E} = \hat{\mathcal{E}}\ e^{i\omega t}\ \text{(fem)}, \tag{22.2}$$
$$\boldsymbol{E} = \hat{\boldsymbol{E}}\ e^{i\omega t}\ \text{(campo elétrico)},$$

e assim por diante.

Na maioria das vezes, vamos escrever nossas equações em termos de $V, I, \mathcal{E},\ldots$ (em vez de $\hat{V}, \hat{I}, \hat{\mathcal{E}},\ldots$), lembrando, no entanto, que as variações temporais são como está dado na (22.2).

Na discussão anterior sobre circuitos, supomos que coisas como indutâncias, capacitâncias e resistências eram familiares. Queremos agora examinar com um pouco mais de detalhe o que significam esses elementos de circuito idealizados. Vamos começar com a indutância.

Uma indutância é feita enrolando muitas voltas de fio na forma de uma bobina e ligando as duas extremidades a terminais a alguma distância da bobina, como mostrado na Figura 22–1. Queremos supor que o campo magnético produzido pelas correntes na bobina não se espalha fortemente pelo espaço e não interage com outras partes do circuito. Isso pode ser arranjado normalmente enrolando a bobina em forma de uma rosca, confinando o campo magnético ao enrolar a bobina em um núcleo de ferro apropriado ou colocando a bobina em uma caixa de metal apropriada, como indicado esquematicamente na Figura 22–1. De qualquer maneira, supusemos que existe um campo magnético desprezível na região externa perto dos terminais a e b. Também vamos supor que podemos desprezar qualquer resistência elétrica no fio da bobina. Finalmente, vamos supor que podemos desprezar a quantidade de carga elétrica que aparece na superfície do fio enquanto os campos elétricos surgem.

Com todas essas aproximações, temos o que chamamos de uma indutância "ideal" (voltaremos mais adiante e discutiremos o que acontece em uma indutância real). Para uma indutância ideal dizemos que a tensão entre os terminais é igual a $L(dI/dt)$. Vamos ver por que isso é assim. Quando passa uma corrente pela indutância, um campo magnético é construído dentro da bobina. Se a corrente varia com o tempo, o campo magnético também varia. De maneira geral, o rotacional de $\boldsymbol{E}$ é igual a $-\partial\boldsymbol{B}/\partial t$; ou, posto de outra forma, a integral de linha de $\boldsymbol{E}$ ao longo de qualquer caminho fechado é igual à taxa de variação do fluxo de $\boldsymbol{B}$ através do caminho. Agora suponha que consideremos o seguinte caminho, que começa no terminal a e segue ao longo da bobina (ficando sempre dentro do fio) até o terminal b; e depois retorna do terminal b até o terminal a pelo ar no espaço fora da indutância. A integral de linha de $\boldsymbol{E}$ ao longo deste caminho fechado pode ser escrita como a soma de duas partes:

$$\oint \boldsymbol{E}\cdot d\boldsymbol{s} = \underset{\substack{\text{via}\\ \text{bobina}}}{\int_a^b} \boldsymbol{E}\cdot d\boldsymbol{s} + \underset{\text{fora}}{\int_b^a} \boldsymbol{E}\cdot d\boldsymbol{s}. \tag{22.3}$$

Como vimos, não podem existir campos elétricos dentro de um condutor perfeito (os menores campos produziriam correntes infinitas). Portanto a integral de a a b através da bobina é zero. A contribuição total para a integral de linha de $\boldsymbol{E}$ vem do caminho na parte de fora da indutância, do terminal b ao terminal a. Como supusemos que não há campos magnéticos no espaço exterior à "caixa", esta parte da integral é independente do caminho escolhido, e podemos definir os potenciais entre os dois terminais. A diferença entre estes dois potenciais é o que chamamos de diferença de potencial, ou simplesmente a tensão V, então temos

$$V = -\int_b^a \boldsymbol{E}\cdot d\boldsymbol{s} = -\oint \boldsymbol{E}\cdot d\boldsymbol{s}.$$

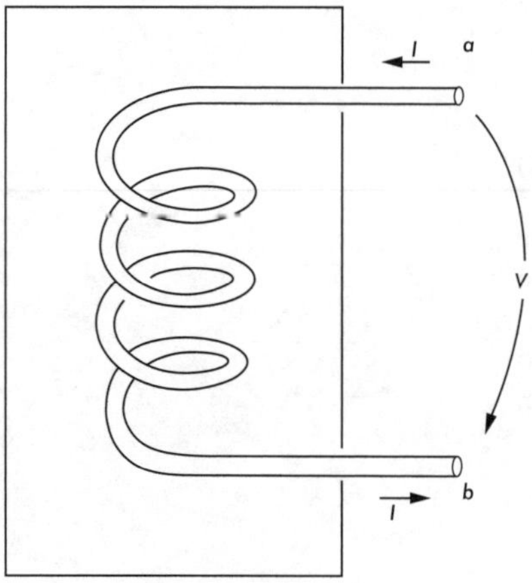

Figura 22–1 Uma indutância.

A integral de linha completa é o que denominamos anteriormente a força eletromotriz $\mathcal{E}$ e é, obviamente, igual à taxa de variação do fluxo magnético na bobina. Vimos anteriormente que esta fem é igual ao oposto da taxa de variação da corrente, então temos

$$V = -\mathcal{E} = L\frac{dI}{dt}$$

onde L é a indutância da bobina. Como $dI/dt = i\omega I$, temos

$$V = i\omega L I. \tag{22.4}$$

O modo como descrevemos a indutância ideal ilustra a abordagem geral a outros elementos do circuito – chamados normalmente de elementos de "parâmetros concentrados". As propriedades do elemento são descritas totalmente em termos das correntes e tensões que aparecem nos terminais. Fazendo aproximações adequadas, é possível ignorar as grandes complexidades dos campos que aparecem dentro do objeto. Uma separação é feita entre o que acontece dentro e o que acontece fora.

Para todos os elementos do circuito, encontraremos uma relação como a da Eq. (22.4), na qual a tensão é proporcional à corrente com uma constante de proporcionalidade que é, em geral, um número complexo. Este coeficiente de proporcionalidade complexo é denominado *impedância* e é normalmente escrito como z (não deve ser confundido com a coordenada z). Em geral, é uma função da frequência ω. Então, para qualquer elemento de circuito concentrado, podemos escrever

$$\frac{V}{I} = \frac{\hat{V}}{\hat{I}} = z. \tag{22.5}$$

Para uma indutância, temos

$$z\,(\text{indutância}) = z_L = i\omega L. \tag{22.6}$$

Agora, vamos examinar um capacitor a partir do mesmo ponto de vista.[1] Um capacitor consiste em um par de placas condutoras a partir das quais dois fios são trazidos a terminais apropriados. As placas podem ter absolutamente qualquer forma e são normalmente separadas por algum material dielétrico. A situação está ilustrada esquematicamente na Figura 22–2. Novamente, fazemos diversas suposições simplificadoras. Supomos que as placas e os fios sejam condutores perfeitos. Também supomos que o isolamento entre as placas é perfeito, de modo que as cargas não conseguem voar através do isolamento, de uma placa para a outra. Depois, supomos que os dois condutores estejam próximos um do outro, mas distantes de todos os outros condutores, de maneira que todas as linhas de campo que saem de uma placa terminem na outra. Então há sempre cargas iguais e opostas nas duas placas, e as cargas nas placas são muito maiores do que as cargas nas superfícies dos fios de ligação. Finalmente, supomos que não haja campos magnéticos próximos ao capacitor.

Suponha agora que consideremos a integral de linha de $\boldsymbol{E}$ ao longo de um caminho fechado que começa em a, segue por dentro do fio até a placa superior do capacitor, salta através do espaço entre as placas, passa da placa inferior até o terminal b pelo fio e retorna para o terminal a pelo espaço exterior ao capacitor. Como não há campo magnético, a integral de linha de $\boldsymbol{E}$ ao longo deste caminho fechado é zero. A integral pode ser quebrada em três partes:

$$\oint \boldsymbol{E}\cdot d\boldsymbol{s} = \int_{\substack{\text{ao longo}\\ \text{dos fios}}} \boldsymbol{E}\cdot d\boldsymbol{s} + \int_{\substack{\text{entre as}\\ \text{placas}}} \boldsymbol{E}\cdot d\boldsymbol{s} + \int_{\substack{b\\ \text{por fora}}}^{a} \boldsymbol{E}\cdot d\boldsymbol{s}. \tag{22.7}$$

A integral ao longo dos fios é zero, porque não há campos elétricos no interior de condutores perfeitos. A integral de b até a fora do capacitor é igual ao oposto da diferença de potencial entre os terminais. Como imaginamos que as placas estão, de alguma maneira, isoladas do resto do mundo, a carga total nas duas placas deve ser zero; se houver uma carga Q na placa superior, haverá uma carga igual e oposta $-Q$ na placa inferior. Vimos anteriormente que se dois condutores

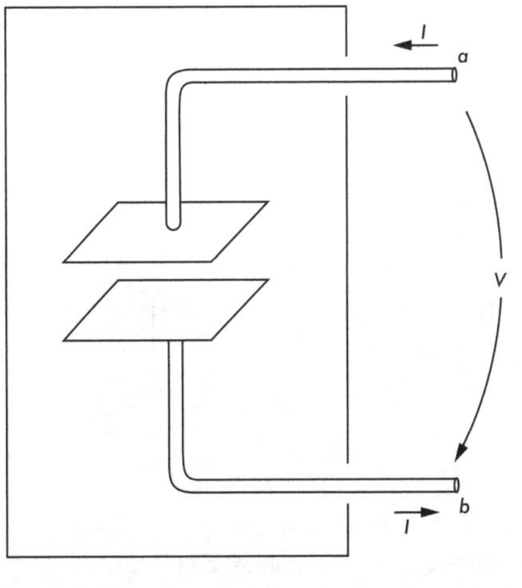

Figura 22–2 Um capacitor (ou condensador).

[1] Há pessoas que dizem que deveríamos chamar os *objetos* pelos nomes indutor e capacitor e chamar suas *propriedades* de indutância e capacitância (por analogia a resistor e resistência). Contudo, preferimos usar as palavras que você vai ouvir no laboratório. A maior parte das pessoas ainda diz indutância, tanto para a bobina física quanto para a sua indutância L. A palavra capacitor parece ter pego – embora você ainda vá ouvir condensador com alguma frequência –, e a maioria das pessoas ainda prefere dizer capacidade em vez de capacitância.

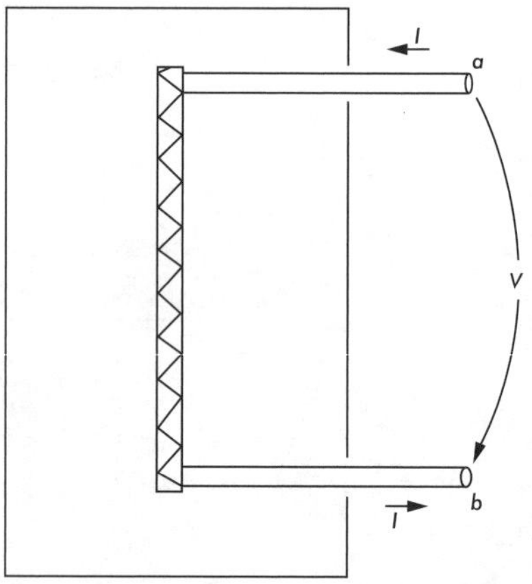

Figura 22–3 Um resistor.

possuem cargas iguais e opostas, mais e menos Q, a diferença de potencial entre as placas é igual a Q/C, onde C é denominada a capacitância dos dois condutores. Da Eq. (22.7), a diferença de potencial entre os terminais a e b é igual à diferença de potencial entre as placas. Temos, então,

$$V = \frac{Q}{C}.$$

A corrente elétrica I entrando no capacitor pelo terminal a (e saindo pelo terminal b) é igual a dQ/dt, a taxa de variação da carga elétrica nas placas. Escrevendo dV/dt como $i\omega V$, podemos colocar a relação corrente-tensão para o capacitor na seguinte forma:

$$i\omega V = \frac{I}{C}$$

ou

$$V = \frac{I}{i\omega C}. \tag{22.8}$$

A impedância z de um capacitor é, então,

$$z\,(\text{capacitor}) = z_C = \frac{1}{i\omega C}. \tag{22.9}$$

O terceiro elemento que queremos considerar é o resistor. Porém, como ainda não discutimos as propriedades elétricas dos materiais reais, não estamos prontos para falar sobre o que acontece dentro de um condutor real. Simplesmente vamos ter de aceitar o fato de que campos elétricos podem existir dentro de materiais reais, e que estes campos elétricos dão origem a um fluxo de carga elétrica – ou seja, uma corrente – e que esta corrente é proporcional à integral do campo elétrico de uma extremidade do condutor até a outra. Imaginamos então um resistor ideal construído como o diagrama da Figura 22–3. Dois fios, que supomos condutores perfeitos, vão dos terminais a e b até as duas extremidades de uma barra de material resistivo. Seguindo nossa linha de argumentação usual, a diferença de potencial entre os terminais a e b é igual à integral de linha do campo elétrico externo, que também é igual à integral de linha do campo elétrico através da barra de material resistivo. Então segue que a corrente I através do resistor é proporcional à tensão V do terminal:

$$I = \frac{V}{R},$$

onde R é denominada a resistência. Veremos mais adiante que a relação entre a corrente e a tensão para materiais condutores reais é apenas aproximadamente linear. Veremos também que se espera que esta proporcionalidade aproximada seja independente da frequência da variação da corrente e da tensão somente se a frequência não for muito alta. Então, para correntes alternadas, a tensão em um resistor está em fase com a corrente, o que significa que a impedância é um número real.

$$z\,(\text{resistência}) = z_R = R \tag{22.10}$$

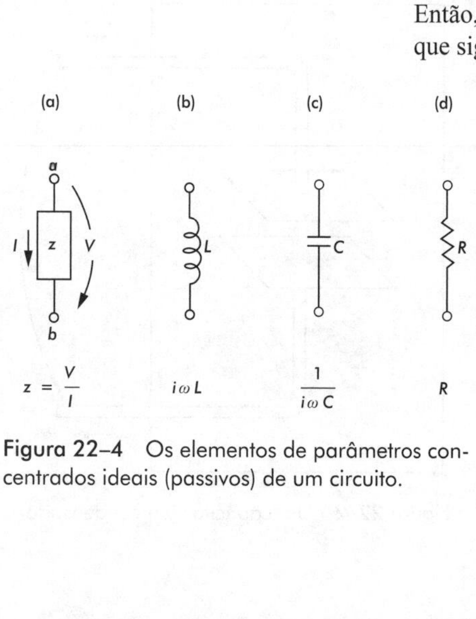

Figura 22–4 Os elementos de parâmetros concentrados ideais (passivos) de um circuito.

Nossos resultados para os três elementos de parâmetros concentrados do circuito – o indutor, o capacitor e o resistor – estão resumidos na Figura 22–4. Nesta figura, assim como nas figuras anteriores, indicamos a tensão por uma flecha dirigida de um terminal para o outro. Se a tensão for “positiva” – ou seja, se o terminal a possuir um potencial *mais alto* que o terminal b –, a flecha indicará a direção de uma “queda de tensão” positiva.

Apesar de estarmos discutindo correntes alternadas, é claro que podemos incluir o caso especial dos circuitos com correntes estacionárias tomando o limite em que a frequência ω vai a zero. Para frequência zero – isto é, para uma CC – a impedância de uma indutância vai a zero; ela se torna um curto-circuito. Para uma CC, a impedância de um capacitor vai para infinito; ele se torna um circuito aberto. Como a impedância de um resistor é independente da frequência, ele é o único elemento que sobra quando analisamos um circuito de CC. Nos elementos do circuito que descrevemos até agora, a corrente e a tensão são proporcionais. Pensamos normalmente nos seguintes termos: uma tensão aplicada é "responsável" pela corrente, ou a corrente "dá origem" a uma tensão entre os terminais; de modo que em um certo sentido os elementos "respondem" às condições externas "aplicadas". Por esse motivo, estes elementos são denominados *elementos passivos*. Eles podem ser comparados com os elementos ativos, como os geradores que vamos considerar na próxima seção, que são as *fontes* das correntes oscilantes ou das tensões em um circuito.

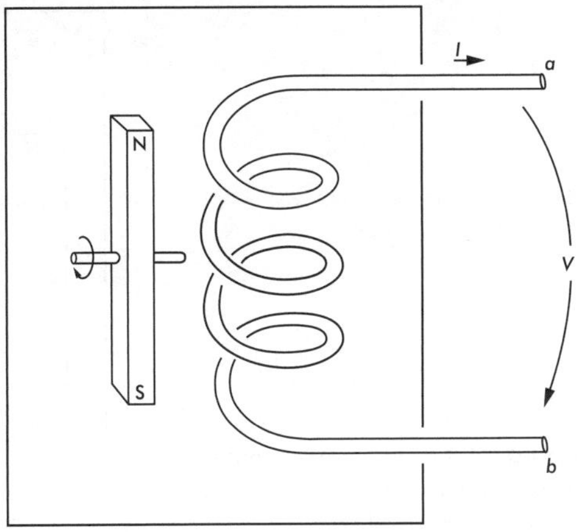

Figura 22–5 Um gerador constituído de uma bobina fixa e um campo magnético em rotação.

22–2 Geradores

Agora queremos falar a respeito de um elemento do circuito *ativo* – um que é a fonte das correntes e tensões em um circuito – a saber, um gerador.

Imagine que tenhamos uma bobina enrolada como uma indutância, só que com muito poucas voltas, de maneira que possamos desprezar o campo magnético da sua própria corrente. Essa bobina está situada em um campo magnético variável, como o campo produzido por um ímã em rotação, como está esquematizado na Figura 22–5 (vimos anteriormente que tais campos magnéticos em rotação também podem ser produzidos por um arranjo conveniente de bobinas com correntes alternadas). Novamente, vamos fazer várias suposições simplificadoras. As suposições que vamos fazer são todas as que fizemos para o caso da indutância. Em particular, supusemos que o campo magnético variável está restrito a uma região finita na vizinhança da bobina, e não aparece fora do gerador no espaço entre os terminais.

Seguindo aproximadamente a análise que fizemos para a indutância, vamos considerar a integral de linha de $\boldsymbol{E}$ ao longo de um caminho fechado que começa no terminal a, passa pela bobina até o terminal b e retorna ao seu ponto inicial no espaço entre os dois terminais. Mais uma vez, concluímos que a diferença de potencial entre os terminais é igual à integral de linha total de $\boldsymbol{E}$ ao redor do caminho fechado:

$$V = -\oint \boldsymbol{E} \cdot ds.$$

Esta integral de linha é igual à fem do circuito, de maneira que a diferença de potencial V entre os terminais do gerador também é igual à taxa de variação do fluxo eletromagnético enlaçado pela bobina:

$$V = -\mathcal{E} = \frac{d}{dt}(\text{fluxo}). \tag{22.11}$$

Para um gerador ideal, supusemos que o fluxo enlaçado pela bobina seja determinado por condições externas – como a velocidade angular de um campo magnético em rotação – e não seja influenciado de nenhuma maneira pelas correntes no gerador. Portanto, um gerador – pelo menos o gerador *ideal* que estamos considerando – não é uma impedância. A diferença de potencial entre os seus terminais é determinada pela força eletromotriz aplicada arbitrariamente, $\mathcal{E}(t)$. Este gerador ideal é representado pelo símbolo mostrado na Figura 22–6. A pequena flecha representa a direção da fem quando esta é positiva. Uma fem positiva no gerador da Figura 22–6 produzirá uma tensão $V = \mathcal{E}$, com o terminal a em um potencial mais alto do que o terminal b.

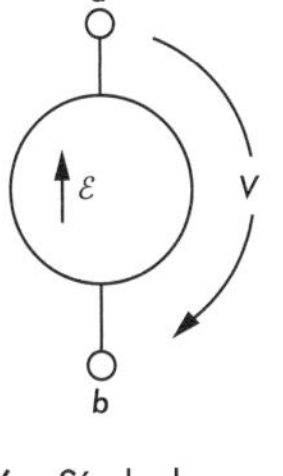

Figura 22–6 Símbolo para um gerador ideal.

Há outra forma de fazer um gerador que é bastante diferente no interior, mas é indistinguível do gerador que descrevemos até agora, quanto ao que acontece além de seus terminais. Suponha que tenhamos uma bobina de fio que é girada em um campo magnético *fixo*, como indicado na Figura 22–7. Mostramos um ímã em forma de barra para indicar a presença de um campo magnético; obviamente, ele poderia ser substituído por qualquer outra fonte de um campo magnético estacionário, como uma bobina adi-

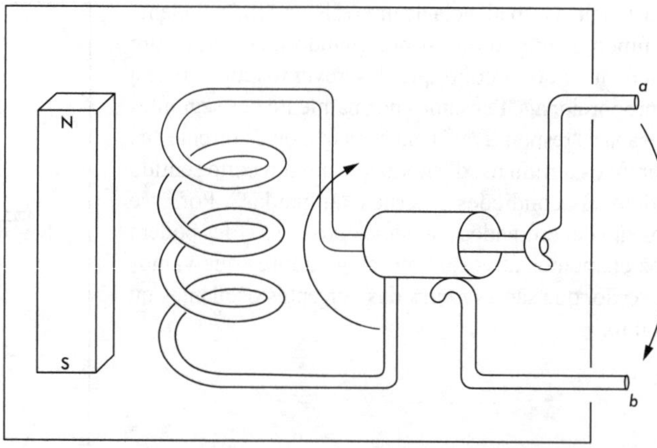

Figura 22–7 Um gerador constituído de uma bobina em rotação em um campo magnético fixo.

cional conduzindo uma corrente estacionária. Como mostrado na figura, as conexões entre a bobina em rotação e o mundo exterior são feitas por meio de contatos deslizantes ou "anéis deslizantes". Novamente, estamos interessados na diferença de potencial que aparece entre os dois terminais a e b, que é claramente a integral do campo elétrico do terminal a até o terminal b em um caminho externo ao gerador.

No sistema da Figura 22–7 não há campos magnéticos variáveis, então poderíamos nos perguntar a princípio como uma tensão poderia aparecer nos terminais do gerador. Como de costume, estamos supondo para os nossos elementos ideais que os fios no interior são feitos de um material perfeitamente condutor e, como já dissemos muitas vezes, o campo elétrico no interior de um condutor perfeito é igual a zero. Mas isso não é verdade. Isso não é verdade quando um condutor está se movendo em um campo magnético. A afirmação correta é que a *força* total sobre qualquer carga no interior de um condutor perfeito deve ser zero. Então o que é sempre verdade é que a soma do campo elétrico $\boldsymbol{E}$ e o produto vetorial entre a velocidade do condutor e o campo magnético $\boldsymbol{B}$ – que é a força total sobre uma unidade de carga – deve ser igual a zero no interior de um condutor:

$$\boldsymbol{F}/\text{unidade de carga} = \boldsymbol{E} + \boldsymbol{v} \times \boldsymbol{B} = 0 \text{ (em um condutor perfeito)}, \quad (22.12)$$

onde $\boldsymbol{v}$ representa a velocidade do condutor. Nossa afirmação anterior, de que não existe campo elétrico no interior de um condutor perfeito, está correta se a velocidade $\boldsymbol{v}$ do condutor for zero, caso contrário a afirmação correta é dada pela Eq. (22.12).

Voltando ao nosso gerador da Figura 22–7, podemos ver que a integral de linha do campo elétrico $\boldsymbol{E}$ do terminal a até o terminal b através do caminho condutor do gerador deve ser igual à integral de linha de $\boldsymbol{v} \times \boldsymbol{B}$ no mesmo caminho,

$$\underset{\substack{\text{dentro do}\\ \text{condutor}}}{\int_a^b} \boldsymbol{E} \cdot d\boldsymbol{s} = - \underset{\substack{\text{dentro do}\\ \text{condutor}}}{\int_a^b} (\boldsymbol{v} \times \boldsymbol{B}) \cdot d\boldsymbol{s}. \quad (22.13)$$

No entanto, ainda é verdade que a integral de linha de $\boldsymbol{E}$ ao redor de um caminho completo, incluindo a volta de b até a por fora do gerador, deve ser zero, pois não existem campos magnéticos variáveis. Então a primeira integral na Eq. (22.13) também é igual a V, a tensão entre os terminais. Acontece que a integral do lado direito da Eq. (22.13) é apenas a taxa de variação do fluxo enlaçado pela bobina e é, portanto – pela regra do fluxo – igual à fem na bobina. Então obtemos mais uma vez que a diferença de potencial entre os terminais é igual à força eletromotriz no circuito, em concordância com a Eq. (22.11). Assim, não importa se temos um gerador no qual um campo magnético varia perto de uma bobina fixa, ou um no qual a bobina se move em um campo magnético fixo. As propriedades externas dos geradores serão as mesmas. Existe uma diferença de potencial V entre os terminais, que é independente da corrente no circuito, mas depende apenas das condições arbitrariamente determinadas no interior do gerador.

Enquanto tentamos entender a operação dos geradores do ponto de vista das equações de Maxwell, podemos perguntar também a respeito da pilha química comum, como uma bateria de flash. Ela também é um gerador, isto é, uma fonte de tensão, embora ela só vá aparecer em circuitos CC, é claro. O tipo de pilha mais simples de entender está mostrado na Figura 22–8. Imaginemos duas placas de metal mergulhadas em alguma solução química. Suponhamos que a solução contenha íons positivos e negativos. Suponhamos também que um tipo de íon, o negativo, por exemplo, seja muito mais pesado do que o íon de polaridade oposta, de modo que o seu movimento através da solução pelo processo de difusão seja muito mais lento. Suponhamos a seguir que de uma maneira ou de outra arranje-se que a concentração da solução varie de uma parte do líquido para a outra, de modo que o número de íons das duas polaridades perto da placa inferior, por exemplo, seja muito maior do que a concentração de íons perto da placa superior. Devido à sua rápida mobilidade, os íons positivos vão derivar mais rapidamente na região de concentração mais baixa, de modo que haverá um pequeno excesso de carga positiva chegando à placa superior. A placa superior se tornará positivamente carregada, e a placa inferior terá uma carga total negativa.

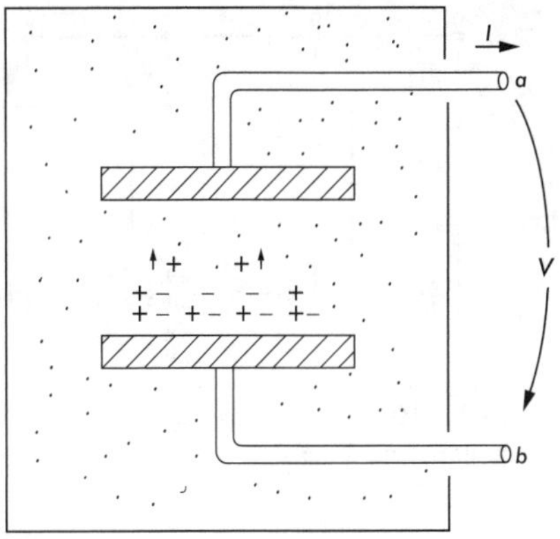

Figura 22–8 Uma pilha química.

À medida que mais e mais cargas são difundidas até a placa superior, o potencial desta placa aumentará, até que o campo elétrico resultante entre as placas produza forças nos íons que compensem exatamente o seu excesso de mobilidade, de modo que as duas placas da pilha atinjam rapidamente uma diferença de potencial que é característica da sua construção interna.

Utilizando o mesmo argumento para o capacitor ideal, vemos que a diferença de potencial entre os terminais a e b é exatamente igual à integral de linha do campo entre as duas placas quando não há mais uma difusão resultante dos íons. Existe, é claro, uma diferença essencial entre um capacitor e este tipo de pilha química. Se curto-circuitarmos os terminais de um capacitor por um momento, o capacitor será descarregado, e não existirá mais qualquer diferença de potencial entre os terminais. No caso da pilha química, uma corrente pode ser puxada continuamente dos terminais sem modificar a fem, até que os potenciais químicos no interior da pilha tenham sido esgotados, é claro. Em uma pilha real, verificamos que a diferença de potencial entre os terminais diminui à medida que a corrente puxada da célula aumenta. Entretanto, mantendo as abstrações que estivemos fazendo, podemos imaginar uma pilha ideal cuja tensão entre os terminais seja independente da corrente. Uma pilha real pode ser vista então como uma pilha ideal em série com um resistor.

22–3 Redes de elementos ideais; leis de Kirchhoff

Como vimos na última seção, a descrição de um elemento de circuito ideal em termos do que acontece no exterior do elemento é bastante simples. A corrente e a tensão são relacionadas linearmente. Contudo, o que está acontecendo de verdade no interior do elemento é bastante complicado, e é bastante difícil dar uma descrição precisa em termos das equações de Maxwell. Imagine como seria dar uma descrição precisa dos campos elétricos e magnéticos no interior de um rádio, que contém centenas de resistores, capacitores e indutores. Seria uma tarefa impossível analisar uma coisa assim usando as equações de Maxwell, mas usando as muitas aproximações que descrevemos na Seção 22-2 e resumindo as características essenciais dos elementos reais do circuito em termos de idealizações, torna-se possível analisar um circuito elétrico de uma maneira relativamente direta. Vamos mostrar agora como isso pode ser feito.

Suponha que tenhamos um circuito consistindo em um gerador e diversas impedâncias ligadas juntas, como mostrado na Figura 22–9. De acordo com as nossas aproximações, não existe campo magnético na região exterior aos elementos individuais do circuito. Portanto, a integral de linha de $\boldsymbol{E}$ ao redor de qualquer curva que não passe através de algum dos elementos será zero. Considere então a curva Γ mostrada pela linha tracejada que faz a volta completa no circuito da Figura 22–9. A integral de linha de $\boldsymbol{E}$ ao redor desta curva é feita de vários segmentos. Cada segmento é a integral de linha de um terminal ao outro de um elemento do circuito. Chamamos esta integral de linha de queda de tensão

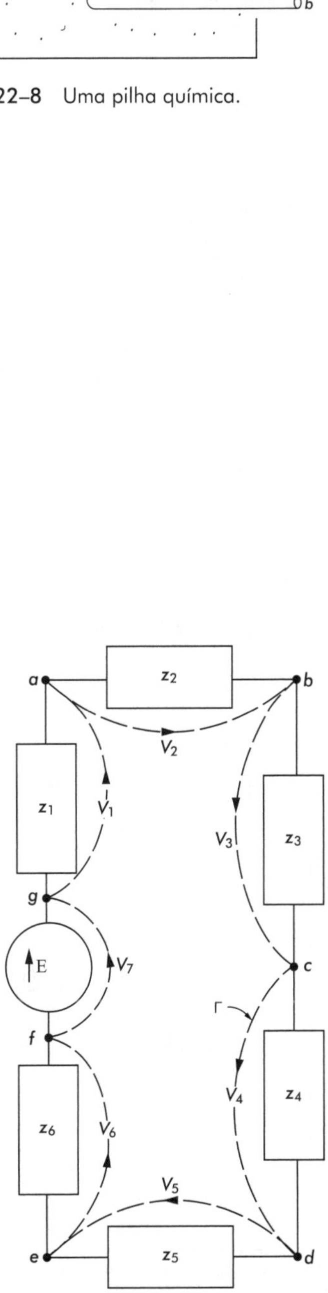

Figura 22–9 A soma das quedas de tensão ao redor de qualquer caminho fechado é zero.

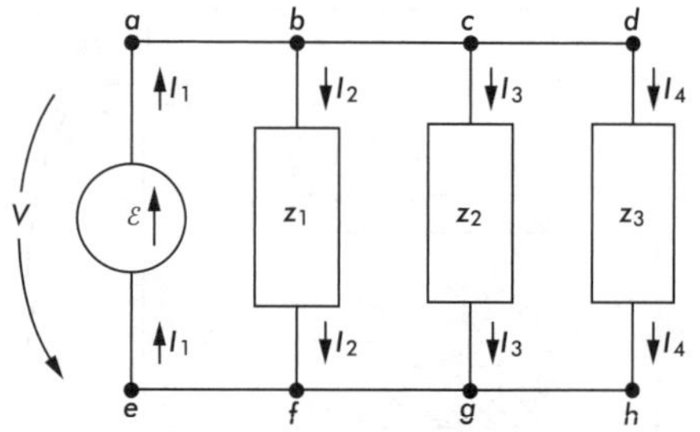

Figura 22–10 A soma das correntes em qualquer nó é zero.

através do elemento do circuito. Então, a integral completa é simplesmente a soma das quedas de tensão através de todos os elementos do circuito:

$$\oint \boldsymbol{E} \cdot d\boldsymbol{s} = \sum V_n.$$

Como a integral de linha é zero, temos que a soma das diferenças de potencial ao redor de um caminho fechado em um circuito é sempre igual a zero:

$$\sum_{\substack{\text{ao redor de qualquer} \\ \text{caminho fechado}}} V_n = 0. \tag{22.14}$$

Esse resultado vem de uma das equações de Maxwell – em uma região onde não há campos magnéticos, a integral de linha de $\boldsymbol{E}$ em qualquer caminho fechado é zero.

Vamos considerar agora um circuito como aquele mostrado na Figura 22–10. A linha horizontal unindo os terminais *a*, *b*, *c* e *d* serve para mostrar que todos esses terminais estão conectados, ligados por fios com resistência desprezível. De qualquer maneira, o desenho mostra que os terminais *a*, *b*, *c* e *d* estão todos no mesmo potencial e, analogamente, os terminais *e*, *f*, *g* e *h* também se encontram em um potencial comum. Logo, a queda de tensão em qualquer um dos quatro elementos é a mesma.

Agora, em uma de nossas generalizações, supusemos que a quantidade de cargas elétricas acumuladas nos terminais das impedâncias é desprezível. Agora supomos, além disso, que quaisquer cargas nos fios que fazem a ligação entre os terminais também podem ser desprezadas. Então a conservação da carga requer que qualquer carga que deixar um elemento do circuito deve entrar imediatamente em outro elemento do circuito. Ou, o que é a mesma coisa, impomos que a soma algébrica das correntes que entram em uma dada junção deve ser zero. Uma junção quer dizer, é claro, qualquer conjunto de terminais como *a*, *b*, *c* e *d* que estejam conectados. Um conjunto de terminais conectados é normalmente denominado um "nó". Então, a conservação da carga para o circuito da Figura 22–10 requer que

$$I_1 - I_2 - I_3 - I_4 = 0. \tag{22.15}$$

A soma algébrica das correntes entrando no nó que consiste nos quatro terminais *e*, *f*, *g* e *h* também deve ser zero:

$$-I_1 + I_2 + I_3 + I_4 = 0. \tag{22.16}$$

Obviamente, essa equação é igual à Eq. (22.15). As duas equações não são independentes. A regra geral é que *a soma das correntes em qualquer nó deve ser zero*.

$$\sum_{\substack{\text{entrando} \\ \text{em um nó}}} I_n = 0. \tag{22.17}$$

Nossa conclusão anterior de que a soma das quedas de tensão ao redor de um caminho fechado é zero deve se aplicar para qualquer caminho fechado em um circuito complicado. Além disso, o nosso resultado de que a soma das correntes entrando em um nó é zero deve ser verdade para qualquer nó. Essas duas equações são conhecidas como as *leis de Kirchhoff*. Com essas duas regras, é possível encontrar as correntes e as tensões em qualquer rede.

Suponha que consideremos o circuito mais complicado da Figura 22–11. Como vamos encontrar as correntes e as tensões neste circuito? Podemos obtê-las da seguinte maneira direta. Consideramos separadamente cada um dos quatro caminhos fechados que aparecem no circuito (por exemplo, um caminho vai do terminal *a* para o terminal *b*, para o terminal *e*, para o terminal *d* e volta para o terminal *a*). Para cada um dos caminhos escrevemos a equação para a primeira das leis de Kirchhoff – a soma das tensões ao redor de cada caminho é zero. Devemos nos lembrar de contar a queda de tensão como positiva se

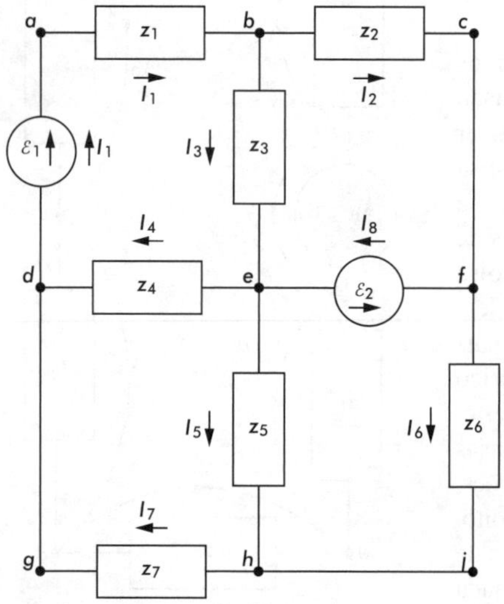

Figura 22–11 Análise de um circuito com as leis de Kirchhoff.

estivermos indo *na* direção da corrente, e negativa se estivermos atravessando um elemento na direção *oposta* à corrente; e devemos lembrar que a queda de tensão em um gerador é o *oposto* da fem naquela direção. Então, se considerarmos o pequeno caminho que começa e termina no terminal a, teremos a equação

$$z_1 I_1 + z_3 I_3 + z_4 I_4 - \mathcal{E}_1 = 0.$$

Aplicando a mesma regra para os outros caminhos, encontramos três outras equações do mesmo tipo.

A seguir, devemos escrever a equação para as correntes para cada um dos nós no circuito. Por exemplo, somando as correntes entrando no nó no terminal b, obtemos a equação

$$I_1 - I_3 - I_2 = 0.$$

Analogamente, para o nó e temos a equação para as correntes

$$I_3 - I_4 + I_8 - I_5 = 0.$$

Há cinco equações para as correntes, para o circuito apresentado. Porém, cada uma destas equações pode ser obtida das outras quatro; portanto, há apenas quatro equações independentes para as correntes. Temos então um total de oito equações lineares independentes: as quatro equações para as tensões e as quatro equações para as correntes. Com estas oito equações, podemos encontrar as oito correntes desconhecidas. Uma vez que as correntes sejam conhecidas, o circuito estará resolvido. A queda de tensão através de qualquer elemento é dada pela corrente naquele elemento vezes a sua impedância (ou, no caso de uma fonte de tensão, ela já é conhecida).

Vimos que, quando escrevemos as equações para as correntes, obtivemos uma equação que não era independente das outras. De modo geral, também é possível escrever equações em excesso para as tensões. Por exemplo, no circuito da Figura 22–11, embora tenhamos considerado apenas os quatro caminhos fechados pequenos, existe um grande número de outros caminhos para os quais poderíamos ter escrito a equação da tensão. Existe, por exemplo, o caminho fechado que passa por *abcfeda*. Existe um outro caminho que passa por *abcfehgda*. Você pode ver que existem muitos caminhos. Quando analisamos circuitos complicados, é muito fácil obter equações demais. Existem regras que nos dizem como agir para que apenas o número mínimo de equações seja escrito, mas normalmente com um pouco de atenção é possível obter o número certo de equações da forma mais simples. Além do mais, escrever uma ou duas equações extras não vai causar nenhum dano. Elas não vão trazer respostas erradas, talvez apenas um pouco de álgebra desnecessária.

No Capítulo 25 do Vol. I, mostramos que, se duas impedâncias, z_1 e z_2, estão em *série*, elas são equivalentes a uma única impedância z_s dada por

$$z_s = z_1 + z_2. \tag{22.18}$$

Também mostramos que, se duas impedâncias estão ligadas em *paralelo*, elas são equivalentes a uma única impedância z_p dada por

$$z_p = \frac{1}{(1/z_1) + (1/z_2)} = \frac{z_1 z_2}{z_1 + z_2} \tag{22.19}$$

Se você olhar para trás, vai ver que quando derivamos estes resultados estávamos na verdade fazendo uso das leis de Kirchhoff. Frequentemente é possível analisar um circuito complicado aplicando repetidamente as fórmulas para impedâncias em série e paralelo. Por exemplo, o circuito da Figura 22–12 pode ser analisado desta forma. Primeiro, as impedâncias z_4 e z_5 podem ser substituídas pelo seu equivalente paralelo, assim como z_6 e z_7. Então a impedância z_2 pode ser combinada com o equivalente paralelo de z_6 e z_7 pela regra de série. Procedendo dessa maneira, o circuito todo pode ser reduzido a um gerador em série com uma única impedância Z. Então a corrente através do circuito é simplesmente $\mathcal{E}/Z$. E fazendo o trabalho reverso podemos obter a corrente em cada uma das impedâncias.

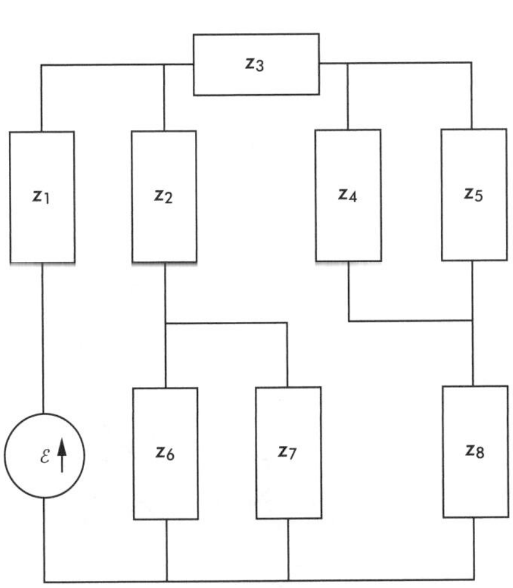

Figura 22–12 Um circuito que pode ser analisado em termos de combinações em série e paralelo.

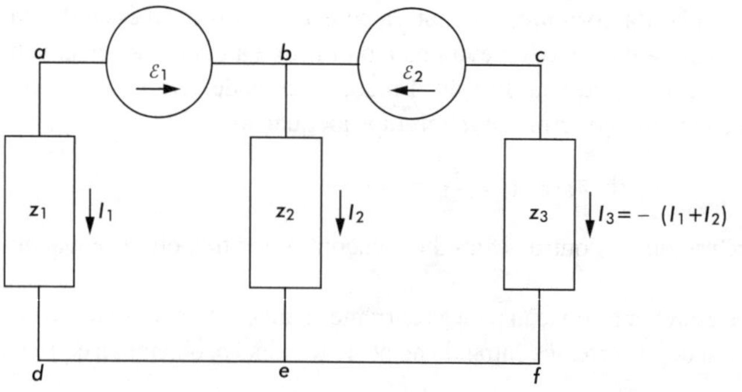

Figura 22–13 Um circuito que não pode ser analisado em termos de combinações em série e paralelo.

No entanto, existem circuitos bastante simples que não podem ser analisados por esse método, como o circuito da Figura 22–13, por exemplo. Para analisar esse circuito precisamos escrever as equações para as correntes e as tensões a partir das leis de Kirchhoff. Vamos fazer isso. Existe apenas uma equação para as correntes:

$$I_1 + I_2 + I_3 = 0$$

então vemos imediatamente que

$$I_3 = -(I_1 + I_2).$$

Podemos economizar alguma álgebra se fizermos uso deste resultado imediatamente, para escrever as equações para as tensões. Para este circuito existem duas equações independentes para as tensões, que são

$$-\mathcal{E}_1 + I_2 z_2 - I_1 z_1 = 0$$

e

$$\mathcal{E}_2 - (I_1 + I_2)z_3 - I_2 z_2 = 0.$$

Temos duas equações e duas correntes incógnitas. Resolvendo essas equações para encontrar I_1 e I_2, obtemos

$$I_1 = \frac{z_2\mathcal{E}_2 - (z_2 + z_3)\mathcal{E}_1}{z_1(z_2 + z_3) + z_2 z_3} \tag{22.20}$$

e

$$I_2 = \frac{z_1\mathcal{E}_2 + z_3\mathcal{E}_1}{z_1(z_2 + z_3) + z_2 z_3}. \tag{22.21}$$

A terceira corrente é obtida pela soma destas duas.

Outro exemplo de um circuito que não pode ser resolvido usando as regras para as impedâncias em série e paralelo está apresentado na Figura 22–14. Este circuito é denominado uma ponte. Ele aparece em muitos instrumentos usados para medir impedâncias. Com este circuito, estamos interessados normalmente em uma questão: como as diversas impedâncias devem estar relacionadas para que a corrente através da impedância z_3 seja zero? Vamos deixar para você encontrar as condições necessárias.

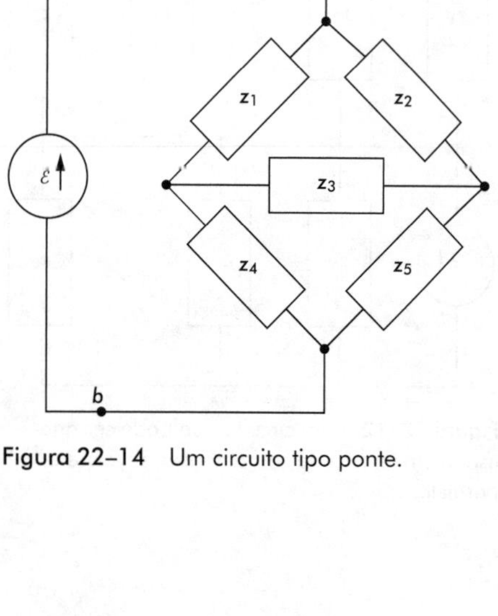

Figura 22–14 Um circuito tipo ponte.

22–4 Circuitos equivalentes

Suponha que um gerador $\mathcal{E}$ seja ligado a um circuito contendo um arranjo complicado de impedâncias, como indicado esquematicamente na Figura 22–15(a). Todas as equações que obtemos pelas leis de Kirchhoff são lineares, de modo que quando resolvemos para a corrente I através do gerador, obtemos que I é proporcional a $\mathcal{E}$. Podemos escrever

$$I = \frac{\mathcal{E}}{z_{ef}}$$

onde z_{ef} é algum número complexo, uma função algébrica de todos os elementos do circuito (se o circuito não contém nenhum gerador além do que está mostrado, não existe nenhum termo adicional independente de $\mathcal{E}$). Essa equação é simplesmente a que escreveríamos para o circuito da Figura 22–15(b). Enquanto estivermos interessados apenas no que acontece à esquerda dos dois terminais a e b, os dois circuitos da Figura 22–15 são *equivalentes*. Portanto, podemos fazer a afirmação geral de que *qualquer* bipolo (rede com dois terminais) de elementos passivos pode ser substituído por uma única impedância z_{ef} sem mudar as correntes e tensões no resto do circuito. Essa afirmação é, obviamente, apenas uma observação que vem das leis de Kirchhoff – e, em última instância, da linearidade das equações de Maxwell.

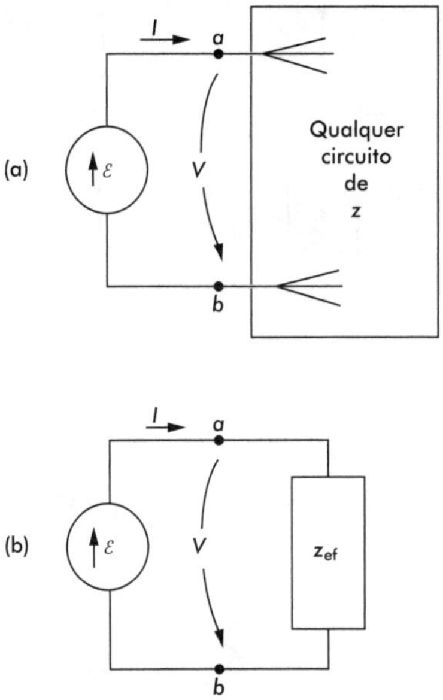

Figura 22–15 Todo circuito bipolar de elementos passivos é equivalente a uma impedância efetiva.

A ideia pode ser generalizada para circuitos contendo geradores e impedâncias. Suponha que olhemos um destes circuitos "do ponto de vista" de uma das impedâncias, que vamos chamar de z_n, como na Figura 22–16(a). Se resolvêssemos a equação para o circuito completo, encontraríamos que a tensão V_n entre os dois terminais a e b é uma função linear de I, que podemos escrever como

$$V_n = A - BI_n \tag{22.22}$$

onde A e B dependem dos geradores e impedâncias no circuito à esquerda dos terminais. Por exemplo, para o circuito da Figura 22–13, temos $V_1 = I_1z_1$. Esse resultado pode ser escrito [rearranjando os termos na Eq. (22.20)] como

$$V_1 = \left[\left(\frac{z_2}{z_2+z_3}\right)\mathcal{E}_2 - \mathcal{E}_1\right] - \frac{z_2z_3}{z_2+z_3}I_1. \tag{22.23}$$

A solução completa é obtida comparando esta equação com a equação para a impedância z_1, isto é, $V_1 = I_1z_1$, ou, no caso geral, combinando a Eq. (22.22) com

$$V_n = I_nz_n.$$

Se considerarmos que z_n está ligada a um simples circuito em série com um gerador e uma corrente, como na Figura 22–15(b), a equação correspondente à Eq. (22.22) será

$$V_n = \mathcal{E}_{ef} - I_nz_{ef}$$

que é idêntica à Eq. (22.22) desde que tomemos $\mathcal{E}_{ef} = A$ e $z_{ef} = B$. Então, se estivermos interessados apenas no que acontece *à esquerda* dos terminais a e b, o circuito arbitrário da Figura 22–16 sempre pode ser substituído por uma combinação equivalente de um gerador em série com uma impedância.

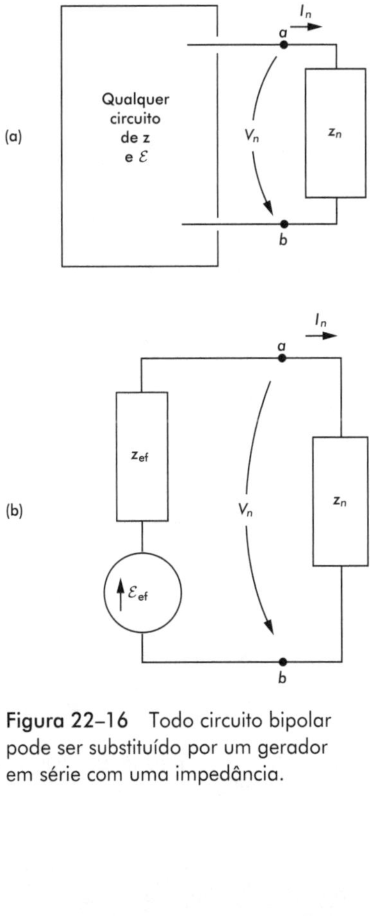

Figura 22–16 Todo circuito bipolar pode ser substituído por um gerador em série com uma impedância.

22–5 Energia

Vimos que, para estabelecer uma corrente I em uma indutância, a energia $U = \frac{1}{2}LI^2$ deve ser fornecida pelo circuito externo. Quando a corrente se anula, essa energia é devolvida para o circuito externo. Não há nenhum mecanismo de perda de energia em uma indutância ideal. Quando uma corrente alternada passa por uma indutância, a energia flui de um lado para o outro entre a indutância e o restante do circuito, mas a taxa *média* na qual a energia é fornecida para o circuito é zero. Dizemos que uma indutância é um elemento *não dissipativo*; não há energia elétrica dissipada – ou seja, "perdida" – em uma indutância.

De maneira análoga, a energia de um capacitor, $U = \frac{1}{2}CV^2$, é retornada para o circuito externo quando o capacitor é descarregado. Quando um capacitor está em um

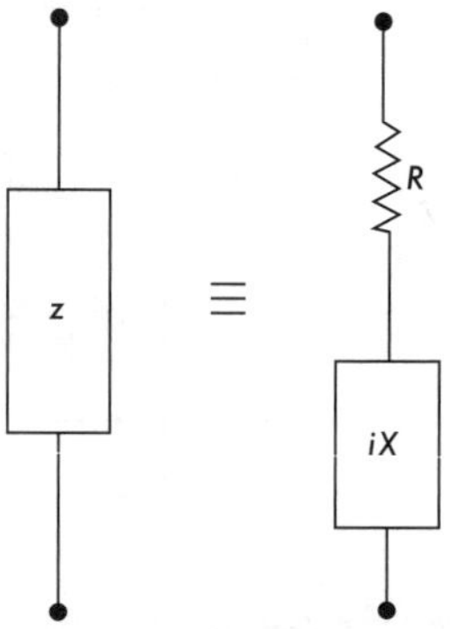

Figura 22–17 Toda impedância é equivalente a uma combinação em série de uma resistência pura com uma reatância pura.

circuito CA, a energia flui para dentro e para fora dele, mas o fluxo de energia resultante em cada ciclo é zero. Um capacitor ideal também é um elemento não dissipativo.

Sabemos que uma fem é uma fonte de energia. Quando uma corrente I flui na direção da fem, a energia é fornecida para o circuito externo em uma taxa $dU/dt = \mathcal{E}I$. Se a corrente estiver dirigida *contra* a fem – por outros geradores no circuito –, a fem irá absorver energia na taxa $\mathcal{E}I$; como I é negativa, dU/dt também será negativa.

Se um gerador estiver ligado a um resistor R, a corrente através do resistor será $I = \mathcal{E}/R$. A energia fornecida pelo gerador na taxa $\mathcal{E}I$ é absorvida pelo resistor. Esta energia se transforma em calor no resistor e se perde da energia elétrica do circuito. Dizemos que a energia elétrica é *dissipada* em um resistor. A taxa na qual a energia é dissipada em um resistor é $dU/dt = RI^2$.

Em um circuito CA, a taxa média na qual a energia é perdida em um resistor é a média de RI^2 em um ciclo. Como $I = \hat{I}e^{i\omega t}$ – o que significa realmente que I varia como cos ωt – a média de I^2 em um ciclo é $|\hat{I}|^2/2$, pois a corrente máxima é $|\hat{I}|$ e a média de $\cos^2 \omega t$ é 1/2.

E a energia perdida quando um gerador é ligado a uma impedância arbitrária z? (Com "perda" queremos dizer, obviamente, a conversão de energia elétrica em energia térmica.) Qualquer impedância z pode ser escrita como a soma de suas partes real e imaginária. Ou seja,

$$z = R + iX, \tag{22.24}$$

onde R e X são números reais. Do ponto de vista dos circuitos equivalentes, podemos dizer que qualquer impedância é equivalente a uma resistência em série com uma impedância puramente imaginária – chamada de *reatância* –, como mostrado na Figura 22–17.

Vimos anteriormente que qualquer circuito que contenha apenas L e C possui uma impedância que é um número imaginário puro. Como não existe perda de energia em nenhum dos L e C em média, uma reatância pura contendo apenas L e C não terá perda de energia. Podemos ver que isso deve ser verdade em geral para uma reatância.

Se um gerador com a fem $\mathcal{E}$ estiver conectado à impedância z da Figura 22–17, a fem deve ser relacionada com a corrente I do gerador por

$$\mathcal{E} = I(R + iX). \tag{22.25}$$

Para encontrar a taxa média na qual a energia é fornecida, queremos a média no produto $\mathcal{E}I$. Agora, precisamos tomar cuidado. Quando lidamos com estes produtos, devemos lidar com as quantidades reais $\mathcal{E}(t)$ e $I(t)$ (as partes reais das funções complexas representarão as quantidades físicas reais somente quando tivermos equações *lineares*; agora estamos trabalhando com *produtos*, que certamente não são lineares).

Vamos escolher nossa origem em t de maneira que $\hat{I}$ seja um número real, I_0; então, a variação temporal real de I será dada por

$$I = I_0 \cos \omega t.$$

A fem da Eq. (22.25) é a parte real de

$$I_0 e^{i\omega t}(R + iX)$$

ou

$$\mathcal{E} = I_0 R \cos \omega t - I_0 X \operatorname{sen} \omega t. \tag{22.26}$$

Os dois termos na Eq. (22.26) representam as quedas de tensão através de R e X na Figura 22–17. Podemos ver que a queda de tensão na resistência está *em fase* com a corrente, enquanto a queda de tensão na parte puramente reativa está *fora de fase* com a corrente.

A taxa média de perda de energia do gerador, $\langle P \rangle_m$, é a integral do produto $\mathcal{E}I$ em um ciclo, dividida pelo período T; em outras palavras,

$$\langle P \rangle_m = \frac{1}{T}\int_0^T \mathcal{E}I\,dt = \frac{1}{T}\int_0^T I_0^2 R \cos^2 \omega t\,dt - \frac{1}{T}\int_0^T I_0^2 X \cos \omega t \operatorname{sen} \omega t\,dt.$$

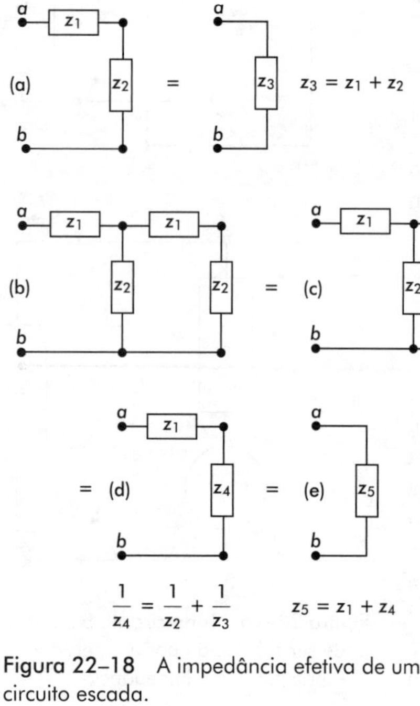

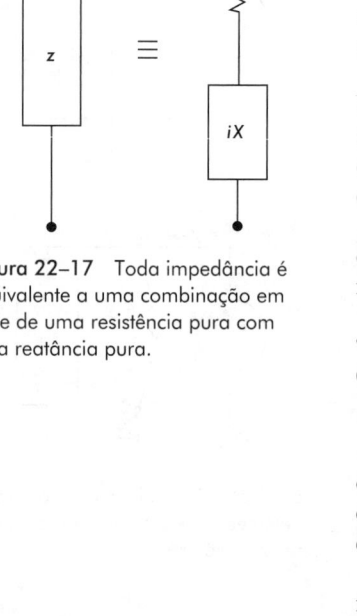

Figura 22–18 A impedância efetiva de um circuito escada.

A primeira integral é $\frac{1}{2}I_0^2R$, e a segunda integral é zero. Logo, a perda de energia média em uma impedância $z = R + iX$ depende somente da parte real de z e é $I_0^2R/2$, o que está de acordo com nosso resultado anterior para a perda de energia em um resistor. Não há perda de energia na parte reativa.

22–6 Um circuito escada

Gostaríamos de estudar agora um circuito interessante que pode ser analisado em termos de combinações em série e paralelo. Vamos começar com o circuito da Figura 22–18(a). Podemos ver imediatamente que a impedância do terminal *a* até o terminal *b* é simplesmente $z_1 + z_2$. Agora, vamos ver um circuito um pouco mais difícil, mostrado na Figura 22–18(b). Podemos analisar este circuito com as leis de Kirchhoff, mas também é fácil trabalhar com combinações em série e paralelo. Podemos substituir as duas impedâncias do lado direito por uma única impedância $z_3 = z_1 + z_2$, como na parte (c) da Figura. Então as duas impedâncias, z_2 e z_3, podem ser substituídas pela impedância paralela equivalente z_4, como mostrado na parte (d) da Figura. Finalmente, z_1 e z_4 são equivalentes a uma única impedância z_5, como mostrado na parte (e).

Podemos fazer uma questão divertida: o que aconteceria se continuássemos adicionando mais seções no circuito da Figura 22–18(b) para sempre – como indicamos com as linhas tracejadas na Figura 22–19(a)? Podemos resolver este circuito infinito? Bem, não é assim tão difícil. Primeiro, reparamos que um circuito infinito não é modificado se adicionarmos mais uma seção na extremidade "da frente". Certamente, se adicionarmos mais uma seção a um circuito infinito, ele ainda será o mesmo circuito infinito. Vamos chamar a impedância entre os dois terminais *a* e *b* do circuito infinito de z_0; então a impedância de tudo que estiver à direita dos dois terminais *c* e *d* também será z_0. Portanto, enquanto estivermos nos preocupando apenas com a extremidade da frente, poderemos representar o circuito como está mostrado na Figura 22–19(b). Formando a combinação em paralelo de z_2 com z_0 e somando o resultado em série com z_1, podemos escrever imediatamente a impedância deste circuito:

$$z = z_1 + \frac{1}{(1/z_2) + (1/z_0)} \quad \text{ou} \quad z = z_1 + \frac{z_2 z_0}{z_2 + z_0}.$$

Essa impedância também é igual a z_0, então temos a equação

$$z_0 = z_1 + \frac{z_2 z_0}{z_2 + z_0}.$$

Podemos isolar z_0 para obter

$$z_0 = \frac{z_1}{2} + \sqrt{(z_1^2/4) + z_1 z_2}. \tag{22.27}$$

Dessa maneira, encontramos a impedância de uma escada infinita de impedâncias em série e paralelo repetidas. A impedância z_0 é denominada a *impedância característica* de um circuito infinito como este.

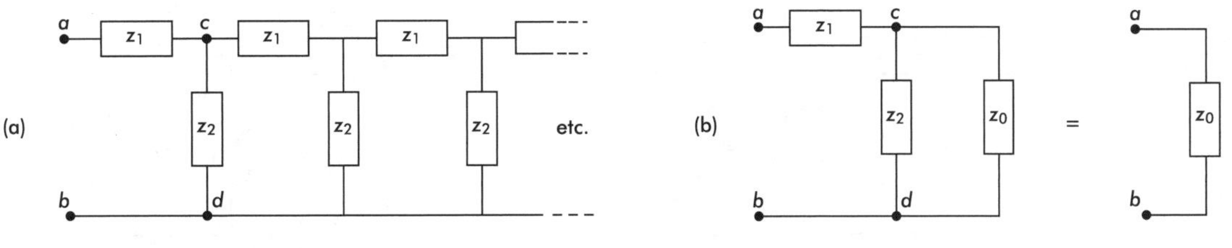

Figura 22–19 A impedância efetiva de um circuito escada infinito.

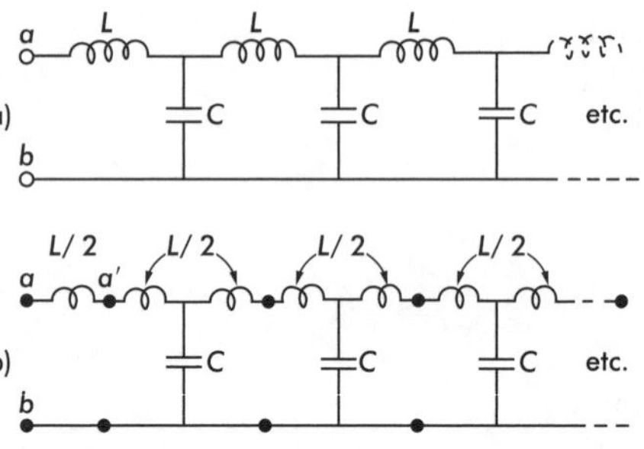

Figura 22–20 Um circuito escada L-C desenhado de duas formas equivalentes.

Vamos considerar agora um exemplo específico no qual o elemento em série é uma indutância L e o elemento de derivação ("shunt") é uma capacitância C, como mostrado na Figura 22–20(a). Neste caso, obtemos a impedância do circuito infinito tomando $z_1 = i\omega L$ e $z_2 = 1/i\omega C$. Repare que o primeiro termo, $z_1/2$, na Eq. (22.27) é apenas metade da impedância do primeiro elemento. Portanto, pareceria mais natural, ou pelo menos um pouco mais simples, se desenhássemos o nosso circuito infinito como mostrado na Figura 22–20(b). Olhando para o circuito infinito a partir do terminal a', veríamos a impedância característica

$$z_0 = \sqrt{(L/C) - (\omega^2 L^2/4)}. \tag{22.28}$$

Existem agora dois casos interessantes, dependendo da frequência ω. Se ω^2 for menor do que $4/LC$, o segundo termo na raiz será menor do que o primeiro, e a impedância z_0 será um número real. Por outro lado, se ω^2 for maior do que $4/LC$, a impedância z_0 será um número imaginário puro que podemos escrever como

$$z_0 = i\sqrt{(\omega^2 L^2/4) - (L/C)}.$$

Afirmamos anteriormente que um circuito que contenha apenas impedâncias imaginárias, como indutâncias e capacitâncias, terá uma impedância puramente imaginária. Como pode ser então que, para o circuito que estamos estudando agora – que possui apenas L e C –, a impedância seja uma resistência pura para frequências abaixo de $\sqrt{4/LC}$? Para frequências mais altas, a impedância é puramente imaginária, de acordo com a nossa afirmação anterior. Para resistências mais baixas, a impedância é uma resistência pura e, portanto, absorverá energia. Como o circuito pode absorver energia continuamente, como uma resistência faz, se ele é composto apenas de indutâncias e capacitâncias? *Resposta:* porque existe um número infinito de indutâncias e capacitâncias, de modo que, quando uma fonte é ligada ao circuito, ela fornece energia para a primeira indutância e a capacitância, depois para a segunda, para a terceira e assim por diante. Em um circuito desse tipo, a energia do gerador é absorvida continuamente em uma taxa constante e flui constantemente para o circuito, fornecendo a energia que é armazenada nas indutâncias e capacitâncias ao longo da linha.

Esta ideia sugere um ponto interessante sobre o que está acontecendo no circuito. Esperaríamos que, se ligássemos uma fonte na extremidade da frente, os efeitos desta fonte fossem propagados pelo circuito em direção ao final infinito. A propagação das ondas pela linha é muito parecida com a radiação de uma antena que absorve energia de sua fonte; isto é, esperamos que esta propagação ocorra quando a impedância for real, o que acontece quando ω é menor do que $\sqrt{4/LC}$. Quando a impedância é puramente imaginária, o que acontece quando ω é maior do que $\sqrt{4/LC}$, não esperaríamos ver qualquer propagação.

22–7 Filtros

Vimos na última seção que o circuito escada infinito da Figura 22–20 absorve energia continuamente se ele funcionar a uma frequência abaixo de uma certa frequência crítica $\sqrt{4/LC}$, que chamaremos de *frequência de corte* ω_0. Sugerimos que este efeito poderia

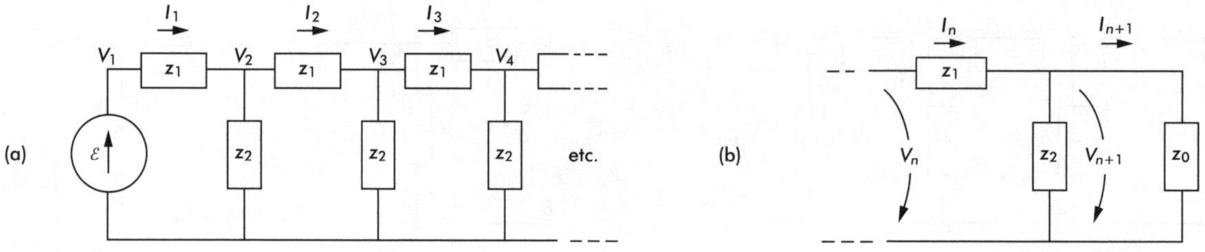

Figura 22–21 Obtenção do fator de propagação de um circuito escada.

ser entendido em termos de um transporte de energia contínuo ao longo da linha. Por outro lado, a altas frequências, para $\omega > \omega_0$, não há uma absorção contínua da energia; então, deveríamos esperar que talvez as correntes não "penetrem" até muito longe na linha. Vamos ver se essas ideias estão corretas.

Suponha que a extremidade da frente da escada seja ligada a um gerador CA, e que quiséssemos saber como é a tensão na 754ª seção da escada, por exemplo. Como o circuito é infinito, qualquer coisa que aconteça com a tensão entre uma seção e a próxima será sempre igual; portanto, vamos examinar simplesmente o que acontece quando vamos da n-ésima seção para a seguinte. Vamos definir as correntes I_n e as tensões V_n como mostrado na Figura 22–21(a).

Podemos obter a tensão V_{n+1} a partir de V_n, lembrando que sempre podemos substituir o resto da escada após a n-ésima seção pela sua impedância característica z_0; então precisamos analisar apenas o circuito da Figura 22–21(b). Primeiro, observamos que qualquer V_n, como é medido através de z_0, deve ser igual a $I_n z_0$. Além disso, a diferença entre V_n e V_{n+1} é simplesmente $I_n z_1$:

$$V_n - V_{n+1} = I_n z_1 = V_n \frac{z_1}{z_0}.$$

Então obtemos a razão

$$\frac{V_{n+1}}{V_n} = 1 - \frac{z_1}{z_0} = \frac{z_0 - z_1}{z_0}.$$

Podemos chamar esta razão de *fator de propagação* para uma seção da escada; vamos denominá-la α. Este fator é, obviamente, o mesmo para todas as seções:

$$\alpha = \frac{z_0 - z_1}{z_0}. \tag{22.29}$$

A tensão após a n-ésima seção é, portanto,

$$V_n = \alpha^n \mathcal{E}. \tag{22.30}$$

Você pode encontrar a tensão após 754 seções; ela é simplesmente α elevado à 754ª potência vezes $\mathcal{E}$.

Vamos ver qual é a forma de α para a escada L-C da Figura 22–20(a). Usando z_0 da Eq. (22.27) e $z_1 = i\omega L$, obtemos

$$\alpha = \frac{\sqrt{(L/C) - (\omega^2L^2/4)} - i(\omega L/2)}{\sqrt{(L/C) - (\omega^2L^2/4)} + i(\omega L/2)}. \tag{22.31}$$

Se a frequência da fonte estiver abaixo da frequência de corte $\omega_0 = \sqrt{4/LC}$, o radicando será um número real, e as magnitudes dos números complexos no numerador e no denominador serão iguais. Consequentemente, a magnitude de α é 1; podemos escrever

$$\alpha = c^{i\delta},$$

o que significa que a magnitude da tensão é a mesma em cada seção, apenas a sua fase varia. De fato, a variação da fase δ é um número negativo e representa o "atraso" da tensão à medida que ela passa pelo circuito.

Para frequências acima da frequência de corte ω_0, é mais conveniente fatorar um i no numerador e no denominador da Eq. (22.31) e reescrevê-la como

$$\alpha = \frac{\sqrt{(\omega^2L^2/4) - (L/C)} - (\omega L/2)}{\sqrt{(\omega^2L^2/4) - (L/C)} + (\omega L/2)}. \tag{22.32}$$

O fator de propagação α é agora um número *real* sendo, além disso, *menor do que* 1. Isso significa que a tensão em qualquer seção é sempre menor do que a tensão na seção anterior, por um fator α. Para qualquer frequência maior do que ω_0, a tensão decai rapida-

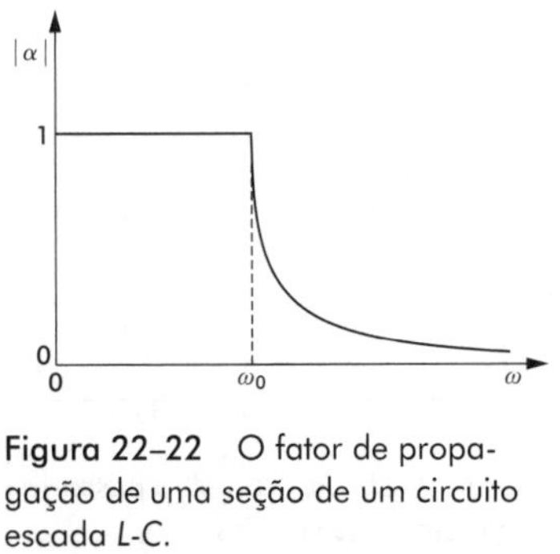

Figura 22–22 O fator de propagação de uma seção de um circuito escada L-C.

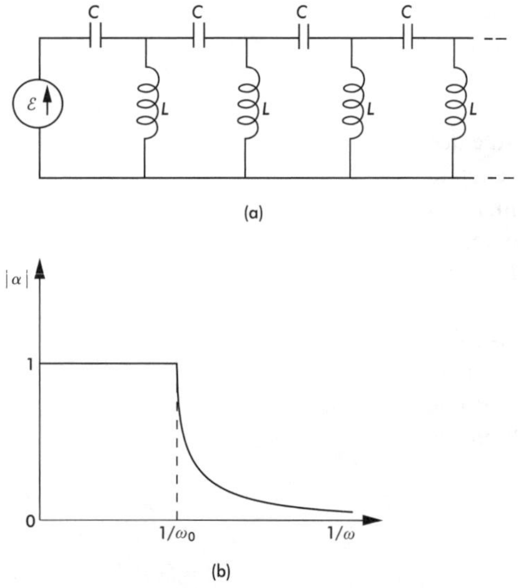

Figura 22–23 (a) Um filtro passa-alta; (b) seu fator de propagação em função de $1/\omega$.

mente à medida que avançamos pelo circuito. Um gráfico do valor absoluto de α em função da frequência se parece com o gráfico na Figura 22–22.

Vimos que o comportamento de α, tanto acima quanto abaixo de ω_0, concorda com nossa interpretação de que o circuito propaga energia para $\omega < \omega_0$ e a bloqueia para $\omega > \omega_0$. Dizemos que o circuito "passa" frequências baixas e "rejeita" ou "filtra" as frequências altas. Qualquer circuito projetado para que suas características variem com a frequência de uma maneira estabelecida é chamado de "filtro". Estivemos analisando um "filtro passa-baixa".

Você pode estar imaginando qual a razão de toda esta discussão a respeito de um circuito infinito que obviamente não pode existir. A razão é que as mesmas características podem ser encontradas em um circuito finito se colocarmos no final uma impedância igual à impedância característica z_0. Na prática não é possível reproduzir *exatamente* a impedância característica com alguns elementos simples – como R, L e C –, mas frequentemente é possível fazer isso com uma boa aproximação para um determinado intervalo de frequências. Desta maneira, podemos fazer um filtro com um circuito finito cujas propriedades são bastante próximas daquelas para o caso infinito. Por exemplo, o circuito escada L-C se comporta de maneira bastante parecida com a que descrevemos se ele for terminado com a resistência pura $R = \sqrt{L/C}$.

Se mudarmos as posições dos L e C no nosso circuito escada, para fazer a escada mostrada na Figura 22–23(a), podemos ter um filtro que propaga *altas* frequências e rejeita *baixas* frequências. É fácil ver o que acontece neste circuito, usando os resultados que já obtivemos. Você pode observar que substituímos um L por um C e vice-versa, também substituímos cada $i\omega$ por $1/i\omega$. Então, o que antes acontecia em ω agora acontece em $1/\omega$. Em particular, podemos ver como α varia com a frequência usando a Figura 22–22 e mudando a legenda no eixo para $1/\omega$, como fizemos na Figura 22–23(b).

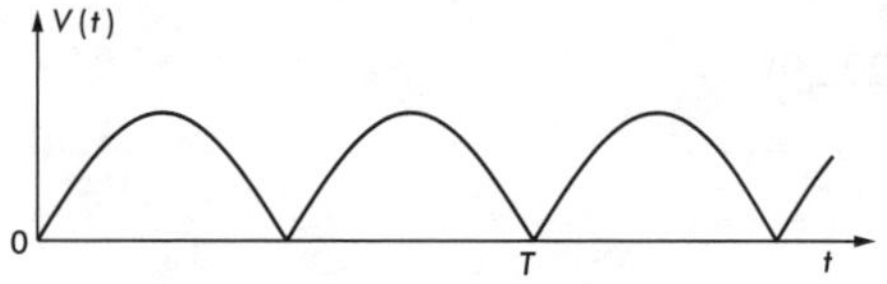

Figura 22–24 A tensão resultante de um retificador de onda cheia.

Os filtros passa-baixa e passa-alta que descrevemos possuem diversas aplicações técnicas. Um filtro passa-baixa L-C é usado com frequência como um filtro "suavizante" em uma fonte de tensão de CC. Se quisermos produzir energia CC a partir uma fonte CA, começamos com um retificador que permite que a corrente flua somente em uma direção. Obtemos do retificador uma série de pulsos parecidos com a função $V(t)$ mostrada na Figura 22–24, que é uma CC horrorosa, porque ela oscila para cima e para baixo. Suponha que quiséssemos uma boa CC pura, como a fornecida por uma bateria. Podemos chegar perto colocando um filtro passa-baixa entre o retificador e a carga.

Sabemos do Capítulo 50 do Vol. I que a função do tempo na Figura 22–24 pode ser representada como uma superposição de uma tensão constante mais uma onda senoidal, mais uma onda senoidal de frequência mais alta, mais uma onda senoidal de frequência ainda mais alta, etc. – por uma série de Fourier. Se o nosso filtro for linear (se, como supusemos, os L e C não variam com as correntes e as tensões), então o resultado que sai do filtro é a superposição dos resultados para cada componente do sinal inicial. Se fizermos a frequência de corte ω_0 do nosso filtro bem menor do que a frequência mais baixa na função $V(t)$, a CC (para a qual $\omega = 0$) passa sem problemas, mas a amplitude do primeiro harmônico será muito reduzida. E as amplitudes dos harmônicos superiores serão reduzidas mais ainda. Então, podemos obter um resultado tão suave quanto quisermos, dependendo apenas de quantas seções de filtro quisermos comprar.

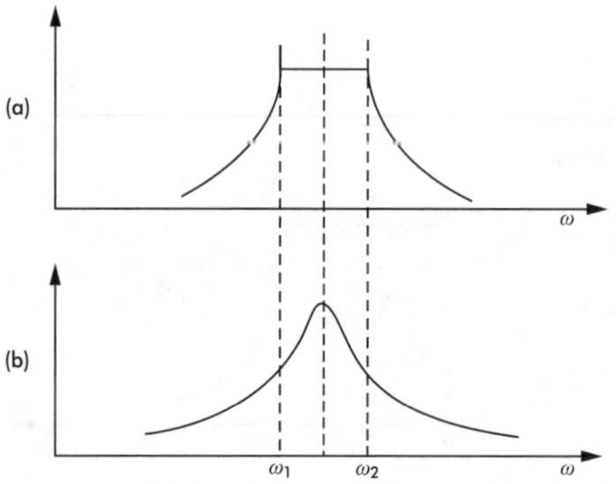

Figura 22–25 (a) Um filtro passa-faixa. (b) Um filtro ressonante simples.

Um filtro passa-alta é usado quando queremos rejeitar certas frequências baixas. Por exemplo, um filtro passa-alta pode ser usado no amplificador de um conjunto de som (vitrola) para deixar a música passar, deixando o ruído grave do prato do toca-discos de fora.

Também é possível fazer filtros "passa-faixa" que rejeitam frequências abaixo de uma frequência ω_1 e acima de uma outra frequência ω_2 (maior do que ω_1). Isso pode ser feito de uma maneira simples, colocando um filtro passa-alta e um filtro passa-baixa juntos, mas é feito mais frequentemente com um circuito escada no qual as impedâncias z_1 e z_2 são mais complicadas – cada uma é uma combinação de L e C. Um filtro passa-baixa poderia ter a constante de propagação mostrada na Figura 22–25(a). Ele poderia ser usado, por exemplo, para separar os sinais que ocupam apenas um intervalo das frequências, como cada um dos muitos canais de voz em um cabo telefônico de alta frequência, ou a onda portadora modulada de uma transmissão de rádio.

Vimos no Capítulo 25 do Vol. I que esta filtragem também pode ser feita usando a seletividade de uma curva de ressonância ordinária, que desenhamos para comparação na Figura 22–25(b). No entanto, o filtro ressonante não é tão bom para alguns propósitos como o filtro passa-faixa. Você deve lembrar (Capítulo 48, Vol. I) que quando uma onda portadora de frequência ω_c é modulada com uma frequência ω_s de um sinal, o sinal total contém não apenas a frequência da onda portadora, mas também as duas bandas laterais de frequências $\omega_c + \omega_s$ e $\omega_c - \omega_s$. Com um filtro ressonante, estas bandas laterais são sempre um pouco atenuadas, e a atenuação é maior quanto mais alta for a frequência do sinal, como você pode ver na figura. Logo, a "resposta em frequência" é ruim. Os tons musicais mais agudos não conseguem passar. Se a filtragem for feita com um filtro passa-faixa projetado de maneira que a largura $\omega_2 - \omega_1$ seja pelo menos o dobro da frequência mais alta do sinal, a resposta em frequência será "plana" para os sinais desejados.

Queremos fazer mais uma observação a respeito do filtro escada: o circuito escada L-C da Figura 22–20 também é uma representação aproximada de uma linha de transmissão. Se tivermos um condutor longo que segue paralelo a um outro condutor – como um fio em um cabo coaxial, ou um fio suspenso sobre a terra –, haverá uma capacitância entre os fios e também uma indutância causada pelo campo magnético entre eles. Se imaginarmos a linha dividida em pequenos segmentos $\Delta\ell$, cada segmento se parecerá com uma seção do circuito escada L-C, com uma indutância ΔL em série e uma capacitância de derivação ΔC. Então, podemos usar os nossos resultados para o filtro escada. Se tomarmos o limite para $\Delta\ell$ tendendo a zero, teremos uma boa descrição da linha de transmissão. Observe que à medida que $\Delta\ell$ diminui cada vez mais, também ΔL e ΔC diminuem, porém na mesma proporção, de modo que a razão $\Delta L/\Delta C$ se mantém constante. Então, se tomarmos o limite da Eq. (22.28) para ΔL e ΔC tendendo a zero, veremos que a impedância característica z_0 é uma resistência pura de magnitude $\sqrt{\Delta L/\Delta C}$. Também podemos escrever a razão $\Delta L/\Delta C$ como L_0/C_0, onde L_0 e C_0 são a indutância e a capacitância de uma unidade de comprimento da linha; portanto temos

$$z_0 = \sqrt{\frac{L_0}{C_0}} \tag{22.33}$$

Você também pode observar que, à medida que ΔL e ΔC vão a zero, a frequência de corte $\omega_0 = \sqrt{4/LC}$ vai a infinito. Não existe frequência de corte para uma linha de transmissão ideal.

22–8 Outros elementos do circuito

Até agora definimos somente as impedâncias do circuito ideal – a indutância, a capacitância e a resistência – assim como o gerador de tensão ideal. Queremos mostrar agora que outros elementos, como indutâncias mútuas, transistores ou válvulas a vácuo, podem ser descritos usando apenas os mesmos elementos básicos. Suponha que tivéssemos duas bobinas e que, de alguma maneira, algum fluxo de uma das bobinas seja enlaçado pela outra, como mostrado na Figura 22–26(a). Então as duas bobinas terão uma indutância mútua M tal que quando a corrente varia em uma das bobinas, uma tensão será gerada na outra. Podemos levar em conta este tipo de efeito em nossos circuitos equivalentes? Podemos, da seguinte maneira. Vimos que a fem induzida em cada uma das bobinas em interação pode ser escrita como a soma de duas partes:

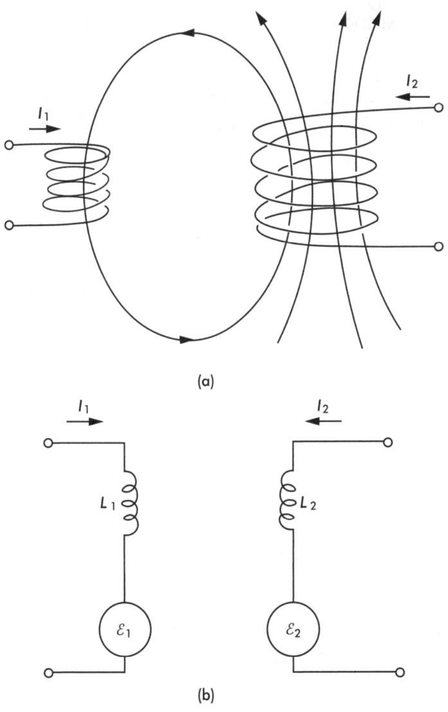

Figura 22–26 O circuito equivalente de uma impedância mútua.

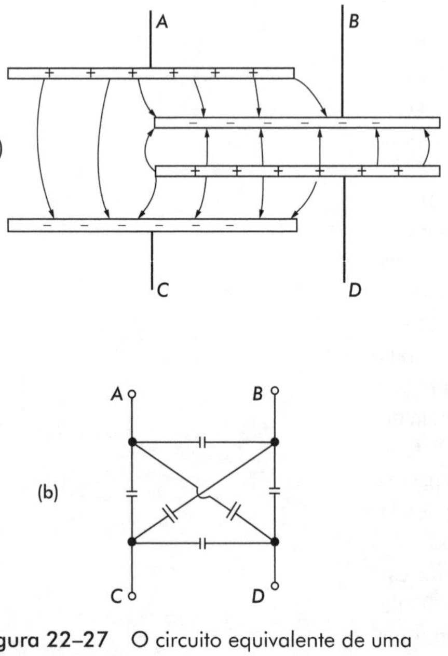

Figura 22–27 O circuito equivalente de uma capacitância mútua.

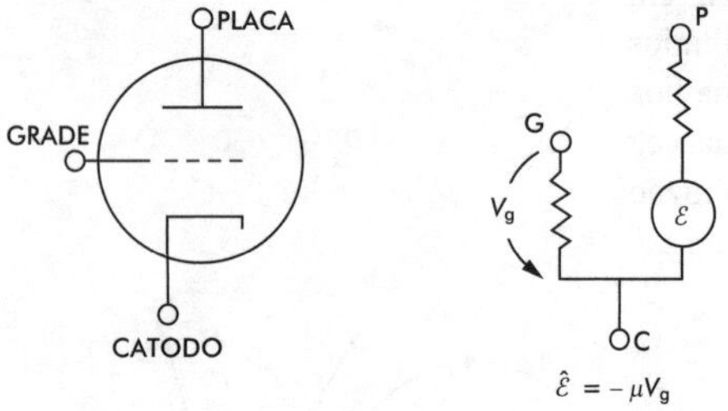

Figura 22–28 Um circuito equivalente a baixas frequências para uma válvula triodo.

$$\mathcal{E}_1 = -L_1 \frac{dI_1}{dt} \pm M \frac{dI_2}{dt}$$

$$\mathcal{E}_2 = -L_2 \frac{dI_2}{dt} \pm M \frac{dI_1}{dt} \tag{22.34}$$

O primeiro termo vem da autoindutância da bobina, e o segundo termo vem da sua indutância mútua com a outra bobina. O sinal do segundo termo pode ser positivo ou negativo, dependendo do modo como o fluxo de uma bobina é enlaçado pela outra. Fazendo as mesmas aproximações que usamos para descrever uma indutância ideal, diríamos que a diferença de potencial entre os terminais de cada bobina é igual à força eletromotriz na bobina. Então as duas equações da (22.34) são as mesmas que obteríamos para o circuito da Figura 22–26(b), desde que a força eletromotriz em cada um dos circuitos mostrados dependa apenas da corrente no circuito oposto, de acordo com as relações

$$\mathcal{E}_1 = \pm i\omega M I_2, \qquad \mathcal{E}_2 = \pm i\omega M I_1. \tag{22.35}$$

Então, o que podemos fazer é representar o efeito da autoindutância de uma forma normal, mas substituir o efeito da indutância mútua por um gerador de tensão ideal auxiliar. Também devemos ter a equação que relaciona esta fem à corrente em outra parte do circuito; mas enquanto esta equação for linear, e apenas adicionarmos mais equações lineares às nossas equações para o circuito, todas as nossas conclusões anteriores sobre circuitos equivalentes estarão corretas.

Além das indutâncias mútuas, também podem existir capacitâncias mútuas. Até agora, quando falamos sobre capacitores, sempre imaginamos que existiam apenas dois eletrodos, mas em muitas situações, como em uma válvula a vácuo, podem existir muitos eletrodos próximos uns dos outros. Se colocarmos uma carga elétrica em um destes eletrodos, o seu campo elétrico irá induzir cargas em cada um dos outros eletrodos e afetará os seus potenciais. Como exemplo, considere o arranjo de quatro placas mostrado na Figura 22–27(a). Suponha que estas quatro placas estejam ligadas a circuitos externos por meio dos fios *A*, *B*, *C* e *D*. Enquanto estivermos preocupados apenas com os efeitos eletrostáticos, o circuito equivalente a este arranjo será como mostrado na parte (b) da figura. A interação eletrostática de qualquer eletrodo com qualquer dos outros é equivalente à capacitância entre os dois eletrodos.

Finalmente, vamos considerar agora como poderíamos representar equipamentos complicados como transistores e válvulas de rádio em um circuito CA. Deveríamos observar primeiramente que tais aparelhos são operados frequentemente de maneira que a relação entre as tensões e as correntes não é linear. Nestes casos, as afirmações que fizemos que dependem da linearidade das equações não são mais corretas. Por outro lado, em muitas aplicações, as características de operação são suficientemente lineares para que possamos considerar os transistores e as válvulas como equipamentos lineares. Queremos dizer,

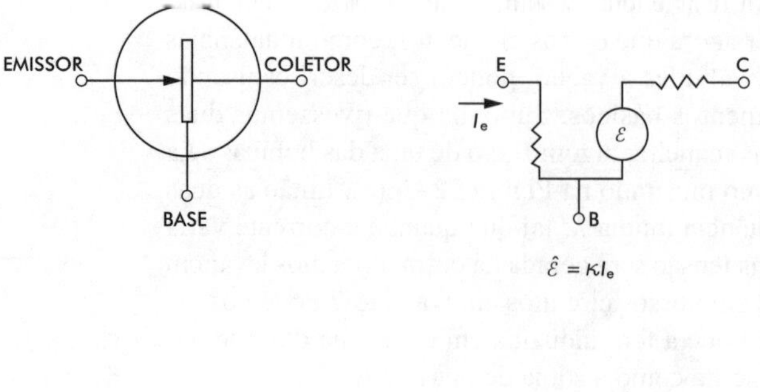

Figura 22–29 Um circuito equivalente a baixas frequências para um transistor.

com isso, que as correntes alternadas na placa de uma válvula a vácuo, por exemplo, são linearmente proporcionais às tensões que aparecem nos outros eletrodos, como a tensão na grade e a tensão na placa, por exemplo. Quando temos tais relações lineares, podemos incorporar o equipamento em nossa representação de circuito equivalente.

Como no caso da indutância mútua, nossa representação terá de incluir geradores de tensão auxiliares para descrever a influência das tensões e correntes em uma parte do equipamento sobre as tensões e correntes em outra parte. Por exemplo, o circuito da placa de uma válvula triodo pode ser representado por uma resistência em série com um gerador de tensão ideal cuja intensidade da fonte seja proporcional à tensão da grade. Obtemos o circuito equivalente mostrado na Figura 22–28.[2] Analogamente, o circuito do coletor de um transistor é representado convenientemente por um resistor em série com um gerador de tensão ideal cuja intensidade da fonte é proporcional à corrente do emissor para a base do transistor. Enquanto as equações que descrevem a operação forem lineares, poderemos usar estas representações para válvulas ou transistores. Então, quando eles forem incorporados a um circuito complicado, nossas conclusões gerais sobre as representações equivalentes de qualquer arranjo arbitrário de elementos ainda serão válidas.

Existe uma característica notável de circuitos com transistores e válvulas de rádio que é diferente dos circuitos que contêm apenas impedâncias: a parte real da impedância efetiva z_{ef} pode se tornar negativa. Vimos que a parte real de z representa a perda de energia, mas a característica importante dos transistores e das válvulas é que eles *fornecem* energia para o circuito. (É claro que eles não "criam" energia simplesmente, eles tomam a energia dos circuitos CC das fontes de tensão e a convertem em energia CA.) Então é possível ter um circuito com uma resistência negativa. Um circuito como este possui a propriedade de que se ele for ligado a uma impedância com uma parte real positiva, isto é, uma resistência positiva, em uma configuração tal que a soma das duas partes reais seja zero, então não haverá dissipação no circuito combinado. Se não há perda de energia, então qualquer tensão alternada continuará para sempre, uma vez que tenha se estabelecido. Essa é a ideia básica por trás da operação de um oscilador ou gerador de sinal que pode ser usado como uma fonte de tensão alternada em qualquer frequência desejada.

[2] O circuito equivalente mostrado está correto apenas para baixas frequências. Para altas frequências, o circuito equivalente se torna muito mais complicado e inclui diversas capacitâncias e indutâncias chamadas de "parasitas".

23

Cavidades Ressonantes

Revisão: Capítulo 23, Vol. I, *Ressonância*
Capítulo 49, Vol. I, *Modos*

23–1 Elementos de circuitos reais

Quando examinado desde um par de terminais, qualquer circuito arbitrário, constituído de impedâncias ideais e geradores é, para qualquer frequência dada, equivalente a um gerador $\mathcal{E}$ em série com uma impedância z. Isso ocorre porque, se colocarmos uma tensão V entre os terminais e resolvermos todas as equações para a corrente I, devemos obter uma relação linear entre a corrente e a tensão. Como todas as equações são lineares, o resultado para I também deve depender linearmente de V. A forma linear mais geral pode ser expressa como

$$I = \frac{1}{z}(V - \mathcal{E}). \tag{23.1}$$

Em geral, tanto z quanto $\mathcal{E}$ podem depender da frequência ω de alguma maneira complicada. Entretanto, a Eq. (23.1) é a relação que obteríamos se, por trás dos dois terminais, tivéssemos apenas o gerador $\mathcal{E}(\omega)$ em série com a impedância $z(\omega)$.

Também existe o tipo oposto de questão: se tivermos um equipamento eletromagnético qualquer com dois terminais e *medirmos* a relação entre I e V para determinar $\mathcal{E}$ e z em função da frequência, podemos encontrar uma combinação dos nossos elementos ideais que seja equivalente à impedância interna z? A resposta é que para qualquer função $z(\omega)$ razoável – ou seja, fisicamente relevante – *é* possível *aproximar* a situação, até uma precisão tão alta quanto se desejar, por um circuito contendo um conjunto finito de elementos ideais. Não queremos considerar o problema geral agora, apenas o que pode ser esperado de argumentos físicos para alguns casos.

Se pensarmos em um resistor real, sabemos que a corrente que passa por ele irá produzir um campo magnético. Então, qualquer resistor real também deveria ter uma indutância. Além disso, quando um resistor tem uma diferença de potencial entre seus terminais, devem existir cargas nas extremidades do resistor para produzir os campos elétricos necessários. À medida que a tensão varia, as cargas vão variar na mesma proporção, de modo que o resistor também apresentará uma capacitância. Presumimos que um capacitor *real* poderia ter o circuito equivalente mostrado na Figura 23–1. Em um resistor bem projetado, os chamados elementos "parasitas" L e C são pequenos, de modo que nas frequências para as quais o resistor foi projetado, ωL é muito menor do que R e $1/\omega C$ é muito maior do que R. Portanto, podem ser desprezados. Porém, à medida que a frequência aumenta, eles se tornarão, em algum momento, importantes, e o resistor começará a se parecer com um circuito ressonante.

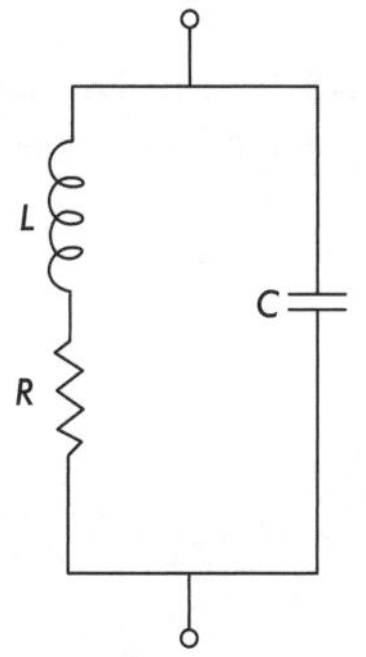

Figura 23–1 Circuito equivalente de um resistor real.

Uma indutância real também não é igual a uma indutância ideal, cuja impedância é $i\omega L$. Uma bobina real de fio terá alguma resistência, de modo que a baixas frequências a bobina é realmente equivalente a uma indutância em série com uma resistência, como mostrado na Figura 23–2(a). Contudo, você deve estar pensando, a resistência e a indutância estão *juntas* em uma bobina real – a resistência está espalhada pelo fio, então ela está misturada com a indutância. Provavelmente, deveríamos usar um circuito mais parecido com o da Figura 23–2(b), que possui diversos pequenos R e L em série. A impedância total deste circuito é simplesmente $\Sigma R + \Sigma i\omega L$, que é equivalente ao diagrama mais simples da parte (a).

À medida que a frequência aumenta em uma bobina real, a aproximação de uma indutância mais uma resistência não é mais muito boa. As cargas, que devem se acumular nos fios para estabelecer as tensões, tornam-se importantes. É como se existissem pequenos capacitores atravessados nas voltas da bobina, como esquematizado na Figura 23–3(a). Podemos tentar aproximar a bobina real pelo circuito da Figura 23–3(b). A baixas frequências, este circuito pode ser imitado perfeitamente bem pelo circuito mais simples na parte (c) da Figura (que é novamente o mesmo circuito ressonante que encontramos para o modelo a altas frequências do resistor). Para altas frequências, entretanto, o circuito mais complicado da Figura 23–3(b) é melhor. De fato, quanto mais precisamente você

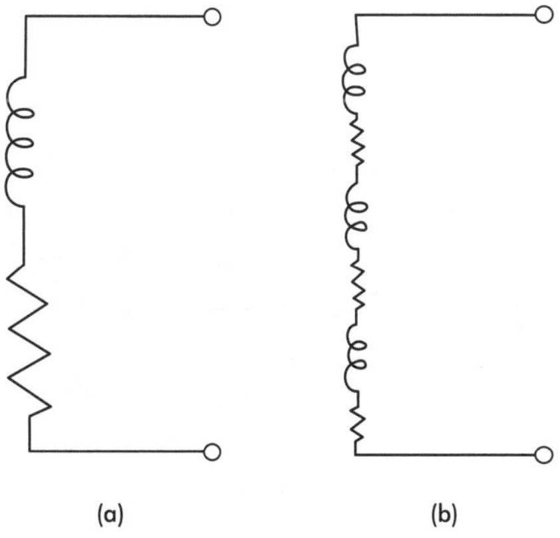

Figura 23–2 O circuito equivalente de uma indutância real a baixas frequências.

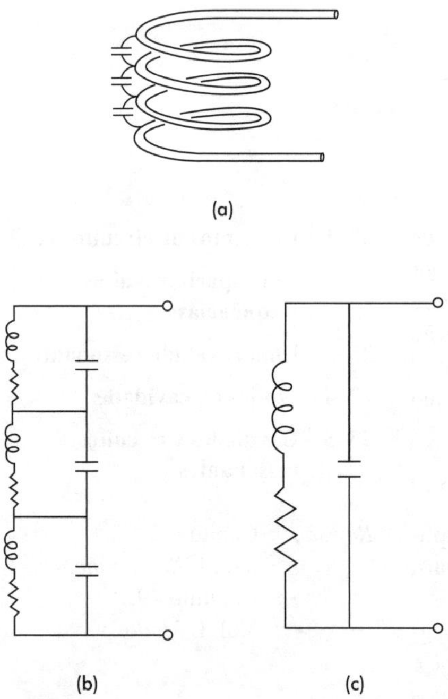

Figura 23–3 O circuito equivalente de uma indutância real a altas frequências.

quiser representar a impedância verdadeira de uma indutância física, real, mais elementos ideais você precisará usar no modelo artificial.

Vamos olhar um pouco mais atentamente o que acontece em uma bobina real. A impedância de uma indutância vai como ωL, então ela se anula a baixas frequências – ela se torna um "curto-circuito": tudo o que vemos é a resistência do fio. À medida que a frequência aumenta, ωL logo se torna muito maior do que R, e a bobina se parece bastante com uma indutância ideal. Quando a frequência aumenta mais ainda, as capacitâncias se tornam importantes. A sua impedância é proporcional a $1/\omega C$, que é grande para ω pequeno. Para frequências suficientemente pequenas, um capacitor é um "circuito aberto", e quando está em paralelo com alguma outra coisa, ele não puxa corrente. A altas frequências, as correntes preferem fluir para a capacitância entre as voltas da bobina, ao invés de fluir através da indutância. Então, a corrente na bobina pula de uma volta para a outra e não se incomoda com dar voltas onde é necessário lutar contra a fem. Embora tenhamos *pretendido* que a corrente devesse passar ao redor das voltas, ela toma o caminho mais fácil – o caminho de menor impedância.

Se este tópico tivesse sido alvo de um interesse popular, este efeito teria sido chamado de "barreira de alta frequência", ou algum outro nome. O mesmo tipo de coisa acontece em todos os assuntos. Na aerodinâmica, se você tentar fazer as coisas irem mais rapidamente do que a velocidade do som, quando elas foram projetadas para velocidades mais baixas, elas não funcionam. Não significa que exista uma grande "barreira" lá, apenas significa que o objeto deveria ser redesenhado. Então, esta bobina que projetamos como uma indutância não vai funcionar como uma boa indutância, mas como algum outro tipo de coisa a frequências muito altas. Para altas frequências, precisamos encontrar um novo design.

23–2 Um capacitor a altas frequências

Agora, queremos discutir em detalhe o comportamento de um capacitor – um capacitor geometricamente ideal – à medida que a frequência se torna cada vez maior, para que possamos analisar a transição nas suas propriedades (preferimos usar um capacitor ao invés de uma indutância, porque a geometria de um par de placas é muito menos complicada do que a geometria de uma bobina). Consideramos o capacitor mostrado na Figura 23–4(a), que consiste em duas placas circulares paralelas ligadas a um gerador externo por um par de fios. Se carregarmos o capacitor com CC, haverá uma carga positiva em uma placa e uma carga negativa na outra; e haverá um campo elétrico uniforme entre as placas.

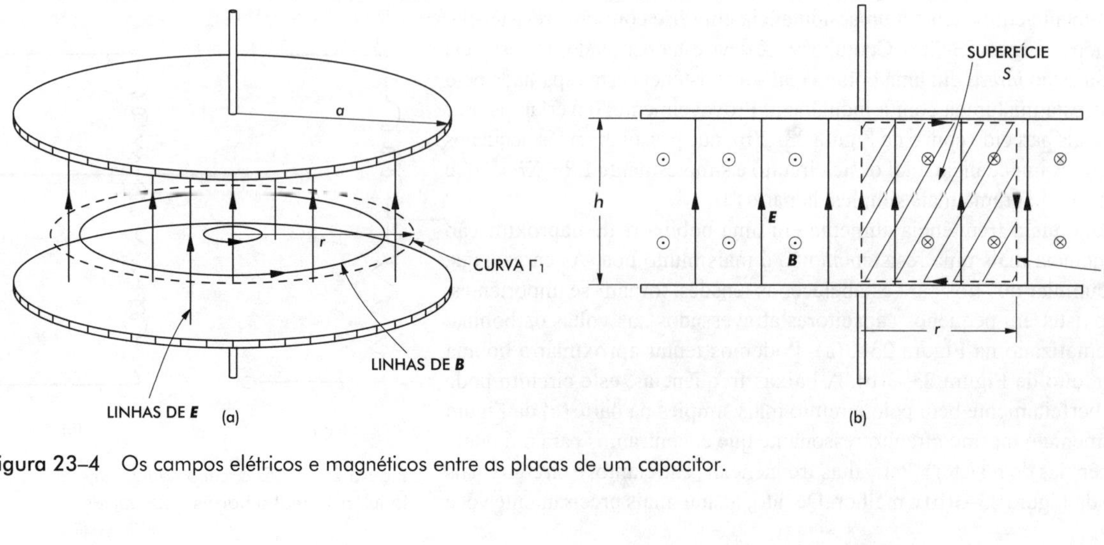

Figura 23–4 Os campos elétricos e magnéticos entre as placas de um capacitor.

Suponha que ao invés de usarmos CC, coloquemos uma CA de baixa frequência entre as placas (definiremos mais adiante quais frequências são "baixas" e quais são "altas"). Suponha que o capacitor seja ligado a um gerador de baixa frequência. À medida que a tensão se alterna, a carga positiva na placa de cima é levada embora e carga negativa é trazida. Enquanto isso está acontecendo, o campo elétrico desaparece e depois reaparece na direção oposta. À medida que a carga escorre lentamente de um lado para o outro, o campo elétrico segue o mesmo movimento. Em cada instante o campo elétrico é uniforme, como mostrado na Figura 23–4(b), exceto por alguns efeitos de borda que vamos desconsiderar. Podemos escrever a magnitude do campo elétrico como

$$E = E_0 e^{i\omega t} \tag{23.2}$$

onde E_0 é uma constante.

Será que isso continua válido quando a frequência aumenta? Não, pois quando o campo elétrico está indo para cima e para baixo, existe um fluxo de campo elétrico através de um caminho fechado como Γ_1 na Figura 23–4(a). E, como você sabe, um campo elétrico variável age de modo a produzir um campo magnético. Uma das equações de Maxwell afirma que quando existe um campo elétrico variável, e aqui existe, deve existir uma integral de linha do campo magnético. A integral de um campo magnético ao redor de um anel fechado, multiplicada por c^2, é igual à taxa de variação temporal do fluxo elétrico através da área interior ao anel (se não houver correntes):

$$c^2 \oint_{\Gamma} \boldsymbol{B} \cdot d\boldsymbol{s} = \frac{d}{dt} \int_{\text{dentro de } \Gamma} \boldsymbol{E} \cdot \boldsymbol{n}\, da. \tag{23.3}$$

Então, quanto campo magnético existe aqui? Isso não é muito difícil. Vamos considerar o caminho fechado Γ_1, que é um círculo de raio r. Podemos ver por simetria que o campo magnético circula como mostrado na figura. Logo, a integral de linha de $\boldsymbol{B}$ é $2\pi rB$. E, como o campo elétrico é uniforme, o fluxo do campo elétrico é simplesmente E multiplicado por πr^2, a área do círculo:

$$c^2 B \cdot 2\pi r = \frac{\partial}{\partial t} E \cdot \pi r^2. \tag{23.4}$$

A derivada de E em relação ao tempo é, para o nosso campo alternado, simplesmente $i\omega E_0 e^{i\omega t}$. Então, obtemos que nosso capacitor tem o campo magnético

$$B = \frac{i\omega r}{2c^2} E_0 e^{i\omega t}. \tag{23.5}$$

Em outras palavras, o campo magnético também oscila e possui uma intensidade proporcional a r.

Qual é o efeito disso? Quando existe um campo magnético variável, haverá campos elétricos induzidos, e o capacitor começará a agir um pouco como uma indutância. À medida que a frequência aumenta, o campo magnético se torna mais forte; ele é proporcional à taxa de variação de E e, consequentemente, também é proporcional a ω. A impedância do capacitor não será mais simplesmente $1/i\omega C$.

Vamos continuar a aumentar a frequência e analisar o que acontece mais cuidadosamente. Temos um campo magnético que fica escorrendo de um lado para o outro. Então o campo elétrico não pode ser uniforme, como supusemos! Quando existe um campo magnético variável, deve haver uma integral de linha (não nula) do campo elétrico – por causa da lei de Faraday. Então, se existe um campo magnético apreciável, como começa a acontecer para altas frequências, o campo elétrico não poderá ser o mesmo em todas as distâncias até o centro. O campo elétrico deve variar com r, de modo que a integral de linha do campo elétrico possa ser igual à variação do fluxo do campo magnético.

Vamos ver se conseguimos descobrir qual é o campo elétrico correto. Podemos fazer isso calculando uma "correção" para o campo uniforme que supusemos originalmente para baixas frequências. Vamos chamar o campo uniforme de E_1, que ainda será $E_0e^{i\omega t}$, e escrever o campo corrigido como

$$E = E_1 + E_2$$

onde E_2 é a correção decorrente do campo magnético variável. Para qualquer ω, queremos escrever o campo no centro do capacitor como $E_0e^{i\omega t}$ (definindo E_0 deste modo), para que não tenhamos nenhuma correção no centro; $E_2 = 0$ em $r = 0$.

Para obter E_2, podemos usar a forma integral da lei de Faraday:

$$\oint_\Gamma \boldsymbol{E}\cdot d\boldsymbol{s} = -\frac{d}{dt}\,(\text{fluxo de } \boldsymbol{B}).$$

As integrais serão simples se tomarmos a curva Γ_2, mostrada na Figura 23–4(b), que sobe pelo eixo, avança radialmente a distância r pela placa superior, desce verticalmente até a placa inferior e volta para o eixo. A integral de linha de E_1 ao longo desta curva é obviamente zero; então apenas E_2 contribui, e a sua integral é simplesmente $-E_2(r)\cdot h$, onde h é o espaçamento entre as placas (dizemos que E é positivo se estiver apontando para cima). Esse resultado é igual a menos a taxa de variação do fluxo de **B**, que precisamos obter por uma integral sobre a área sombreada S interior a Γ_2 na Figura 23–4(b). O fluxo através de uma faixa vertical de largura dr é $B(r)h\,dr$, de modo que o fluxo total é

$$h\int B(r)\,dr.$$

Fazendo $-\partial/\partial t$ do fluxo igual à integral de linha de E_2, temos

$$E_2(r) = \frac{\partial}{\partial t}\int B(r)\,dr. \tag{23.6}$$

Observe que o h é cancelado; os campos não dependem da separação entre as placas.

Usando a Eq. (23.5) para $B(r)$, temos

$$E_2(r) = \frac{\partial}{\partial t}\frac{i\omega r^2}{4c^2}\,E_0e^{i\omega t}.$$

A derivada temporal apenas traz mais um fator $i\omega$; obtemos

$$E_2(r) = -\frac{\omega^2 r^2}{4c^2}\,E_0e^{i\omega t}. \tag{23.7}$$

Como esperado, o campo induzido tende a reduzir o campo elétrico mais distante. O campo corrigido $E = E_1 + E_2$ é então

$$E = E_1 + E_2 = \left(1 - \frac{1}{4}\frac{\omega^2 r^2}{c^2}\right)E_0e^{i\omega t}. \tag{23.8}$$

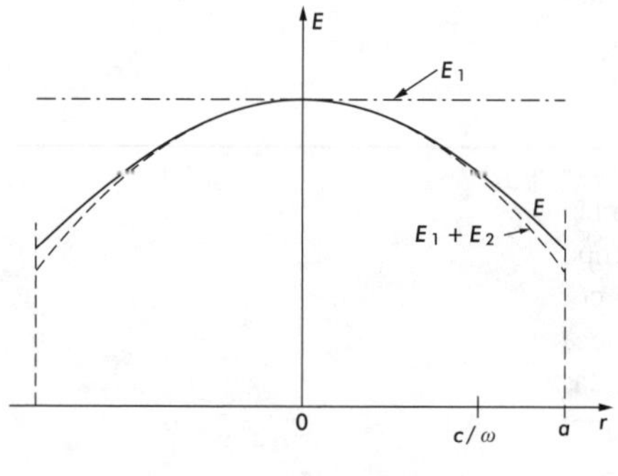

Figura 23–5 O campo elétrico entre as placas de um capacitor a altas frequências (os efeitos de borda foram desprezados).

O campo elétrico no capacitor não é mais uniforme; ele possui a forma parabólica mostrada pela linha tracejada na Figura 23–5. Você pode ver que nosso capacitor simples está ficando ligeiramente complicado.

Poderíamos usar agora nossos resultados para calcular a impedância do capacitor a altas frequências. Conhecendo o campo elétrico, poderíamos calcular as cargas nas placas e obter como a corrente no capacitor depende da frequência ω, mas não estamos interessados nesse problema no momento. Estamos mais interessados em descobrir o que acontece quando continuamos a aumentar a frequência – para ver o que acontece a frequências ainda mais altas. Ainda não terminamos? Não, porque corrigimos o campo elétrico, o que significa que o campo magnético que calculamos não está mais correto. O campo magnético da Eq. (23.5) está aproximadamente correto, mas é apenas uma primeira aproximação. Vamos chamá-lo de B_1. Então, poderíamos reescrever a Eq. (23.5) como

$$B_1 = \frac{i\omega r}{2c^2} E_0 e^{i\omega t}. \tag{23.9}$$

Você se lembra de que esse campo foi produzido pela variação de E_1, mas o campo magnético correto será produzido pelo campo elétrico total $E_1 + E_2$. Se escrevermos o campo magnético como $B = B_1 + B_2$, o segundo termo será simplesmente o campo adicional produzido por E_2. Para obter B_2, podemos usar os mesmos argumentos que usamos para obter B_1; a integral de linha de B_2 ao longo da curva Γ_1 é igual à taxa de variação do fluxo de E_2 através de Γ_1. Teremos simplesmente a Eq. (23.4) novamente, com B_2 no lugar de B e E_2 no lugar de E:

$$c^2 B_2 \cdot 2\pi r = \frac{d}{dt}\text{ (fluxo de } E_2 \text{ através de } \Gamma_1\text{)}.$$

Como E_2 varia com o raio, para obter o seu fluxo precisamos integrar sobre a superfície circular interior a Γ_1. Usando $2\pi r\, dr$ como o elemento de área, esta integral é

$$\int_0^r E_2(r) \cdot 2\pi r\, dr.$$

Portanto, obtemos para $B_2(r)$

$$B_2(r) = \frac{1}{rc^2} \frac{\partial}{\partial t} \int E_2(r) r\, dr. \tag{23.10}$$

Usando $E_2(r)$ da Eq. (23.7), precisamos da integral de $r^3\, dr$, que é, obviamente, $r^4/4$. Nossa correção para o campo magnético torna-se

$$B_2(r) = -\frac{i\omega^3 r^3}{16c^4} E_0 e^{i\omega t}. \tag{23.11}$$

Mas ainda não terminamos! Se o campo magnético B não é o mesmo que inicialmente pensávamos, então calculamos E_2 incorretamente. Precisamos fazer uma correção adicional em E, que vem do campo magnético extra B_2. Vamos chamar esta correção adicional para o campo elétrico de E_3. Ele está relacionado ao campo magnético B_2 da mesma maneira que E_2 estava relacionado a B_1. Podemos usar a Eq. (23.6) novamente, mudando apenas os índices subscritos:

$$E_3(r) = \frac{\partial}{\partial t} \int B_2(r)\, dr. \tag{23.12}$$

Usando o nosso resultado, a Eq. (23.11), para B_2, a nova correção para o campo elétrico é

$$E_3(r) = +\frac{\omega^4 r^4}{64c^4} E_0 e^{i\omega t}. \tag{23.13}$$

Escrevendo o nosso campo elétrico duplamente corrigido como $E = E_1 + E_2 + E_3$, obtemos

$$E = E_0 e^{i\omega t}\left[1 - \frac{1}{2^2}\left(\frac{\omega r}{c}\right)^2 + \frac{1}{2^2 \cdot 4^2}\left(\frac{\omega r}{c}\right)^4\right]. \tag{23.14}$$

A variação do campo elétrico com o raio não é mais a simples parábola que desenhamos na Figura 23–5, mas para raios grandes o campo fica ligeiramente acima da curva $(E_1 + E_2)$.

Ainda não terminamos. O novo campo elétrico produz uma nova correção no campo magnético, e o novo campo magnético corrigido vai produzir mais uma correção no campo elétrico, e assim por diante. No entanto, já temos todas as fórmulas de que precisamos. Para B_3 podemos usar a Eq. (23.10), mudando os índices subscritos de B e E de 2 para 3.

A próxima correção para o campo elétrico é

$$E_4 = -\frac{1}{2^2 \cdot 4^2 \cdot 6^2}\left(\frac{\omega r}{c}\right)^6 E_0 e^{i\omega t}.$$

Então até esta ordem temos o campo elétrico completo dado por

$$E = E_0 e^{i\omega t}\left[1 - \frac{1}{(1!)^2}\left(\frac{\omega r}{2c}\right)^2 + \frac{1}{(2!)^2}\left(\frac{\omega r}{2c}\right)^4 - \frac{1}{(3!)^2}\left(\frac{\omega r}{2c}\right)^6 \pm \cdots\right], \tag{23.15}$$

onde escrevemos os coeficientes numéricos de maneira que se torna óbvio como a série deve continuar.

Nosso resultado final é que o campo entre as placas do capacitor, para qualquer frequência, é dado por $E_0 e^{i\omega t}$ vezes a série infinita que contém apenas a variável $\omega r/c$. Se quisermos, podemos definir uma função especial que vamos denominar $J_0(x)$, como a série infinita que aparece entre os colchetes da Eq. (23.15):

$$J_0(x) = 1 - \frac{1}{(1!)^2}\left(\frac{x}{2}\right)^2 + \frac{1}{(2!)^2}\left(\frac{x}{2}\right)^4 - \frac{1}{(3!)^2}\left(\frac{x}{2}\right)^6 \pm \cdots \tag{23.16}$$

Então podemos escrever a nossa solução como $E_0 e^{i\omega t}$ vezes essa função, com $x = \omega r/c$:

$$E = E_0 e^{i\omega t} J_0\left(\frac{\omega r}{c}\right). \tag{23.17}$$

A razão pela qual chamamos a nossa função especial de J_0 é que, naturalmente, esta não é a primeira vez que alguém já trabalhou em um problema com oscilações em um cilindro. A função já apareceu antes e é normalmente chamada de J_0. Ela sempre aparece quando um problema com simetria cilíndrica é resolvido. A função J_0 é, para as ondas cilíndricas, o mesmo que a função cosseno é para as ondas em uma linha reta. Logo, esta é uma função importante, inventada muito tempo atrás. Naquele tempo, um homem chamado Bessel teve o seu nome ligado a esta função. O índice zero significa que Bessel inventou um monte de funções diferentes e esta é apenas a primeira delas.

As outras funções de Bessel – J_1, J_2 e assim por diante – têm a ver com ondas cilíndricas que possuem uma variação na sua intensidade com o ângulo ao redor do eixo do cilindro.

O campo elétrico completamente corrigido, entre as placas do nosso capacitor circular, dado pela Eq. (23.17), está mostrado pela linha cheia na Figura 23–5. Para frequências não tão altas, nossa segunda aproximação já era bastante boa. A terceira aproximação era ainda melhor – tão boa, na verdade, que se a tivéssemos incluído no gráfico, você não seria capaz de ver a diferença entre ela e a curva cheia. Você verá na próxima seção, entretanto, que a série completa é necessária para chegarmos a uma descrição precisa para raios grandes, ou para altas frequências.

23–3 Uma cavidade ressonante

Agora queremos examinar o que nossa solução fornece para o campo elétrico entre as placas do capacitor à medida que continuamos indo para frequências mais e mais altas. Para ω grande, o parâmetro $x = \omega r/c$ também se torna grande, e os primeiros termos na série de J_0 de x crescerão rapidamente. Isso significa que a parábola que desenhamos na Figura 23–5 se curva para baixo mais pronunciadamente para frequências mais altas. De fato, é como se o campo fosse cair a zero em alguma frequência alta, talvez quando c/ω for aproximadamente igual à metade de a. Vamos ver se J_0 realmente passa por zero e se torna negativa. Começamos tentando com $x = 2$:

$$J_0(2) = 1 - 1 + \tfrac{1}{4} - \tfrac{1}{36} = 0{,}22.$$

A função ainda não é zero, então vamos tentar um valor mais alto de x, por exemplo, $x = 2{,}5$. Colocando os números, escrevemos

$$J_0(2{,}5) = 1 - 1{,}56 + 0{,}61 - 0{,}11 = -0{,}06.$$

A função J_0 já passou por zero quando chegamos em $x = 2{,}5$. Comparando os resultados para $x = 2$ e $x = 2{,}5$, é como se J_0 passasse por zero a um quinto do caminho de 2,5 até 2. Poderíamos estimar que o zero ocorre para x aproximadamente igual a 2,4. Vamos ver o que este valor de x dá:

$$J_0(2{,}4) = 1 - 1{,}44 + 0{,}52 - 0{,}08 = 0{,}00.$$

Temos zero até uma precisão de duas casas decimais. Se fizermos os cálculos com uma precisão maior (ou, como J_0 é uma função bem conhecida, se consultarmos um livro), veremos que a função passa por zero em $x = 2{,}405$. Fizemos esses cálculos à mão para mostrar que você também poderia ter descoberto estas coisas em vez de procurá-las em um livro.

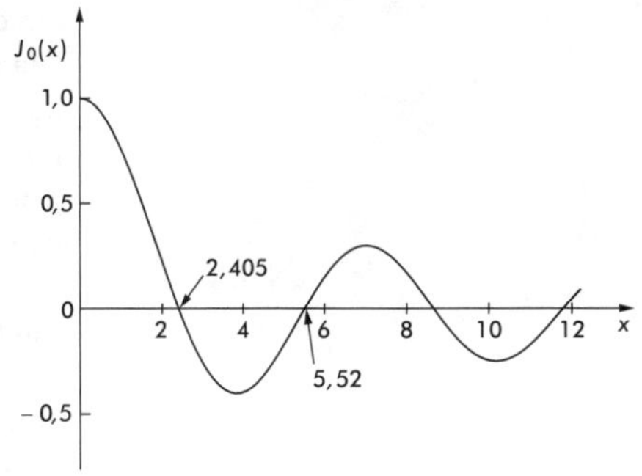

Figura 23–6 A função de Bessel $J_0(x)$.

Enquanto estamos olhando J_0 em um livro, é interessante notar como a função se comporta para valores maiores de x; ela se parece com o gráfico da Figura 23–6. À medida que x aumenta, $J_0(x)$ oscila entre valores positivos e negativos com uma amplitude de oscilação decrescente.

Obtivemos o seguinte resultado interessante: se formos até frequências altas o suficiente, o campo elétrico no centro do nosso capacitor terá uma direção, e o campo elétrico próximo à borda apontará na direção oposta. Por exemplo, suponha que tomemos um ω alto o suficiente para que $x = \omega r/c$ na borda do capacitor seja igual a 4; então a borda do capacitor corresponde à abscissa $x = 4$ na Figura 23–6. Isso significa que o nosso capacitor está sendo operado na frequência $\omega = 4c/a$. Na borda das placas, o campo elétrico terá uma magnitude razoavelmente alta na direção oposta à que esperaríamos. Esse é o efeito terrível que pode acontecer com um capacitor a altas frequências. Se formos até frequências muito altas, a direção do campo elétrico oscila para cima e para baixo muitas vezes à medida que nos afastamos do centro do capacitor. Também existem campos magnéticos associados a estes campos elétricos. Não é surpreendente que nosso capacitor não se pareça com a capacitância ideal para altas frequências. Podemos até começar a imaginar se existem efeitos ainda mais complicados, que desprezamos, acontecendo nas bordas do capacitor. Por exemplo, haverá uma radiação de ondas pelas bordas, de modo que os campos são ainda mais complicados do que os campos que calculamos, mas não vamos nos preocupar com estes efeitos agora.

Poderíamos tentar imaginar um circuito equivalente para o capacitor, mas talvez fosse melhor se simplesmente admitíssemos que o capacitor que projetamos para campos com baixas frequências não é mais satisfatório quando a frequência é alta demais. Se quisermos tratar a operação deste objeto a altas frequências, deveríamos abandonar as aproximações das equações de Maxwell que fizemos para tratar circuitos e retornar para o conjunto completo das equações que descrevem completamente os campos no espaço. Ao invés de lidar com elementos de circuito idealizados, temos de lidar com os condutores reais, como eles são, levando em conta todos os campos nos espaços entre eles. Por exemplo, se quisermos um circuito ressonante a altas frequências, não tentaremos desenhar um usando uma bobina e um capacitor de placas paralelas.

Já mencionamos que o capacitor de placas paralelas que estivemos analisando possui alguns dos aspectos tanto de um capacitor quanto de um indutor. Com o campo elétrico existem cargas nas superfícies das placas e com o campo magnético existem fem agindo sobre elas. É possível que já tenhamos um circuito ressonante? Na verdade, nós temos. Vamos escolher uma frequência para a qual o padrão do campo elétrico caia a zero para algum raio no interior do disco; ou seja, escolhemos $\omega a/c$ maior do que 2,405. Em todos os pontos de um círculo coaxial com as placas o campo elétrico será zero. Agora suponha que tomemos uma folha de metal fina e cortemos uma tira com a largura exata para caber entre as placas do capacitor. Então a dobramos em um cilindro que dará a volta no raio onde o campo elétrico é zero. Como não existem campos elétricos lá, nenhuma corrente irá fluir neste cilindro quando o colocarmos no lugar; não haverá mudanças nos campos elétricos e magnéticos. Fomos capazes de colocar

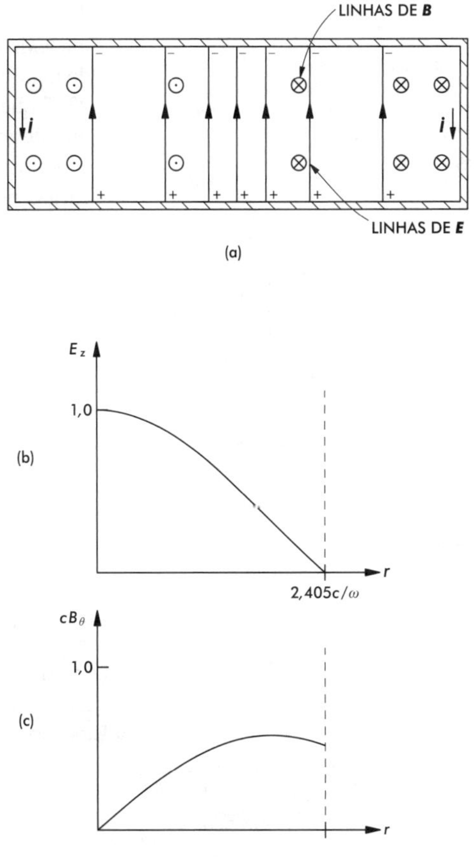

Figura 23–7 Os campos elétricos e magnéticos em uma lata cilíndrica fechada.

um curto-circuito direto no capacitor sem mudar nada. E veja o que temos, temos uma lata cilíndrica completa com campos elétricos e magnéticos no seu interior e nenhuma ligação com o mundo exterior. Os campos no interior não mudarão mesmo se jogarmos fora as bordas das placas fora da lata, e os cabos de ligação também. Tudo que temos é uma lata fechada com campos elétricos e magnéticos no seu interior, como mostrado na Figura 23–7(a). Os campos elétricos estão oscilando para cima e para baixo com a frequência ω – a qual, não se esqueça, determinou o diâmetro da lata. A amplitude do campo E oscilante varia com a distância até o eixo da lata, como mostrado no gráfico da Figura 23–7(b). Esta curva é simplesmente o primeiro arco da função de Bessel de ordem zero. Também existe um campo magnético que circula ao redor do eixo e oscila no tempo com uma diferença de fase de 90° com o campo elétrico.

Também podemos escrever uma série para o campo magnético e fazer o gráfico, como mostrado na Figura 23–7(c).

Como é possível que existam campos elétricos e magnéticos dentro de uma lata sem conexões externas? É porque os campos elétricos e magnéticos se mantêm a si mesmos: o campo variável $\boldsymbol{E}$ cria um $\boldsymbol{B}$ e o $\boldsymbol{B}$ variável cria um $\boldsymbol{E}$ – tudo de acordo com as equações de Maxwell. O campo magnético possui um aspecto indutivo, e o campo elétrico possui um aspecto capacitivo; juntos, eles produzem algo como um circuito ressonante. Observe que as condições que descrevemos só aconteceriam se o raio da lata fosse exatamente 2,405 c/ω. Para uma lata com um raio dado, os campos elétricos e magnéticos oscilantes se manterão sozinhos – da maneira que descrevemos – somente naquela frequência particular. Então uma lata cilíndrica de raio r será *ressonante* na frequência

$$\omega_0 = 2{,}405\,\frac{c}{r}\,. \tag{23.18}$$

Afirmamos que os campos continuam oscilando da mesma maneira depois que a lata é totalmente fechada. Isso não está exatamente correto. Isso seria possível se as paredes da lata fossem condutores perfeitos. Porém, para uma lata real, as correntes oscilantes que existem nas paredes internas da lata podem perder energia por causa da resistência do material. As oscilações dos campos vão decair gradualmente. Podemos ver na Figura 23–7 que devem existir fortes correntes associadas aos campos elétricos e magnéticos no interior da cavidade. Como o campo elétrico vertical acaba subitamente nas placas superior e inferior da lata, seu divergente é grande nestas regiões; logo, devem existir cargas positivas e negativas nas paredes internas da lata, como mostrado na Figura 23–7(a). Quando o campo elétrico muda de direção, as cargas devem mudar de sinal também, então deve haver uma corrente alternada entre as placas superior e inferior da lata. Estas cargas vão fluir pelos lados da lata, como mostrado na figura. Também podemos ver que devem existir correntes nos lados da lata considerando o que acontece com o campo magnético. O gráfico da Figura 23–7(c) mostra que o campo magnético cai a zero subitamente na borda da lata. Essa mudança súbita no campo magnético só pode acontecer se existir uma corrente na parede. É essa corrente que fornece as cargas elétricas alternadas nas placas superior e inferior da lata.

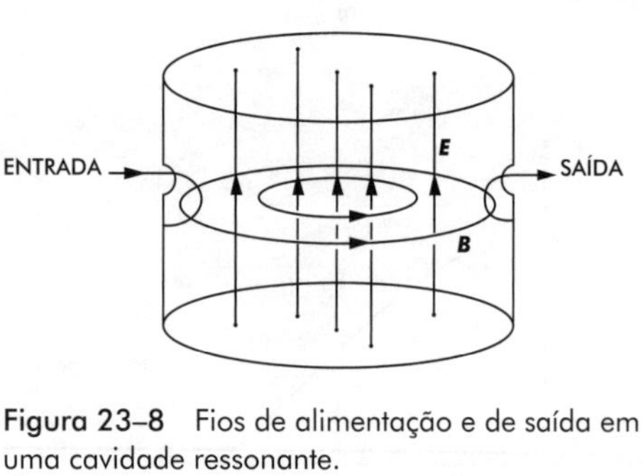

Figura 23–8 Fios de alimentação e de saída em uma cavidade ressonante.

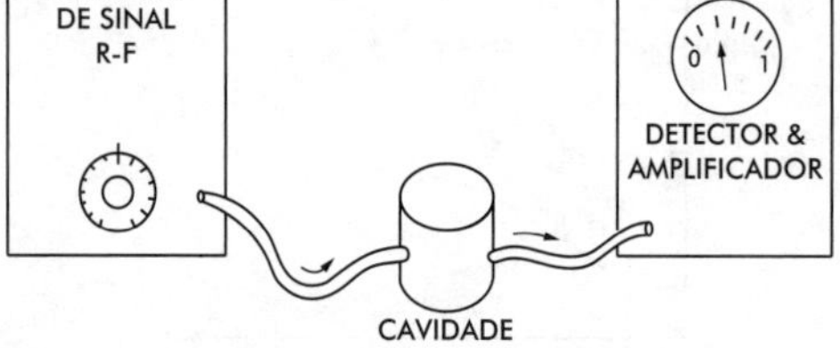

Figura 23–9 Um arranjo para observar a ressonância da cavidade.

Você pode estar se perguntando a respeito da nossa descoberta de correntes nos lados verticais da lata. O que aconteceu com a nossa afirmação anterior, de que nada mudaria quando introduzíssemos estes lados verticais em uma região onde o campo elétrico era zero? Lembre, porém, que quando colocamos os lados da lata, as placas superior e inferior se estendiam para além deles, de modo que também havia campos magnéticos no exterior da lata. Foi apenas quando jogamos fora as partes das placas do capacitor além das bordas da lata que correntes resultantes tinham de aparecer no interior das paredes verticais.

Apesar de os campos elétricos e magnéticos na lata completamente fechada decaírem gradualmente devido às perdas de energia, podemos parar este processo se fizermos um orifício na lata para introduzir um pouco de energia elétrica para compensar as perdas. Pegamos um fio pequeno, introduzimos o fio através do orifício na lateral da lata e o fixamos à parede interna fazendo uma pequena volta, como mostrado na Figura 23–8. Se ligarmos este fio a uma fonte de corrente alternada de alta frequência, esta corrente irá fornecer energia aos campos elétricos e magnéticos da cavidade e manterá as oscilações em movimento. Obviamente, isso acontecerá apenas se a frequência da fonte for a frequência de ressonância da lata. Se a fonte estiver na frequência errada, os campos elétricos e magnéticos não vão entrar em ressonância, e os campos na lata serão muito fracos.

O comportamento ressonante pode ser visto facilmente, fazendo outro orifício na lata e enganchando outro fio, como desenhamos também na Figura 23–8. O campo magnético variável através desta volta de fio irá gerar uma força eletromotriz induzida no fio. Se este fio for ligado agora a um circuito externo de medição, as correntes serão proporcionais à intensidade dos campos na cavidade. Suponha que o fio de alimentação da nossa cavidade seja ligado a um gerador de sinal RF, como mostrado na Figura 23–9. O gerador de sinal contém uma fonte de corrente alternada cuja frequência pode ser variada, variando o botão na frente do gerador. Então ligamos o fio de saída da cavidade a um "detector" que é um instrumento que mede a corrente do fio de saída. Ele fornece uma leitura em metros proporcional à sua corrente. Se medirmos agora a corrente resultante em função da frequência do gerador de sinal, obteremos uma curva como a mostrada na Figura 23–9. A corrente resultante é pequena para todas as frequências, exceto para aquelas muito próximas da frequência ω_0, que é a frequência de ressonância da cavidade. A curva de ressonância é muito parecida com aquelas que descrevemos no Capítulo 23 do Vol. I. No entanto, a largura da ressonância é muito mais estreita do que encontramos normalmente para circuitos ressonantes compostos de indutâncias e capacitores; ou seja, o Q da cavidade é muito alto. Não é incomum obter Q tão altos quanto 100.000 ou mais se as paredes internas da cavidade forem feitas de um material com uma condutividade muito boa, como a prata.

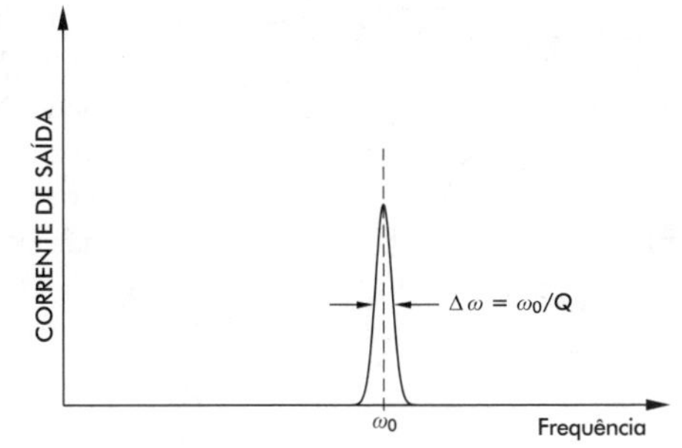

Figura 23–10 A curva de resposta em frequência de uma cavidade ressonante.

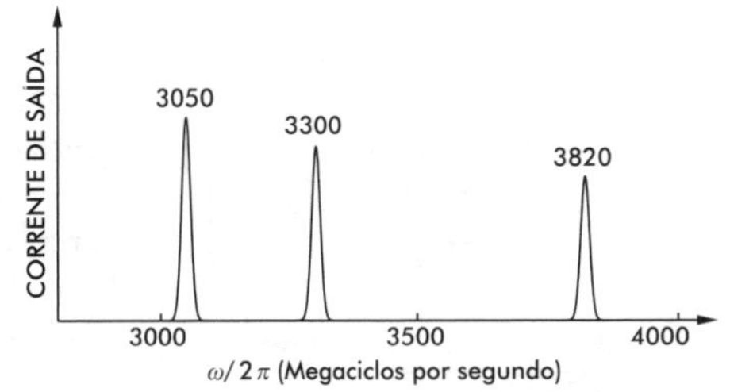

Figura 23–11 As frequências de ressonância observadas de uma cavidade cilíndrica.

23–4 Modos da cavidade

Suponha que agora tentemos verificar nossa teoria fazendo medições com uma lata real. Tomamos um lata que é um cilindro com um diâmetro de 3 polegadas e uma altura de aproximadamente 2,5 polegadas. A lata está equipada com um fio de alimentação e um fio de saída, como mostrado na Figura 23–8. Se calcularmos a frequência de ressonância esperada para esta lata de acordo com a Eq. (23.18), obteremos que $f_0 = \omega_0/2\pi = 3010$ megaciclos. Quando ajustamos a frequência do nosso gerador para aproximadamente 3000 megaciclos e variamos lentamente a frequência até encontrarmos a ressonância, observamos que a corrente resultante máxima ocorre para uma frequência de 3050 megaciclos, que está bastante próxima da frequência de ressonância prevista, mas não é exatamente a mesma. Existem diversos motivos possíveis para essa discrepância. Talvez a frequência de ressonância seja um pouco alterada devido aos orifícios que tivemos de cortar para introduzir os fios. Entretanto, um pouco de reflexão mostra que os orifícios deveriam abaixar um pouco a frequência de ressonância, então este não pode ser o motivo. Talvez exista algum pequeno erro na calibração da frequência do gerador de sinal, ou talvez a nossa medida do diâmetro da cavidade não seja suficientemente precisa. De qualquer maneia, o resultado está bastante próximo do esperado.

Muito mais importante é algo que acontece se variarmos a frequência do nosso gerador de sinal até um pouco além dos 3000 megaciclos. Quando fazemos isso, obtemos os resultados mostrados na Figura 23–11. O que estas ressonâncias extras significam? Podemos conseguir uma pista na Figura 23–6. Embora tenhamos suposto que o primeiro zero da função de Bessel ocorre na borda da lata, também poderia acontecer que o segundo zero da função de Bessel correspondesse à borda da lata, de modo que existiria uma oscilação completa da função de Bessel à medida que avançássemos do centro da lata

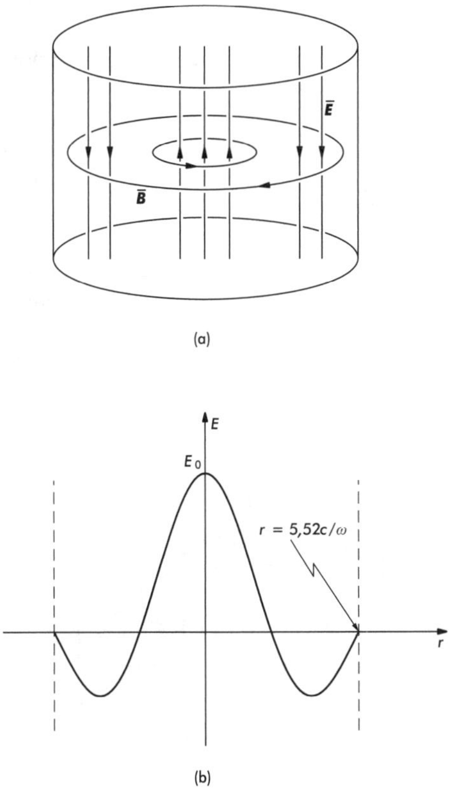

Figura 23–12 Um modo de alta frequência.

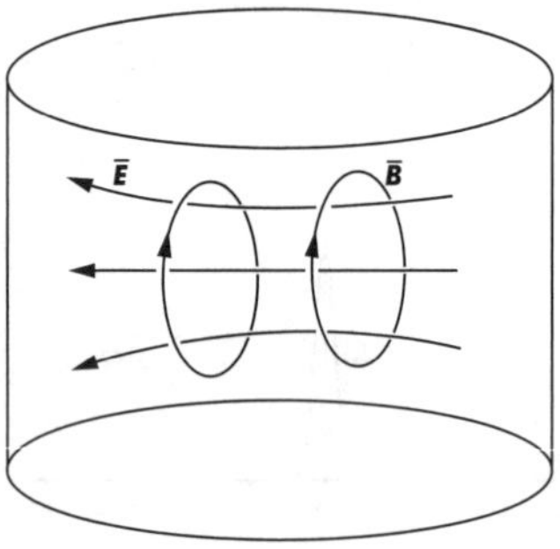

Figura 23–13 Um modo transversal da cavidade cilíndrica.

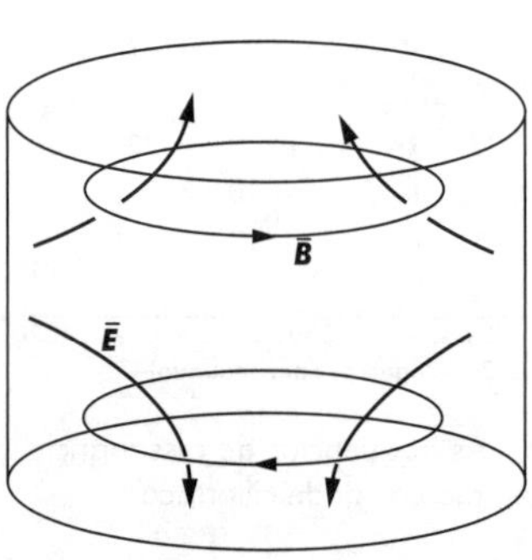

Figura 23–14 Outro modo de uma cavidade cilíndrica.

para a borda, como mostrado na Figura 23–12. Esse é um outro modo possível para a oscilação dos campos. Certamente esperaríamos que a lata entrasse em ressonância neste modo. Note que o segundo modo acontece para $x = 5{,}52$, que é mais de duas vezes maior do que o valor do primeiro zero. Então, a frequência de ressonância desse modo deveria ser maior do que 6000 megaciclos. Sem dúvida, deveríamos encontrá-la neste ponto, mas ela não explica a ressonância que encontramos a 3300.

O problema é que em nossa análise do comportamento de uma cavidade ressonante consideramos apenas um arranjo geometricamente possível dos campos elétricos e magnéticos. Supusemos que os campos elétricos são verticais e que os campos magnéticos ocupam círculos horizontais, mas outros campos são possíveis. As únicas condições necessárias são que os campos deveriam satisfazer às equações de Maxwell no interior da lata e que o campo elétrico deveria se encontrar com a parede formando ângulos retos. Consideramos o caso no qual o topo e o fundo da lata são planos, mas as coisas não seriam completamente diferentes se o topo e o fundo fossem curvados. De fato, como a lata poderia saber o que são o topo e o fundo e o que são os lados? De fato, é possível mostrar que existe um modo de oscilação dos campos no interior da lata no qual os campos elétricos cruzam aproximadamente o diâmetro da lata, como mostrado na Figura 23–13.

Não é muito difícil de entender por que a frequência natural deste modo não deveria ser muito diferente da frequência natural do primeiro modo que consideramos. Suponha que em vez da nossa cavidade cilíndrica tivéssemos escolhido uma cavidade que fosse um cubo com 3 polegadas de aresta. Claramente, essa cavidade teria três modos diferentes, todos com a mesma frequência. Um modo com o campo elétrico oscilando para cima e para baixo teria certamente a mesma frequência que um modo no qual o campo oscilasse para a direita e para a esquerda. Se deformarmos o cubo em um cilindro, modificaremos essas frequências um pouco. Ainda esperaríamos que elas não variassem muito, desde que mantivéssemos as dimensões da cavidade aproximadamente as mesmas. Então, a frequência do modo da Figura 23–13 não deveria ser muito diferente do modo da Figura 23–8. Poderíamos fazer um cálculo detalhado da frequência natural do modo mostrado na Figura 23–13, mas não faremos isso agora. Quando os cálculos são efetuados, o que se obtém é que, para as dimensões que assumimos, a frequência de ressonância está muito próxima da frequência de ressonância observada a 3300 megaciclos.

Por meio de cálculos análogos é possível mostrar que deveria existir ainda mais um modo na outra frequência ressonante que encontramos perto de 3800 megaciclos. Para esse modo, os campos elétricos e magnéticos são como está mostrado na Figura 23–14. O campo elétrico não se dá o trabalho de atravessar toda a cavidade. Ele vai dos lados para as pontas, como mostrado.

Como agora você provavelmente deve acreditar, se formos para frequências cada vez mais altas, devemos esperar obter mais e mais ressonâncias. Existem muitos modos diferentes, cada um dos quais terá uma frequência de ressonância diferente correspondendo a um particular arranjo complicado dos campos elétricos e magnéticos. Cada um desses arranjos do campo é denominado um *modo* ressonante. A frequência de ressonância de

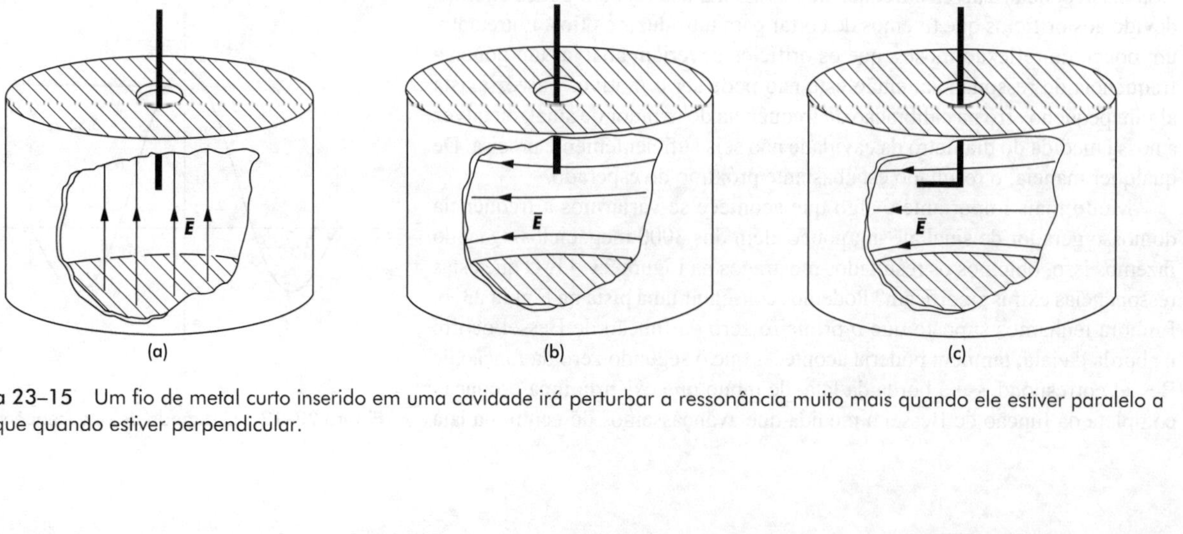

Figura 23–15 Um fio de metal curto inserido em uma cavidade irá perturbar a ressonância muito mais quando ele estiver paralelo a *E* do que quando estiver perpendicular.

cada modo pode ser calculada resolvendo-se as equações de Maxwell para os campos elétricos e magnéticos na cavidade.

Quando temos uma ressonância em uma frequência particular, como podemos saber qual modo está sendo excitado? Uma maneira é introduzir um pequeno fio na cavidade através de um orifício. Se o campo elétrico estiver na direção do fio, como mostrado na Figura 23–15(a), então haverá correntes relativamente altas no fio, consumindo a energia dos campos, e a ressonância será suprimida. Se o campo elétrico estiver como mostrado na Figura 23–15(b), o fio terá um efeito muito menor. Poderíamos descobrir em qual direção o campo aponta neste modo, entortando a ponta do fio, como mostrado na Figura 23–15(c). Então, à medida que girarmos o fio, haverá um efeito grande quando a ponta do fio estiver paralela a $\boldsymbol{E}$ e um efeito pequeno quando ele for girado até ficar a 90° com $\boldsymbol{E}$.

23–5 Cavidades e circuitos ressonantes

Embora a cavidade ressonante que estivemos descrevendo pareça ser muito diferente do circuito ressonante constituído de uma indutância e um capacitor, os dois sistemas ressonantes estão, obviamente, estreitamente relacionados. Ambos são membros da mesma família; eles são apenas dois casos extremos de ressonadores eletromagnéticos – e existem muitos casos intermediários entre esses dois extremos. Suponha que comecemos considerando o circuito ressonante com um capacitor em paralelo com uma indutância, como mostrado na Figura 23–16(a). Este circuito irá entrar em ressonância na frequência $\omega_0 = 1/\sqrt{LC}$. Se quisermos elevar a frequência de ressonância deste circuito, podemos fazer isso diminuindo a indutância L. Uma maneira é diminuir o número de espiras da bobina. No entanto, não podemos avançar muito por essa direção. Chegaremos finalmente à última espira da bobina e teremos apenas um pedaço de fio unindo as placas superior e inferior do capacitor. Poderíamos aumentar a frequência de ressonância ainda mais tornando o capacitor menor; entretanto, podemos continuar diminuindo a indutância colocando diversas indutâncias em paralelo. Duas indutâncias com uma espira, em paralelo, terão apenas a metade da indutância de cada espira, de modo que quando a nossa indutância tiver sido reduzida a uma única espira, poderemos continuar a aumentar a frequência de ressonância, adicionando outras espiras da placa superior do capacitor até a placa inferior. Por exemplo, a Figura 23–16(b) mostra as placas do capacitor ligadas por seis destas "indutâncias de uma espira". Se continuarmos a adicionar muitas destas espiras de fio, poderemos fazer a transição para o sistema ressonante completamente fechado mostrado na parte (c) da figura, que é um desenho da seção transversal de um objeto cilindricamente simétrico. Nossa indutância é agora uma lata cilíndrica oca anexada às bordas das placas do capacitor. Os campos elétricos e magnéticos serão como mostrado na figura. Esse objeto é, obviamente, uma cavidade ressonante. É chamada de cavidade "carregada", mas ainda podemos pensar nela como um circuito L-C no qual a seção da

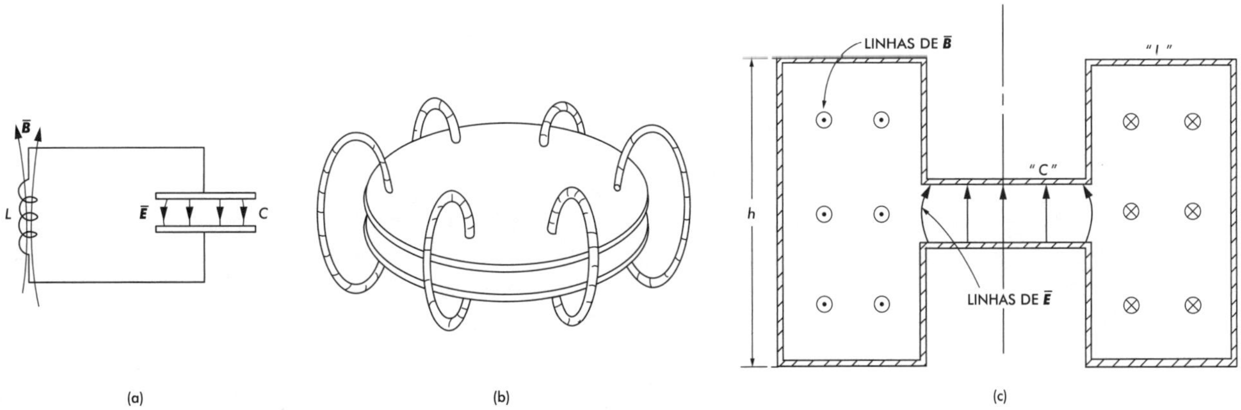

Figura 23–16 Ressonadores de frequências de ressonância progressivamente mais altas.

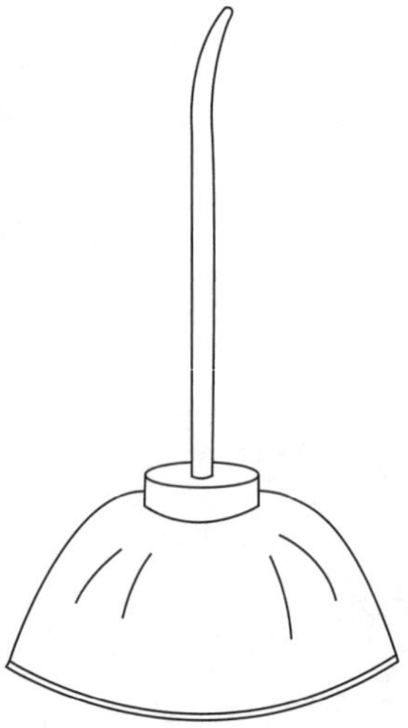

Figura 23–17 Outra cavidade ressonante.

capacitância é a região onde encontramos a maior parte do campo elétrico e a seção da indutância é onde encontramos a maior parte do campo magnético.

Se quisermos aumentar ainda mais a frequência do ressonador da Figura 23–16(c), podemos fazer isso continuando a diminuir a indutância L. Para fazer isso, precisamos diminuir as dimensões geométricas da seção da indutância, diminuindo a altura h no desenho, por exemplo. À medida que h diminuir, a frequência de ressonância aumentará. Finalmente, é claro, chegaremos à situação na qual a altura h será exatamente igual à distância entre as placas do capacitor. Então, temos simplesmente uma lata cilíndrica; nosso circuito ressonante se tornou o ressonador de cavidade da Figura 23–7.

Você pode observar que no circuito ressonante L-C original da Figura 23–16 os campos elétricos e magnéticos estão bastante separados. À medida que modificamos gradualmente o sistema ressonante para obter frequências mais e mais altas, o campo magnético foi trazido mais e mais perto do campo elétrico, até que no ressonador de cavidade os dois estão bastante misturados.

Embora os ressonadores de cavidade que discutimos neste capítulo tenham sido latas cilíndricas, não há nada de mágico a respeito da forma cilíndrica. Uma lata de qualquer formato possuirá frequências ressonantes correspondendo a diversos modos de oscilação possíveis dos campos elétricos e magnéticos. Por exemplo, a "cavidade" mostrada na Figura 23–17 terá o seu próprio conjunto particular de frequências de ressonância – embora elas sejam um pouco difíceis de calcular.

24

Guias de Onda

24–1 A linha de transmissão

No capítulo anterior, estudamos o que acontece com as várias partes dos circuitos quando eles são operados a frequências muito altas e fomos levados a ver que um circuito ressonante poderia ser substituído por uma cavidade com os campos oscilando em seu interior. Outro problema técnico interessante é a conexão entre dois objetos, de forma que a energia eletromagnética possa ser transmitida entre eles. Em circuitos de baixa frequência, a ligação é feita com fios, mas esse método não funciona muito bem a altas frequências, porque os circuitos irradiariam energia em todo o espaço à sua volta e seria difícil saber para onde escoa a energia. Os campos se espalham para longe dos fios; as correntes e tensões não são muito bem "guiadas" pelos fios. Neste capítulo, queremos analisar os modos pelos quais objetos podem ser interligados a altas frequências. Pelo menos, essa é uma maneira de se apresentar o assunto.

Outra maneira é dizer que estivemos discutindo o comportamento das ondas no vácuo. Agora é a hora de ver o que acontece quando campos oscilantes são confinados a uma ou mais dimensões. Vamos descobrir novos fenômenos interessantes quando os campos são confinados em apenas duas dimensões e são deixados livres na terceira dimensão: eles se propagam em ondas. Essas são "ondas guiadas" – o tema deste capítulo.

Começamos desenvolvendo a teoria geral da *linha de transmissão*. A linha de transmissão de energia comum que segue de torre em torre no interior do país irradia uma parte da sua energia, mas as frequências são tão baixas (50-60 Hz) que esta perda não é considerável. A radiação poderia ser interrompida cercando-se a linha com um cano de metal, mas este método não seria prático para linhas de energia porque as tensões e as correntes usadas precisariam de um cano muito grande, caro e pesado. Consequentemente, "linhas abertas" simples são utilizadas.

Para frequências um pouco mais altas – alguns kHz, por exemplo – a radiação já pode ser mais importante. Porém, ela pode ser reduzida com o uso de linhas de transmissão de "par torcido", como é feito para conexões telefônicas de curta distância. A frequências mais altas, entretanto, a radiação logo se torna intolerável, seja por causa das perdas de energia, seja porque a energia aparece em outro circuito no qual não era esperada. Para frequências de alguns kHz até centenas de MHz, os sinais eletromagnéticos e a energia são comumente transmitidos por cabos coaxiais constituídos de um fio no interior de um "condutor externo" ou "escudo" cilíndrico. Embora o tratamento mostrado a seguir possa ser aplicado a uma linha de transmissão de dois condutores paralelos de formato arbitrário, vamos desenvolvê-lo para um cabo coaxial.

Tomemos o cabo coaxial mais simples, que possui um condutor central. Supomos que esse condutor seja um cilindro oco estreito. O condutor externo é outro cilindro estreito com o mesmo eixo do condutor interno, como na Figura 24–1. Começamos descrevendo aproximadamente como a linha se comporta para frequências relativamente baixas. Já descrevemos uma parte do comportamento a baixas frequências, quando afirmamos anteriormente que dois condutores dessa forma possuem uma indutância por unidade de comprimento e uma capacitância por unidade de comprimento. De fato, podemos descrever o comportamento a baixas frequências de qualquer linha de transmissão dando a sua indutância por unidade de comprimento, L_0, e a sua capacitância por unidade de comprimento, C_0. Então podemos analisar a linha como o caso limite do filtro *L-C* discutido na Seção 22-6. Podemos fazer um filtro que imite a linha tomando pequenos indutores em série $L_0\Delta x$ e pequenas capacitâncias $C_0\Delta x$, onde Δx é um elemento de comprimento da linha. Usando os nossos resultados para o filtro infinito, vemos que deveria existir uma propagação de sinais elétricos ao longo da linha. Entretanto, ao invés de seguir aquela abordagem, vamos analisar a linha do ponto de vista de uma equação diferencial.

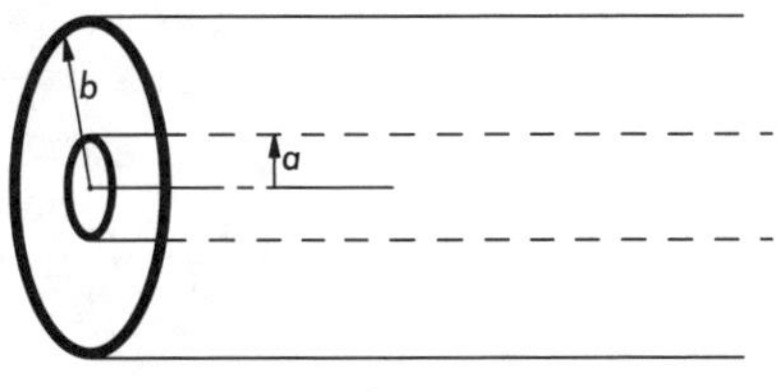

Figura 24–1 Uma linha de transmissão coaxial.

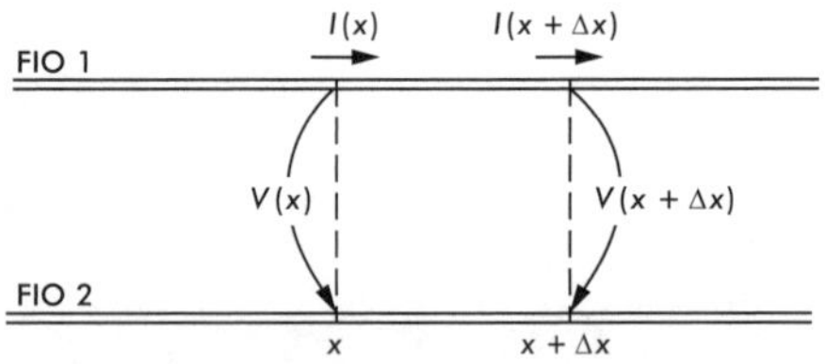

Figura 24–2 As correntes e tensões de uma linha de transmissão.

Vamos analisar o que acontece em dois pontos próximos sobre a linha de transmissão, a distâncias x e $x + \Delta x$ do começo da linha. Seja $V(x)$ a diferença de potencial entre os dois condutores e $I(x)$ a corrente ao longo do condutor (ver Figura 24–2). Se a corrente na linha estiver variando, a indutância produzirá uma queda de tensão através da pequena seção da linha de x até $x + \Delta x$ com o valor

$$\Delta V = V(x + \Delta x) - V(x) = -L_0\,\Delta x\,\frac{dI}{dt}.$$

Ou, tomando o limite para $\Delta x \to 0$, obtemos

$$\frac{\partial V}{\partial x} = -L_0\,\frac{\partial I}{\partial t}. \tag{24.1}$$

A corrente variável causa um gradiente da tensão.

Referindo-nos novamente à figura, se a tensão em x estiver variando, devem existir cargas fornecidas pela capacitância naquela região. Se tomarmos um pequeno pedaço da linha entre x e $x + \Delta x$, a carga será $q = C_0\Delta x V$. A taxa de variação temporal desta carga é $C_0\Delta x dV/dt$, mas a carga irá variar apenas se a corrente $I(x)$ entrando no elemento da linha for diferente da corrente $I(x + \Delta x)$ saindo. Denominado a diferença ΔI, temos

$$\Delta I = -C_0\,\Delta x\,\frac{dV}{dt}.$$

Tomando o limite para $\Delta x \to 0$, obtemos

$$\frac{\partial I}{\partial x} = -C_0\,\frac{\partial V}{\partial t}. \tag{24.2}$$

Deste modo a conservação da carga implica que o gradiente da corrente é proporcional à taxa de variação temporal da tensão.

Logo, as Eqs. (24.1) e (24.2) são as equações básicas de uma linha de transmissão. Se quiséssemos, poderíamos modificá-las para incluir os efeitos da resistência nos condutores ou do vazamento de carga através do isolamento entre os condutores, mas para a nossa discussão neste momento vamos ficar apenas com o modelo simples.

As duas equações para a linha de transmissão podem ser combinadas, diferenciando uma em relação a t e a outra em relação a x e eliminando V ou I. Então temos

$$\frac{\partial^2 V}{\partial x^2} = C_0L_0\frac{\partial^2 V}{\partial t^2} \tag{24.3}$$

ou

$$\frac{\partial^2 I}{\partial x^2} = C_0L_0\,\frac{\partial^2 I}{\partial t^2}. \tag{24.4}$$

Mais uma vez, reconhecemos a equação de onda em x. Para uma linha de transmissão uniforme, a tensão (assim como a corrente) se propaga ao longo da linha como uma onda. A tensão ao longo da linha deve ser da forma $V(x, t) = f(x - vt)$ ou $V(x, t) = g(x + vt)$, ou uma soma de ambas. O que é a velocidade v agora? Sabemos que o coeficiente do termo $\partial^2/\partial t^2$ é simplesmente $1/v^2$, então

$$v = \frac{1}{\sqrt{L_0C_0}}. \tag{24.5}$$

Vamos deixar para você mostrar que a tensão *para cada onda* em uma linha é proporcional à corrente da onda, e que a constante de proporcionalidade é simplesmente a impedância característica z_0. Denominando V_+ e I_+ a tensão e a corrente para uma onda se propagando na direção de x positivo, você deveria obter

$$V_+ = z_0I_+. \tag{24.6}$$

De maneira análoga, para a onda se propagando na direção de x negativo, a relação é

$$V_- = -z_0 I_-.$$

A impedância característica – como obtivemos das equações para o filtro – é dada por

$$z_0 = \sqrt{\frac{L_0}{C_0}} \tag{24.7}$$

e é, portanto, uma resistência pura.

Para obter a velocidade de propagação v e a impedância característica z_0 de uma linha de transmissão, precisamos conhecer a indutância e a capacitância por unidade de comprimento. Elas podem ser facilmente calculadas para um cabo coaxial, então vamos ver como isso funciona. Para a indutância, seguimos as ideias da Seção 17-8 e tomamos $\frac{1}{2}LI^2$ como sendo a energia magnética que obtemos integrando $\epsilon_0 c^2 B^2/2$ no volume. Suponha que o condutor central conduza uma corrente I; então, sabemos que $B = I/2\pi\epsilon_0 c^2 r$, onde r é a distância até o eixo. Tomando como elemento de volume uma casca cilíndrica de espessura dr e comprimento l, temos para a energia magnética

$$U = \frac{\epsilon_0 c^2}{2} \int_a^b \left(\frac{I}{2\pi\epsilon_0 c^2 r}\right)^2 l 2\pi r\, dr,$$

onde a e b são os raios dos condutores interno e externo, respectivamente. Resolvendo a integral, obtemos

$$U = \frac{I^2 l}{4\pi\epsilon_0 c^2} \ln \frac{b}{a}. \tag{24.8}$$

Fazendo a energia igual a $\frac{1}{2}LI^2$, chegamos ao resultado

$$L = \frac{l}{2\pi\epsilon_0 c^2} \ln \frac{b}{a}. \tag{24.9}$$

O resultado é, como de fato deveria ser, proporcional ao comprimento l da linha, de modo que a indutância por unidade de comprimento, L_0, é

$$L_0 = \frac{\ln (b/a)}{2\pi\epsilon_0 c^2}. \tag{24.10}$$

Obtivemos a carga em um capacitor cilíndrico (ver Seção 12-2). Agora, dividindo a carga pela diferença de potencial, obtemos

$$C = \frac{2\pi\epsilon_0 l}{\ln (b/a)}.$$

A capacitância C_0 por unidade de comprimento é C/l. Combinando este resultado com a Eq. (24.10), vemos que o produto L_0C_0 é simplesmente igual a $1/c^2$, de modo que $v = 1/\sqrt{L_0C_0}$ é igual a c. A onda viaja pela linha com a velocidade da luz. Ressaltamos que esse resultado depende de nossas suposições: (a) não existem materiais dielétricos ou magnéticos no espaço entre os condutores, e (b) todas as correntes estão nas superfícies dos condutores (como deveriam, para condutores perfeitos). Veremos mais adiante que, para bons condutores a altas frequências, todas as correntes se distribuem nas superfícies como fariam para um condutor perfeito, e então esta suposição é válida.

É interessante notar que enquanto as suposições (a) e (b) estiverem corretas, o produto L_0C_0 será igual a $1/c^2$ para *qualquer* par de condutores paralelos – até mesmo, por exemplo, para um condutor interno hexagonal em qualquer posição dentro de um condutor externo elíptico. Enquanto a seção transversal for constante e o espaço entre eles não contiver material, as ondas se propagarão com a velocidade da luz.

Nenhuma afirmação geral desse tipo pode ser feita para a impedância característica. Para o cabo coaxial, ela é dada por

$$z_0 = \frac{\ln (b/a)}{2\pi\epsilon_0 c}. \tag{24.11}$$

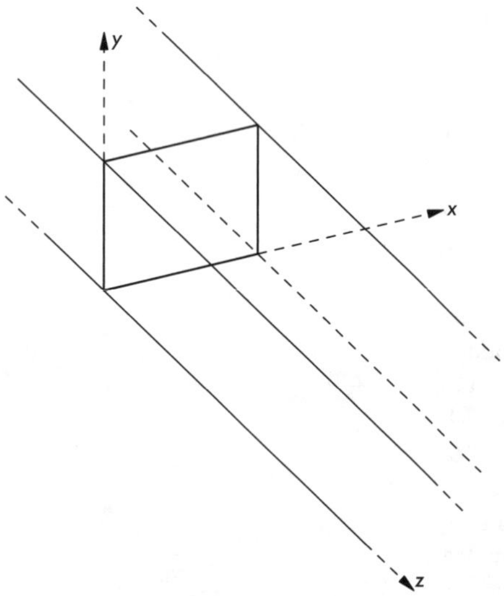

Figura 24–3 Coordenadas escolhidas para o guia de ondas retangular.

O fator $1/\epsilon_0 c$ possui a dimensão de uma resistência e é igual a 120π ohms. O fator geométrico ln (b/a) depende apenas logaritmicamente das dimensões, de modo que para a linha coaxial – e a maioria das linhas – a impedância característica possui valores típicos de aproximadamente 50 ohms até algumas centenas de ohms.

24–2 O guia de ondas retangular

O próximo tópico que queremos analisar parece, à primeira vista, ser um fenômeno impressionante: se o condutor central for removido da linha coaxial, ela ainda poderá conduzir energia eletromagnética. Em outras palavras, para frequências suficientemente altas, um tubo oco funcionará tão bem quanto um com fios. Isso está relacionado com o modo misterioso como um circuito ressonante com um capacitor e uma indutância pode ser substituído por nada mais do que uma lata a altas frequências.

Embora isso possa parecer uma coisa notável, quando pensamos em termos de uma linha de transmissão como uma distribuição de capacitância e indutância, todos sabemos que ondas eletromagnéticas podem viajar ao longo do interior de um cano de metal oco. Se o cano for reto, podemos *ver* através dele! Então certamente ondas eletromagnéticas atravessam o cano. Também sabemos que não é possível transmitir ondas de baixa frequência (energia ou telefone) pelo interior de um único cano de metal. Então, o que deve acontecer é que as ondas eletromagnéticas conseguem passar se o seu comprimento de onda for pequeno o bastante. Portanto, queremos discutir o caso limite do maior comprimento de onda (ou a menor frequência) que pode atravessar um cano de um dado tamanho. Como o cano está sendo usado para conduzir as ondas, ele é denominado um *guia de ondas*.

Vamos começar com um cano retangular, pois este é caso mais simples de analisar. Primeiramente, vamos realizar um tratamento matemático, e depois vamos voltar e analisar o problema de uma maneira muito mais elementar. A abordagem mais elementar, porém, só pode ser facilmente aplicada para um guia retangular. Os fenômenos básicos são os mesmos para um guia geral de formato arbitrário, de modo que o argumento matemático é muito mais sólido.

Então, nosso problema é encontrar que tipos de ondas podem existir no interior de um cano retangular. Vamos escolher primeiro um sistema de coordenadas conveniente; tomamos o eixo z ao longo do comprimento do cano, e os eixos x e y paralelos aos dois lados, como mostrado na Figura 24–3.

Sabemos que quando ondas luminosas se propagam pelo cano, elas possuem um campo elétrico transversal; então suponha que procuremos inicialmente as soluções nas quais $\boldsymbol{E}$ é perpendicular a z, com apenas uma componente y, E_y. Esse campo elétrico sofrerá alguma variação ao longo do guia; de fato, ele deve se anular nos lados paralelos ao eixo y, porque as correntes e as cargas em um condutor sempre se arranjam de forma que não exista uma componente tangencial do campo elétrico na superfície de um condutor. Então E_y vai variar com x em um arco, como mostrado na Figura 24–4. Talvez seja a função de Bessel que obtivemos para a cavidade? Não, pois a função de Bessel está relacionada com geometrias cilíndricas. Para uma geometria retangular, as ondas são normalmente funções harmônicas simples, então deveríamos tentar algo como sen $k_x x$.

Como queremos ondas que se propaguem pelo guia, esperamos que o campo se alterne entre valores positivos e negativos à medida que avançamos na direção z, como na Figura 24–5, e estas oscilações viajarão pelo guia com uma velocidade v. Se tivéssemos oscilações com uma frequência definida ω, imaginaríamos que a onda poderia variar com z como $\cos(\omega t - k_z z)$, ou usar uma forma matemática mais conveniente, como $e^{i(\omega t - k_z z)}$. Esta dependência em z representa uma onda viajando com a velocidade $v = \omega/k_z$ (ver Capítulo 29, Vol. I).

Então poderíamos supor que a onda no guia poderia ter a seguinte expressão matemática:

$$E_y = E_0 e^{i(\omega t - k_z z)} \text{sen}\, k_x x\,. \tag{24.12}$$

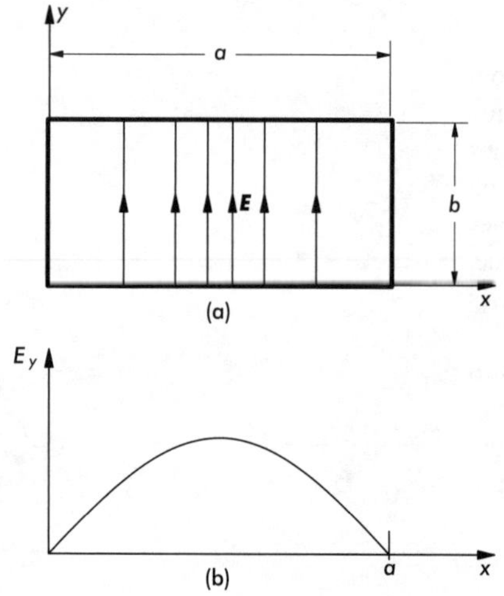

Figura 24–4 O campo elétrico no guia de ondas para um valor de z arbitrário.

Vamos ver se essa suposição satisfaz às equações dos campos corretas. Primeiro, o campo elétrico não deveria ter componentes tangenciais aos condutores. Nosso campo satisfaz a esta condição; ele é perpendicular às faces superior e inferior e é zero nas duas faces laterais. Bem, ele é se escolhermos k_x de modo que a metade de um ciclo de sen $k_x x$ seja exatamente igual à largura do guia – ou seja, se

$$k_x a = \pi. \tag{24.13}$$

Existem outras possibilidades, como $k_x a = 2\pi, 3\pi, \ldots$, ou, de maneira geral,

$$k_x a = n\pi, \tag{24.14}$$

onde n é um inteiro qualquer. Essas possibilidades representam diversos arranjos complicados do campo, mas por agora vamos considerar apenas o mais simples, em que $k_x = \pi/a$, onde a é a largura do interior do guia.

Além disso, o divergente de $\boldsymbol{E}$ deve ser zero no espaço livre no interior do guia, já que nesta região não existem cargas. Nosso $\boldsymbol{E}$ tem apenas a componente y e não depende de y, de modo que $\nabla \cdot \boldsymbol{E} = 0$.

Finalmente nosso campo elétrico deve estar de acordo com as outras equações de Maxwell no espaço interior da guia. Isso é a mesma coisa que dizer que o campo deve satisfazer à equação de onda

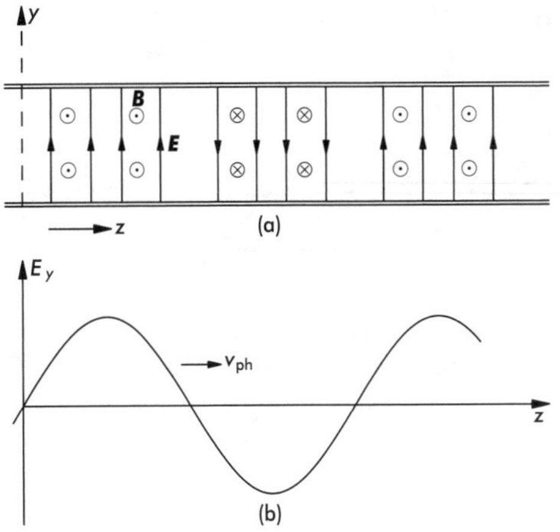

Figura 24–5 A dependência em z do campo no guia de ondas.

$$\frac{\partial^2 E_y}{\partial x^2} + \frac{\partial^2 E_y}{\partial y^2} + \frac{\partial^2 E_y}{\partial z^2} - \frac{1}{c^2}\frac{\partial^2 E_y}{\partial t^2} = 0. \tag{24.15}$$

Precisamos verificar se a nossa suposição, a Eq. (24.12), vai funcionar. A derivada segunda de E_y em relação a x é simplesmente $-k_x^2 E_y$. A derivada segunda em relação a y é zero, pois nada depende de y. A derivada segunda em relação a z é $-k_z^2 E_y$, e a derivada segunda em relação a t é $-\omega^2 E_y$. Então, a Eq. (24.15) diz que

$$k_x^2 E_y + k_z^2 E_y - \frac{\omega^2}{c^2} E_y = 0.$$

A menos que E_y seja zero em todos os pontos (o que não é muito interessante), essa equação estará correta se

$$k_x^2 + k_z^2 - \frac{\omega^2}{c^2} = 0 \tag{24.16}$$

Já fixamos k_x, de modo que esta equação nos diz que ondas do tipo que supusemos podem existir se k_z estiver relacionado com a frequência ω de modo que a Eq. (24.16) seja satisfeita – em outras palavras, se

$$k_z = \sqrt{(\omega^2/c^2) - (\pi^2/a^2)} \tag{24.17}$$

As ondas que descrevemos se propagam na direção z com este valor de k_z.

O número de onda k_z que obtemos da Eq. (24.17) nos diz, para uma dada frequência ω, a velocidade na qual os nós de uma onda se propagam pelo guia. A velocidade de fase é

$$v = \frac{\omega}{k_z}. \tag{24.18}$$

Você deve lembrar que o comprimento de onda λ de uma onda em movimento é dado por $\lambda = 2\pi v/\omega$, então k_z também é igual a $2\pi/\lambda_g$, onde λ_g é o comprimento de onda das oscilações ao longo da direção z – o "comprimento de onda do guia". O comprimento de onda no guia é diferente, é claro, do comprimento de onda no vácuo das ondas eletromagnéticas de mesma frequência. Se chamarmos o comprimento de onda no vácuo de λ_0, que é igual a $2\pi c/\omega$, podemos escrever a Eq. (24.17) como

$$\lambda_g = \frac{\lambda_0}{\sqrt{1 - (\lambda_0/2a)^2}}. \tag{24.19}$$

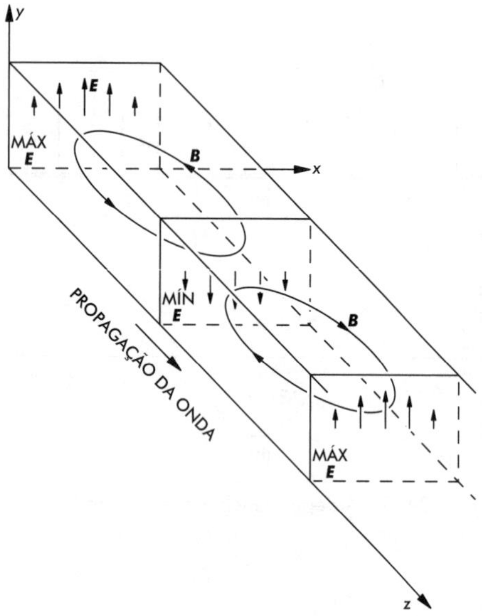

Figura 24–6 O campo magnético no guia de ondas.

Além dos campos elétricos, existem campos magnéticos que viajarão com as ondas, mas agora não nos preocuparemos com a dedução de uma expressão para eles. Como $c^2\nabla \times \boldsymbol{B} = \partial \boldsymbol{E}/\partial t$, as linhas de $\boldsymbol{B}$ circularão ao redor de regiões nas quais $\partial \boldsymbol{E}/\partial t$ é máximo, ou seja, na metade do caminho entre o máximo e o mínimo de $\boldsymbol{E}$. As linhas de $\boldsymbol{B}$ serão paralelas ao plano xy, entre os picos e os vales de $\boldsymbol{E}$, como mostrado na Figura 24–6.

24–3 A frequência de corte

Ao resolver a Eq. (24.16) para k_z, deveria haver, na verdade, duas raízes – uma positiva e uma negativa. Deveríamos escrever

$$k_z = \pm\sqrt{(\omega^2/c^2) - (\pi^2/a^2)}. \tag{24.20}$$

Os dois sinais simplesmente significam que podem existir ondas se propagando com uma velocidade de fase negativa (na direção de $-z$), assim como ondas que se propagam pelo guia na direção positiva. Naturalmente, deveria ser possível que as ondas seguissem em qualquer das duas direções. Como os dois tipos de ondas podem estar presentes ao mesmo tempo, haverá a possibilidade de soluções de ondas estacionárias.

Nossa equação para k_z nos diz que frequências mais altas fornecem valores maiores de k_z, e consequentemente comprimentos de onda menores, até que, no limite de ω grande, k se torna igual a ω/c, que é o valor que esperaríamos para ondas no vácuo. A luz que "vemos" através de um cano ainda viaja com velocidade c, mas observe que se formos em direção a baixas frequências, algo estranho acontece. A princípio o comprimento de onda se torna cada vez maior, mas se ω ficar muito pequeno, a quantidade no interior da raiz quadrada na Eq. (24.20) ficará subitamente negativa. Isso acontecerá assim que ω se tornar menor do que $\pi c/a$ – ou quando λ_0 se tornar maior do que $2a$. Em outras palavras, quando a frequência se tornar menor do que uma certa frequência crítica $\omega_c = \pi c/a$, o número de onda k_z (e também λ_g) se tornará imaginário, e não teremos mais uma solução. Ou teremos? Quem disse que k_z precisa ser real? E se ele for imaginário? As nossas equações ainda serão satisfeitas. Talvez um k_z imaginário ainda represente uma onda.

Suponha que ω *seja* menor do que ω_c; então podemos escrever

$$k_z = \pm ik', \tag{24.21}$$

onde k' é um número real positivo:

$$k = \sqrt{(\pi^2/a^2) - (\omega^2/c^2)}. \tag{24.22}$$

Se voltarmos para a nossa expressão, Eq. (24.12), para E_y, teremos

$$E_y = E_0\, e^{i(\omega t \mp ik'z)} \operatorname{sen} k_x x, \tag{24.23}$$

que pode ser reescrita como

$$E_y = E_0\, e^{\pm k'z} e^{i\omega t} \operatorname{sen} k_x x. \tag{24.24}$$

Essa expressão fornece um campo $\boldsymbol{E}$ que oscila com o tempo como $e^{i\omega t}$ mas varia com z como $e^{\pm k'z}$. Ele cresce ou decresce com z suavemente como uma exponencial real. Em nossa dedução, não nos preocupamos com as fontes que começaram as ondas, mas deve existir uma fonte em algum lugar do guia, obviamente. O sinal que acompanha k' deve ser tal que faça o campo diminuir com a distância até a fonte das ondas.

Então, para frequências abaixo de $\omega_c = \pi c/a$, as ondas *não* se propagam pelo guia; os campos oscilantes penetram no guia somente uma distância da ordem de $1/k'$. Por esse motivo, a frequência ω_c é denominada frequência de corte do guia. Olhando a Eq. (24.22), vemos que para frequências ligeiramente abaixo de ω_c, o número k' é pequeno e os campos podem penetrar uma grande distância no guia. Mas se ω for muito menor do que ω_c, o coeficiente k' da exponencial será igual a π/a e decairá de forma extremamente rápida, como mostrado na Figura 24–7. O campo diminui de $1/e$ na distância a/π, ou em apenas aproximadamente um terço da largura do guia. Os campos penetram uma distância muito pequena a partir da fonte.

Queremos enfatizar uma característica interessante da nossa análise das ondas guiadas – o aparecimento do número de onda k_z imaginário. Normalmente, se resolvemos uma equação em física e obtemos um número imaginário, ele não possui nenhum significado físico. Para *ondas*, porém, um número de onda imaginário *realmente* significa alguma coisa. A equação de onda ainda é satisfeita; isso significa apenas que a solução fornece campos exponencialmente decrescentes em vez de ondas se propagando. Então, em qualquer problema ondulatório no qual k se tornar negativo para alguma frequência, isso significará que a forma da onda muda – a onda senoidal se transforma em uma exponencial.

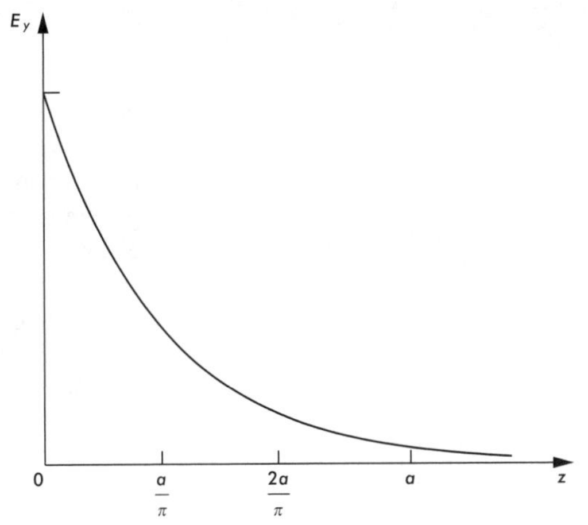

Figura 24–7 A variação de E_y com z para $\omega \ll \omega_c$.

24–4 A velocidade das ondas guiadas

A velocidade da onda que usamos acima é a velocidade de fase, que é a velocidade de um nó da onda; é uma função da frequência. Se combinarmos as Eqs. (24.17) e (24.18), poderemos escrever

$$v_{\text{fase}} = \frac{c}{\sqrt{1 - (\omega_c/\omega)^2}}. \tag{24.25}$$

Para frequências acima do corte – nas quais existem ondas se propagando – ω_c/ω é menor do que 1, e v_{fase} é real e *maior do que* a velocidade da luz. Já vimos no Capítulo 48 do Vol. I que velocidades de *fase* maiores do que a velocidade da luz são possíveis, porque são apenas os nós da onda que estão se movendo, e não energia ou informação. Para saber com que rapidez os *sinais* viajarão, temos de calcular a velocidade dos pulsos ou modulações causados pela interferência de uma onda com uma frequência com uma ou mais ondas com frequências ligeiramente diferentes (ver Capítulo 48, Vol. I). Chamamos a velocidade do envelope de um tal grupo de ondas de velocidade de grupo; ela não é ω/k, mas $d\omega/dk$:

$$v_{\text{grupo}} = \frac{d\omega}{dk}. \tag{24.26}$$

Tomando a derivada da Eq. (24.17) em relação a ω e invertendo para obter $d\omega/dk$, encontramos que

$$v_{\text{grupo}} = c\sqrt{1 - (\omega_c/\omega)^2}, \tag{24.27}$$

que é menor do que a velocidade da luz.

A média geométrica de v_{fase} e v_{grupo} é simplesmente c, a velocidade da luz:

$$v_{\text{fase}}v_{\text{grupo}} = c^2 \tag{24.28}$$

Esse resultado é curioso, porque vimos uma relação similar na mecânica quântica. Para uma partícula com uma velocidade qualquer – até mesmo relativística –, o momento p e a energia U estão relacionados por

$$U^2 = p^2c^2 + m^2c^4 \tag{24.29}$$

Na mecânica quântica, a energia é $\hbar\omega$, e o momento é $\hbar/\lambda\!\!\!^{-}$, que é igual a $\hbar k$; então a Eq. (24.29) pode ser escrita

$$\frac{\omega^2}{c^2} = k^2 + \frac{m^2c^2}{\hbar^2} \tag{24.30}$$

ou

$$k = \sqrt{(\omega^2/c^2) - (m^2c^2/\hbar^2)} \tag{24.31}$$

que se parece muito com a Eq. (24.17)... Interessante!

A velocidade de grupo das ondas também é a velocidade com a qual a energia é transportada através do guia. Se quisermos obter o fluxo de energia ao longo do guia, podemos obtê-lo com a densidade de energia vezes a velocidade de grupo. Se o valor eficaz (valor quadrático médio) do campo elétrico for E_0, então a densidade média de energia elétrica será $\epsilon_0 E_0^2/2$. Existe também alguma energia associada ao campo magnético. Não iremos provar aqui, mas em qualquer cavidade ou guia de onda a energia elétrica e a magnética são iguais, de forma que a densidade de energia eletromagnética é $\epsilon_0 E_0^2$. A potência dU/dt transmitida pelo guia é, então,

$$\frac{dU}{dt} = \epsilon_0 E_0^2 abv_{\text{grupo.}} \tag{24.32}$$

(Veremos mais adiante outra forma, mais geral, para obter o fluxo de energia.)

24–5 Observação de ondas guiadas

Energia pode ser levada para um guia de ondas por algum tipo de "antena". Por exemplo, um fio vertical pequeno ou "toco" será suficiente. A presença das ondas guiadas pode ser detectada se pegarmos alguma energia eletromagnética com uma "antena" receptora, que pode ser novamente um pedaço de fio ou uma espira pequena. Na Figura 24–8, mostramos um guia com alguns cortes para mostrar um toco transmissor e uma "sonda" de detecção. O toco transmissor pode ser ligado a um gerador de sinal por um cabo coaxial, e a sonda de detecção pode ser ligada por um cabo similar a um detector. Normalmente, é conveniente inserir a sonda de detecção por uma fenda fina e longa no guia, como mostrado na Figura 24–8. Desse modo, a sonda pode ser movida para frente e para trás ao longo do guia para testar os campos em diversas posições.

Se o gerador de sinal estiver ajustado em uma frequência ω maior do que a frequência de corte ω_c, haverá ondas se propagando pelo guia a partir do fio transmissor. Estas serão as únicas ondas presentes se o guia for infinitamente longo, o que pode ser efetivamente arranjado terminando-se o guia com um absorvedor cuidadosamente projetado, de maneira que não existam reflexões vindas da extremidade distante. Então, como o detector mede a média temporal dos campos próximos à sonda, ele irá receber um sinal independente da posição ao longo do guia; a sua resposta será proporcional à potência sendo transmitida.

Agora, se a extremidade do guia for terminada de modo que produza uma onda refletida – como um exemplo extremo, se a fechássemos com uma placa de metal – haverá uma onda refletida além da onda original propagando-se para frente. Essas duas ondas irão interferir uma com a outra e produzir uma onda estacionária no guia, análoga às ondas estacionárias em uma corda que discutimos no Capítulo 49 do Vol. I. Então, à medida que a sonda de detecção for movida ao longo da linha, a leitura do detector irá subir e descer periodicamente, mostrando um máximo dos campos em cada crista da onda estacionária e um mínimo em cada nó. A distância entre dois nós sucessivos (ou cristas) é simplesmente $\lambda_g/2$. Este resultado fornece uma maneira conveniente de medir o comprimento de onda no guia. Se a frequência for movida agora para mais perto de

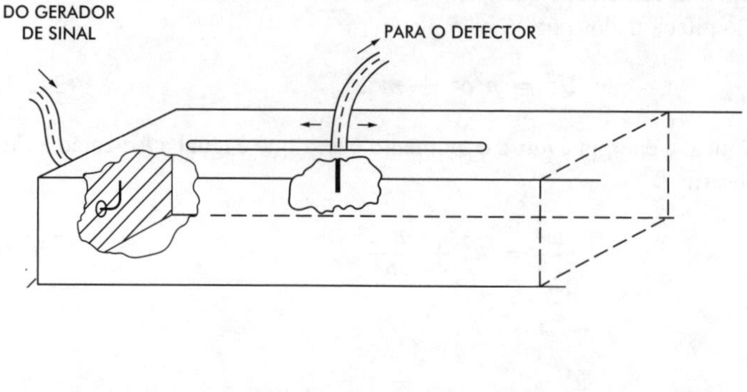

Figura 24–8 Um guia de ondas com um toco de alimentação e uma sonda de detecção.

ω_c, as distâncias entre os nós aumentarão, mostrando que o comprimento de onda no guia aumenta como previsto pela Eq. (24.19).

Suponha agora que o gerador de sinal seja ajustado em uma frequência apenas um pouco abaixo de ω_c. Então a resposta do detector diminuirá gradualmente à medida que a sonda de detecção for movida ao longo do guia. Se a frequência ajustada for um pouco mais baixa, a intensidade do campo cairá rapidamente, seguindo a curva da Figura 24–7 e mostrando que as ondas não são propagadas.

24–6 Encanamentos de guias de ondas

Um uso prático importante dos guias de ondas é para a transmissão de potência a altas frequências, como, por exemplo, o oscilador de alta frequência ou amplificador de saída de um aparelho de radar para uma antena. De fato, a antena mesmo é constituída de um refletor parabólico alimentado em seu foco por um guia de ondas se alargando no final, para criar uma "corneta" que irradie as ondas vindas do guia. Embora altas frequências possam ser transmitidas por um cabo coaxial, um guia de ondas é melhor para transmitir grandes quantidades de potência. Primeiro, a potência máxima que pode ser transmitida ao longo de uma linha é limitada pelo colapso do isolamento (sólido ou gasoso) entre os condutores. Para uma dada potência, as intensidades dos campos em um guia são normalmente menores do que em um cabo coaxial, de modo que potências mais altas podem ser transmitidas antes que o colapso ocorra. Segundo, a perda de potência em um cabo coaxial é normalmente maior do que em um guia de ondas. Em um cabo coaxial é necessário que haja um material isolante para sustentar o condutor central, e existe uma perda de energia neste material – especialmente a altas frequências. Além disso, as densidades de corrente no condutor central são bastante altas, e como as perdas vão com o *quadrado* da densidade de corrente, as correntes mais baixas que aparecem nas paredes do guia resultam em perdas de energia menores. Para manter essas perdas mínimas, as superfícies internas do guia são frequentemente recobertas com um material de alta condutividade, como a prata.

O problema de conectar um "circuito" com guias de ondas é bastante diferente do problema de um circuito correspondente a baixas frequências, e é chamado normalmente de "encanamento" de micro-ondas. Muitos equipamentos especiais têm sido desenvolvidos para este propósito. Por exemplo, duas seções de guias de onda são normalmente ligadas por meio de flanges, como pode ser visto na Figura 24–9. Essas conexões podem, no entanto, causar sérias perdas de energia, pois as correntes superficiais devem fluir através da junção, que pode apresentar uma resistência relativamente alta. Uma maneira de evitar essas perdas é fazer os flanges como mostrado na seção transversal desenhada na Figura 24–10. Um pequeno espaço é deixado entre as seções adjacentes do guia, e um sulco é cortado na face de um dos flanges para fazer uma pequena cavidade do tipo mostrado na Figura 23-16(c). As dimensões são escolhidas para que esta cavidade seja ressonante na frequência utilizada. Esta cavidade ressonante representa uma "impedân-

Figura 24–9 Seções de um guia de ondas conectadas por flanges.

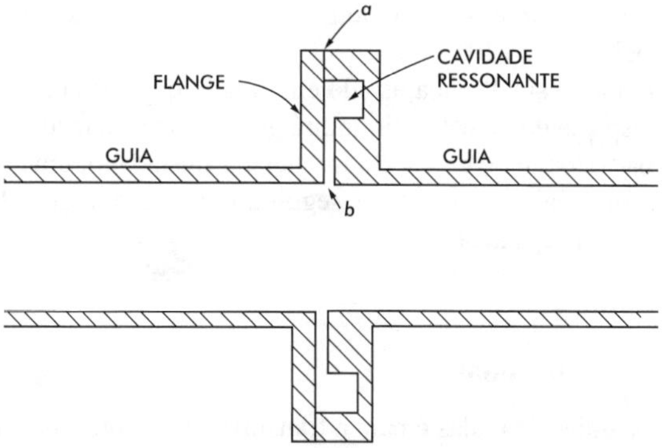

Figura 24–10 Uma conexão com baixa perda de energia entre duas seções de um guia de ondas.

Figura 24–11 Um guia de onda em "T" (os flanges possuem tampas de plástico para manter o interior limpo enquanto o "T" não está em uso).

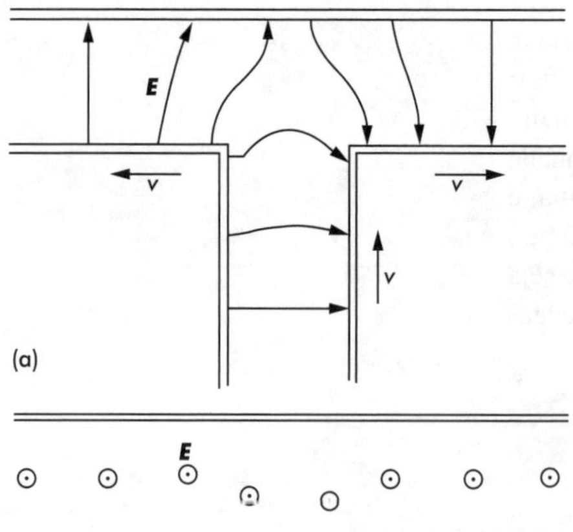

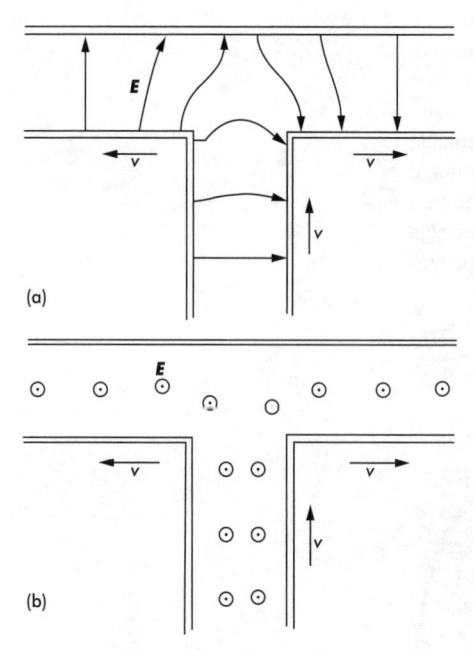

Figura 24–12 Os campos elétricos em um guia de ondas em "T" para duas possíveis orientações dos campos.

cia" alta para as correntes, de forma que correntes relativamente baixas fluem através das junções metálicas (em *a* na Figura 24–10). As altas correntes no guia simplesmente carregam e descarregam a "capacitância" do intervalo (em *b* na Figura), onde a dissipação de energia é baixa.

Suponha que você quisesse terminar um guia de onda de uma forma que não resultasse em ondas refletidas. Então você deveria colocar alguma coisa no final que simulasse um comprimento infinito do guia. Você precisaria de uma "terminação" que atuasse para o guia como a impedância característica faz para uma linha de transmissão – algo que absorvesse as ondas chegando sem gerar reflexões. Então o guia funcionará como se ele continuasse para sempre. Essas terminações são feitas colocando-se no interior do guia algumas cunhas de material resistor cuidadosamente projetadas para absorver a energia da onda, gerando ao mesmo tempo praticamente nenhuma onda refletida.

Se você quiser conectar *três* componentes juntos – por exemplo, uma fonte com duas antenas diferentes –, então você pode usar um T como o que está mostrado na Figura 24–11. A potência levada até a seção central do T será dividida e irá para os dois braços laterais (também podem existir algumas ondas refletidas). Você pode ver qualitativamente dos esquemas na Figura 24–12 que os campos se espalham quando chegam ao final da seção de alimentação e geram campos elétricos que iniciam ondas seguindo pelos dois braços. Dependendo se os campos forem paralelos ou perpendiculares ao "topo" do "T", os campos na junção seriam aproximadamente como mostrado em (a) ou (b) da Figura 24–12.

Finalmente, gostaríamos de descrever um equipamento denominado "acoplador unidirecional", que é muito útil para dizer o que está acontecendo depois que um arranjo complicado de guias de onda foi conectado. Suponha que você quisesse saber em qual sentido as ondas estão se movendo em uma seção particular do guia – você poderia estar imaginando, por exemplo, se existe ou não uma forte onda refletida. O acoplador unidirecional toma uma pequena fração da potência de um guia se a onda estiver seguindo em um sentido, e nada se a onda estiver caminhando no sentido oposto. Ligando a saída do acoplador a um detector, você pode medir a potência "de mão única" no guia.

A Figura 24–13 é um desenho de um acoplador unidirecional; um trecho de guia de onda *AB* tem um outro trecho de guia de onda *CD* soldado a ele ao longo de uma face. O guia *CD* está curvado de modo que exista espaço para os flanges de conexão. Antes que os guias fossem soldados juntos, dois (ou mais) orifícios foram furados em cada guia (combinando entre si) de forma que os campos no guia principal *AB* possam ser acoplados ao guia secundário *CD*. Se houvesse apenas um orifício, as ondas seriam enviadas nos dois sentidos e seriam as mesmas, não importa em qual sentido a onda caminhasse no guia primário. Quando temos *dois* orifícios com uma separação igual a um quarto do comprimento de onda no guia, eles geram duas fontes com uma diferença de fase de 90°. Já consideramos, no Capítulo 29 do Vol. I, a interferência de ondas geradas por antenas com uma separação de $\lambda/4$ e excitadas com uma diferença de fase de 90° no tempo. Verificamos que as ondas se subtraem em uma direção e se somam na direção oposta. A mesma coisa acontece aqui. A onda produzida no guia CD caminhará na mesma direção que a onda em AB.

Se a onda no guia primário estiver viajando de A para B, haverá uma onda na saída D do guia secundário. Se a onda no guia primário for de B para A, haverá uma onda seguindo na direção da extremidade C do guia secundário. Esta extremidade é equipada com uma terminação, de modo que não existam ondas na saída do acoplador.

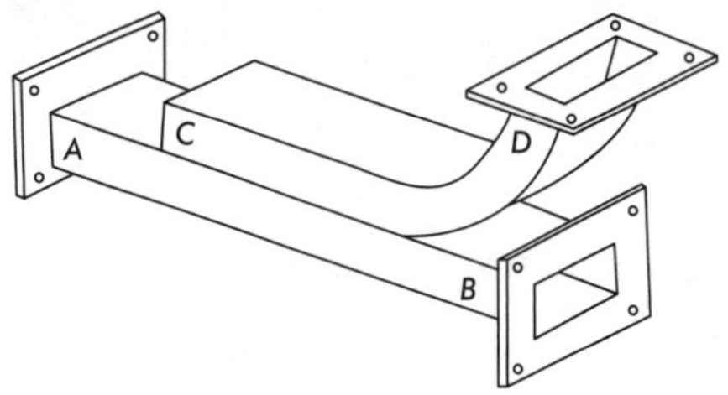

Figura 24–13 Um acoplador unidimensional.

24–7 Modos do guia de ondas

A onda que escolhemos para analisar é uma solução especial das equações dos campos. Existem muitas outras. Cada solução é denominada um "modo" do guia de ondas. Por exemplo, a nossa dependência em x do campo era simplesmente a metade de um ciclo de uma onda senoidal. Existe uma solução igualmente boa com um ciclo completo; neste caso, a variação de E_y é mostrada na Figura 24–14. O k_x para este modo é duas vezes maior, então a frequência de corte é muito mais alta. Além disso, na onda que estudamos, $\boldsymbol{E}$ possui apenas uma componente y, mas existem outros modos com campos elétricos mais complicados. Se o campo elétrico possui componentes apenas em x e y – de forma que o campo elétrico total seja sempre perpendicular à direção z –, o modo é denominado um modo "transversal elétrico" (ou TE). O campo magnético destes modos terá sempre uma componente na direção z. Acontece que se $\boldsymbol{E}$ tiver uma componente na direção z (ao longo da direção de propagação), o campo magnético terá sempre apenas componentes transversais. Estes modos são denominados modos transversais magnéticos (TM). Para um guia retangular, todos os outros modos possuem uma frequência de corte mais alta do que o modo TE simples que descrevemos. Portanto, é possível – e usual – usar um guia com uma frequência um pouco acima do corte para este modo mais baixo, mas abaixo da frequência de corte para todos os outros modos, de maneira que apenas um modo seja propagado. De outra forma, o comportamento se torna complicado e difícil de se controlar.

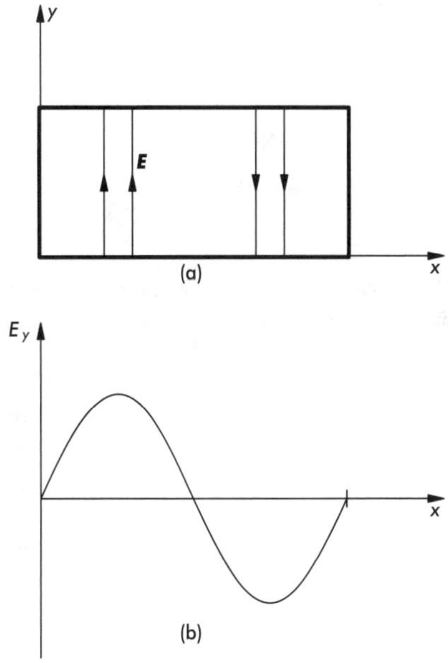

Figura 24–14 Outra variação possível de E_y com x.

24–8 Outra forma de entender as ondas guiadas

Queremos mostrar agora outra forma de entender por que um guia de ondas atenua os campos rapidamente para frequências abaixo da frequência de corte ω_c. Então você terá uma ideia mais "física" de por que o comportamento muda tão drasticamente entre frequências altas e baixas. Podemos fazer isso para o guia retangular analisando os campos em termos de reflexões – ou imagens – nas paredes do guia. Porém, esse procedimento só funciona para guias retangulares; é por esse motivo que começamos com a análise mais matemática que funciona, em princípio, para guias de qualquer formato.

Para o modo que descrevemos, a dimensão vertical (em y) não causa nenhum efeito, então podemos ignorar o topo e o fundo do guia e imaginar que o guia se estende indefinidamente na direção vertical. Imaginamos então que o guia é constituído simplesmente por duas placas verticais com a separação a.

Vamos supor que a fonte dos campos seja um fio vertical colocado no meio do guia, com o fio conduzindo uma corrente que oscila com frequência ω. Na ausência das paredes do guia, esse fio irradiaria ondas cilíndricas.

Agora consideramos que as paredes do guia sejam condutores perfeitos. Então, assim como na eletrostática, as condições na superfície estarão corretas se adicionarmos ao campo do fio o campo de uma ou mais imagens adequadas de fios. A ideia do método das imagens funciona tão bem na eletrodinâmica quanto na eletrostática, desde que, obviamente, as retardações sejam incluídas. Sabemos que isso é verdade porque vemos frequentemente um espelho produzindo uma

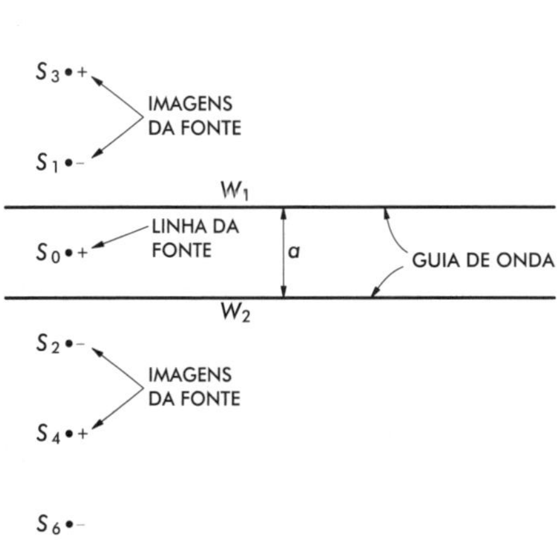

Figura 24–15 A fonte linear S_0 entre as paredes condutoras planas W_1 e W_2. As paredes podem ser substituídas pela sequência infinita de imagens da fonte.

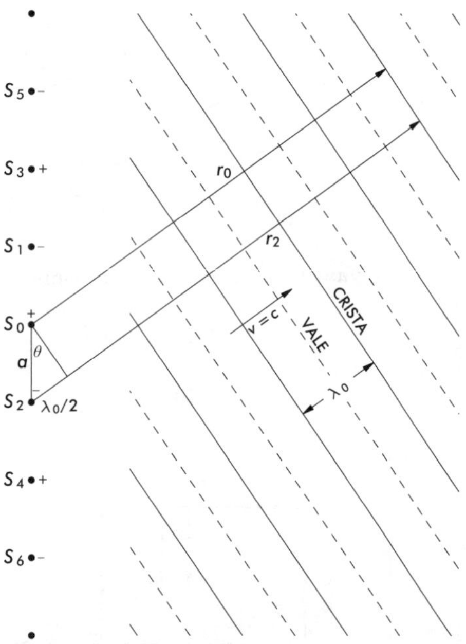

Figura 24–16 Um conjunto de ondas coerentes de um arranjo de fontes lineares.

imagem de uma fonte luminosa. E um espelho é simplesmente um condutor "perfeito" para ondas eletromagnéticas com frequências ópticas.

Tomemos uma seção transversal horizontal, como mostrado na Figura 24–15, onde W_1 e W_2 são as duas paredes do guia e S_0 é o fio da fonte. Seja a direção da corrente no fio a direção positiva. Se existisse apenas uma parede, por exemplo W_1, poderíamos removê-la se colocássemos uma imagem da fonte (com a polaridade oposta) na posição marcada como S_1. Com as duas paredes no lugar também haverá uma imagem de S_0 na parede W_2, que mostramos como a imagem S_2. Esta fonte também terá uma imagem em W_1, que chamaremos de S_3. Agora, tanto S_1 quanto S_3 terão imagens em W_2 nas posições marcadas como S_4 e S_6, e assim por diante. Para nossos dois planos condutores com a fonte a meio caminho entre eles, os campos são os mesmos que seriam produzidos por uma linha infinita de fontes, todas separadas pela distância a (de fato, isso é justamente o que você *veria* se olhasse para um fio colocado a meio caminho entre dois espelhos paralelos). Para que os campos se anulem nas paredes, as polaridades das correntes nas imagens devem se alternar de uma imagem para a próxima. Em outras palavras, elas oscilam com uma diferença de fase de 180°. O campo no guia de onda é, então, apenas a superposição dos campos deste arranjo infinito de fontes lineares.

Sabemos que, se estivermos próximos das fontes, o campo será muito parecido com os campos estáticos. Consideramos na Seção 7-5 o campo estático de uma grade de fontes lineares e descobrimos que ele é como o campo de uma placa carregada, exceto pelos termos que decrescem exponencialmente com a distância até a grade. Aqui a intensidade média da fonte é zero, porque o sinal se alterna de uma fonte para a próxima. Quaisquer campos existentes deveriam diminuir exponencialmente com a distância. Perto da fonte, vemos predominantemente o campo da fonte mais próxima; a grandes distâncias muitas fontes contribuem, e o seu efeito médio é zero. Agora vemos por que o guia de onda abaixo da frequência de corte fornece um campo que diminui exponencialmente. A baixas frequências, em particular, a aproximação estática é boa e prevê uma atenuação rápida dos campos com a distância.

Agora nos confrontamos com a questão oposta: por que as ondas conseguem se propagar? Esta é a parte misteriosa! O motivo é que a altas frequências a retardação dos campos pode introduzir variações adicionais nas fases que podem fazer com que os campos das fontes fora de fase se somem ao invés de se cancelarem. De fato, no Capítulo 29 do Vol. I, já estudamos, exatamente para este problema, os campos gerados por um arranjo de antenas ou por uma grade óptica. Verificamos então que quando diversas antenas de rádio são arranjadas de maneira adequada, elas podem criar um padrão de interferência com um sinal forte em uma direção e nenhum sinal na direção oposta.

Voltemos para a Figura 24–15 e examinemos os campos que chegam até uma grande distância das imagens da fonte. Os campos serão fortes apenas em algumas direções que dependem da frequência – somente naquelas direções para as quais os campos de todas as fontes se somam em fase. A uma distância razoável das fontes o campo se propaga nestas direções especiais como ondas planas. Esboçamos esta onda na Figura 24–16, na qual as linhas contínuas representam as cristas da onda e as linhas tracejadas representam os vales. A direção da onda será aquela para a qual a diferença na retardação para duas fontes vizinhas à crista de uma onda corresponda à metade de um período de oscilação. Em outras palavras, a diferença entre r_2 e r_0 na figura é a metade do comprimento de onda no vácuo:

$$r_2 - r_0 = \frac{\lambda_0}{2}.$$

Então, o ângulo θ é dado por

$$\operatorname{sen}\theta = \frac{\lambda_0}{2a}. \tag{24.33}$$

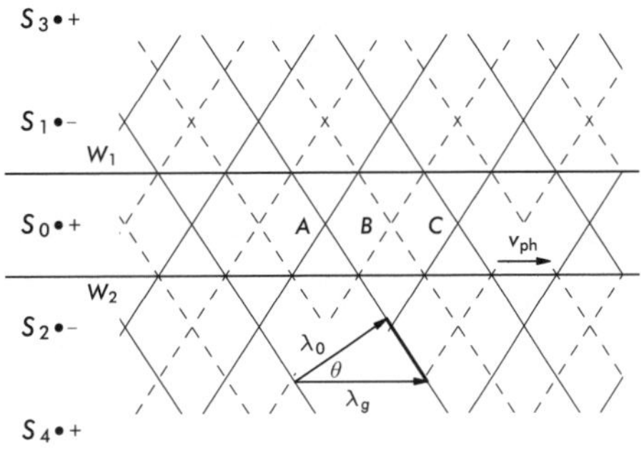

Figura 24–17 O campo do guia de ondas pode ser visualizado como a superposição de duas séries de ondas planas.

Existe, é claro, um outro conjunto de ondas viajando para baixo com o ângulo simétrico em relação ao arranjo de fontes. O campo completo do guia de onda (não muito próximo da fonte) é a superposição destes dois conjuntos de ondas, como mostrado na Figura 24–17. Os campos reais são desta forma, obviamente, apenas entre as duas paredes do guia de onda.

Em pontos como A e C, as cristas dos dois padrões de ondas coincidem, e o campo terá um máximo; em pontos como B, as duas ondas terão o seu valor negativo de pico, e o campo possui um valor mínimo (o maior valor negativo). À medida que o tempo passa, o campo no guia parece estar viajando ao longo do guia com um comprimento de onda λ_g, que é a distância de A a C. Esta distância está relacionada a θ por

$$\cos\theta = \frac{\lambda_0}{\lambda_g}. \tag{24.34}$$

Usando a Eq. (24.33) para θ, obtemos

$$\lambda_g = \frac{\lambda_0}{\cos\theta} = \frac{\lambda_0}{\sqrt{1-(\lambda_0/2a)^2}} \tag{24.35}$$

que é exatamente o que obtivemos na Eq. (24.19).

Agora vemos por que só há propagação de ondas acima da frequência de corte ω_0. Se o comprimento de onda no vácuo for maior do que $2a$, não existe ângulo para o qual as ondas mostradas na Figura 24–16 possam aparecer. A interferência construtiva necessária aparece subitamente quando λ_0 se torna menor do que $2a$, ou quando ω se torna maior do que $\omega_0 = \pi c/a$.

Se a frequência for alta o suficiente, podem existir duas ou mais direções possíveis nas quais as ondas podem aparecer. Para o nosso caso, isso acontecerá se $\lambda_0 < \frac{2}{3}a$. De maneira geral, porém, isso também poderia acontecer quando $\lambda_0 < a$. Estas ondas adicionais correspondem aos modos mais altos do guia.

Também ficou evidente com a nossa análise por que a velocidade de fase das ondas guiadas é maior do que c e por que esta velocidade depende de ω. Quando ω varia, o ângulo das ondas livres na Figura 24–16 muda, e consequentemente a velocidade ao longo do guia também varia.

Embora tenhamos descrito a onda guiada como a superposição dos campos de um arranjo infinito de fontes lineares, você pode ver que chegaríamos ao mesmo resultado se imaginássemos dois conjuntos de ondas no vácuo sendo continuamente refletidas de um lado para o outro por dois espelhos perfeitos – lembrando que uma reflexão significa uma inversão de fase. Estes conjuntos de ondas refletidas se cancelariam totalmente, a menos que estivessem seguindo exatamente com o ângulo θ dado pela Eq. (24.33). Existem muitas maneiras de se olhar a mesma coisa.

25

Eletrodinâmica em Notação Relativística

Neste capítulo: $c = 1$

Revisão: Capítulo 15, Vol. I, *A Teoria da Relatividade Restrita*
Capítulo 16, Vol. I, *Energia e Momento Relativístico*
Capítulo 17, Vol. I, *Espaço-tempo*
Capítulo 13, Vol. II, *Magnetostática*

25–1 Quadrivetores

Discutiremos agora a aplicação da teoria da relatividade especial para a eletrodinâmica. Como já estudamos a teoria da relatividade especial nos Capítulos de 15 a 17 do Vol. I, vamos apenas revisar rapidamente as ideias básicas.

É observado experimentalmente que as leis da física não são modificadas se nos movermos com velocidade uniforme. Você não consegue dizer se está dentro de uma espaçonave movendo-se com velocidade uniforme em uma linha reta, a não ser que olhe para fora, ou pelo menos faça uma observação relativa ao mundo exterior. Qualquer lei verdadeira da física deve ser arranjada de maneira que este fato da natureza esteja embutido nela.

A relação entre o espaço e o tempo de dois sistemas de coordenadas, um, S', em movimento uniforme na direção x com velocidade v em relação ao outro, S, é dada pelas *transformações de Lorentz*:

$$t' = \frac{t - vx}{\sqrt{1 - v^2}}, \qquad y' = y,$$
$$x' = \frac{x - vt}{\sqrt{1 - v^2}}, \qquad z' = z. \tag{25.1}$$

As leis da física devem ser tais que, após uma transformação de Lorentz, a nova forma das leis se pareça exatamente com a forma antiga. Isso é igual ao princípio que afirma que as leis da física não dependem da *orientação* do nosso sistema de coordenadas. No Capítulo 11 do Vol. I, vimos que a forma matemática de descrever a invariância da física em relação a rotações era escrever as nossas equações em termos de *vetores*.

Por exemplo, se tivermos dois vetores

$$\boldsymbol{A} = (A_x, A_y, A_z) \quad \text{e} \quad \boldsymbol{B} = (B_x, B_y, B_z),$$

verificamos que a combinação

$$\boldsymbol{A} \cdot \boldsymbol{B} = A_xB_x + A_yB_y + A_zB_z$$

não será modificada se fizermos uma transformação de rotação no nosso sistema de coordenadas. Então sabemos que se tivermos o produto $\boldsymbol{A} \cdot \boldsymbol{B}$ nos dois lados de uma equação, a equação terá exatamente a mesma forma em todos os sistemas de coordenadas obtidos por rotação do sistema de coordenadas original. Também descobrimos um operador (ver Capítulo 2),

$$\boldsymbol{\nabla} = \left(\frac{\partial}{\partial x}, \frac{\partial}{\partial y}, \frac{\partial}{\partial z}\right)$$

que, quando aplicado a uma função escalar, fornece três quantidades que se transformam como um vetor. Com este operador definimos o gradiente e, combinando com outros vetores, o divergente e o Laplaciano. Finalmente descobrimos que efetuando somas de certos produtos de pares de componentes de dois vetores poderíamos obter três novas quantidades que se comportavam como um novo vetor. Chamamos isso de *produto vetorial* de dois vetores. Usando o produto vetorial com nosso operador ∇, definimos então o rotacional de um vetor.

Como continuaremos a nos referir ao que fizemos na análise vetorial, colocamos na Tabela 25-1 um resumo de todas as operações vetoriais importantes em três dimensões que usamos no passado. O ponto é que deve ser possível escrever as equações da física de modo que os dois lados se transformem da mesma forma por rotações. Se

Tabela 25–1

Quantidades e operadores mais importantes da análise vetorial em três dimensões

Definição de um vetor	$\boldsymbol{A} = (A_x, A_y, A_z)$
Produto escalar	$\boldsymbol{A} \cdot \boldsymbol{B}$
Operador vetorial diferencial	$\boldsymbol{\nabla}$
Gradiente	$\boldsymbol{\nabla}\phi$
Divergente	$\boldsymbol{\nabla} \cdot \boldsymbol{A}$
Laplaciano	$\boldsymbol{\nabla} \cdot \boldsymbol{\nabla} = \nabla^2$
Produto vetorial	$\boldsymbol{A} \times \boldsymbol{B}$
Rotacional	$\boldsymbol{\nabla} \times \boldsymbol{A}$

um lado for um vetor, o outro lado também deve ser um vetor, e ambos os lados mudarão juntos exatamente da mesma maneira se girarmos o nosso sistema de coordenadas. De maneira análoga, se um lado for um escalar, o outro lado também deve sê-lo, de modo que nenhum lado mude quando girarmos as coordenadas. E assim por diante.

No caso da relatividade especial, tempo e espaço estão inextricavelmente misturados, e devemos fazer os processos análogos para quatro dimensões. Queremos que as nossas equações permaneçam as mesmas não somente para rotações, mas também para *qualquer* referencial inercial. Isso significa que nossas equações deveriam ser invariantes pelas transformações de Lorentz das Equações (25.1). O objetivo deste capítulo é mostrar como isso pode ser feito. Antes de começarmos, entretanto, queremos fazer algo que tornará nosso trabalho muito mais fácil (e evitará alguma confusão): escolher nossas unidades de comprimento e tempo de maneira que a velocidade da luz c seja igual a 1. Você pode pensar nisso como tomar a nossa unidade de tempo igual ao *tempo que a luz demora para percorrer um metro* (que é aproximadamente 3×10^{-9} s). Até podemos chamar essa unidade de tempo de "um metro". Usando essa unidade, todas as nossas equações mostrarão mais claramente a simetria espaço-temporal. Além disso, todos os c desaparecerão das nossas equações relativísticas (se isso incomodá-lo, você sempre pode colocar os c de volta em qualquer equação substituindo cada t por ct ou, de maneira geral, colocando um c sempre que for necessário para corrigir as dimensões das equações). Com esta base estamos prontos para começar. Nosso programa é fazer nas quatro dimensões do espaço-tempo tudo o que fizemos com vetores em três dimensões. Na verdade é um jogo muito simples; simplesmente trabalhamos por analogia. As únicas complicações reais são a notação (já usamos o símbolo de vetor para os vetores tridimensionais) e uma pequena troca de sinais.

Primeiro, por analogia com os vetores em três dimensões, definimos um *quadrivetor* como um conjunto de quatro quantidades, a_t, a_x, a_y e a_z, que se transformam como t, x, y e z quando mudamos para um sistema de coordenadas em movimento. Existem várias notações diferentes que as pessoas usam para quadrivetores; escreveremos a_μ, e isso significa o grupo dos quatro números (a_t, a_x, a_y, a_z) – em outras palavras, o símbolo μ pode tomar os quatro "valores", t, x, y, z. Também será conveniente, às vezes, indicar as três componentes espaciais por um vetor tridimensional, dessa forma: $a_\mu = (a_t, \boldsymbol{a})$.

Já encontramos um quadrivetor, constituído pela energia e momento de uma partícula (Capítulo 17, Vol. I). Em nossa nova notação, escrevemos

$$p_\mu = (E, \boldsymbol{p}), \tag{25.2}$$

que significa que o quadrivetor p_μ é formado pela energia E e pelas três componentes do vetor tridimensional $\boldsymbol{p}$ de uma partícula.

Parece que o jogo é realmente muito simples – para cada vetor tridimensional na física, tudo o que temos de fazer é encontrar qual deve ser a componente remanescente, e temos um quadrivetor. Para ver que este não é o caso, considere o vetor velocidade com as componentes

$$v_x = \frac{dx}{dt}, \quad v_y = \frac{dy}{dt}, \quad v_z = \frac{dz}{dt}.$$

A questão é: qual é a componente temporal? O instinto deveria dar a resposta correta. Como os quadrivetores são como t, x, y, z, poderíamos supor que a componente temporal fosse

$$v_t = \frac{dt}{dt} = 1.$$

Isso está errado. A razão é que o t em cada denominador não é um invariante quando fazemos uma transformação de Lorentz. Os numeradores possuem o comportamento certo para fazer um quadrivetor, mas o dt no denominador estraga as coisas; ele é assimétrico e não é o mesmo em dois sistemas diferentes.

As quatro componentes da "velocidade" que escrevemos se tornarão as componentes de um quadrivetor se simplesmente dividirmos por $\sqrt{1 - v^2}$. Podemos ver que isso é verdade porque se começarmos com o quadrivetor momento

$$p_\mu = (E, \boldsymbol{p}) = \left(\frac{m_0}{\sqrt{1 - v^2}}, \frac{m_0 \boldsymbol{v}}{\sqrt{1 - v^2}}\right), \tag{25.3}$$

e dividirmos pela massa de repouso m_0, que é um escalar invariante em *quatro dimensões*, teremos

$$\frac{p_\mu}{m_0} = \left(\frac{1}{\sqrt{1 - v^2}}, \frac{\boldsymbol{v}}{\sqrt{1 - v^2}}\right), \tag{25.4}$$

que ainda deve ser um quadrivetor (dividir por um *escalar invariante* não muda as propriedades de transformação). Então podemos *definir* o "quadrivetor velocidade" u_μ por

$$\begin{aligned} u_t &= \frac{1}{\sqrt{1 - v^2}}, & u_y &= \frac{v_y}{\sqrt{1 - v^2}}, \\ u_x &= \frac{v_x}{\sqrt{1 - v^2}}, & u_z &= \frac{v_z}{\sqrt{1 - v^2}}, \end{aligned} \tag{25.5}$$

A quadrivelocidade é uma quantidade útil; podemos escrever, por exemplo,

$$p_\mu = m_0 u_\mu. \tag{25.6}$$

Essa é a forma típica que uma equação relativisticamente correta deve ter; cada lado é um quadrivetor (o lado direito é um invariante vezes um quadrivetor, que ainda é um quadrivetor).

25–2 O produto escalar

É um acidente da vida, se você quiser, que a distância de um ponto até a origem não mude com rotações do sistema de coordenadas. Matematicamente, isso significa que $r^2 = x^2 + y^2 + z^2$ é um invariante. Em outras palavras, após uma rotação $r'^2 = r^2$, ou

$$x'^2 + y'^2 + z'^2 = x^2 + y^2 + z^2.$$

Agora a questão é: existe uma quantidade análoga que seja invariante pela transformação de Lorentz? Existe. Da Eq. (25.1) você pode ver que

$$t'^2 - x'^2 = t^2 - x^2.$$

Isso é muito bom, exceto que depende de uma escolha particular da direção x. Podemos resolver isso subtraindo y^2 e z^2. Dessa forma, nenhuma transformação de Lorentz *ou* rotação modificará a quantidade. Então, a quantidade análoga a r^2 para quatro dimensões é

$$t^2 - x^2 - y^2 - z^2.$$

Este é um invariante pelo chamado "grupo de Lorentz completo" – que significa transformações por translações com velocidade constante *e* rotações.

Como esta invariância é um problema algébrico, dependendo apenas das regras de transformação da Eq. (25.1) – mais rotações – ela é verdadeira para qualquer quadrivetor (por definição todos se transformam da mesma forma). Então, para um quadrivetor a_μ temos que

$$a_t'^2 - a_x'^2 - a_y'^2 - a_z'^2 = a_t^2 - a_x^2 - a_y^2 - a_z^2.$$

Denominamos essa quantidade o quadrado do "comprimento" do quadrivetor a_μ (algumas vezes as pessoas mudam o sinal de todos os termos e chamam de comprimento a expressão $a_x^2 + a_y^2 + a_z^2 - a_t^2$, de modo que você terá de tomar cuidado).

Se tivermos *dois* vetores a_μ e b_μ, as suas componentes correspondentes se transformam da mesma maneira, de modo que a combinação

$$a_t b_t - a_x b_x - a_y b_y - a_z b_z$$

também é uma quantidade (escalar) invariante (na verdade, já provamos esse resultado no Capítulo 17 do Vol. I). Claramente, essa expressão é análoga ao produto escalar dos vetores. De fato, vamos denominá-la *produto escalar* ou *produto interno* de dois quadrivetores. Pareceria lógico escrevê-la como $a_\mu \cdot b_\mu$, pois então ela *pareceria* um produto escalar. Infelizmente, isso não é feito assim; escreve-se normalmente sem o ponto. Então seguiremos a convenção e escreveremos o produto escalar simplesmente como $a_\mu b_\mu$. Então, *por definição*,

$$a_\mu b_\mu = a_t b_t - a_x b_x - a_y b_y - a_z b_z. \tag{25.7}$$

Sempre que você vir dois índices subscritos idênticos juntos (ocasionalmente teremos que usar ν ou alguma outra letra ao invés de μ), isso significa que você deve tomar os quatro produtos e efetuar a soma, *lembrando-se do sinal de menos* para os produtos das componentes espaciais. Com essa convenção, a invariância do produto escalar por uma transformação de Lorentz pode ser escrita como

$$a'_\mu b'_\mu = a_\mu b_\mu.$$

Já que os últimos três termos são simplesmente o produto escalar em três dimensões, é, com frequência, mais conveniente escrever

$$a_\mu b_\mu = a_t b_t - \boldsymbol{a} \cdot \boldsymbol{b}.$$

Também é óbvio que o comprimento quadridimensional que descrevemos acima pode ser escrito como $a_\mu a_\mu$:

$$a_\mu a_\mu = a_t^2 - a_x^2 - a_y^2 - a_z^2 = a_t^2 - \boldsymbol{a} \cdot \boldsymbol{a}. \tag{25.8}$$

Também será conveniente escrever essa quantidade como a_μ^2:

$$a_\mu^2 \equiv a_\mu a_\mu.$$

Daremos agora uma ilustração da utilidade dos produtores escalares de quadrivetores. Antiprótons ($\overline{\text{P}}$) são produzidos em grandes aceleradores pela reação

$$\text{P} + \text{P} \to \text{P} + \text{P} + \text{P} + \overline{\text{P}}.$$

Isto é, um próton energético colide com um próton em repouso (por exemplo, em um alvo de hidrogênio colocado no feixe), e se o próton incidente tiver energia suficiente, um par próton-antipróton pode ser produzido, além dos dois prótons originais.[1] A questão é: quanta energia deve ser dada para o próton incidente para tornar essa reação energeticamente possível?

[1] Você bem que poderia perguntar: por que não considerar as reações

$$\text{P} + \text{P} \to \text{P} + \text{P} + \overline{\text{P}}$$

ou até mesmo

$$\text{P} + \text{P} \to \text{P} + \overline{\text{P}},$$

que claramente requerem menos energia? A resposta é que um princípio denominado *conservação de bárions* nos diz que a quantidade "número de prótons menos o número de antiprótons" não pode mudar. Essa quantidade é 2 no lado esquerdo da nossa reação. Portanto, se quisermos um antipróton no lado direito, precisamos ter também *três* prótons (ou outros bárions).

A maneira mais fácil de obter a resposta é considerar como a reação se parece no sistema do centro de massa (CM) (ver Figura 25–1). Vamos denominar o próton incidente a e seu quadrimomento p^a_μ. De maneira análoga, vamos denominar o próton alvo b e seu quadrimomento p^b_μ. Se o próton incidente possuir energia *apenas suficiente* para fazer a reação acontecer, o estado final – a situação após a colisão – consistirá em uma bola contendo três prótons e um antipróton em repouso no sistema do CM. Se a energia incidente fosse ligeiramente mais alta, as partículas do estado final teriam alguma energia cinética e estariam se afastando; se a energia incidente fosse ligeiramente menor, não haveria energia suficiente para criar as quatro partículas.

Se chamarmos de p^c_μ o quadrimomento total da bola inteira no estado final, a conservação da energia e do momento nos diz que

$$\boldsymbol{p}^a + \boldsymbol{p}^b = \boldsymbol{p}^c,$$

e

$$E^a + E^b = E^c.$$

Combinando essas duas equações, podemos escrever

$$p^a_\mu + p^b_\mu = p^c_\mu \tag{25.9}$$

O ponto importante agora é que essa é uma equação entre quadrivetores, e é, portanto, verdadeira em qualquer referencial inercial. Podemos usar esse fato para simplificar nossos cálculos. Começamos tomando o "comprimento" de cada lado da Eq. (25.9); eles são, obviamente, iguais. Obtemos

$$(p^a_\mu + p^b_\mu)(p^a_\mu + p^b_\mu) = p^c_\mu p^c_\mu. \tag{25.10}$$

Como $p^c_\mu p^c_\mu$ é invariante, podemos calculá-lo em qualquer sistema de coordenadas. No sistema do CM, a componente temporal de p^c_μ é a energia de repouso dos quatro prótons, isto é, $4M$, e a parte espacial $\boldsymbol{p}$ é zero; então $p^c_\mu = (4M, \boldsymbol{0})$. Usamos o fato de que a massa de repouso de um antipróton é igual à massa de repouso de um próton e denominamos esta massa comum M.

Portanto, a Eq. (25.10) se torna

$$p^a_\mu p^a_\mu + 2p^a_\mu p^b_\mu + p^b_\mu p^b_\mu = 16M^2. \tag{25.11}$$

Agora $p^a_\mu p^a_\mu$ e $p^b_\mu p^b_\mu$ são muito fáceis, pois o comprimento do quadrivetor momento de uma partícula é simplesmente a massa da partícula ao quadrado:

$$p_\mu p_\mu = E^2 - \boldsymbol{p}^2 = M^2.$$

Isso pode ser mostrado por um cálculo direto ou, mais inteligentemente, observando que, para uma partícula em *repouso*, $p_\mu = (M, \boldsymbol{0})$, então $p_\mu p_\mu = M^2$. Como essa quantidade

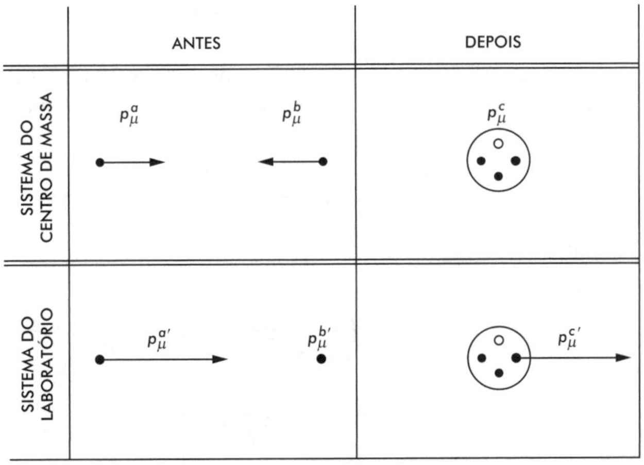

Figura 25–1 A reação P + P → 3P + $\bar{\text{P}}$ vista nos sistemas do laboratório e do CM. Supõe-se que o próton incidente possua apenas a energia necessária para que a reação aconteça. Os prótons são indicados por círculos preenchidos; os antiprótons, por círculos abertos.

é um invariante, ela é igual a M^2 em *qualquer* referencial. Usando esses resultados na Eq. (25.11), temos

$$2p_\mu^a p_\mu^b = 14M^2$$

ou

$$p_\mu^a p_\mu^b = 7M^2. \tag{25.12}$$

Agora também podemos calcular $p_\mu^a p_\mu^b = p_\mu^{a'} p_\mu^{b'}$ no sistema do laboratório. O quadrivetor $p_\mu^{a'}$ pode ser escrito como $(E^{a'}, \boldsymbol{p}^{a'})$, enquanto $p_\mu^{b'} = (M, \boldsymbol{0})$, já que descreve um próton em repouso. Portanto, $p_\mu^{a'} p_\mu^{b'}$ também deve ser igual a $ME^{a'}$, e como sabemos que o produto escalar é um invariante, este resultado deve ser numericamente igual ao que encontramos em (25.12). Então temos que

$$E^{a'} = 7M$$

que é o resultado que estávamos procurando. A energia *total* do próton inicial deve ser pelo menos $7M$ (aproximadamente 6,6 GeV, pois $M = 938$ MeV) ou, subtraindo a massa de repouso M, a energia *cinética* deve ser pelo menos $6M$ (aproximadamente 5,6 GeV). O acelerador Bévatron em Berkeley foi projetado para fornecer aproximadamente 6,2 GeV de energia cinética para os prótons que ele acelera, para ser capaz de produzir antiprótons.

Como os produtos escalares são invariantes, seus resultados são sempre interessantes. O que podemos dizer a respeito do "comprimento" da quadrivelocidade, $u_\mu u_\mu$?

$$u_\mu u_\mu = u_t^2 - \boldsymbol{u}^2 = \frac{1}{1 - v^2} - \frac{v^2}{1 - v^2} = 1.$$

Logo, u_μ é o *quadrivetor unitário*.

25–3 O gradiente quadridimensional

O próximo tópico que temos de discutir é o análogo quadridimensional do gradiente. Recordamos (Capítulo 14, Vol. I) que os três operadores diferenciais $\partial/\partial x$, $\partial/\partial y$, $\partial/\partial z$ se transformam como um vetor tridimendional e são chamados de gradiente. O mesmo esquema deveria funcionar em quatro dimensões; isto é, poderíamos supor que o gradiente quadridimendional fosse $(\partial/\partial t, \partial/\partial x, \partial/\partial y, \partial/\partial z)$. *Isso está errado.*

Para ver o erro, considere uma função escalar ϕ que dependa apenas de x e t. A variação em ϕ, se fizermos uma pequena variação Δt em t mantendo x constante, é

$$\Delta\phi = \frac{\partial\phi}{\partial t}\,\Delta t \tag{25.13}$$

Por outro lado, de acordo com um observador em movimento,

$$\Delta\phi = \frac{\partial\phi}{\partial x'}\,\Delta x' + \frac{\partial\phi}{\partial t'}\,\Delta t'.$$

Podemos expressar $\Delta x'$ e $\Delta t'$ em termos de Δt usando a Eq. (25.1). Lembrando que estamos mantendo x constante, de modo que $\Delta x = 0$, escrevemos

$$\Delta x' = -\frac{v}{\sqrt{1 - v^2}}\,\Delta t; \qquad \Delta t' = \frac{\Delta t}{\sqrt{1 - v^2}}\cdot$$

Portanto,

$$\Delta\phi = \frac{\partial\phi}{\partial x'}\left(-\frac{v}{\sqrt{1 - v^2}}\,\Delta t\right) + \frac{\partial\phi}{\partial t'}\left(\frac{\Delta t}{\sqrt{1 - v^2}}\right)$$

$$= \left(\frac{\partial\phi}{\partial t'} - v\,\frac{\partial\phi}{\partial x'}\right)\frac{\Delta t}{\sqrt{1 - v^2}}\cdot$$

Comparando este resultado com a Eq. (25.13), vemos que

$$\frac{\partial \phi}{\partial t} = \frac{1}{\sqrt{1 - v^2}}\left(\frac{\partial \phi}{\partial t'} - v\,\frac{\partial \phi}{\partial x'}\right). \tag{25.14}$$

Um cálculo análogo fornece

$$\frac{\partial \phi}{\partial x} = \frac{1}{\sqrt{1 - v^2}}\left(\frac{\partial \phi}{\partial x'} - v\,\frac{\partial \phi}{\partial t'}\right). \tag{25.15}$$

Agora podemos ver que o gradiente é bastante estranho. As fórmulas para x e t em termos de x' e t' [obtidas resolvendo a Eq. (25.1)] são:

$$t = \frac{t' + vx'}{\sqrt{1 - v^2}}, \qquad x = \frac{x' + vt'}{\sqrt{1 - v^2}}.$$

Essa é a maneira pela qual um quadrivetor *deve* se transformar, mas as Eqs. (25.14) e (25.15) têm dois sinais errados!

A resposta é que em vez do $(\partial/\partial t, \nabla)$, *incorreto*, devemos definir o operador *gradiente quadridimensional*, que vamos chamar de ∇_μ, por

$$\nabla_\mu = \left(\frac{\partial}{\partial t}, -\nabla\right) = \left(\frac{\partial}{\partial t}, -\frac{\partial}{\partial x}, -\frac{\partial}{\partial y}, -\frac{\partial}{\partial z}\right). \tag{25.16}$$

Com essa definição, as dificuldades com os sinais que encontramos acima desaparecem, e ∇_μ se comporta como um quadrivetor deveria (é um pouco desajeitado ter esses sinais negativos, mas o mundo é assim). É claro, dizer que ∇_μ "se comporta como um vetor" significa simplesmente que o gradiente quadridimensional de um escalar é um quadrivetor. Se ϕ for um campo escalar invariante verdadeiro (invariante por Lorentz), então $\nabla_\mu \phi$ será um campo quadrivetorial.

Tudo bem, agora que temos vetores, gradientes e produtos escalares, o próximo passo é procurar um invariante que seja análogo ao divergente da análise vetorial tridimensional. Claramente, o análogo será formado pela expressão $\nabla_\mu b_\mu$, onde b_μ é um campo quadrivetorial cujas componentes são funções do espaço e do tempo. *Definimos* o *divergente* do quadrivetor $b_\mu = (b_t, \boldsymbol{b})$ como o produto escalar de ∇_μ e b_μ:

$$\begin{aligned} \nabla_\mu b_\mu &= \frac{\partial}{\partial t} b_t - \left(-\frac{\partial}{\partial x}\right) b_x - \left(-\frac{\partial}{\partial y}\right) b_y - \left(-\frac{\partial}{\partial z}\right) b_z \\ &= \frac{\partial}{\partial t} b_t + \nabla \cdot \boldsymbol{b}, \end{aligned} \tag{25.17}$$

onde $\nabla \cdot \boldsymbol{b}$ é o divergente tridimensional usual do vetor tridimensional $\boldsymbol{b}$. Observe que é necessário tomar cuidado com os sinais. Alguns dos sinais de menos vêm da definição do produto escalar, Eq. (25.7); os outros são necessários porque as componentes espaciais de ∇_μ são $-\partial/\partial x$, etc., como na Eq. (25.16). O divergente, como definido pela (25.17), é um invariante e fornece a mesma resposta em todos os sistemas de coordenadas que diferem por uma transformação de Lorentz.

Vamos analisar um exemplo físico no qual o quadridivergente aparece. Podemos usá-lo para resolver o problema dos campos ao redor de um fio em movimento. Já vimos (Seção 13-7) que a densidade de carga elétrica ρ e a densidade de corrente $\boldsymbol{j}$ formam um quadrivetor $j_\mu = (\rho, \boldsymbol{j})$. Se um fio descarregado conduzir uma corrente j_x, então em um referencial se movendo ao seu lado com velocidade v (na direção x), o fio terá as densidades de carga e corrente [obtidas por meio da transformação de Lorentz das Eqs. (25.1)] da seguinte forma:

$$\rho' = \frac{-vj_x}{\sqrt{1 - v^2}}, \qquad j'_x = \frac{j_x}{\sqrt{1 - v^2}}.$$

Estes são exatamente os resultados que encontramos no Capítulo 13. Podemos usar estas fontes nas equações de Maxwell no *sistema em movimento* para obter os campos.

A lei da conservação da carga, Seção 13-2, também assume uma forma simples na notação de quadrivetores. Considere o quadridivergente de j_μ:

$$\nabla_\mu j_\mu = \frac{\partial \rho}{\partial t} + \boldsymbol{\nabla} \cdot \boldsymbol{j}. \tag{25.18}$$

A lei da conservação da carga afirma que o fluxo de corrente saindo por unidade de volume deve ser igual ao oposto da taxa de aumento da densidade de carga. Em outras palavras

$$\boldsymbol{\nabla} \cdot \boldsymbol{j} = -\frac{\partial \rho}{\partial t}.$$

Colocando esse resultado na Eq. (25.18), a lei da conservação da carga assume a forma simples

$$\nabla_\mu j_\mu = 0. \tag{25.19}$$

Como $\nabla_\mu j_\mu$ é um escalar invariante, se ele for igual a zero em um referencial, será zero em todos os referenciais. Temos como resultado que se a carga for conservada em um sistema de coordenadas, ela será conservada em todos os sistemas de coordenadas movendo-se com velocidade constante.

Como nosso último exemplo, queremos considerar o produto escalar do operador gradiente ∇_μ com ele mesmo. Em três dimensões, este produto dá o Laplaciano

$$\nabla^2 = \boldsymbol{\nabla} \cdot \boldsymbol{\nabla} = \frac{\partial^2}{\partial x^2} + \frac{\partial^2}{\partial y^2} + \frac{\partial^2}{\partial z^2}.$$

O que obtemos em quatro dimensões? Isso é fácil. Seguindo as nossas regras para produtos escalares e gradientes, obtemos

$$\begin{aligned} \nabla_\mu \nabla_\mu &= \frac{\partial}{\partial t}\frac{\partial}{\partial t} - \left(-\frac{\partial}{\partial x}\right)\left(-\frac{\partial}{\partial x}\right) - \left(-\frac{\partial}{\partial y}\right)\left(-\frac{\partial}{\partial y}\right) - \left(-\frac{\partial}{\partial z}\right)\left(-\frac{\partial}{\partial z}\right) \\ &= \frac{\partial^2}{\partial t^2} - \nabla^2. \end{aligned}$$

Este operador, que é o análogo do Laplaciano tridimensional, é chamado de *D'Alembertiano* e possui uma notação especial:

$$\Box^2 = \nabla_\mu \nabla_\mu = \frac{\partial^2}{\partial t^2} - \nabla^2. \tag{25.20}$$

Pela sua definição, esse é um operador escalar invariante; se ele operar em um campo quadrivetorial, ele produzirá um novo campo quadrivetorial (algumas pessoas definem o D'Alembertiano com o sinal oposto ao da Eq. (25.20), então você terá de tomar cuidado ao consultar a literatura).

Encontramos agora equivalentes quadridimensionais da maioria das quantidades tridimensionais que listamos na Tabela 25-1 (ainda não temos os equivalentes do produto vetorial e do rotacional; só vamos chegar lá no próximo capítulo). Colocando todas as definições e resultados juntos em uma tabela você possivelmente se lembrará melhor como as transformações acontecem, então fizemos este resumo na Tabela 25-2.

25–4 Eletrodinâmica em notação quadridimensional

Já havíamos encontrado o operador D'Alembertiano, sem dar esse nome, na Seção 18-6; as equações diferenciais que encontramos então para os potenciais podem ser escritas na nova notação como:

Tabela 25–2

As quantidades importantes da análise vetorial em três e quatro dimensões

	Três dimensões	Quatro dimensões
Vetor	$\boldsymbol{A} = (A_x, A_y, A_z)$	$a_\mu = (a_t, a_x, a_y, a_z) = (a_t, \boldsymbol{a})$
Produto escalar	$\boldsymbol{A}\cdot\boldsymbol{B} = A_xB_x + A_yB_y + A_zB_z$	$a_\mu b_\mu = a_tb_t - a_xb_x - a_yb_y - a_zb_z = a_tb_t - \boldsymbol{a}\cdot\boldsymbol{b}$
Operador vetorial	$\boldsymbol{\nabla} = (\partial/\partial x, \partial/\partial y, \partial/\partial z)$	$\nabla_\mu = (\partial/\partial t, -\partial/\partial x, -\partial/\partial y, -\partial/\partial z) = (\partial/\partial t, -\boldsymbol{\nabla})$
Gradiente	$\boldsymbol{\nabla}\psi = \left(\frac{\partial\psi}{\partial x}, \frac{\partial\psi}{\partial y}, \frac{\partial\psi}{\partial z}\right)$	$\nabla_\mu\varphi = \left(\frac{\partial\varphi}{\partial t}, -\frac{\partial\varphi}{\partial x}, -\frac{\partial\varphi}{\partial y}, -\frac{\partial\varphi}{\partial z}\right) = \left(\frac{\partial\varphi}{\partial t}, -\boldsymbol{\nabla}\varphi\right)$
Divergente	$\boldsymbol{\nabla}\cdot\boldsymbol{A} = \frac{\partial A_x}{\partial x} + \frac{\partial A_y}{\partial y} + \frac{\partial A_z}{\partial z}$	$\nabla_\mu a_\mu = \frac{\partial a_t}{\partial t} + \frac{\partial a_x}{\partial x} + \frac{\partial a_y}{\partial y} + \frac{\partial a_z}{\partial z} = \frac{\partial a_t}{\partial t} + \boldsymbol{\nabla}\cdot\boldsymbol{a}$
Laplaciano e D' Alembertiano	$\boldsymbol{\nabla}\cdot\boldsymbol{\nabla} = \frac{\partial^2}{\partial x^2} + \frac{\partial^2}{\partial y^2} + \frac{\partial^2}{\partial z^2} = \boldsymbol{\nabla}^2$	$\nabla_\mu\nabla_\mu = \frac{\partial^2}{\partial t^2} - \frac{\partial^2}{\partial x^2} - \frac{\partial^2}{\partial y^2} - \frac{\partial^2}{\partial z^2} = \frac{\partial^2}{\partial t^2} - \nabla^2 = \Box^2$

$$\Box^2\phi = \frac{\rho}{\epsilon_0}, \qquad \Box^2 A = \frac{j}{\epsilon_0}. \tag{25.21}$$

As quatro quantidades no lado direito das duas equações em (25.21) são ρ, j_x, j_y, j_z, divididos por ϵ_0, que é uma constante universal que será a mesma em todos os sistemas de coordenadas desde que a mesma unidade de carga seja usada em todos os referenciais. Então as quatro quantidades $\rho/\epsilon_0, j_x/\epsilon_0, j_y/\epsilon_0, j_z/\epsilon_0$ também se transformam como um quadrivetor. Podemos escrevê-las como j_μ/ϵ_0. O D'Alembertiano não muda quando o sistema de coordenadas é mudado, de modo que as quantidades ϕ, A_x, A_y, A_z *também devem se transformar* como um quadrivetor – o que significa que elas *são* as componentes de um quadrivetor. Resumindo,

$$A_\mu = (\phi, \boldsymbol{A})$$

é um quadrivetor. O que chamamos de potencial escalar e potencial vetor são, na verdade, aspectos diferentes da mesma quantidade física. Eles estão juntos e, se forem mantidos juntos, a invariância relativística do mundo fica óbvia. Chamamos A_μ de *quadripotencial.*

Na notação de quadrivetores, as Eqs. (25.21) se tornam simplesmente

$$\Box^2 A_\mu = \frac{j_\mu}{\epsilon_0}, \tag{25.22}$$

A física desta equação é a mesma das equações de Maxwell, mas existe um prazer em sermos capazes de reescrevê-las em uma forma elegante. A forma bonita também tem um significado; ela mostra diretamente a invariância da eletrodinâmica pelas transformações de Lorentz.

Lembre-se de que as Eqs. (25.21) só poderiam ser deduzidas das equações de Maxwell se impuséssemos a condição de calibre

$$\frac{\partial\phi}{\partial t} + \boldsymbol{\nabla}\cdot\boldsymbol{A} = 0, \tag{25.23}$$

que diz simplesmente que $\nabla_\mu A_\mu = 0$; a condição de calibre afirma que o divergente do quadrivetor A_μ é zero. Esta condição é denominada *condição de Lorenz.* Ela é muito conveniente porque é uma condição invariante; consequentemente, as equações de Maxwell permanecem na forma da Eq. (25.22) para todos os referenciais.

25–5 O quadripotencial de uma carga em movimento

Embora esteja implícito no que já dissemos, vamos escrever as leis de transformação que fornecem ϕ e $\boldsymbol{A}$ em um sistema em movimento em termos de ϕ e $\boldsymbol{A}$ em um sistema estacionário. Como $A_\mu = (\phi, \boldsymbol{A})$ é um quadrivetor, as equações devem se parecer com as Eqs. (25.1), exceto que t é substituído por ϕ e $\boldsymbol{x}$ é substituído por $\boldsymbol{A}$. Portanto,

$$\phi' = \frac{\phi - vA_x}{\sqrt{1-v^2}}, \qquad A'_y = A_y,$$
$$A'_x = \frac{A_x - v\phi}{\sqrt{1-v^2}}, \qquad A'_z = A_z. \tag{25.24}$$

Neste resultado, supusemos que o sistema de coordenadas com linha esteja se movendo com velocidade v na direção de x positivo, como medido no sistema de coordenadas sem linha.

Vamos considerar um exemplo da utilidade da ideia do quadripotencial. Quais são os potenciais escalar e vetor de uma carga q movendo-se com velocidade v ao longo do eixo x? O problema é fácil em um sistema de coordenadas movendo-se junto com a carga, já que neste sistema a carga está parada. Vamos supor que a carga esteja na origem do referencial S', como mostrado na Figura 25–2. Então, o potencial escalar no sistema em movimento é dado por

$$\phi' = \frac{q}{4\pi\epsilon_0 r'}, \tag{25.25}$$

onde r' é a distância de q até o ponto de teste, como medido no sistema em movimento. O potencial vetor $\boldsymbol{A}'$ é, obviamente, zero.

Agora podemos encontrar facilmente ϕ e $\boldsymbol{A}$, os potenciais medidos nas coordenadas estacionárias. As relações inversas das Eqs. (25.24) são

$$\phi = \frac{\phi' + vA'_x}{\sqrt{1-v^2}}, \qquad A_y = A'_y,$$
$$A_x = \frac{A'_x + v\phi'}{\sqrt{1-v^2}}, \qquad A_z = A'_z. \tag{25.26}$$

Usando o ϕ' dado pela Eq. (25.25) e $\boldsymbol{A}' = 0$, obtemos

$$\phi = \frac{q}{4\pi\epsilon_0}\frac{1}{r'\sqrt{1-v^2}}$$
$$= \frac{q}{4\pi\epsilon_0}\frac{1}{\sqrt{1-v^2}\sqrt{x'^2+y'^2+z'^2}}.$$

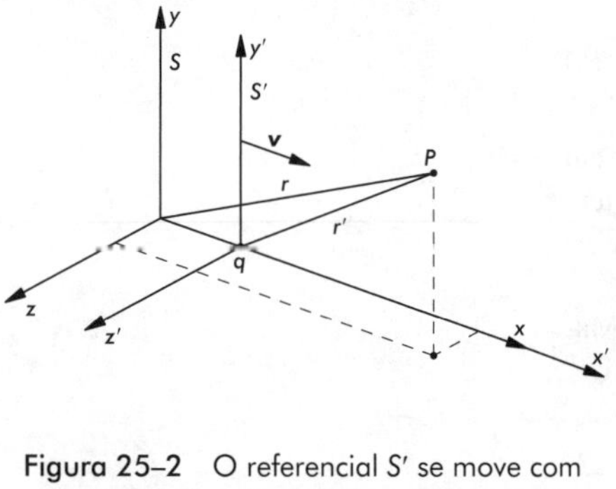

Figura 25–2 O referencial S' se move com velocidade $\boldsymbol{v}$ (na direção x) em relação a S. Uma carga em repouso na origem de S' está em $x = vt$ em S. Os potenciais em P podem ser calculados em qualquer dos dois referenciais.

Essa expressão dá o potencial escalar ϕ que veríamos em S, mas, infelizmente, expresso em termos das coordenadas de S'. Podemos obter a expressão em termos de t, x, y, z substituindo t', x', y' e z', usando (25.1). Obtemos

$$\phi = \frac{q}{4\pi\epsilon_0}\frac{1}{\sqrt{1-v^2}}\frac{1}{\sqrt{[(x-vt)/\sqrt{1-v^2}]^2+y^2+z^2}}. \tag{25.27}$$

Seguindo o mesmo procedimento para as componentes de $\boldsymbol{A}$, você pode mostrar que

$$\boldsymbol{A} = \boldsymbol{v}\phi. \tag{25.28}$$

Estas são as mesmas fórmulas que deduzimos por um método diferente no Capítulo 21.

25–6 A invariância das equações da eletrodinâmica

Verificamos que os potenciais ϕ e $\boldsymbol{A}$, tomados juntos, formam um quadrivetor que denominamos A_μ, e que as equações de onda – as equações completas que determinam as componentes de A_μ em termos das componentes j_μ – podem ser escritas como na Eq. (25.22). Esta equação, juntamente à conservação da carga, Eq. (25.19), dá a lei fundamental do campo eletromagnético:

$$\Box^2 A_\mu = \frac{1}{\epsilon_0} j_\mu, \qquad \nabla_\mu j_\mu = 0. \tag{25.29}$$

Aqui, em um pequeno espaço da página, estão todas as equações de Maxwell – belas e simples. Será que aprendemos alguma coisa escrevendo as equações nesta forma, além de que elas são belas e simples? Em primeiro lugar, será que isto é de alguma maneira diferente do que tínhamos antes, quando escrevemos as equações com todas as suas componentes? Podemos deduzir desta equação alguma coisa que não poderia ser deduzida das equações de onda para os potenciais em termos das cargas e das correntes? A resposta é definitivamente não. A única coisa que fizemos foi mudar os nomes das quantidades – usando uma nova notação. Escrevemos um símbolo quadrado para representar as derivadas, mas ele ainda significa nada mais nada menos do que a segunda derivada em relação a t, menos a segunda derivada em relação a x, menos a segunda derivada em relação a y, menos a segunda derivada em relação a z. E o μ significa que temos quatro equações, uma para cada $\mu = t, x, y$ ou z. Então qual é a importância do fato de que as equações podem ser escritas nesta forma simples? Do ponto de vista de deduzir alguma coisa diretamente, não tem importância nenhuma. Talvez, apesar disso, a simplicidade das equações signifique que a natureza também possui uma certa simplicidade.

Vamos mostrar uma coisa interessante que descobrimos recentemente: *todas as leis da física podem ser contidas em uma equação.* Esta equação é

$$\mathsf{U} = 0. \tag{25.30}$$

Que equação simples! É claro, é necessário conhecer o que o símbolo significa. U é uma quantidade física que vamos chamar de "inverossimilhança" da situação. E temos uma fórmula para ela. Eis aqui como você pode calcular a inverossimilhança. Você toma todas as leis físicas conhecidas e as escreve de uma forma especial. Por exemplo, você pode pegar a lei da mecânica, $\boldsymbol{F} = m\boldsymbol{a}$, e reescrevê-la como $\boldsymbol{F} - m\boldsymbol{a} = 0$. Então você pode chamar $(\boldsymbol{F} - m\boldsymbol{a})$ – que deveria ser zero, é claro – de "discrepância" da mecânica. A seguir, você toma o *quadrado* desta discrepância e chama de U_1, que chamamos de "inverossimilhança dos efeitos mecânicos". Em outras palavras, você toma

$$\mathsf{U}_1 = (\boldsymbol{F} - m\boldsymbol{a})^2. \tag{25.31}$$

Agora você pode escrever outra lei física, como $\nabla \cdot \boldsymbol{E} = \rho/\epsilon_0$, e definir

$$\mathsf{U}_2 = \left(\nabla \cdot \boldsymbol{E} - \frac{\rho}{\epsilon_0}\right)^2,$$

que você poderia chamar de "inverossimilhança gaussiana da eletricidade". Você continua a escrever U_3, U_4, e assim por diante – uma para cada lei física que existe.

Finalmente você define a inverossimilhança *total* do mundo como a soma das várias inverossimilhanças U_i de todos os subfenômenos envolvidos; ou seja, $\mathsf{U} = \sum \mathsf{U}_i$. Então a grande "lei da natureza" é

$$\boxed{\mathsf{U} = 0.} \tag{25.32}$$

Essa "lei" significa, é claro, que a soma dos quadrados de todas as discrepâncias individuais é zero, e a única maneira de fazer a soma de um monte de quadrados se anular é se cada um dos termos for igual a zero.

Então a lei "lindamente simples" da Eq. (25.32) é equivalente à série completa das equações que você escreveu originalmente. Portanto, é absolutamente óbvio que uma notação simples que apenas esconde a complexidade nas definições dos símbolos não traz uma simplicidade real. *É apenas um truque*. A beleza que aparece na Eq. (25.32) – simplesmente porque muitas equações estão escondidas por trás dela – não é mais do que um truque. Quando você desembrulhar a coisa toda, voltará para o mesmo ponto onde estava antes.

Porém, *existe* mais na simplicidade das leis do eletromagnetismo escritas na forma da Eq. (25.29). Elas possuem um significado maior, assim como uma teoria de análise vetorial possui um significado maior. O fato de que as equações eletromagnéticas podem ser escritas em uma notação muito particular *que foi desenvolvida* para a geometria das transformações de Lorentz – em outras palavras, como uma equação vetorial no quadriespaço (espaço-tempo) – significa que ela é invariante por transformações de Lorentz. É porque as equações de Maxwell são invariantes por estas transformações que elas podem ser escritas em uma forma bonita.

Não é por acaso que as equações da eletrodinâmica podem ser escritas na forma bonita e elegante da Eq. (25.29). A teoria da relatividade foi desenvolvida *porque foi descoberto experimentalmente* que os fenômenos preditos pelas equações de Maxwell eram os mesmos em todos os referenciais inerciais. E foi precisamente estudando as propriedades de transformação das equações de Maxwell que Lorentz descobriu a sua transformação, como a única que deixava as equações invariantes.

Entretanto, existe outro motivo para escrever as equações nesta forma. Foi descoberto – depois que Einstein sugeriu que deveria ser assim – que *todas* as leis da física são invariantes por transformações de Lorentz. Esse é o princípio da relatividade. Portanto, se inventarmos uma notação que mostre imediatamente quando uma lei for escrita se ela é invariante ou não, podemos ter certeza de que, quando tentarmos criar novas teorias, escreveremos apenas equações que sejam consistentes com o princípio da relatividade.

O fato de que as equações de Maxwell são simples nesta notação particular não é um milagre, pois a notação foi inventada tendo em vista estas equações. O ponto fisicamente interessante é que *todas as leis da física* – a propagação de ondas de mésons ou o comportamento de neutrinos no decaimento beta, e assim por diante – devem ter a mesma invariância pela mesma transformação. Então quando você estiver se movendo com velocidade uniforme em uma espaçonave, todas as leis da natureza se transformarão juntas, de maneira que nenhum fenômeno novo ocorra, justamente porque o princípio da relatividade é um fato da natureza em que as equações do mundo parecem simples na notação de vetores quadridimensionais.

26

As Transformações de Lorentz dos Campos

Neste capítulo: $c = 1$

Revisão: Capítulo 20, Vol. II, *Soluções das Equações de Maxwell no Vácuo*

26–1 O quadripotencial de uma carga em movimento

Vimos no capítulo anterior que o potencial $A_\mu = (\phi, \boldsymbol{A})$ é um quadrivetor. A componente temporal é o potencial escalar ϕ, e as três componentes espaciais são as componentes do potencial vetor $\boldsymbol{A}$. Também obtivemos os potenciais de uma partícula movendo-se com velocidade uniforme em uma linha reta usando as transformações de Lorentz (já havíamos encontrado estes resultados por um outro método no Capítulo 21). Para uma carga puntiforme cuja posição no tempo t é $(vt, 0, 0)$, os potenciais no ponto (x, y, z) são

$$\begin{aligned}
\phi &= \frac{1}{4\pi\epsilon_0\sqrt{1-v^2}} \frac{q}{\left[\dfrac{(x-vt)^2}{1-v^2}+y^2+z^2\right]^{1/2}} \\
A_x &= \frac{1}{4\pi\epsilon_0\sqrt{1-v^2}} \frac{qv}{\left[\dfrac{(x-vt)^2}{1-v^2}+y^2+z^2\right]^{1/2}} \qquad (26.1)\\
A_y &= A_z = 0
\end{aligned}$$

As Eqs. (26.1) fornecem os potenciais em x, y e z no tempo t, para uma carga cuja posição "atual" (a posição medida *no tempo t*) seja $x = vt$. Observe que as equações estão em termos de $(x - vt)$, y e z, que são as coordenadas medidas *a partir da posição atual P* da carga em movimento (ver Figura 26–1). Sabemos que a influência real da carga viaja na verdade com velocidade c, então é o comportamento da carga na posição retardada P' que conta.[1] O ponto P' está em $x = vt'$ (onde $t' = t - r'/c$ é o tempo retardado). Dissemos que a carga estava se movendo com velocidade uniforme em uma linha reta, então naturalmente os comportamentos em P' e na posição atual estão diretamente relacionados. De fato, se fizermos a suposição adicional de que os potenciais dependem somente da posição e da velocidade no tempo retardado, teremos nas Eqs. (26.1) uma fórmula *completa* para os potenciais de uma carga se movendo de *qualquer* maneira. Isso funciona da seguinte maneira. Vamos imaginar uma carga se movendo de alguma maneira arbitrária, como a trajetória da Figura 26–2, por exemplo, e você quer obter os potenciais no ponto (x, y, z). Primeiro, você encontra a posição retardada P' e a velocidade v' naquele ponto. Então você imagina que a carga continuaria se movendo com esta velocidade durante o atraso $(t' - t)$ de modo que ela apareceria em uma posição imaginária P_{proj}, que podemos chamar de "posição projetada", e chegaria lá com a velocidade v' (obviamente, a carga não faz isso, a sua posição em t é P). Então os potenciais em (x, y, z) serão simplesmente o que as Eqs. (26.1) dariam para uma carga imaginária na posição projetada P_{proj}. O que estamos dizendo é que, uma vez que os potenciais dependem apenas do que a carga está fazendo no tempo *retardado*, os potenciais serão os mesmos se a carga continuar a se mover com velocidade constante ou se ela mudar a sua velocidade após t' – ou seja, depois que os potenciais que vão aparecer em (x, y, z) no tempo t já tiverem sido determinados.

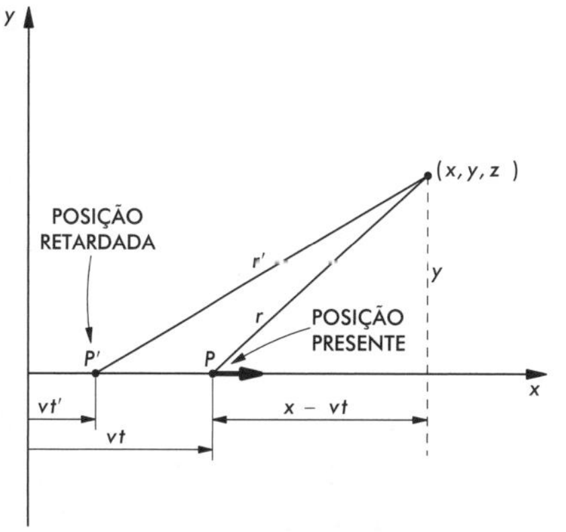

Figura 26–1 Obtenção dos campos em P devido a uma carga q movendo-se ao longo do eixo x com a velocidade constante v. O campo "agora" no ponto (x, y, z) pode ser expresso em termos da posição "presente" P, assim como em termos de P', a posição "retardada" (em $t' = t - r'/c$).

Você sabe, é claro, que a partir do momento em que temos a fórmula para os potenciais de uma carga movendo-se de maneira arbitrária, temos a eletrodinâmica completa; podemos obter os potenciais de qualquer distribuição de cargas por superposição. Portanto, podemos resumir todos os fenômenos da eletrodinâmica escrevendo as equações de Maxwell ou com a seguinte série de observações (lembre-se delas se você ficar perdido em uma ilha deserta. A partir delas, tudo

[1] As linhas usadas aqui para indicar as posições e tempos *retardados* não devem ser confundidas com as linhas indicando um referencial obtido por uma transformação de Lorentz no capítulo anterior.

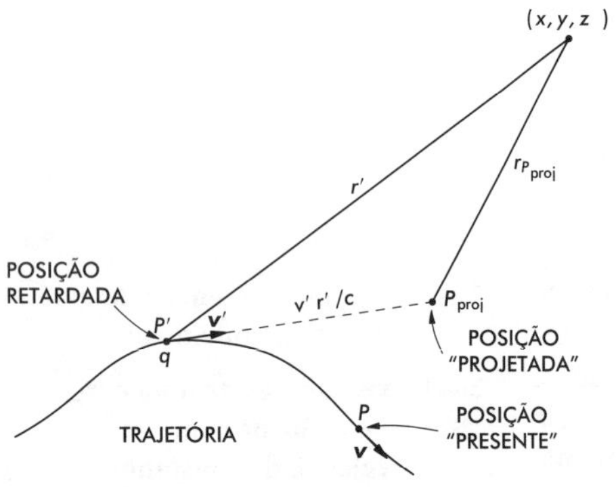

Figura 26–2 Uma carga se move em uma trajetória arbitrária. Os potenciais em (x,y,z) no tempo t são determinados pela posição P' e a velocidade v' no tempo retardado t' – r'/c. Eles são expressos convenientemente em termos das coordenadas da posição "projetada" P_{proj} (a posição real em t é P).

pode ser reconstruído. É claro que você saberá a transformação de Lorentz; você nunca esquecerá *isto* em uma ilha deserta ou em qualquer outro lugar).

Primeiro, A_μ é um quadrivetor. *Segundo*, o potencial coulombiano para uma carga estacionária é $q/4\pi\epsilon_0 r$. *Terceiro*, os potenciais produzidos por uma carga em movimento arbitrário dependem apenas da posição e da velocidade no tempo retardado. Com esses três fatos, temos tudo. A partir do fato de que A_μ é um quadrivetor, transformamos o potencial coulombiano, que conhecemos, e obtemos os potenciais para uma velocidade constante. Então, pela última afirmação de que os potenciais dependem apenas da velocidade passada no tempo retardado, podemos usar a brincadeira da posição projetada para obtê-los. Este não é um modo particularmente útil de fazer as coisas, mas é interessante mostrar que as leis da física podem ser expressas de tantas formas diferentes.

De vez em quando, algumas pessoas descuidadas dizem que toda a eletrodinâmica pode ser deduzida unicamente da transformação de Lorentz e da lei de Coulomb. É claro que isso é completamente falso. Primeiro, tivemos de supor que existem um potencial escalar e um potencial vetor que, juntos, formam um quadrivetor. Isso nos diz como os potenciais se transformam. Então por que apenas os efeitos no tempo retardado são importantes? Melhor ainda, por que os potenciais dependem apenas da posição e da velocidade, e não da aceleração, por exemplo? Os *campos* ***E*** e ***B*** *dependem* da aceleração. Se você tentar usar o mesmo tipo de argumento para os campos, você diria que eles dependem apenas da posição e da velocidade no tempo retardado. Neste caso, os campos de uma carga acelerada seriam iguais aos campos de uma carga na posição projetada – e isso é falso. Os *campos* dependem não apenas da posição e da velocidade ao longo do caminho, mas também da aceleração. Então existem diversas suposições tácitas adicionais nesta afirmação grandiosa de que tudo pode ser deduzido da transformação de Lorentz (toda vez que você vir um enunciado abrangente, que afirma que uma tremenda quantidade de informações pode ser obtida de um pequeno número de suposições, você sempre descobrirá que o enunciado é falso. Existe normalmente um grande número de suposições implicadas que estão longe de ser óbvias se você pensar a respeito cuidadosamente).

26–2 Os campos de uma carga puntiforme com uma velocidade constante

Agora que temos os potenciais para uma carga puntiforme movendo-se com uma velocidade constante, precisamos obter os campos – por motivos práticos. Existem muitos casos em que temos partículas movendo-se uniformemente – por exemplo, raios cósmicos atravessando uma câmara de nuvens, ou mesmo elétrons movendo-se lentamente em um fio. Então vamos ver pelo menos como os campos realmente se parecem para uma velocidade qualquer – mesmo para velocidades próximas da velocidade da luz – supondo apenas que não exista aceleração. Esta é uma questão interessante.

Obtemos os campos a partir dos potenciais pelas regras usuais:

$$\boldsymbol{E} = -\nabla\phi - \frac{\partial \boldsymbol{A}}{\partial t}, \qquad \boldsymbol{B} = \nabla \times \boldsymbol{A}.$$

Primeiro, para E_z

$$E_z = -\frac{\partial\phi}{\partial z} - \frac{\partial A_z}{\partial t}.$$

Mas A_z é zero; então, diferenciando ϕ nas Equações (26.1), obtemos

$$E_z = \frac{q}{4\pi\epsilon_0\sqrt{1-v^2}} \frac{z}{\left[\dfrac{(x-vt)^2}{1-v^2} + y^2 + z^2\right]^{3/2}}. \tag{26.2}$$

De maneira análoga, para E_y,

$$E_y = \frac{q}{4\pi\epsilon_0\sqrt{1-v^2}} \frac{y}{\left[\dfrac{(x-vt)^2}{1-v^2} + y^2 + z^2\right]^{3/2}}. \tag{26.3}$$

A componente x requer um pouco mais de trabalho. A derivada de ϕ é um pouco mais complicada e A_x não é zero. Primeiro,

$$-\frac{\partial\phi}{\partial x} = \frac{q}{4\pi\epsilon_0\sqrt{1-v^2}} \frac{(x-vt)/(1-v^2)}{\left[\dfrac{(x-vt)^2}{1-v^2}+y^2+z^2\right]^{3/2}}. \tag{26.4}$$

Então, diferenciando A_x em relação a t, obtemos

$$-\frac{\partial A_x}{\partial t} = \frac{q}{4\pi\epsilon_0\sqrt{1-v^2}} \frac{-v^2(x-vt)/(1-v^2)}{\left[\dfrac{(x-vt)^2}{1-v^2}+y^2+z^2\right]^{3/2}}. \tag{26.5}$$

E finalmente, efetuando a soma,

$$E_x = \frac{q}{4\pi\epsilon_0\sqrt{1-v^2}} \frac{x-vt}{\left[\dfrac{(x-vt)^2}{1-v^2}+y^2+z^2\right]^{3/2}}. \tag{26.6}$$

Vamos analisar a física de $\boldsymbol{E}$ daqui a pouco: vamos obter $\boldsymbol{B}$ primeiro. Para a componente z,

$$B_z = \frac{\partial A_y}{\partial x} - \frac{\partial A_x}{\partial y}.$$

Como A_y é zero, temos de calcular apenas uma derivada. Observe, porém, que A_x é simplesmente $v\phi$ e $\partial/\partial y$ de $v\phi$ é apenas $-vE_y$. Portanto,

$$B_z = vE_y. \tag{26.7}$$

De maneira análoga,

$$B_y = \frac{\partial A_x}{\partial z} - \frac{\partial A_z}{\partial x} = +v\frac{\partial\phi}{\partial z}$$

e

$$B_y = -vE_z. \tag{26.8}$$

Finalmente, B_x é zero, pois A_y e A_z são nulos. Podemos escrever o campo magnético simplesmente como

$$\boldsymbol{B} = \boldsymbol{v} \times \boldsymbol{E}. \tag{26.9}$$

Veremos agora como os campos se parecem. Vamos tentar desenhar uma imagem do campo ao redor da posição atual da carga. É verdade que a influência da carga vem, em um certo sentido, da posição retardada; mas como o movimento é especificado exatamente, a posição da carga é dada de maneira unívoca em termos da posição atual. Para velocidades uniformes, é melhor relacionar os campos com a posição atual, porque as componentes do campo em (x, y, z) dependem somente de $(x - vt)$, y e z – que são as componentes dos deslocamentos $\boldsymbol{r}$ da posição atual até (x, y, z) (ver Figura 26–3).

Considere primeiramente um ponto com $z = 0$. Neste caso $\boldsymbol{E}$ possui apenas as componentes x e y. Das Eqs. (26.3) e (26.6), a razão entre estas componentes é exatamente igual à razão entre as componentes x e y do deslocamento. Isso significa que $\boldsymbol{E}$ está na *mesma direção* que $\boldsymbol{r}$, como mostrado na Figura 26–3. Como E_z também é proporcional a z, está claro que este resultado também é válido em três dimensões. Resumindo, o campo elétrico é radial a partir da carga, e as linhas de campos são irradiadas diretamente a partir da carga, exatamente como para uma carga estacionária. É claro que o campo não é exatamente o mesmo que para

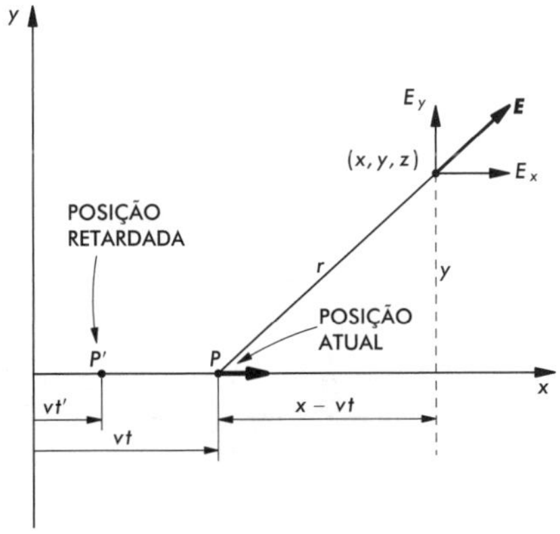

Figura 26–3 Para uma carga movendo-se com velocidade constante, o campo elétrico aponta radialmente a partir da posição atual da carga.

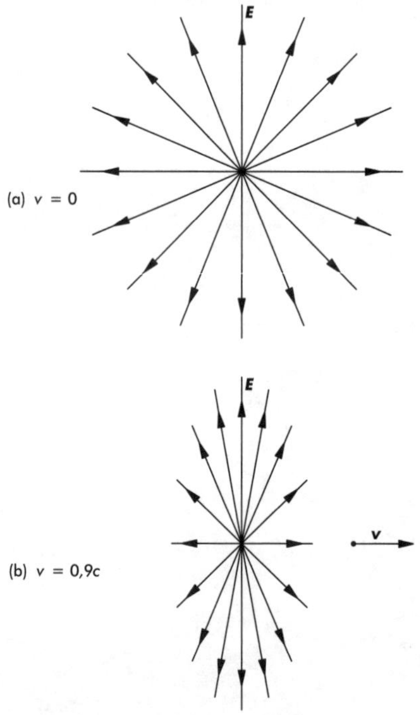

Figura 26–4 O campo elétrico de uma carga se movendo com a velocidade constante v = 0,9c, parte (b), comparado com o campo de uma carga em repouso, parte (a).

uma carga estacionária, devido a todos os fatores $(1 - v^2)$ extras. Ainda assim, podemos mostrar algo bastante interessante. A diferença é simplesmente o que você obteria se desenhasse o campo coulombiano com um sistema de coordenadas peculiar no qual a escala de x fosse comprimida pelo fator $\sqrt{1 - v^2}$. Se você fizer isso, as linhas de campo se espalharão na frente e atrás da carga e serão comprimidas juntas pelos lados, como mostrado na Figura 26–4.

Se relacionarmos a intensidade de $\boldsymbol{E}$ com a densidade das linhas de campo da maneira convencional, veremos um campo mais forte dos lados e um campo mais fraco na frente e atrás. Primeiro, se olharmos para a intensidade do campo em um ângulo perpendicular à linha do movimento, ou seja, para $(x - vt) = 0$, a distância a partir da carga será $\sqrt{y^2 + z^2}$. Então a intensidade total do campo será $\sqrt{E_y^2 + E_z^2}$, que é

$$E = \frac{q}{4\pi\epsilon_0\sqrt{1 - v^2}}\frac{1}{y^2 + z^2}. \tag{26.10}$$

O campo é proporcional ao inverso do quadrado da distância – assim como o campo coulombiano, apenas aumentado por um fator extra constante $1/\sqrt{1 - v^2}$, que é sempre maior do que 1. Então nos *lados* de uma carga em movimento, o campo elétrico é mais forte do que você obteria pela lei de Coulomb. De fato, o campo na direção lateral é maior do que o potencial coulombiano pela razão entre a energia da partícula e a sua massa de repouso.

Na frente da carga (e atrás), y e z são zero e

$$E = E_x = \frac{q(1 - v^2)}{4\pi\epsilon_0(x - vt)^2}. \tag{26.11}$$

O campo varia novamente como o inverso do quadrado da distância a partir da carga, mas agora é *reduzido* pelo fator $(1 - v^2)$, de acordo com o desenho das linhas de campo. Se v/c for pequeno, v^2/c^2 será menor ainda, e o efeito dos termos $(1 - v^2)$ será muito pequeno; voltaremos para a lei de Coulomb. Se uma partícula estiver movendo-se com uma velocidade muito próxima da velocidade da luz, o campo na direção frontal será enormemente reduzido e o campo na direção lateral será enormemente aumentado.

Nossos resultados para o campo elétrico de uma carga podem ser expressos da seguinte maneira: suponha que você quisesse desenhar em um pedaço de papel as linhas de campo para uma carga em repouso e então colocar o desenho viajando com velocidade v. Então, é claro, o desenho inteiro seria comprimido pela contração de Lorentz; isto é, os grânulos de carbono no papel apareceriam em posições diferentes. O milagre disso tudo é que o desenho que você veria quando a página passasse voando ainda representaria as linhas de campo da carga puntiforme. A contração aproxima as linhas nos lados e as espalha na frente e atrás, exatamente da maneira certa para dar as densidades de linhas corretas. Enfatizamos anteriormente que as linhas de campo não são reais, são apenas uma maneira de se representar o campo. No entanto, aqui elas quase parecem ser reais. Neste caso em particular, se você cometer o erro de pensar que as linhas de campo estão realmente presentes de alguma forma no espaço, e as transformar, você obterá os campos corretos. Entretanto, isso não torna as linhas de campo mais reais. Tudo o que você precisa fazer para lembrar que elas não são reais é pensar nos campos produzidos por uma carga junto a um ímã; quando o ímã se move, novos campos elétricos são produzidos, e destroem o belo desenho. Então a simples ideia de contrair o desenho não funciona em geral. Ela é, porém, um modo útil de lembrar como os campos de uma carga movendo-se rapidamente se parecem.

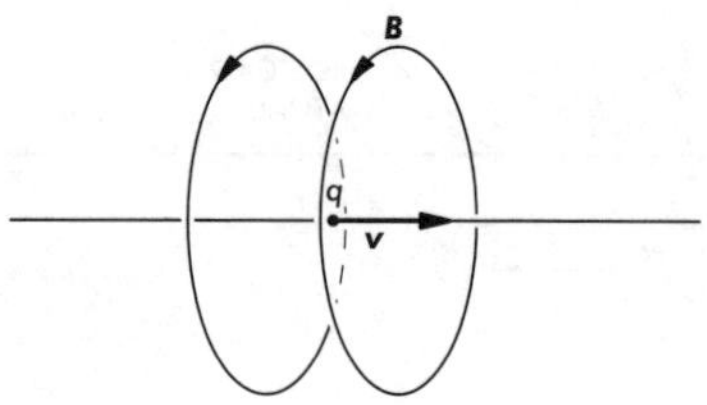

Figura 26–5 O campo magnético próximo de uma carga em movimento é v × **E**. (Compare com a Figura 26–4.)

O campo magnético é $\boldsymbol{v} \times \boldsymbol{E}$ [da Eq. (26.9)]. Se você tomar a velocidade atravessada em um campo $\boldsymbol{E}$ radial, obterá um $\boldsymbol{B}$ que circula ao redor da linha do movimento, como mostrado na Figura 26–5. Se colocarmos os c de volta, vocês verá que este é o mesmo resultado que tínhamos para cargas movendo-se com baixas velocidades. Uma boa maneira de ver onde os c devem ir é comparando com a lei de força,

$$\boldsymbol{F} = q(\boldsymbol{E} + \boldsymbol{v} \times \boldsymbol{B}).$$

Você pode ver que a velocidade vezes o campo magnético possui a mesma dimensão que o campo elétrico. Então o lado direito da Eq. (26-9) deve ter um fator $1/c^2$:

$$B = \frac{v \times E}{c^2}. \tag{26.12}$$

Para uma carga movendo-se lentamente ($v \ll c$), podemos tomar $\boldsymbol{E}$ como sendo o campo coulombiano; então,

$$B = \frac{q}{4\pi\epsilon_0 c^2}\frac{v \times r}{r^3}. \tag{26.13}$$

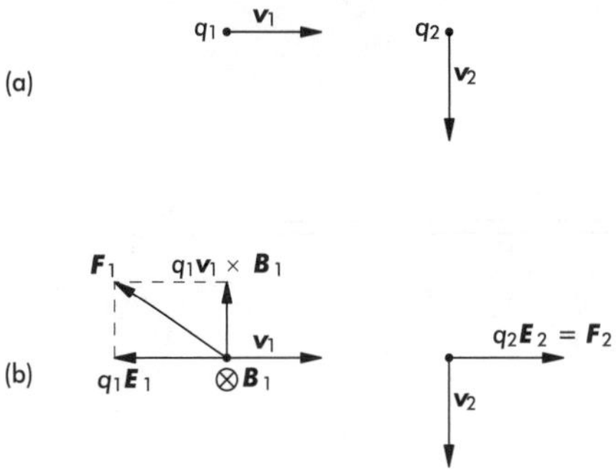

Figura 26–6 As forças entre duas cargas em movimento não são sempre iguais e opostas. Parece que a "ação" não é igual à "reação".

Essa fórmula corresponde exatamente às equações para o campo magnético de uma corrente que obtivemos na Seção 14-7.

Gostaríamos de ressaltar, rapidamente, uma coisa interessante para você pensar a respeito (mais tarde voltaremos a discutir este assunto). Imagine dois prótons com velocidades perpendiculares, de modo que um cruze o caminho do outro, mas com um atraso, de modo que eles não colidam. Em algum instante, as suas posições serão como na Figura 26–6(a). Vamos olhar a força em q_1 devido a q_2 e vice-versa. Em q_2 existe apenas a força elétrica de q_1, pois q_1 não produz nenhum campo magnético ao longo da sua linha de movimento. Em q_1, no entanto, existe novamente a força elétrica, mas, além disso, existe uma força magnética, pois a carga está se movendo em um campo magnético gerado por q_2. As forças são como está desenhado na Figura 26–6(b). As forças elétricas em q_1 e q_2 são iguais e opostas. Não obstante, existe uma força (magnética) lateral em q_1 *e nenhuma força lateral* em q_2. A ação não é igual à reação? Vamos deixar você pensar a respeito.

26–3 Transformação relativística dos campos

Na seção anterior, calculamos os campos elétricos e magnéticos dos potenciais transformados. Os campos são importantes, é claro, apesar dos argumentos dados anteriormente de que existe significado físico e realidade nos potenciais. Os campos também são reais. Seria conveniente para muitos propósitos ter uma maneira de calcular os campos em um sistema em movimento se você já conhecesse os campos em algum referencial "em repouso". Temos as leis de transformação para ϕ e $\boldsymbol{A}$, porque A_μ é um quadrivetor. Agora gostaríamos de saber as leis de transformação para $\boldsymbol{E}$ e $\boldsymbol{B}$. Dados $\boldsymbol{E}$ e $\boldsymbol{B}$ em um referencial, como eles são em outro referencial movendo-se relativamente ao primeiro? É conveniente ter essa transformação. Sempre poderíamos trabalhar a partir dos potenciais, mas às vezes é útil poder transformar os campos diretamente. Vamos ver como isso funciona.

Como podemos obter as leis de transformação dos campos? Conhecemos as leis de transformação de ϕ e $\boldsymbol{A}$, e sabemos como os campos são dados em termos de ϕ e $\boldsymbol{A}$ – deveria ser fácil encontrar a transformação para $\boldsymbol{E}$ e $\boldsymbol{B}$ (você poderia imaginar que para cada vetor deveria haver alguma coisa para torná-lo um quadrivetor, então para $\boldsymbol{E}$ deve haver alguma coisa que possamos usar como a quarta componente, assim como para $\boldsymbol{B}$. Mas não é assim. É muito diferente do que você poderia supor). Para começar, vamos tomar apenas um campo $\boldsymbol{B}$, que é, obviamente, $\nabla \times \boldsymbol{A}$. Agora sabemos que o potencial vetor com as suas componentes x, y e z é apenas uma parte de uma outra coisa; também existe uma componente t. Além disso, sabemos que para derivadas como ∇, além das partes em x, y, z, existe também uma derivada em relação a t. Então tentaremos descobrir o que acontece se substituirmos um "y" por um "t", um "z" por um "t" ou algo assim.

Primeiro, reparem na forma dos termos em $\nabla \times \boldsymbol{A}$ quando explicitamos as componentes:

$$B_x = \frac{\partial A_z}{\partial y} - \frac{\partial A_y}{\partial z}, \quad B_y = \frac{\partial A_x}{\partial z} - \frac{\partial A_z}{\partial x}, \quad B_z = \frac{\partial A_y}{\partial x} - \frac{\partial A_x}{\partial y}. \tag{26.14}$$

A componente x é igual a um par de termos que envolvem apenas as componentes y e z. Vamos chamar essa combinação de derivadas e componentes de "componente-zy", e vamos dar um nome abreviado, F_{zy}. Queremos dizer simplesmente que

$$F_{zy} \equiv \frac{\partial A_z}{\partial y} - \frac{\partial A_y}{\partial z}. \tag{26.15}$$

De maneira análoga, B_y é igual ao mesmo tipo de "componente", mas desta vez é uma "componente-xz". E B_z é, obviamente, a "componente-yx" correspondente. Temos

$$B_x = F_{zy}, \quad B_y = F_{xz}, \quad B_z = F_{yx}. \tag{26.16}$$

Agora o que acontece se simplesmente tentarmos inventar também algumas componentes tipo "t" como F_{xt} e F_{tz} (já que a natureza deveria ser bonita e simétrica em x, y, z, e t)? Por exemplo, o que é F_{tz}? Obviamente, é

$$\frac{\partial A_t}{\partial z} - \frac{\partial A_z}{\partial t}.$$

Contudo, lembre que $A_t = \phi$, então isso também é igual a

$$\frac{\partial \phi}{\partial z} - \frac{\partial A_z}{\partial t}.$$

Você já viu isso antes. É a componente z de $\boldsymbol{E}$. Bem, quase – há um sinal errado, mas esquecemos que no gradiente quadridimensional a derivada em t vem com o sinal oposto de x, y e z. Portanto deveríamos na verdade ter tomado a extensão mais consistente de F_{tz}, como

$$F_{tz} = \frac{\partial A_t}{\partial z} + \frac{\partial A_z}{\partial t}. \tag{26.17}$$

Então a resposta é exatamente igual a $-E_z$. Tentando também F_{tz} e F_{ty}, verificamos que as três possibilidades fornecem

$$F_{tx} = -E_x, \quad F_{ty} = -E_y, \quad F_{tz} = -E_z. \tag{26.18}$$

O que acontece se os dois índices subscritos forem t? Ou se ambos forem x? Obteremos resultados como

$$F_{tt} = \frac{\partial A_t}{\partial t} - \frac{\partial A_t}{\partial t},$$

e

$$F_{xx} = \frac{\partial A_x}{\partial x} - \frac{\partial A_x}{\partial x},$$

que não dão nada além de zero.

Temos então seis destas componentes de F. Existem mais seis que você obtém invertendo os índices subscritos, mas elas não dão nada realmente novo, pois

$$F_{xy} = -F_{yx},$$

e assim por diante. Logo, das dezesseis combinações possíveis dos quatro índices subscritos tomados aos pares, obtemos apenas seis objetos físicos diferentes; *e eles são as componentes de* $\boldsymbol{B}$ *e* $\boldsymbol{E}$.

Para representar o termo geral de F, vamos usar os índices subscritos gerais μ e ν, onde cada um pode assumir 0, 1, 2 ou 3 – significando na nossa notação usual de quadrivetores t, x, y e z. Além do mais, tudo será consistente com a nossa notação de quadrivetores se definirmos $F_{\mu\nu}$ por

$$F_{\mu\nu} = \nabla_\mu A_\nu - \nabla_\nu A_\mu, \tag{26.19}$$

lembrando que $\nabla_\mu = (\partial/\partial t, -\partial/\partial x, -\partial/\partial y, -\partial/\partial z)$ e que $A_\mu = (\phi, A_x, A_y, A_z)$.

O que encontramos é que existem seis quantidades que devem estar juntas na natureza – que são aspectos diferentes da mesma coisa. Os campos elétricos e magnéticos que consideramos como vetores separados em nosso mundo a baixas velocidades (em que não nos preocupamos com a velocidade da luz) não são vetores no quadriespaço. Eles são partes de uma "entidade" nova. Nosso "campo" físico é na verdade o objeto de seis componentes $F_{\mu\nu}$. É dessa forma que os campos devem ser interpretados na relatividade. Os resultados para $F_{\mu\nu}$ estão resumidos na Tabela 26-1.

Tabela 26–1

As componentes de $F_{\mu\nu}$

$$F_{\mu\nu} = -F_{\nu\mu}$$

$$F_{\mu\mu} = 0$$

$F_{xy} = -B_z$	$F_{xt} = E_x$
$F_{yz} = -B_x$	$F_{yt} = E_y$
$F_{zx} = -B_y$	$F_{zt} = E_z$

Você pode ver que o que fizemos aqui foi generalizar o produto vetorial. Começamos com a operação do rotacional, e o fato de que as propriedades de transformação do rotacional são as mesmas que as propriedades de transformação de *dois* vetores – o vetor tridimensional $\boldsymbol{A}$ usual e o operador gradiente, que sabemos que se comporta como um vetor. Vamos considerar por um momento um produto vetorial usual em três dimensões, por exemplo, o momento angular de uma partícula. Quando um objeto está se movendo em um plano, a quantidade $(xv_y - yv_x)$ é importante. Para o movimento em três dimensões, existem três destas quantidades importantes, que denominamos momento angular:

$$L_{xy} = m(xv_y - yv_x), \qquad L_{yz} = m(yv_z - zv_y), \qquad L_{zx} = m(zv_x - xv_z).$$

Então (embora você provavelmente já tenha esquecido) descobrimos no Capítulo 20 do Vol. I que, milagrosamente, essas três quantidades poderiam ser identificadas com as componentes de um vetor. Para fazer isso, tivemos de criar uma regra artificial com a convenção da mão direita. Foi apenas sorte. E foi sorte porque L_{ij} (com i e j iguais a x, y ou z) era um objeto antissimétrico:

$$L_{ij} = -L_{ji}, \qquad L_{ii} = 0.$$

Das nove quantidades possíveis, existem apenas três números independentes. E quando você muda de sistema de coordenadas, esses três objetos se transformam exatamente da mesma maneira que as componentes de um vetor.

A mesma condição nos permite representar um elemento de superfície como um vetor. Um elemento de superfície possui duas partes – dx e dy, por exemplo – que podemos representar pelo vetor $\boldsymbol{da}$ normal à superfície. Contudo, não podemos fazer isso em quatro dimensões. Qual é a "normal" a $dxdy$? É na direção de z ou na direção de t?

Resumindo, o que acontece em três dimensões por sorte é que, depois de você tomar uma combinação de dois vetores como L_{ij}, você pode representá-la novamente por um outro vetor, porque existem apenas três termos que, acontece, transformam-se como as componentes de um vetor. Em quatro dimensões, isso é evidentemente impossível, porque existem seis termos independentes, e você não pode representar seis coisas por quatro coisas.

Mesmo em três dimensões é possível ter combinações de vetores que não podem ser representadas por vetores. Vamos tomar dois vetores quaisquer $\boldsymbol{a} = (a_x, a_y, a_z)$ e $\boldsymbol{b} = (b_x, b_y, b_z)$ e fazer todas as diversas combinações possíveis de componentes, como a_xb_x, a_xb_y, etc. Então existiriam nove quantidades possíveis:

$$\begin{matrix} a_xb_x, & a_xb_y, & a_xb_z, \\ a_yb_x, & a_yb_y, & a_yb_z, \\ a_zb_x, & a_zb_y, & a_zb_z. \end{matrix}$$

Vamos chamar essas quantidades de T_{ij}.

Se agora formos para um sistema de coordenadas obtido por uma rotação do sistema de coordenadas original (por uma rotação ao redor do eixo z, por exemplo), as componentes de $\boldsymbol{a}$ e $\boldsymbol{b}$ serão modificadas. No novo sistema, a_x, por exemplo, será substituída por

$$a'_x = a_x \cos\theta + a_y \operatorname{sen}\theta,$$

e b_y será substituída por

$$b'_y = b_y \cos\theta - b_x \operatorname{sen}\theta$$

e de maneira análoga para todas as outras componentes. As nove componentes da quantidade tipo produto T_{ij} que inventamos também serão todas modificadas, é claro. Por exemplo, $T_{xy} = a_x b_y$ será modificada para

$$T'_{xy} = a_x b_y(\cos^2\theta) - a_x b_x(\cos\theta\,\text{sen}\,\theta) + a_y b_y(\text{sen}\,\theta\cos\theta) - a_y b_x(\text{sen}^2\theta),$$

ou

$$T'_{xy} = T_{xy}\cos^2\theta - T_{xx}\cos\theta\,\text{sen}\theta + T_{yy}\,\text{sen}\,\theta\cos\theta - T_{yx}\text{sen}^2\,\theta.$$

Cada componente de T'_{ij} é uma combinação linear das componentes de T_{ij}.

Então descobrimos que não é apenas possível ter um "produto vetorial" como $\boldsymbol{a} \times \boldsymbol{b}$ com três componentes que se transformam como um vetor, mas podemos – artificialmente – fazer também outro tipo de "produto" de dois vetores T_{ij} com nove componentes que se transformam por uma rotação com um complicado conjunto de regras que poderíamos descobrir. Este objeto, que possui dois índices para descrevê-lo, em vez de um, é denominado um *tensor*. Ele é um tensor de "segunda ordem", porque você pode fazer este jogo com três vetores também e obter um tensor de terceira ordem – ou com quatro, para obter um tensor de quarta ordem e assim por diante. Um tensor de primeira ordem é um vetor.

O ponto de tudo isso é que a nossa quantidade eletromagnética $F_{\mu\nu}$ também é um tensor de segunda ordem, porque possui dois índices. Ele é, entretanto, um tensor em quatro dimensões. Ele se transforma de uma maneira especial que vamos desenvolver daqui a um momento – é simplesmente o modo como um produto de vetores se transforma. O que acontece com $F_{\mu\nu}$ é que quando os índices são invertidos, $F_{\mu\nu}$ muda de sinal. Este é um caso especial – é um *tensor antissimétrico*. Então podemos dizer: os campos elétrico e magnético são, ambos, parte de um tensor antissimétrico de segunda ordem em quatro dimensões.

Avançamos muito. Lembra quando definimos o que era uma velocidade? Agora estamos falando de "um tensor antissimétrico de segunda ordem em quatro dimensões".

Temos de obter a lei de transformação para $F_{\mu\nu}$. Não é muito difícil de fazê-lo; é apenas trabalhoso – a inteligência envolvida é nula, mas o trabalho não é. O que queremos é a transformação de Lorentz de $\nabla_\mu A_\nu - \nabla_\nu A_\mu$. Como ∇_μ é apenas um caso especial de um vetor, vamos trabalhar com uma combinação geral antissimétrica de vetores, que podemos chamar de $G_{\mu\nu}$:

$$G_{\mu\nu} = a_\mu b_\nu - a_\nu b_\mu. \tag{26.20}$$

(Para os nossos propósitos, a_μ será substituído no final por ∇_μ e b_μ será substituído pelo potencial A_μ.) As componentes de a_μ e b_μ se transformam pelas fórmulas de Lorentz, que são

$$\begin{aligned} a'_t &= \frac{a_t - va_x}{\sqrt{1-v^2}}, & b'_t &= \frac{b_t - vb_x}{\sqrt{1-v^2}},\\ a'_x &= \frac{a_x - va_t}{\sqrt{1-v^2}}, & b'_x &= \frac{b_x - vb_t}{\sqrt{1-v^2}},\\ a'_y &= a_y, & b'_y &= b_y,\\ a'_z &= a_z. & b'_z &= b_z. \end{aligned} \tag{26.21}$$

Agora vamos transformar as componentes de $G_{\mu\nu}$. Começamos com G_{tx}:

$$\begin{aligned} G'_{tx} &= a'_t b'_x - a'_x b'_t\\ &= \left(\frac{a_t - va_x}{\sqrt{1-v^2}}\right)\left(\frac{b_x - vb_t}{\sqrt{1-v^2}}\right) - \left(\frac{a_x - va_t}{\sqrt{1-v^2}}\right)\left(\frac{b_t - vb_x}{\sqrt{1-v^2}}\right)\\ &= a_t b_x - a_x b_t. \end{aligned}$$

Isso é apenas G_{tx}. Então temos o resultado simples

$$G'_{tx} = G_{tx}.$$

Vamos fazer mais um.

$$G'_{ty} = \frac{a_t - va_x}{\sqrt{1 - v^2}} b_y - a_y \frac{b_t - vb_x}{\sqrt{1 - v^2}} = \frac{(a_t b_y - a_y b_t) - v(a_x b_y - a_y b_x)}{\sqrt{1 - v^2}}.$$

Então obtemos que

$$G'_{ty} = \frac{G_{ty} - vG_{xy}}{\sqrt{1 - v^2}}.$$

E, é claro, da mesma maneira,

$$G'_{tz} = \frac{G_{tz} - vG_{xz}}{\sqrt{1 - v^2}}.$$

Está claro como o resto vai ficar. Vamos fazer uma tabela com todos os seis termos; só que agora podemos escrevê-los para $F_{\mu\nu}$:

$$\begin{aligned} F'_{tx} &= F_{tx}, & F'_{xy} &= \frac{F_{xy} - vF_{ty}}{\sqrt{1 - v^2}}, \\ F'_{ty} &= \frac{F_{ty} - vF_{xy}}{\sqrt{1 - v^2}}, & F'_{yz} &= F_{yz}, \\ F'_{tz} &= \frac{F_{tz} - vF_{xz}}{\sqrt{1 - v^2}}, & F'_{zx} &= \frac{F_{zx} - vF_{zt}}{\sqrt{1 - v^2}}. \end{aligned} \tag{26.22}$$

É claro, ainda temos $F'_{\mu\nu} = -F'_{\nu\mu}$ e $F'_{\mu\mu} = 0$.

Agora temos a transformação dos campos elétrico e magnético. Tudo o que temos de fazer é olhar a Tabela 26-1 para encontrar o que a nossa notação grandiosa em termos de $F_{\mu\nu}$ significa em termos de $\boldsymbol{E}$ e $\boldsymbol{B}$. É só fazer a substituição. Para que possamos ver como a transformação se parece em termos dos símbolos normais, vamos reescrever nossa transformação das componentes do campo na Tabela 26-2.

Tabela 26–2

As transformações de Lorentz dos campos elétricos e magnéticos (nota: $c = 1$)

$$\begin{aligned} E'_x &= E_x & B'_x &= B_x \\ E'_y &= \frac{E_y - vB_z}{\sqrt{1 - v^2}} & B'_y &= \frac{B_y + vE_z}{\sqrt{1 - v^2}} \\ E'_z &= \frac{E_z + vB_y}{\sqrt{1 - v^2}} & B'_z &= \frac{B_z - vE_y}{\sqrt{1 - v^2}}. \end{aligned}$$

As equações na Tabela 26-2 nos dizem como $\boldsymbol{E}$ e $\boldsymbol{B}$ mudam se formos de um referencial inercial para outro. Se conhecermos $\boldsymbol{E}$ e $\boldsymbol{B}$ em um sistema, podemos descobrir como eles são em um outro sistema que se move com velocidade v.

Podemos escrever estas equações em uma forma mais fácil de lembrar se repararmos que, como v está na direção x, todos os termos com v são componentes dos produtos vetoriais $\boldsymbol{v} \times \boldsymbol{E}$ e $\boldsymbol{v} \times \boldsymbol{B}$. Então podemos reescrever as transformações como mostrado na Tabela 26-3.

É mais fácil agora lembrar quais componentes vão onde. De fato, a transformação pode ser escrita de maneira ainda mais simplificada se definirmos as componentes do campo ao longo de x como as componentes "paralelas" $E_\parallel$ e $B_\parallel$ (porque elas são paralelas

Tabela 26–3

Uma forma alternativa para as transformações dos campos (nota: $c = 1$)

$E'_x = E_x$	$B'_x = B_x$
$E'_y = \dfrac{(\boldsymbol{E} + \boldsymbol{v} \times \boldsymbol{B})_y}{\sqrt{1 - v^2}}$	$B'_y = \dfrac{(\boldsymbol{B} - \boldsymbol{v} \times \boldsymbol{E})_y}{\sqrt{1 - v^2}}$
$E'_z = \dfrac{(\boldsymbol{E} + \boldsymbol{v} \times \boldsymbol{B})_z}{\sqrt{1 - v^2}}$	$B'_z = \dfrac{(\boldsymbol{B} - \boldsymbol{v} \times \boldsymbol{E})_z}{\sqrt{1 - v^2}}$

à velocidade relativa entre S e S'), e as componentes transversais totais – as somas vetoriais das componentes y e z – como as componentes "perpendiculares" $E_\perp$ e $B_\perp$. Assim obtemos as equações na Tabela 26-4 (também colocamos os c de volta, para ser mais conveniente quando quisermos nos referir a estas equações mais adiante).

Tabela 26–4

Ainda uma outra forma para as transformações de Lorentz de *E* e *B*

$E'_\parallel = E_\parallel$	$B'_\parallel = B_\parallel$
$E'_\perp = \dfrac{(\boldsymbol{E} + \boldsymbol{v} \times \boldsymbol{B})_\perp}{\sqrt{1 - v^2/c^2}}$	$B'_\perp = \dfrac{\left(\boldsymbol{B} - \dfrac{\boldsymbol{v} \times \boldsymbol{E}}{c^2}\right)_\perp}{\sqrt{1 - v^2/c^2}}$

As transformações dos campos nos fornecem uma outra maneira de resolver alguns problemas que já vimos antes – por exemplo, para obter os campos de uma carga puntiforme em movimento. Anteriormente, encontramos os campos diferenciando os potenciais, mas poderíamos fazê-lo transformando o campo coulombiano. Se tivermos uma carga puntiforme em repouso no referencial S, então existe apenas o campo $\boldsymbol{E}$ radial simples. No referencial S', veremos uma carga puntiforme movendo-se com a velocidade u, se o referencial S' mover-se em relação ao referencial S com a velocidade $v = -u$. Vamos deixar para você mostrar que as transformações das Tabelas 26-3 e 26-4 dão os mesmos campos elétrico e magnético que obtivemos na Seção 26-2.

A transformação da Tabela 26-2 nos fornece uma resposta simples e interessante para o que veremos se nos movermos em relação a um sistema de cargas fixas *qualquer*. Por exemplo, suponha que quiséssemos conhecer os campos em *nosso* referencial S' se estivermos nos movendo entre as placas de um capacitor, como mostrado na Figura 26–7 (obviamente, seria a mesma situação se disséssemos que um capacitor carregado está se movendo relativamente a *nós*). O que vemos? A transformação é fácil neste caso porque o campo $\boldsymbol{B}$ no sistema original é zero. Suponha, primeiro, que o nosso movimento seja perpendicular a $\boldsymbol{E}$; então veremos um $\boldsymbol{E}' = \boldsymbol{E}/\sqrt{1 - v^2/c^2}$ que ainda é totalmente transversal. Veremos, além disso, um campo magnético $\boldsymbol{B}' = -\boldsymbol{v} \times \boldsymbol{E}'/c^2$ (o fator $\sqrt{1 - v^2/c^2}$ não aparece na nossa fórmula para $\boldsymbol{B}'$ porque a escrevemos em termos de $\boldsymbol{E}'$ em vez de $\boldsymbol{E}$; mas é a mesma coisa). Então, quando nos movemos perpendicularmente a um campo elétrico estático, vemos um $\boldsymbol{B}$ adicionado transversal. Se o nosso movimento não for perpendicular a $\boldsymbol{E}$, dividimos $\boldsymbol{E}$ em $\boldsymbol{E}_\parallel$ e $\boldsymbol{E}_\perp$. A parte paralela não é modificada, $E'_\parallel = E_\parallel$, e a componente perpendicular transforma-se como acabamos de descrever.

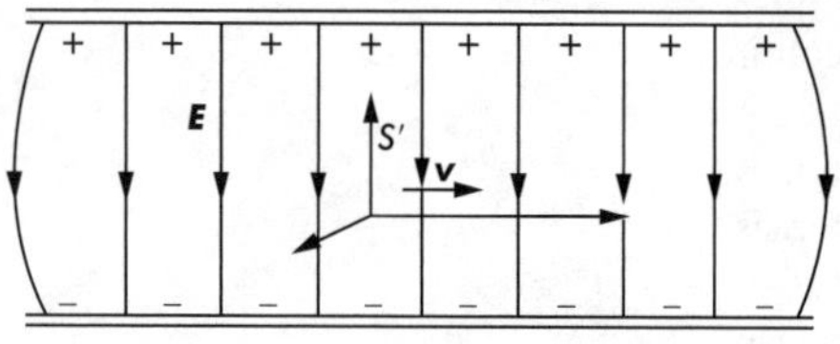

Figura 26–7 O sistema de coordenadas S' se movendo através de um campo elétrico estático.

Vamos tomar o caso oposto e imaginar que estamos nos movendo através de um campo *magnético* estático puro. Desta vez veríamos um campo *elétrico* $\boldsymbol{E}'$ igual a $\boldsymbol{v} \times \boldsymbol{B}'$, e o campo magnético seria modificado pelo fator $1/\sqrt{1 - v^2/c^2}$ (supondo que ele seja transversal). Enquanto v for muito menor do que c, podemos desprezar o efeito no campo magnético, e o efeito principal é o aparecimento do campo elétrico. Como um exemplo deste efeito, considere o problema (que já foi famoso) de determinar a velocidade de um avião. Ele não é mais famoso, porque o radar pode ser usado agora para determinar a velocidade no ar a partir de reflexões no solo, mas por muitos anos era bem difícil obter a velocidade de um avião com mau tempo. Você não conseguiria ver o solo, não saberia qual lado era para cima e por aí vai. Mesmo assim, era importante saber com que velocidade você estaria se movendo em relação ao solo. Como isso pode ser feito sem ver o solo? Muitas pessoas que conheciam as fórmulas de transformação pensaram na ideia de usar o fato de que o avião move-se no campo magnético da Terra. Suponha que um avião esteja voando em uma região onde o campo magnético seja mais ou menos conhecido. Vamos tomar o caso simples em que o campo magnético é vertical. Se estivéssemos voando através dele com velocidade horizontal v, então, de acordo com a nossa fórmula, deveríamos ver um campo elétrico igual a $\boldsymbol{v} \times \boldsymbol{B}$, isto é, perpendicular à linha do movimento. Se pendurarmos um fio isolante atravessado no avião, este campo elétrico irá induzir cargas nas extremidades do fio. Até agora, nada de novo. Do ponto de vista de um observador no solo, estamos movendo o fio através de um campo, e a força $\boldsymbol{v} \times \boldsymbol{B}$ força as cargas a se moverem em direção às extremidades do fio. As equações de transformação dizem exatamente a mesma coisa de uma forma diferente (o fato de que podemos dizer a mesma coisa de uma maneira ou de outra não significa que uma seja melhor do que a outra. Estamos adquirindo tantos métodos e ferramentas diferentes que poderíamos obter normalmente o mesmo resultado de 65 modos diferentes!).

Para medir v, tudo o que temos de fazer é medir a tensão entre as extremidades do fio. Não podemos fazer isso com um voltímetro porque os mesmos campos irão atuar nos fios do voltímetro, mas existem maneiras de medir estes campos. Falamos a respeito de algumas delas quando discutimos a eletricidade atmosférica no Capítulo 9. Então deveria ser possível medir a velocidade do avião.

No entanto, este importante problema nunca foi resolvido dessa maneira. A razão é que o campo elétrico desenvolvido é da ordem de milivolts por metro. É possível medir tais campos, mas o problema é que estes campos não são, infelizmente, muito diferentes de quaisquer outros campos elétricos. O campo que é produzido pelo movimento através do campo magnético não pode ser distinguido de algum campo elétrico que já estava no ar devido a alguma outra causa, como cargas eletrostáticas no ar ou nas nuvens, por exemplo. Descrevemos no Capítulo 9 que existem, tipicamente, campos elétricos sobre a superfície da Terra com intensidade de aproximadamente 100 volts por metro, mas eles são bastante irregulares. Então, à medida que o avião voa pelo ar, ele vê flutuações dos campos elétricos atmosféricos que são enormes em comparação com os campos minúsculos produzidos pelo termo $\boldsymbol{v} \times \boldsymbol{B}$, de modo que por motivos práticos é impossível medir a velocidade de um avião a partir do seu movimento através do campo magnético da Terra.

26–4 As equações do movimento em notação relativística[2]

Não adianta muito obter os campos elétricos e magnéticos a partir das equações de Maxwell, a não ser que saibamos o que os campos fazem. Você deve lembrar que os campos são necessários para que se obtenham as forças nas cargas, e que estas forças determinam o movimento da carga. Portanto, obviamente, parte da teoria da eletrodinâmica é a relação entre o movimento das cargas e as forças.

Para uma única carga nos campos $\boldsymbol{E}$ e $\boldsymbol{B}$, a força é

$$\boldsymbol{F} = q(\boldsymbol{E} + \boldsymbol{v} \times \boldsymbol{B}). \tag{26.23}$$

Essa força é igual à massa vezes a aceleração para baixas velocidades, mas a lei correta para qualquer velocidade diz que a força é igual a $d\boldsymbol{p}/dt$. Escrevendo $\boldsymbol{p} = m_0\boldsymbol{v}/\sqrt{1 - v^2/c^2}$, temos que a equação de movimento relativisticamente correta é

$$\frac{d}{dt}\left(\frac{m_0\boldsymbol{v}}{\sqrt{1 - v^2/c^2}}\right) = \boldsymbol{F} = q(\boldsymbol{E} + \boldsymbol{v} \times \boldsymbol{B}). \tag{26.24}$$

[2] Nesta seção, vamos colocar todos os c de volta nas equações.

Gostaríamos de discutir agora esta equação do ponto de vista da relatividade. Como colocamos as nossas equações de Maxwell na forma relativística, seria interessante ver como as equações de movimento se parecem na forma relativística. Vamos ver se podemos reescrever a equação em uma notação com quadrivetores.

Sabemos que o momento é parte de um quadrivetor p_μ cuja componente temporal é a energia $m_0c^2/\sqrt{1 - v^2/c^2}$. Logo, poderíamos pensar em substituir o lado esquerdo da Eq. (26.24) por dp_μ/dt. Precisamos apenas encontrar uma quarta componente para completar F. Esta quarta componente deve ser igual à taxa de variação da energia, ou à taxa de realização de trabalho, que é $\boldsymbol{F} \cdot \boldsymbol{v}$. Portanto, gostaríamos de escrever o lado direito da Eq. (26.24) como um quadrivetor como $(\boldsymbol{F} \cdot \boldsymbol{v}, F_x, F_y, F_z)$. Mas isso não é um quadrivetor.

A derivada *temporal* de um quadrivetor não é mais um quadrivetor, porque d/dt requer a escolha de um referencial especial para medir t. Já encontramos este problema quando tentamos transformar $\boldsymbol{v}$ em um quadrivetor. A nossa primeira tentativa foi que a componente temporal poderia ser $cdt/dt = c$. No entanto, as quantidades

$$\left(c, \frac{dx}{dt}, \frac{dy}{dt}, \frac{dz}{dt}\right) = (c, \boldsymbol{v}) \tag{26.25}$$

não são as componentes de um quadrivetor. Verificamos que elas poderiam ser transformadas em um quadrivetor se multiplicássemos cada componente por $1/\sqrt{1 - v^2/c^2}$. A "quadrivelocidade" u_μ é o quadrivetor

$$u_\mu = \left(\frac{c}{\sqrt{1 - v^2/c^2}}, \frac{\boldsymbol{v}}{\sqrt{1 - v^2/c^2}}\right). \tag{26.26}$$

Então parece que o truque é multiplicar d/dt por $1/\sqrt{1 - v^2/c^2}$, se quisermos que as derivadas formem um quadrivetor.

Então, a nossa segunda tentativa é que

$$\frac{1}{\sqrt{1 - v^2/c^2}} \frac{d}{dt} (p_\mu) \tag{26.27}$$

devesse ser um quadrivetor. Mas o que é $\boldsymbol{v}$? É a velocidade da partícula – não de um sistema de coordenadas! Então a quantidade f_μ definida por

$$f_\mu = \left(\frac{\boldsymbol{F} \cdot \boldsymbol{v}}{\sqrt{1 - v^2/c^2}}, \frac{\boldsymbol{F}}{\sqrt{1 - v^2/c^2}}\right) \tag{26.28}$$

é a extensão em quatro dimensões de uma força – podemos chamá-la de "quadriforça". Ela é realmente um quadrivetor, e as suas componentes espaciais não são as componentes de $\boldsymbol{F}$, mas de $\boldsymbol{F}/\sqrt{1 - v^2/c^2}$.

A questão é – por que f_μ é um quadrivetor? Seria bom entendermos um pouco mais o fator $1/\sqrt{1 - v^2/c^2}$. Como isso já aconteceu duas vezes até agora, chegou o momento de entender por que o d/dt sempre pode ser consertado pelo mesmo fator. A resposta é a seguinte: quando tomamos a derivada temporal de uma função x, calculamos o incremento Δx em um pequeno intervalo Δt na variável t. Em outro referencial, o intervalo Δt pode corresponder a uma variação em t' e x', de modo que se variarmos apenas t', a variação em x será diferente. Temos de encontrar uma variável para a nossa diferenciação que seja a medida de um "intervalo" no *espaço-tempo*, que será então o mesmo em todos os sistemas de coordenadas. Quando tomamos Δx para este intervalo, ele será o mesmo para todos os sistemas de coordenadas. Quando uma partícula se "move" no quadriespaço, existem as variações Δt, Δx, Δy, Δz. Será que podemos criar um intervalo invariante a partir delas? Bem, elas são as componentes do quadrivetor $x_\mu = (ct, x, y, z)$, de modo que se definirmos a quantidade ΔS por

$$(\Delta s)^2 = \frac{1}{c^2} \Delta x_\mu \Delta x_\mu = \frac{1}{c^2} (c^2 \Delta t^2 - \Delta x^2 - \Delta y^2 - \Delta z^2) \tag{26.29}$$

– que é o nosso produto interno quadridimensional – teremos então um bom quadriescalar para usar como uma medida do intervalo quadridimensional. A partir de ΔS – ou de seu limite dS –, podemos definir um parâmetro $s = \int ds$. E uma derivada em relação a s, d/ds, é uma boa operação quadridimensional, porque ela é invariante por transformações de Lorentz.

É fácil relacionar ds e dt para uma partícula em movimento. Para uma partícula puntiforme em movimento,

$$dx = v_x\,dt, \qquad dy = v_y\,dt, \qquad dz = v_z\,dt, \tag{26.30}$$

e

$$ds = \sqrt{(dt^2/c^2)(c^2 - v_x^2 - v_y^2 - v_z^2)} = dt\sqrt{1 - v^2/c^2}. \tag{26.31}$$

De modo que o operador

$$\frac{1}{\sqrt{1 - v^2/c^2}}\,\frac{d}{dt}$$

é um *operador invariante*. Se operarmos em qualquer quadrivetor com ele, obteremos um outro quadrivetor. Por exemplo, se operarmos em (ct, x, y, z), obteremos a quadrivelocidade u_μ:

$$\frac{dx_\mu}{ds} = u_\mu.$$

Agora podemos ver por que o fator $\sqrt{1 - v^2/c^2}$ acerta as coisas.

A variável invariante s é uma quantidade física útil. Ela é denominada o "tempo próprio" ao longo da trajetória de uma partícula, porque ds é sempre um intervalo de tempo em um referencial que está se movendo com a partícula em um instante particular qualquer (neste caso, $\Delta x = \Delta y = \Delta z = 0$, e $\Delta s = \Delta t$). Se você puder imaginar um "relógio" cuja taxa de passagem do tempo não dependa da aceleração, tal relógio carregado junto com a partícula mostraria o tempo s.

Agora podemos voltar e escrever a lei de Newton (como corrigida por Einstein) na forma simples

$$\frac{dp_\mu}{ds} = f_\mu, \tag{26.32}$$

onde f_μ está dada na Eq. (26.28). Além disso, o momento p_μ pode ser escrito como

$$p_\mu = m_0 u_\mu = m_0\,\frac{dx_\mu}{ds}, \tag{26.33}$$

onde as coordenadas $x_\mu = (ct, x, y, z)$ descrevem agora a trajetória da partícula. Finalmente, a notação quadridimensional nos dá esta forma muito simples das equações de movimento:

$$f_\mu = m_0\,\frac{d^2x_\mu}{ds^2}, \tag{26.34}$$

que nos traz reminiscências de $F = ma$. É importante notar que a Eq. (26.34) *não* é a mesma que $F = ma$, porque a fórmula quadrivetorial da Eq. (26.34) é constituída pela mecânica relativística que é diferente da lei de Newton para altas velocidades. É diferente do caso das equações de Maxwell, em que fomos capazes de reescrever as equações na forma relativística *sem qualquer modificação no seu significado* – simplesmente com uma mudança na notação.

Vamos voltar agora para a Eq. (26.24) e ver como podemos escrever o lado direito na notação de quadrivetores. As três componentes – quando divididas por $\sqrt{1 - v^2/c^2}$ – são as componentes de f_μ, então

$$f_x = \frac{q(\boldsymbol{E} + \boldsymbol{v} \times \boldsymbol{B})_x}{\sqrt{1 - v^2/c^2}} = q\left[\frac{E_x}{\sqrt{1 - v^2/c^2}} + \frac{v_y B_z}{\sqrt{1 - v^2/c^2}} - \frac{v_z B_y}{\sqrt{1 - v^2/c^2}}\right]. \tag{26.35}$$

Agora precisamos colocar todas as quantidades na notação relativística. Primeiro, $c/\sqrt{1 - v^2/c^2}$ e $v_y/\sqrt{1 - v^2/c^2}$ e $v_z/\sqrt{1 - v^2/c^2}$ são as componentes t, y e z da quadrivelocidade u_μ. E as componentes de $\boldsymbol{E}$ e $\boldsymbol{B}$ são as componentes do tensor de segunda ordem dos campos $F_{\mu\nu}$. Olhando na Tabela 26-1 as componentes de $F_{\mu\nu}$ que correspondem a E_x, B_z e B_y, obtemos[3]

$$f_x = q(u_t F_{xt} - u_y F_{xy} - u_z F_{xz}),$$

que está começando a parecer interessante. Cada termo possui o subíndice x, o que é razoável, já que estamos calculando uma componente x. Todos os outros aparecem em pares: tt, yy, zz – exceto pelo termo xx que está faltando. Então inserimos este termo e escrevemos

$$f_x = q(u_t F_{xt} - u_x F_{xx} - u_y F_{xy} - u_z F_{xz}). \tag{26.36}$$

Não modificamos nada porque $F_{\mu\nu}$ é antissimétrico, e F_{xx} é zero. A razão para querermos colocar o termo xx é que agora podemos escrever a Eq. (26.36) na forma mais curta

$$f_\mu = q u_\nu F_{\mu\nu}. \tag{26.37}$$

Esta equação será a mesma que a Eq. (26.36) se usarmos como *regra* que sempre que qualquer índice subscrito ocorrer *duas vezes* (como ν nesta equação), você deve automaticamente somar os termos da mesma forma que no produto escalar, *usando a mesma convenção para os sinais*.

Você pode aceitar facilmente que (26.37) funciona igualmente bem para $\mu = y$ ou $\mu = z$, mas e para $\mu = t$? Vamos ver, só por diversão, o que acontece:

$$f_t = q(u_t F_{tt} - u_x F_{tx} - u_y F_{ty} - u_z F_{tz}).$$

Agora temos de traduzir o resultado em termos dos E e B. Obtemos

$$f_t = q\left(0 + \frac{v_x}{\sqrt{1 - v^2/c^2}} E_x + \frac{v_y}{\sqrt{1 - v^2/c^2}} E_y + \frac{v_z}{\sqrt{1 - v^2/c^2}} E_z\right), \tag{26.38}$$

ou

$$f_t = \frac{q\boldsymbol{v} \cdot \boldsymbol{E}}{\sqrt{1 - v^2/c^2}}.$$

Da Eq. (26.28), f_t deveria ser

$$\frac{\boldsymbol{F} \cdot \boldsymbol{v}}{\sqrt{1 - v^2/c^2}} = \frac{q(\boldsymbol{E} + \boldsymbol{v} \times \boldsymbol{B}) \cdot \boldsymbol{v}}{\sqrt{1 - v^2/c^2}}.$$

Esse resultado é igual à Eq. (26.38), pois $(\boldsymbol{v} \times \boldsymbol{B}) \cdot \boldsymbol{v}$ é zero. Então tudo deu certo no final.

Resumindo, nossa equação de movimento pode ser escrita na forma elegante

$$m_0 \frac{d^2 x_\mu}{ds^2} = f_\mu = q u_\nu F_{\mu\nu}. \tag{26.39}$$

Apesar de ser agradável ver que as equações podem ser escritas desta maneira, esta forma não é particularmente útil. Normalmente é mais conveniente resolver os movimentos das partículas usando as equações originais (26.24), e é isso que vamos fazer normalmente.

[3] Quando colocamos os c de volta na Tabela 26-1, todas as componentes de $F_{\mu\nu}$ correspondentes às componentes de **E** são multiplicadas por $1/c$.

27

Energia e Momento dos Campos

27–1 Conservação local

Está claro que a energia da matéria não é conservada. Quando um objeto irradia luz, ele perde energia. Entretanto, é possível que a energia perdida seja descrita em alguma outra forma, por exemplo, luminosa. Consequentemente, a teoria da conservação da energia está incompleta sem uma consideração da energia associada à luz ou, em geral, ao campo eletromagnético. Vamos considerar agora a lei de conservação da energia e, também, do momento dos campos. Certamente, não podemos tratar uma sem a outra, porque na teoria da relatividade eles são diferentes aspectos do mesmo quadrivetor.

Logo no começo do Vol. I, discutimos a conservação da energia; afirmamos então simplesmente que a energia total no mundo é constante. Agora queremos estender a ideia da lei de conservação da energia de uma maneira importante – de uma maneira que afirma algo em *detalhe* sobre *como* a energia é conservada. A nova lei vai afirmar que se a energia sai de uma região, é porque ela *flui* através das fronteiras desta região. É uma lei um pouco mais forte do que a conservação da energia sem esta restrição.

Para ver o que esta afirmação significa, vamos analisar como a lei da conservação da carga funciona. Descrevemos a conservação da carga dizendo que existe uma densidade de corrente $\boldsymbol{j}$ e uma densidade de carga ρ, e quando a carga diminui em algum lugar deve existir um fluxo de carga saindo deste lugar. Chamamos isso de conservação da carga. A forma matemática da lei de conservação é

$$\boldsymbol{\nabla} \cdot \boldsymbol{j} = -\frac{\partial \rho}{\partial t}. \tag{27.1}$$

Esta lei tem como consequência que a carga total no mundo é sempre constante – nunca há qualquer ganho ou perda resultantes de carga. Entretanto, a carga total no mundo poderia ser constante de uma outra forma. Suponha que exista uma quantidade de carga Q_1 próxima de um ponto (1), enquanto não há carga próxima de um ponto (2) a alguma distância (Figura 27–1). Agora suponha que, à medida que o tempo passa, a carga Q_1 desaparece gradualmente e que *simultaneamente* alguma carga Q_2 aparece perto do ponto (2), de maneira que em cada instante a soma de Q_1 e Q_2 seja uma constante. Em outras palavras, em cada estado intermediário a quantidade de carga perdida por Q_1 seria adicionada a Q_2. Então a soma total da carga no mundo seria conservada. Esta é uma conservação "global", mas não é o que chamamos de conservação "local", porque para ir de (1) a (2) a carga não teve de aparecer em nenhum lugar do espaço entre o ponto (1) e o ponto (2). Localmente, a carga simplesmente foi "perdida".

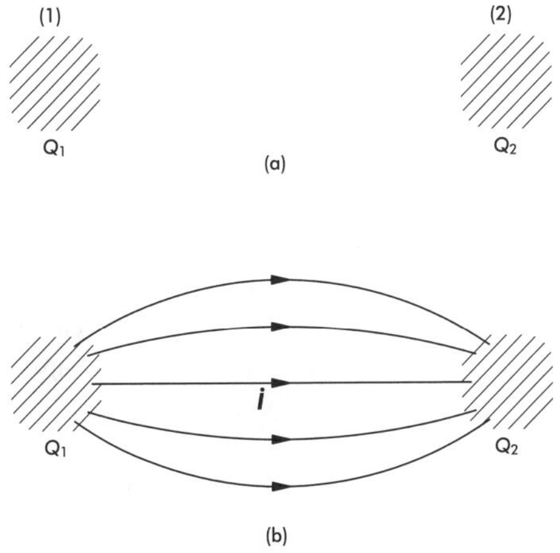

Figura 27–1 Duas maneiras de conservar a carga: (a) $Q_1 + Q_2$ é constante; (b) $dQ_1/dt = -\int \boldsymbol{j} \cdot \boldsymbol{n}\, da = -dQ_2/dt$.

Há uma dificuldade com esta lei de conservação "global" na teoria da relatividade. O conceito de "instantes simultâneos" em pontos distantes não é equivalente em sistemas diferentes. Dois eventos que são simultâneos em um sistema não são simultâneos para outro sistema se movendo em relação ao primeiro. Para a conservação "global" do tipo que descrevemos, é necessário que a carga perdida por Q_1 apareça *simultaneamente* em Q_2. De outra forma, haveria momentos em que a carga não seria conservada. Não parece existir uma maneira de tornar a lei de conservação da carga relativisticamente invariante sem torná-la uma lei de conservação "local". De fato, a imposição da invariância relativística de Lorentz parece restringir as possíveis leis da natureza de formas surpreendentes. Na teoria quântica de campos moderna, por exemplo, as pessoas tentaram frequentemente alterar a teoria permitindo o que chamamos de interação "não local" – na qual alguma coisa *aqui* causa um efeito direto em alguma coisa *lá* –, mas isso causa problemas com o princípio da relatividade.

A conservação "local" envolve outra ideia. Ela afirma que a carga pode ir de um ponto a outro somente se alguma coisa acontecer no espaço intermediário. Para descrever a lei, precisamos não apenas da densidade de carga ρ, mas também de um outro tipo de quantidade, a saber, $\boldsymbol{j}$, um vetor que dá a taxa de fluxo da carga através de uma superfície. Deste modo o fluxo está relacionado com a taxa de variação da densidade pela Eq. (27.1). Este é o tipo de lei de conservação mais extremo. Ele afirma que a carga é conservada de uma maneira especial – ela é conservada "localmente".

Acontece que a conservação da energia também é um processo *local*. Não existe apenas uma densidade de energia em uma dada região do espaço, mas também existe um vetor para representar a taxa do fluxo da energia através de uma superfície. Por exemplo, quando uma fonte luminosa irradia, podemos obter a energia luminosa movendo-se para longe da fonte. Se imaginarmos uma superfície matemática envolvendo a fonte luminosa, a energia perdida no interior da superfície é igual à energia que flui através da superfície.

27–2 Conservação da energia e eletromagnetismo

Agora queremos escrever quantitativamente a conservação da energia para o eletromagnetismo. Para fazer isso, precisamos descrever quanta energia existe em um elemento de volume do espaço, e também a taxa do fluxo de energia. Suponha que consideremos, primeiro, apenas a energia do campo eletromagnético. Seja u a densidade de energia no campo (ou seja, a quantidade de energia por unidade de volume no espaço) e seja $\boldsymbol{S}$ o vetor que representa o *fluxo de energia* do campo (ou seja, o fluxo de energia por unidade de tempo através de uma unidade de área perpendicular ao fluxo). Então, em uma analogia perfeita com a conservação da carga, Eq. (27.1), podemos escrever a lei "local" de conservação da energia no campo como

$$\frac{\partial u}{\partial t} = -\nabla \cdot \boldsymbol{S}. \tag{27.2}$$

É claro, essa lei não é verdadeira em geral; não é verdade que a energia do campo seja conservada. Suponha que você esteja em um quarto escuro e ligue o interruptor. Subitamente o quarto se enche de luz, logo existe energia no campo, embora não houvesse nenhuma energia lá antes. A Eq. (27.2) não é a lei de conservação completa, porque a energia *do campo*, *sozinha*, não é conservada, somente a energia total no mundo é conservada – também existe a energia da matéria. A energia do campo vai variar se houver trabalho sendo realizado pela matéria sobre o campo ou pelo campo sobre a matéria.

Porém, se existe matéria dentro do volume de interesse, sabemos quanta energia ela possui: cada partícula possui a energia $m_0c^2/\sqrt{1 - v^2/c^2}$. A energia total da matéria é simplesmente a soma da energia de todas as partículas, e o fluxo desta energia através de uma superfície é simplesmente a soma da energia carregada por cada partícula que cruza a superfície. Agora queremos discutir a energia do campo eletromagnético. Então devemos escrever uma equação que afirme que a energia total do *campo* em um dado volume decresce *ou* porque a energia do campo flui para fora do volume *ou* porque o campo perde energia para a matéria (ou ganha energia, que é apenas uma perda negativa). A energia do campo dentro de um volume V é

$$\int_V u\,dV,$$

e a taxa na qual ela diminui é menos a derivada temporal desta integral. O fluxo de energia do campo que sai do volume V é a integral da componente normal de $\boldsymbol{S}$ sobre a superfície Σ que envolve V,

$$\int_\Sigma \boldsymbol{S} \cdot \boldsymbol{n}\,da.$$

Logo,

$$-\frac{d}{dt}\int_V u\,dV = \int_\Sigma \boldsymbol{S} \cdot \boldsymbol{n}\,da + \text{(trabalho realizado sobre a matéria no interior de } V\text{)}. \tag{27.3}$$

Vimos anteriormente que o campo realiza trabalho sobre cada unidade de volume da matéria na taxa $\boldsymbol{E} \cdot \boldsymbol{j}$. [A força em uma partícula é $\boldsymbol{F} = q(\boldsymbol{E} + \boldsymbol{v} \times \boldsymbol{B})$, e a taxa na qual o trabalho é realizado é $\boldsymbol{F} \cdot \boldsymbol{v} = q\boldsymbol{E} \cdot \boldsymbol{v}$. Se houver N partículas por unidade de volume, a taxa na qual o trabalho é realizado por unidade de volume é $Nq\boldsymbol{E} \cdot \boldsymbol{v}$, mas $Nq\boldsymbol{v} = \boldsymbol{j}$.] Então a quantidade $\boldsymbol{E} \cdot \boldsymbol{j}$ deve ser igual à perda de energia *pelo* campo por unidade de tempo e por unidade de volume. Então a Eq. (27.3) torna-se

$$-\frac{d}{dt}\int_V u\,dV = \int_\Sigma \boldsymbol{S} \cdot \boldsymbol{n}\,da + \int_V \boldsymbol{E} \cdot \boldsymbol{j}\,dV. \tag{27.4}$$

Essa é a nossa lei de conservação para a energia do campo. Podemos convertê-la em uma equação diferencial como a Eq. (27.2) se mudarmos o segundo termo para uma integral de volume. Isso é fácil de fazer usando o teorema de Gauss. A integral de superfície da componente normal de $\boldsymbol{S}$ é a integral do seu divergente sobre o volume interior à superfície. Portanto, a Eq. (27.3) é equivalente a

$$-\int_V \frac{\partial u}{\partial t}\,dV = \int_V \nabla \cdot \boldsymbol{S}\,dV + \int_V \boldsymbol{E} \cdot \boldsymbol{j}\,dV,$$

onde pusemos a derivada temporal do primeiro termo dentro da integral. Como essa equação é verdadeira para qualquer volume, podemos tirar as integrais e temos a equação da energia para os campos eletromagnéticos:

$$-\frac{\partial u}{\partial t} = \nabla \cdot \boldsymbol{S} + \boldsymbol{E} \cdot \boldsymbol{j}. \tag{27.5}$$

Essa equação não trará nenhum benefício a não ser que saibamos o que são u e $\boldsymbol{S}$. Talvez devêssemos simplesmente contar para você o que eles são em termos de $\boldsymbol{E}$ e $\boldsymbol{B}$, porque tudo o que realmente queremos é o resultado. No entanto, escolhemos mostrar o tipo de argumento que foi usado por Poynting em 1884 para obter as fórmulas para $\boldsymbol{S}$ e u, de modo que você possa ver de onde elas vieram (entretanto, você não precisará aprender esta dedução para continuar o nosso trabalho mais adiante).

27–3 Densidade de energia e fluxo de energia no campo eletromagnético

A ideia é supor que existam uma densidade de energia u e um fluxo $\boldsymbol{S}$ que dependam apenas dos campos $\boldsymbol{E}$ e $\boldsymbol{B}$ (por exemplo, sabemos que, na eletrostática, pelo menos, a densidade de energia pode ser escrita como $\frac{1}{2}\epsilon_0 \boldsymbol{E} \cdot \boldsymbol{E}$). Obviamente, u e $\boldsymbol{S}$ podem depender dos potenciais ou de alguma outra coisa, mas vamos ver onde podemos chegar. Podemos tentar reescrever a quantidade $\boldsymbol{E} \cdot \boldsymbol{j}$ de tal maneira que ela se torne a soma de dois termos: um que é a derivada temporal de uma quantidade e outro que é o divergente de uma segunda quantidade. A primeira quantidade seria u e a segunda quantidade seria $\boldsymbol{S}$ (com os sinais adequados). As duas quantidades devem ser escritas apenas em termos dos campos; ou seja, queremos escrever a nossa igualdade como

$$\boldsymbol{E} \cdot \boldsymbol{j} = -\frac{\partial u}{\partial t} - \nabla \cdot \boldsymbol{S}. \tag{27.6}$$

O lado esquerdo deve ser expresso apenas em termos dos campos. Como podemos fazer isso? Usando as equações de Maxwell, é claro. Da equação de Maxwell para o rotacional de $\boldsymbol{B}$,

$$\boldsymbol{j} = \epsilon_0 c^2 \nabla \times \boldsymbol{B} - \epsilon_0 \frac{\partial \boldsymbol{E}}{\partial t}.$$

Substituindo esse resultado em (27.6), teremos apenas $\boldsymbol{E}$ e $\boldsymbol{B}$:

$$\boldsymbol{E} \cdot \boldsymbol{j} = \epsilon_0 c^2 \boldsymbol{E} \cdot (\nabla \times \boldsymbol{B}) - \epsilon_0 \boldsymbol{E} \cdot \frac{\partial \boldsymbol{E}}{\partial t}. \tag{27.7}$$

Terminamos uma parte. O último termo é uma derivada temporal – é $(\partial/\partial t)(\frac{1}{2}\epsilon_0\boldsymbol{E} \cdot \boldsymbol{E})$. Então $\frac{1}{2}\epsilon_0\boldsymbol{E} \cdot \boldsymbol{E}$ é pelo menos uma parte de u. É o mesmo resultado que obtivemos na eletrostática. Agora, tudo que temos de fazer é transformar o outro termo no divergente de alguma função.

Note que o primeiro termo no lado direito da (27.7) é igual a

$$(\nabla \times \boldsymbol{B}) \cdot \boldsymbol{E}. \tag{27.8}$$

E, como você sabe da álgebra vetorial, $(\boldsymbol{a} \times \boldsymbol{b}) \cdot \boldsymbol{c}$ é igual a $\boldsymbol{a} \cdot (\boldsymbol{b} \times \boldsymbol{c})$; então o nosso termo também é igual a

$$\nabla \cdot (\boldsymbol{B} \times \boldsymbol{E}), \tag{27.9}$$

e temos o divergente de "alguma coisa", exatamente como queríamos. Só que está errado! Avisamos você anteriormente que ∇ é "como" um vetor, mas não é "exatamente" igual. O motivo é que existe uma *convenção* adicional do cálculo: quando um operador diferencial está na frente de um produto, ele atua sobre tudo que estiver à direita. Na Eq. (27.7), o ∇ opera somente em $\boldsymbol{B}$, e não em $\boldsymbol{E}$. Na forma (27.9), a convenção normal diria que ∇ opera tanto em $\boldsymbol{B}$ quanto em $\boldsymbol{E}$. Então *não* é a mesma coisa. De fato, se escrevermos as componentes de $\nabla \cdot (\boldsymbol{B} \times \boldsymbol{E})$, poderemos ver que o resultado é igual a $\boldsymbol{E} \cdot (\nabla \times \boldsymbol{B})$ *mais* alguns outros termos. É igual ao que acontece quando tomamos a derivada de um produto na álgebra. Por exemplo,

$$\frac{d}{dx}(fg) = \frac{df}{dx}g + f\frac{dg}{dx}.$$

Ao invés de escrever todas as componentes de $\nabla \cdot (\boldsymbol{B} \times \boldsymbol{E})$, gostaríamos de mostrar um truque muito útil para este tipo de problema. É um truque que lhe permite usar todas as regras da álgebra vetorial em expressões com o operador ∇, sem ter problemas. O truque é jogar fora – por um momento, pelo menos – a regra da notação do cálculo sobre em quais funções o operador atua. Veja, normalmente a ordem dos termos é usada para *dois* propósitos separados. Um é para o cálculo: $f(d/dx)g$ não é a mesma coisa que $g(d/dx)f$; e o outro é para vetores: $\boldsymbol{a} \times \boldsymbol{b}$ é diferente de $\boldsymbol{b} \times \boldsymbol{a}$. Podemos, se quisermos, abandonar momentaneamente a regra do cálculo. Em vez de dizer que uma derivada opera em tudo que estiver à direita, criamos uma *nova* regra que não depende da ordem em que os termos estão escritos. Podemos jogar os termos de um lado para o outro sem nos preocuparmos.

Aqui está a nossa nova convenção: mostramos, por meio de um índice subscrito, em que um operador diferencial atua; a *ordem* não possui nenhum significado. Seja D um operador representando $\partial/\partial x$. Então D_f significa que apenas a derivada da quantidade variável f será tomada. Portanto

$$D_f f = \frac{\partial f}{\partial x}.$$

Se tivermos $D_f fg$, isso significa

$$D_f fg = \left(\frac{\partial f}{\partial x}\right)g.$$

Repare agora que, de acordo com a nossa nova regra, $f D_f g$ possui o mesmo significado. Podemos escrever a mesma coisa de qualquer maneira:

$$D_f fg = gD_f f = f D_f g = fg\, D_f.$$

Veja, D_f pode aparecer *depois* de tudo (é surpreendente que uma notação tão útil nunca seja ensinada nos livros de matemática ou física).

Você pode se perguntar: mas e se eu *quiser* escrever a derivada de fg? Eu *quero* a derivada dos *dois* termos. Isso é fácil, basta você fazer o seguinte: escreva $D_f(fg) +$

$D_g(fg)$. Isso é simplesmente $g(\partial f/\partial x) + f(\partial g/\partial x)$, que é o que você queria dizer na notação antiga com $\partial(fg)/\partial x$.

Você verá que agora será muito mais fácil obter uma nova expressão para $\nabla \cdot (\boldsymbol{B} \times \boldsymbol{E})$. Começamos mudando para a notação nova; escrevemos

$$\nabla \cdot (\boldsymbol{B} \times \boldsymbol{E}) = \nabla_B \cdot (\boldsymbol{B} \times \boldsymbol{E}) + \nabla_E \cdot (\boldsymbol{B} \times \boldsymbol{E}). \tag{27.10}$$

A partir do momento em que fazemos isso, não precisamos mais manter a ordem correta. Sempre sabemos que ∇_E opera somente sobre $\boldsymbol{E}$ e ∇_B opera somente sobre $\boldsymbol{B}$. Nessas circunstâncias, podemos usar ∇ como se fosse um vetor ordinário (é claro, quando tivermos terminado, vamos querer retornar para a notação "padrão" que todos usam normalmente). Portanto, podemos realizar diversos procedimentos como trocar a ordem de produtos escalares e vetoriais e outros tipos de rearranjo dos termos. Por exemplo, o termo do meio da Eq. (27.10) pode ser reescrito como $\boldsymbol{E} \cdot \nabla_B \times \boldsymbol{B}$ (lembre que $\boldsymbol{a} \cdot \boldsymbol{b} \times \boldsymbol{c} = \boldsymbol{b} \cdot \boldsymbol{c} \times \boldsymbol{a}$). E o último termo é igual a $\boldsymbol{B} \cdot \boldsymbol{E} \times \nabla_E$. Parece muito estranho, mas está tudo bem. Agora se tentarmos voltar para a convenção ordinária, precisaremos garantir que o ∇ opere apenas na sua "própria" variável. O primeiro já está desta forma, então podemos simplesmente tirar o subscrito. O segundo necessita de algum rearranjo para colocar o ∇ na frente do $\boldsymbol{E}$, o que podemos fazer invertendo o produto vetorial e trocando o sinal:

$$\boldsymbol{B} \cdot (\boldsymbol{E} \times \nabla_E) = -\boldsymbol{B} \cdot (\nabla_E \times \boldsymbol{E}).$$

Agora ele está em uma ordem convencional, então podemos voltar para a notação usual. A Eq. (27.10) é equivalente a

$$\nabla \cdot (\boldsymbol{B} \times \boldsymbol{E}) = \boldsymbol{E} \cdot (\nabla \times \boldsymbol{B}) - \boldsymbol{B} \cdot (\nabla \times \boldsymbol{E}). \tag{27.11}$$

(Um modo mais rápido teria sido usar as componentes neste caso especial, mas valeu a pena gastar algum tempo para ensinar este truque matemático. Você provavelmente não irá vê-lo em nenhum outro lugar, e ele é muito bom para separar a álgebra vetorial das regras a respeito da ordem dos termos com derivadas.)

Vamos voltar agora para a nossa discussão sobre a conservação da energia, e usaremos o nosso novo resultado, a Eq. (27.11) para transformar o termo $\nabla \times \boldsymbol{B}$ da Eq. (27.7). Aquela equação para a energia se torna

$$\boldsymbol{E} \cdot \boldsymbol{j} = \epsilon_0 c^2 \nabla \cdot (\boldsymbol{B} \times \boldsymbol{E}) + \epsilon_0 c^2 \boldsymbol{B} \cdot (\nabla \times \boldsymbol{E}) - \frac{\partial}{\partial t}\left(\tfrac{1}{2}\epsilon_0 \boldsymbol{E} \cdot \boldsymbol{E}\right). \tag{27.12}$$

Agora você pode ver que estamos quase terminando. Temos um termo que é uma boa derivada em relação a t para usar para u e outro que é um belo divergente para representar $\boldsymbol{S}$. Infelizmente, temos o termo do meio sobrando, que não é nem um divergente nem uma derivada em relação a t, de modo que quase conseguimos, mas ainda não. Depois de pensar um pouco, voltamos para as equações de Maxwell e descobrimos que $\nabla \times \boldsymbol{E}$ é, felizmente, $-\partial \boldsymbol{B}/\partial t$, o que significa que podemos transformar o termo extra em alguma coisa que é uma derivada temporal pura:

$$\boldsymbol{B} \cdot (\nabla \times \boldsymbol{E}) = \boldsymbol{B} \cdot \left(-\frac{\partial \boldsymbol{B}}{\partial t}\right) = -\frac{\partial}{\partial t}\left(\frac{\boldsymbol{B} \cdot \boldsymbol{B}}{2}\right).$$

Agora temos exatamente o que queríamos. A nossa equação da energia pode ser escrita como

$$\boldsymbol{E} \cdot \boldsymbol{j} = \nabla \cdot (\epsilon_0 c^2 \boldsymbol{B} \times \boldsymbol{E}) - \frac{\partial}{\partial t}\left(\frac{\epsilon_0 c^2}{2} \boldsymbol{B} \cdot \boldsymbol{B} + \frac{\epsilon_0}{2} \boldsymbol{E} \cdot \boldsymbol{E}\right), \tag{27.13}$$

que é exatamente como a Eq. (27.6), se fizermos as *definições*

$$u = \frac{\epsilon_0}{2} \boldsymbol{E} \cdot \boldsymbol{E} + \frac{\epsilon_0 c^2}{2} \boldsymbol{B} \cdot \boldsymbol{B} \tag{27.14}$$

e

$$S = \epsilon_0 c^2 E \times B. \tag{27.15}$$

(Invertendo o produto vetorial, todos os sinais ficam certos.)

Nosso método foi um sucesso. Temos uma expressão para a densidade de energia que é a soma de uma densidade de energia "elétrica" e uma densidade de energia "magnética", cujas formas são exatamente aquelas que obtivemos na estática *quando obtivemos a energia em termos dos campos*. Além disso, encontramos uma fórmula para o vetor do fluxo de energia do campo eletromagnético. Este novo vetor, $\boldsymbol{S} = \epsilon_0 c^2 \boldsymbol{E} \times \boldsymbol{B}$, é denominado "vetor de Poynting", em homenagem ao seu descobridor. Ele nos dá a taxa na qual a energia do campo se move pelo espaço. A energia que flui através de uma pequena área da por segundo é $\boldsymbol{S} \cdot \boldsymbol{n}\, da$, onde $\boldsymbol{n}$ é o vetor unitário perpendicular à área (agora que temos nossas fórmulas para u e $\boldsymbol{S}$, você pode esquecer as derivações se quiser).

27–4 A ambiguidade da energia do campo

Antes de analisar algumas aplicações das fórmulas de Poynting [Eqs. (27.14) e (27.15)], gostaríamos de dizer que na verdade não "provamos" estas fórmulas. Tudo que fizemos foi encontrar um *possível* "u" e um *possível* "$\boldsymbol{S}$". Como sabemos que, manipulando os termos mais um pouco, não vamos encontrar outra fórmula para "u" e outra fórmula para "$\boldsymbol{S}$"? O novo $\boldsymbol{S}$ e o novo u seriam diferentes, mas ainda satisfariam à Eq. (27.6). É possível. Isso pode ser feito, mas as formas que têm sido encontradas sempre envolvem diversas *derivadas* dos campos (e sempre com termos de segunda ordem, como uma segunda derivada ou o quadrado de uma primeira derivada). De fato, existe um número infinito de diferentes possibilidades para u e $\boldsymbol{S}$, e até agora ninguém descobriu um modo experimental de dizer qual está certo! As pessoas supuseram que a possibilidade mais simples é a correta, mas devemos dizer que não sabemos com certeza qual é a localização verdadeira da energia do campo eletromagnético no espaço. Então, também vamos escolher o caminho mais fácil e dizer que a energia do campo é dada pela Eq. (27.14). Portanto, o fluxo do vetor $\boldsymbol{S}$ deve ser dado pela Eq. (27.15).

É interessante notar que parece não haver uma forma única de resolver a indefinição na localização da energia do campo. Às vezes, afirma-se que esse problema pode ser resolvido usando a teoria da gravitação da seguinte maneira. Na teoria da gravidade, toda energia é fonte de atração gravitacional. Portanto, a densidade de energia da eletricidade deve estar bem localizada se quisermos conhecer a direção na qual a força da gravidade atua. Até agora, no entanto, ninguém realizou um experimento tão delicado de maneira que a localização precisa da influência gravitacional dos campos eletromagnéticos pudesse ser determinada. Que os campos eletromagnéticos sozinhos possam ser uma fonte da força gravitacional é uma ideia que não podemos descartar. De fato, foi observado que a luz é defletida quando passa pelo Sol – nós poderíamos dizer que o Sol atrai a luz em sua direção. Você não quer permitir que a luz atraia o Sol da mesma maneira? De qualquer forma, todos aceitam as expressões simples que obtivemos para a localização da energia do campo e o seu fluxo. E embora às vezes os resultados obtidos usando estas expressões pareçam estranhos, ninguém jamais encontrou nada de errado com eles – isto é, nenhuma incompatibilidade com a experiência. Então vamos seguir o resto do mundo – aliás, acreditamos que isso está perfeitamente correto.

Deveríamos fazer mais uma observação a respeito da fórmula da energia. Em primeiro lugar, a energia por unidade de volume no campo é muito simples: é a energia eletrostática mais a energia magnética, *se* escrevermos a energia eletrostática em termo de E^2 e a energia magnética como B^2. Obtivemos estas duas expressões como expressões *possíveis* para a energia quando estávamos resolvendo problemas estáticos. Também obtivemos uma quantidade de outras fórmulas para a energia do campo eletrostático, como $\rho\phi$, que é *igual* à integral de $\boldsymbol{E} \cdot \boldsymbol{E}$ no caso eletrostático. Porém, em um campo dinâmico a igualdade falha, e não há uma maneira óbvia de escolher qual é a fórmula certa. Agora sabemos qual é a certa. De maneira análoga, obtivemos a fórmula para a energia magnética que é correta em geral. A fórmula correta para a densidade de energia dos campos *dinâmicos* é a Eq. (27.14).

27–5 Exemplos de fluxo de energia

A nossa fórmula para o vetor $\boldsymbol{S}$ do fluxo de energia é um resultado bastante diferente. Queremos ver como ele funciona em alguns casos especiais, e também queremos verificar se ele concorda com todos os resultados que já vimos antes. O primeiro exemplo que vamos analisar é a luz. Em um onda luminosa, temos um vetor $\boldsymbol{E}$ e um vetor $\boldsymbol{B}$ perpendiculares entre si e com a direção de propagação da onda (ver Figura 27–2). Em uma onda eletromagnética, a magnitude de $\boldsymbol{B}$ é igual a $1/c$ vezes a magnitude de $\boldsymbol{E}$; como eles são perpendiculares,

$$|\boldsymbol{E} \times \boldsymbol{B}| = \frac{E^2}{c}\cdot$$

Portanto, para a luz, o fluxo de energia por unidade de área por segundo é

$$S = \epsilon_0 c E^2. \tag{27.16}$$

Para uma onda luminosa, em que $E = E_0 \cos \omega(t - x/c)$, a taxa média do fluxo de energia por unidade de área, $\langle S\rangle_{\text{med}}$ – que é denominada "intensidade" da luz –, é o valor médio do quadrado do campo elétrico vezes $\epsilon_0 c$:

$$\text{Intensidade} = \langle S\rangle_{\text{med}} = \epsilon_0 c\langle E^2\rangle_{\text{med}} \tag{27.17}$$

Acredite ou não, já deduzimos este resultado na Seção 31-5 do Vol. I, quando estávamos estudando a luz. Podemos acreditar que ele está correto porque ele também confirma outro resultado. Quando temos um raio luminoso, existe uma densidade de energia no espaço dada pela Eq. (27.14). Usando $cB = E$ para uma onda luminosa, temos que

$$u = \frac{\epsilon_0}{2} E^2 + \frac{\epsilon_0 c^2}{2}\left(\frac{E^2}{c^2}\right) = \epsilon_0 E^2.$$

E varia no espaço, então a densidade de energia média é

$$\langle u\rangle_{\text{med}} = \epsilon_0\langle E^2\rangle_{\text{med}}. \tag{27.18}$$

A luz viaja com velocidade c, então deveríamos pensar que a energia que passa por um metro quadrado em um segundo é c vezes a quantidade de energia em um metro cúbico. Então diríamos que

$$\langle S\rangle_{\text{med}} = \epsilon_0 c\langle E^2\rangle_{\text{med}}.$$

E isso está correto; é o mesmo resultado que obtivemos na Eq. (27.17).

Agora vamos analisar outro exemplo, bastante curioso. Vamos olhar o fluxo de energia em um capacitor que está sendo carregado lentamente (não queremos frequências tão altas que o capacitor comece a se comportar como uma cavidade ressonante, mas também não queremos CC). Vamos usar um capacitor de placas paralelas circulares do tipo usual, como mostrado na Figura 27–3. Existe um campo elétrico uniforme no seu interior que está variando com o tempo. Seja a o raio das placas e h a sua separação. A energia total entre as placas é

$$U = \left(\frac{\epsilon_0}{2} E^2\right)(\pi a^2 h). \tag{27.19}$$

Essa energia varia quando E varia. Quando o capacitor está sendo carregado, o volume entre as placas está recebendo energia à taxa

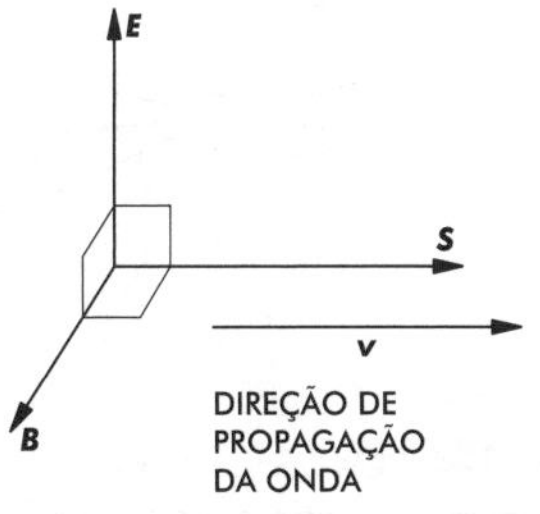

Figura 27–2 Os vetores E, B e S para uma onda luminosa.

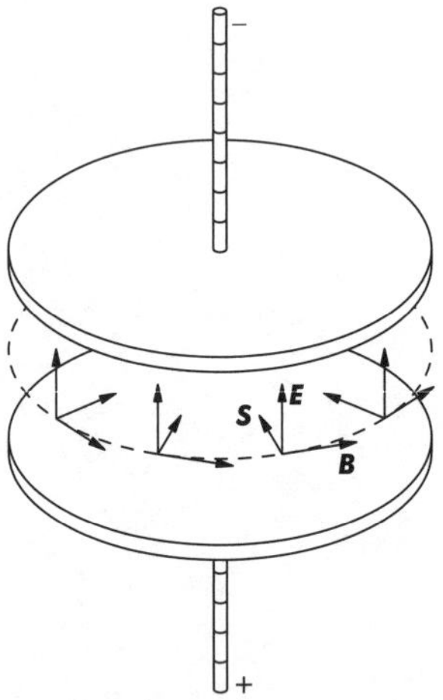

Figura 27–3 Próximo de um capacitor sendo carregado, o vetor de Poynting S aponta para dentro na direção do eixo.

$$\frac{dU}{dt} = \epsilon_0 \pi a^2 h E\dot{E}. \tag{27.20}$$

Então deve existir um fluxo de energia entrando neste volume vindo de algum lugar. É claro que você sabe que ele deve entrar pelos fios do circuito. De jeito nenhum! O fluxo não pode entrar no espaço entre as placas vindo desta direção, porque $\boldsymbol{E}$ é perpendicular às placas; $\boldsymbol{E} \times \boldsymbol{B}$ deve ser *paralelo* às placas.

Você lembra, é claro, que existe um campo magnético que circula ao redor do eixo quando o capacitor é carregado. Discutimos isso no Capítulo 23. Usando a última das equações de Maxwell, verificamos que o campo magnético na borda do capacitor é dado por

$$2\pi a c^2 B = \dot{E} \cdot \pi a^2,$$

ou

$$B = \frac{a}{2c^2}\dot{E}.$$

A sua direção está mostrada na Figura 27–3. Então existe um fluxo de energia proporcional a $\boldsymbol{E} \times \boldsymbol{B}$ que entra à volta toda pelas bordas, como mostrado na figura. Na verdade, a energia não está vindo dos fios, mas do espaço ao redor do capacitor.

Vamos verificar se a quantidade total de fluxo através da superfície completa entre as bordas das placas concorda com a taxa de variação da energia no interior – é melhor que sim; tivemos todo aquele trabalho para mostrar a Eq. (27.15) para ter certeza, mas vamos ver. A área da superfície é $2\pi a h$, e $\boldsymbol{S} = \epsilon_0 c^2 \boldsymbol{E} \times \boldsymbol{B}$ possui magnitude

$$\epsilon_0 c^2 E\left(\frac{a}{2c^2}\dot{E}\right),$$

então o fluxo total de energia é

$$\pi a^2 h \epsilon_0 E\dot{E}.$$

O resultado concorda com a Eq. (27.20), mas ele nos diz uma coisa peculiar: quando carregamos um capacitor, a energia não entra pelos fios; ele entra através das bordas entre as placas. É isso que esta teoria diz!

Como pode ser? Essa *não* é uma questão fácil, mas aqui está uma maneira de pensar a respeito. Suponha que tivéssemos algumas cargas em cima e embaixo do capacitor, e bem distantes. Enquanto as cargas estiverem distantes, existe um campo fraco, mas enormemente espalhado, que envolve o capacitor (ver Figura 27–4). Então, à medida que as cargas se aproximam, o campo se torna mais forte próximo do capacitor. Consequentemente, a energia do campo que estava longe se move em direção ao capacitor e finalmente termina entre as placas.

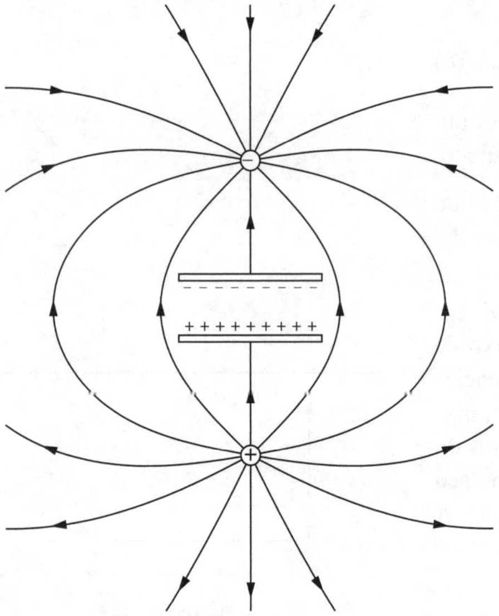

Figura 27–4 Os campos externos a um capacitor quando ele está sendo carregado por duas cargas sendo trazidas de uma grande distância.

Como outro exemplo, perguntamos o que acontece em um pedaço de fio resistor quando ele está conduzindo uma corrente. Como o fio possui uma resistência, existe um campo elétrico ao longo do seu interior, forçando a corrente. Devido à queda de potencial ao longo do fio, também existe um campo elétrico exterior ao fio, paralelo à sua superfície (ver Figura 27–5). Além disso, existe um campo magnético que circula o fio, por causa da corrente. Os campos $\boldsymbol{E}$ e $\boldsymbol{B}$ são perpendiculares, então existe um vetor de Poynting dirigido radialmente para dentro, como mostrado na figura. Existe um fluxo de energia entrando no fio vindo do espaço à sua volta. Ele é, obviamente, igual à energia que está sendo perdida pelo fio em forma de calor. Então a nossa teoria "maluca" afirma que os elétrons estão obtendo energia para gerar calor por causa da energia fluindo para dentro do fio vinda do campo externo. A intuição nos diria que os elétrons estão obtendo energia por serem empurrados ao longo do fio, então a energia deveria estar fluindo para baixo (ou para cima) ao longo do fio. No entanto, a teoria afirma que os elétrons estão sendo empurrados, na verdade, por um campo elétrico que veio de algumas cargas muito distantes, e que os elétrons obtêm a sua energia para gerar calor a partir destes campos. De alguma maneira, a energia flui das cargas distantes até uma vasta área de espaço e então para dentro do fio.

Finalmente, para terminar de convencê-lo de que esta teoria é totalmente maluca, vamos analisar mais um exemplo – um exemplo no qual uma carga elétrica e um ímã estão *em repouso* próximos um do outro e ambos estão parados. Suponha que tomemos o exemplo de uma carga puntiforme próxima do meio de um ímã em forma de barra, como mostrado na Figura 27–6. Tudo está em repouso, então a energia não está variando com o tempo. Além disso, $\boldsymbol{E}$ e $\boldsymbol{B}$ estão bem estáticos. No entanto, o vetor de Poynting afirma que existe um fluxo de energia, porque existe um $\boldsymbol{E} \times \boldsymbol{B}$ diferente de zero. Se você olhar para o fluxo de energia, verá que ele simplesmente circula ao redor do sistema. Não há nenhuma variação na energia em nenhum lugar – toda a energia que flui para dentro de um volume flui para fora de novo. É como um líquido incompressível fluindo. Então existe uma circulação de energia nesta situação chamada de estática. Como isso é tudo absurdo!

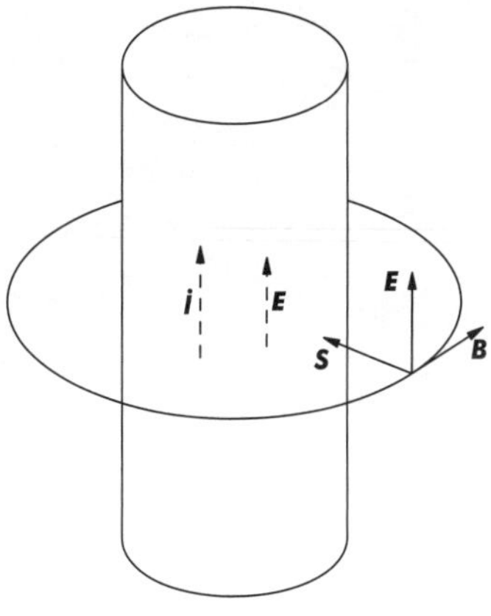

Figura 27–5 O vetor de Poynting S próximo de um fio conduzindo uma corrente.

Talvez isso não seja tão terrivelmente estranho se você lembrar que o que chamamos de ímã "estático" é na verdade uma corrente circulando permanentemente. Em um ímã permanente, os elétrons estão girando permanentemente no interior, então talvez uma circulação da energia no exterior não seja tão estranha assim.

Sem dúvida você começou a ficar com a impressão de que a teoria de Poynting viola pelo menos parcialmente a sua intuição a respeito de onde a energia está localizada em um campo eletromagnético. Você poderia imaginar que deve mudar todas as suas convicções, e então precisa estudar um monte de coisas aqui, mas isso não parece ser necessário. Você não precisa achar que vai ter muitos problemas se esquecer de vez em quando que a energia em um fio está fluindo para dentro do fio a partir do exterior, e não ao longo do fio. Parece ser muito raramente útil, quando usamos a ideia da conservação da energia, saber em detalhe qual o caminho que a energia está tomando. A circulação da energia ao redor de um ímã e uma carga parece, na maioria das circunstâncias, ser bastante desprovida de importância. Não é um detalhe vital, mas está claro que as nossas intuições usuais estão bastante erradas.

27–6 Momento do campo

A seguir gostaríamos de discutir o *momento* do campo eletromagnético. Assim como o campo possui uma energia, ele terá um certo momento por unidade de volume. Vamos denominar esta densidade de momento $\boldsymbol{g}$. Obviamente, o momento possui várias direções possíveis, de modo que $\boldsymbol{g}$ deve ser um vetor. Vamos discutir uma componente de cada vez; primeiro, consideramos a componente x. Como cada componente do momento é conservada, deveríamos ser capazes de escrever uma lei com a seguinte aparência:

$$-\frac{\partial}{\partial t}\begin{pmatrix}\text{momento}\\ \text{da matéria}\end{pmatrix}_x = \frac{\partial g_x}{\partial t} + \begin{pmatrix}\text{fluxo do}\\ \text{momento}\end{pmatrix}_x .$$

O lado esquerdo é fácil. A taxa de variação do momento da matéria é simplesmente a força que atua sobre ela. Para uma partícula, a força é $\boldsymbol{F} = q(\boldsymbol{E} + \boldsymbol{v} \times \boldsymbol{B})$; para uma distribuição de cargas, a força por unidade de volume é $(\rho\boldsymbol{E} + \boldsymbol{j} \times \boldsymbol{B})$. O termo do "fluxo de momento", entretanto, é estranho. Ele não pode ser o divergente de um vetor porque ele não é um escalar; em vez disso, ele é a componente x de um vetor. De qualquer maneira, ele deveria se parecer com

$$\frac{\partial a}{\partial x} + \frac{\partial b}{\partial y} + \frac{\partial c}{\partial z},$$

porque a componente x do momento poderia estar fluindo em qualquer das três direções. No caso geral, quaisquer que sejam as funções a, b e c, a combinação deve ser igual ao fluxo da componente x do momento.

Agora a estratégia seria escrever $\rho\boldsymbol{E} + \boldsymbol{j} \times \boldsymbol{B}$ em termos apenas de $\boldsymbol{E}$ e $\boldsymbol{B}$ – eliminando ρ e $\boldsymbol{j}$ usando as equações de Maxwell – e então manipular os termos e fazer substituições para colocar o resultado em uma forma que se pareça com

$$\frac{\partial g_x}{\partial t} + \frac{\partial a}{\partial x} + \frac{\partial b}{\partial y} + \frac{\partial c}{\partial z}.$$

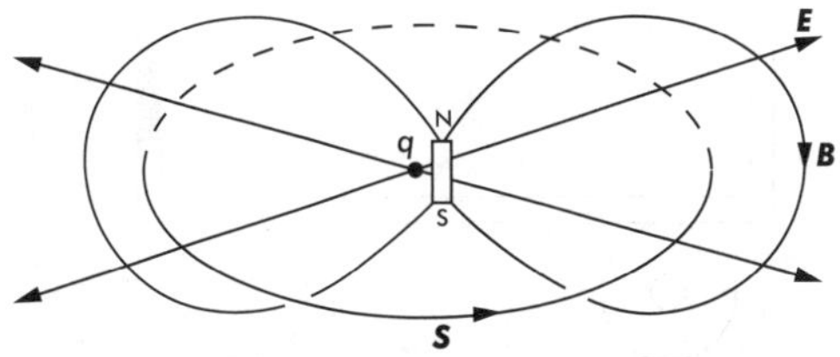

Figura 27–6 Uma carga e um ímã produzem um vetor de Poynting que circula em trajetórias fechadas.

Então, identificando os termos, teríamos expressões para g_x, a, b e c. É muito trabalhoso, e não vamos fazê-lo. Em vez disso, vamos encontrar uma expressão para $\boldsymbol{g}$, a densidade de momento – por um caminho diferente.

Existe um importante teorema na mecânica que afirma o seguinte: sempre que existir um fluxo de energia em uma circunstância qualquer (energia do campo ou qualquer outro tipo de energia), a energia fluindo através de uma unidade de área por unidade de tempo, quando multiplicada por $1/c^2$, é igual ao momento por unidade de volume no espaço. No caso especial da eletrodinâmica, deste teorema resulta que $\boldsymbol{g}$ é igual a $1/c^2$ vezes o vetor de Poynting:

$$\boldsymbol{g} = \frac{1}{c^2}\boldsymbol{S}. \tag{27.21}$$

Então o vetor de Poynting fornece não apenas o fluxo de energia, mas, se você dividir por c^2, também a densidade de momento. O mesmo resultado também poderia ser obtido pela outra análise que sugerimos, mas é mais interessante observar este resultado geral. Vamos mostrar agora alguns exemplos interessantes e argumentos para convencê-los de que o teorema geral é verdadeiro.

Primeiro exemplo: imagine uma caixa cheia de partículas – como N por metro cúbico – e imagine que elas estejam se movendo com alguma velocidade $\boldsymbol{v}$. Agora vamos considerar uma superfície plana imaginária perpendicular a $\boldsymbol{v}$. O fluxo de energia por segundo através de uma unidade de área desta superfície é igual a Nv, o número que flui através da superfície por segundo, multiplicado pela energia carregada por cada partícula. A energia em cada partícula é $m_0c^2/\sqrt{1 - v^2/c^2}$. Portanto, o fluxo de energia por segundo é

$$Nv\,\frac{m_0c^2}{\sqrt{1 - v^2/c^2}}.$$

O momento de cada partícula é $m_0v/\sqrt{1 - v^2/c^2}$, de modo que a *densidade* de momento é

$$N\,\frac{m_0v}{\sqrt{1 - v^2/c^2}},$$

que é exatamente $1/c^2$ vezes o fluxo de energia – como o teorema afirma. Assim, o teorema é verdadeiro para um conjunto de partículas.

Ele também é verdadeiro para a luz. Quando estudamos a luz no Volume I, vimos que quando a energia de um raio luminoso é absorvida, uma certa quantidade de momento é transferida para o absorvedor. De fato, mostramos no Capítulo 34 do Vol. I que o momento é $1/c$ vezes a energia absorvida [Eq. (34.24) do Vol. I]. Seja U_0 a energia atingindo uma unidade de área por segundo, então o momento atingindo uma unidade de área por segundo será U_0/c. O momento está viajando com velocidade c, de modo que a *densidade* na frente do absorvedor deve ser U_0/c^2. Então o teorema está certo novamente.

Finalmente vamos dar um argumento devido a Einstein que demonstra a mesma coisa mais uma vez. Imagine um vagão de trem com rodas (sem atrito) com uma massa M grande. Em uma extremidade existe um aparelho que dispara partículas ou luz (ou qualquer outra coisa, não faz diferença o que seja), que são detidas na extremidade oposta. Havia originalmente alguma energia em uma extremidade – a energia U indicada na Fig. 27-7(a) – e mais tarde ela está na extremidade oposta, como mostrado na Fig. 27-7(c). A energia U foi deslocada uma distância L, o comprimento do vagão. Agora a energia U possui a massa U/c^2, de modo que se o vagão ficou parado, o centro de gravidade do vagão deve ter se movido. Einstein não gostava de ideia de que o centro de gravidade de um objeto pudesse ser movido por modificações internas, então ele supôs que é impossível mover o centro de gravidade fazendo qualquer coisa no interior do objeto. Contudo, se esse for o caso, quando movemos a energia U

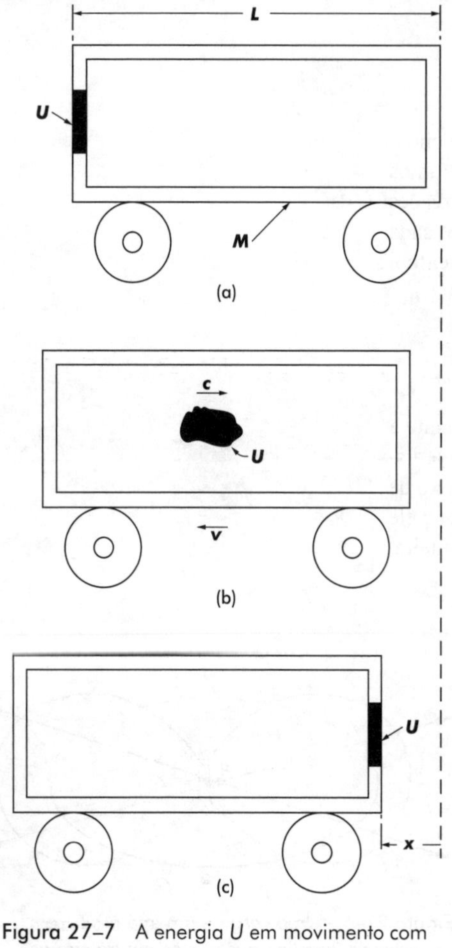

Figura 27–7 A energia U em movimento com velocidade c carrega o momento U/c.

de uma extremidade para a outra, o vagão inteiro deve ter andado para trás uma distância x, como mostrado na parte (c) da figura. De fato, você pode ver que a massa total do vagão, vezes x, deve ser igual à massa da energia movida, U/c^2, vezes L, (supondo que U/c^2 seja muito menor do que M):

$$Mx = \frac{U}{c^2} L. \tag{27.22}$$

Vamos analisar agora o caso especial da energia sendo carregada por um sinal luminoso (o argumento funcionaria igualmente bem para partículas, mas vamos seguir o que fez Einstein, que estava interessado no problema da luz). O que faz com que o vagão se mova? Einstein usou o seguinte argumento: quando a luz é emitida, deve haver um recuo, um recuo desconhecido com momento p. É esse recuo que faz o vagão rolar para trás. A velocidade v do recuo do vagão será este momento dividido pela massa do vagão:

$$v = \frac{p}{M}.$$

O vagão se move com essa velocidade até que a energia U da luz atinja a extremidade oposta. Então, quando isso acontece, ela devolve o momento e o vagão para. Se x for pequeno, então o tempo durante o qual o vagão se move é aproximadamente igual a L/c; então temos que

$$x = vt = v\frac{L}{c} = \frac{p}{M}\frac{L}{c}.$$

Substituindo este x na Eq. (27.22), obtemos

$$p = \frac{U}{c}.$$

Novamente obtemos a relação entre a energia e o momento para a luz. Dividindo por c para obter a densidade de momento $g = p/c$, obtemos mais uma vez que

$$g = \frac{U}{c^2}. \tag{27.23}$$

Você pode estar se perguntando: o que há de tão importante no teorema do centro de gravidade? Talvez *ele* esteja errado. Talvez, mas então também perderíamos a conservação do momento angular. Suponha que o nosso vagão estivesse se movendo em um trilho com uma velocidade v e que atirássemos alguma energia luminosa do topo para o fundo do vagão – por exemplo, de A a B na Figura 27–8. Vamos analisar agora o momento angular do sistema em relação ao ponto P. Antes de a energia U deixar A, ela possui a massa $m = U/c^2$ e a velocidade v e, consequentemente, o momento angular $mv\mathbf{r}_A$. Quando ela atinge B, ela ainda possui a mesma massa e, se o momento *linear* do vagão não houver variado, ela ainda deve ter a mesma velocidade v. O seu momento angular em relação a P será então mvr_B. O momento angular terá mudado *a não ser que* o momento de recuo correto tenha sido dado para o vagão quando a luz foi emitida – ou seja, a não ser que a luz carregue o momento U/c. Acontece que a conservação do momento angular e o teorema do centro de gravidade estão intimamente relacionados na teoria da relatividade. Então a conservação do momento angular também seria destruída se o nosso teorema não fosse verdadeiro. De qualquer forma, ele realmente parece ser uma lei geral verdadeira e, no caso do eletromagnetismo, podemos usá-la para obter o momento do campo.

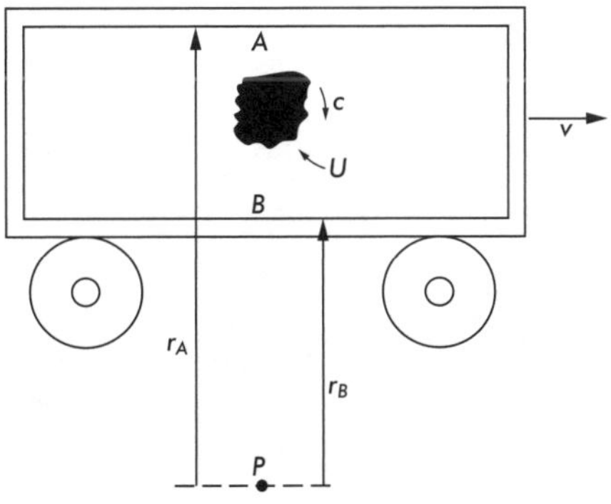

Figura 27–8 A energia U deve carregar o momento U/c para que o momento angular em relação a P seja conservado.

Vamos mencionar mais dois exemplos do momento do campo eletromagnético. Apontamos na Seção 26-2 a falha da lei da ação e reação quando duas partículas carregadas estão se movendo em trajetórias ortogonais. As forças nas duas partículas não se equilibram, de modo que a ação e a reação não são iguais: portanto o momento resultante da matéria deve estar variando.

Ele não é conservado, e o momento do campo também está variando nesta situação. Se você calcular a quantidade de momento dada pelo vetor de Poynting, ela não será uma constante. Porém, a variação no momento das partículas é compensada exatamente pelo momento do campo, então o momento total das partículas mais o campo é conservado.

Finalmente, outro exemplo é a situação com o ímã e a carga, mostrada na Figura 27–6. Ficamos infelizes quando descobrimos que a energia estava fluindo em círculos, mas agora, como sabemos que o fluxo de energia e o momento são proporcionais, sabemos também que existe momento circulando pelo espaço. Um momento *circulando* significa que existe um momento *angular*, então existe momento *angular* no campo. Você lembra do paradoxo que descrevemos na Seção 17-4 a respeito de um solenoide e algumas cargas montadas sobre um disco? Parecia que quando a corrente fosse desligada, o disco inteiro começaria a girar. A questão era: de onde veio o momento angular? A resposta é que se você tiver um campo magnético e algumas cargas, haverá algum momento angular no campo. Ele foi colocado lá quando o campo foi gerado. Quando o campo é desligado, o momento angular é devolvido. Então o disco no paradoxo *começaria* a girar. Este fluxo circulante místico de energia, que parecia tão ridículo a princípio, é absolutamente necessário. Existe realmente um fluxo de momento e ele é necessário para manter a conservação do momento angular no mundo inteiro.

28

Massa Eletromagnética

28–1 A energia do campo de uma carga puntiforme

Ao unir a relatividade e as equações de Maxwell, termina o nosso trabalho principal com a teoria do eletromagnetismo. Existem, é claro, alguns detalhes que evitamos e uma grande área com a qual nos preocuparemos no futuro – a interação dos campos eletromagnéticos com a matéria. No entanto, queremos parar por um momento para mostrar que este tremendo edifício, que é tão bem-sucedido para explicar tantos fenômenos, termina caindo de cara no chão. Quando você segue qualquer parte da nossa física longe demais, acaba descobrindo que sempre se chega a algum tipo de problema. Agora queremos discutir um problema sério – a falência da teoria eletromagnética clássica. Você pode compreender que existe uma falência de toda a física clássica devido aos efeitos da mecânica quântica. A mecânica clássica é uma teoria matematicamente consistente; ela apenas não concorda com a experiência. Entretanto, é interessante ver que a teoria do eletromagnetismo é, sozinha, uma teoria insatisfatória. Existem dificuldades associadas com as *ideias* de Maxwell que não são resolvidas pela mecânica quântica e não estão diretamente associadas com ela. Você poderia dizer, "talvez não faça sentido nos preocuparmos com estas dificuldades. Como a mecânica quântica vai mudar as leis da eletrodinâmica, deveríamos esperar e ver quais são as dificuldades após a modificação". Entretanto, quando o eletromagnetismo é unido à mecânica quântica, as dificuldades permanecem. Então não será uma perda de tempo analisar quais são estas dificuldades. Elas também têm uma grande importância histórica. E, além disso, você pode ter um sentimento de realização por ser capaz de ir longe o suficiente com a teoria para ver tudo – incluindo todos os seus problemas.

A dificuldade à qual nos referimos está associada com os conceitos de momento e energia eletromagnéticos, quando aplicados ao elétron ou a qualquer partícula carregada. Os conceitos de simples partículas carregadas e do campo eletromagnético são de certa forma inconsistentes. Para descrever essa dificuldade, começamos fazendo alguns exercícios com os nossos conceitos de energia e momento.

Primeiro, vamos calcular a energia de uma partícula carregada. Suponha que tomemos um modelo simples de um elétron no qual toda a carga q está uniformemente distribuída na superfície de uma esfera de raio a que podemos tomar igual a zero no caso especial de uma carga puntiforme. Vamos calcular agora a energia do campo eletromagnético. Se a carga estiver parada, não haverá campo magnético, e a energia por unidade de volume será proporcional ao quadrado do campo elétrico. A magnitude do campo elétrico é $q/4\pi\epsilon_0 r^2$, e a densidade de energia é

$$u = \frac{\epsilon_0}{2}E^2 = \frac{q^2}{32\pi^2\epsilon_0 r^4}.$$

Para obter a energia total, precisamos integrar essa densidade sobre todo o espaço. Usando o elemento de volume $4\pi r^2 dr$, a energia total, que denominaremos U_{el}, é dada por

$$U_{\text{el}} = \int \frac{q^2}{8\pi\epsilon_0 r^2}\,dr.$$

Essa expressão pode ser integrada prontamente. O limite inferior é a e o limite superior é ∞, então temos

$$U_{\text{el}} = \frac{1}{2}\frac{q^2}{4\pi\epsilon_0}\frac{1}{a}. \tag{28.1}$$

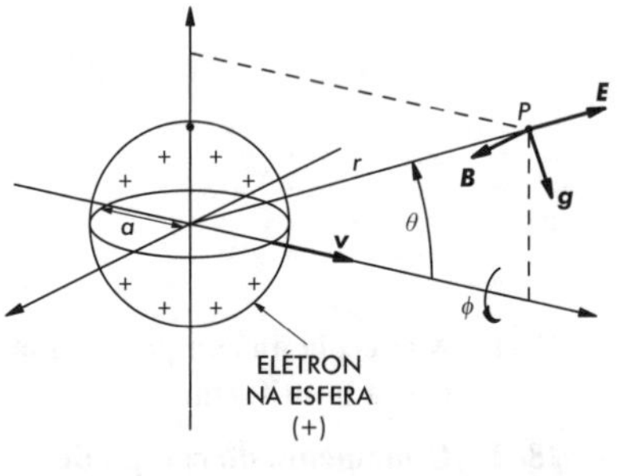

Figura 28–1 Os campos $\boldsymbol{E}$ e $\boldsymbol{B}$ e a densidade de momento $\boldsymbol{g}$ para um elétron positivo. Para um elétron negativo, $\boldsymbol{E}$ e $\boldsymbol{B}$ são revertidos, mas $\boldsymbol{g}$ não é.

Se usarmos q_e para a carga q do elétron, e o símbolo e^2 para $q_e^2/4\pi\epsilon_0$, então

$$U_{\text{el}} = \frac{1}{2}\frac{e^2}{a}. \tag{28.2}$$

Está tudo muito bem até tomarmos a igual a zero para uma carga puntiforme – eis a grande dificuldade. Como a energia do campo varia inversamente com a quarta potência da distância até o centro, a sua integral de volume é infinita. Existe uma quantidade infinita de energia ao redor de uma carga puntiforme.

O que há de errado com uma energia infinita? Se a energia não pode sair, e deve permanecer onde está para sempre, existe alguma dificuldade real com uma energia infinita? Obviamente, uma quantidade que possui um valor infinito pode ser incômoda, mas o que realmente importa é se existem efeitos físicos *observáveis*. Para responder a essa pergunta, precisamos verificar algo além da energia. Vamos perguntar como a energia *varia* quando *movemos* a carga. Então, se as *variações* forem infinitas, teremos problemas.

28–2 O momento do campo de uma carga em movimento

Imagine um elétron movendo-se pelo espaço a uma velocidade constante, supondo por um momento que a velocidade seja baixa quando comparada com a velocidade da luz. Associado a este elétron em movimento existe um momento – mesmo que o elétron não possuísse massa antes de ser carregado – devido ao momento do campo eletromagnético. Podemos mostrar que o momento do campo está na direção da velocidade v da carga e é, para velocidades baixas, proporcional a v. Para um ponto P a uma distância r do centro da carga e fazendo um ângulo θ com a linha do movimento (ver Figura 28–1) o campo elétrico é radial e, como vimos, o campo magnético é $\boldsymbol{v} \times \boldsymbol{E}/c^2$. A densidade de momento, Eq. (27.21), é

$$\boldsymbol{g} = \epsilon_0 \boldsymbol{E} \times \boldsymbol{B}.$$

A densidade de momento está direcionada obliquamente em direção à linha do movimento, como mostrado na figura, e possui magnitude

$$g = \frac{\epsilon_0 v}{c^2} E^2 \operatorname{sen} \theta.$$

Os campos são simétricos ao redor da linha do movimento, de modo que, ao integrarmos em todo o espaço, as componentes transversais terão resultante igual a zero, dando um momento resultante paralelo a $\boldsymbol{v}$. A componente de $\boldsymbol{g}$ nesta direção é g sen θ, que devemos integrar em todo o espaço. Tomamos como nosso elemento de volume um anel com o plano perpendicular a $\boldsymbol{v}$, como mostrado na Figura 28–2. O seu volume é $2\pi r^2$ sen $\theta\, d\theta\, dr$. O momento total é, então,

$$\boldsymbol{p} = \int \frac{\epsilon_0 \boldsymbol{v}}{c^2} E^2 \operatorname{sen}^2 \theta\, 2\pi r^2 \operatorname{sen} \theta\, d\theta\, dr.$$

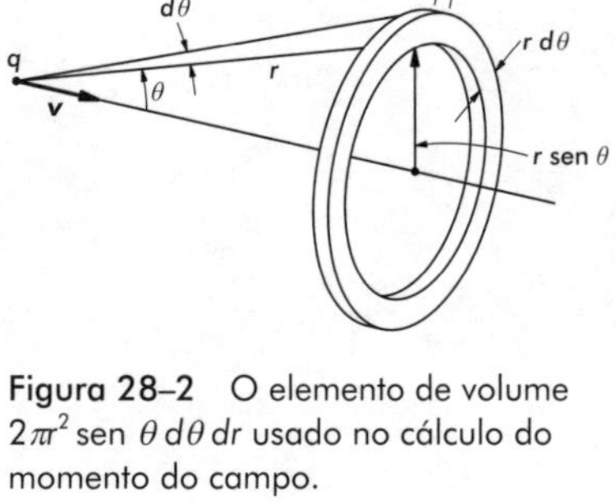

Figura 28–2 O elemento de volume $2\pi r^2$ sen $\theta\, d\theta\, dr$ usado no cálculo do momento do campo.

Como E é independente de θ (para $v \ll c$), podemos integrar imediatamente sobre θ; a integral é

$$\int \operatorname{sen}^3 \theta\, d\theta = -\int (1 - \cos^2 \theta)\, d(\cos \theta) = -\cos \theta + \frac{\cos^3 \theta}{3}.$$

Os limites de θ são 0 e π, então a integral em θ fornece simplesmente um fator de 4/3, e

$$\boldsymbol{p} = \frac{8\pi}{3} \frac{\epsilon_0 \boldsymbol{v}}{c^2} \int E^2 r^2\, dr.$$

A integral (para $v \ll c$) é a mesma que já calculamos para obter a energia; o seu resultado é $q^2/16\pi^2\epsilon_0^2 a$, e

$$p = \frac{2}{3}\frac{q^2}{4\pi\epsilon_0}\frac{v}{ac^2},$$

ou

$$p = \frac{2}{3}\frac{e^2}{ac^2}\,v.$$

O momento do campo – o momento eletromagnético – é proporcional a $\boldsymbol{v}$. É exatamente o que deveríamos esperar para uma partícula com a massa igual ao coeficiente de $\boldsymbol{v}$. Portanto, podemos denominar este coeficiente como a *massa eletromagnética*, m_{el}, e escrevê-lo como

$$m_{\text{el}} = \frac{2}{3}\frac{e^2}{ac^2}. \tag{28.4}$$

28–3 Massa eletromagnética

De onde vem a massa? Em nossas leis da mecânica, supusemos que cada objeto "carrega" uma característica que chamamos de massa – o que também significa que ele "carrega" um momento proporcional à sua velocidade. Agora descobrimos que é compreensível que uma partícula carregada tenha um momento proporcional à sua velocidade. De fato, pode ser que a massa seja simplesmente o efeito da eletrodinâmica. A origem da massa foi até agora um mistério. Com a teoria da eletrodinâmica, temos finalmente uma grande oportunidade para entender algo que nunca entendemos antes. De repente aparece do nada – ou melhor, de Maxwell e Poynting – que toda partícula carregada terá um momento proporcional à sua velocidade simplesmente a partir de influência eletromagnéticas.

Vamos ser conservadores e dizer, por um momento, que existem dois tipos de massa – que o momento total de um objeto poderia ser a soma de um momento mecânico e o momento eletromagnético. O momento mecânico é a massa "mecânica", m_{mec}, vezes $\boldsymbol{v}$. Nos experimentos em que medimos a massa de uma partícula analisando que momento ela tem, ou como ela se movimenta em uma órbita, estamos medindo a massa total. Podemos dizer de maneira geral que o momento é a massa total ($m_{\text{mec}} + m_{\text{el}}$) vezes a velocidade. Então a massa observada pode ser constituída por duas partes (ou talvez mais, se incluirmos outros campos): uma parte mecânica mais uma parte eletromagnética. Definitivamente sabemos que existe uma parte eletromagnética, e temos uma fórmula para ela. E existe a excitante possibilidade de que a parte mecânica nem esteja lá – e toda a massa seja eletromagnética.

Vamos ver qual deve ser o tamanho do elétron se não houver uma massa mecânica. Podemos descobrir isso tomando a massa eletromagnética da Eq. (28.4) igual à massa observada m_e de um elétron. Obtemos

$$a = \frac{2}{3}\frac{e^2}{m_e c^2}. \tag{28.5}$$

A quantidade

$$r_0 = \frac{e^2}{m_e c^2} \tag{28.6}$$

é chamada de "raio clássico do elétron"; ela possui o valor numérico $2{,}82 \times 10^{-13}$ cm, aproximadamente um centésimo milionésimo do diâmetro de um átomo.

Por que r_0 é chamado de raio do elétron, ao invés de nosso a? Porque poderíamos fazer o mesmo cálculo igualmente bem com alguma outra distribuição de cargas – a carga poderia se espalhar uniformemente pelo volume de uma esfera, ou poderia estar disposta como uma bola granulosa. Para qualquer suposição particular, o fator 2/3 se transformaria em alguma outra fração. Por exemplo, para uma carga distribuída uniformemente pelo volume de uma esfera, o 2/3 é substituído por 4/5. Em vez de discutir qual distribuição é a correta, foi decidido definir r_0 como o raio “nominal”. Então as diferentes teorias poderiam fornecer os seus coeficientes preferidos.

Vamos seguir com a nossa teoria da massa eletromagnética. Nossos cálculos foram feitos para $v \ll c$; o que acontece se considerarmos velocidades mais altas? As primeiras tentativas causaram uma certa confusão, mas Lorentz percebeu que a esfera carregada se contrairia como um elipsoide a altas velocidades e os campos mudariam de acordo com as fórmulas (26.6) e (26.7) que deduzimos para o caso relativístico no Capítulo 26. Se você resolver as integrais para $\boldsymbol{p}$ neste caso, encontrará que, para uma velocidade arbitrária $\boldsymbol{v}$, o momento é alterado pelo fator $1/\sqrt{1 - v^2/c^2}$:

$$\boldsymbol{p} = \frac{2}{3}\frac{e^2}{ac^2}\frac{\boldsymbol{v}}{\sqrt{1 - v^2/c^2}}. \tag{28.7}$$

Em outras palavras, a massa eletromagnética aumenta com a velocidade como o inverso de $\sqrt{1 - v^2/c^2}$ – uma descoberta que foi feita antes da teoria da relatividade.

Os primeiros experimentos foram propostos para medir as mudanças com a velocidade na massa observada da partícula para determinar quanta massa era mecânica e quanta era elétrica. Acreditava-se na época que a parte elétrica *mudaria* com a velocidade, enquanto a parte mecânica *não* mudaria, mas enquanto os experimentos estavam sendo realizados, os teóricos também estavam trabalhando. Em breve a teoria da relatividade tinha sido desenvolvida, e propunha que qualquer que fosse a origem da massa, *toda* a massa deveria variar como $m_0/\sqrt{1 - v^2/c^2}$. A Eq. (28.7) era o começo da teoria da massa dependente da velocidade.

Vamos voltar agora para os nossos cálculos da energia do campo, que levaram à Eq. (28.2). De acordo com a teoria de relatividade, a energia U terá a massa U/c^2; a Eq. (28.2) afirma então que o campo do elétron deveria ter a massa

$$m'_{\text{el}} = \frac{U_{\text{el}}}{c^2} = \frac{1}{2}\frac{e^2}{ac^2}, \tag{28.8}$$

que não é a mesma massa eletromagnética, m_{el}, da Eq. (28.4). De fato, se simplesmente combinarmos as Eqs. (28.2) e (28.4), poderemos escrever

$$U_{\text{el}} = \frac{3}{4}m_{\text{el}}c^2.$$

Essa fórmula foi descoberta antes da relatividade, e quando Einstein e outros começaram a perceber que ela deveria ser sempre $U = mc^2$, houve uma grande confusão.

28–4 A força de um elétron sobre si mesmo

A discrepância entre as duas fórmulas para a massa eletromagnética é especialmente incômoda, porque provamos cuidadosamente que a teoria da eletrodinâmica é consistente com o princípio da relatividade. Ainda assim, a teoria da relatividade implica sem sombra de dúvida que o momento deve ser igual à energia vezes v/c^2. Estamos com problemas; devemos ter cometido um erro. Não cometemos um erro de conta em nossos cálculos, mas deixamos alguma coisa de fora.

Quando deduzimos as nossas equações para a energia e o momento, supusemos as leis de conservação. Vamos supor que *todas* as forças estavam sendo levadas em conta e que todo o trabalho realizado e todo o momento carregado por outros mecanismos “não elétricos” estava incluído. Se tivermos uma esfera de cargas, as forças elétricas serão todas repulsivas, e um elétron tenderia a ir embora. Como o sistema tem forças não balanceadas, podemos obter todo tipo de erro nas leis relacionando energia e momento. Para obter um quadro *consistente*, devemos imaginar que algo mantém os elétrons juntos. As cargas devem ser presas na esfera por algum tipo de elástico – alguma coisa que as impeça de voarem embora. Foi notado pela primeira vez por Poincaré que os elásticos – ou o que estiver segurando os elétrons – devem ser incluídos nos cálculos da energia e do momento. Por essa razão, as forças não elétricas extras também são conhecidas pelo nome mais elegante de "pressões de Poincaré". Se as forças extras forem incluídas nos cálculos, as massas obtidas pelos dois métodos serão modificadas (de uma forma que depende das suposições detalhadas). E os resultados são consistentes com a relatividade; ou seja, a massa que surge do cálculo do momento é a mesma que surge do cálculo da energia. Entretanto, ambas contêm *duas* contribuições: uma massa eletromagnética e a contribuição das pressões de Poincaré. Apenas quando as duas são somadas obtemos uma teoria consistente.

Portanto é impossível fazer com que toda a massa seja eletromagnética da maneira que esperávamos. A teoria não é válida se não tivermos nada além da eletrodinâmica. Alguma coisa deve ser adicionada. Chamem do que quiserem – "elásticos" ou "pressões de Poincaré", ou qualquer outra coisa –, devem existir outras forças na natureza para gerar uma teoria consistente deste tipo.

Claramente, assim que colocarmos forças no interior do elétron, toda a beleza da ideia começa a desaparecer. As coisas se tornam muito complicadas. Você poderia perguntar: as pressões são muito fortes? O que acontece quando o elétron é sacudido? Ele oscila? Quais são as suas propriedades internas? E assim por diante. Seria possível que um elétron tivesse algumas propriedades internas complicadas. Se fizermos uma teoria do elétron seguindo estas premissas, ela prediria propriedades estranhas, como modos de oscilação, que aparentemente não foram observados. Dizemos "aparentemente" porque observamos muitos fenômenos da natureza que ainda não fazem sentido. Podemos descobrir algum dia que uma das coisas que não entendemos hoje (por exemplo, o múon) pode, de fato, ser explicada como uma oscilação das pressões de Poincaré. Não parece muito provável, mas ainda não temos certeza. Existem muitos aspectos das partículas elementares que ainda não entendemos. De qualquer maneira, a estrutura complexa decorrente desta teoria não é desejável, e a tentativa de explicar toda a massa em termos do eletromagnetismo – pelo menos da maneira que descrevemos – levou-nos a um beco sem saída.

Gostaríamos de pensar um pouco mais sobre por que dizemos que temos uma massa quando o momento do campo é proporcional à velocidade. Fácil! A massa é o coeficiente entre o momento e a velocidade. Podemos olhar a massa de uma outra forma: uma partícula tem massa se você precisar aplicar uma força para acelerá-la. Portanto, pode ser útil para o nosso entendimento se olharmos mais cuidadosamente para a origem das forças. Como sabemos que deve existir uma força? Porque provamos a lei de conservação do momento para os campos. Se tomarmos uma partícula carregada e a empurrarmos durante um intervalo de tempo, haverá algum momento no campo eletromagnético. O momento deve ter sido colocado no campo de alguma maneira. Portanto, deve haver uma força atuando no elétron para mantê-lo em movimento – uma força além daquela exigida pela sua inércia mecânica, uma força decorrente da sua interação eletromagnética. E deve existir uma força correspondente no "autor do empurrão", mas de onde vem essa força?

O quadro geral é mais ou menos assim. Podemos pensar o elétron como uma esfera carregada. Quando ele está em repouso, cada elemento de carga repele eletricamente todos os outros, mas as forças se cancelam aos pares, de modo que não há nenhuma força *resultante* [ver Figura 28–3(a)]. Entretanto, quando o elétron é acelerado, as forças não se cancelam mais aos pares devido ao fato de que as influências eletromagnéticas levam um tempo para ir de um elemento para o outro. Por exemplo, a força no elemento α na Figura 28–3(b) devido a um elemento β no lado oposto depende da posição de β em um tempo anterior, como mostrado. Tanto a magnitude quanto a direção da força dependem do movimento da carga. Se a carga estiver acelerada, as forças nas diversas partes do elétron poderão ser como está mostrado na Figura 28–3(c). Quando todas estas forças são somadas, elas não se cancelam. Elas se cancelariam se a velocidade fosse uniforme, mesmo que à primeira vista pareça que o retardamento daria uma força resultante até para uma velocidade uniforme. Acontece que não existe uma força resultante, a não ser que o elétron esteja sendo acelerado. Com a aceleração, se olharmos as forças entre as diversas partes do elétron, veremos que a ação e a reação não são exatamente iguais, e o elétron exerce uma força *nele mesmo* que tenta deter a aceleração. Ele se segura, agarrando-se a si mesmo.

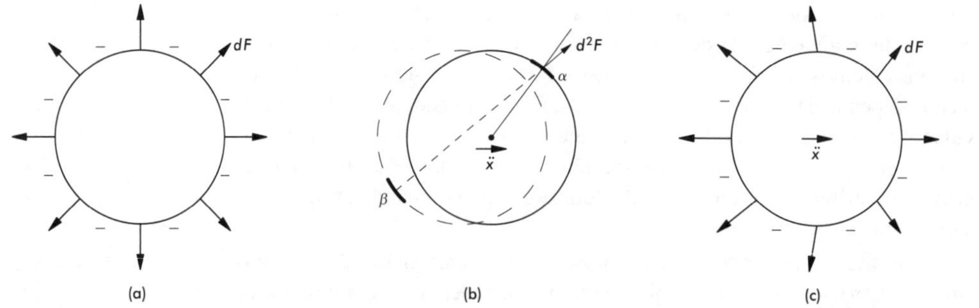

Figura 28–3 A autoforça em um elétron acelerado não é zero devido à retardação (dF é a força em um elemento de superfície da; d^2F é a força no elemento de superfície da_α devido à carga no elemento de superfície da_β).

É possível, apesar de difícil, calcular esta força de autorreação; porém, não queremos nos ocupar aqui com um cálculo tão elaborado. Vamos mostrar qual é o resultado para o caso especial de um movimento relativamente simples em uma dimensão, por exemplo, a direção x. Neste caso, a autoforça pode ser escrita como uma série. O primeiro termo da série depende da aceleração $\ddot{x}$, o próximo termo é proporcional a $\dddot{x}$, e assim por diante.[1] O resultado é

$$F = \alpha \frac{e^2}{ac^2}\ddot{x} - \frac{2}{3}\frac{e^2}{c^3}\dddot{x} + \gamma \frac{e^2 a}{c^4}\ddddot{x} + \cdots, \tag{28.9}$$

onde α e γ são coeficientes numéricos da ordem de 1. O coeficiente α do termo $\ddot{x}$ depende da distribuição de carga assumida; se a carga estiver distribuída uniformemente em uma esfera, então $\alpha = 2/3$. Então existe um termo, proporcional à aceleração, que varia com o inverso do raio a do elétron e concorda exatamente com o valor que obtivemos na Eq. (28.4) para m_{el}. Se a distribuição de carga escolhida for diferente, de modo que α seja diferente, a fração 2/3 na Eq. (28.4) irá mudar da mesma maneira. O termo em $\dddot{x}$ é *independente* do suposto raio a e também da suposta distribuição de cargas; seu coeficiente é *sempre* 2/3. O próximo termo é proporcional ao raio a, e seu coeficiente γ depende da distribuição de cargas. Você pode reparar que se permitirmos que o raio a tenda a zero, o último termo (e todos os termos de ordens superiores) se anularão; o segundo termo permanece constante, mas o primeiro termo – a massa eletromagnética – vai a infinito. E podemos ver que o infinito aparece devido à força de uma parte do elétron sobre a outra – porque permitimos algo que talvez seja uma besteira, a possibilidade de um elétron "puntiforme" agir sobre si mesmo.

28–5 Tentativas de modificar a teoria de Maxwell

Gostaríamos de discutir agora como seria possível modificar a teoria da eletrodinâmica de Maxwell de modo que a ideia de um elétron como uma partícula puntiforme simples possa ser mantida. Muitas tentativas já foram feitas, algumas das teorias foram capazes até de arranjar as coisas de modo que toda a massa do elétron fosse eletromagnética. No entanto, todas essas teorias acabaram morrendo. Mesmo assim, ainda é interessante discutir algumas das possibilidades que foram sugeridas – para entender as lutas da mente humana.

Começamos a nossa teoria da eletricidade discutindo a interação entre duas cargas. Então criamos uma teoria para estas cargas em interação e terminamos com uma teoria para os campos. Acreditamos tanto nela que permitimos que ela nos fale a respeito da força que uma parte do elétron causa em outra parte. Talvez toda a dificuldade seja que os elétrons não agem sobre si mesmos; talvez estejamos fazendo uma extrapolação muito grande a partir da interação entre elétrons separados até a ideia de que o elétron interage consigo mesmo. Portanto, algumas teorias foram propostas nas quais a possibilidade de um elétron agir sobre si mesmo é descartada. Não existe mais o infinito devido à

[1] Estamos usando a seguinte notação: $\dot{x} = dx/dt$, $\ddot{x} = d^2x/dt^2$, $\dddot{x} = d^3x/dt^3$, etc.

autoação. Além do mais, não existe mais qualquer massa eletromagnética associada com a partícula; toda a massa volta a ser mecânica, mas há novas dificuldades na teoria.

Devemos dizer imediatamente que essas teorias precisam de uma modificação da ideia de campo eletromagnético. Você se lembra de que afirmamos no início que a força em uma partícula em qualquer ponto era determinada por apenas duas quantidades – $\boldsymbol{E}$ e $\boldsymbol{B}$. Se abandonarmos a "autoforça", isso deixa de ser verdade, porque se existe um elétron em uma determinada posição, a força não é dada pelos $\boldsymbol{E}$ e $\boldsymbol{B}$ totais, mas apenas pelas partes decorrentes de *outras* cargas. Então não podemos perder de vista quanto de $\boldsymbol{E}$ e $\boldsymbol{B}$ é gerado pelas outras cargas. Isso torna a teoria muito mais elaborada, mas a deixa livre da dificuldade do infinito.

Dessa forma podemos, *se quisermos*, dizer que a ação do elétron sobre si mesmo não existe, e jogar fora todo o conjunto de forças da Eq. (28.9). Porém, estaríamos desperdiçando algo valioso. Isso porque o segundo termo da Eq. (28.9), o termo em $\dddot{x}$, é necessário. Aquela força tem uma ação muito bem definida. Se você a jogar fora, estará com problemas novamente. Quando aceleramos uma carga, ela irradia ondas eletromagnéticas e, portanto, perde energia. Logo, para acelerar uma carga, devemos precisar de mais força do que a necessária para acelerar um objeto neutro de mesma massa; de outra forma a energia não seria conservada. A taxa na qual realizamos trabalho sobre uma carga acelerada deve ser igual à taxa de perda de energia por segundo pela radiação. Já discutimos este efeito antes – ele é chamado de resistência de radiação. Ainda temos de responder à questão: de onde vem esta força extra, contra a qual precisamos realizar o trabalho? Quando uma antena grande está irradiando, as forças vêm da influência de uma parte da corrente da antena sobre a outra. Para um simples elétron acelerado irradiando em um espaço vazio, parece que existe apenas um lugar de onde a força poderia vir – a ação de uma parte do elétron sobre a outra.

Vimos no Capítulo 32 do Vol. I que uma carga oscilante irradia energia à taxa

$$\frac{dW}{dt} = \frac{2}{3}\frac{e^2(\ddot{x})^2}{c^3}. \tag{28.10}$$

Vamos ver o que obtemos para a taxa na qual o trabalho é realizado *sobre* um elétron contra a autoforça da Eq. (28.9). A taxa na qual o trabalho é realizado é a força vezes a velocidade, ou $F\dot{x}$:

$$\frac{dW}{dt} = \alpha\frac{e^2}{ac^2}\ddot{x}\,\dot{x} - \frac{2}{3}\frac{e^2}{c^3}\dddot{x}\,\dot{x} + \cdots \tag{28.11}$$

O primeiro termo é proporcional a $d\dot{x}^2/dt$, logo corresponde exatamente à taxa de variação da energia cinética $\frac{1}{2}mv^2$ associada com a massa eletromagnética. O segundo termo deveria corresponder à potência irradiada na Eq. (28.10), mas ele é diferente. A discrepância vem do fato de que o termo na Eq. (28.11) é verdadeiro em geral, enquanto a Eq. (28.10) está correta apenas para uma carga *oscilante*. Podemos mostrar que as duas são equivalentes se o movimento da carga for periódico. Para fazer isso, reescrevemos o segundo termo da Eq. (28.11) como

$$-\frac{2}{3}\frac{e^2}{c^3}\frac{d}{dt}(\dot{x}\,\ddot{x}) + \frac{2}{3}\frac{e^2}{c^3}(\ddot{x})^2,$$

que é simplesmente uma transformação algébrica. Se o movimento do elétron for periódico, a quantidade $\dot{x}\,\ddot{x}$ retornará periodicamente ao mesmo valor, de maneira que se calcularmos a *média* desta derivada temporal, obteremos zero. O segundo termo, porém, é sempre positivo (é um quadrado), de modo que a sua média também será positiva. Esse termo dá o balanço do trabalho realizado e é exatamente igual à Eq. (28.10).

O termo em $\dddot{x}$ na autoforça é necessário para que tenhamos conservação da energia em sistemas radiantes, e não podemos descartá-lo. De fato, um dos triunfos de Lorentz foi mostrar que esta força existe e que ela vem da ação do elétron sobre si mesmo. Devemos acreditar na ação do elétron sobre si mesmo, e *precisamos* do termo em $\dddot{x}$. O problema é como podemos obter este termo, sem obter o primeiro termo na Eq. (28.9), que causa todos os problemas. Não sabemos como. Você pode ver que a teoria clássica do elétron se encurralou em um beco sem saída.

Houve diversas outras tentativas de modificar as leis para consertar a situação. Uma delas, proposta por Born e Infeld, era modificar as equações de Maxwell de uma forma complicada, de modo que elas não fossem mais lineares. Então a energia e o momento eletromagnéticos podem ser manipulados para que seus valores sejam finitos, mas as leis que eles sugeriram predizem efeitos que nunca foram observados. Esta teoria também apresenta outra dificuldade, que analisaremos mais adiante, e é comum a todas as tentativas realizadas para se evitar os problemas que descrevemos.

A possibilidade peculiar a seguir foi sugerida por Dirac. Ele disse: vamos admitir que um elétron atue sobre si mesmo com o *segundo* termo na Eq. (28.9), mas não com o primeiro. Ele teve então uma ideia engenhosa para se livrar de um termo e não do outro. Ele disse: fizemos uma suposição especial quando escolhemos apenas a solução de onda *retardada* das equações de Maxwell; se ao invés disso escolhêssemos as ondas *avançadas*, obteríamos um resultado diferente. A fórmula para a autoforça seria

$$F = \alpha \frac{e^2}{ac^2}\ddot{x} + \frac{2}{3}\frac{e^2}{c^3}\dddot{x} + \gamma \frac{e^2 a}{c^4}\ddddot{x} + \cdots \tag{28.12}$$

Essa equação é igual à Eq. (28.9), exceto pelo sinal do segundo termo – e alguns termos superiores – da série [mudar das ondas retardadas para as avançadas equivale a mudar o *sinal* do atraso que, não é difícil de ver, é equivalente a mudar o sinal de t em todo lugar. O único efeito na Eq. (28.9) é mudar o sinal de todas as derivadas temporais de ordem ímpar]. Então, disse Dirac, vamos criar uma nova regra, dizendo que o elétron atua sobre si mesmo com a metade da *diferença* entre os campos avançados e retardados que ele produz. A diferença entre as Eq. (28.9) e (28.12), dividida por dois, resulta em

$$F = -\frac{2}{3}\frac{e^2}{c^3}\dddot{x} + \text{termos superiores.}$$

Em todos os termos superiores, o raio a aparece elevado a alguma potência positiva no numerador. Portanto, quando tomamos o limite para uma carga puntiforme, obtemos apenas o primeiro termo – exatamente o necessário. Dessa forma, Dirac obteve a força de resistência de radiação e nenhuma das forças inerciais. Não existe massa eletromagnética, e a teoria está salva – mas à custa de uma suposição arbitrária a respeito da autoforça.

A arbitrariedade da suposição extra de Dirac foi removida, pelo menos em parte, por Wheeler e Feynman, que propuseram uma teoria ainda mais estranha. Eles sugeriram que as cargas puntiformes interagem *apenas* com outras cargas, mas a interação se dá metade através das ondas avançadas e metade através das ondas retardadas. Surpreendentemente, na maior parte das situações, você não enxerga nenhum efeito das ondas avançadas, mas elas possuem o efeito de produzir exatamente a força de resistência de radiação. A resistência de radiação *não* é causada pelo elétron atuando sobre si mesmo, mas pelo seguinte efeito peculiar. Quando um elétron é acelerado no tempo t, ele perturba todas as outras cargas no mundo em um tempo posterior $t' = t + r/c$ (onde r é a distância até a outra carga), por causa das *ondas retardadas*. Então estas outras cargas reagem sobre o elétron original através das suas ondas *avançadas*, que chegarão no tempo t'', igual a t' *menos* r/c, que é, obviamente, simplesmente t (elas também reagem com as ondas retardadas, mas isso corresponde simplesmente às ondas "refletidas" normais). A combinação de ondas avançadas e retardadas significa que, no instante em que uma carga oscilante é acelerada, ela sente uma força causada por todas as cargas que "ainda vão" absorver as suas ondas irradiadas. Você pode ver que complicação as pessoas arranjaram para tentar obter uma teoria do elétron!

Vamos descrever agora ainda mais um tipo de teoria, para mostrar o tipo de coisa que as pessoas pensam quando não encontram uma saída. Esta é outra modificação das leis da eletrodinâmica, proposta por Bopp. Você percebe que, uma vez que decide mudar as equações do eletromagnetismo, pode começar em qualquer lugar que quiser. Você pode mudar a lei de força para um elétron, pode mudar as equações de Maxwell (como vimos nos exemplos que já descrevemos) ou pode fazer uma modificação em algum outro lugar. Uma possibilidade é mudar as fórmulas que fornecem os potenciais em termos das cargas e correntes. Uma das nossas fórmulas afirmava que os potenciais em um ponto são dados pela densidade de corrente (ou carga) em todos os outros pontos em um tempo anterior. Usando a nossa notação de quadrivetores para os potenciais, escrevemos

$$A_\mu(1, t) = \frac{1}{4\pi\epsilon_0 c^2}\int \frac{j_\mu(2, t - r_{12}/c)}{r_{12}}\, dV_2. \tag{28.13}$$

Bopp teve uma ideia lindamente simples: talvez o problema esteja no fator $1/r$ na integral. Imagine que começássemos supondo simplesmente que o potencial depende da densidade de carga em todos os outros pontos como *alguma* função da distância entre os pontos, por exemplo, como $f(r_{12})$. O potencial total no ponto (1) será dado então pela integral de j_μ vezes esta função sobre todo o espaço:

$$A_\mu(1, t) = \int j_\mu(2, t - r_{12}/c) f(r_{12})\, dV_2.$$

Isso é tudo. Nenhuma equação diferencial, nada mais. Bem, mais uma coisa. Também impomos que o resultado seja relativisticamente invariante. Então no lugar da "distância" deveríamos tomar a "distância" invariante entre dois pontos no espaço-tempo. Essa distância ao quadrado (com um sinal que não é importante aqui) é

$$\begin{aligned} s_{12}^2 &= c^2(t_1 - t_2)^2 - r_{12}^2 \\ &= c^2(t_1 - t_2)^2 - (x_1 - x_2)^2 - (y_1 - y_2)^2 - (z_1 - z_2)^2. \end{aligned} \tag{28.14}$$

Então, para uma teoria relativisticamente invariante, deveríamos tomar uma função da magnitude de s_{12} ou, o que é equivalente, uma função de s_{12}^2. Portanto, a teoria de Bopp afirma que

$$A_\mu(1, t_1) = \int j_\mu(2, t_2) F(s_{12}^2)\, dV_2\, dt_2. \tag{28.15}$$

(A integral deve, obviamente, ser calculada sobre o volume quadridimensional $dt_2 dx_2 dy_2 dz_2$.)

Tudo que resta a fazer é escolher uma função F adequada. Supomos apenas uma coisa sobre F – que ela deve ser muito pequena, exceto quando o seu argumento estiver próximo de zero –, de modo que um gráfico de F seria uma curva como a que está mostrada na Figura 28–4. É um pico estreito com uma área finita centrada em $s^2 = 0$ e com uma largura que é aproximadamente a^2. Podemos dizer, grosseiramente, que quando calcularmos o potencial no ponto (1), os pontos (2) produzirão algum efeito apreciável somente se $s_{12}^2 = c^2(t_1 - t_2)^2 - r_{12}^2$ estiver entre $\pm a^2$. Podemos indicar isso dizendo que F será importante somente para

$$s_{12}^2 = c^2(t_1 - t_2)^2 - r_{12}^2 \approx \pm a^2. \tag{28.16}$$

Você pode escrever esta condição mais matematicamente se quiser, mas esta é a ideia.

Agora suponha que a seja muito pequeno em comparação com o tamanho de objetos ordinários como motores, geradores e outros, de modo que, para os problemas normais, $r_{12} \gg a$. Então a Eq. (28.16) afirma que as cargas contribuem para a integral da Eq. (28.15) somente quando $t_1 - t_2$ estiver dentro do pequeno intervalo

$$c(t_1 - t_2) \approx \sqrt{r_{12}^2 \pm a^2} \approx r_{12}\sqrt{1 \pm \frac{a^2}{r_{12}^2}}.$$

Como $a^2/r_{12}^2 \ll 1$, a raiz quadrada pode ser aproximada por $1 \pm a^2/2r_{12}^2$, então

$$t_1 - t_2 = \frac{r_{12}}{c}\left(1 \pm \frac{a^2}{2r_{12}^2}\right) = \frac{r_{12}}{c} \pm \frac{a^2}{2r_{12}c}.$$

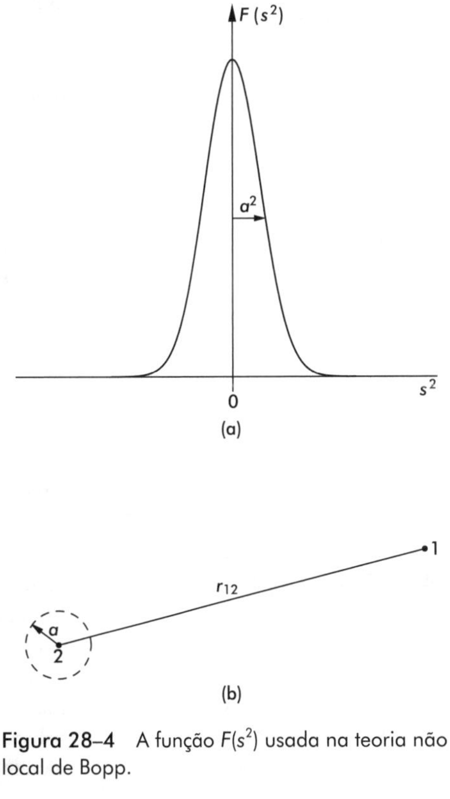

Figura 28–4 A função $F(s^2)$ usada na teoria não local de Bopp.

O que isso significa? Esse resultado diz que os únicos *tempos* t_2 que são importantes para a integral de A_μ são aqueles que diferem do tempo t_1, no qual queremos o potencial, pelo atraso r_{12}/c – com uma correção desprezível enquanto $r_{12} \gg a$. Em outras palavras, esta teoria de Bopp é uma aproximação da teoria de Maxwell – desde que estejamos longe de qualquer carga particular – no sentido de que ela fornece os efeitos das ondas retardadas.

De fato, podemos ver aproximadamente qual deve ser o resultado da integral da Eq. (28.15). Se integrarmos primeiro sobre t_2 de $-\infty$ a $+\infty$ – mantendo r_{12} fixo –, então s_{12}^2 também vai variar de $-\infty$ a $+\infty$. A integral resultará dos valores de t_2 pertencentes a um pequeno intervalo de largura $\Delta t_2 = 2 \times a^2/2r_{12}c$, com centro em $t_1 - r_{12}/c$. Seja K o valor da função $F(s^2)$ em $s^2 = 0$; então a integral sobre t_2 é aproximadamente $Kj_\mu\Delta t_2$, ou

$$\frac{Ka^2}{c}\frac{j_\mu}{r_{12}}.$$

Deveríamos, é claro, tomar o valor de j_μ em $t_2 = t_1 - r_{12}/c$, de modo que a Eq. (28.15) se torna

$$A_\mu(1, t_1) = \frac{Ka^2}{c}\int \frac{j_\mu(2, t_1 - r_{12}/c)}{r_{12}}\,dV_2.$$

Se escolhermos $K = 1/4\pi\epsilon_0 ca^2$, voltaremos para a solução do potencial retardado das equações de Maxwell – incluindo automaticamente a dependência em $1/r$! E tudo resultou da simples proposição de que o potencial em um ponto do espaço-tempo depende da densidade de corrente em todos os outros pontos do espaço-tempo, mas com um peso dado por um fator que é uma função estreita da distância quadridimensional entre os dois pontos. Esta teoria prediz novamente uma massa eletromagnética para o elétron. Além disso, a energia e a massa têm a relação certa para a teoria da relatividade. Tem de ser assim, porque a teoria é relativisticamente invariante desde o início, e parece que está tudo certo.

Porém, existe uma objeção fundamental contra esta teoria e todas as outras teorias que descrevemos. Todas as partículas que conhecemos obedecem às leis da mecânica quântica, então uma modificação quântica da eletrodinâmica deve ser feita. A luz se comporta como fótons. Isso não está 100% de acordo com a teoria de Maxwell. Portanto, a teoria eletrodinâmica precisa ser modificada. Já mencionamos que poderia ser uma perda de tempo trabalhar tanto para consertar a teoria clássica, pois talvez na eletrodinâmica quântica as dificuldades desapareçam ou sejam resolvidas de alguma outra maneira. No entanto, as dificuldades não desaparecem na eletrodinâmica quântica. Essa é uma das razões pelas quais as pessoas despenderam tanto esforço tentando consertar as dificuldades clássicas, esperando que se elas *pudessem* consertar a dificuldade clássica e *então* fazer as modificações quânticas, tudo ficaria certo. A teoria de Maxwell ainda possui as dificuldades depois que as modificações da mecânica quântica são feitas.

Os efeitos quânticos causam algumas modificações – a fórmula para a massa é modificada, e a constante de Planck $\hbar$ aparece –, mas a resposta continua sendo infinita, a não ser que você trunque uma integração de alguma maneira – assim como tivemos de parar as integrais clássicas em $r = a$. E as respostas dependem de como você para as integrais. Infelizmente, não podemos demonstrar aqui que as dificuldades são mesmo basicamente as mesmas, porque desenvolvemos muito pouco da teoria quântica e menos ainda da eletrodinâmica quântica. Então você simplesmente têm de aceitar a nossa palavra de que a teoria quantizada da eletrodinâmica de Maxwell dá uma massa infinita para um elétron puntiforme.

O que acontece, entretanto, é que ninguém jamais conseguiu criar uma teoria quântica *autoconsistente* a partir de *qualquer uma* das teorias modificadas. As ideias de Born e Infeld nunca foram transformadas satisfatoriamente em uma teoria quântica. As teorias com as ondas avançadas e retardadas de Dirac, ou de Wheeler e Feynman, também nunca foram transformadas em uma teoria quântica satisfatória. A teoria de Bopp nunca foi transformada em uma teoria quântica satisfatória. Desse modo, hoje ainda não há uma solução conhecida para este problema. Não sabemos como fazer uma teoria consistente – incluindo a mecânica quântica – que não produza uma resposta infinita para a autoenergia de um elétron, ou de qualquer carga puntiforme. Ao mesmo tempo, não há nenhuma teoria satisfatória que descreva uma carga não puntiforme. É um problema em aberto.

Caso você esteja decidindo sair correndo e fazer uma teoria na qual a ação de um elétron sobre si mesmo seja totalmente removida, de modo que a massa eletromagnética não tenha mais significado, para então criar uma teoria quântica a partir da sua teoria, devemos avisá-lo que você certamente encontrará problemas. Existe uma evidência experimental definitiva da existência da inércia eletromagnética – há evidências de que parte da massa das partículas carregadas possui origem eletromagnética.

Costumava ser dito nos livros mais antigos que, uma vez que a Natureza obviamente nunca nos dará de presente duas partículas – uma neutra e a outra carregada, mas iguais em todas as suas outras características –, nunca seremos capazes de dizer quanta massa é eletromagnética e quanta é mecânica. Acontece que a Natureza realmente *foi* tão gentil a ponto de nos presentear exatamente com estes objetos, de modo que comparando a massa observada do objeto carregado com a massa observada do objeto neutro, podemos dizer se existe a massa eletromagnética. Por exemplo, existem os nêutrons e os prótons. Eles interagem com forças tremendas – as forças nucleares –, cuja origem é desconhecida. Porém, como já descrevemos, as forças nucleares possuem uma propriedade notável. Para as forças nucleares, o nêutron e o próton são exatamente iguais. As forças *nucleares* entre nêutron e nêutron, nêutron e próton, e próton e próton são todas idênticas, até onde podemos ver. Apenas as pequenas forças eletromagnéticas são diferentes; eletricamente o próton e o nêutron são tão diferentes quanto o dia e a noite. Isso é exatamente o que queríamos. Existem duas partículas, idênticas do ponto de vista das interações fortes, mas eletricamente diferentes. E elas possuem uma pequena diferença na massa. A diferença de massa entre o próton e o nêutron – expressa como a diferença entre a energia de repouso mc^2 em unidades de MeV – é de aproximadamente 1,3 MeV, que é cerca de 2,6 vezes a massa do elétron. A teoria clássica prediz então um raio de aproximadamente $\frac{1}{3}$ a $\frac{1}{2}$ do raio clássico do elétron, ou cerca de 10^{-13} cm. Obviamente, na verdade deveríamos usar a teoria quântica, mas por algum estranho acidente, todas as constantes – 2π e $\hbar$, etc. – se combinam de maneira que a teoria quântica dá aproximadamente o mesmo resultado que a teoria clássica. O único problema é que o *sinal* está errado! O nêutron é *mais pesado* do que o próton.

A Natureza nos deu também vários outros pares – ou trios – de partículas que parecem ser exatamente as mesmas, exceto pela sua carga elétrica. Elas interagem com prótons e nêutrons por meio das chamadas interações "fortes" das forças nucleares. Nessas interações, as partículas de um dado tipo – por exemplo, os mésons π – se comportam sempre como um mesmo objeto *exceto* pela sua carga elétrica. Na Tabela 28-1 fornecemos uma lista destas partículas com as suas massas observadas. Os mésons π carregados – positiva ou negativamente – possuem uma massa de 139,6 MeV, mas o méson neutro é 4,6 Mev mais leve. Acreditamos que esta diferença de massa seja eletromagnética; ela corresponderia a um raio de partícula de 3 a 4 × 10^{-14} cm. Você pode ver na tabela que as diferenças entre as massas das outras partículas são, em geral, do mesmo tamanho.

O tamanho destas partículas pode ser determinado por outros métodos, por exemplo, pelos diâmetros que elas aparentam ter em colisões de alta energia. Desse modo a massa eletromagnética parece estar geralmente em acordo com a teoria eletromagnética, se truncarmos as nossas integrais da energia do campo no mesmo raio obtido por estes outros métodos. É por esse motivo que acreditamos que as diferenças de massa realmente representam a massa eletromagnética.

Sem dúvida você deve estar preocupado com os diferentes sinais das diferenças de massa na tabela. É fácil de ver por que as partículas carregadas deveriam ser mais pesadas do que as neutras. O que dizer dos pares como o próton e o nêutron, em que acontece o contrário com as massas medidas? Bem, essas partículas são complicadas, e o cálculo da massa eletromagnética deve ser mais elaborado. Por exemplo, apesar de o nêutron não possuir uma carga *total*, ele *possui* uma distribuição de carga em seu interior – apenas a carga *total* é zero. De fato, o nêutron parece – pelo menos às vezes – um próton com um méson π negativo em uma "nuvem" ao seu redor, como mostrado na Figura 28–5. Embora o nêutron seja "neutro", pois a carga total é zero, ainda assim existem energias eletromagnéticas (por exemplo, ele possui um momento magnético), então não é fácil

Tabela 28–1

Massas das partículas

Partícula	Carga (eletrônica)	Massa (MeV)	Δm* (MeV)
n (nêutron)	0	939,5	
p (próton)	+1	938,2	−1,3
π (méson π)	0	135,0	
	±1	139,6	+4,6
K (méson K)	0	497,8	
	±1	493,9	−3,9
Σ (sigma)	0	1191,5	
	+1	1189,4	−2,1
	−1	1196,0	+4,5

*Δm = (massa da partícula carregada) – (massa da partícula neutra)

descobrir o sinal da diferença da massa eletromagnética sem uma teoria detalhada da sua estrutura interna.

Queremos enfatizar aqui apenas os seguintes pontos: (1) a teoria eletromagnética prediz a existência de uma massa eletromagnética, mas falha ao fazer isso, pois não produz uma teoria consistente – e o mesmo é verdade com as modificações quânticas; (2) há evidência experimental da existência da massa eletromagnética; e (3) todas essas massas são aproximadamente iguais à massa de um elétron. Então voltamos à ideia original de Lorentz – talvez toda a massa de um elétron seja puramente eletromagnética, talvez todo o 0,511 MeV seja devido à eletrodinâmica. É ou não é? Não temos uma teoria, então não podemos dizer.

Devemos mencionar mais uma informação, que é a mais incômoda. Existe outra partícula no mundo denominada *múon*, que, até onde podemos dizer, é indistinguível de um elétron exceto pela sua massa. Ela age exatamente como um elétron: interage com neutrinos e com o campo eletromagnético e não possui forças nucleares. Ela não faz nada diferente do que um elétron faz – pelo menos, nada que não possa ser explicado como consequência da sua massa maior (206,77 vezes a massa do elétron). Consequentemente, quando alguém finalmente conseguir uma explicação para a massa de um elétron, terá de resolver outro problema, qual seja, de onde vem a massa do múon. Por quê? Porque tudo o que o elétron faz, o múon faz igual – então as massas deveriam ser as mesmas. Há aqueles que acreditam na ideia de que o múon e o elétron são a mesma partícula e que, na teoria final da massa, a fórmula para a massa será uma equação quadrática com duas raízes – uma para cada partícula. Também existem aqueles que propõem que ela será uma equação transcendental com um número infinito de raízes e que estão empenhados em descobrir quais devem ser as massas das outras partículas na sequência e por que tais partículas ainda não foram descobertas.

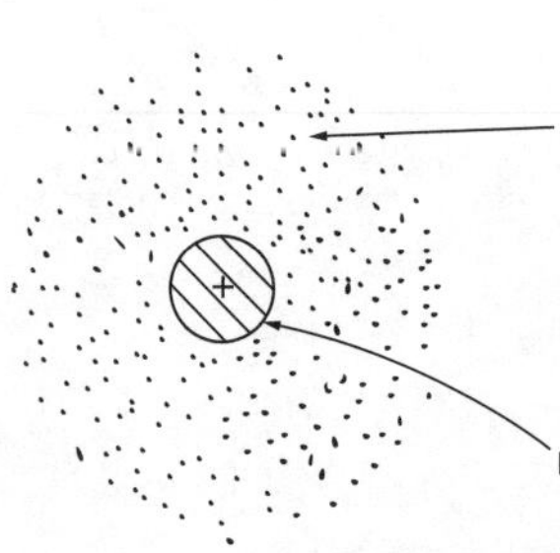

Figura 28–5 Um nêutron pode existir, às vezes, como um próton envolto por um méson π negativo.

28–6 O campo da força nuclear

Gostaríamos de fazer mais algumas observações a respeito da parte da massa das partículas nucleares que não é eletromagnética. De onde vem esta outra grande fração da massa? Existem outras forças além da eletrodinâmica – como as forças nucleares – que possuem as suas próprias teorias de campo, embora ninguém saiba se as teorias atuais estão certas*. Estas teorias também predizem uma energia do campo que dá, para as partículas nucleares, um termo de massa análogo à massa eletromagnética;

poderíamos chamá-la de "massa-do-campo-méson-π". Ela é supostamente muito grande, porque as forças são grandes, e ela é a possível origem da massa das partículas pesadas, mas as teorias de campo do méson ainda estão em um estado muito rudimentar. Mesmo com a bem desenvolvida teoria do eletromagnetismo, vimos que é impossível passar da "primeira base" na explicação da massa do elétron. Com a teoria dos mésons, o jogo está apenas começando.

Vamos tomar um momento para esboçar a teoria dos mésons, por causa da sua interessante conexão com a eletrodinâmica. Na eletrodinâmica, o campo pode ser descrito em termos de um quadripotencial que satisfaz à equação

$$\Box^2 A_\mu = \text{fontes}.$$

Vimos que partes do campo podem ser irradiadas de forma que elas existam separadamente das fontes. Estes são os fótons de luz, e eles são descritos por uma equação diferencial sem fontes:

$$\Box^2 A_\mu = 0.$$

As pessoas argumentaram que o campo das forças nucleares também deveria ter os seus próprios "fótons" – eles seriam supostamente os mésons π – e que eles deveriam ser descritos por uma equação diferencial análoga (devido à fraqueza do cérebro humano, não conseguimos pensar em nada realmente novo; por isso argumentamos por analogia com o que sabemos). Então a equação para o méson deveria ser

$$\Box^2 \phi = 0,$$

onde ϕ poderia ser um quadrivetor diferente ou talvez um escalar. Acontece que o píon não possui polarização, então ϕ deveria ser um escalar. Com a simples equação $\Box^2\phi = 0$, o campo do méson deveria variar com a distância até uma fonte como $1/r^2$, assim como o campo elétrico. Sabemos que as forças nucleares possuem raios de ação muito menores, então a equação simples não vai funcionar. Existe uma maneira de mudar este resultado sem destruir a invariância relativística: podemos somar ou subtrair do D'Alembertiano uma constante vezes ϕ. Então Yukawa sugeriu que os quanta livres da força nuclear poderiam obedecer à equação

$$-\Box^2\phi - \mu^2\phi = 0, \tag{28.17}$$

onde μ^2 é uma constante – isto é, um invariante escalar (como $\Box^2$ é um operador diferencial escalar em quatro dimensões, a sua invariância não é modificada se adicionarmos outro escalar).

Vamos ver o que a Eq. (28.17) dá para a força nuclear quando as coisas não estão variando com o tempo. Queremos uma solução esfericamente simétrica de

$$\nabla^2\phi - \mu^2\phi = 0$$

ao redor de algum ponto; por exemplo, a origem. Se ϕ depende apenas de r, sabemos que

$$\nabla^2\phi = \frac{1}{r}\frac{\partial^2}{\partial r^2}(r\phi).$$

* N. de T.: Hoje sabemos que uma generalização da eletrodinâmica descreve as interações nucleares: é a cromodinâmica. Primeiramente descoberta na década de 50 por Yang e Mills, foi corroborada depois dos trabalhos de Gross, Wiczek e Politzer, que ganharam o prêmio Nobel em 2005. Note-se que Feynman ganhou o prêmio Nobel de 1969 por seus trabalhos em eletrodinâmica.

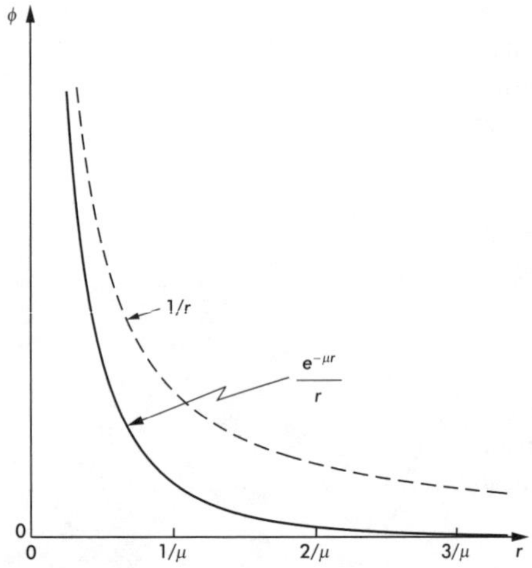

Figura 28–6 O potencial de Yukawa $e^{-\mu r}/r$, comparado com o potencial coulombiano $1/r$.

Então temos a equação

$$\frac{1}{r}\frac{\partial^2}{\partial r^2}(r\phi) - \mu^2\phi = 0$$

ou

$$\frac{\partial^2}{\partial r^2}(r\phi) = \mu^2(r\phi).$$

Pensando em $(r\phi)$ como a nossa variável dependente, essa é uma equação que vimos muitas vezes. A sua solução é

$$r\phi = Ke^{\pm\mu r}.$$

É claro que ϕ não pode se tornar infinito para grandes valores de r, de modo que o termo de sinal + no expoente é eliminado. A solução será

$$\phi = K\frac{e^{-\mu r}}{r}. \tag{28.18}$$

Essa função é denominada *potencial de Yukawa*. Para uma força atrativa, K é um número negativo cuja magnitude deve ser ajustada para reproduzir a intensidade das forças observada experimentalmente.

O potencial de Yukawa das forças nucleares diminui mais rapidamente do que $1/r$ devido ao fator exponencial. O potencial – e consequentemente a força – cai a zero muito mais rapidamente do que $1/r$ para distâncias maiores do que $1/\mu$, como mostrado na Figura 28–6. O "alcance" das forças nucleares é muito menor do que o "alcance" das forças eletrostáticas. É observado experimentalmente que as forças nucleares não se estendem além de aproximadamente 10^{-13} cm, então $\mu \approx 10^{15}\ \text{m}^{-1}$.

Finalmente, vamos analisar a solução de onda livre da Eq. (28.17). Se substituirmos

$$\phi = \phi_0 e^{i(\omega t - kz)}$$

na Eq. (28.17), obtemos que

$$\frac{\omega^2}{c^2} - k^2 - \mu^2 = 0.$$

Relacionando frequência com energia e número de onda com momento, como fizemos no final do Capítulo 34 do Vol. I, obtemos

$$\frac{E^2}{c^2} - p^2 = \mu^2\hbar^2,$$

que diz que o "fóton" de Yukawa possui uma massa igual a $\mu\hbar/c$. Se usarmos para μ a estimativa $10^{15}\ \text{m}^{-1}$, que dá o alcance observado das forças nucleares, a massa é 3×10^{-25} g, ou 170 MeV, que é aproximadamente a massa observada do méson π. Então, por uma analogia com a eletrodinâmica, poderíamos dizer que o méson π é o "fóton" do campo da força nuclear. Agora já empurramos as ideias da eletrodinâmica até regiões onde elas talvez não sejam realmente válidas – fomos além da eletrodinâmica, até o problema das forças nucleares.

29

O Movimento de Cargas em Campos Elétricos e Magnéticos

Revisão: Capítulo 30, Vol. I, *Difração*

29–1 Movimento em um campo elétrico ou magnético uniforme

Queremos agora descrever – principalmente do ponto de vista qualitativo – os movimentos de cargas em diversas circunstâncias. A maioria dos fenômenos interessantes em que cargas movem-se em campos ocorre em situações bem complicadas com muitas, muitas cargas, todas interagindo entre si. Por exemplo, quando uma onda eletromagnética passa através de um bloco de material ou de um plasma, bilhões e bilhões de cargas estão interagindo com a onda e entre si. Voltaremos a esse problema mais tarde, mas agora queremos apenas discutir o problema mais simples de movimento de uma carga única em um *dado* campo. Podemos, então, desprezar todas as outras cargas com exceção, é claro, das cargas e correntes que existem em algum lugar para produzir o campo do qual tratamos.

Devemos perguntar primeiro pelo movimento de uma partícula em um campo elétrico uniforme. A velocidades baixas, o movimento não é particularmente interessante – é apenas uma aceleração uniforme na direção do campo. Entretanto, se a partícula agregar suficiente energia para se tornar relativística, então o movimento torna-se mais complicado. Vamos deixar a solução desse caso para você se divertir com ela.

A seguir, consideramos o movimento em um campo magnético na ausência de campo elétrico. Já resolvemos esse problema – uma solução é a partícula andando em círculo. A força magnética $q\boldsymbol{v} \times \boldsymbol{B}$ está sempre em ângulos retos com o movimento; assim, $d\boldsymbol{p}/dt$ é perpendicular a $\boldsymbol{p}$ e tem a magnitude de vp/R, onde R é o raio do círculo:

$$F = qvB = \frac{vp}{R}.$$

O raio da órbita circular será, então:

$$R = \frac{p}{qB}. \tag{29.1}$$

Essa é apenas uma possibilidade. Se a partícula tiver uma componente de seu movimento ao longo da direção do campo, o movimento será constante, já que não pode haver componente da força magnética na direção do campo. O movimento geral de uma partícula em um campo magnético uniforme é uma velocidade constante paralela a $\boldsymbol{B}$ e um movimento circular com ângulos retos a $\boldsymbol{B}$ – a trajetória é uma hélice cilíndrica (Figura 29–1). O raio da hélice é dado pela Equação (29.1) se substituirmos p por $p_\perp$, a componente do momento com ângulos retos em relação ao campo.

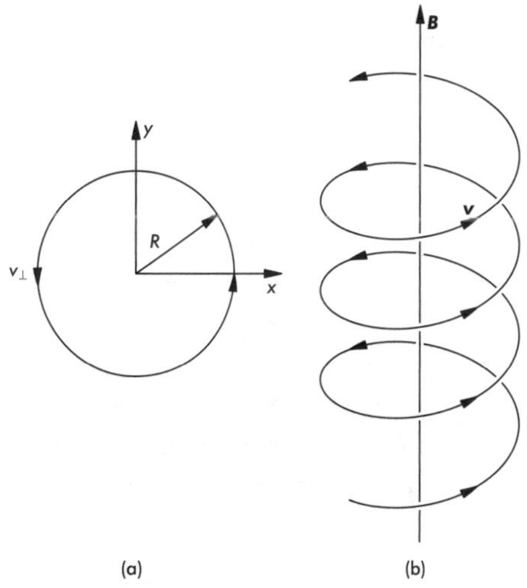

Figura 29–1 Movimento de uma partícula em um campo magnético uniforme.

29–2 Análise da quantidade de movimento

Um campo magnético uniforme é geralmente usado para criar um "analisador de momento", um "espectrômetro de momento", para partículas carregadas a altas energias. Suponhamos que partículas carregadas sejam disparadas em um campo magnético uniforme no ponto A, como na Figura 29–2(a), sendo o campo magnético perpendicular ao plano do desenho. Cada partícula descreverá uma órbita que é um círculo cujo raio é proporcional à sua quantidade de movimento. Se todas as partículas entrarem perpendicularmente à beirada do campo, elas deixarão o campo a uma distância x (de A) que é proporcional à sua quantidade de movimento p. Um detector em algum ponto como C detectará apenas aquelas partículas cuja quantidade de movimento é o intervalo Δp próximo à quantidade de movimento $p = qBx/2$.

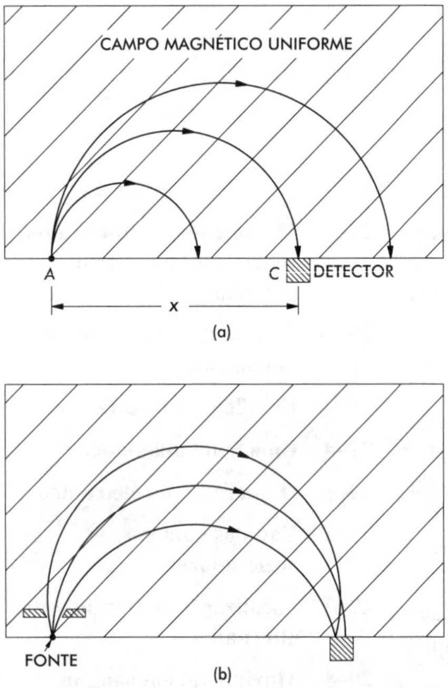

Figura 29–2 Um espectrômetro de momento a campo uniforme com foco a 180°: (a) momentos diferentes. (b) ângulos diferentes (o campo magnético está direcionado perpendicularmente ao plano da figura).

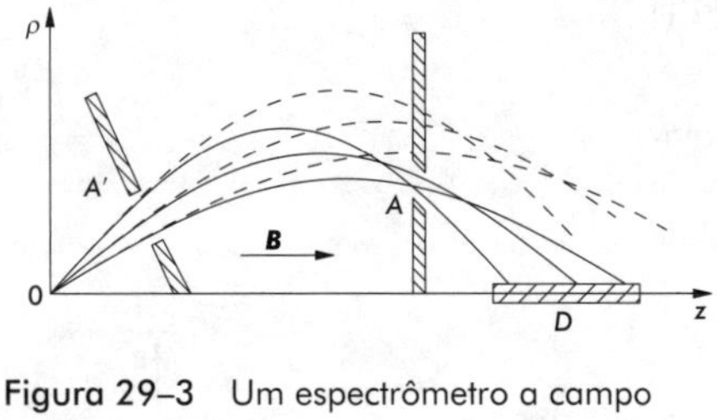

Figura 29–3 Um espectrômetro a campo axial.

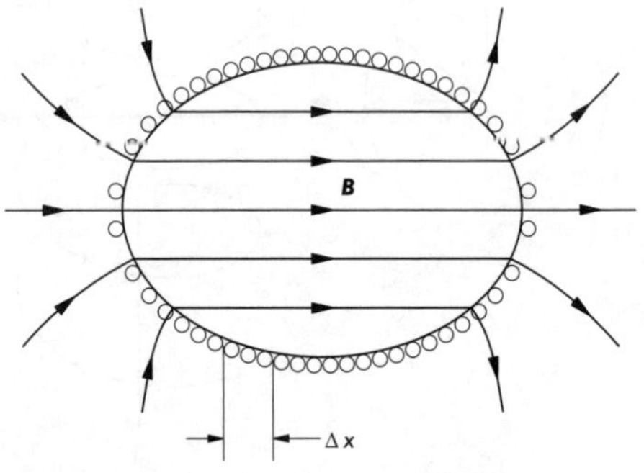

Figura 29–4 Um circuito elipsoidal com correntes iguais em iguais intervalos axiais Δx produz um campo magnético interno uniforme.

Não é necessário, obviamente, que as partículas entrem a 180º antes do contador, mas o chamado "espectrômetro de 180º" tem uma propriedade especial. Não é necessário que todas as partículas entrem perpendicularmente à beirada do campo. A Figura 29–2(b) mostra a trajetória de três partículas, todas com a mesma quantidade de movimento, mas entrando no campo em ângulos diferentes. Você vê que elas fazem diferentes trajetórias, mas todas deixam o campo bem próximo ao ponto *C*. Dizemos que há um "foco". Tal propriedade de focar tem a vantagem de que ângulos maiores podem ser aceitos para ***A***, embora alguns limites sejam normalmente impostos, como mostrado na figura. A aceitação de um ângulo maior geralmente significa que mais partículas são contadas em um espaço de tempo, diminuindo o tempo necessário para uma dada medida.

Variando-se o campo magnético, movimentando-se o contador ao longo de x ou usando-se vários contadores para cobrir uma certa extensão de x, o "espectro" de quantidade de movimento do feixe incidente pode ser medido [por "espectro de quantidade de movimento" $f(p)$, queremos dizer que o número de partículas com quantidade de movimento entre p e $(p + dp)$ é $f(p)dp$]. Tais medidas foram feitas, por exemplo, para determinar a distribuição de energias em um decaimento β de vários núcleos.

Há várias outras formas de espectrômetros de quantidade de movimento, mas vamos descrever apenas mais uma, que tem um ângulo *sólido* de aceitação especialmente grande. Ele tem por base órbitas helicoidais em um campo uniforme, como aquele mostrado na Figura 29–1. Pensamos em um sistema de coordenadas cilíndrico – ρ, θ, z – de tal modo que o eixo z esteja ao longo da direção do campo. Se uma partícula for emitida da origem com um ângulo alfa com relação ao eixo z, ela se moverá ao longo de uma espiral cuja equação é

$$\rho = a \operatorname{sen} kz, \qquad \theta = bz,$$

onde a, b e k são parâmetros que você pode facilmente escrever em termos de p, α e o campo magnético B. Se traçarmos em um gráfico a distância ρ ao eixo como função de z para uma dada quantidade de movimento, mas para vários ângulos iniciais, obteremos curvas como as linhas sólidas desenhadas na Figura 29–3 (lembre que isso é apenas um tipo de projeção de uma trajetória helicoidal). Quando o ângulo entre o eixo e a direção inicial for maior, o valor de pico de ρ será grande, mas a velocidade longitudinal será menor, de modo que as trajetórias para ângulos diferentes tenderão a chegar a uma espécie de "foco" perto do ponto *A* da figura. Se colocarmos uma abertura estreita em *A*, partículas ao redor do mesmo ângulo inicial podem ainda passar e chegar ao eixo onde serão contadas por um detector longo *D*.

Partículas que deixem a fonte na origem com uma quantidade de movimento maior, mas com ângulos iguais, seguem os caminhos mostrados pelas linhas tracejadas e não passam pelo orifício em *A*. Assim, este aparato seleciona um pequeno intervalo de quantidades de movimento. A vantagem sobre o primeiro espectrômetro é que o orifício *A* – e o orifício *A′* – pode ser um anel, de tal modo que partículas que deixem a fonte fazendo um ângulo sólido razoavelmente grande são aceitas. Uma grande fração de partículas originárias da fonte é usada – uma vantagem importante para fontes fracas ou para medidas de grande precisão.

Paga-se um preço por essa vantagem, já que um grande volume de campo magnético uniforme é necessário e isso é geralmente prático apenas para partículas de baixa energia. Um modo de se fazer um campo uniforme, deve-se lembrar, é enrolar um fio sobre uma esfera com uma densidade de corrente superficial proporcional ao seno do ângulo. Pode-se também mostrar que o mesmo é verdade para um elipsoide de rotação. Portanto, tais espectrômetros são usualmente feitos enrolando-se uma mola elíptica em uma moldura de madeira ou alumínio. Tudo que é necessário é que a corrente em cada intervalo da distância axial Δx seja a mesma, conforme a Figura 29–4.

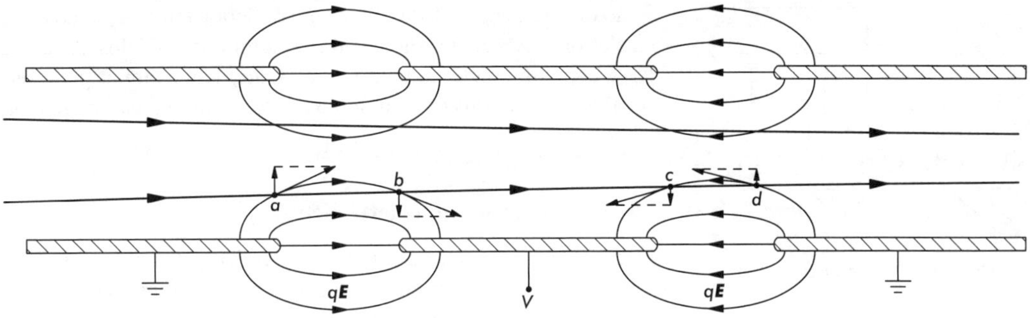

Figura 29–5 Uma lente eletrostática. As linhas de campo mostradas são "linhas de forças", isto é, de qE.

29–3 Uma lente eletrostática

Focalizar partículas tem muitas aplicações. Por exemplo, os elétrons que saem do catodo de um tubo de televisão vão ao foco da tela – para perfazer um pequeno ponto. Nesse caso, queremos tomar elétrons todos de mesma energia, mas com ângulos iniciais diferentes, e levá-los juntos ao mesmo ponto. O problema é como focalizar luz com uma lente. Dispositivos que fazem o trabalho correspondente para partículas também são chamados de lentes.

Um exemplo de lente eletrônica está esboçado na Figura 29–5. É uma lei de eletrostática cuja preparação depende do campo elétrico entre dois eletrodos adjacentes. Sua operação pode ser compreendida considerando-se o que acontece a um feixe paralelo que vem da esquerda. Quando os elétrons chegam à região *a*, eles sentem uma força com uma componente lateral e adquirem um certo impulso que os leva em direção ao eixo. Pode-se pensar que eles iriam adquirir um impulso igual embora oposto na região *b*, mas este não é o caso. Na hora em que os elétrons chegam a *b*, eles já terão ganho energia e, portanto, *gastam menos tempo* na região *b*. As forças são as mesmas mas o tempo é menor, portanto o impulso é menor. Indo através das regiões *a* e *b*, há um impulso axial resultante, e os elétrons dirigem-se a um ponto comum. Deixando a região de alta voltagem, as partículas sofrem um novo empurrão em direção ao eixo. A força vai para fora na região *c* e para dentro na região *d*, mas as partículas ficam mais tempo na última região, de modo que há novamente um impulso resultante. Para distâncias não muito grandes do eixo, o impulso total através da lente é proporcional à distância do eixo (você pode ver por quê?), e essa é justamente a condição necessária para a focalização à moda de uma lente.

Você pode usar os mesmos argumentos para mostrar que há uma focalização se o potencial do eletrodo intermediário for positivo ou negativo em relação aos outros dois. Lentes eletrostáticas deste tipo são comumente usadas em tubos de raios catódicos e alguns microscópios eletrônicos.

29–4 Uma lente magnética

Outro tipo de lente – geralmente encontrada em microscópios eletrônicos – é a lente magnética esboçada na Figura 29–6. Um eletromagneto cilindricamente simétrico tem pequenas pontas circulares muito fortes produzindo um forte campo não uniforme em uma pequena região. Elétrons que viajam verticalmente através dessa região são focalizados. Pode-se entender o mecanismo olhando-se para a região desenhada em grande escala na Figura 29–7. Considere dois elétrons, *a* e *b*, que deixam a fonte *S* a um certo ângulo com relação ao eixo. Conforme o elétron *a* chega ao começo do campo, ele é defletido para longe pela componente horizontal do campo. Então, ele terá um velocidade lateral de modo que quando ele passar através de um forte campo vertical ele será defletido em direção ao eixo. Seu movimento lateral é retirado pela força magnética conforme ele deixa o campo, assim o efeito resultante será um impulso em direção ao eixo, mais uma "rotação" ao redor do eixo. Todas as forças sobre a partícula

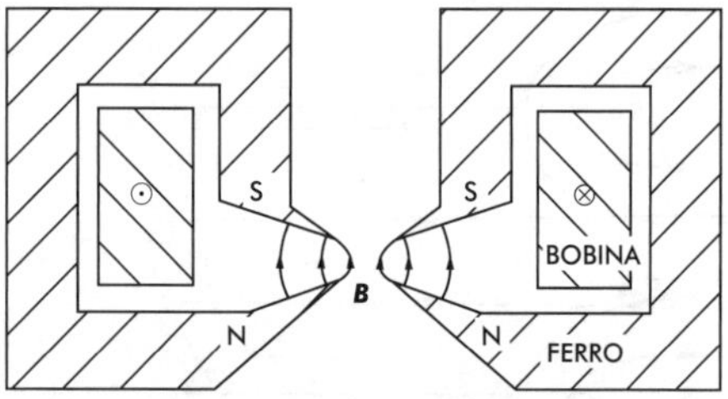

Figura 29–6 Uma lente magnética.

b são opostas, então ela também será defletida em direção ao eixo. Na figura, os elétrons divergentes são levados a caminhos paralelos. A ação é como uma lente com um objeto no ponto focal. Outra lente similar pode ser usada para focalizar os elétrons em um único ponto fazendo uma imagem da fonte *S*.

29–5 O microscópio eletrônico

Microscópios eletrônicos conseguem "ver" objetos pequenos demais que não podem ser vistos por microscópios ópticos. Discutimos no Capítulo 30 do Volume I as limitações básicas de qualquer sistema óptico, decorrentes da difração através da abertura da lente. Se a abertura da lente subentende um ângulo 2θ conforme visto da fonte (veja a Figura 29–8), dois pontos vizinhos da mesma fonte não podem ser separados se estiveram mais próximos do que cerca de

$$\delta \approx \frac{\lambda}{\operatorname{sen}\theta},$$

onde λ é o comprimento de onda da luz. Com o melhor microscópio óptico, θ aproxima-se do limite teórico de 90° quando δ for aproximadamente igual a λ, ou seja, cerca de 5.000 angstrons.

A mesma limitação também é válida para um microscópio eletrônico, mas nesse caso o comprimento de onda para elétrons de 50 quilovolts é de cerca de 0,05 ângstrons. Se pudermos usar uma lente com abertura de 30°, poderíamos ver objetos separados por apenas $\frac{1}{5}$ angstrons. Como os átomos nas moléculas estão separados por uma distância típica de um ou dois angstrons, poderíamos fotografar moléculas. Biologia seria fácil, teríamos uma fotografia da estrutura do DNA. Que coisa maravilhosa isso seria! A maior parte da pesquisa atual em biologia molecular é uma tentativa de se saber a forma de moléculas orgânicas complexas. Ah, se pudéssemos vê-las!

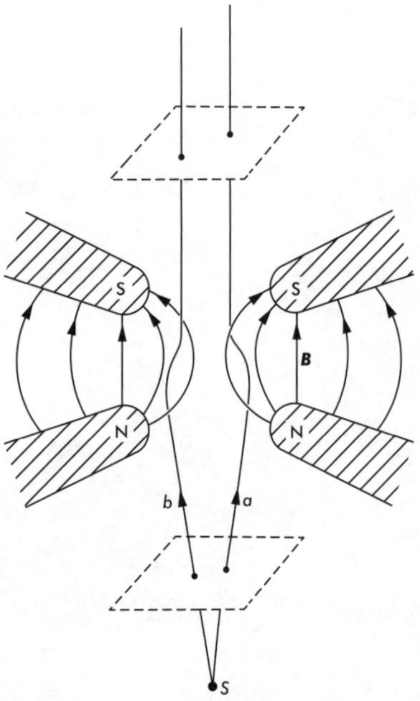

Figura 29–7 Movimento eletrônico na lente magnética.

Infelizmente o melhor poder de resolução a que chegamos é de cerca de 20 angstrons. A razão é que ninguém ainda desenhou uma lente com uma grande abertura. Todas as lentes têm "aberração esférica", o que significa que raios com grande ângulos a partir do eixo têm um foco diferente dos raios perto do eixo, conforme mostrado na Figura 29–9. Por técnicas especiais, lentes de microscópios ópticos podem ser feitas com aberração esférica desprezível, mas ninguém ainda foi capaz de fazer uma lente eletrônica que evite a aberração esférica.

De fato, podemos mostrar que qualquer lente eletrostática ou magnética dos tipos que descrevemos deve ter uma quantidade irredutível de aberração esférica. Tal aberração – junto à difração – limita o poder de resolução de microscópios eletrônicos aos valores atuais.

A limitação que mencionamos não se aplica a campos elétricos e magnéticos que não sejam axialmente simétricos ou que não sejam constantes no tempo. Talvez algum dia alguém vá pensar em algum tipo de lente eletrônica que evitará a aberração inerente a uma lente eletrônica simples. Então, seremos capazes de fotografar átomos diretamente. Talvez um dia, compostos químicos possam ser analisados olhando-se as posições dos átomos em vez de se olhar para a cor de algum precipitado.

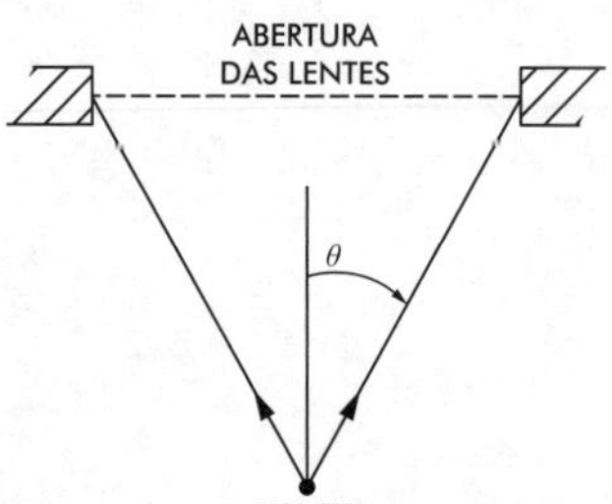

Figura 29–8 A resolução de um microscópio é limitada pelo ângulo subentendido pela fonte.

29–6 Campos guia em aceleradores

Campos magnéticos também são utilizados para produzir trajetórias especiais para partículas em aceleradores de altas energias. Máquinas como o cíclotron e o síncroton levam partículas a altas energias passando-as repetidamente através de um campo elétrico forte. As partículas são mantidas em suas órbitas cíclicas por um campo magnético.

Vimos que uma partícula em um campo magnético uniforme seguirá uma órbita circular. Isso será verdade apenas para um campo perfeitamente uniforme. Imagine um campo *B* quase uniforme sobre uma grande área, mas que seja um pouquinho mais forte em uma região que em outra. Se colocarmos uma partícula de quantidade de movimento p nesse campo, ela seguirá uma órbita aproximadamente circular com raio $R = p/qB$. O raio de curvatura será, todavia, um pouquinho menor na região onde o campo for mais forte. A órbita não será um círculo fechado, mas "caminhará" através do campo conforme a Figura 29–10. Podemos, se quisermos, considerar que o pequeno "erro" no campo produzirá um empurrão angular extra que jogará a partícula em um novo caminho. Se as partículas devem perfazer milhões de revoluções em um acelerador, algum tipo de "focalização radial" é necessário para manter as trajetórias dentro de alguma órbita designada.

Outra dificuldade com um campo uniforme é que as partículas não permanecem em um plano. Se elas começam com um pequeno ângulo, ou seguem um pequeno ângulo como consequência de um pequeno erro no campo, elas seguirão um caminho helicoidal que em algum momento as levará ao polo magnético, ao teto, ao chão ou ao tanque de vácuo. Algum arranjo deve ser feito para inibir tais desvios verticais; o campo deve prover "focalização vertical" assim como focalização radial.

Imaginaríamos, primeiramente, que focalização radial poderia ser obtida criando um campo magnético que aumenta com a distância ao centro do caminho designado. Então, se uma partícula vai para um ângulo maior, ela estará em um campo magnético mais forte que a fará retornar ao local correto. Se ela vai a uma distância ao centro menor, a correção será pequena, e ela retornará ao caminho designado. Se uma partícula começou com um certo ângulo com relação ao círculo ideal, ela vai oscilar ao redor da órbita circular ideal conforme mostrado na Figura 29-11. A focalização radial iria manter as partículas perto do caminho circular.

De fato, há alguma focalização radial até com uma variação oposta do campo. Isso pode ocorrer se o raio de curvatura da trajetória não crescer mais rapidamente que o aumento da distância da partícula em relação ao centro do campo. A órbita da partícula está desenhada na Figura 29–12. Se o gradiente do campo for muito grande, as órbitas não retornarão ao raio designado, mas irão espiralar para dentro ou para fora, como mostrado na Figura 29–13.

Usualmente descrevemos a variação do campo em termos do "gradiente relativo" ou *índice de campo*, n

$$n = \frac{dB/B}{dr/r}. \tag{29.2}$$

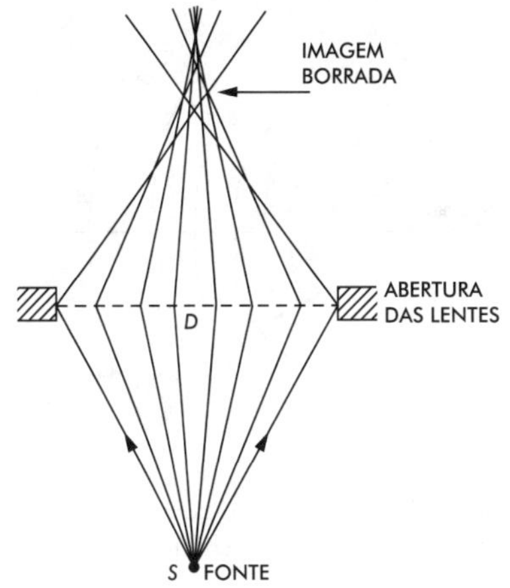

Figura 29–9 Aberração esférica de uma lente.

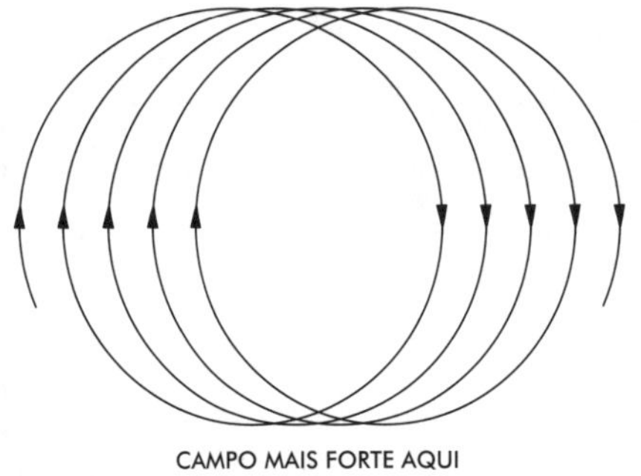

Figura 29–10 Movimento de uma partícula em um campo ligeiramente não uniforme.

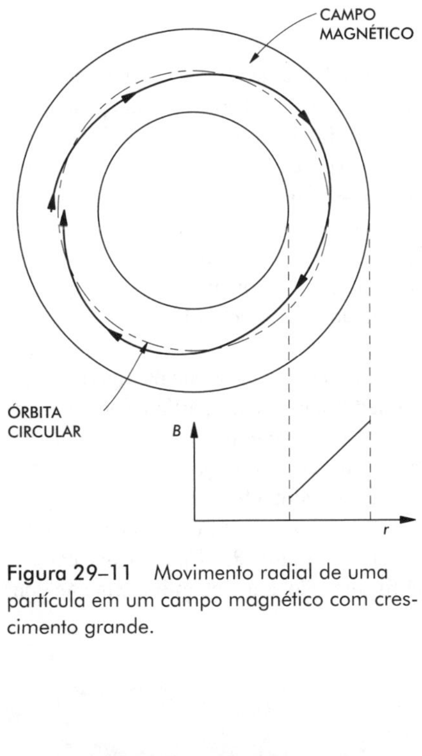

Figura 29–11 Movimento radial de uma partícula em um campo magnético com crescimento grande.

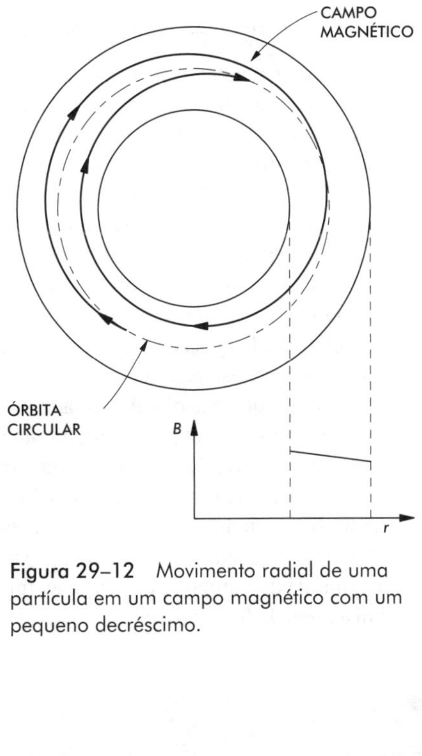

Figura 29–12 Movimento radial de uma partícula em um campo magnético com um pequeno decréscimo.

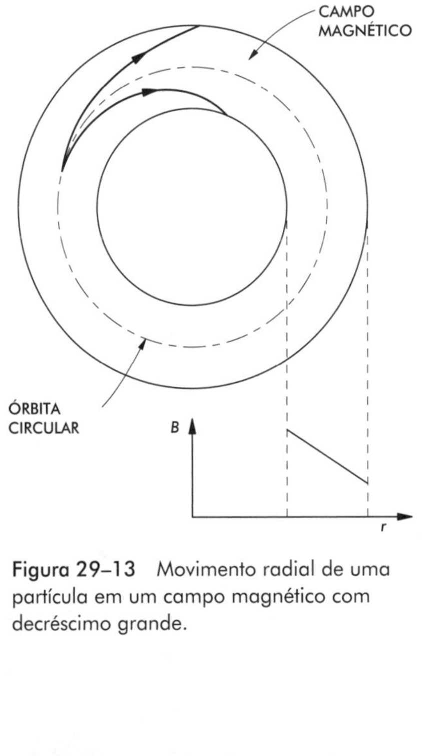

Figura 29–13 Movimento radial de uma partícula em um campo magnético com decréscimo grande.

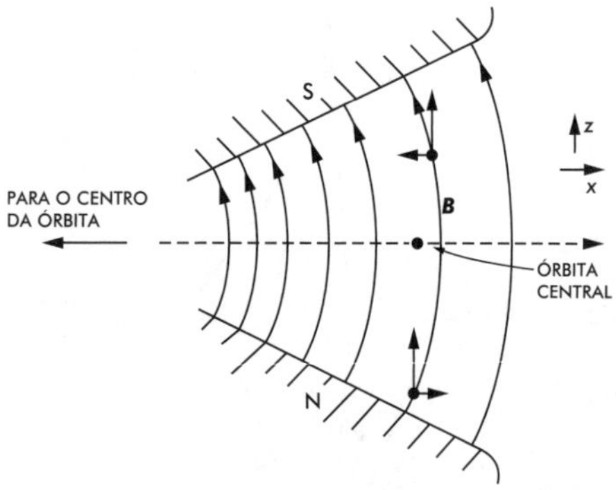

Figura 29–14 Campo guia vertical conforme visto de uma seção de choque perpendicular às órbitas.

Um campo guia fornece focalização radial se esse gradiente relativo for maior que −1.

O gradiente radial de um campo também produzirá forças *verticais* sobre as partículas. Suponha que tenhamos um campo mais forte perto do centro da órbita e mais fraco fora. Uma seção reta vertical do magneto a ângulos retos à órbita poderia ser conforme a Figura 29–14 (para prótons, as órbitas estariam saindo da página). Se o campo for mais forte à esquerda e mais fraco à direita, as linhas de campo magnético devem ser curvas como mostrado. Podemos ver que isso deve ser assim usando a lei que diz que a circulação de $\boldsymbol{B}$ é zero no espaço livre. Se tomarmos as coordenadas conforme a figura, temos

$$(\nabla \times \boldsymbol{B})_y = \frac{\partial B_x}{\partial z} - \frac{\partial B_z}{\partial x} = 0,$$

ou

$$\frac{\partial B_x}{\partial z} = \frac{\partial B_z}{\partial x}. \tag{29.3}$$

Como supusemos que $\partial B_z/\partial x$ é negativo, deve haver um $\partial B_x/\partial z$ igualmente negativo. Se o plano "nominal" da órbita for o plano de simetria onde $B_x = 0$, então a componente radial B_x será negativa acima do plano e positiva abaixo. As linhas devem ser curvas, conforme mostrado.

Tal campo terá propriedades de focalização vertical. Imagine um próton viajando mais ou menos paralelo à órbita central, mas acima dela. A componente horizontal de $\boldsymbol{B}$ exercerá uma força para baixo. Se o próton estiver abaixo da órbita central, a força será revertida. Portanto, há uma "força restauradora" efetiva em direção à órbita central. De nossos argumentos, haverá uma focalização vertical, desde que o campo *vertical* decresça com o aumento do raio; mas se o gradiente do campo for positivo, haverá "desfocalização vertical". Portanto, para focalização vertical o índice de campo n deve ser menor que zero. Achamos anteriormente que, para que tenhamos a focalização radial, n deve ser maior que −1. As duas condições em conjunto nos dão a condição

$$-1 < n < 0$$

se as partículas forem mantidas em órbitas estáveis. Em cíclotrons, valores próximos de zero são usados; em bétatrons e síncrotons, o valor $n = -0{,}6$ é usualmente utilizado.

29–7 Focalização com gradiente alternante

Tais valores pequenos de n levam a uma focalização bastante "fraca". É claro que uma focalização radial muito mais efetiva seria obtida com um gradiente bastante positivo ($n \gg 1$), mas então as forças verticais iriam desfocalizar fortemente. De modo análogo, para valores muito negativos ($n \ll -1$), teríamos forças verticais muito fortes, mas causaríamos desfocalização radial. Há dez anos descobriu-se que uma força que alterna entre uma forte focalização e uma forte desfocalização ainda pode ter um efeito focalizador.

Para explicar como *focalização de gradiente alternante* funciona, vamos descrever a operação de uma lente quadrupolar baseada no mesmo princípio. Imagine que um campo magnético uniforme negativo seja adicionado ao campo da Figura 29–14, com sua intensidade ajustada para que o campo seja zero sobre a órbita. O campo resultante para pequenas distâncias do ponto neutro seria como o campo mostrado na Figura 29–15. Tal magneto quadrupolar é chamado de "lente quadrupolar". Uma partícula positiva que entra (desde o leitor) para a direita ou esquerda do centro é empurrada de volta para o centro. Se a partícula entra acima ou abaixo, ela é empurrada *para fora* do centro. Esta é uma lente de focalização horizontal. Se o gradiente horizontal for revertido – o que pode ser feito revertendo todas as polaridades –, os sinais de todas as forças serão revertidos, e teremos uma lente de focalização vertical conforme a Figura 29–16. Para tais lentes, a magnitude do campo e, portanto, as forças de focalização, aumentam linearmente com a distância da lente ao eixo.

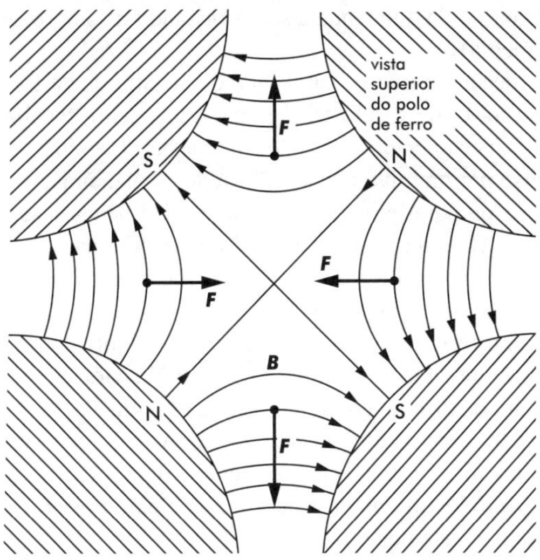

Figura 29–15 Uma lente quadrupolar com focalização horizontal.

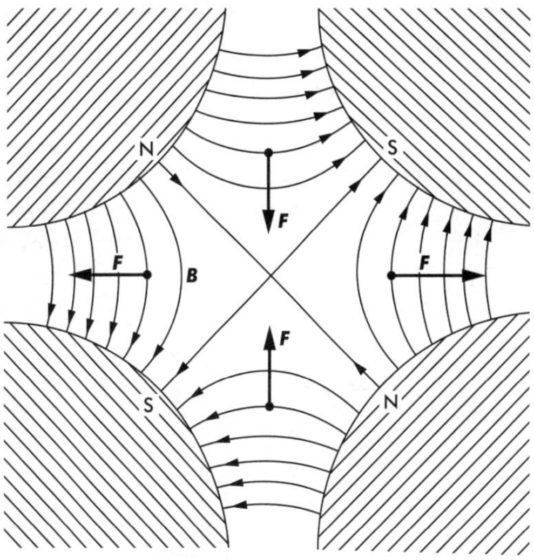

Figura 29–16 Uma lente quadrupolar com focalização vertical.

Imagine agora que se coloquem duas lentes em série. Se uma partícula entra com alguma distância horizontal do eixo, conforme a Figura 29–17(a), ela será defletida para o centro na primeira lente. Quando chegar na segunda lente, ela estará mais perto do eixo, portanto a força para fora será menor, assim como a deflexão para fora. Há uma correção resultante em direção ao eixo; o efeito *médio* é uma focalização horizontal. Por outro lado, se olharmos a partícula que entra para fora do eixo na direção vertical, o caminho será aquele visto na Figura 29–17(b). A partícula é primeiro defletida *para fora* do eixo, mas então ela chega à segunda lente com uma maior distância, sente uma força mais forte e é enviada de volta ao eixo. Novamente, o efeito resultante é focalizador. Portanto, um par de lentes quadrupolar age independentemente para o movimento horizontal e vertical – de forma muito parecida com uma lente óptica. Lentes quadrupolares são usadas para formar e controlar feixes de partículas da mesma maneira que lentes ópticas são usadas para feixes de luz.

Devemos salientar que um sistema de gradiente alternante *nem sempre* focaliza. Se os gradientes forem muito grandes (em relação à quantidade de movimento da partícula ou ao espaçamento entre as lentes), o efeito resultante pode ser desfocalizador. Você pode ver o que aconteceria se imaginasse que o espaçamento entre as duas lentes na Figura 29–17 crescesse, digamos, por um fator de três ou quatro.

Voltemos ao guia magnético do síncrotron. Podemos considerar que ele consiste em uma sequência alternante de lentes "positivas" e "negativas" com um campo uniforme superposto. O campo uniforme serve para curvar as partículas, em média, em um círculo horizontal (sem qualquer efeito sobre o movimento vertical), e as lentes alternantes

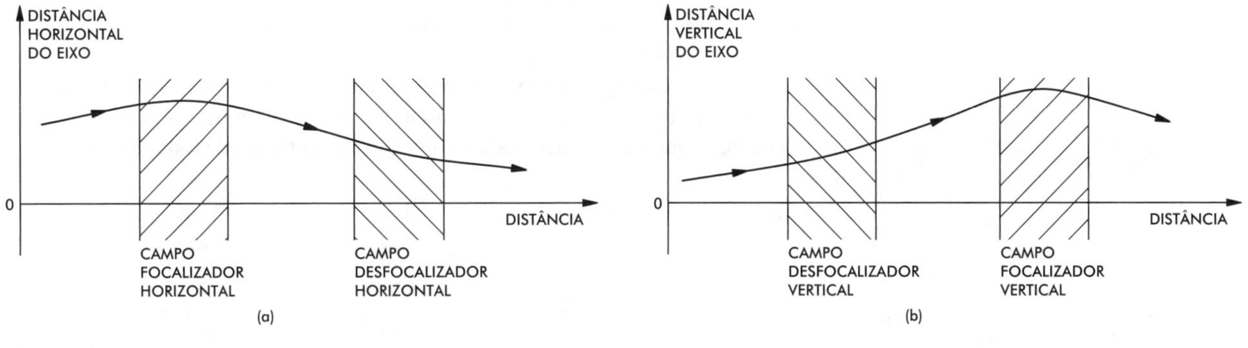

Figura 29–17 Focalização vertical e horizontal com um par de lentes quadrupolares.

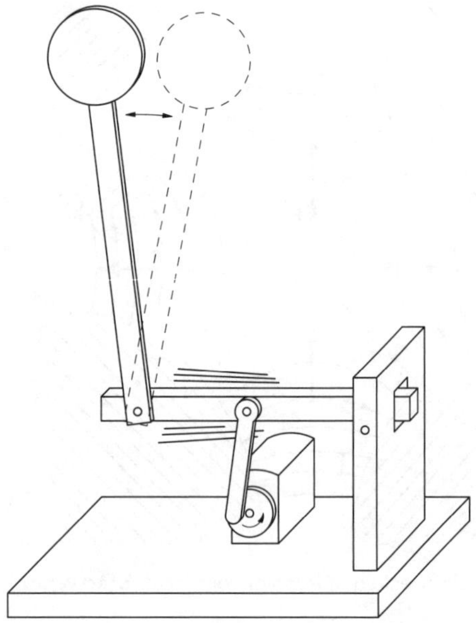

Figura 29–18 Um pêndulo com pivô oscilante pode ter um ponto estável de oscilação com o peso acima da trave.

agem sobre qualquer partícula que tenda a sair – puxando-a sempre de volta à órbita central (em média).

Há um análogo mecânico muito bonito que demonstra que a força que alterna entre "focalização" e "desfocalização" pode ter um efeito "focalizador". Imagine um "pêndulo" mecânico que consiste em uma barra "sólida" com um peso na ponta suspenso por um pivô que se coloca de tal maneira a se mover rapidamente para cima ou para baixo por um motor. Tal pêndulo tem *duas* posições de equilíbrio. Além da posição normal do pêndulo para baixo, ele também estará em equilíbrio "solto para cima" com seu peso *acima* do pivô! Tal pêndulo está desenhado na Figura 29–18.

Podemos ver que o movimento vertical do pivô é equivalente a uma força focalizadora alternante. Quando o pivô for acelerado para baixo, o peso tenderá a mover-se para dentro, tal como indicado na Figura 29–19. Quando o pivô for acelerado para cima, o efeito será reverso. A força que restaura o peso em direção ao eixo alterna, mas o efeito médio é uma força em direção ao eixo; portanto, o pêndulo vai balançar para frente e para trás ao redor de uma posição neutra que é justamente oposta à normal.

É claro que há uma maneira mais fácil de se manter o pêndulo de cabeça para baixo, ou seja, *equilibrando-o* sobre seu dedo! Tente equilibrar *dois palitos independentes* sobre o *mesmo dedo*! Ou um palito com seus olhos fechados! Equilíbrio envolve corrigir o que está indo errado, e isso nem sempre é possível se houver várias ações erradas ocorrendo ao mesmo tempo. Em um síncroton há bilhões de partículas girando juntas, cada uma começando com um "erro" diferente. O tipo de focalização que descrevemos funciona para todas.

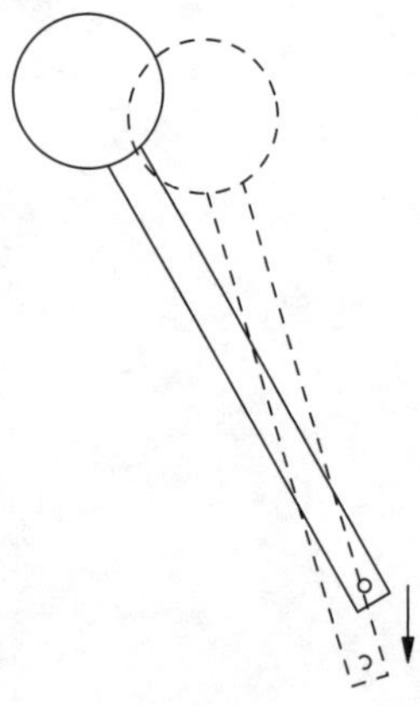

Figura 29–19 Uma aceleração do pivô para baixo leva o pêndulo a se mover para cima.

29–8 Movimento em campos elétricos e magnéticos cruzados

Até agora falamos sobre partículas apenas em campos elétricos ou magnéticos. Há alguns efeitos interessantes quando houver ambos os tipos de campos ao mesmo tempo. Suponha que tenhamos um campo magnético uniforme ***B*** e um campo elétrico ***E*** a ângulos retos. Partículas que comecem perpendicularmente a ***B*** irão mover-se em uma curva como a da Figura 29–20 (a figura é uma curva *plana, não* uma hélice!). Podemos compreender este movimento de modo qualitativo. Quando a partícula (supostamente positiva) move-se na direção de ***E***, ela se acelera e então se curva menos pelo campo magnético. Quando ela vai contra o campo ***E***, perde velocidade e é, continuamente, curvada mais pelo campo magnético. O efeito resultante é que ela tem um "arrasto" médio na direção de $\boldsymbol{E} \times \boldsymbol{B}$.

De fato, podemos mostrar que o movimento é uma composição de um movimento circular superposto a um movimento lateral uniforme com velocidade $v_d = E/B$ – a trajetória na Figura 29–20 é um cicloide. Imagine um observador que esteja se movendo para a direita com velocidade constante. Nesse sistema de referências nosso campo magnético é transformado em um campo magnético *mais* um campo elétrico dirigido *para baixo*. Se ele tem a velocidade certa, esse campo elétrico total será zero, e ele verá o elétron andando sobre um círculo. Portanto, o movimento que *nós* vemos é um movimento circular mais uma translação na velocidade de arrasto $v_d = E/B$. O movimento de elétrons em campos elétrico e magnético cruzados é a base de tubos *magnetron*, isto é, osciladores usados para gerar energia de micro-ondas.

Há muitos outros exemplos interessantes de movimentos de partículas em campos elétrico e magnético – como as órbitas de elétrons e prótons presos no cinturão Van Allen – mas infelizmente não temos tempo de tratá-los aqui.

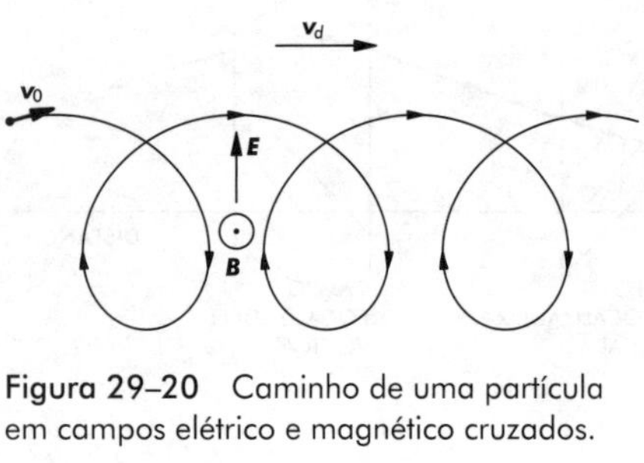

Figura 29–20 Caminho de uma partícula em campos elétrico e magnético cruzados.

30

A Geometria Interna de Cristais

Referência: C. Kittel, *Introduction to Solid State Physics*, John Wiley and Sons, Inc., New York, 2nd., 1956.

30–1 A geometria interna de cristais

Terminamos o estudo das leis básicas da eletricidade e do magnetismo, e vamos agora estudar as propriedades eletromagnéticas da matéria. Começamos pela descrição de sólidos, isto é, cristais. Quando os átomos da matéria não estão se movendo em demasia, eles se agrupam e se arranjam em uma configuração com a menor energia possível. Se os átomos, em um certo lugar, encontrarem um padrão que parece ser de baixa energia, então os átomos, em algum outro lugar, provavelmente farão o mesmo arranjo. Por essas razões, em um material sólido temos um padrão repetitivo de átomos.

Em outras palavras, as condições em um cristal apresentam-se da seguinte maneira: o ambiente de um átomo particular, em um cristal, tem um certo arranjo e, se você olhar para o mesmo tipo de átomo em um outro local longínquo, você achará exatamente a mesma coisa. Se você considerar um átomo mais longe ainda, achará exatamente as mesmas condições mais uma vez. O padrão é sempre repetido e, é claro, em três dimensões.

Imagine o problema de se desenhar um papel de parede, tecido ou desenho geométrico para uma área plana na qual você deve ter um elemento que sempre se repete, de modo que você faça a área tão grande quanto quiser. Esse é o análogo bidimensional do problema que o cristal resolve em três dimensões. Por exemplo, a Figura 30–1(a) mostra um tipo comum de desenho de papel de parede. Há um único elemento repetido no padrão, o qual se repete infinitamente. As geometrias características desse desenho, considerando apenas as suas propriedades repetitivas e não se levando em conta a geometria da flor ou seu mérito artístico, estão contidas na Figura 30–1(b). Se você começar em qualquer ponto, achará o ponto correspondente movendo-se de uma distância a ao longo da direção da flecha 1. Você também pode ir a um outro ponto correspondente, se você se mover de uma distância b na direção da outra flecha. É obvio que há muitas outras direções. Você pode ir, por exemplo, de um ponto α a um ponto β e chegar a uma posição correspondente, mas tal passo pode ser considerado uma combinação de um passo ao longo da direção 1, seguido de um passo ao longo da direção 2. Uma das propriedades básicas do padrão pode ser descrita pelos dois menores passos em direções vizinhas. Por posições "iguais" queremos dizer que se você estivesse em uma delas e olhasse em volta, veria exatamente a mesma coisa se estivesse na outra posição. Essa é a propriedade fundamental de um cristal. A única diferença é que o cristal é um arranjo tridimensional ao invés de bidimensional; e naturalmente, em vez de flores, cada elemento da rede é algum tipo de arranjo de átomos, talvez seis átomos de hidrogênio e dois átomos de carbono em um tipo de padrão. O padrão de átomos em um cristal pode ser encontrado experimentalmente por difração de raio X. Já mencionamos esse método brevemente e não repetiremos agora, exceto que o arranjo preciso dos átomos no espaço foi trabalhado para os mais simples cristais assim como para alguns cristais mais complexos.

O padrão interno de um cristal mostra-se de diferentes maneiras. Primeiramente, a ligação entre os átomos em certas direções é geralmente mais forte que em outras. Isso significa que há planos, através do cristal, por onde é mais fácil quebrá-lo. São os chamados planos de *clivagem*. Se você quebra um cristal com uma navalha, ele geralmente se partirá ao longo de tal plano. Além disso, a estrutura interna geralmente aparece na superfície devido à maneira pela qual o cristal foi formado. Imagine um cristal sendo decantado em uma solução. Há átomos flutuando na solução até que se depositem em uma posição de menor energia (é como se o papel de parede fosse feito por flores flutuando ao acaso, até que uma delas acidentalmente se fixe em algum lugar, e então a próxima e depois a outra, até que o padrão gradualmente se forme). Você pode observar que haverá algumas direções nas quais o cristal crescerá com velocidade diferente de

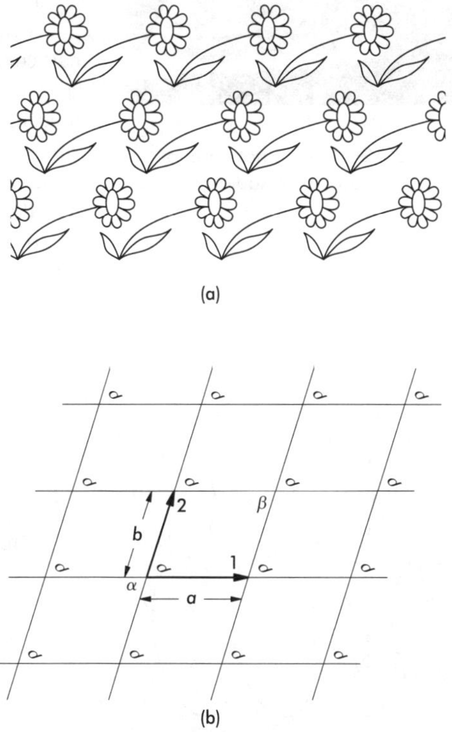

Figura 30–1 Padrão repetitivo em duas dimensões.

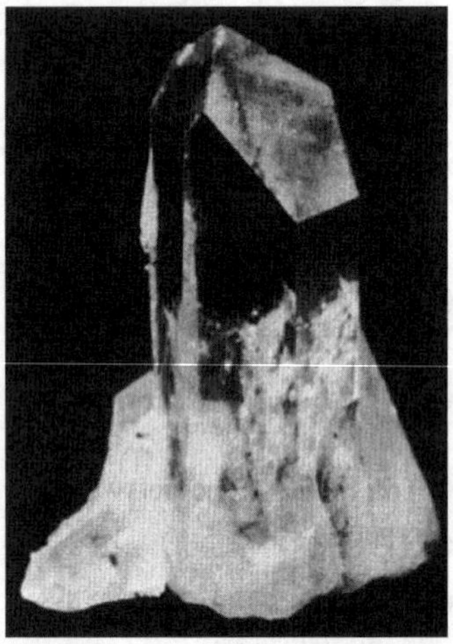

(a)

(b)

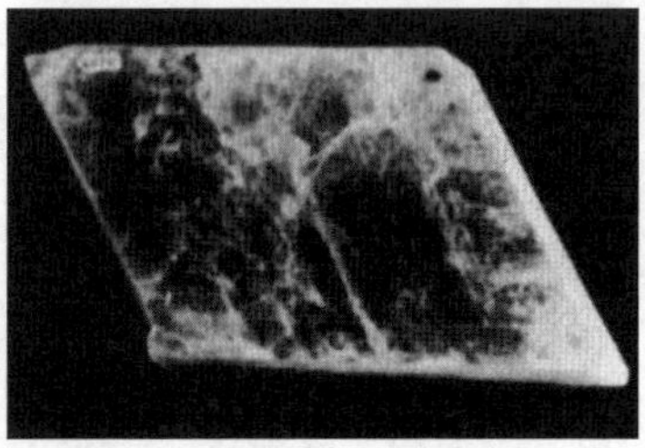

(c)

Figura 30–2 Cristais naturais: (a) quartzo, (b) cloreto de sódio, (c) mica.

outras direções, formando uma figura geométrica. Por causa desses efeitos, a superfície externa de muitos cristais mostra o mesmo caráter do arranjo interno dos átomos.

Por exemplo, a Figura 30–2(a) mostra a forma de um típico cristal de quartzo cujo padrão interno é hexagonal. Se você olhar tal cristal mais de perto, perceberá que a parte externa não é um bom hexágono porque os lados não têm o mesmo comprimento – eles são bastante desiguais. No entanto, em um certo aspecto ele é um hexágono muito bom: os *ângulos* entre as faces formam exatos 120°. Claramente, a medida de uma face em particular é um acidente de crescimento, mas os *ângulos* são uma representação da geometria interna. Portanto, todo cristal de quartzo tem uma forma diferente, apesar de os ângulos entre as faces correspondentes serem sempre o mesmo.

A geometria interna de um cristal de cloreto de sódio também se evidencia em sua forma externa. A Figura 30–2(b) mostra a forma de um típico grão de sal. De novo, o cristal não é um cubo perfeito, mas as faces perfazem ângulos retos.

Um cristal mais complicado é a mica, cuja forma é mostrada na Figura 30–2(c). É um cristal altamente anisotrópico como se pode ver facilmente do fato de que ele é muito forte se tentarmos puxá-lo em uma direção (horizontalmente na figura), mas muito fácil de quebrar se puxado na outra direção (verticalmente). Ele é comumente usado para se obter folhas finas muito resistentes. Mica e quartzo são dois exemplos de minerais naturais contendo sílica. Um terceiro exemplo de mineral com sílica é o amianto, cuja interessante propriedade consiste em poder ser quebrado facilmente em duas direções, mas não na terceira. Ele parece ter sido feito de fibras *lineares* muito fortes.

30–2 Ligações químicas em cristais

As propriedades mecânicas dos cristais dependem claramente do tipo de ligação química entre os átomos. A impressionante diferença na resistência da mica em direções diferentes depende dos tipos de ligação interatômica nas diferentes direções. Sem dúvida, você já aprendeu, em química, algo sobre os diferentes tipos de ligações químicas. Primeiramente, há as ligações iônicas, conforme já discutimos para o cloreto de sódio. *Grosso modo*, os átomos de sódio perdem um elétron e se tornam íons positivos; os átomos de cloro ganham um elétron e se tornam íons negativos. Os íons negativos e positivos agrupam-se em um tabuleiro tridimensional e ficam ligados por forças elétricas.

A ligação covalente – na qual elétrons são compartilhados entre dois átomos – é mais comum e, frequentemente, mais forte. Em um diamante, por exemplo, os átomos de carbono têm ligações covalentes com seus vizinhos mais próximos, em todas as quatro direções, de modo que o cristal é extremamente duro. Há também ligações covalentes entre silício e oxigênio em um cristal de quartzo, mas nesse caso a ligação é, na realidade, apenas parcialmente covalente. Devido ao fato de não haver um compartilhamento completo dos elétrons, os átomos são parcialmente carregados e o cristal é aproximadamente iônico. A natureza não é tão simples como tentamos descrevê-la; na verdade, há todas as possíveis gradações entre ligações covalentes e iônicas.

Um cristal de açúcar tem ainda outro tipo de ligação, nele há grandes moléculas nas quais os átomos são fortemente presos por ligações covalentes, de modo que a molécula tenha uma estrutura compacta. Já que as ligações fortes estão completamente satisfeitas, há apenas atrações relativamente fracas entre as diferentes moléculas. Nestes cristais *moleculares*, as moléculas permanecem com sua identidade individual, e o arranjo interno poderia ser aquele da Figura 30–3. Como as moléculas não são seguras fortemente umas com as outras, o cristal quebra-se facilmente. São muito diferentes de algo como o diamante, que, na realidade, é uma molécula gigante que não pode ser quebrada em nenhum lugar sem romper as fortes ligações covalentes. Parafina é um outro tipo de cristal molecular.

Um exemplo extremo de cristal molecular ocorre em uma substância como o argônio sólido. Há pouca atração entre os átomos – cada átomo é uma molécula mono-atômica completamente saturada. Contudo, a temperaturas muito baixas, o movimento térmico é muito pequeno e a pequena força interatômica pode levar os átomos a se acomodarem em um arranjo regular do tipo de uma pilha de esferas compactadas.

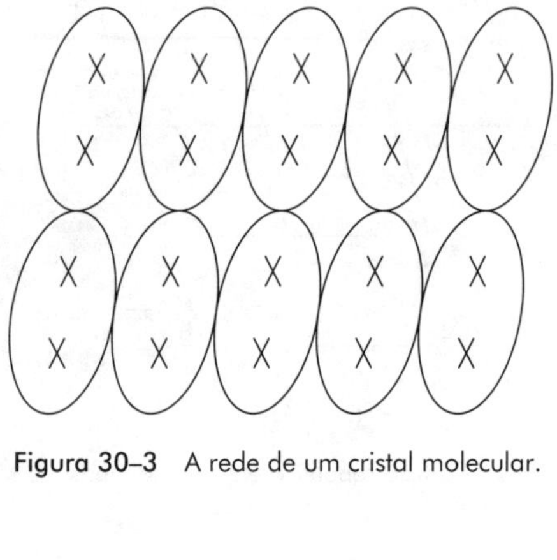

Figura 30–3 A rede de um cristal molecular.

Os metais formam uma classe completamente diferente de substâncias. A ligação é de um tipo completamente diferente. Em um metal, a ligação não se faz entre átomos adjacentes, mas é uma propriedade do cristal como um todo. Os elétrons de valência não pertencem a um átomo ou par de átomos, mas são compartilhados através do cristal. Cada átomo contribui com um elétron para um consórcio universal de elétrons, e os íons atômicos positivos moram em um mar de elétrons negativos. O mar de elétrons segura os íons como uma espécie de cola.

Já que não há ligações especiais em qualquer direção particular, não há, nos metais, qualquer direcionalidade evidente nas ligações. Eles ainda são cristalinos, pois a energia total é mais baixa quando os íons atômicos estiverem em um arranjo bem definido, apesar de a energia do arranjo preferido não ser sempre menor que outras possibilidades. Como primeira aproximação, os átomos de muitos metais são como pequenas esferas muito compactadas.

30–3 O crescimento de cristais

Tente imaginar a formação natural de cristais na Terra. Na superfície da Terra há uma grande mistura de todo tipo de átomo. Eles estão continuamente se movendo por uma ação vulcânica, pelo vento, pela água, continuamente sendo movidos e misturados. Pelo mesmo truque, átomos de silício gradualmente começam a achar uns aos outros, e começam a achar átomos de oxigênio formando sílica. Um átomo de cada vez é adicionado aos outros formando um cristal – a mistura se desfaz. Em outro lugar, átomos de sódio e cloro estão se encontrando e construindo um cristal de sal.

Uma vez que um cristal começou, como acontece de ele permitir que apenas um tipo particular de átomo se junte a ele? Isso ocorre porque o sistema, como um todo, está se encaminhando para a menor energia possível. Um cristal em crescimento aceitará um novo átomo se ele minimizar a energia, mas como ele *sabe* que um átomo de silício ou um átomo de oxigênio, em um lugar particular, resultará na menor energia? Ele o fará por tentativa e erro. No líquido, todos os átomos estão em movimento. Cada átomo vai e volta contra seu vizinho cerca de 10^{13} vezes cada segundo. Se ele se choca contra o lugar correto de um cristal em crescimento, ele tem uma chance menor de pular fora se sua energia for menor. Testando continuamente em períodos de milhões de anos a um ritmo de 10^{13} testes por segundo, os átomos gradualmente se acumulam onde tiverem menor energia. No final, eles formam grandes cristais.

30–4 Redes cristalinas

O arranjo de átomos em um cristal – *rede cristalina* – pode tomar várias formas geométricas. Gostaríamos primeiro de descrever as redes mais simples que são características da maior parte dos metais e da forma sólida de gases inertes. São as redes cúbicas que podem ocorrer em duas formas: cúbicas de corpo centrado, mostrada na Figura 30–4(a), e cúbicas de face centrada, mostrada na Figura 30–4(b). Os desenhos mostram apenas um cubo da rede; imagine que o padrão é repetido indefinidamente em três dimensões. Para que se faça o desenho mais claro, apenas os "centros" dos átomos são mostrados. Em um cristal real, os átomos são mais como esferas em contato um com o outro. As esferas escura e clara nos desenhos podem em geral representar tipos diferentes de átomos ou podem ser o mesmo tipo. Por exemplo, ferro tem uma estrutura cúbica de corpo centrado em baixas temperaturas, mas forma uma rede cúbica de face centrada em altas temperaturas. As propriedades físicas são muito diferentes nas duas formas cristalinas.

Como tais formas acontecem? Imagine que você tenha o problema de empacotar átomos esféricos o mais firmemente possível. Uma maneira seria começar fazendo uma camada com uma estrutura hexagonal, como mostrado na Figura 30–5(a). Então você poderia construir uma segunda camada como a primeira, mas deslocada horizontalmente conforme a Figura 30–5(b). Então você colocará a terceira camada, mas atenção! Há duas maneiras distintas de se colocar a *terceira* camada. Se você começar a terceira camada colocando um átomo em *A* na Figura 30–5(b), cada átomo da terceira camada estará

(a)

(b)

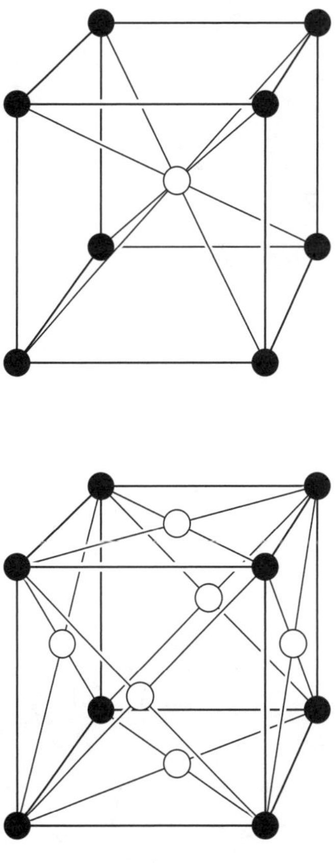

Figura 30–4 A célula unitária de cristais cúbicos: (a) corpo centrado, (b) face centrada.

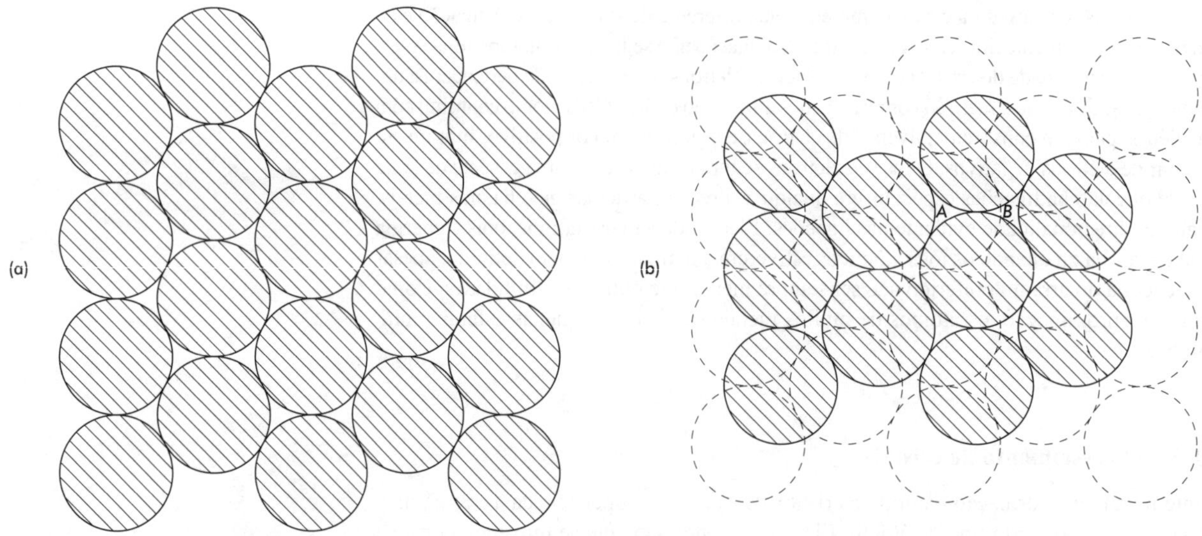

Figura 30–5 Formação de uma rede hexagonal de empacotamento próximo.

diretamente acima de um átomo da primeira camada. Por outro lado, se você começar a terceira camada colocando um átomo na posição *B*, os átomos da terceira camada estarão centrados em pontos exatamente no meio do triângulo formado por três átomos da primeira camada. Qualquer outro começo é equivalente a *A* ou *B*, portanto há apenas duas maneiras de se colocar a terceira camada.

Se a terceira camada tiver um átomo no ponto *B*, a rede cristalina será cúbica de face centrada – mas vista de um ângulo. Parece engraçado que começando com hexágonos você pode terminar com cubos, mas note que um cubo visto de uma ponta parece hexagonal. Por exemplo, a Figura 30–6 poderia representar um plano hexagonal ou um cubo em perspectiva!

Se uma terceira camada é adicionada na Figura 30–5(b) começando com um átomo em *A*, a estrutura não é cúbica e a rede tem apenas uma simetria hexagonal. É claro que ambas as possibilidades são igualmente compactadas.

Alguns metais – por exemplo, cobre e prata – escolhem a primeira alternativa, cúbica de face centrada. Outros – por exemplo, berílio e magnésio – escolhem a outra alternativa, formando cristais hexagonais. Claramente, qual rede cristalina aparece não pode depender apenas do empacotamento de pequenas esferas, mas deve ser determinado também por outros fatores. Em particular, relaciona-se com a pequena dependência angular das forças interatômicas (ou no caso de metais, da energia do consórcio de elétrons). Sem dúvida, você aprenderá tudo sobre esses assuntos nos cursos de química.

30–5 Simetrias em duas dimensões

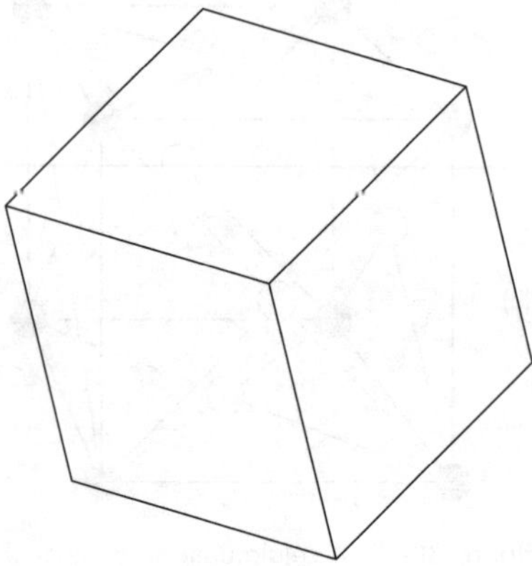

Figura 30–6 Isto é um hexágono ou um cubo visto a partir de um vértice?

Gostaríamos agora de discutir algumas propriedades dos cristais do ponto de vista de suas simetrias internas. A principal característica de um cristal é que, se você começa de um átomo e vai para o correspondente átomo localizado no próximo sítio da rede, você estará no mesmo tipo de ambiente. Essa é a proposição fundamental. Se você fosse um átomo, haveria um outro tipo de mudança que poderia levá-lo ao mesmo ambiente – ou seja, outro tipo de "simetria". A Figura 30–7(a) mostra outro tipo possível de desenho de "papel de parede" (apesar de você provavelmente nunca tê-lo visto). Suponha que comparemos os ambientes para os pontos *A* e *B*. Você poderia primeiramente pensar que eles sejam o mesmo ponto – mas não exatamente. Pontos *C* e *D* são equivalentes a *A*, mas o ambiente de *B* é parecido com o de *A* apenas se as vizinhanças fossem refletidas como em um espelho.

Há outros tipo de pontos "equivalentes" no padrão. Por exemplo, os pontos *E* e *F* têm os mesmos ambientes exceto que um está rodado em 90° em relação ao outro. O padrão é muito especial. Uma rotação de 90° – ou um múltiplo dela – em torno de um vértice como *A* fornece o mesmo padrão novamente. Um cristal com tal estrutura tem cantos quadrados do lado de fora, mas internamente é mais complicado que um cubo simples.

Agora que descrevemos alguns exemplos especiais, tentemos descobrir todas as possíveis simetrias de um cristal. Primeiramente, consideramos o que acontece em um plano. Uma rede *plana* pode ser definida pelos chamados vetores *primitivos* que vão de um ponto da rede aos dois pontos equivalentes *mais próximos*. Os dois vetores **1** e **2** são os vetores primitivos da rede da Figura 30–1. Os dois vetores ***a*** e ***b*** da Figura 30–7(b) são os vetores primitivos daquele padrão. É claro que poderíamos, do mesmo modo, substituir ***a*** por –***a***, ou ***b*** por –***b***. Como ***a*** e ***b*** são iguais em magnitude e formam um ângulo reto, uma rotação de 90° leva ***a*** em ***b*** e ***b*** em –***a***, gerando novamente a mesma rede.

Vemos que há redes que têm uma simetria “quádrupla”. Descrevemos anteriormente um arranjo compacto baseado em um hexágono que poderia ter uma simetria sêxtupla. Uma rotação do arranjo de círculos na Figura 30–5(a) por um ângulo de 60° em torno do centro de qualquer círculo leva o padrão de volta a si mesmo.

Que outros tipos de simetria de rotação existem? Poderíamos, por exemplo, ter uma simetria de rotação quíntupla ou óctupla? É fácil ver que elas são impossíveis. *A única simetria com mais lados que quatro é a simetria sêxtupla.* Primeiro mostremos que uma simetria maior que sêxtupla é impossível. Imaginemos uma rede com dois vetores primitivos iguais formando um ângulo menor que 60°, como na Figura 30–8(a). Devemos supor que os pontos B e C são equivalentes a A, e que ***a*** e ***b*** são os dois *menores* vetores que vão de A a seus vizinhos equivalentes. Contudo, isso é claramente errado porque a distância entre B e C é menor do que a distância entre qualquer um deles e A. Deve haver uma vizinhança em D equivalente a A mais próxima que B ou C. Deveríamos ter escolhido ***b′*** como um de nossos vetores primitivos. Portanto, o ângulo entre os dois vetores primitivos deve ser 60° ou maior. Simetria octogonal não é possível.

O que dizer de uma simetria pentagonal? Se supusermos que os vetores primitivos ***a*** e ***b*** tenham comprimentos iguais e formem um ângulo de $2\pi/5 = 72°$, conforme a Figura 30–8(b), então deveria haver um ponto equivalente na rede em D a 72° de C, mas o vetor ***b′*** de E para D é menor que ***b***, portanto ***b*** não é vetor primitivo. Não pode haver simetria quíntupla. As únicas possibilidades que não levam a esse tipo de dificuldade são $\theta = 60°$, 90° ou 120°. Zero ou 180° também são claramente impossíveis. Uma maneira de declarar o resultado é que o padrão permanece o mesmo por uma rotação de uma volta completa (nada muda), meia volta, um terço, um quarto ou um sexto de volta. Essas são todas as possíveis simetrias de rotação em um plano – elas são um total de cinco. Se $\theta = 2\pi/n$, dizemos que temos uma simetria de multiplicidade n (n-upla). Dizemos que um padrão com n igual a 4 ou 6 tem “simetria mais alta” do que outro com n igual a 1 ou 2.

De volta à Figura 30–7(a), vemos que o padrão tem uma simetria quádrupla. Desenhamos na Figura 30–7(b) outro projeto com as mesmas propriedades de simetria que a da parte (a). As pequenas figuras em forma de vírgula são objetos assimétricos que servem para definir a simetria do projeto dentro de cada quadrado. Note que as vírgulas são reversas em quadrados alternados, de modo que a célula unitária é maior que um quadrado pequeno. Se não houvesse as vírgulas, o padrão seria ainda o de uma simetria quádrupla, mas a célula unitária seria menor. Os padrões da Figura 30–7 também têm

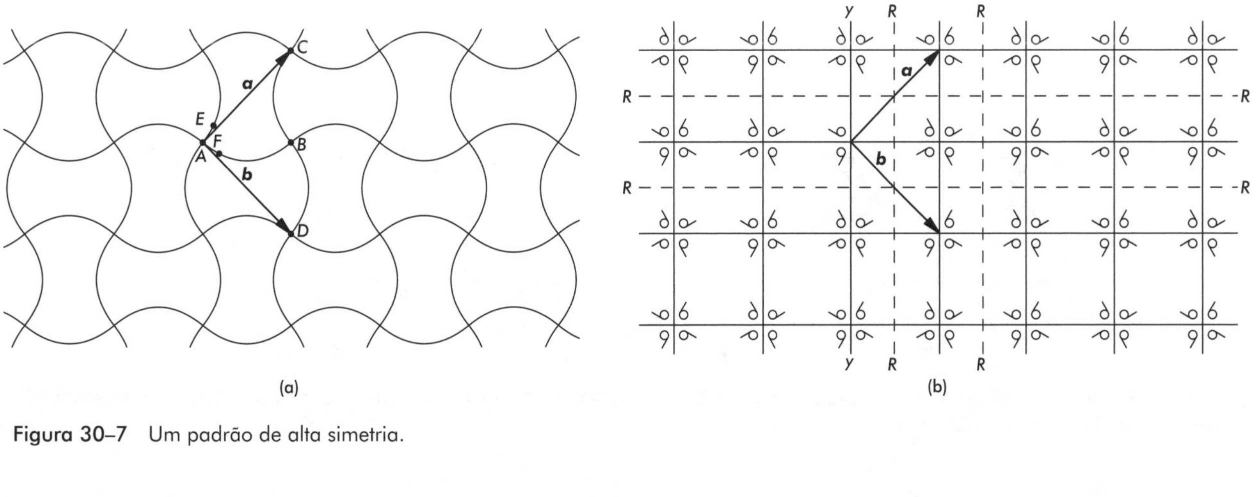

Figura 30–7 Um padrão de alta simetria.

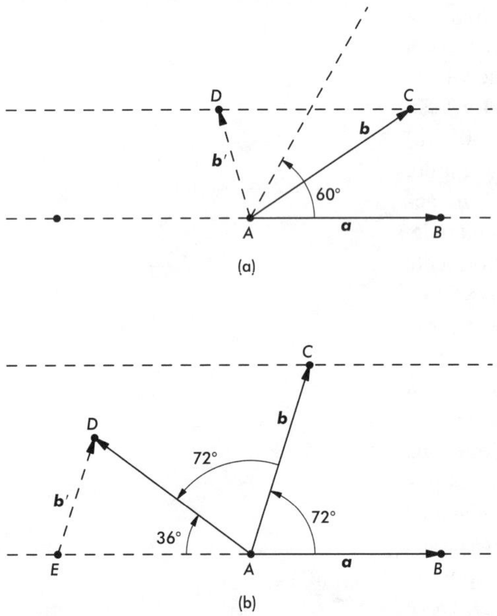

Figura 30–8 (a) Não há simetria rotacional de multiplicidade maior que seis. (b) Não existe simetria pentagonal.

outras propriedades de simetria; por exemplo, uma reflexão ao redor das linhas quebradas *R–R* reproduz o mesmo padrão.

Os padrões da Figura 30–7 têm ainda outro tipo de simetria. Se o padrão for refletido pela linha *Y–Y* e pularmos um quadrado para a direita (ou para a esquerda), obtemos de volta o padrão original. A linha *Y–Y* é chamada linha de "deslizamento".

Essas são todas as possíveis simetrias em duas dimensões. Há outra operação de simetria espacial equivalente *em duas dimensões* a uma rotação de 180°, mas que é muito diferente da operação equivalente em três dimensões. É a inversão. Uma inversão significa que o ponto do vetor posição ***R*** desde alguma origem (por exemplo, o ponto *A* na Figura 30–9(b)) move-se para o ponto –***R***.

Uma inversão do padrão (a) da Figura 30–9 produz um novo padrão, mas uma inversão do padrão (b) reproduz o mesmo padrão. Para um padrão bidimensional (como você pode ver da figura), uma inversão do padrão (b) através do ponto *A* é equivalente a uma rotação de 180° ao redor do mesmo ponto. Todavia, suponha que façamos o padrão na Figura 30–9(b) tridimensional imaginando que os pequenos 6 e 9 têm uma "flecha" *apontando para fora da página*. Depois de uma inversão em três dimensões, todas as flechas serão invertidas, e o padrão *não* é reproduzido. Se indicarmos o início e o final das flechas por pontos e cruzes respectivamente, podemos fazer um padrão *tridimensional* como na Figura 30–9(c) que *não* é simétrico por inversão, ou podemos fazer um padrão como aquele mostrado em (d) que *tem* tal simetria. Note que *não* é possível imitar uma inversão tridimensional com uma combinação de rotações.

Se caracterizarmos a "simetria" de um padrão ou rede pelos tipos de operações de simetria que descrevemos, haverá 17 padrões possíveis em duas dimensões. Desenhamos um padrão da menor simetria na Figura 30–1 e um com alta simetria na Figura 30–7; vamos deixar para você o jogo de descobrir todos os 17 padrões possíveis.

É peculiar o fato de que tão poucos dos 17 possíveis padrões são usados na fabricação de papéis de parede e tecidos. Vemos sempre os mesmos três ou quatro padrões básicos. Será por causa da falta de imaginação dos projetistas ou porque muitos dos possíveis padrões não são confortáveis para o olho?

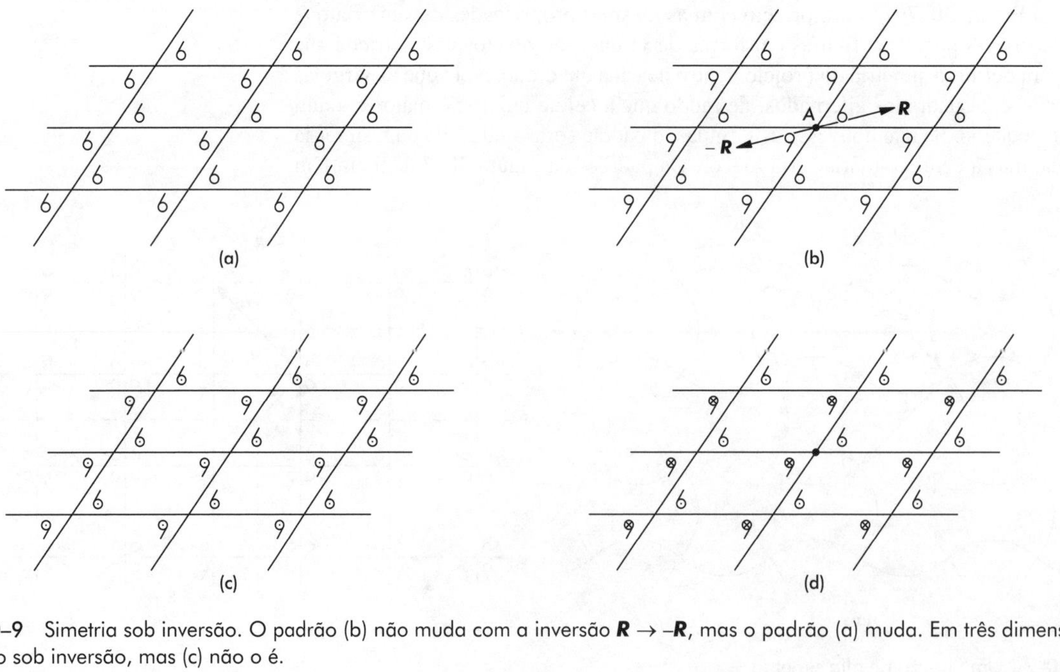

Figura 30–9 Simetria sob inversão. O padrão (b) não muda com a inversão $\boldsymbol{R} \to -\boldsymbol{R}$, mas o padrão (a) muda. Em três dimensões (d) é simétrico sob inversão, mas (c) não o é.

30–6 Simetrias em três dimensões

Até aqui falamos apenas em padrões bidimensionais, mas estamos realmente interessados em padrões tridimensionais. Primeiramente, é claro que um cristal tridimensional tem *três* vetores primitivos. Se procurarmos as possíveis operações de simetria em três dimensões, acharemos 230 possibilidades diferentes! Para alguns propósitos, esses 230 tipos podem ser agrupados em 7 classes que estão desenhadas na Figura 30–10. A rede com a menor simetria é chamada *triclínica*. Suas células unitárias são paralelepípedos. Os vetores primitivos têm comprimentos diferentes e os ângulos também são diferentes. Não há possibilidade de qualquer simetria de rotação ou reflexão. Todavia, ainda há duas possíveis simetrias – a célula unitária não muda por uma inversão através do vértice (por uma inversão em três dimensões entendemos que a posição espacial $\boldsymbol{R}$ é substituída por $-\boldsymbol{R}$, em outras palavras, que (x, y, z) vai em $(-x, -y, -z)$. Portanto, a rede triclínica tem apenas duas possíveis simetrias, a menos que haja uma relação especial entre os vetores primitivos. Por exemplo, se todos os vetores forem iguais e separados pelos mesmos ângulos, temos uma rede *trigonal*, mostrada na figura. Esta figura pode ter uma simetria adicional; ela não mudará por uma rotação ao redor da diagonal mais longa.

Se um dos vetores primitivos, digamos $\boldsymbol{c}$, estiver a ângulos retos com os outros dois, teremos uma célula unitária *monoclínica*. Uma nova simetria é possível: uma rotação de 180° ao redor de $\boldsymbol{c}$. A célula *hexagonal* é um caso especial cujos vetores $\boldsymbol{a}$ e $\boldsymbol{b}$ são iguais e os ângulos entre eles é de 60°, de modo que uma rotação de 60°, 120° ou 180° ao redor do vetor $\boldsymbol{c}$ repete a mesma rede (para certas simetrias internas).

Se todos os três vetores primitivos estiverem a ângulos retos, mas com comprimentos diferentes, obteremos uma célula *ortorrômbica*. A figura é simétrica para rotações de 180° ao redor dos três eixos. Simetrias de maior ordem são possíveis com a célula *tetragonal*, que tem ângulos retos e dois vetores primitivos iguais. Finalmente há a célula *cúbica*, que é a mais simétrica de todas.

O ponto de toda essa discussão sobre simetrias é que as simetrias internas do cristal mostram-se às vezes de maneira sutil em propriedades físicas macroscópicas do cristal. Por exemplo, de modo geral, o cristal tem um tensor de polarizabilidade elétrica. Se descrevermos o tensor em termos do elipsoide de polarização, devemos esperar que algumas das simetrias do cristal apareçam também no elipsoide. Por exemplo, um cristal cúbico é simétrico com relação a uma rotação de 90° ao redor de qualquer de suas três direções ortogonais. Claramente, o único elipsoide com essa propriedade é a esfera. *Um cristal cúbico deve ser um dielétrico isotrópico.*

Por outro lado, um cristal tetragonal tem uma simetria rotacional quádrupla. Seu elipsoide deve ter dois de seus eixos principais iguais, e o terceiro deve ser paralelo ao eixo do cristal. Da mesma forma, como o cristal ortorrômbico tem simetria rotacional dupla em torno de três eixos ortogonais, seus eixos devem coincidir com os eixos do elipsoide de polarização. Do mesmo modo, *um* dos eixos do cristal monoclínico deve ser paralelo a *um* dos eixos principais do elipsoide, embora nada possamos dizer sobre os outros eixos. Como um cristal triclínico não tem simetria de rotação, o elipsoide pode ter qualquer orientação.

Como você pode ver, podemos montar um grande jogo para descobrir as possíveis simetrias e relacioná-las com os possíveis tensores físicos. Consideramos apenas o tensor de polarização, mas as coisas ficam mais complicadas para outros, como para o tensor de elasticidade. Há um ramo da matemática chamado de "teoria de grupos" que lida com tais objetos, mas comumente você pode descobrir o que quiser usando bom senso.

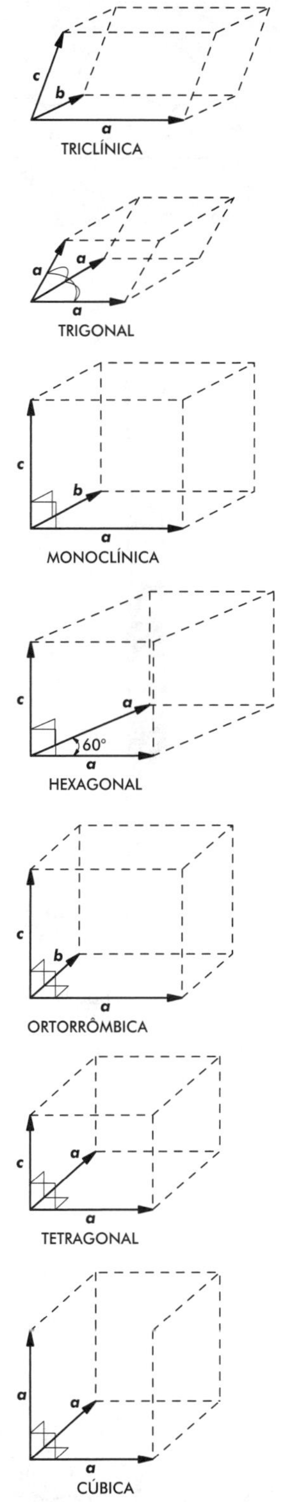

Figura 30–10 As sete classes de redes cristalinas.

30–7 A força dos metais

Dissemos que metais têm normalmente uma estrutura cristalina simples; gostaríamos de discutir suas propriedades mecânicas que dependem dessa estrutura. De um modo geral, metais são bastante "suaves" porque é fácil escorregar uma camada de cristal sobre a próxima. Você poderá pensar: "isto é ridículo; metais são fortes". Nem tanto, um *único cristal* de um metal pode ser distorcido muito facilmente.

Suponha que examinemos duas camadas de cristal sujeitas a uma força de cisalhamento conforme o diagrama na Figura 30–11(a). Você poderia primeiramente pensar que

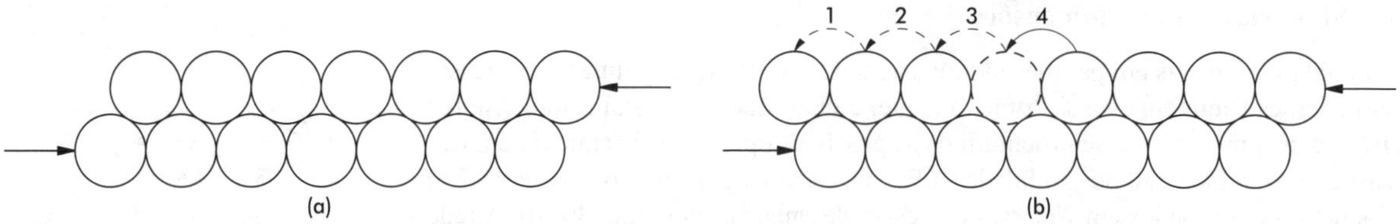

Figura 30–11 Deslizamento de planos cristalinos.

a camada inteira iria resistir ao movimento até que a força fosse grande o suficiente para empurrar a camada inteira "por sobre a colina" de maneira que ela seja deslocada uma posição para a esquerda. Embora o escorregamento vá ao longo de um plano, isso não acontece dessa maneira (se acontecesse, você calcularia que o metal é muito mais forte do que ele realmente é). O que ocorre vai mais na direção de um átomo deslocando-se a cada vez; primeiro o átomo da esquerda faz o pulo, depois o próximo e assim por diante, como indicado na Figura 30–11(b). Com efeito, é o espaço vacante entre dois átomos que rapidamente corre para a direita, resultado de que toda a segunda camada moveu-se um espaçamento atômico. O arrasto vai dessa forma porque é necessário bem menos energia para levantar um átomo de cada vez sobre um morro do que levantar a fila toda. Uma vez que a força seja suficiente para começar o processo, o resto é fácil.

Figura 30–12 Fotografia de pequeno cristal de cobre estirado [cortesia de S. S. Brenner, Senior Scientist, United States Steel Research Center, Monroeville, Pa].

Acontece que, em um cristal real, o arrasto ocorre repetidamente em um plano e depois para, recomeçando em outro plano. Os detalhes de por que ele começa e para são bem misteriosos. De fato, é muito estranho que regiões sucessivas de arrasto sejam frequentemente bastante espaçadas. A Figura 30–12 mostra uma fotografia de um cristal de cobre pequeno e fino de que foi esticado. Você pode ver os vários planos onde ocorreu o deslizamento.

O repentino deslizamento de planos individuais é bastante aparente se você tomar uma peça de fio de estanho que tem grandes cristais dentro dele e esticar segurando-o perto do ouvido. Você pode ouvir uma sucessão de "tiques", como se os planos estalassem em suas novas posições um depois do outro.

O problema de se ter um átomo "faltando" em uma fila é mais complicado do que poderia parecer na Figura 30–11. Quando há mais camadas, a situação é mais parecida com a da Figura 30–13. Tal imperfeição em um cristal é chamada de *deslocamento*. Presume-se que tais deslocamentos estavam presentes quando o cristal se formou ou foram gerados por alguma imperfeição na superfície. Uma vez produzidos, eles podem se mover livremente através do cristal. As distorções gerais resultam do movimento de muitos destes deslocamentos.

Deslocamentos podem se mover livremente, isto é, necessitam de pouca energia extra desde que o resto do cristal tenha uma rede perfeita. Eles podem ficar presos se encontrarem algum outro tipo de imperfeição no cristal. Se for necessária muita energia para passar a imperfeição, eles vão parar. Isso é precisamente o mecanismo que dá força a cristais metálicos imperfeitos. Cristais puros de ferro são bem moles, mas uma pequena concentração de átomos de impureza pode causar imperfeições suficientes para efetivamente imobilizar os deslocamentos. Como você sabe, aço, que é basicamente ferro, é muito duro. Para fazer aço, uma pequena quantidade de carbono é dissolvida no ferro fundido; se a fusão for resfriada rapidamente, o carbono precipita em pequenos grãos formando muitas distorções microscópicas na rede. Os deslocamentos não podem mais se mover, e o metal é duro.

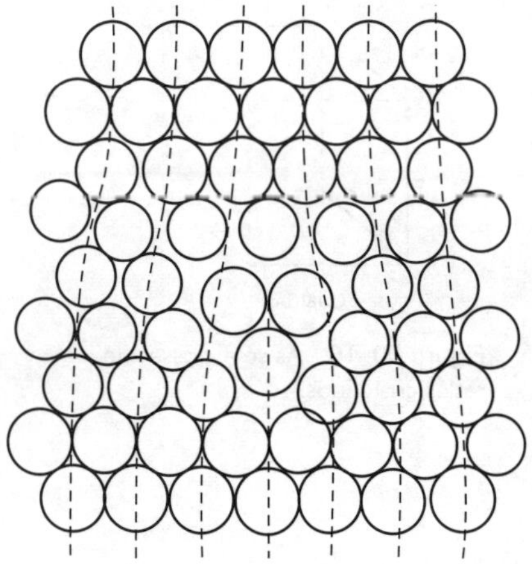

Figura 30–13 Discordância em cristal.

Cobre puro é muito mole, mas pode ser endurecido. Isso é feito martelando-o ou entortando-o para frente e para trás. Neste caso, muitos novos deslocamentos de vários tipos são feitos interferindo um com o outro, diminuindo a sua mobilidade. Talvez você já tenha visto o truque de tomar uma barra de cobre "mortalmente mole" e gentilmente dobrá-la ao redor do pulso de uma pessoa como um bracelete. No processo, ele fica endurecido e não pode facilmente ser desentortado! Um metal endurecido como cobre pode ser amolecido de novo colocando-o a alta temperatura. O movimento térmico dos átomos retira os deslocamentos e forma grandes cristais de novo. Até agora descrevemos apenas deslocamentos de *escorregamento*. Há muitos outros, um dos quais é o deslocamento por *torção*, mostrado na Figura 30–14. Tais deslocamentos frequentemente desempenham um papel importante no crescimento de cristais.

30–8 Discordâncias e crescimento de cristais

Um dos maiores quebra-cabeças foi, durante muito tempo, como os cristais podem crescer. Descrevemos como cada átomo poderia, testando repetidamente, determinar se seria melhor estar no cristal ou não. Isso significa que cada átomo deve achar um local de baixa energia. Todavia, um átomo colocado sobre uma nova superfície está ligado apenas por uma ou duas ligações por baixo e não tem a mesma energia que ele teria se fosse colocado em uma esquina onde ele teria átomos no três lados. Imaginemos um cristal crescendo com uma sequência de blocos conforme a Figura 30–15. Se tentarmos colocar um novo bloco na posição *A*, ele terá apenas um de seus seis vizinhos que teria no final. Faltando tantas ligações, sua energia não é muito baixa. Seria melhor uma posição *B* onde ele já tem metade de sua cota de ligações. Cristais, de fato, crescem colocando novos átomos em lugares como *B*.

Todavia, o que acontece quando aquela linha termina? Para começar uma nova linha, um átomo deve se acomodar com dois lados unidos, e isso de novo não é muito comum. Mesmo se ele o fizesse, o que aconteceria quando toda a camada estivesse terminada? Como começar uma nova camada? Uma resposta é que o cristal prefere crescer sobre um deslocamento, por exemplo, ao redor de um deslocamento de torção como aquele da Figura 30–14. À medida que blocos são adicionados a este cristal, há sempre algum lugar com três ligações à disposição. Portanto, o cristal prefere crescer com um deslocamento presente. Tal padrão espiral de crescimento é mostrado na Figura 30–16, que é uma fotografia de um cristal único de parafina.

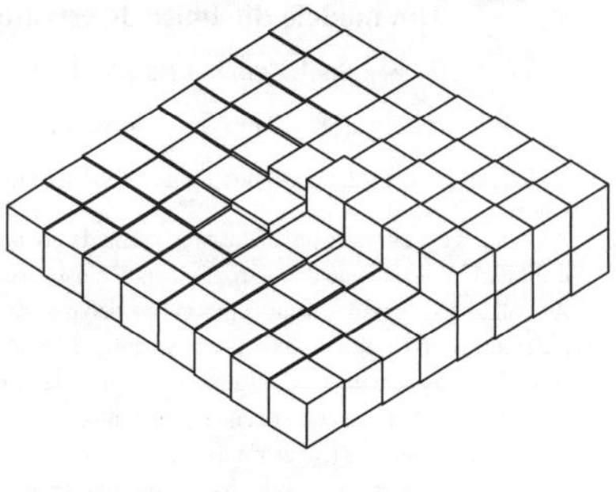

Figura 30–14 Uma discordância tipo hélice [de Charles Kittel, *Introduction to Solid State Physics*, John Wiley and Sons, Inc. New York, 2nd ed. 1956].

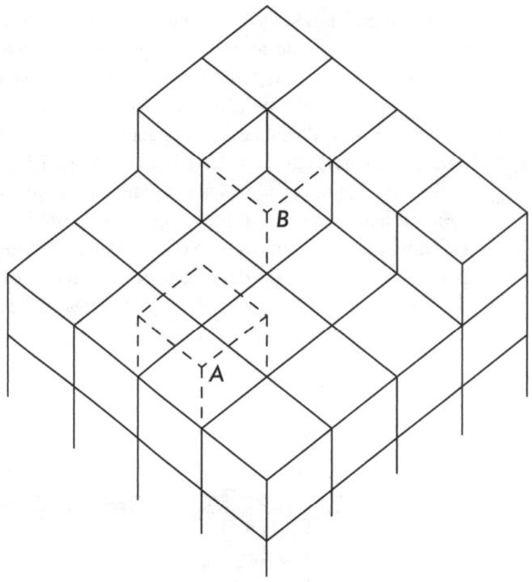

Figura 30–15 Crescimento de cristais.

30–9 Modelo cristalino de Bragg-Nye

Não podemos ver o que acontece com átomos individuais em um cristal. Como você pode perceber agora, também há muitos fenômenos complicados que não são fáceis de tratar quantitativamente. Sir Lawrence Bragg e J. F. Nye imaginaram um esquema para formar um modelo de cristal metálico que mostra de maneira surpreendente muitos dos fenômenos que se acredita ocorrer em um metal real. Nas páginas seguintes, reproduzimos o artigo original que descreve seu método e mostra alguns dos resultados obtidos com o modelo (o artigo foi reproduzido do *Proceedings of the Royal Society of London*, Volume 190, setembro de 1947, páginas 474–481, com a permissão dos autores e da Royal Society).

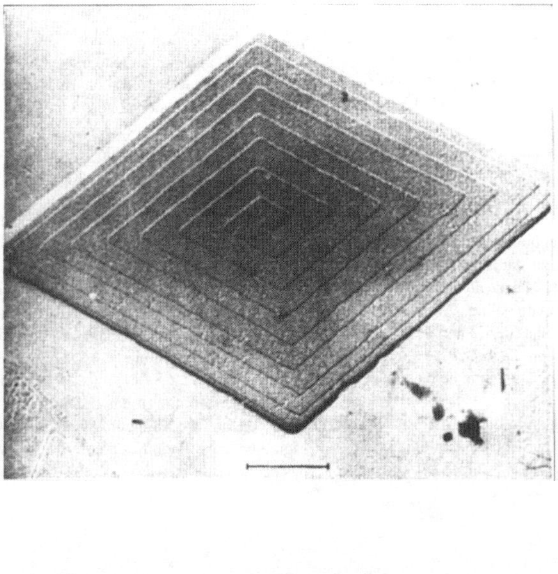

Figura 30–16 Cristal de parafina que cresceu ao redor de uma discordância tipo hélice [de Charles Kittel, *Introduction to Solid State Physics*, John Wiley and Sons, Inc. New York, 2nd ed., 1956].

Um modelo dinâmico de estrutura cristalina

por Sir Lawrence Bragg, F. R. S. e J. F. Nye

Laboratório Cavendish, Universidade de Cambridge

(Recebido em 9 De Janeiro De 1947 – Lido em 19 De Junho De 1947)

A estrutura cristalina de um metal é representada por uma conjunção de bolhas de um milímetro ou menos de diâmetro, flutuando na superfície de uma solução de sabão. As bolhas são sopradas de uma pipeta fina debaixo da superfície, com pressão de ar constante, e são muito uniformes em tamanho. Elas são mantidas unidas pela tensão superficial, seja em uma única camada na superfície ou em uma massa tridimensional. Um tal conjunto pode conter centenas de milhares de bolhas e persiste por uma hora ou mais. Os conjuntos têm estruturas que se supõe existir em metais e simulam efeitos que já foram observados, como contornos granulares, deslocamentos ou outros tipos de defeitos, pulos, recristalização, anéis e tensões decorrentes de átomos intrusos.

1. O Modelo De Bolhas

Modelos de estruturas cristalinas têm sido descritos de tempos em tempos, nos quais os átomos são representados por pequenos magnetos flutuantes ou suspensos, ou por discos circulares que flutuam na superfície da água, mantidos por forças de atração de capilaridade. Esses modelos têm certas desvantagens; por exemplo, no caso de objetos flutuantes em contato, forças de atrito impedem a movimentação livre. Uma desvantagem mais séria é a limitação do número de componentes, já que é necessário um grande número de componentes para termos uma aproximação de um cristal real. Este artigo descreve o comportamento de um modelo no qual os átomos são representados por bolhas que vão de 0,1 até 2,0 mm de diâmetro, flutuando na superfície de uma solução de sabão. Essas pequenas bolhas são suficientemente persistentes para experiências que duram 1 hora ou mais. Elas passam umas pelas outras sem atrito e podem ser produzidas em grande número. Algumas ilustrações deste artigo foram feitas com 100.000 bolhas ou mais. O modelo é o que melhor representa uma estrutura metálica, pois as bolhas são todas do mesmo tipo, atraídas por capilaridade, o que representa a força de atração de elétrons livres no metal. Uma breve descrição do modelo foi publicada no *Journal of Scientific Instruments* (Bragg 1942*b*).

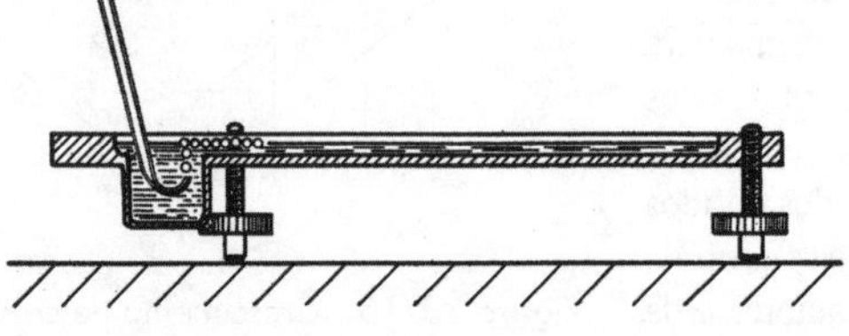

Figura 1. Aparelho para produção de padrões de bolhas.

2. Método de Formação

As bolhas são sopradas através de um orifício fino embaixo de uma solução de sabão. Tivemos os melhores resultados com uma solução cuja fórmula nos foi dada pelo Sr. Green da Royal Institution: 15,2 cc de ácido oleico (redestilado), bem batido em 55 cc de água destilada. Essa mistura é colocada em 73 cc de solução a 10% de tri-etanolamina, e a mistura chega a 200 cc. Adiciona-se então 164 cc de glicerina. Deixa-se decantar e retira-se o líquido por baixo. Em algumas experiências, esse líquido é diluído em três vezes o seu volume de água, para reduzir a viscosidade. O orifício do jato fica 5 mm abaixo da superfície. Uma pressão de ar de 50 a 200 cm de água é dada por meio de duas garrafas de Winchester. Normalmente as bolhas são bastante uniformes. Ocasionalmente elas saem irregulares, o que pode ser corrigido por uma mudança do jato ou da pressão. Bolhas indesejadas podem ser destruídas com uma chama sobre a superfície. A Figura 1 mostra o aparelho. Achamos vantajoso clarear a parte de baixo da vasilha, pois detalhes da estrutura, como limites granulares e deslocamentos, ficam mais claros.

A Figura 2, foto 8, mostra uma porção de um cristal bidimensional de bolhas. A regularidade pode ser julgada olhando-se a figura de lado. O tamanho das bolhas varia com a abertura, mas não com a pressão nem com a profundidade do orifício. O efeito principal do aumento de pressão é aumentar a produção de bolhas. Como exemplo, um jato de 49 μ com uma pressão de 100 cm produz bolhas de 1,2 mm de diâmetro. Um jato fino de 27 μ de diâmetro e pressão de 180 cm produz bolhas de 0,6 mm de diâmetro. É conveniente chamar de grandes as bolhas de 1 a 2 mm; de médias as de 0,6 a 0,8 mm; e de pequenas as de 0,1 a 0,3 mm.

Com este aparelho não foi possível reduzir o tamanho do jato para produzir bolhas menores que 0,6 mm; como queríamos fazer experiências com bolhas muito pequenas, tivemos de colocar a solução sobre rotação. As bolhas são varridas assim que formadas e, normalmente, são muito uniformes. Elas são produzidas à razão de mais de 1000 por segundo. Quando em rotação, a solução de sabão sobe pela parede ao redor do perímetro do vaso, e as bolhas voltam quando a rotação cessa. Com este aparelho, conforme a Figura 3, obtemos bolhas de até 0,12 mm. Como exemplo, um orifício de 38 μ através de uma parede fina produz um jato com pressão de 190 cm de água e uma velocidade do fluido de 180 cm/seg através do orifício, produzindo bolhas de 0,14 mm de diâmetro. Neste caso, foi usado um prato de 9,5 cm e velocidade de 6 rotações por segundo. A Figura 4, fotografia 8, mostra as pequenas bolhas e seu grau de regularidade; o padrão não é tão perfeito em um vaso em rotação e as linhas parecem um pouco irregulares.

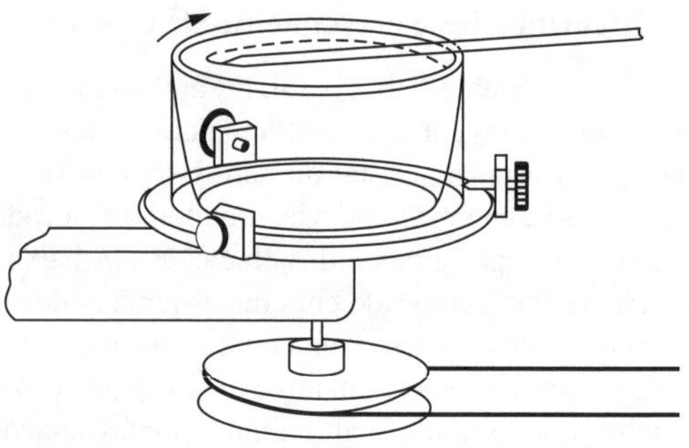

Figura 3. Aparelho para produção de bolhas de pequeno tamanho.

Estes cristais bidimensionais mostram estruturas que devem existir em metais e simulam efeitos observados como granulação nas fronteiras, discordâncias e outros tipos de falhas, recristalização, têmpera e tensões decorrentes de diferentes átomos.

3. Fronteiras Granulares

As Figuras 5*a*, 5*b* e 5*c*, fotos 9 e 10, mostram fronteiras granulares para bolhas de 0,3, 0,76 e 1,87 mm de diâmetro. A largura da área perturbada da fronteira onde as bolhas são distribuídas irregularmente é, em geral, maior para as bolhas menores. Na Figura 5*a*, que mostra porções de várias granulações adjacentes, bolhas na fronteira entre duas granulações aderem definitivamente a um ou outro arranjo cristalino. Na Figura 5*c*, há uma camada Beilby entre duas granulações. As pequenas bolhas têm maior rigidez que as grandes, o que parece gerar maior irregularidade na interface.

Granulações separadas mostram-se distintamente quando fotografias de padrões policristalinos são vistas obliquamente, como nas Figuras 5*a* até 5*c*, fotos 9 e 10, e Figuras 12*a* até 12*e*, fotos 14 a 16. Com uma luz apropriada, as bolhas flutuantes vistas obliquamente parecem cristal polido.

Frequentemente acontece que alguns átomos de impureza, ou seja, bolhas muito maiores ou muito menores, são achados no policristal e, quando isso acontece com frequência, eles situam-se na fronteira. Seria incorreto dizer que as bolhas irregulares vão até a fronteira; é um defeito do modelo não haver difusão de bolhas através da estrutura, mas apenas ajustes entre vizinhos. Parece que as fronteiras tendem a reajustar-se pelo crescimento de um cristal à custa de outro, até que esses cristais passem através dos átomos irregulares.

4. Discordâncias

Quando um cristal simples ou um policristal é comprimido, estendido ou deformado, ele exibe um comportamento muito parecido com aquele de metais sujeitos a tensão; até um certo limite, o modelo é elástico. Além desse ponto, ele se transforma em modelo com três direções de maior empacotamento. Algumas bolhas pulam, outras movem-se para a próxima linha. É muito interessante observar tal processo. O movimento não é simultâneo ao longo de toda linha, mas começa em uma extremidade, com o surgimento de uma discordância onde houver uma bolha a mais na linha em comparação com a outra extremidade. Essa discordância corre ao longo da linha, de um lado a outro do cristal, resultando em um pulo de uma distância interatômica. Tal processo foi evocado por Orowan, Polanyi e por Taylor para explicar as pequenas forças necessárias para produzir deformações plásticas em metais. A teoria de Taylor (1934) para explicar o mecanismo de deformação plástica de cristais considera a ação mútua e o equilíbrio de tais discordâncias. As bolhas são vistas de um modo bastante distinto, dando uma ideia do que acontece no metal. Algumas vezes as discordâncias correm bem devagar, levando alguns segundos para percorrer o cristal; discordâncias estacionárias também são vistas em cristais cujas tensões não são homogêneas. Essas tensões aparecem como pequenas linhas negras e podem ser vistas nas Figuras 12*a* a 12*e*, fotos 14 a 16. Quando um policristal é comprimido, essas linhas parecem ir a todas as direções do cristal.

As Figuras 6*a*, 6*b* e 6*c*, fotos 10 e 11, são exemplos de discordâncias. Na Figura 6*a*, em que o diâmetro das bolhas é de 1,9 mm, a discordância é bastante local, cerca de 6 bolhas. Na Figura 6*b*, diâmetro 0,76 mm, ela se estende a 12 bolhas, e na Figura 6*c*, com 0,3 mm, sua influência vai até cerca de 50 bolhas. A grande rigidez das pequenas bolhas leva a deslocamentos maiores. O estudo de qualquer massa de bolhas mostra que não há um comprimento típico de discordância para cada tamanho. O comprimento depende da natureza das tensões no cristal. Uma fronteira entre dois cristais com eixos a 30° (ângulo máximo) pode ser vista como uma série de discordâncias em linhas alternadas, em cujo caso as discordâncias são muito curtas. Conforme o ângulo decresce, as discordâncias ocorrem a intervalos maiores, sendo ao mesmo tempo mais longas, até finalmente termos discordâncias simples em um largo corpo de estruturas perfeitas, conforme as Figuras 6*a*, 6*b* e 6*c*.

Na Figura 7, foto 11, temos três discordâncias paralelas. Segundo Taylor, elas são positiva, negativa e positiva, se formos da esquerda para a direita. A faixa entre as duas últimas discordâncias tem três bolhas em excesso, conforme vamos através das linhas, em direção horizontal. A Figura 8, foto 12, mostra uma discordância projetando-se a partir de uma fronteira granular, um efeito frequentemente observado.

A Figura 9, foto 12, mostra duas bolhas tomando o lugar de uma. Isso pode ser visto como um limite de discordância positiva e negativa em linhas vizinhas, com os lados de compressão um em frente do outro. Caso contrário, haveria um buraco na estrutura, uma bolha faltando no ponto onde as discordâncias se encontram.

5. Outros Tipos de Falhas

A Figura 10, foto 12, mostra uma faixa estreita entre dois cristais paralelos, sendo que, sobre a faixa, passam certas linhas de falhas onde as bolhas não estão muito empacotadas. É em tais lugares que se espera uma recristalização. As fronteiras se aproximam, e a faixa é absorvida em uma área mais larga de um cristal perfeito.

As Figuras 11*a* até 11*g*, fotos 13 e 14, são exemplos de arranjos nos quais frequentemente aparecem deficiência de bolhas. Enquanto uma discordância é vista como uma faixa escura, estas estruturas aparecem na forma de triângulos ou de uma letra V. Uma estrutura em V é vista na Figura 11*a*. Quando o modelo é distorcido, uma estrutura em V é formada pelo encontro de duas discordâncias a 60°; A estrutura é destruída pelas discordâncias que continuam seus caminhos. A Figura 11*b* mostra um pequeno triângulo que engloba um deslocamento já que, conforme será visto, as linhas abaixo da falha têm uma bolha a mais. Se uma pequena quantidade de movimento térmico for imposta pela agitação de um lado do cristal, tais falhas desaparecem, e uma estrutura perfeita forma-se.

Aqui e ali nos cristais há um espaço em branco onde falta uma bolha, mostrando-se como um pequeno ponto preto. Um exemplo ocorre na Figura 11*g*. Tal falha não pode ser fechada por um reajuste local, já que o preenchimento do buraco faz com que outro apareça. Tais buracos aparecem e desaparecem quando o cristal for tratado a frio. Estas estruturas no modelo sugerem que falhas locais podem existir em um metal real. Elas podem ser importantes no processo de difusão ou mesmo na troca de ordem e desordem, reduzindo barreiras de energia em sua vizinhança e agindo como núcleos para cristalização e troca alotrópica.

6. Recristalização e Recozimento

As Figuras 12*a* até 12*e*, fotos de 14 a 16, mostram o mesmo padrão de bolhas em tempo sucessivos. Um padrão de bolhas recobrindo a superfície da solução foi bem agitado com um vidro e depois deixado em repouso. A Figura 12*a* mostra seu aspecto depois de 1 segundo. O padrão é quebrado em pequenos cristaizinhos; eles estão em um estado com tensão muito in-homogênea, como mostrado pelas numerosas discordâncias e falhas. A fotografia seguinte (Figura 12*b*) mostra o mesmo padrão 32 segundos mais tarde. As pequenas granulações coaleceram, formando grandes granulações, e a tensão quase desapareceu no processo. Houve recristalização, e as últimas 3 fotos mostram o aparecimento do padrão 2, 14 e 25 minutos depois da agitação inicial. É possível seguir o rearranjo para tempos muitos mais longos porque as bolhas encolhem após algum tempo; aparentemente devido à difusão de ar pelas suas paredes, elas também tendem a ficar mais finas e estourar. Não houve agitação durante esse processo. Um processo ainda mais lento de rearranjo vai acontecendo, um movimento das bolhas em uma parte do padrão gera tensões que ativam o rearranjo nas vizinhanças.

Foram vistas questões interessantes nesta série. Note as três pequenas granulações nos pontos indicados pelas coordenadas *AA*, *BB*, *CC*. *A* persiste mudando de forma através de toda a série. *B* está presente depois de 14 minutos, mas desaparece depois de 25 min, deixando discordâncias internas nas granulações. A granulação *C* encolhe e desaparece na Figura 12*d*, deixando um buraco e um V que desaparece na Figura 12*e*. Ao mesmo tempo, a fronteira mal definida na Figura 12*d* no ponto *DD* fica definida na Figura 12*e*. Note também o delineamento da fronteira na vizinhança de *EE*, nas Figuras 12*b* até 12*e*. Discordâncias de vários comprimentos podem ser vistas marcando todos os estágios e uma ligeira curvatura da estrutura em uma certa fronteira. Buracos sem bolhas são mostrados como pontos negros. Alguns desses buracos são formados ou preenchidos por movimentos de discordâncias, mas outros representam lugares onde as bolhas estouraram. Muitos exemplos de V e triângulos podem ser vistos. Outros pontos interessantes ficam aparentes em um estudo desta série de fotografias.

As Figuras 13*a*, 13*b* e 13*c*, foto 17, mostram uma porção do padrão 1 seg, 4 seg e 4 min depois do processo de agitação e são interessantes, pois mostram dois estágios sucessivos da relaxação até um arranjo perfeito. As mudanças ficam nítidas olhando-se através da página. O arranjo é muito quebrado na Figura 13*a*. Na Figura 13*b*, as bolhas agruparam-se em linhas, mas a curvatura dessas linhas indica um alto grau de tensão interna. Na Figura 13*c*, essa tensão foi relaxada pela formação de uma nova fronteira em *A-A*, as linhas em cada lado são retas. Parece que a energia desse cristal sob tensão é maior do que na fronteira intercristalina. Agradecemos à Kodak pelas fotografias da Figura 13 tomadas quando o filme cinematográfico, ao qual nos referimos a seguir, foi produzido.

7. Efeito de uma Impureza

A Figura 14, foto 18, mostra um efeito geral de uma bolha de tamanho errado. Se as Figuras forem comparadas com o padrão perfeito, mostrado nas Figuras 2 e 4, foto 8, pode-se ver que três bolhas, uma maior e duas menores que o normal, perturbam as regularidades das linhas no conjunto da figura. Conforme mencionado anteiormente, bolhas de tamanho errado são encontradas na fronteira granular onde buracos de tamanho irregular ocorrem podendo acomodá-las.

8. Propriedades Mecânicas de um Modelo Bidimensional

As propriedades mecânicas de um padrão perfeito bidimensional foram descritas no artigo anteriormente referido (Bragg 1942*b*). Um padrão jaz entre duas molas paralelas horizontais, na superfície da solução de sabão. A ponta das molas é colocada de modo a se ajustarem à linha de bolhas que então aderem firmemente a elas. Uma mola pode ser transladada paralelamente por um parafuso micrométrico e a outra é apoiada por duas fibras de vidro verticais. A tensão de cisalhamento pode ser medida notando-se a deflexão das fibras de vidro. Quando sujeito à tensão de cisalhamento, o padrão obedece à Lei de elasticidade de Hooke, até chegar ao limite elástico. Então, pula para a linha intermediária de um espaço de uma bolha. O cisalhamento elástico e o pulo podem-se repetir várias vezes. O limite elástico é alcançado quando um lado do padrão foi torcido por uma quantidade igual à largura da bolha. Esta propriedade apoia a hipótese básica feita por um de nós, no cálculo do limite elástico de um metal (Bragg 1942*a*). Ali supusemos que cada cristalzinho em um metal trabalhado a frio apenas sede quando a tensão tiver chegado a um valor tal que o salto produz energia.

Um cálculo feito por M.M. Nicolson das forças entre as bolhas será publicado brevemente. Dois pontos são interessantes. A curva para variação da energia potencial com a distância entre os centros é bastante análoga ao que foi observado para átomos. Há um mínimo para as distâncias entre os centros, pouco menos que o diâmetro de uma bolha, e cresce para distâncias menores. Além disso, o crescimento é muito forte para bolhas de 0,1 mm de diâmetro, mas muito menor para bolhas de 1 mm, confirmando a impressão de que, neste modelo, pequenas bolhas comportam-se como se fossem mais rígidas que as maiores.

9. Conjuntos Tridimensionais

Se as bolhas puderem se acumular em camadas múltiplas na superfície, elas formam uma massa tridimensional de cristais com um dos arranjos de menor empacotamento. A Figura 15, foto 18, mostra uma vista oblíqua de tal massa; sua semelhança com uma superfície metálica polida é extraordinária. Na Figura 16, foto 20, uma massa semelhante é vista perpendicularmente. Partes da estrutura são definitivamente de empacotamento cúbico, sendo que a superfície externa é a face (111) ou a (100). A Figura 17*a*, foto 19, mostra a face (111). Os contornos das três bolhas sobre as quais cada bolha superior está apoiada podem ser vistos claramente, e a própria camada de bolhas é fracamente visível em uma posição não exatamente abaixo da última camada superior, mostrando que o empacotamento dos planos (111) possui a sucessão cúbica bem conhecida. A Figura 17*b*, foto 19, mostra a face (100) com cada bolha apoiada sobre outras quatro. Os eixos cúbicos estão inclinados a 45° em relação às linhas da camada superficial. A Figura 17*c*, foto 19, mostra um gêmeo de estrutura cúbica pela face (111). As faces mais de cima, (111) e (100), perfazem um pequeno ângulo, um em relação ao outro, apesar de não estar aparente na figura; isso fica evidente em uma vista oblíqua. A Figura 17*d*, foto 19, parece mostrar sucessões cúbicas e hexagonais de planos bem empacotados, mas é difícil de se verificar se o lado esquerdo segue uma estrutura de máximo empacotamento hexagonal, já que não é certo que o conjunto tenha tido uma profundidade de mais de duas camadas neste ponto. Várias instâncias de gêmeos e de fronteiras intercristalinas podem ser vistas na Figura 16, foto 20.

A Figura 18, foto 21, mostra vários deslocamentos em uma estrutura tridimensional sujeita a uma tensão de curva.

10. Demonstração do Modelo.

Com a cooperação da Kodak, um filme cinematográfico de 16 mm dos movimentos dos deslocamentos e das granulações na fronteira foi feito quando cristais e policristais foram torcidos, comprimidos ou estendidos. Além disso, se a solução de sabão for colocada em um recipiente de vidro com fundo plano, o modelo pode ser reprojetado em uma escala maior, por efeito da transmissão de luz. Como uma certa profundidade é necessária para produzir as bolhas, e a solução é bastante opaca, é desejável fazer a projeção através de um bloco de vidro que jaz sobre o fundo da vasilha, submerso pouco abaixo da superfície.

Concluindo, queremos expressar nossos agradecimentos ao senhor C. E. Harrold, do King's College, Cambridge, que nos forneceu as pipetas necessárias à produção das bolhas.

Referências

Bragg, W. L. 1942 a, *Nature*, **149**, 511
Bragg, W. L. 1942 b, *J. Sci. Instrum.* **19**, 148.
Taylor, G. I. 1934, *Proc. Roy. Soc.* A, **145**, 362.

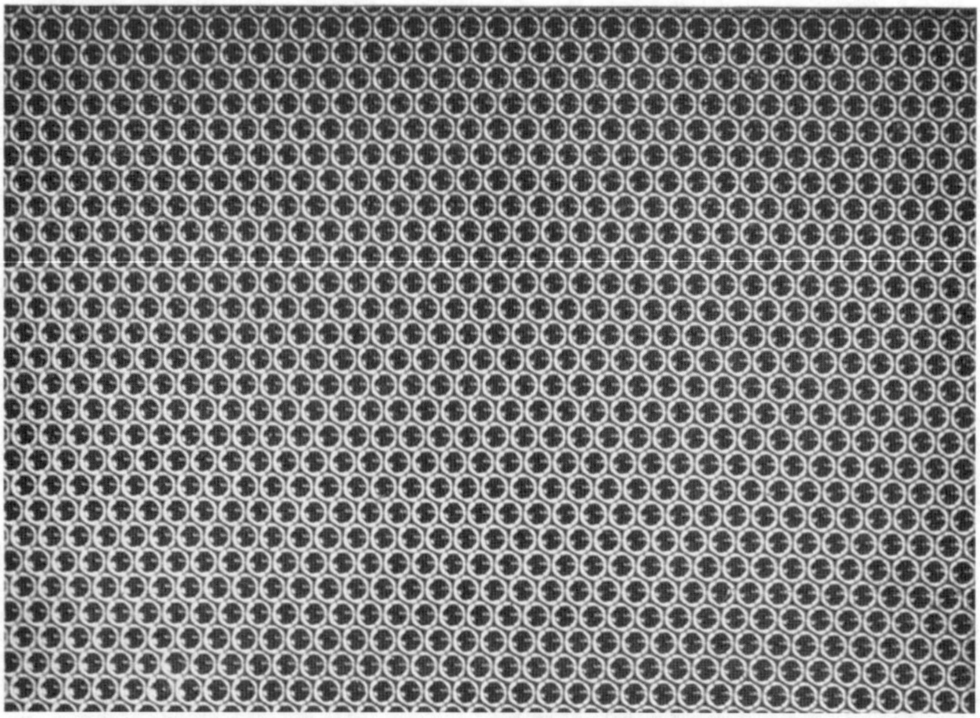

FIGURA 2. Padrão cristalino perfeito de bolhas. Tamanho 1,41 mm.

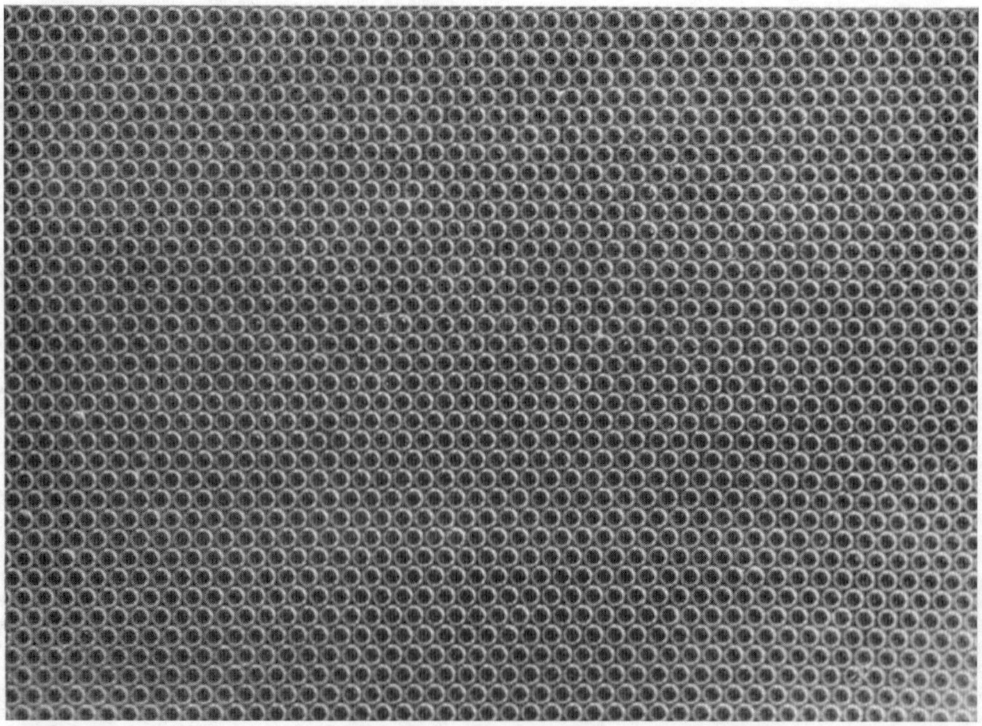

FIGURA 4. Padrão cristalino perfeito de bolhas. Tamanho 0,30 mm.

Fronteiras granulares

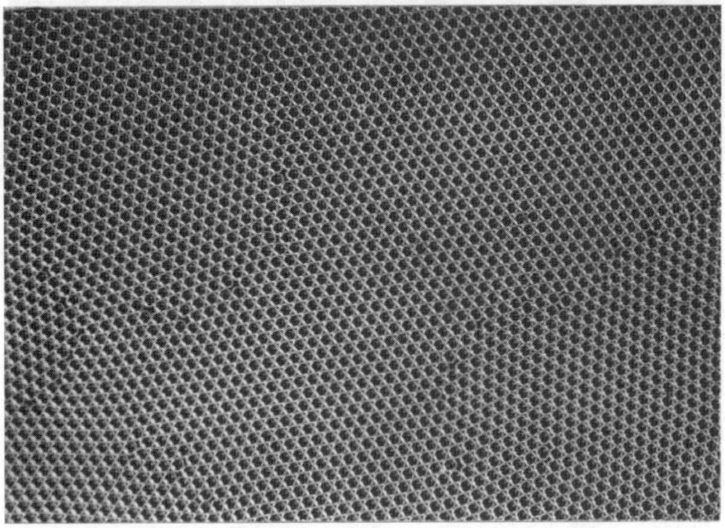

FIGURA 5*a*. Diâmetro de 1,87 mm.

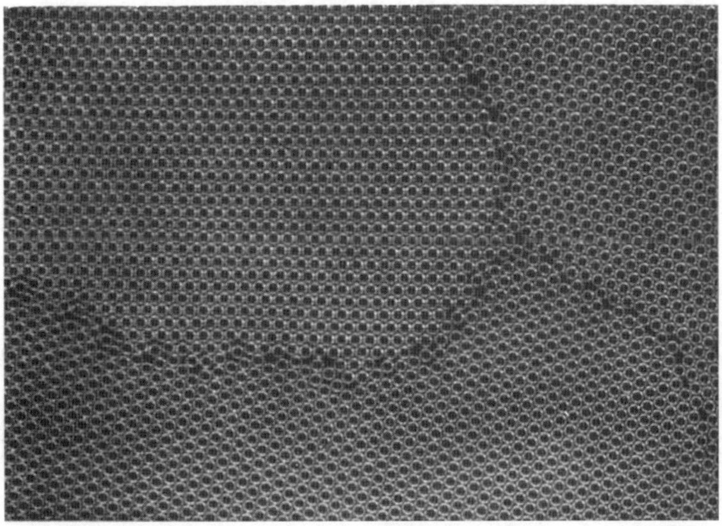

FIGURA 5*b*. Diâmetro de 0,76 mm.

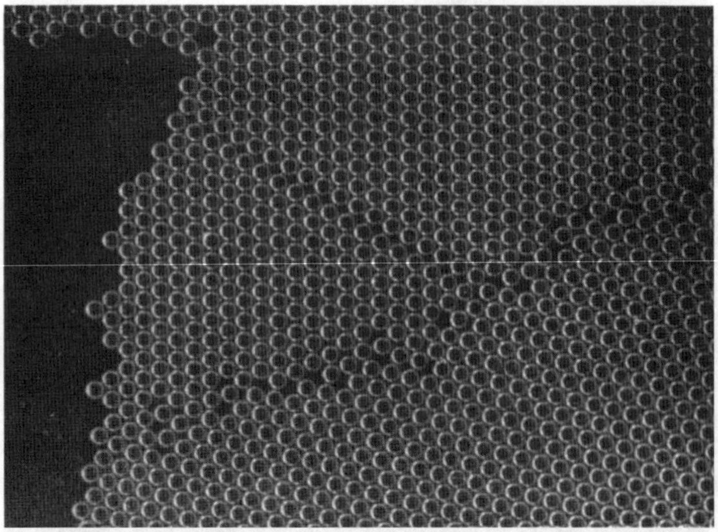

FIGURA 5*c*. Fronteira granular; diâmetro de 0,30 mm.

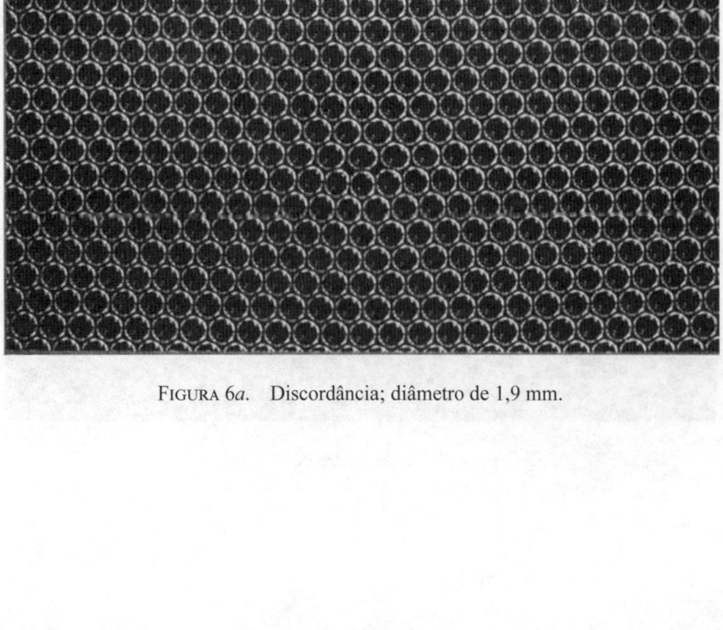

FIGURA 6*a*. Discordância; diâmetro de 1,9 mm.

Discordâncias

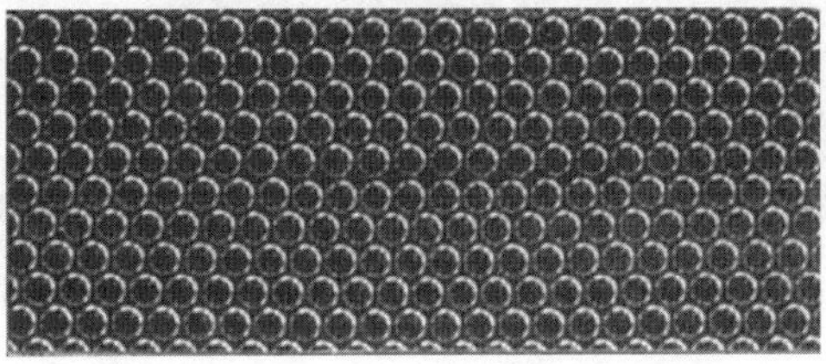

FIGURA 6*b*. Discordância de diâmetro de 0,76 mm.

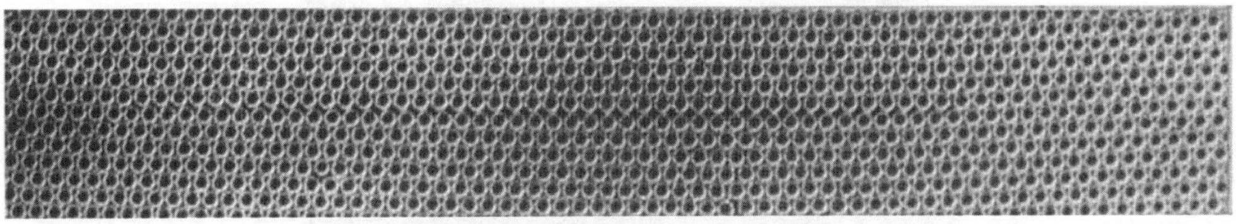

FIGURA 6*c*. Discordância de diâmetro de 0,30 mm.

FIGURA 7. Discordância paralela; diâmetro de 0,76 mm.

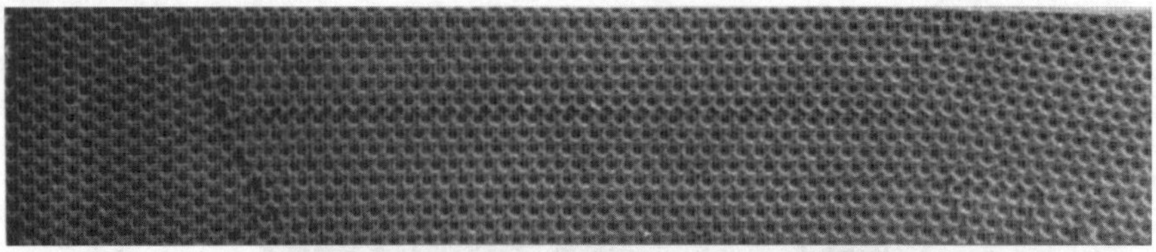

Figura 8. Discordância emergindo de uma fronteira granular; diâmetro de 0,30 mm.

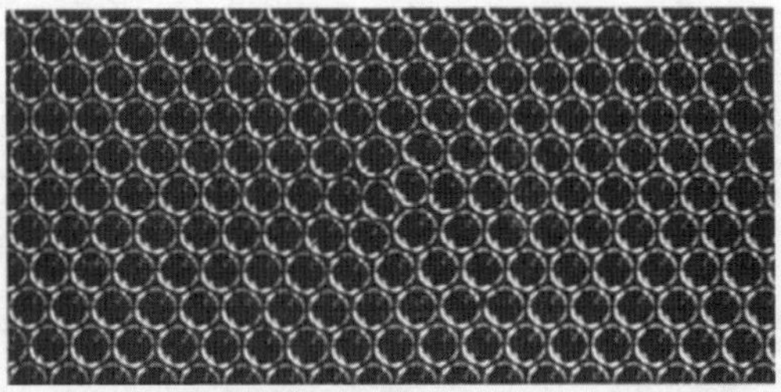

Figura 9. Discordância em linhas adjacentes; diâmetro de 1,9 mm.

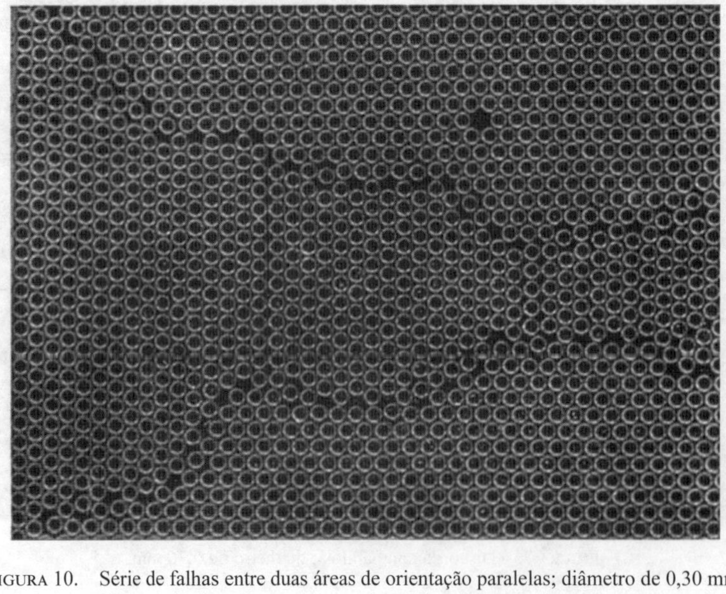

Figura 10. Série de falhas entre duas áreas de orientação paralelas; diâmetro de 0,30 mm.

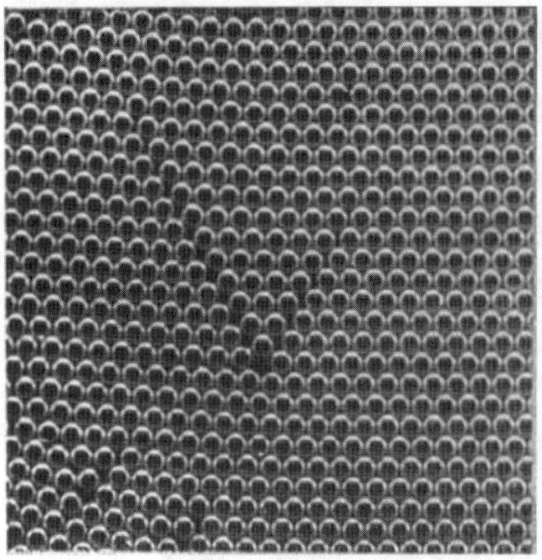

Diâmetro de 0,68 mm.
a

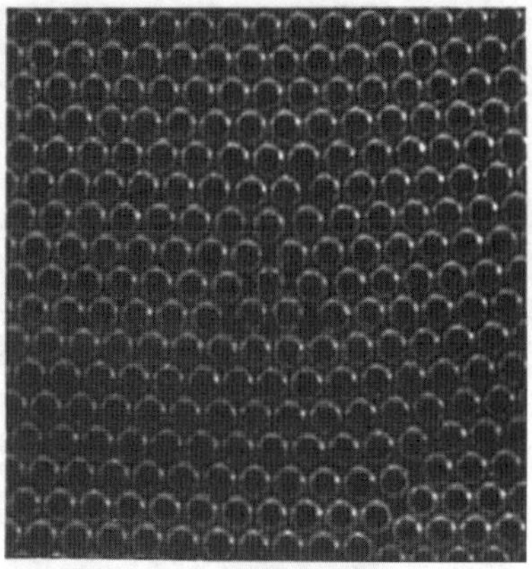

Diâmetro de 0,68 mm.
b

Diâmetro de 0,6 mm.
c

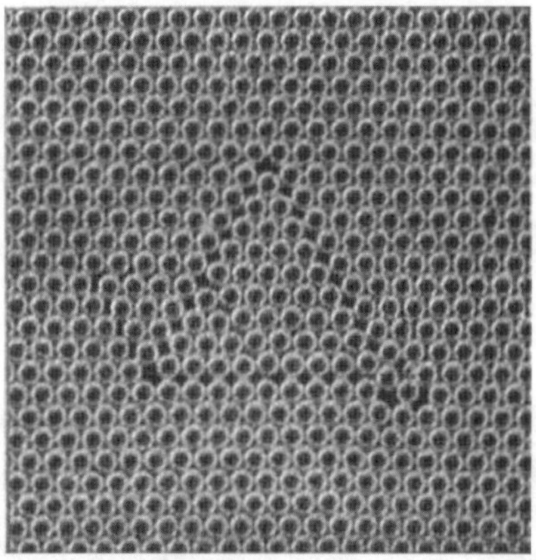

Diâmetro de 0,30 mm
d

Diâmetro de 0,6 mm.
e

Diâmetro de 0,6 mm.
f

FIGURA 11. Tipos de falhas.

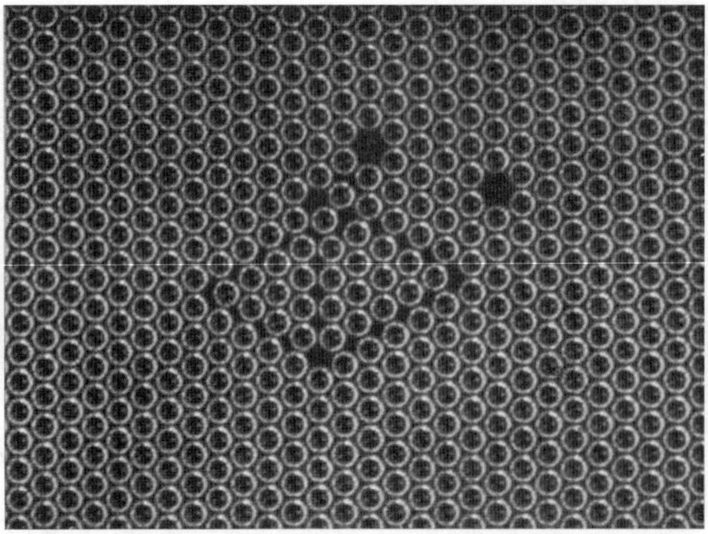

g

FIGURA 11. Tipos de falhas. Diâmetro de 0,68 mm.

a. Imediatamente após agitação.

FIGURA 12. Recristalização. Diâmetro de 0,60 mm.

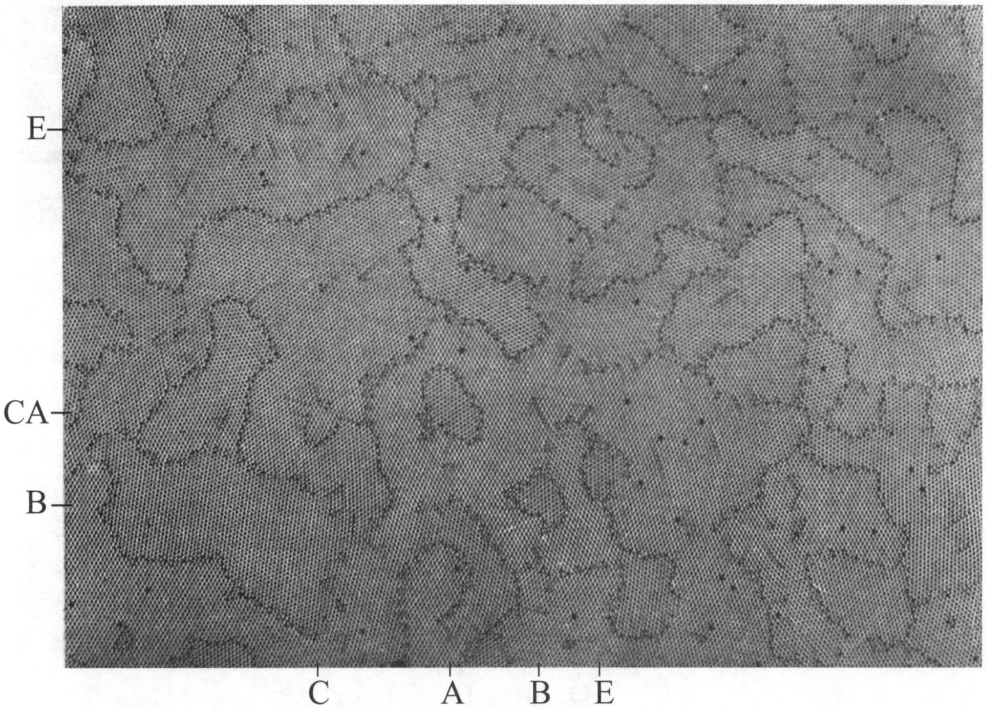

b. Após 33 seg.

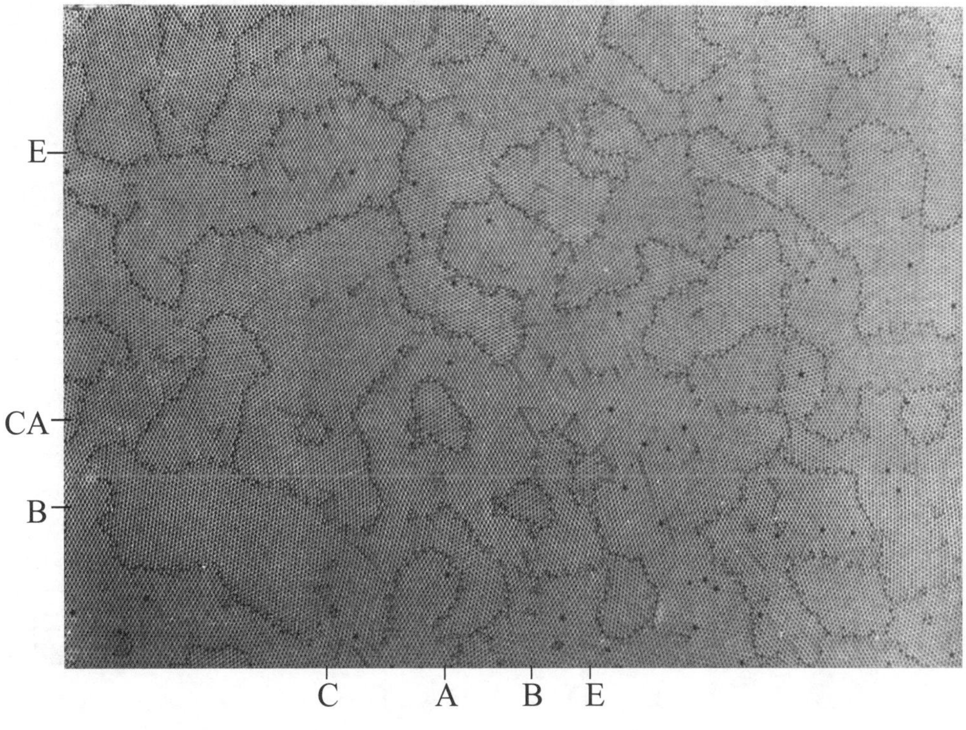

c. Depois de 2 min.

FIGURA 12

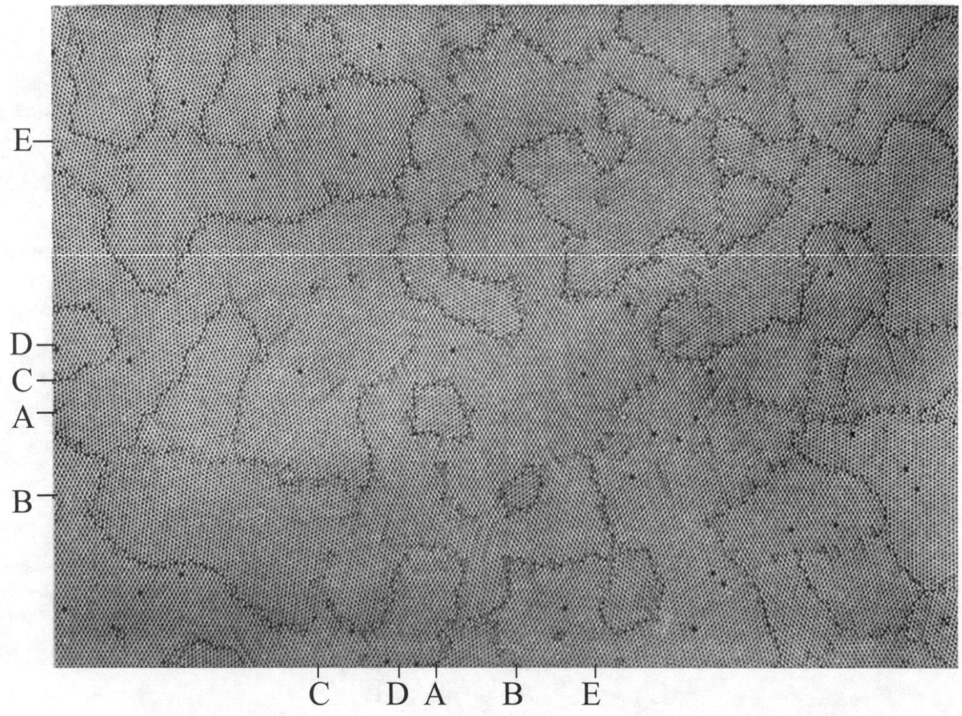

d. Depois de 14 min.

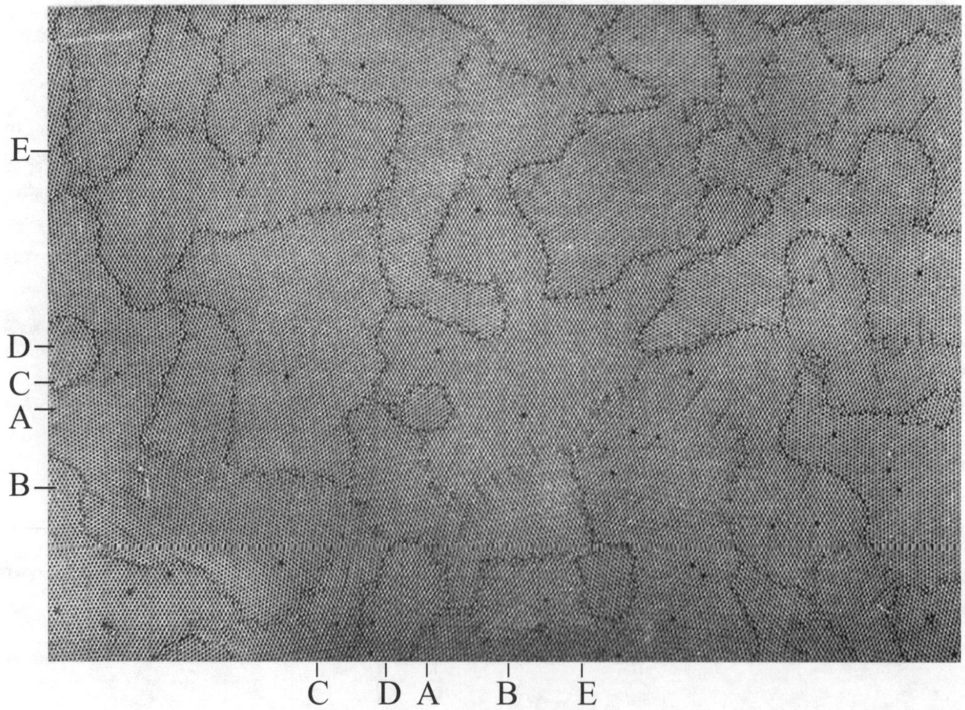

e. Depois de 25 min.

FIGURA 12

a. Depois de 1 seg.

b. Depois de 4 seg.

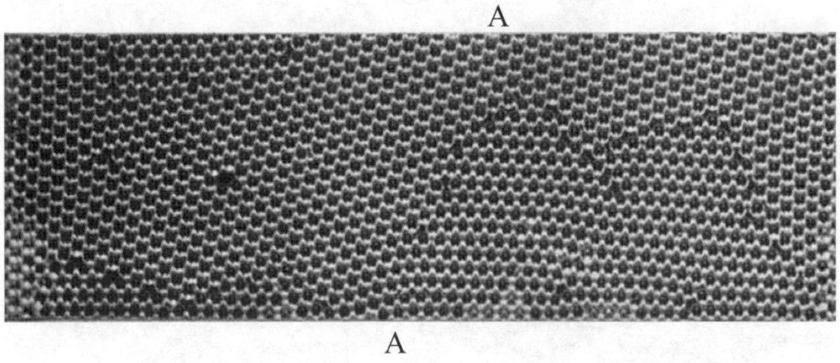

c. Depois de 4 min.

FIGURA 13. Dois estágios de recristalização. Diâmetro de 1,64 mm.

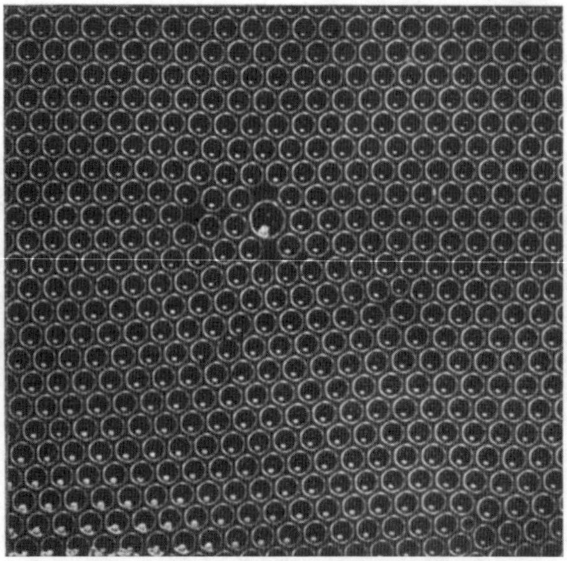

FIGURA 14. Efeitos de átomos de impureza. Diâmetro uniforme das bolhas de 1,3 mm.

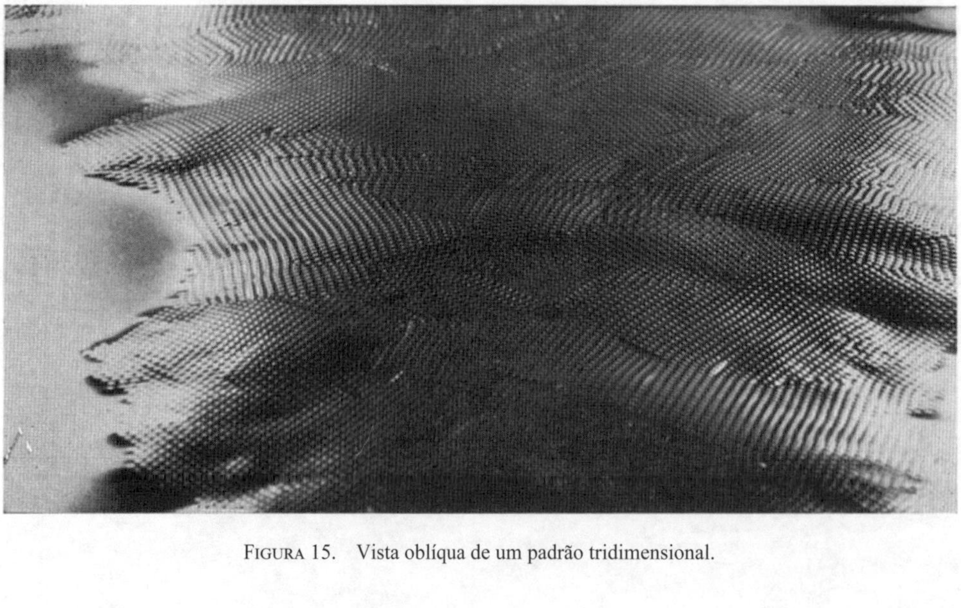

FIGURA 15. Vista oblíqua de um padrão tridimensional.

a. Face (111).

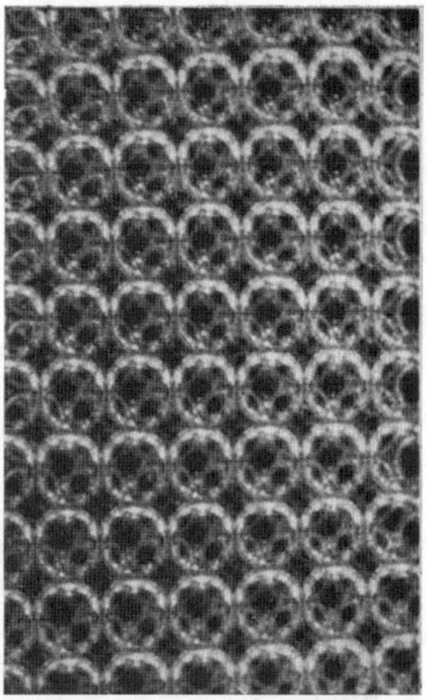

b. Face (100).

Estrutura cúbica de face centrada.

c. Gêmeos ao longo de (111), estrutura cúbica.

d. Exemplo possível de empacotamento próximo hexagonal.

Diâmetro de 0,70 mm.

FIGURA 17.

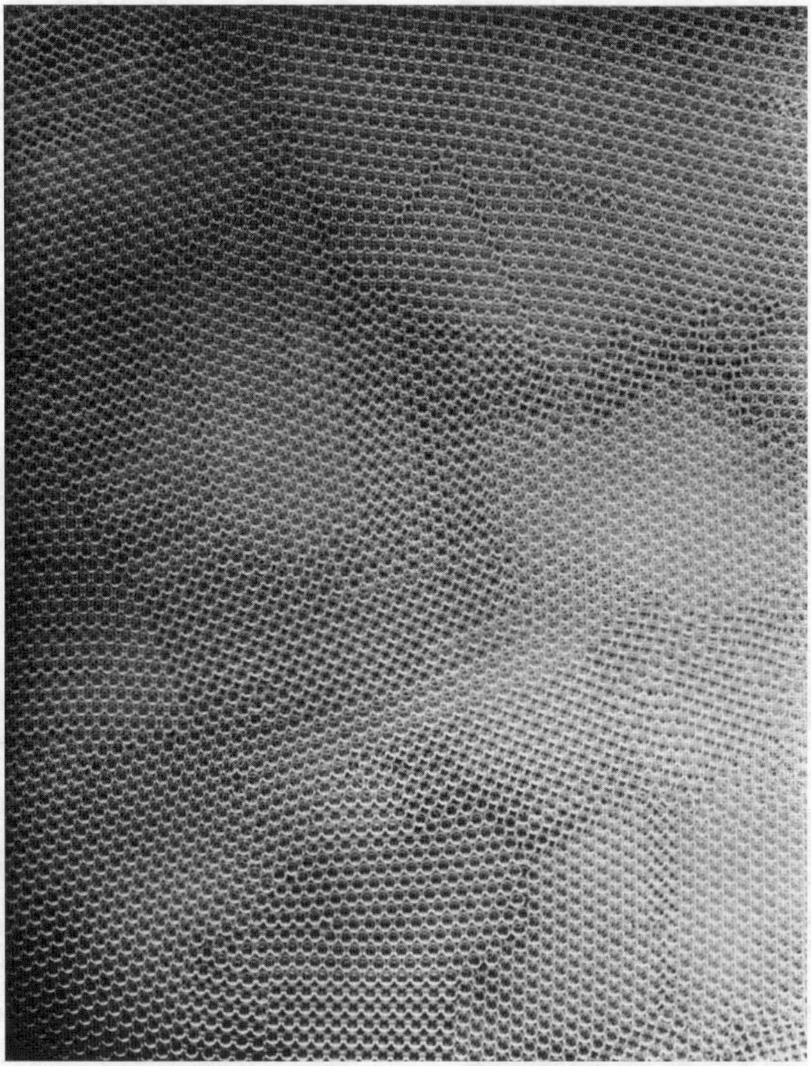

Figura 16. Padrão tridimensional visto perpendicularmente. Diâmetro de 0,70 mm.

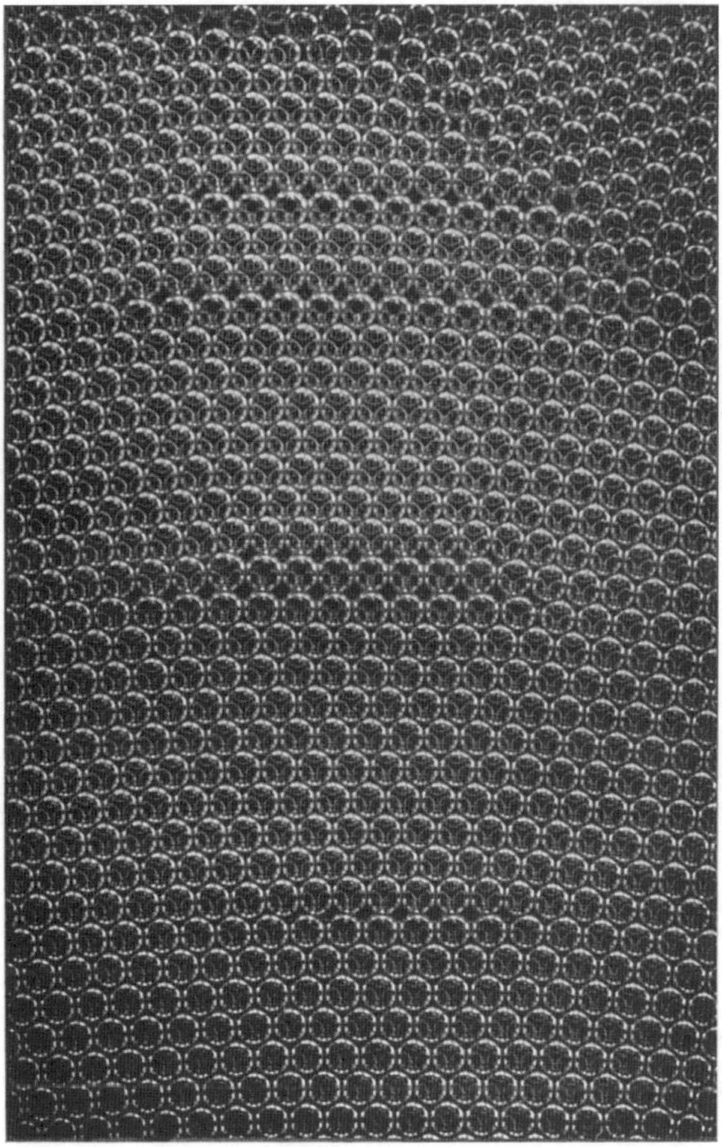

Figura 18. Discordância em estrutura tridimensional. Diâmetro de 0,70 mm.

31

Tensores

31–1 O tensor de polarizabilidade

Revisão: Capítulo 11, Volume I, *Vetores*
Capítulo 20, Volume II, *Rotação no Espaço*

Físicos têm sempre o hábito de tomar o exemplo mais simples de qualquer fenômeno e chamá-lo de "física", deixando os exemplos mais complicados para outros campos, como por exemplo, matemática aplicada, engenharia elétrica, química ou cristalografia. Até mesmo física do estado sólido é quase apenas metade física, porque ela se preocupa demais com substâncias especiais. Portanto, nestas aulas, vamos deixar de lado muitas coisas interessantes. Por exemplo, uma das propriedades importantes de cristais – ou da maior parte das substâncias – é que sua polarizabilidade elétrica é diferente em diferentes direções. Se você aplica um campo em alguma direção, as cargas atômicas deslocam-se um pouco produzindo um momento de dipolo, mas a magnitude do momento depende muito da direção do campo. Isso é, claro, uma grande complicação. No entanto, em física usualmente começamos falando sobre o caso especial cuja polarizabilidade é a mesma em todas as direções, para fazer a vida mais simples. Deixamos os outros casos para algum outro campo. Portanto, para nosso trabalho futuro, não precisaremos do que vamos discutir neste capítulo.

A matemática de tensores é particularmente útil para descrever propriedades de substâncias que variam de acordo com a direção – embora esse seja apenas um exemplo de seu uso. Já que muitos alunos não serão físicos, mas irão para o mundo *real* onde as coisas dependem de maneira drástica da direção, mais cedo ou mais tarde vocês precisarão usar tensores. Para não deixar nada de lado, vamos descrever tensores, mas não em muitos detalhes; queremos sentir que nosso tratamento da física é completo. Por exemplo, nossa eletrodinâmica é completa – tão completa quanto qualquer curso de eletricidade ou magnetismo, mesmo de pós-graduação. Nossa mecânica não é completa porque estudamos mecânica quando você não tinha ainda um alto nível de sofisticação matemática e não pudemos discutir questões como princípio de minimização ou Lagrangeana ou Hamiltoniana e assim por diante, que são *maneiras mais elegantes* de se descrever mecânica. Todavia, com exceção da relatividade geral, temos as *leis* completas da mecânica. Nossa eletricidade e magnetismo são completos, e muitas outras coisas são bastante completas. A mecânica quântica naturalmente não o será – temos de deixar alguma coisa para o futuro, mas você deveria pelo menos saber o que é um tensor.

Enfatizamos, no Capítulo 30, que as propriedades das substâncias cristalinas são diferentes em diferentes direções – dizemos que elas são *anisotrópicas*. A variação do momento de dipolo induzido na direção do campo elétrico aplicado é apenas um exemplo, aquele que usaremos como exemplo de tensor. Digamos que, para uma dada direção do campo elétrico, um momento de dipolo induzido por unidade de volume $\boldsymbol{P}$ seja proporcional à intensidade do campo elétrico aplicado $\boldsymbol{E}$ (esta é uma boa aproximação para muitas substâncias se $\boldsymbol{E}$ não for muito grande). Chamaremos a constante de proporcionalidade de α.[1] Agora, queremos considerar substâncias nas quais α depende da direção do campo aplicado; por exemplo, em cristais como a calcita, que fazem imagens duplas quando olhamos através deles.

Suponhamos que, em um cristal particular, observemos que um campo elétrico $\boldsymbol{E}_1$, na direção x, produz uma polarização $\boldsymbol{P}_1$ na direção x. Então, achamos que um campo elétrico $\boldsymbol{E}_2$ na direção y, com a mesma intensidade que $\boldsymbol{E}_1$, produz uma polarização diferente $\boldsymbol{P}_2$ na direção y. O que aconteceria se puséssemos um campo elétrico a 45°? Bem, será uma superposição de dois campos ao longo de x e y, de modo que a polarização $\boldsymbol{P}$ será a soma de $\boldsymbol{P}_1$ e $\boldsymbol{P}_2$, conforme a Figura 31–1(a). A polarização não terá mais a mesma direção do campo elétrico. Você pode ver como isso acontece. Pode haver cargas que se movem mais facilmente para cima e para baixo, mas que sejam mais rígidas para movimentos

[1] No Capítulo 10, seguimos a convenção usual e escrevemos $P = \epsilon_0\chi E$, chamando χ de "suscetibilidade". Aqui será mais conveniente usar uma única letra, de modo que escrevemos α em vez de $\epsilon_0\chi$. Para dielétricos isotrópicos, $\alpha = (\kappa - 1)\epsilon_0$, onde κ é a constante dielétrica (veja Seção 10-4).

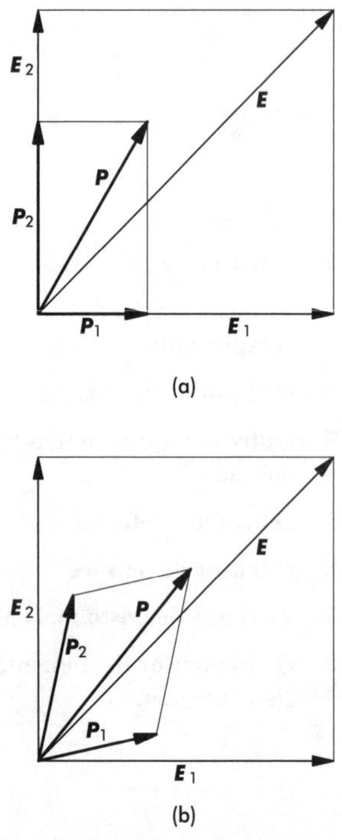

Figura 31–1 Adição de vetores de polarização em um cristal anisotrópico.

laterais. Quando a força é aplicada a 45°, as cargas movem-se mais para cima do que para o lado. Os deslocamentos não ocorrem na direção da força externa porque há forças internas elásticas assimétricas.

É claro que não há nada especial sobre 45°. *Geralmente,* é verdade que a polarização induzida em um cristal *não tem* a direção do campo elétrico. Em nosso exemplo anterior, fizemos uma escolha feliz de nossos eixos x e y, para os quais $\boldsymbol{P}$ estava ao longo de $\boldsymbol{E}$ para ambas as direções, x e y. Se o cristal estivesse rodado com relação aos eixos de coordenadas, o campo elétrico $\boldsymbol{E}_2$, na direção y, teria produzido uma polarização $\boldsymbol{P}$ com componentes x e y. De modo similar, a polarização decorrente do campo elétrico na direção x teria produzido uma polarização com componentes x e y. Então, as polarizações seriam como aquelas mostradas na Figura 31–1(b), ao invés daquela da parte (a). As coisas ficam mais complicadas, mas para qualquer campo $\boldsymbol{E}$ a *magnitude* de $\boldsymbol{P}$ é ainda proporcional à magnitude de $\boldsymbol{E}$.

Queremos agora tratar o caso geral de uma orientação arbitrária de um cristal com relação aos eixos de coordenadas. Um campo elétrico na direção x produzirá uma polarização $\boldsymbol{P}$ com componentes x, y, z; podemos escrever

$$P_x = \alpha_{xx}E_x, \qquad P_y = \alpha_{yx}E_x, \qquad P_z = \alpha_{zx}E_x. \tag{31.1}$$

Tudo o que estamos dizendo aqui é que, se o campo elétrico estiver na direção x, a polarização não necessariamente estará na mesma direção, mas terá componentes x, y e z – cada qual proporcional a E_x. Estamos chamando as constantes de proporcionalidade de α_{xx}, α_{yx} e α_{zx}, respectivamente (a primeira letra nos diz a componente de $\boldsymbol{P}$, enquanto a última se refere à direção do campo elétrico).

De modo análogo, para um campo na direção y, escrevemos

$$P_x = \alpha_{xy}E_y, \qquad P_y = \alpha_{yy}E_y, \qquad P_z = \alpha_{zy}E_y; \tag{31.2}$$

e para um campo na direção z,

$$P_x = \alpha_{xz}E_z, \qquad P_y = \alpha_{yz}E_z, \qquad P_z = \alpha_{zz}E_z. \tag{31.3}$$

Dissemos que a polarização depende linearmente dos campos, de modo que, se um campo elétrico $\boldsymbol{E}$ tem componentes x e y, a componente resultante x de $\boldsymbol{P}$ será a soma de dois P_x das Equações (31.1) e (31.2). Se $\boldsymbol{E}$ tiver componentes ao longo de x, y e z, as componentes resultantes de $\boldsymbol{P}$ serão a soma das três contribuições nas Equações (31.1), (31.2) e (31.3). Em outras palavras, $\boldsymbol{P}$ será dado por

$$\begin{aligned} P_x &= \alpha_{xx}E_x + \alpha_{xy}E_y + \alpha_{xz}E_z, \\ P_y &= \alpha_{yx}E_x + \alpha_{yy}E_y + \alpha_{yz}E_z, \\ P_z &= \alpha_{zx}E_x + \alpha_{zy}E_y + \alpha_{zz}E_z. \end{aligned} \tag{31.4}$$

O comportamento dielétrico de um cristal é, portanto, completamente descrito pelas nove quantidades (α_{xx}, α_{xy}, α_{xz}, α_{yz},...), que podemos representar pelo símbolo α_{ij} (os índices i e j denotam cada uma das três letras, x, y e z). Qualquer campo elétrico arbitrário $\boldsymbol{E}$ pode ser resolvido com as componentes E_x, E_y e E_z; destes podemos utilizar os α_{ij} para achar P_x, P_y e P_z que, juntos, dão a polarização total $\boldsymbol{P}$. O conjunto de nove coeficientes α_{ij} é chamado de *tensor* – neste caso, o *tensor de polarizabilidade.* Assim como dizemos que os três números (E_x, E_y, E_z) "formam o vetor $\boldsymbol{E}$", dizemos que os nove números (α_{xx}, α_{xy},...) "formam o tensor α_{ij}".

31–2 Transformação das componentes do tensor

Você sabe que, quando mudamos para um sistema de coordenadas diferentes x', y' e z', as componentes $E_{x'}$, $E_{y'}$ e $E_{z'}$ serão muito diferentes, assim como o serão as *componentes* de $\boldsymbol{P}$. Portanto, todos os coeficientes α_{ij} serão diferentes no outro sistema de coordenadas. De fato, você pode ver como os *alfas* devem mudar pela troca nas componentes de $\boldsymbol{E}$ e $\boldsymbol{P}$, porque, se descrevermos o *mesmo campo elétrico físico* no novo sistema de coordenadas, devemos obter a mesma polarização. Para qualquer novo conjunto de coordenadas, $P_{x'}$ é uma combinação linear de P_x, P_y e P_z:

$$P_{x'} = aP_x + bP_y + cP_z,$$

e de modo análogo para as outras componentes. Se, para P_x, P_y e P_z, você substituir as componentes de E, usando a Equação (31.4), obterá

$$\begin{aligned} P_{x'} &= a(\alpha_{xx}E_x + \alpha_{xy}E_y + \alpha_{xz}E_z) \\ &+ b(\alpha_{yx}E_x + \alpha_{yy}E_y + \alpha_{yz}E_z) \\ &+ c(\alpha_{zx}E_x + \alpha_{zy}E_y + \alpha_{zz}E_z). \end{aligned}$$

então, você escreve E_x, E_y e E_z em termos de $E_{x'}$, $E_{y'}$ e $E_{z'}$; por exemplo

$$E_x = a'E_{x'} + b'E_{y'} + c'E_{z'},$$

onde a', b' e c' estão relacionados com a, b e c, mas não são iguais. Portanto, você tem $P_{x'}$ expresso em termos das componentes $E_{x'}$, $E_{y'}$ e $E_{z'}$; isto é, você tem os novos α_{ij}. É confuso, mas bastante direto.

Quando conversamos sobre mudança de eixos, estamos supondo que o cristal esteja parado no *espaço*. Se o cristal rodasse *junto* com os eixos, os αs não mudariam. De outro modo, se a orientação do cristal mudasse com relação aos eixos, teríamos um novo conjunto de α. Contudo, sendo eles conhecidos para *qualquer* orientação do cristal, eles podem ser achados para uma outra orientação pela transformação que acabamos de descrever. Em outras palavras, a propriedade dielétrica do cristal é descrita *completamente* fornecendo as componentes do tensor de polarização α_{ij} em relação a um sistema arbitrário de coordenadas. Do mesmo modo que podemos associar um vetor velocidade $\boldsymbol{v} = (v_x, v_y, v_z)$ com uma partícula sabendo que as três componentes mudarão de uma determinada maneira se mudarmos o nosso sistema de coordenadas, também com um cristal associamos seu tensor de polarização α_{ij}, cujas nove componentes se transformam de um modo definido se o sistema de coordenadas muda.

A relação entre $\boldsymbol{P}$ e $\boldsymbol{E}$, escrita na Equação (31.4), pode ser colocada de modo mais compacto:

$$P_i = \sum_j \alpha_{ij}E_j, \tag{31.5}$$

onde entendemos que i representa x, y ou z, e que a soma é sobre $j = x$, y e z. Foram inventadas muitas notações especiais para se lidar com tensores, mas cada uma delas é conveniente para uma classe limitada de problemas. Uma convenção usual é omitir o símbolo de soma (Σ) na Equação (31.5), deixando *subentendido* que, sempre que um mesmo índice ocorra duplamente (aqui j), deve-se somar sobre aquele índice. Já que usaremos tensores tão pouco, não nos incomodaremos em adotar qualquer notação ou convenção especial.

31–3 O elipsoide de energia

Queremos adquirir alguma experiência com tensores. Suponha que façamos a interessante questão: que energia é necessária para polarizar um cristal (além da energia no campo elétrico que sabemos ser $\epsilon_0 E^2/2$ por unidade de volume)? Considere, por um momento, as cargas atômicas que são deslocadas. O trabalho feito ao se deslocar a carga por uma distância dx é $qE_x dx$ e, se houver N cargas por unidade de volume, o trabalho é aquele mesmo, $qE_xN\,dx$. No entanto, $qN\,dx$ é a mudança dP_x no momento de dipolo por unidade de volume. Portanto, a energia necessária *por unidade de volume* é

$$E_x\,dP_x.$$

Somando o trabalho para as três componentes do campo, o trabalho por unidade de volume é

$$\boldsymbol{E} \cdot d\boldsymbol{P}.$$

Como a magnitude de $\boldsymbol{P}$ é proporcional a $\boldsymbol{E}$, o trabalho realizado por unidade de volume, ao trazer a polarização desde zero até $\boldsymbol{P}$, é a integral de $\boldsymbol{E} \cdot d\boldsymbol{P}$. Chamando esse trabalho de u_P[2], escrevemos

$$u_P = \tfrac{1}{2}\boldsymbol{E} \cdot \boldsymbol{P} = \tfrac{1}{2} \sum_i E_i P_i. \tag{31.6}$$

Agora expressamos $\boldsymbol{P}$ em termos de $\boldsymbol{E}$ pela Equação (31.5) e obtemos

$$u_P = \tfrac{1}{2} \sum_i \sum_j \alpha_{ij} E_i E_j. \tag{31.7}$$

A densidade de energia u_P é um número independente da escolha de eixos, sendo, portanto, escalar. Um tensor tem a propriedade tal que, ao se somar um dos índices (com um vetor), ele leva a um novo vetor; quando se somam *ambos* os índices (com *dois* vetores), ele fornece um escalar.

O tensor α_{ij} deveria ser chamado, na verdade, de "tensor de posto dois", pois ele tem dois índices. Um vetor – com *um* índice – é um tensor de posto um, e um escalar – sem índices – é um tensor de posto zero. Portanto, dizemos que o campo elétrico $\boldsymbol{E}$ é um tensor de posto um, e que a densidade de energia u_P é um tensor de posto zero. É possível estender as ideias de tensor para três ou mais índices e, portanto, construir tensores de posto maior que dois.

Os índices do tensor de polarização variam sobre três valores possíveis – eles são tensores em três dimensões. Os matemáticos consideram tensores em quatro, cinco ou mais dimensões. Já usamos um tensor quadridimensional $F_{\mu\nu}$ em nossa descrição relativística do campo eletromagnético (Capítulo 26).

O tensor de polarização α_{ij} tem a interessante propriedade de ser *simétrico*, isto é, $\alpha_{xy} = \alpha_{yx}$, e assim por diante para qualquer par de índices (esta é uma propriedade *física* de um cristal real e não necessariamente de todos os tensores). Você pode provar para você mesmo que isso deve ser verdade calculando a mudança na energia de um cristal através do seguinte ciclo: (1) ligue o campo na direção x; (2) ligue o campo na direção y; (3) desligue o campo x; (4) desligue o campo y. O cristal está de volta à situação inicial, e o trabalho resultante para sua polarização deve ser zero. Você pode mostrar que, para que isso seja verdade, α_{xy} deve ser igual a α_{yx}. O mesmo tipo de argumento pode, é claro, ser dado para α_{xz}, etc. Dessa forma, o tensor de polarização é simétrico.

Isso também significa que o tensor de polarização pode ser medido apenas através da energia necessária para polarizar o cristal em várias direções. Suponha que apliquemos um campo $\boldsymbol{E}$ apenas com componentes x e y; portanto, de acordo com a Equação (31.7),

$$u_P = \tfrac{1}{2}\,[\alpha_{xx}E_x^2 + (\alpha_{xy} + \alpha_{yx})E_xE_y + \alpha_{yy}E_y^2]. \tag{31.8}$$

Com apenas E_x podemos determinar α_{xx}; apenas com E_y podemos determinar α_{yy}; com ambos, E_x e E_y, temos uma energia extra devido a $(\alpha_{xy} + \alpha_{yx})$. Como α_{xy} e α_{yx} são iguais, este termo é $2\alpha_{xy}$ e pode ser relacionado à energia.

A expressão da energia, Equação (31.8), é uma bela interpretação geométrica. Suponha que perguntemos quais campos E_x e E_y correspondem a uma *dada* densidade de energia – digamos u_0. Este é simplesmente o problema matemático de resolver a equação

$$\alpha_{xx}E_x^2 + 2\alpha_{xy}E_xE_y + \alpha_{yy}E_y^2 = 2u_0.$$

Essa é uma equação quadrática, de modo que, se fizermos um gráfico de E_x e E_y, as soluções desta equação são pontos de uma elipse (Figura 31–2) (deve ser uma elipse, e

[2] O trabalho realizado para *produzir* a polarização por um campo elétrico não deve ser confundido com a energia potencial $-\boldsymbol{p}_0 \cdot \boldsymbol{E}$ de um momento de dipolo permanente $\boldsymbol{p}_0$.

não uma parábola ou uma hipérbole, porque a energia de qualquer campo é sempre positiva e finita). O vetor $\boldsymbol{E}$ com componentes E_x e E_y pode ser desenhado desde a origem da elipse. Portanto, tal "elipse energética" é uma bela maneira de se visualizar o tensor de polarização.

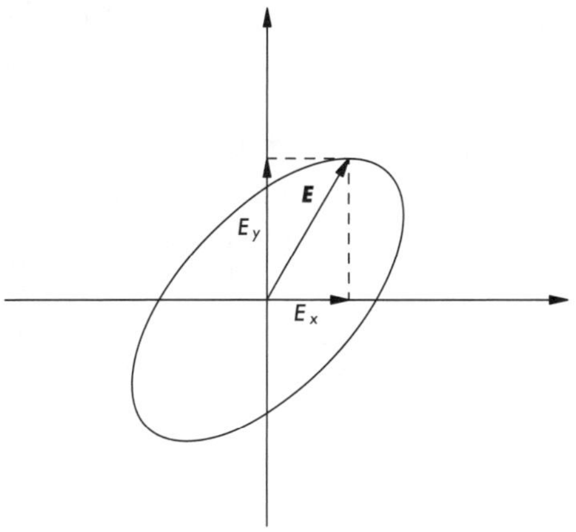

Figura 31–2 O lugar geométrico do vetor $\boldsymbol{E} = (E_x, E_y)$ dá uma energia constante de polarização.

Se agora generalizamos, incluindo todas as três componentes, o vetor elétrico $\boldsymbol{E}$ em *qualquer* direção, gerando uma densidade de energia unitária, dá um ponto na superfície de um elipsoide, conforme a Figura 31–3. A fórmula desse elipsoide de energia constante caracteriza, sem sombra de dúvida, o tensor polarizabilidade.

Agora, um elipsoide tem a bela propriedade de sempre poder ser descrito simplesmente conhecendo-se as direções dos três eixos principais e os diâmetros da elipse ao longo destes eixos. Os "eixos principais" são as direções de diâmetro mais longo, mais curto e a direção perpendicular a ambas. Elas são indicadas pelos eixos *a, b* e *c* na Figura 31–3. Com relação a esses eixos, o elipsoide tem a seguinte equação particularmente simples:

$$\alpha_{aa}E_a^2 + \alpha_{bb}E_b^2 + \alpha_{cc}E_c^2 = 2u_0.$$

Portanto, com respeito a estes eixos, o tensor dielétrico tem apenas três componentes não nulas: α_{aa}, α_{bb} e α_{cc}. Isto é, não importa quão complicado seja um cristal, é sempre possível escolher um sistema de eixos (não necessariamente os eixos do cristal) para os quais o tensor de polarização tem apenas três componentes. Com tal conjunto de eixos, a Equação (31.4) fica simplesmente

$$P_a = \alpha_{aa}E_a, \qquad P_b = \alpha_{bb}E_b, \qquad P_c = \alpha_{cc}E_c. \tag{31.9}$$

Um campo elétrico ao longo de um dos eixos principais produz uma polarização ao longo do mesmo eixo, mas os coeficientes para só três eixos podem claramente ser diferentes.

Comumente um tensor é descrito listando as nove componentes em uma tabela dentro de um par de colchetes:

$$\begin{bmatrix} \alpha_{xx} & \alpha_{xy} & \alpha_{xz} \\ \alpha_{yx} & \alpha_{yy} & \alpha_{yz} \\ \alpha_{zx} & \alpha_{zy} & \alpha_{zz} \end{bmatrix}. \tag{31.10}$$

Para os eixos principais *a, b* e *c,* apenas os termos diagonais são diferentes de zero; dizemos que "o tensor é diagonal". O tensor completo é

$$\begin{bmatrix} \alpha_{aa} & 0 & 0 \\ 0 & \alpha_{bb} & 0 \\ 0 & 0 & \alpha_{cc} \end{bmatrix}. \tag{31.11}$$

O ponto importante é que qualquer tensor de polarização (de fato *qualquer tensor simétrico* de posto dois em qualquer número de dimensões) pode ser colocado dessa forma por uma escolha conveniente de eixos de coordenadas.

Se os três elementos do tensor de polarização em forma diagonal forem iguais, ou seja, se

$$\alpha_{aa} = \alpha_{bb} = \alpha_{cc} = \alpha, \tag{31.12}$$

o elipsoide de energia torna-se uma esfera, e a polarizabilidade é a mesma em todas as direções. O material é isotrópico. Em notação tensorial

$$\alpha_{ij} = \alpha\delta_{ij}, \tag{31.13}$$

onde δ_{ij} é o *tensor unitário*

$$\delta_{ij} = \begin{bmatrix} 1 & 0 & 0 \\ 0 & 1 & 0 \\ 0 & 0 & 1 \end{bmatrix}. \tag{31.14}$$

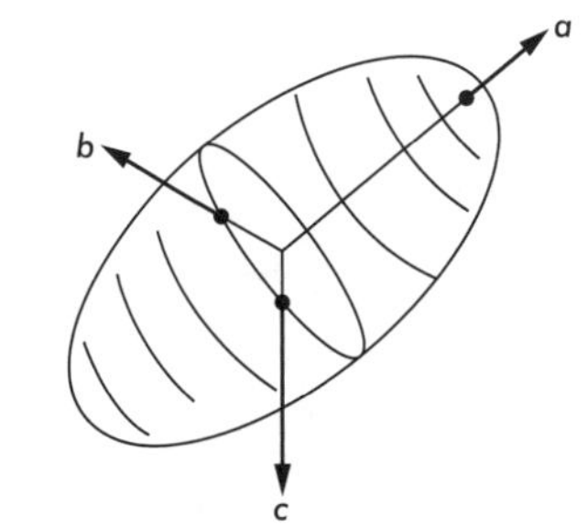

Figura 31–3 Elipsoide de energia do tensor de polarização.

o que significa, obviamente,

$$\begin{aligned}\delta_{ij} &= 1, \quad \text{se} \quad i = j;\\ \delta_{ij} &= 0, \quad \text{se} \quad i \neq j.\end{aligned} \tag{31.15}$$

O tensor δ_{ij} é frequentemente chamado de "delta de Kronecker". Você pode se divertir provando que o tensor (31.14) tem exatamente a mesma forma se você trocar o sistema de coordenadas para qualquer outro sistema retangular. O tensor de polarização da Equação (31.13) dá

$$P_i = \alpha \sum_j \delta_{ij} E_j = \alpha E_i,$$

o que significa o mesmo que nosso velho resultado para dielétricos isotrópicos:

$$\boldsymbol{P} = \alpha \boldsymbol{E}.$$

A forma e a orientação do elipsoide de polarização podem, às vezes, ser relacionadas com as propriedades de simetria do cristal. Dissemos, no Capítulo 30, que há 230 diferentes possibilidades de simetria interna de uma rede tridimensional e que elas podem, para vários propósitos, ser convenientemente agrupadas em sete classes, de acordo com a forma da célula unitária. Agora, o elipsoide de polarizabilidade deve partilhar as simetrias internas geométricas do cristal. Por exemplo, um cristal triclínico tem baixa simetria – o elipsoide de polarizabilidade terá eixos desiguais e sua orientação não estará, de modo geral, alinhada com os eixos do cristal. Por outro lado, para um cristal monoclínico, suas propriedades não mudam se o cristal for rodado 180° ao redor de um eixo. Portanto, o tensor de polarização deve ser o mesmo após a rotação. Segue que o elipsoide de polarizabilidade deve ser o mesmo após a rotação de 180°. Isso pode acontecer apenas se um dos eixos do elipsoide estiver na mesma direção do eixo de simetria do cristal. De outro modo, a orientação e as dimensões do elipsoide são arbitrárias.

Para um cristal ortorrômbico, os eixos do elipsoide devem corresponder aos eixos do cristal, pois uma rotação de 180° ao redor de um dos três eixos repete a mesma rede. Se formos para um cristal tetragonal, a elipse deve ter a mesma simetria, portanto, deve ter dois diâmetros iguais. Finalmente, para um cristal cúbico, os três diâmetros do elipsoide devem ser iguais; ele se torna uma esfera, e a polarizabilidade do cristal é a mesma em todas as direções.

Há um grande jogo de se descobrir todos os possíveis tipos de tensores, para todas as possíveis simetrias de um cristal. Ele é chamado de análise "teórica de grupo". Para o caso simples do tensor de polarizabilidade, é relativamente fácil de ver quais as relações.

31–4 Outros tensores; o tensor de inércia

Há muitos outros exemplos de tensores em física. Por exemplo, em um metal ou qualquer condutor, usualmente observa-se que a densidade de corrente $\boldsymbol{j}$ é aproximadamente proporcional ao campo elétrico $\boldsymbol{E}$; a constante de proporcionalidade é chamada de condutividade σ:

$$\boldsymbol{j} = \sigma \boldsymbol{E}.$$

Para cristais, todavia, a relação entre $\boldsymbol{j}$ e $\boldsymbol{E}$ é mais complicada; a condutividade não é a mesma em todas as direções. A condutividade é um tensor, e escrevemos

$$j_i = \sum \sigma_{ij} E_j.$$

Outro exemplo de tensor físico é o momento de inércia. No Capítulo 18 do Volume I, vimos que um objeto sólido, girando ao redor de um eixo fixo, tem um momento angular L proporcional à velocidade angular ω e chamamos o fator de proporcionalidade I de momento de inércia.

$$L = I\omega.$$

Para um objeto de forma arbitrária, o momento de inércia depende de sua orientação com relação aos eixos de rotação. Por exemplo, um bloco retangular terá momentos diferentes ao redor de cada um dos três eixos ortogonais. Agora, a velocidade angular ω e o momento angular $\boldsymbol{L}$ são vetores. Para rotações ao redor de um dos eixos de simetria, eles são paralelos, mas se o momento de inércia for diferente para os três eixos principais, então $\boldsymbol{\omega}$ e $\boldsymbol{L}$ estão, em geral, em direções diferentes (veja a Figura 31–4). Eles são relacionados, de modo análogo, à relação entre $\boldsymbol{E}$ e $\boldsymbol{P}$. Em geral, devemos escrever

$$\begin{aligned} L_x &= I_{xx}\omega_x + I_{xy}\omega_y + I_{xz}\omega_z,\\ L_y &= I_{yx}\omega_x + I_{yy}\omega_y + I_{yz}\omega_z,\\ L_z &= I_{zx}\omega_x + I_{zy}\omega_y + I_{zz}\omega_z. \end{aligned} \tag{31.16}$$

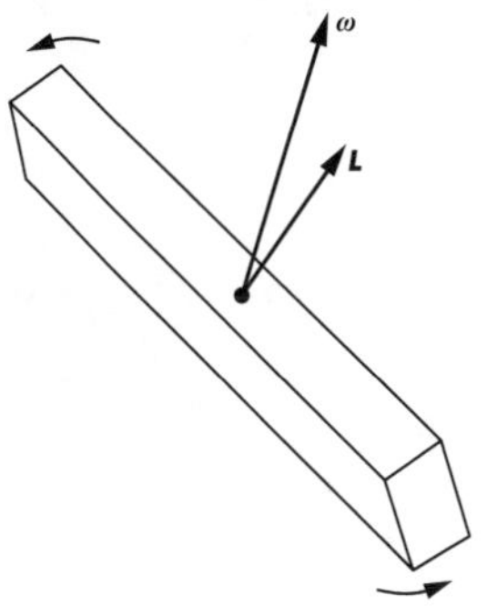

Figura 31–4 O momento angular $\boldsymbol{L}$ de um objeto sólido, geralmente, não é paralelo à velocidade angular $\boldsymbol{\omega}$.

Os nove coeficientes I_{ij} são chamados de tensor de inércia. Seguindo a analogia com a polarização, a energia cinética, para qualquer momento angular, deve ser uma forma quadrática nas componentes ω_x, ω_y e ω_z:

$$\text{EC} = \tfrac{1}{2}\sum_{ij} I_{ij}\omega_i\omega_j. \tag{31.17}$$

Podemos usar a energia para definir o elipsoide de inércia. Aqui também argumentos energéticos podem ser usados para mostrar que o tensor é simétrico, isto é $I_{ij} = I_{ji}$.

O tensor de inércia para um corpo rígido pode ser obtido, desde que a forma do corpo seja conhecida. Apenas precisamos escrever a energia cinética total de todas as partículas no corpo. Uma partícula de massa m e velocidade $\boldsymbol{v}$ tem uma energia cinética $\frac{1}{2}mv^2$, e a energia cinética total é simplesmente a soma

$$\sum \tfrac{1}{2}mv^2$$

sobre todas as partículas do corpo. A velocidade $\boldsymbol{v}$ de cada partícula é relacionada à velocidade angular $\boldsymbol{\omega}$ do corpo sólido. Vamos supor que o corpo esteja rodando ao redor de seu centro de massa que está em repouso. Então, se $\boldsymbol{r}$ for a posição da partícula em relação a seu centro de massa, sua velocidade $\boldsymbol{v}$ será dada por $\boldsymbol{\omega} \times \boldsymbol{r}$. Portanto, a energia cinética total será

$$\text{EC} = \sum \tfrac{1}{2}m(\boldsymbol{\omega} \times \boldsymbol{r})^2. \tag{31.18}$$

Agora, tudo o que temos a fazer é escrever $\boldsymbol{\omega} \times \boldsymbol{r}$ em termos das componentes ω_x, ω_y, ω_z e x, y, z, comparando o resultado com a Equação (31.17); encontramos I_{ij} identificando os termos. Efetuando a álgebra, escrevemos

$$\begin{aligned} (\boldsymbol{\omega} \times \boldsymbol{r})^2 &= (\boldsymbol{\omega} \times \boldsymbol{r})_x^2 + (\boldsymbol{\omega} \times \boldsymbol{r})_y^2 + (\boldsymbol{\omega} \times \boldsymbol{r})_z^2\\ &= (\omega_y z - \omega_z y)^2 + (\omega_z x - \omega_x z)^2 + (\omega_x y - \omega_y x)^2\\ &= +\,\omega_y^2 z^2 - 2\omega_y\omega_z zy + \omega_z^2 y^2\\ &\quad +\,\omega_z^2 x^2 - 2\omega_z\omega_x xz + \omega_x^2 z^2\\ &\quad +\,\omega_x^2 y^2 - 2\omega_x\omega_y yx + \omega_y^2 x^2. \end{aligned}$$

Multiplicando essa equação por $m/2$, somando sobre todas as partículas e comparando com a Equação (31.17), vemos que I_{xx}, por exemplo, é dado por

$$I_{xx} = \sum m(y^2 + z^2).$$

Essa é a fórmula que obtivemos antes (Capítulo 19, Volume I) para o momento de inércia de um corpo ao redor eixo x. Como $r^2 = x^2 + y^2 + z^2$, podemos também escrever esse termo na forma

$$I_{xx} = \sum m(r^2 - x^2).$$

Trabalhando todos os termos, o tensor de inércia pode ser escrito como

$$I_{ij} = \begin{bmatrix} \sum m(r^2 - x^2) & -\sum mxy & -\sum mxz \\ -\sum myx & \sum m(r^2 - y^2) & -\sum myz \\ -\sum mzx & -\sum mzy & \sum m(r^2 - z^2) \end{bmatrix}. \tag{31.19}$$

Se quisermos, isso pode ser escrito na "notação de tensor" como

$$I_{ij} = \sum m(r^2\,\delta_{ij} - r_i r_j), \tag{31.20}$$

onde os r_i são as componentes (x, y, z) do vetor posição de uma partícula e Σ significa a soma sobre todas as partículas. Então, o momento de inércia é um tensor de posto dois cujos termos são uma propriedade do corpo e relacionam $\boldsymbol{L}$ com $\boldsymbol{\omega}$ por meio de

$$L_i = \sum_j I_{ij}\omega_j. \tag{31.21}$$

Para um corpo de qualquer forma, podemos encontrar o elipsoide de inércia e, portanto, os três eixos principais. Referindo-se a estes eixos, o tensor será diagonal; portanto, para qualquer objeto, há sempre três eixos ortogonais para os quais a velocidade angular e o momento angular são paralelos. Eles são chamados de eixos principais de inércia.

31–5 O produto vetorial

Devemos salientar que temos usado tensores de posto dois desde o Capítulo 20 do Volume I. Lá definimos "o torque em um plano", como por exemplo τ_{xy}, por

$$\tau_{xy} = xF_y - yF_x.$$

Generalizando para três dimensões, poderíamos escrever

$$\tau_{ij} = r_iF_j - r_jF_i. \tag{31.22}$$

A quantidade τ_{ij} é um tensor de posto dois. Uma maneira de se ver que assim o é será combinarmos τ_{ij} com algum vetor, digamos o vetor unitário $\boldsymbol{e}$, de acordo com

$$\sum_j \tau_{ij}e_j.$$

Se essa quantidade for um *vetor*, então τ_{ij} deve se transformar como tensor – essa é nossa definição de tensor. Substituindo τ_{ij}, temos

$$\sum_j \tau_{ij}e_j = \sum_j r_iF_je_j - \sum_j r_je_jF_i$$

$$= r_i(\boldsymbol{F}\cdot\boldsymbol{e}) - (\boldsymbol{r}\cdot\boldsymbol{e})F_i.$$

Já que os produtos são escalares, os dois termos do lado direito são vetores, da mesma forma que sua diferença. Portanto, τ_{ij} é um tensor.

No entanto, τ_{ij} é um tipo especial de tensor; ele é *antissimétrico*, isto é,

$$\tau_{ij} = -\tau_{ji},$$

de modo que apenas três termos são diferentes de zero – τ_{xy}, τ_{yz} e τ_{zx}. Mostramos no Capítulo 20 do Volume I que estes três termos, quase "por acidente", transformam-se como as três componentes de um vetor, de modo que podemos *definir*

$$\boldsymbol{\tau} = (\tau_x, \tau_y, \tau_z) = (\tau_{yz}, \tau_{zx}, \tau_{xy}).$$

Dizemos "por acidente" porque acontece apenas em três dimensões. Em quatro dimensões, por exemplo, um tensor antissimétrico de posto dois tem *seis* termos não nulos e certamente não pode ser substituído por um vetor com *quatro* componentes.

Do mesmo modo que um vetor axial $\tau = \boldsymbol{r} \times \boldsymbol{F}$ é um tensor, todo produto vetorial de dois vetores polares também o é – os mesmo argumentos são aplicáveis. Todavia, por sorte, eles podem ser representados por vetores (na realidade pseudovetores), de modo que nossa matemática fica mais fácil.

Matematicamente, se $\boldsymbol{a}$ e $\boldsymbol{b}$ são dois vetores, as nove quantidades a_ib_j formam um tensor (embora ele não tenha necessariamente qualquer uso físico). Portanto, para o vetor posição $\boldsymbol{r}$, r_ir_j é um tensor, e como δ_{ij} também o é, vemos que o lado direito da Equação (31.20) é de fato um tensor. Da mesma maneira, a Equação (31.22) é um tensor, já que os dois termos do lado direito são tensores.

31–6 O tensor de tensões

Os tensores simétricos que descrevemos até agora apareceram como coeficientes em relações entre dois vetores. Gostaríamos agora de olhar para um tensor com um significado físico diferente – o tensor de *tensões*. Suponhamos que temos um objeto sólido com várias forças sobre ele. Dizemos que há várias "tensões" ali dentro, com o que queremos dizer que há forças internas entre as partes vizinhas do material. Conversamos um pouco sobre essas tensões em um caso bidimensional quando consideramos a tensão superficial de um diafragma esticado, na Seção 12–3. Agora, vamos ver que as forças internas no material de um corpo tridimensional podem ser escritas em termos de um tensor.

Considere um corpo de material elástico, por exemplo, uma gelatina. Se fizermos um corte através do bloco, o material de cada lado do corte será deslocado por forças internas. Antes do corte ser feito, havia forças entre as duas partes do bloco mantendo o material em posição; podemos definir as tensões em termos dessas forças. Suponha que olhemos para um plano imaginário perpendicular ao eixo x, como o plano σ na Figura 31–5, e perguntemos sobre a força através de uma pequena área $\Delta y \Delta z$ neste plano. O material à esquerda da área exerce uma força $\Delta \boldsymbol{F}_1$ sobre o material à direita, conforme mostrado na parte (b) da figura. É claro que há uma força de reação oposta $-\Delta \boldsymbol{F}_1$ sendo exercida sobre o material à esquerda da superfície. Se a área for suficientemente pequena, esperamos que $\Delta \boldsymbol{F}_1$ seja proporcional à área $\Delta y \Delta z$.

Você já está familiarizado com um tipo de tensão: a pressão em líquidos estáticos. Lá, a força é igual à pressão vezes a área, fazendo ângulos retos com o elemento de superfície. Para sólidos, e também para líquidos viscosos em movimento, a força não precisa ser normal à superfície; há forças de *cisalhamento* além das pressões (positivas ou negativas). (Por força de "cisalhamento" queremos dizer as componentes *tangenciais* da força através da superfície.) Todas as três componentes da força devem ser levadas em conta. Note que, se fizermos nosso corte em um plano com outra orientação, as forças serão diferentes. Uma descrição completa das tensões requer um tensor.

Definimos o tensor de tensões da seguinte maneira: primeiro imaginamos um corte perpendicular ao eixo x, e achamos a força $\Delta \boldsymbol{F}_1$ através do corte com suas componentes ΔF_{x1}, ΔF_{y1}, ΔF_{z1}, como na Figura 31–6. À relação entre essas forças e a área $\Delta y \Delta z$ damos o nome S_{xx}, S_{yx} e S_{zx}. Por exemplo:

$$S_{yx} = \frac{\Delta F_{y1}}{\Delta y\, \Delta z}.$$

O primeiro índice y refere-se à direção da componente da força; o segundo índice, x, é normal à área. Se você quiser, pode escrever a área $\Delta y \Delta z$ como Δa_x, significando um elemento de área perpendicular a x. Portanto,

$$S_{yx} = \frac{\Delta F_{y1}}{\Delta a_x}.$$

Subsequentemente, pensamos em um corte imaginário perpendicular ao eixo y. Através de uma pequena área $\Delta x \Delta z$, haverá uma força $\Delta \boldsymbol{F}_2$. Novamente, decompo-

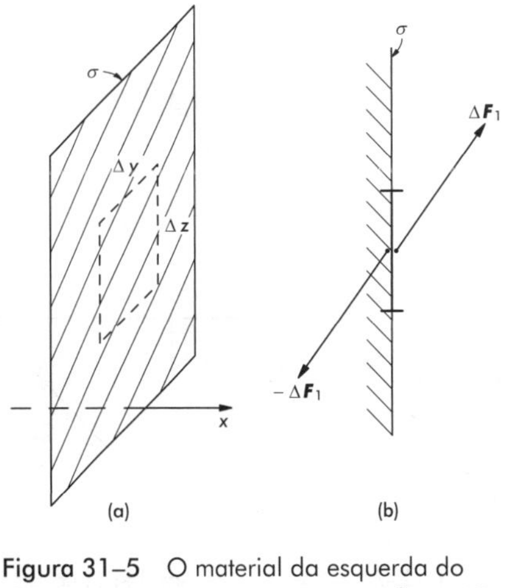

Figura 31–5 O material da esquerda do plano σ exerce, na área $\Delta y \Delta z$, uma força $\Delta \boldsymbol{F}_1$ sobre o material à direita do plano.

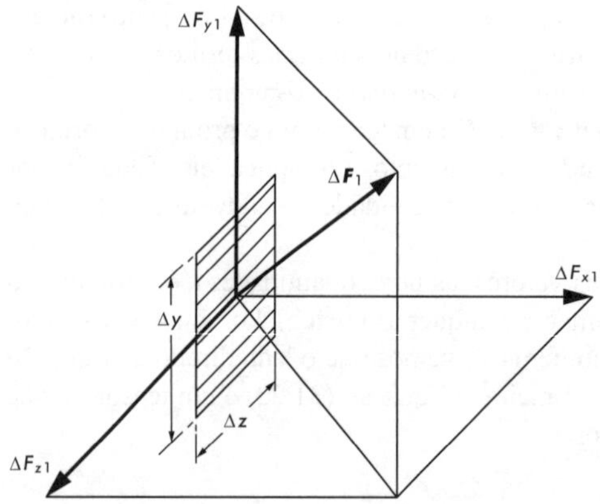

Figura 31–6 A força ΔF_1, sobre um elemento da área $\Delta y \Delta z$ perpendicular ao eixo x, é resolvida nas três componentes ΔF_{x1}, ΔF_{y1} e ΔF_{z1}.

mos essa força em três componentes, conforme mostrado na Figura 31–7, e descrevemos as três componentes da tensão, S_{xy}, S_{yy}, S_{zy}, como a força por unidade de área nestas três direções. Finalmente, fazemos um corte imaginário perpendicular a z e definimos as três componentes S_{xz}, S_{yz} e S_{zz}. Dessa maneira, temos os nove números

$$S_{ij} = \begin{bmatrix} S_{xx} & S_{xy} & S_{xz} \\ S_{yx} & S_{yy} & S_{yz} \\ S_{zx} & S_{zy} & S_{zz} \end{bmatrix}. \tag{31.23}$$

Queremos mostrar que esses nove números são suficientes para descrever completamente o estado interno de tensões, e que S_{ij} é, de fato, um tensor. Suponha que queiramos conhecer a força através de uma superfície orientada em um ângulo arbitrário. Poderemos achá-la por meio de S_{ij}? Sim, da seguinte maneira: imaginemos uma pequena figura sólida, com uma face N e outras faces paralelas aos eixos de coordenadas. Se acontecesse de a face N ser paralela ao eixo z, teríamos a peça triangular mostrada na Figura 31–8 (este é um caso um tanto especial, mas constitui uma ilustração suficientemente geral do método). As forças de tensão sobre o pequeno triângulo sólido na Figura 31-8 estão em equilíbrio (pelo menos no limite em que os tamanhos são infinitesimais), de modo que a força sobre esse pequeno triângulo deve ser zero. Conhecemos as forças sobre as faces paralelas aos eixos de coordenadas diretamente de S_{ij}. A soma vetorial deve fornecer as forças sobre as faces N, de modo a podermos expressar essa força em termos de S_{ij}.

Nossa suposição de que as forças *superficiais* sobre o pequeno volume triangular estão em equilíbrio despreza todas as outras forças sobre o *corpo* que possam estar presentes, como gravitação ou pseudoforças se o sistema de coordenadas não for inercial. Note, todavia, que tais forças serão proporcionais ao *volume* do pequeno triângulo e, portanto, a $\Delta x \Delta y \Delta z$ enquanto as forças superficiais são proporcionais às áreas, como $\Delta x \Delta y$, $\Delta y \Delta z$, etc. Então, se tomarmos a escala da parede pequena o suficiente, as forças sobre o corpo poderão também ser desprezadas em comparação com as forças superficiais.

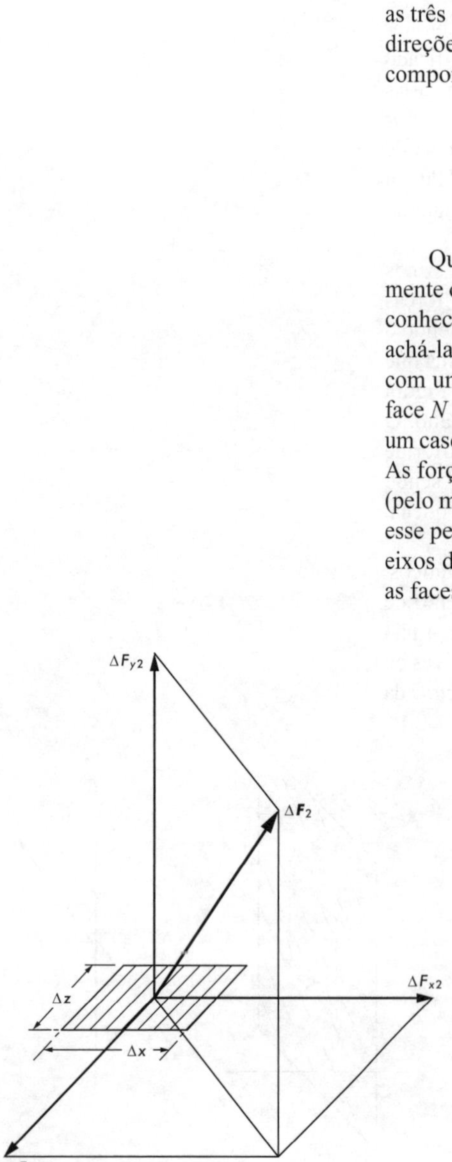

Figura 31–7 A força sobre um elemento da área perpendicular a y é resolvida em três componentes retangulares.

Vamos agora adicionar as forças na parede. Pegamos, primeiro, a componente x que é a soma de cinco partes, uma para cada face. Todavia, se Δz for pequeno o suficiente, as forças sobre as faces triangulares (perpendiculares ao eixo z) serão iguais e opostas, de modo que podemos esquecê-las. A componente x da força sobre o retângulo abaixo é

$$\Delta F_{x2} = S_{xy}\,\Delta x\,\Delta z.$$

A componente x da força sobre o retângulo vertical é

$$\Delta F_{x1} = S_{xx}\,\Delta y\,\Delta z.$$

Estas duas devem ser iguais à componente x da força *para fora* através da face N. Chamemos de $\boldsymbol{n}$ o vetor unitário normal à face N e de $\boldsymbol{F}_n$ a força sobre tal face; portanto temos

$$\Delta F_{xn} = S_{xx}\,\Delta y\,\Delta z + S_{xy}\,\Delta x\,\Delta z.$$

A componente x S_{xn} da tensão através desse plano é igual a ΔF_{xn} dividida pela área, que é $\Delta z\sqrt{\Delta x^2 + \Delta y^2}$, ou seja,

$$S_{xn} = S_{xx}\frac{\Delta y}{\sqrt{\Delta x^2 + \Delta y^2}} + S_{xy}\frac{\Delta x}{\sqrt{\Delta x^2 + \Delta y^2}}.$$

Agora, $\Delta x/\sqrt{\Delta x^2 + \Delta y^2}$ é o cosseno do ângulo θ entre $\boldsymbol{n}$ e o eixo y, conforme mostrado na Figura 31–8, de modo que podemos escrever como n_y, ou seja, a componente y de $\boldsymbol{n}$. De modo análogo, $\Delta y/\sqrt{\Delta x^2 + \Delta y^2}$ é sen $\theta = n_x$. Assim, escrevemos

$$S_{xn} = S_{xx}n_x + S_{xy}n_y.$$

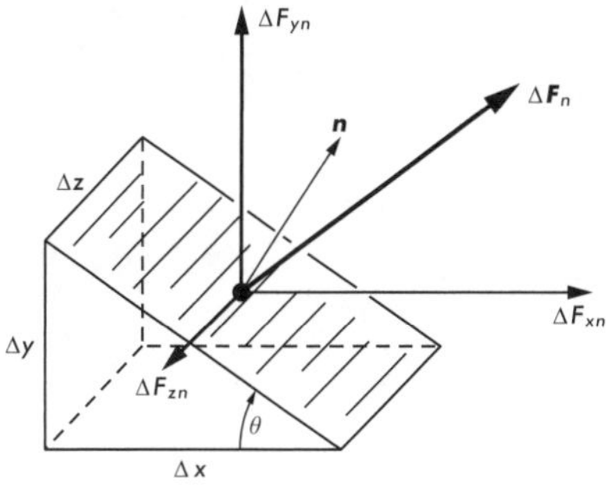

Figura 31–8 A força $\boldsymbol{F}_n$ sobre a face N (cuja unidade normal é $\boldsymbol{n}$) é resolvida em componentes.

Se agora generalizarmos para um elemento de superfície arbitrária, teremos

$$S_{xn} = S_{xx}n_x + S_{xy}n_y + S_{xz}n_z$$

ou, em geral,

$$S_{in} = \sum_j S_{ij}n_j. \tag{31.24}$$

Podemos achar a força através de qualquer elemento de superfície em termos de S_{ij}, de modo que o tensor dado descreve completamente o estado de tensão interno do material.

A Equação (31.24) nos diz que o tensor S_{ij} relaciona a força $\boldsymbol{S}_n$ ao vetor unitário $\boldsymbol{n}$, assim como α_{ij} relaciona $\boldsymbol{P}$ a $\boldsymbol{E}$. Como $\boldsymbol{n}$ e $\boldsymbol{S}_n$ são vetores, as componentes de S_{ij} devem se transformar como um tensor quando mudarmos o sistema de coordenadas. Portanto, S_{ij} é de fato um tensor.

Olhando as forças sobre um pequeno cubo de material, podemos também mostrar que S_{ij} é um tensor *simétrico*. Tomemos um pequeno cubo orientado com suas faces paralelamente ao sistema de coordenadas e olhemos uma de suas seções retas, conforme a Figura 31–9. Se considerarmos que o lado do cubo seja uma unidade, as componentes x e y das forças sobre as faces normais aos eixos x e y seriam como aquelas mostradas na figura. Se o cubo for pequeno, as tensões não mudarão de modo apreciável de um lado a outro do cubo, de modo que as componentes das forças são iguais e opostas conforme mostrado. No entanto, não deve haver torque sobre o cubo, senão ele começaria a girar. O torque total em torno do centro é $(S_{yx} - S_{xy})$(multiplicado pelo lado unitário do cubo) e, já que o total é zero, S_{yx} é igual a S_{xy}, e o tensor de tensões é simétrico.

Como S_{ij} é um tensor simétrico, ele pode ser descrito como um elipsoide com três eixos principais. Para superfícies perpendiculares a esses eixos, as tensões são particularmente simples: elas correspondem a empurrões e puxões perpendiculares às superfícies. Não há força de cisalhamento ao longo dessas faces. Para *qualquer* tensão, podemos sempre escolher nossos eixos de modo que as componentes de cisalhamento sejam zero. Se o elipsoide for uma esfera, há apenas forças normais em *qualquer* direção. Isso corresponde à pressão hidrostática (positiva ou negativa). Portanto, para uma pressão hidrostática, o tensor é diagonal e as componentes são iguais; elas são de fato iguais à pressão p. Podemos escrever

$$S_{ij} = p\delta_{ij}. \tag{31.25}$$

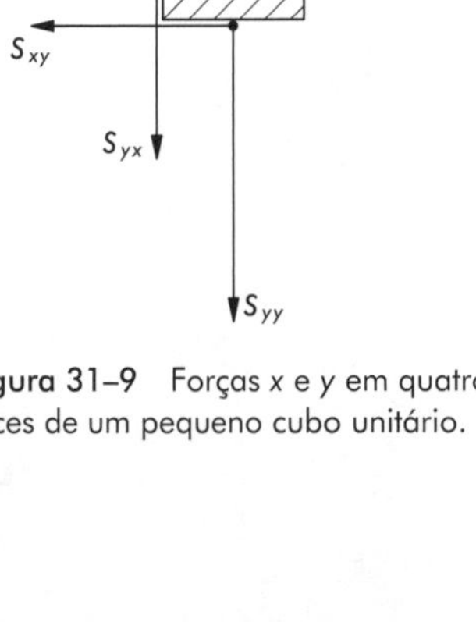

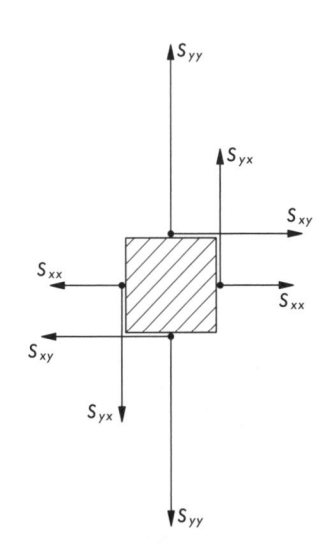

Figura 31–9 Forças x e y em quatro faces de um pequeno cubo unitário.

De modo geral, o tensor de tensões, e também seu elipsoide, variam ponto a ponto em um bloco de material; para descrever o bloco total, precisamos dar o valor de cada componente S_{ij} como função da posição. Portanto, o tensor de tensões é um *campo*. Já vimos *campos escalares*, como a temperatura $T(x, y, z)$, que nos dão um número para cada ponto do espaço, e *campos vetoriais* $\boldsymbol{E}(x, y, z)$, que nos dão três números a cada ponto. Agora, temos um *campo tensorial*, que nos dá nove números para cada ponto do espaço – ou na verdade, seis para um tensor simétrico S_{ij}. Uma descrição completa das forças internas em um sólido arbitrário distorcido requer seis funções de *x, y* e *z*.

31–7 Tensores de posto mais alto

O tensor de tensões S_{ij} descreve as *forças* internas da matéria. Se o material for elástico, é conveniente descrever as *distorções* internas em termos de outro tensor T_{ij}, chamado de *tensor de esforço*. Para um objeto simples como uma barra de metal, você sabe que a mudança de comprimento ΔL é aproximadamente proporcional à força, de modo que a Lei de Hooke é obedecida:

$$\Delta L = \gamma F.$$

Para um corpo sólido elástico com distorções arbitrárias, o esforço T_{ij} está relacionado à tensão S_{ij} por um conjunto de equações lineares:

$$T_{ij} = \sum_{k,l} \gamma_{ijkl} S_{kl}. \tag{31.26}$$

Você também sabe que a energia potencial de uma mola (ou barra) é:

$$\tfrac{1}{2}F\,\Delta L = \tfrac{1}{2}\gamma F^2.$$

A generalização para a *densidade* de energia elástica de um corpo sólido é

$$U_{\text{elástica}} = \sum_{ijkl} \tfrac{1}{2}\gamma_{ijkl} S_{ij} S_{kl}. \tag{31.27}$$

A descrição completa das propriedades elásticas de um cristal deve ser dada em termos dos coeficientes γ_{ijkl}. Isso nos apresenta uma nova criatura. É um tensor de posto *quatro*. Como cada índice pode tomar três valores, *x, y* ou *z*, há $3^4 = 81$ coeficientes. No entanto, na realidade, há apenas 21 números *diferentes*. Primeiramente, como S_{ij} é simétrico, ele tem apenas seis valores diferentes, e somente 36 coeficientes *diferentes* são necessários na Equação (31.27). Além disso, S_{ij} pode ser trocado com S_{kl} sem mudar a energia, de modo que γ_{ijkl} deve ser simétrico se trocarmos *ij* com *kl*. Isso reduz o número de coeficientes diferentes para 21. Portanto, para descrever as propriedades elásticas de um cristal com a menor simetria possível, são necessárias 21 constantes elásticas! É claro que esse número fica reduzido para cristais com maior simetria. Por exemplo, um cristal de simetria cúbica tem apenas três constantes elásticas; uma substância isotrópica, somente duas.

Que isso é verdade, pode ser visto da seguinte maneira. Como podem as componentes de γ_{ijkl} ser independentes da direção dos eixos, como é o caso de materiais isotrópicos? *Resposta:* elas podem ser independentes *apenas* se puderem ser expressas em termos do tensor δ_{ij}. Há duas possíveis expressões, $\delta_{ij}\delta_{kl}$ e $\delta_{ik}\delta_{jl} + \delta_{il}\delta_{jk}$, que têm a simetria necessária, de modo que γ_{ijkl} deve ser uma combinação linear desses tensores. Portanto, para materiais isotrópicos,

$$\gamma_{ijkl} = a(\delta_{ij}\delta_{kl}) + b(\delta_{ik}\delta_{jl} + \delta_{il}\delta_{jk}),$$

e o material necessita de duas constantes, *a* e *b*, para descrever suas propriedades elásticas. Deixaremos para você a demonstração de que um cristal cúbico necessita de apenas três.

Como exemplo final, desta vez de um tensor de posto três, temos o efeito piezoelétrico. Sob tensão, o cristal gera um campo elétrico proporcional à tensão; portanto, em geral, a lei é

$$E_i = \sum_{j,k} P_{ijk} S_{jk},$$

onde E_i é o campo elétrico e P_{ijk} são os coeficientes piezoelétricos – ou o tensor piezoelétrico. Você poderia demonstrar que, se um cristal tiver um centro de inversão (invariância sob $x, y, z \to -x, -y, -z$), os coeficientes piezoelétricos serão nulos?

31–8 Quadritensor de momento eletromagnético

Todos os tensores que vimos até o momento, neste capítulo, estão relacionados com as três direções do espaço; eles são definidos de modo a ter certas propriedades de transformação sob rotações espaciais. No Capítulo 26, tivemos ocasião de usar um tensor em quatro dimensões do espaço-tempo relativístico – o campo tensorial eletromagnético $F_{\mu\nu}$. As componentes de tal quadritensor modificam-se segundo a transformação de Lorentz das coordenadas, da forma especial que deduzimos (apesar de termos feito daquela maneira, poderíamos ter considerado a transformação de Lorentz como uma "rotação" em um "espaço" quadridimensional chamado espaço Minkowski; então a analogia com o que estamos fazendo aqui seria mais clara).

Como nosso último exemplo, consideremos outro tensor em quatro dimensões (t, x, y, z) da teoria da relatividade. Quando escrevemos o tensor de tensões, definimos S_{ij} como uma componente da força através de uma área unitária. Contudo, a força é igual à taxa de variação, no tempo, do momento. Portanto, em vez de se dizer "S_{xy} é a componente da força através de uma unidade de área perpendicular a y", poderíamos, da mesma forma, dizer que "S_{xy} é a taxa de fluxo da componente x do momento através da área unitária perpendicular a y". Em outras palavras, cada termo de S_{ij} também representa o fluxo da componente i do momento através de uma área unitária perpendicular à direção j. Estas são componentes puramente espaciais, mas são partes de um tensor "maior" $S_{\mu\nu}$ em quatro dimensões (μ e $\nu = t, x, y, z$) contendo componentes adicionais como S_{tx}, S_{yt}, S_{tt}, etc. Tentaremos agora encontrar o significado físico dessas componentes extras.

Sabemos que as componentes espaciais representam o fluxo de momento. Podemos ter uma ideia de como estender esse procedimento para a dimensão tempo, estudando outro tipo de "fluxo" – o fluxo da carga elétrica. Para a quantidade *escalar* carga, a taxa de fluxo (por unidade de área perpendicular ao fluxo) é um *vetor* espacial – o vetor densidade de correntes $\boldsymbol{j}$. Vimos que a componente temporal desse vetor de fluxo é a densidade da coisa que está fluindo. Por exemplo, $\boldsymbol{j}$ pode ser combinado com a componente temporal $j_t = \rho$, a densidade de cargas, para formar o quadrivetor $j_\mu = (\rho, \boldsymbol{j})$; isto é, o μ em j_μ toma os valores t, x, y e z, significando "densidade, taxa de fluxo na direção x, taxa de fluxo da direção y e taxa de fluxo em z" da carga escalar.

Por analogia com nossa afirmação sobre a componente temporal do fluxo de uma quantidade escalar, podemos esperar que, com S_{xx}, S_{xy} e S_{xz}, descrevendo o fluxo da componente x do momento, deve haver também uma componente temporal S_{xt} que deveria ser a densidade do que quer que esteja fluindo; isto é, S_{xt} deveria ser a densidade de momento x. Então podemos estender nosso tensor horizontalmente para incluir uma componente t. Temos

$$\begin{aligned} S_{xt} &= \text{densidade de momento } x \\ S_{xx} &= \text{fluxo } x \text{ de momento } x \\ S_{xy} &= \text{fluxo } y \text{ de momento } x \\ S_{xz} &= \text{fluxo } z \text{ de momento } x \end{aligned}$$

Do mesmo modo, para a componente y do momento, temos as três componentes do fluxo – S_{yx}, S_{yy}, S_{yz} – às quais devemos adicionar um quarto termo:

$$S_{yt} = \text{densidade de momento } y$$

Também, é claro, a S_{zx}, S_{zy}, S_{zz}, devemos adicionar

$$S_{zt} = \text{densidade de momento } z$$

Em quatro dimensões há, também, uma componente t do momento que é, como sabemos, a energia. Portanto, o tensor S_{ij} deve ser estendido verticalmente com S_{tx}, S_{ty} e S_{tz}, onde

$$\begin{aligned} S_{tx} &= \text{fluxo } x \text{ de energia,} \\ S_{ty} &= \text{fluxo } y \text{ de energia,} \\ S_{tz} &= \text{fluxo } z \text{ de energia;} \end{aligned} \tag{31.28}$$

isto é, S_{tx} é o fluxo de energia por unidade de área e unidade de tempo através de uma superfície perpendicular ao eixo x, e assim por diante. Finalmente, para completar nosso tensor, precisamos de S_{tt} que deve ser a *densidade de energia*. Estendemos nosso tensor de S_{ij} tensões de três dimensões para um *tensor de tensão energética* em quatro dimensões $S_{\mu\nu}$. O índice μ pode tomar os quatro valores t, x, y e z, que significam respectivamente "densidade", "fluxo por unidade de área na direção x", "fluxo por unidade de área na direção y" e "fluxo por unidade de área na direção z". Do mesmo modo, ν toma os quatro valores t, x, y e z para nos dizer *o que flui*, isto é, "energia", "momento na direção x", "momento na direção y" e "momento na direção z".

Como exemplo, vamos discutir esse tensor não na matéria, mas na região de espaço livre onde há um campo eletromagnético. Sabemos que o fluxo de energia é o vetor de Poynting $\boldsymbol{S} = \epsilon_0 c^2 \boldsymbol{E} \times \boldsymbol{B}$. Portanto, as componentes x, y e z de $\boldsymbol{S}$ são, de um ponto de vista relativístico, as componentes S_{tx}, S_{ty} e S_{tz} de nosso tensor de energia tensão quadridimensional. A simetria do tensor S_{ij} é levada para as componentes temporais, de modo que o tensor quadridimensional $S_{\mu\nu}$ é simétrico:

$$S_{\mu\nu} = S_{\nu\mu} \tag{31.29}$$

Em outras palavras, as componentes S_{xt}, S_{yt}, S_{zt}, que são as *densidades de momento x, y* e *z*, são também iguais às componentes x, y e z do vetor de Poynting $\boldsymbol{S}$, o *fluxo energético* – conforme já demonstramos em um capítulo anterior, por meio de um tipo diferente de argumento.

A componente restante do tensor de tensões eletromagnético $S_{\mu\nu}$ pode também ser expressa em termos dos campos elétrico e magnético $\boldsymbol{E}$ e $\boldsymbol{B}$. Isto é, devemos admitir tensão ou, colocando-se de uma maneira menos misteriosa, fluxo de momento no campo eletromagnético. Discutimos isso no Capítulo 27, em conexão com a Equação (27.21), mas não trabalhamos os detalhes.

Aqueles que quiserem exercitar sua destreza em tensores em quatro dimensões talvez gostem de ver a fórmula para $S_{\mu\nu}$ em termo dos campos:

$$S_{\mu\nu} = -\epsilon_0 \left(\sum_{\alpha} F_{\mu\alpha} F_{\nu\alpha} - \tfrac{1}{4}\, \delta_{\mu\nu} \sum_{\alpha,\beta} F_{\beta\alpha} F_{\beta\alpha} \right),$$

onde as somas sobre α e β são sobre t, x, y e z, mas (como usual em relatividade) adotamos um significado especial para o sinal de soma Σ e para o símbolo δ. Nas somas, os termos x, y e z devem ser *subtraídos* e $\delta_{tt} = +1$, enquanto $\delta_{xx} = \delta_{yy} = \delta_{zz} = -1$ e $\delta_{\mu\nu} = 0$ para $\mu \neq \nu$ ($c = 1$). Você poderia verificar que se obtém a densidade de energia correta $S_{tt} = (\epsilon_0/2)(E^2 + B^2)$ e o vetor de Poynting $\epsilon_0 \boldsymbol{E} \times \boldsymbol{B}$? Você poderia mostrar que, em um campo eletrostático com $\boldsymbol{B} = 0$, os eixos principais de tensão estão na direção do campo elétrico, que há uma *tensão* $(\epsilon_0/2)E^2$ ao longo da direção do campo e que há uma *pressão* igual em todas as direções perpendiculares à direção do campo?

32

Índices de Refração de Materiais Densos

Revisão: Veja Tabela 32–1.

32–1 Polarização de matéria

Queremos agora discutir o fenômeno da refração da luz – e também, é claro, a absorção da luz – em materiais densos. No Capítulo 31 do Volume I, discutimos a teoria do índice de refração, mas, por causa de nossas limitadas habilidades matemáticas naquele momento, tivemos de nos restringir a achar apenas os índices para materiais de baixa densidade, como os gases. No entanto, os princípios físicos que produzem o índice ficaram claros. O campo elétrico da onda de luz polariza as moléculas do gás, produzindo momentos de dipolos oscilatórios. A aceleração das cargas oscilatórias irradia novas ondas pelo campo. Esse novo campo interfere com o campo antigo, produzindo um campo alterado equivalente a uma mudança de fase da onda original. Por ser essa mudança de fase proporcional à espessura do material, o efeito equivale a ter uma velocidade de fase diferente no material. Olhando para o assunto anterior, vemos que desprezamos as complicações decorridas de tais eventos, como a mudança provocada pela nova onda nos campos em dipolos oscilatórios. Admitimos que as forças das cargas nos átomos derivam de ondas *aferentes*, enquanto que, de fato, as oscilações são dirigidas não apenas pela onda aferente, mas também pelas ondas irradiadas por todos os outros átomos. Seria difícil para nós, então, incluirmos esse efeito, assim estudamos apenas o gás rarefeito, no qual tais efeitos não são importantes.

Entretanto, agora, acharemos muito fácil tratar desse problema usando equações diferenciais. Esse método oculta a origem física do índice (como oriundo de ondas de rerradiação interferindo com a onda original), mas torna a teoria para materiais densos muito mais simples. Este capítulo trará, também, um grande número de corroborações para nosso trabalho mais recente. Já vimos praticamente tudo de que precisaremos, assim haverá relativamente poucas ideias novas para serem introduzidas. Como talvez precisemos refrescar suas memórias sobre o que iremos usar, damos na Tabela 32–1 uma lista das equações que utilizaremos, junto à referência de onde cada uma pode ser encontrada. Em todo caso, não perderemos tempo em dar as explicações físicas novamente, apenas usaremos as equações.

Começaremos por recordar o mecanismo do índice de refração para um gás. Suponhamos que existam N partículas por unidade de volume e que cada partícula comporta-

Tabela 32–1

Nosso trabalho neste capítulo será baseado no seguinte material já abordado em capítulos anteriores

Assunto	Referência	Equação
Oscilações suprimidas	Vol. I, Cap. 23	$m(\ddot{x} + \gamma\dot{x} + \omega_0^2 x) = F$
Índice de gases	Vol. I, Cap. 31	$n = 1 + \dfrac{1}{2}\dfrac{Nq_e^2}{\epsilon_0 m(\omega_0^2 - \omega^2)}$
		$n = n' - in''$
Mobilidade	Vol. I, Cap. 41	$m\ddot{x} + \mu\dot{x} = F$
Condutividade elétrica	Vol. I, Cap. 43	$\mu = \dfrac{\tau}{m}\,;\ \sigma = \dfrac{Nq_e^2\tau}{m}$
Polarizabilidade	Vol. II, Cap. 10	$\rho_{\text{pol}} = -\boldsymbol{\nabla}\cdot\boldsymbol{P}$
No interior de dielétricos	Vol. II, Cap. 11	$\boldsymbol{E}_{\text{local}} = \boldsymbol{E} + \dfrac{1}{3\epsilon_0}\boldsymbol{P}$

-se como um oscilador harmônico. Usamos um modelo de átomo ou molécula no qual o elétron é limitado por uma força proporcional ao seu deslocamento (pensando-se o elétron fixado no lugar por uma mola). Salientamos que esse não é um legítimo modelo *clássico* de átomo, mas demonstraremos, depois, que a teoria quântica correta leva a resultados equivalentes aos desse modelo (para casos simples). Em nossas observações mais recentes, não havíamos incluído a possibilidade de uma força de fricção no oscilador atômico, mas faremos isso agora. Tal força corresponde a uma resistência ao movimento, isto é, uma força proporcional à velocidade do elétron. Então, a equação de movimento é

$$F = q_eE = m(\ddot{x} + \gamma\dot{x} + \omega_0^2 x), \tag{32.1}$$

onde x é o deslocamento paralelo na direção de $\boldsymbol{E}$ (estamos admitindo um oscilador *isotrópico* cuja força restauradora é a mesma em toda as direções. Estamos falando também, para o momento, de uma onda linear polarizada; desse modo, $\boldsymbol{E}$ não muda a direção). Se a ação do campo elétrico no átomo variar sinusoidalmente com o tempo, escrevemos

$$E = E_0 e^{i\omega t}. \tag{32.2}$$

O deslocamento oscilará com a mesma frequência, e poderemos obter

$$x = x_0 e^{i\omega t}.$$

Substituindo $\dot{x} = i\omega x$ e $\ddot{x} = -\omega^2 x$, podemos obter x em termos de E:

$$x = \frac{q_e/m}{-\omega^2 + i\gamma\omega + \omega_0^2}\,E. \tag{32.3}$$

Conhecendo o deslocamento, podemos calcular a aceleração $\ddot{x}$ e encontrar a onda irradiada responsável pelo índice. Foi esse o modo de computarmos o índice no Capítulo 31 do Volume I.

Agora, porém, queremos fazer uma abordagem diferente. O momento de dipolo induzido p de um átomo é $q_e x$, portanto, usando a Eq. (32.3), obtemos

$$p = \frac{q_e^2/m}{-\omega^2 + i\gamma\omega + \omega_0^2}\,E. \tag{32.4}$$

Como $\boldsymbol{p}$ é proporcional a $\boldsymbol{E}$, podemos escrever

$$\boldsymbol{p} = \epsilon_0 \alpha(\omega) \boldsymbol{E}, \tag{32.5}$$

onde α é chamada de *polarizabilidade atômica*[1]. Com essa definição, temos

$$\alpha = \frac{q_e^2/m\epsilon_0}{-\omega^2 + i\gamma\omega + \omega_0^2}. \tag{32.6}$$

A solução da mecânica quântica para os movimentos de elétrons em átomos fornece uma resposta similar, exceto pelas seguintes mudanças. Os átomos têm diversas frequências naturais com a sua própria constante de dissipação γ. Até mesmo a *força* efetiva é diferente para cada modo, o que podemos representar multiplicando a polarizabilidade de cada frequência pelo fator de força f, que esperamos ser da ordem de 1. Representando os três parâmetros ω_0, γ e f por ω_{0k}, γ_k e f_k para cada modo de oscilação, e para os vários modos, modificamos a Equação (32.6),

---

[1] Ao longo deste capítulo, seguimos a notação do Capítulo 31 do Volume I, e deixamos α representando a polarizabilidade *atômica*, como aqui definida. No capítulo anterior, usamos α para representar o polarizabilidade de *volume* – o relação de P sobre E. Na notação *deste* capítulo, $P = N\alpha\epsilon_0 E$ (veja a Eq. 32.8).

$$\alpha(\omega) = \frac{q_e^2}{\epsilon_0 m} \sum_k \frac{f_k}{-\omega^2 + i\gamma_k\omega + \omega_{0k}^2}. \tag{32.7}$$

Se N for o número de átomos por unidade de volume para o material, a polarização P será apenas $Np = \epsilon_0 N\alpha E$ e será proporcional a E:

$$\boldsymbol{P} = \epsilon_0 N\alpha(\omega)\boldsymbol{E}. \tag{32.8}$$

Em outras palavras, quando houver um campo elétrico sinusoidal em um material, haverá um momento de dipolo por unidade de volume que será proporcional ao campo elétrico – com uma constante de proporcionalidade α que, e enfatizamos isto, depende da frequência. Para frequências muito altas, α é pequeno; não há muitas respostas. Entretanto, para frequências baixas, pode haver uma boa resposta. Do mesmo modo, a constante de proporcionalidade é um número complexo, o que significa que a polarização não segue exatamente o campo elétrico, mas pode variar em fase com ele, em alguma extensão. De qualquer modo, há uma polarização por unidade de volume cuja magnitude é proporcional à intensidade do campo elétrico.

32–2 As equações de Maxwell em um dielétrico

A existência de polarização na matéria significa que há cargas e correntes de polarização dentro do material, e isso deve ser colocado no conjunto das equações de Maxwell para se obter os campos. Vamos resolver as equações de Maxwell, desta vez, em uma situação na qual as cargas e correntes não são zero, como em um vácuo, mas são dadas implicitamente pela polarização do vetor. Nosso primeiro passo é achar explicitamente a densidade de cargas ρ e a densidade de correntes $\boldsymbol{j}$, calculada para um pequeno volume do mesmo tamanho daquele que tínhamos em mente ao definir $\boldsymbol{P}$. Assim o ρ e o $\boldsymbol{j}$ de que necessitamos poderão ser obtidos a partir da polarização.

Vimos no Capítulo 10 que, quando a polarização $\boldsymbol{P}$ variar de lugar para lugar, haverá uma densidade de cargas dada por

$$\rho_{\text{pol}} = -\boldsymbol{\nabla}\cdot\boldsymbol{P}. \tag{32.9}$$

Naquela época, estávamos lidando com campos estáticos, mas a mesma fórmula também é válida para campos que variam no tempo. Entretanto, quando $\boldsymbol{P}$ varia com o tempo, há cargas em movimento, assim há também uma *corrente* de polarização. Cada uma das cargas oscilantes contribui com uma corrente com carga igual a q_e, multiplicada pela sua velocidade v. Com N cargas por unidade de volume, a densidade de corrente $\boldsymbol{j}$ será

$$\boldsymbol{j} = Nq_e\boldsymbol{v}.$$

Como sabemos que $v = dx/dt$, então $j = Nq_e(dx/dt)$, que é exatamente dP/dt. Assim, a densidade de correntes para uma polarização variável é

$$\boldsymbol{j}_{\text{pol}} = \frac{\partial \boldsymbol{P}}{\partial t}. \tag{32.10}$$

Nosso problema agora é direto e simples. Escrevemos as equações de Maxwell com a densidade de carga e a densidade de corrente expressas em termos de $\boldsymbol{P}$, usando as Eqs. (32.9) e (32.10) (admitimos que não haja outras correntes ou cargas no material). Relacionamos, então, $\boldsymbol{P}$ a $\boldsymbol{E}$ com a Eq. (32.8) e resolvemos a equação para $\boldsymbol{E}$ e $\boldsymbol{B}$ – procurando pelas soluções de ondas.

Antes de fazermos isso, queremos fazer uma nota histórica. Maxwell originalmente escreveu suas equações em uma forma diferente daquela que temos usado. Por essas equações terem sido escritas de forma diferente por muitos anos – e ainda serem assim escritas por muitas pessoas –, explicaremos a diferença. Nos primeiros tempos, o mecanismo da constante dielétrica não era total e claramente calculado. A natureza dos átomos não era compreendida, nem se sabia que havia uma polarização do material. Assim, as pessoas não calculavam que há uma contribuição para a densidade de cargas ρ por $\nabla \cdot \boldsymbol{P}$. Pensava-se apenas em termos de cargas não ligadas a átomos (como as cargas que circulam em arames ou são esfregadas de superfícies).

Hoje, preferimos deixar ρ representando o *total* das densidades de cargas, incluindo a parte ligada a cargas atômicas. Se chamarmos essa parte de ρ_{pol}, podemos escrever

$$\rho = \rho_{\text{pol}} + \rho_{\text{outra}},$$

onde ρ_{outra} é a densidade de cargas considerada por Maxwell e refere-se às cargas não ligadas a átomos individuais. Então, escrevemos:

$$\nabla \cdot \boldsymbol{E} = \frac{\rho_{\text{pol}} + \rho_{\text{outra}}}{\epsilon_0}.$$

Substituindo ρ_{pol} pela Eq. (32.9),

$$\nabla \cdot \boldsymbol{E} = \frac{\rho_{\text{outra}}}{\epsilon_0} - \frac{1}{\epsilon_0} \nabla \cdot \boldsymbol{P}$$

ou

$$\nabla \cdot (\epsilon_0 \boldsymbol{E} + \boldsymbol{P}) = \rho_{\text{outra}}. \tag{32.11}$$

A densidade de correntes nas equações de Maxwell para $\nabla \times \boldsymbol{B}$ tem, em geral, contribuições das correntes de ligações atômicas. Podemos, então, escrever

$$\boldsymbol{j} = \boldsymbol{j}_{\text{pol}} + \boldsymbol{j}_{\text{outra}},$$

e a equação de Maxwell torna-se

$$c^2 \nabla \times \boldsymbol{B} = \frac{\boldsymbol{j}_{\text{outra}}}{\epsilon_0} + \frac{\boldsymbol{j}_{\text{pol}}}{\epsilon_0} + \frac{\partial \boldsymbol{E}}{\partial t}. \tag{32.12}$$

Usando a Eq. (32.10), temos

$$\epsilon_0 c^2 \nabla \times \boldsymbol{B} = \boldsymbol{j}_{\text{outra}} + \frac{\partial}{\partial t}(\epsilon_0 \boldsymbol{E} + \boldsymbol{P}). \tag{32.13}$$

Agora, você pode ver se queremos *definir* um novo vetor $\boldsymbol{D}$ por

$$\boldsymbol{D} = \epsilon_0 \boldsymbol{E} + \boldsymbol{P}, \tag{32.14}$$

as duas equações de campo ficarão

$$\nabla \cdot \boldsymbol{D} = \rho_{\text{outra}} \tag{32.15}$$

e

$$\epsilon_0 c^2 \nabla \times \boldsymbol{B} = \boldsymbol{j}_{\text{outra}} + \frac{\partial \boldsymbol{D}}{\partial t}. \tag{32.16}$$

Essas são, na verdade, as formas que Maxwell usou para dielétricos. Suas duas equações remanescentes são

$$\nabla \times \boldsymbol{E} = -\frac{\partial \boldsymbol{B}}{\partial t},$$

e

$$\nabla \cdot \boldsymbol{B} = 0,$$

que são as mesmas que estamos usando.

Maxwell e outros pesquisadores mais recentes também tiveram problemas com materiais magnéticos (que veremos em breve). Como eles não sabiam sobre as correntes circulantes responsáveis pelo magnetismo atômico, usavam uma densidade de corrente que ainda era perdida em outra parte. Em vez da Equação (32.16), eles, de fato, escreviam

$$\nabla \times \boldsymbol{H} = \boldsymbol{j}' + \frac{\partial \boldsymbol{D}}{\partial t}, \tag{32.17}$$

onde $\boldsymbol{H}$ difere de $\epsilon_0 c^2 \boldsymbol{B}$ porque inclui os efeitos das correntes atômicas (então $\boldsymbol{j}'$ representa o que é deixado pelas correntes). Assim, Maxwell tinha *quatro* vetores de campo – $\boldsymbol{E}$, $\boldsymbol{D}$, $\boldsymbol{B}$ e $\boldsymbol{H}$ – $\boldsymbol{D}$ e $\boldsymbol{H}$ são maneiras escondidas de não se referir ao que está ocorrendo dentro do material. Encontraremos as equações escritas dessa maneira em vários lugares.

Para resolver as equações, é necessário relacionar $\boldsymbol{D}$ e $\boldsymbol{H}$ com outros campos, e as pessoas costumavam escrever

$$\boldsymbol{D} = \epsilon \boldsymbol{E} \quad \text{e} \quad \boldsymbol{B} = \mu \boldsymbol{H}. \tag{32.18}$$

Entretanto, essas relações são apenas aproximadamente verdadeiras para alguns materiais e, mesmo assim, somente se os campos não mudarem rapidamente com o tempo (para campos variando sinusoidalmente, geralmente, *é possível* escrever as equações desse modo fazendo ϵ e μ funções complexas da frequência, mas não para uma variação arbitrária de campos no tempo). Com isso, costumavam ocorrer todas as formas de trapaças para resolver as equações. Acreditamos que a maneira correta seja manter a equação em termos de quantidades fundamentais como agora as entendemos – e é como estamos fazendo aqui.

32–3 Ondas em um dielétrico

Agora, queremos descobrir que tipo de ondas eletromagnéticas pode existir em um material dielétrico na qual só existam cargas ligadas a átomos. Então, tomamos $\rho = -\nabla \cdot \boldsymbol{P}$ e $\boldsymbol{j} = \partial \boldsymbol{P}/\partial t$. As equações de Maxwell então se tornam

$$\begin{aligned} &(a) \quad \nabla \cdot \boldsymbol{E} = -\frac{\nabla \cdot \boldsymbol{P}}{\epsilon_0} \qquad &&(b) \quad c^2 \nabla \times \boldsymbol{B} = \frac{\partial}{\partial t}\left(\frac{\boldsymbol{P}}{\epsilon_0} + \boldsymbol{E}\right) \\ &(c) \quad \nabla \times \boldsymbol{E} = -\frac{\partial \boldsymbol{B}}{\partial t} \qquad &&(d) \quad \nabla \cdot \boldsymbol{B} = 0 \end{aligned} \tag{32.19}$$

Podemos resolver essas equações como já fizemos antes. Começaremos tomando o rotacional da Eq. (32.19c):

$$\nabla \times (\nabla \times \boldsymbol{E}) = -\frac{\partial}{\partial t} \nabla \times \boldsymbol{B}.$$

A seguir, usamos a identidade vetorial

$$\nabla \times (\nabla \times \boldsymbol{E}) = \nabla(\nabla \cdot \boldsymbol{E}) - \nabla^2 \boldsymbol{E},$$

e também substituímos para $\nabla \times \boldsymbol{B}$ usando a Eq. (32.19b). Então teremos

$$\nabla(\nabla \cdot \boldsymbol{E}) - \nabla^2 \boldsymbol{E} = -\frac{1}{\epsilon_0 c^2}\frac{\partial^2 \boldsymbol{P}}{\partial t^2} - \frac{1}{c^2}\frac{\partial^2 \boldsymbol{E}}{\partial t^2}.$$

Usando a Equação (32.19a) para $\nabla \cdot \boldsymbol{E}$, temos

$$\nabla^2 \boldsymbol{E} - \frac{1}{c^2}\frac{\partial^2 \boldsymbol{E}}{\partial t^2} = -\frac{1}{\epsilon_0}\nabla(\nabla \cdot \boldsymbol{P}) + \frac{1}{\epsilon_0 c^2}\frac{\partial^2 \boldsymbol{P}}{\partial t^2}. \tag{32.20}$$

Então, no lugar da equação de onda, agora temos que o D'Alembertiano de $\boldsymbol{E}$ é igual a dois termos envolvendo a polarização $\boldsymbol{P}$.

Entretanto, como $\boldsymbol{P}$ depende de $\boldsymbol{E}$, a Eq. (32.20) ainda pode ter soluções de onda. Agora nos limitaremos a dielétricos *isotrópicos*, de forma que $\boldsymbol{P}$ sempre está na mesma direção de $\boldsymbol{E}$. Vamos procurar uma solução de onda caminhando na direção z. O campo elétrico pode variar com $e^{i(\omega t-kz)}$. Supomos, ainda, que a onda esteja polarizada na direção x – que o campo elétrico tem apenas uma componente x. Escrevemos

$$E_x = E_0 e^{i(\omega t - kz)}. \tag{32.21}$$

Você sabe que qualquer função de $(z - vt)$ representa uma onda que se movimenta com a velocidade v. O expoente da Eq. (32.21) pode ser escrito como

$$-ik\left(z - \frac{\omega}{k}t\right),$$

então, a Eq. (32.21) representa a onda com velocidade de fase

$$v_{\text{fase}} = \omega/k.$$

O índice de refração n é definido como (veja Capítulo 31, Volume I)

$$v_{\text{fase}} = \frac{c}{n}.$$

Assim, a Eq. (32.21) transforma-se em

$$E_x = E_0 e^{i\omega(t - nz/c)}.$$

Desse modo, podemos encontrar n obtendo que valor de k é necessário se a Eq. (32.21) satisfizer às próprias equações de campo e depois usando

$$n = \frac{kc}{\omega}. \tag{32.22}$$

Em um material isotrópico, haverá apenas uma componente x da polarização; então, $\boldsymbol{P}$ não varia com a coordenada x, assim $\nabla \cdot \boldsymbol{P} = 0$, e podemos nos livrar do primeiro termo do lado direito da Eq. (32.20). Como estamos admitindo um dielétrico linear, P_x também irá variar com $e^{i\omega t}$, portanto $\partial^2 P_x/\partial t^2 = -\omega^2 P_x$. O laplaciano na Eq. (32.20) torna-se simplesmente $\partial^2 E_x/\partial z^2 = -k^2 E_x$, e com isso temos

$$-k^2 E_x + \frac{\omega^2}{c^2} E_x = -\frac{\omega^2}{\epsilon_0 c^2} P_x. \tag{32.23}$$

Vamos admitir por enquanto que, como $\boldsymbol{E}$ está variando sinusoidalmente, podemos estabelecer $\boldsymbol{P}$ proporcional a $\boldsymbol{E}$, como na Eq. (32.8) (voltaremos mais tarde a discutir essa convenção). Escrevemos

$$P_x = \epsilon_0 N \alpha E_x.$$

Desse modo, E_x sai da Eq. (32.23), e encontramos

$$k^2 = \frac{\omega^2}{c^2}(1 + N\alpha). \tag{32.24}$$

Havíamos encontrado que uma onda como a Eq. (32.21), com um número de onda k dado pela Eq. (32.24), satisfaria às equações de campo. Usando a Eq. (32.22), o índice n é dado por

$$n^2 = 1 + N\alpha. \tag{32.25}$$

Comparemos essa fórmula com o que obtivemos de nossa teoria sobre os índices de um gás (Capítulo 31, Volume I). Lá tivemos a Eq. (31.19) que é

$$n = 1 + \frac{1}{2}\frac{Nq_e^2}{m\epsilon_0}\frac{1}{-\omega^2 + \omega_0^2}. \tag{32.26}$$

Tomando α da Eq. (32.6), a Eq. (32.25) nos dará

$$n^2 = 1 + \frac{Nq_e^2}{m\epsilon_0}\frac{1}{-\omega^2 + i\gamma\omega + \omega_0^2}. \tag{32.27}$$

Primeiramente, temos o novo termo em $i\gamma\omega$, porque estamos incluindo a dissipação dos osciladores. Segundo, o lado esquerdo é n ao invés de n^2, há um fator extra de 1/2. Observe que, se N for pequeno o suficiente para n estar próximo de um (como é para um gás), então a Eq. (32.27) diz que n^2 será um mais um número pequeno: $n^2 = 1 + \epsilon$. Podemos, então, escrever $n = \sqrt{1+\epsilon} \approx 1 + \epsilon/2$, e as duas expressões são equivalentes. Assim, nosso novo método nos dá, para um gás, o mesmo resultado obtido anteriormente.

Você poderia pensar, agora, que a Eq. (32.27) deveria dar, também, o índice de refração para materiais densos. Entretanto, isso precisa ser modificado, por determinadas razões. Primeiro, a derivação dessa equação admite que o campo polarizado para cada átomo é o campo E_x. Essa suposição, porém, *não* está certa, porque, em materiais densos, também existe o campo produzido pelos outros átomos da vizinhança, que podem ser comparáveis a E_x. Consideramos um problema similar ao estudarmos campos estáticos em dielétricos (ver Capítulo 11). Lembre que calculamos o campo para um único átomo imaginando que ele estava em um buraco esférico circundado pelo dielétrico. O campo nesse buraco – que chamamos de campo *local* – é maior que o campo médio $\boldsymbol{E}$ pelo acréscimo de $P/3\epsilon_0$ (lembre, porém, que esse resultado é estritamente verdade apenas para materiais isotrópicos – inclusive o caso especial de cristais cúbicos).

Tomaremos os mesmo argumentos para o campo elétrico de uma onda, enquanto o comprimento de onda da onda é maior que o espaçamento entre os átomos. Limitando-nos a tais casos, escrevemos

$$E_{\text{local}} = E + \frac{P}{3\epsilon_0}. \tag{32.28}$$

Esse campo local é o que deve ser usado para E na Eq. (32.3); isto é, a Eq. (32.8) pode ser escrita

$$P = \epsilon_0 N\alpha E_{\text{local}}. \tag{32.29}$$

Usando E_{local} da Eq. (32.28), encontramos

$$P = \epsilon_0 N\alpha\left(E + \frac{P}{3\epsilon_0}\right)$$

ou

$$P = \frac{N\alpha}{1 - (N\alpha/3)}\epsilon_0 E. \tag{32.30}$$

Em outras palavras, para materiais densos, P ainda é proporcional a E (para campos sinusoidais). No entanto, a constante de proporcionalidade não é $\epsilon_0 N\alpha$, como escrevemos na Eq. (32.23), mas deveria ser $\epsilon_0 N\alpha/[1 -(N\alpha/3)]$. Devemos corrigir a Eq. (32.25) para

$$n^2 = 1 + \frac{N\alpha}{1 - (N\alpha/3)}. \tag{32.31}$$

Seria ainda mais conveniente reescrevermos essa equação como

$$3\,\frac{n^2 - 1}{n^2 + 2} = N\alpha, \tag{32.32}$$

que é algebricamente equivalente. Ela é conhecida como a equação de Clausius-Mossotti.

Há outra complicação para materiais densos. Pelo fato de os átomos serem tão próximos, há fortes interações entre eles. Os modos internos de oscilação são, portanto, modificados. As frequências naturais de oscilações atômicas são expandidas pelas interações e, geralmente, ocorre uma intensa supressão – o coeficiente de resistência torna-se bem maior. Assim, os ω_0 e γ do sólido serão bastante diferentes daqueles dos átomos livres. Com essas reservas, ainda podemos representar α, ao menos aproximadamente, pela Eq. (32.7). Temos, então

$$3\,\frac{n^2-1}{n^2+2}=\frac{Nq_e^2}{m\epsilon_0}\sum_k\frac{f_k}{-\omega^2+i\gamma_k\omega+\omega_{0k}^2}. \tag{32.33}$$

Uma complicação final. Se o material denso for uma mistura de várias componentes, cada uma irá contribuir para a polarização. O α total será a soma de todas as contribuições de cada componente da mistura [exceto pela insuficiência da aproximação de campo local, Eq. (32.38), em cristais comuns – efeitos que discutimos quando analisamos os ferroelétricos]. Escrevendo N_j como o número de átomos de cada componente por unidade de volume, devemos substituir a Eq. (32.32) por

$$3\left(\frac{n^2-1}{n^2+2}\right)=\sum_j N_j\alpha_j, \tag{32.34}$$

onde cada α_j será dado por uma expressão como a Eq. (32.7). A Eq. (32.34) completa nossa teoria sobre os índices de refração. A quantidade $3(n^2-1)/(n^2+2)$ é dada por alguma função complexa de frequência, que é a média da polarizabilidade atômica $\alpha(\omega)$. A avaliação precisa de $\alpha(\omega)$ (que é feita com f_k, γ_k e ω_{0k}) para substâncias densas é um problema difícil de mecânica quântica, o qual tem sido estudado de princípios básicos apenas para umas poucas substâncias simples.

32–4 O índice de refração complexo

Queremos agora observar as consequências de nossos resultados, Eq. (32.33). Primeiro, reparamos que α é complexo, então o índice n será um número complexo. O que isso significa? Digamos que escrevemos n como a soma de uma parte real e uma imaginária:

$$n=n_R-in_I, \tag{32.35}$$

onde n_R e n_I são funções reais de ω. Escrevemos in_I com um sinal de menos, assim esse n_I será uma quantidade positiva em todos os materiais ópticos comuns (em materiais inativos comuns – eles não são, como lasers, as próprias fontes de luz –, γ é um número positivo, e isso faz a parte imaginária de n negativa). A nossa onda plana da Eq. (32.21) é escrita em termos de n como

$$E_x=E_0e^{i\omega(t-nz/c)}.$$

Escrevendo n como na Eq. (32.35), devemos ter

$$E_x=E_0e^{-\omega n_Iz/c}e^{i\omega(t-n_Rz/c)}. \tag{32.36}$$

O termo $e^{i\omega(t-n_Rz/c)}$ representa uma onda movendo-se em uma velocidade c/n_R, então n_R representa o que normalmente pensamos como o índice de refração. A *amplitude* da onda é

$$E_0e^{-\omega n_Iz/c},$$

que diminui exponencialmente com z. Um gráfico da intensidade do campo elétrico a cada instante em função de z está mostrado na Figura 32–1, para $n_I \approx n_R/2\pi$. A parte imaginária do índice representa a atenuação da onda devido a perdas de energia nos osciladores atômicos. A *intensidade* da onda é proporcional ao quadrado da amplitude, assim

$$\text{Intensidade} \propto e^{-2\omega n_I z/c}.$$

Isso é comumente escrito como

$$\text{Intensidade} \propto e^{-\beta z},$$

onde $\beta = 2\omega n_I/c$ é chamado de *coeficiente de absorção*. Assim, temos na Eq. (32.33) não apenas a teoria do índice de refração de materiais, mas também a teoria de absorção de luz no material.

Quando consideramos um material transparente, a quantidade $c/\omega n_I$ – que tem dimensão de comprimento – é bastante grande em comparação com a espessura do material.

32–5 Índice de uma mistura

Há outra predição de nossa teoria de índice de refração que agora podemos checar experimentalmente. Suponha que consideremos uma mistura de dois materiais. O índice da mistura não é a média dos dois índices, mas deveria ser dado em termos da soma das duas polarizabilidades, como na Eq. (32.34). Se perguntarmos pelo índice de, digamos, uma solução de açúcar, a polarizabilidade total é a soma da polarizabilidade da água com a do açúcar. Cada uma, é claro, deve ser calculada usando para N o número de moléculas, por unidade de volume, de cada tipo particular. Em outras palavras, se uma dada solução tem N_1 moléculas de água, cuja polarizabilidade é α_1, e N_2 moléculas de sacarose ($C_{12}H_{22}O_{11}$), cuja polarizabilidade é α_2, devemos ter

$$3\left(\frac{n^2 - 1}{n^2 + 2}\right) = N_1\alpha_1 + N_2\alpha_2. \tag{32.37}$$

Podemos usar essa fórmula para testar nossa teoria com a experiência medindo o índice de várias concentrações de sacarose em água. Entretanto, estamos fazendo vários pressupostos aqui. Nossa fórmula admite que não haja ação química quando a sacarose é dissolvida e que as perturbações dos osciladores atômicos individuais não sejam muito diferentes para as várias concentrações. Assim, nosso resultado é apenas aproximado. De qualquer modo, vamos ver como nos saímos.

Tomamos o exemplo da solução de açúcar porque há uma boa tabela de medidas do índice de refração no *Handbook of Chemistry and Physics* (Manual de Química e Física), e também porque o açúcar é um cristal molecular que se dilui sem ionizar ou provocar outras alterações em seu estado químico.

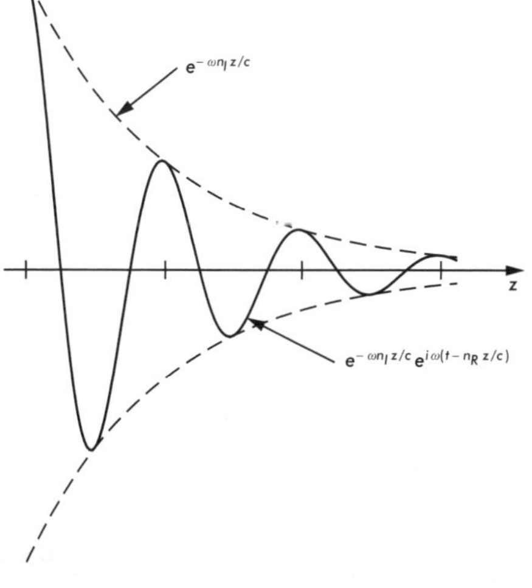

Figura 32–1 Um gráfico de E_x para um dado instante t, se $n_I \approx n_R/2\pi$.

Relatamos, nas primeiras três colunas da Tabela 32–2, os dados do manual. Na coluna A está a porcentagem de sacarose por peso; na coluna B, a densidade medida em g/cm^3 e, na coluna C, a medida do índice de refração da luz cujo comprimento de onda é 589,3 milimicrons. Para o açúcar puro, pegamos o índice medido para cristais de açúcar. Os cristais não são isotrópicos, então medimos o índice em diferentes direções. O manual dá três valores:

$$n_1 = 1{,}5376, \qquad n_2 = 1{,}5651, \qquad n_3 = 1{,}5705.$$

Pegaremos a média.

Agora, podemos tentar calcular n para cada concentração, mas não sabemos que valor tomar para α_1 ou α_2. Vamos testar a teoria do seguinte modo: admitimos que a polarizabilidade da água (α_1) é a mesma para todas as concentrações e calculamos a polarizabilidade da sacarose usando a experimentação de valores para n e resolvendo a Eq. (32.37) para α_2. Se a teoria estiver correta, devemos ter o mesmo α_2 para todas as concentrações.

Tabela 32–2

Índice refrativo para soluções de sacarose e comparação com predições da Equação (32.37)

Dados do manual

A Fração da sacarose por peso	B Densidade (g/cm³)	C n até 20°	D Moles de sacarose[d] por litro N_2/N_0	E Moles de água[e] por litro N_1/N_0	F $3\left(\frac{n^2-1}{n^2+2}\right)$	G $N_1\alpha_1$	H $N_2\alpha_2$	J $N_0\alpha_2$
0[a]	0,9982	1,333	0	55,5	0,617	0,617	0	—
0,30	1,1270	1,3811	0,970	43,8	0,698	0,487	0,211	0,213
0,50	1,2296	1,4200	1,798	34,15	0,759	0,379	0,380	0,211
0,85	1,4454	1,5033	3,59	12,02	0,886	0,1335	0,752	0,210
1,00[b]	1,588	1,5577[c]	4,64	0	0,960	0	0,960	0,207

[a] água pura
[b] cristais de açúcar
[c] média (veja texto)
[d] peso molecular da sacarose = 342
[e] peso molecular da água = 18

Primeiro, precisamos conhecer N_1 e N_2: vamos exprimir isso em termos do número de Avogadro, N_0. Tomemos um litro (1.000 cm³) como nossa unidade de volume. Então, N_i/N_0 é o peso por litro dividido pelo peso molecular. E o peso por litro é a densidade (multiplicada por 1.000 para dar gramas por litro) vezes a fração de peso, tanto para a sacarose como para a água. Nesse caso, temos N_2/N_0 e N_1/N_0 como nas colunas D e E da tabela.

Na coluna F, calculamos $3(n^2-1)/(n^2+2)$ a partir do valor experimental de n na coluna C. Para a água pura, $3(n^2-1)/(n^2+2)$ é 0,617, que é justamente igual a $N_1\alpha_1$. Podemos, então, completar a coluna C, desde que cada fileira G/E esteja no mesmo raio – digamos 0,617:55,5. Subtraindo-se a coluna G da coluna F, temos a contribuição $N_2\alpha_2$ para a sacarose, mostrada na coluna H. Dividindo-se essas entradas pelos valores de N_2/N_0 da coluna D, temos o valor de $N_0\alpha_2$ mostrado na coluna J.

De nossa teoria, podemos esperar que todos os valores de $N_0\alpha_2$ sejam o mesmo. Eles não são exatamente iguais, mas bem próximos. Podemos concluir que nossas ideias são nitidamente corretas. Ainda mais, descobrimos que a polarizabilidade da molécula de açúcar parece não depender muito do contorno – sua polarizabilidade é a mesma, tanto em uma solução diluída como em um cristal.

32–6 Ondas em metais

A teoria com que estamos trabalhando neste capítulo, sobre materiais sólidos, também pode ser aplicada para bons condutores, como os metais, com apenas algumas pequenas modificações. Nos metais, alguns dos elétrons não têm nenhuma força ligando-os a qualquer átomo em particular; são esses elétrons "livres" os responsáveis pela condutividade. Há outros elétrons que estão ligados, e a teoria anterior é diretamente aplicável a eles. No entanto, sua influência geralmente é atrapalhada pelos efeitos dos elétrons de condução. Consideraremos agora apenas os efeitos dos elétrons livres.

Se não houver forças de restauração em um elétron – mas ainda alguma resistência ao seu movimento –, as equações de movimento diferem da Eq. (32.1) apenas porque o termo $\omega_0^2 x$ está ausente. Assim, tudo que temos a fazer é deixar $\omega_0^2 = 0$ no restante de nossas derivações – excetuando-se o fato de haver apenas mais uma diferença. A razão de precisarmos distinguir entre campo médio e campo local em um dielétrico é que, em um isolante, cada um dos dipolos é fixo em uma posição, tendo, assim, uma relação de posição entre eles. Como os elétrons de condução em um metal movem-se por toda parte, a *média* do campo para eles é justamente o campo médio $\boldsymbol{E}$. Desse modo, a correção que fizemos da Eq. (32.8), usando a Eq. (32.28), *não* deve ser feita para elétrons de condução. Por essa razão, a fórmula do índice de refração para metais deverá ser parecida com a Eq. (32.27), exceto por ω_0 ser igual a zero, isto é,

$$n^2 = 1 + \frac{Nq_e^2}{m\epsilon_0}\frac{1}{-\omega^2 + i\gamma\omega}. \tag{32.38}$$

Essa é a única contribuição dos elétrons de condução, que supomos ser o maior termo no caso dos metais.

Agora, também sabemos encontrar o valor a ser usado para γ, pois ele está relacionado com a condutividade do metal. No Capítulo 43 do Volume I, discutimos como a condutividade do metal deriva da difusão de elétrons livres através do cristal. Os elétrons vão por um caminho irregular, de um espalhamento para o próximo, e, entre os espalhamentos, movem-se livremente exceto por uma aceleração devido a algum campo elétrico médio (como mostrado na Figura 32–2). Encontramos, no Capítulo 43 do Volume 1, que a velocidade média de arrasto é exatamente a aceleração vezes o tempo médio τ entre as colisões. A aceleração é q_eE/m, então

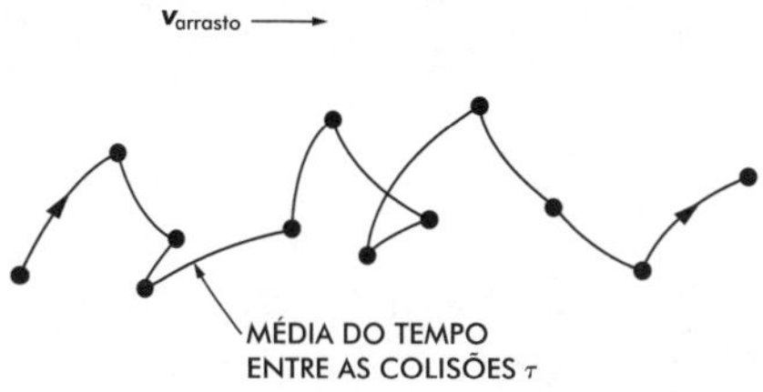

Figura 32–2 Movimento de um elétron livre.

$$v_{arrasto} = \frac{q_eE}{m}\tau. \tag{32.39}$$

Nessa fórmula, admite-se que E seja constante, assim, $v_{arrasto}$ seria uma velocidade uniforme. Como não há aceleração média, a força de arrasto é igual à força aplicada. Definimos γ dizendo que γmv é a força de arrasto [ver Eq (32.1)], que é q_eE; então, podemos dizer que

$$\gamma = \frac{1}{\tau}. \tag{32.40}$$

Apesar de não podermos medir diretamente τ, podemos determiná-lo medindo a condutividade do metal. Observou-se experimentalmente que um campo elétrico $\boldsymbol{E}$, em um metal, produz uma corrente com uma densidade $\boldsymbol{j}$ proporcional a $\boldsymbol{E}$ (para materiais isotrópicos):

$$\boldsymbol{j} = \sigma\boldsymbol{E}.$$

A constante de proporcionalidade σ é chamada de *condutividade*. É exatamente o que esperávamos da Eq. (32.39) se estabelecermos que

$$j = Nq_ev_{arrasto}$$

Então

$$\sigma = \frac{Nq_e^2}{m}\tau. \tag{32.41}$$

Assim, τ – e portanto γ – pode ser relacionado com a condutividade elétrica observada. Usando-se as Equações (32.40) e (32.41), podemos reescrever nossa fórmula do índice, Eq. (32.38), do seguinte modo:

$$n^2 = 1 + \frac{\sigma/\epsilon_0}{i\omega(1 + i\omega\tau)}, \tag{32.42}$$

onde

$$\tau = \frac{1}{\gamma} = \frac{m\sigma}{Nq_e^2}. \tag{32.43}$$

Essa é uma fórmula adequada para o índice de refração dos metais.

32–7 Aproximações de baixa e alta frequências; a espessura de casca e a frequência de plasma

Nosso resultado, Eq. (32.42), para o índice de refração de metais prediz diferentes características para a propagação de ondas com diferentes frequências. Vejamos, primeiramente, o que acontece com frequências bem *baixas*. Se ω for suficientemente pequeno, podemos aproximar a Eq. (32.42) para

$$n^2 = -i\frac{\sigma}{\epsilon_0\omega}. \tag{32.44}$$

Agora, como você pode checar tomando o quadrado[2] de

$$\sqrt{-i} = \frac{1-i}{\sqrt{2}};$$

então, para frequências baixas,

$$n = \sqrt{\sigma/2\epsilon_0\omega}\,(1-i). \tag{32.45}$$

As partes real e imaginária de n têm a mesma magnitude. Com um parte imaginária muito grande para n, a onda é rapidamente atenuada no metal. Com relação à Eq. (32.36), a amplitude da onda andando na direção z diminui como

$$\exp[-\sqrt{\sigma\omega/2\epsilon_0c^2}\,z]. \tag{32.46}$$

Escrevamos como

$$e^{-z/\delta}, \tag{32.47}$$

onde δ é, então, a distância em que a amplitude de onda diminui pelo fator $e^{-1} = 1/2{,}72$ – ou aproximadamente um terço. A amplitude da onda como uma função de z é mostrada na Figura 32–3. Como ondas eletromagnéticas penetrarão em um metal apenas tal distância, δ é chamado de *espessura de casca.* Ela é dada por

$$\delta = \sqrt{2\epsilon_0c^2/\sigma\omega}. \tag{32.48}$$

O que queremos dizer com "baixas" frequências? Olhando a Eq. (32.42), vemos que podemos aproximar a Eq. (32.44) apenas se $\omega\tau$ for muito menor que um *e* se $\omega\epsilon_0/\sigma$ também for muito menor que um – isso é, nossa aproximação de baixa frequência aplica-se quando

$$\omega \ll \frac{1}{\tau}$$

e

$$\omega \ll \frac{\sigma}{\epsilon_0}. \tag{32.49}$$

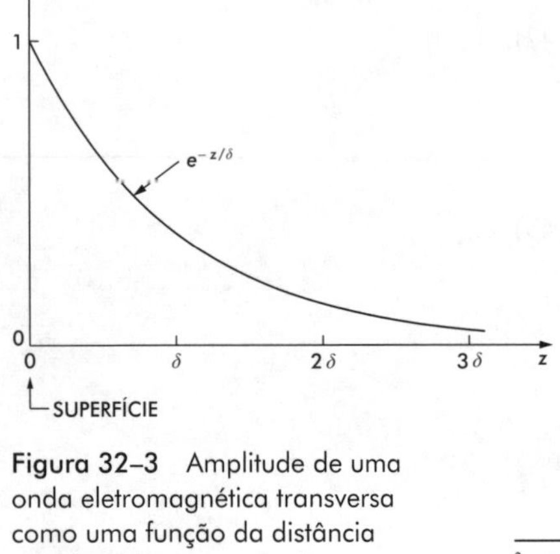

Figura 32–3 Amplitude de uma onda eletromagnética transversa como uma função da distância até o metal.

Vejamos a quais frequências isso corresponde, para um típico metal como o cobre. Calculamos τ usando a Eq. (32.43), e σ/ϵ_0 usando a condutividade medida. Tomemos os seguintes dados do manual:

$\sigma = 5{,}76 \times 10^7$ (ohm · metro)$^{-1}$,

peso atômico = 63,5 gramas,

densidade = 8,9 gramas · cm^{-3},

Número de Avogadro = $6{,}02 \times 10^{23}$ (peso da grama atômica)$^{-1}$

Se admitirmos que exista um elétron livre por átomo, então o número de elétrons por metro cúbico será

$$N = 8{,}5 \times 10^{28}\ \text{metro}^{-3}.$$

[2] Ou escrevendo $-i = e^{-i\pi/2}$; $\sqrt{-i} = e^{-i\pi/4} = \cos\pi/4 - i\,\text{sen}\,\pi/4$, o que dá o mesmo resultado.

Usando

$$q_e = 1{,}6 \times 10^{-19}\text{ coulomb},$$
$$\epsilon_0 = 8{,}85 \times 10^{-12}\text{ farad} \cdot \text{metro}^{-1},$$
$$m = 9{,}11 \times 10^{-31}\text{ kg},$$

teremos

$$\tau = 2{,}4 \times 10^{-14}\text{ s},$$
$$\frac{1}{\tau} = 4{,}1 \times 10^{13}\text{ s}^{-1},$$
$$\frac{\sigma}{\epsilon_0} = 6{,}5 \times 10^{18}\text{ s}^{-1}.$$

Então, para frequências menores que 10^{12} ciclos por segundo, ocorrerá, para o cobre, o comportamento de "baixas frequências" que descrevemos (isso é significativo para ondas cujo comprimento de onda no espaço livre é maior que 0,3 milímetros – ondas de rádio *muito* pequenas!).

Para tais ondas, a *espessura de casca* do cobre é

$$\delta = \sqrt{\frac{0{,}028\text{ m}^2 \cdot \text{s}^{-1}}{\omega}}.$$

Para micro-ondas de 10.000 megaciclos por segundo (ondas de 3 cm)

$$\delta = 6{,}7 \times 10^{-5}\text{ cm}.$$

A onda penetra uma distância muito pequena.

Com isso, podemos ver por que, ao estudar cavidades (ou guias de onda), precisamos nos preocupar apenas com os campos dentro da cavidade, e não no metal ou fora da cavidade. Também vemos por que as perdas em uma cavidade são reduzidas por uma fina lâmina de prata ou ouro. As perdas decorrem da corrente e são apreciáveis apenas em uma fina camada igual à da espessura de casca.

Suponha que, agora, observemos um índice, para um metal como o cobre, a altas frequências. Para frequências muito altas, $\omega\tau$ é bem maior que um, e a Eq. (32.42) é bem aproximada por

$$n^2 = 1 - \frac{\sigma}{\epsilon_0 \omega^2 \tau}. \tag{32.50}$$

Para ondas de altas frequências, o índice do metal torna-se real – e menor que um! Isso também é evidente na Eq. (32.38), se o termo de dissipação com γ for desprezado, como pode ser feito para ω bastante grande. A Eq. (32.38) dá

$$n^2 = 1 - \frac{Nq_e^2}{m\epsilon_0\omega^2}, \tag{32.51}$$

que, é claro, é igual à Eq. (32.50). Vimos anteriormente a quantidade $Nq_e^2/m\epsilon_0$ que chamamos de quadrado da frequência de plasma (Seção 7–3):

$$\omega_p^2 = \frac{Nq_e^2}{\epsilon_0 m},$$

então, podemos escrever a Eq. (32.50) ou a Eq. (32.51) como

$$n^2 = 1 - \left(\frac{\omega_p}{\omega}\right)^2.$$

A frequência de plasma é uma espécie de frequência "crítica".

Tabela 32–3*

Comprimentos de onda abaixo do que o metal torna-se transparente

Metal	λ (experimental)	$\lambda_p = 2\pi c/\omega_p$
Li	1550 A	1550 A
Na	2100	2090
K	3150	2870
Rb	3400	3220

De: C. Kittel, *Introduction to Solid State Physics*, John Wiley and Sons, Inc., New York, 2nd ed., 1956, p. 266.

Para $\omega < \omega_p$, o índice de um metal tem uma parte imaginária, e as ondas são atenuadas; mas para $\omega \gg \omega_p$, o índice é real, e o metal torna-se transparente. Você sabe, obviamente, que os metais são razoavelmente transparentes ao raio X, mas alguns metais são ainda mais transparentes ao ultravioleta. Na Tabela 32–3, relacionamos, para vários metais, o comprimento de onda observado para qual o metal começa a se tornar transparente. Na segunda coluna, relacionamos a comprimento de onda crítico $\lambda_p = 2\pi c/\omega_p$. Considerando que o comprimento de onda experimental não é muito bem definido, a adaptação à teoria é extremamente boa.

Você deve estar se perguntando o que a frequência de plasma ω_p tem a ver com a propagação de ondas eletromagnéticas em metais. A frequência de plasma apareceu no Capítulo 7 como a frequência natural das oscilações de *densidade* dos elétrons livres (um punhado de elétrons é repelido por forças elétricas, e a inércia dos elétrons leva a uma oscilação de densidade). Assim, ondas de plasma *longitudinais* ressoam a ω_p. Contudo, agora, estamos falando de ondas eletromagnéticas *transversais* e descobrimos que ondas transversais são absorvidas a frequências acima de ω_p (essa é uma coincidência interessante e *não* acidental).

Apesar de estarmos falando da propagação de ondas em metais, você pode observar, agora, a universalidade dos fenômenos físicos – pois não há nenhuma diferença se os elétrons livres são de um metal, de um plasma da ionosfera da terra ou da atmosfera de uma estrela. Para entender a propagação de rádio na ionosfera, podemos usar as mesmas expressões – usando, é claro, os valores adequados para N e τ. Podemos ver, agora, por que ondas longas de rádio são absorvidas ou refletidas pela ionosfera, enquanto ondas curtas caminham direto (ondas curtas devem ser usadas para comunicação entre satélites).

Falamos dos extremos de frequências, alta e baixa, para a propagação de onda em metais. Nas frequências intermediárias, a forma completamente estendida da Eq. (32.42) deve ser usada. Geralmente, o índice terá partes reais e imaginárias; a onda é atenuada à medida em que ela se propaga pelo metal. Para camadas bem finas, os metais são, de alguma forma, transparentes até mesmo para as frequências ópticas. Como um exemplo, óculos especiais de proteção para trabalhadores em fornos de altas temperaturas são feitos pela evaporação, no vidro, de uma fina camada de ouro. A luz visível é razoavelmente bem transmitida – com um forte matiz verde –, mas os infravermelhos são fortemente absorvidos.

Finalmente, os leitores não devem ignorar que muitas dessas fórmulas assemelham-se, de alguma forma, àquelas para a constante dielétrica κ, discutidas no Capítulo 10. A constante dielétrica κ mede a resposta do material a campo constante, isto é, para $\omega = 0$. Se você olhar cuidadosamente para a definição de n e de κ, verá que κ é tão somente o limite de n^2 quando $\omega \to 0$. De fato, colocando $\omega = 0$ e $n^2 = \kappa$ nas equações deste capítulo, haverá a reprodução das equações da constante dielétrica do Capítulo 11.

33

Reflexão por Superfícies

Revisão: Capítulo 33, Vol. I, *Polarização*

33–1 Reflexão e refração da luz

O assunto deste capítulo é reflexão e refração da luz por superfícies – ou ondas eletromagnéticas em geral. Já discutimos as leis de reflexão e de refração nos Capítulos 26 e 33 do Volume I, e aqui está o que encontramos:

1. O ângulo de reflexão é igual ao ângulo de incidência. Tais ângulos são definidos na Figura 33–1, e temos

$$\theta_r = \theta_i. \tag{33.1}$$

2. O produto n sen θ é o mesmo para os feixes incidente e transmitido (lei de Snell):

$$n_1 \operatorname{sen}\theta_i = n_2 \operatorname{sen}\theta_t. \tag{33.2}$$

3. A intensidade da luz refletida depende do ângulo de incidência e também da direção de polarização. Para $\boldsymbol{E}$ perpendicular ao plano de incidência, o coeficiente de reflexão $R_\perp$ é

$$R_\perp = \frac{I_r}{I_i} = \frac{\operatorname{sen}^2(\theta_i - \theta_t)}{\operatorname{sen}^2(\theta_i + \theta_t)}. \tag{33.3}$$

Para $\boldsymbol{E}$ paralelo ao plano de incidência, o coeficiente de reflexão $R_{||}$ é

$$R_{||} = \frac{I_r}{I_i} = \frac{\operatorname{tg}^2(\theta_i - \theta_t)}{\operatorname{tg}^2(\theta_i + \theta_t)}. \tag{33.4}$$

4. Para incidência normal (e, claro, para qualquer polarização),

$$\frac{I_r}{I_i} = \left(\frac{n_2 - n_1}{n_2 + n_1}\right)^2. \tag{33.5}$$

(Antes usamos i para ângulo de incidência e r para ângulo de refração. Agora, não podemos usar r para os ângulos de "refração" *e* "reflexão". Então, usaremos, a partir deste momento, θ_i = ângulo incidente, θ_r = ângulo de reflexão e θ_t = ângulo de transmissão.)

Nossa discussão precedente ocorreu no âmbito de quão longe qualquer pessoa precisaria ir para saber do assunto, mas faremos tudo de novo, de um modo diferente. Por quê? Uma razão é que, antes, supusemos que os índices fossem reais (não há absorção pelo material). Outra razão é que você deveria saber como tratar com o que acontece com ondas em superfícies, do ponto de vista das equações de Maxwell. Chegaremos à mesma resposta que anteriormente, porém como uma solução direta do problema ondulatório, ao invés de proceder por argumentos inteligentes.

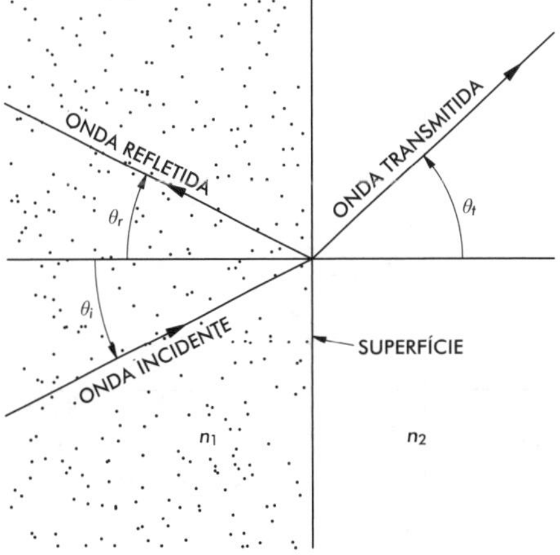

Figura 33–1 Reflexão e refração de ondas de luz em uma superfície (as direções das ondas são normais às cristas das ondas.).

Queremos enfatizar que a amplitude de uma reflexão por superfície não é uma propriedade do *material*, como é o caso do índice de refração, mas uma "propriedade de superfície" que depende precisamente de como a superfície formou-se. Uma fina camada de qualquer lixo estranho sobre a superfície de dois materiais de índices n_1 e n_2 mudará a reflexão (há todo tipo de possibilidades de interferência aqui – como as cores de filmes de óleo. Para uma dada frequência, uma espessura apropriada pode até reduzir a amplitude refletida a zero; assim funcionam as lentes revestidas). As fórmulas que obteremos são corretas, apenas, se os índices de refração mudarem repentinamente – de uma distância muito pequena comparada ao comprimento de onda. Para a luz, o comprimento de onda é de cerca de 5.000 Å, de modo que entendemos uma superfície "lisa" como aquela na qual as condições mudam em uma distância de apenas alguns átomos (ou poucos angstrons). Nossas equações funcionarão para luz em superfícies altamente polidas. Em geral, se o índice mudar gradualmente sobre uma distância de vários comprimentos de onda, haverá pouca luz refletida.

33–2 Ondas em materiais densos

Primeiramente, relembremos a maneira conveniente de se descrever uma onda plana senoidal usada no Capítulo 34 do Volume I. Qualquer *componente* do campo na onda (aqui usamos E como exemplo) pode ser escrita na forma

$$E = E_0 e^{i(\omega t - \boldsymbol{k}\cdot\boldsymbol{r})}, \tag{33.6}$$

onde E representa a amplitude no ponto $\boldsymbol{r}$ (desde a origem) no tempo t. O vetor $\boldsymbol{k}$ aponta na direção na qual a onda viaja, e sua magnitude é $|\boldsymbol{k}| = k = 2\pi/\lambda$, o número de onda. A velocidade de fase da onda é $v_{\text{fase}} = \omega/k$; para uma onda luminosa em um material de índice n, $v_{\text{fase}} = c/n$, de modo que

$$k = \frac{\omega n}{c}. \tag{33.7}$$

Suponha que $\boldsymbol{k}$ esteja na direção z; então $\boldsymbol{k}\cdot\boldsymbol{r}$ é simplesmente kz, conforme temos usado frequentemente. Para $\boldsymbol{k}$, em qualquer outra direção, devemos substituir z por r_k, a distância desde a origem na direção $\boldsymbol{k}$; isto é, deveríamos substituir kz por kr_k, que é simplesmente $\boldsymbol{k}\cdot\boldsymbol{r}$ (veja Figura 33–2). Portanto, a Equação (33.6) é uma representação conveniente da onda em qualquer direção.

Devemos lembrar, obviamente, que

$$\boldsymbol{k}\cdot\boldsymbol{r} = k_x x + k_y y + k_z z,$$

onde k_x, k_y e k_z são as componentes de $\boldsymbol{k}$ ao longo dos três eixos. Já chamamos a atenção para o fato de (ω, k_x, k_y, k_z) ser um quadrivetor e seu produto escalar com (t, x, y, z) ser um invariante. Portanto, a *fase* de uma onda é um invariante, e a Equação (33.6) pode ser escrita

$$E = E_0 e^{ik_\mu x_\mu}.$$

Não precisamos agora de uma expressão tão sofisticada.

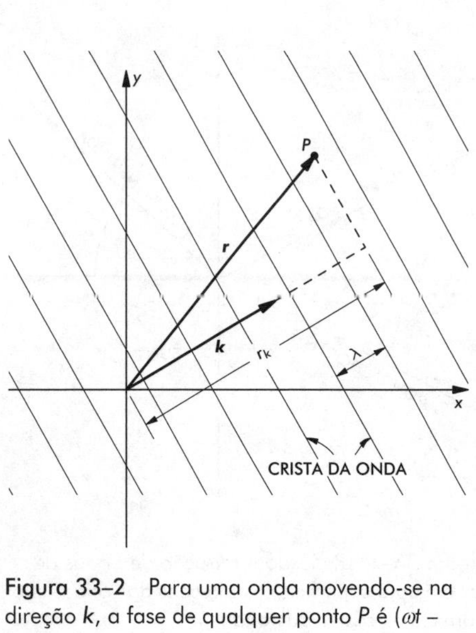

Figura 33–2 Para uma onda movendo-se na direção k, a fase de qualquer ponto P é $(\omega t - k\cdot r)$.

Para o caso de E ser uma senoidal, como na Equação (33.6), $\partial E/\partial t$ é o mesmo que $i\omega E$, e $\partial E/\partial x$ é $-ik_x E$, e assim por diante para as outras componentes. Você pode ver por que é conveniente usar a forma (33.6) quando trabalhamos com equações diferenciais – derivadas são substituídas por multiplicações. Outra questão útil: a operação $\nabla = (\partial/\partial x, \partial/\partial y, \partial/\partial z)$ é substituída pelas três multiplicações $(-ik_x, -ik_y, -ik_z)$. Esses três fatores transformam-se como as componentes de um vetor $\boldsymbol{k}$, de modo que o operador ∇ é substituído por multiplicação por $-i\boldsymbol{k}$:

$$\frac{\partial}{\partial t} \to i\omega,$$
$$\nabla \to -i\boldsymbol{k}. \tag{33.8}$$

Isso continua verdade para qualquer operação ∇ – não importa se for gradiente, divergente ou rotacional; por exemplo, a componente z de $\nabla \times \boldsymbol{E}$ é

$$\frac{\partial E_y}{\partial x} - \frac{\partial E_x}{\partial y}.$$

Se E_y e E_x variam como $e^{-i\boldsymbol{k}\cdot\boldsymbol{r}}$, temos

$$-ik_x E_y + ik_y E_x,$$

que é, como vemos, a componente z de $-i\boldsymbol{k} \times \boldsymbol{E}$.

Portanto, temos o fato extremamente geral e útil de que, sempre que temos o gradiente de um vetor variando como uma onda em três dimensões (vetores são parte importante da física), você pode tomar as derivadas rapidamente e quase sem pensar, lembrando que a operação ∇ é equivalente à multiplicação por $-i\boldsymbol{k}$.

Por exemplo, a equação de Faraday

$$\boldsymbol{\nabla} \times \boldsymbol{E} = -\frac{\partial \boldsymbol{B}}{\partial t}$$

para uma onda torna-se

$$-i\boldsymbol{k} \times \boldsymbol{E} = -i\omega \boldsymbol{B}.$$

Isso nos diz que

$$\boldsymbol{B} = \frac{\boldsymbol{k} \times \boldsymbol{E}}{\omega}, \tag{33.9}$$

que corresponde ao resultado que achamos antes para ondas em espaços livres – que $\boldsymbol{B}$ em uma onda é perpendicular a $\boldsymbol{E}$ e à direção da onda (no espaço livre, $\omega/k = c$). Você pode se lembrar do sinal da Equação (33.9), do fato de $\boldsymbol{k}$ ser a direção do vetor de Poynting $\boldsymbol{S} = \epsilon_0 c^2 \boldsymbol{E} \times \boldsymbol{B}$.

Se você usar a mesma regra para as outras equações de Maxwell, obterá novamente os resultados do capítulo anterior, em particular, que

$$\boldsymbol{k} \cdot \boldsymbol{k} = k^2 = \frac{\omega^2 n^2}{c^2}. \tag{33.10}$$

Já que conhecemos tudo isso, não o faremos novamente.

Se você quiser algum entretenimento, pode tentar resolver o seguinte problema terrível, o derradeiro teste para estudantes de pós-graduação em 1890: as equações de Maxwell para ondas planas em um cristal *anisotrópico*, isto é, quando a polarização $\boldsymbol{P}$ estiver relacionada ao campo elétrico $\boldsymbol{E}$ por um tensor de polarização. É claro que você deve escolher os eixos ao longo dos eixos principais do tensor, de modo que as relações sejam as mais simples possíveis (neste caso, $P_x = \alpha_a E_x$, $P_y = \alpha_b E_y$ e $P_z = \alpha_c E_z$), mas deixe as ondas terem direção e polarização arbitrárias. Você deveria ser capaz de achar as relações entre $\boldsymbol{E}$ e $\boldsymbol{B}$ e também a maneira como $\boldsymbol{k}$ varia com a direção em relação à polarização da onda. Assim, você irá entender a óptica em um cristal anisotrópico. O melhor seria começar com o caso mais simples de um cristal birrefringente – como a calcita – para o qual duas das polarizações são iguais (digamos, $\alpha_b = \alpha_c$), e veremos se você compreende por que duas imagens são vistas através de tais cristais. Se você puder fazer isso, passe para o caso mais difícil, no qual todos os três α são diferentes. Então, saberá se está no mesmo nível de um estudante de pós-graduação de 1890. Todavia, neste capítulo, consideraremos apenas substâncias isotrópicas.

Sabemos por experiência que quando a onda plana chega à borda de dois materiais diferentes justapostos, digamos ar e vidro, ou água e óleo, há uma onda refletida e outra transmitida. Suponha nada mais que isso e vejamos até onde chegamos. Escolhemos nossos eixos com o plano yz na superfície e o plano xy perpendicular às superfícies das ondas incidentes, conforme mostrado na Figura 33–3.

O vetor elétrico da onda incidente pode ser escrito como

$$\boldsymbol{E}_i = \boldsymbol{E}_0 e^{i(\omega t - \boldsymbol{k} \cdot \boldsymbol{r})}. \tag{33.11}$$

Como $\boldsymbol{k}$ é perpendicular ao eixo z,

$$\boldsymbol{k} \cdot \boldsymbol{r} = k_x x + k_y y. \tag{33.12}$$

Escrevemos a onda refletida como

$$\boldsymbol{E}_r = \boldsymbol{E}_0' e^{i(\omega' t - \boldsymbol{k}' \cdot \boldsymbol{r})}, \tag{33.13}$$

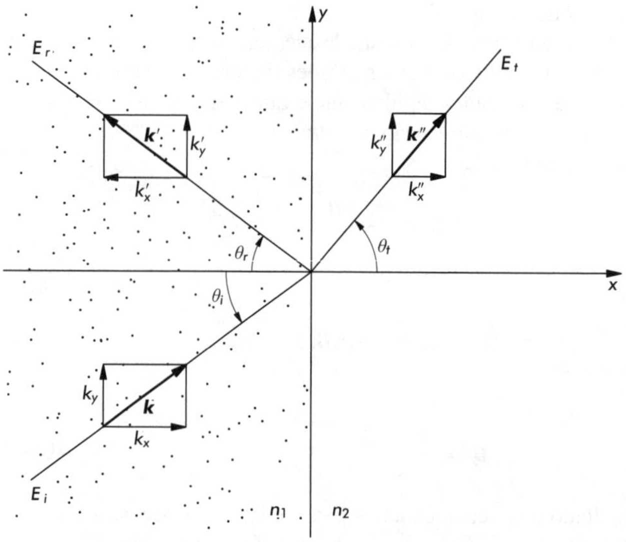

Figura 33–3 Vetores de propagação k, k' e k'' para as ondas incidente, refletida e transmitida.

de modo que sua frequência seja ω', seu número de onda seja $\boldsymbol{k}'$ e sua amplitude seja $\boldsymbol{E}'_0$ (é claro que sabemos que a frequência é a mesma, e a magnitude de $\boldsymbol{k}'$ é a mesma para a onda incidente, mas não vamos supor que assim o seja. Vamos obter tais resultados através do maquinário matemático). Finalmente, escrevemos para a onda transmitida

$$\boldsymbol{E}_t = \boldsymbol{E}''_0 e^{i(\omega'' t - \boldsymbol{k}'' \cdot \boldsymbol{r})}. \tag{33.14}$$

Sabemos que uma das equações de Maxwell nos dá a Equação (33.9), de modo que, para cada onda, temos:

$$\boldsymbol{B}_i = \frac{\boldsymbol{k} \times \boldsymbol{E}_i}{\omega}, \qquad \boldsymbol{B}_r = \frac{\boldsymbol{k}' \times \boldsymbol{E}_r}{\omega'}, \qquad \boldsymbol{B}_t = \frac{\boldsymbol{k}'' \times \boldsymbol{E}_t}{\omega''}. \tag{33.15}$$

Também, se nomearmos os índices dos dois meios como n_1 e n_2, teremos, da Equação (33.10),

$$k^2 = k_x^2 + k_y^2 = \frac{\omega^2 n_1^2}{c^2}. \tag{33.16}$$

Como a onda refletida está no mesmo material, então

$$k'^2 = \frac{\omega'^2 n_1^2}{c^2}, \tag{33.17}$$

enquanto que, para a onda transmitida,

$$k''^2 = \frac{\omega''^2 n_2^2}{c^2}. \tag{33.18}$$

33–3 As condições de contorno

Tudo o que fizemos até agora foi descrever as três ondas; nosso problema agora é calcular os parâmetros das ondas transmitida e refletida em termos daqueles da onda incidente. Como podemos fazê-lo? As três ondas que descrevemos satisfazem às equações de Maxwell em um material uniforme, mas as equações de Maxwell devem também ser satisfeitas *no* contorno entre os dois materiais. Concluiremos que as equações de Maxwell impõem que as três ondas relacionem-se de uma determinada maneira.

Como exemplo do que queremos dizer, a componente y do campo elétrico $\boldsymbol{E}$ deve ser *a mesma* dos dois lados do contorno. Isso é exigido pela lei de Faraday,

$$\nabla \times \boldsymbol{E} = -\frac{\partial \boldsymbol{B}}{\partial t}, \tag{33.19}$$

como podemos ver da seguinte maneira. Considere uma pequena alça retangular Γ através do contorno, conforme a Figura 33–4. A Equação (33.19) nos diz que a integral de linha de $\boldsymbol{E}$ ao redor de Γ é igual à taxa de variação do fluxo de $\boldsymbol{B}$ através da alça:

$$\oint_\Gamma \boldsymbol{E}\cdot d\boldsymbol{s} = -\frac{\partial}{\partial t}\int \boldsymbol{B}\cdot \boldsymbol{n}\, da.$$

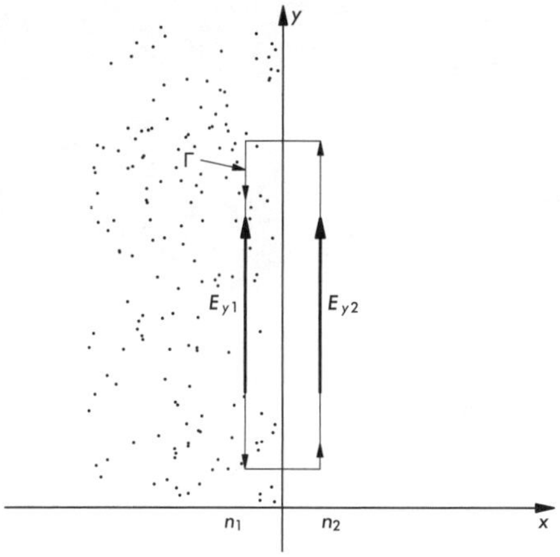

Figura 33–4 A condição de contorno $E_{y2} = E_{y1}$ é obtida por $\oint_\Gamma \boldsymbol{E}\cdot d\boldsymbol{s} = 0$.

Agora, imagine que o retângulo seja muito estreito, de modo que a alça cerque uma área infinitesimal. Se $\boldsymbol{B}$ permanecer finito (e não há razão para ele se tornar infinito na fronteira!), o fluxo através da área anula-se. Assim sendo, a integral de linha de $\boldsymbol{E}$ deve também anular-se. Se E_{y1} e E_{y2} forem as componentes do campo dos dois lados da fronteira e o comprimento do retângulo for l, teremos

$$E_{y1}l - E_{y2}l = 0$$

ou

$$E_{y1} = E_{y2}, \tag{33.20}$$

conforme dissemos. Isso nos dá uma relação entre os campos das três ondas.

O procedimento para se obter as consequências das equações de Maxwell na fronteira é chamado de determinação das condições de contorno*. Usualmente a determinação das condições de contorno é feita achando-se tantas equações do tipo da (33.20) quanto possível, pelo uso de argumentos acerca de pequenos retângulos como Γ na Figura 33–4 ou pelo uso de pequenas superfícies gaussianas que atravessam a fronteira. Apesar de ser um procedimento perfeitamente possível, ele dá a impressão de que o problema de se trabalhar com uma fronteira é diferente para cada tipo de problema físico.

Por exemplo, em um problema de fluxo de calor através de uma fronteira, como se relacionam as temperaturas nos dois lados? Você pode argumentar que o fluxo de calor *para* a fronteira de um lado deve ser igual ao fluxo *da* fronteira do outro lado. É comumente possível, e geralmente útil, obter-se as condições de contorno formulando-se tais argumentos físicos. Todavia, pode haver ocasiões em que, trabalhando em alguns problemas, você tenha apenas algumas equações e pode não ver claramente quais argumentos físicos deve usar. Portanto, apesar de estarmos interessados apenas no problema eletromagnético, no qual *podemos* dar argumentos físicos, queremos mostrar um método que pode ser usado para qualquer problema – um método *geral* de se achar o que acontece em uma fronteira diretamente das equações diferenciais.

Começamos escrevendo todas as equações de Maxwell para um dielétrico – e desta vez seremos muito específicos, escrevendo todas as componentes:

$$\nabla\cdot\boldsymbol{E} = -\frac{\nabla\cdot\boldsymbol{P}}{\epsilon_0}$$

$$\epsilon_0\left(\frac{\partial E_x}{\partial x}+\frac{\partial E_y}{\partial y}+\frac{\partial E_z}{\partial z}\right) = -\left(\frac{\partial P_x}{\partial x}+\frac{\partial P_y}{\partial y}+\frac{\partial P_z}{\partial z}\right) \tag{33.21}$$

$$\nabla\times\boldsymbol{E} = -\frac{\partial \boldsymbol{B}}{\partial t}$$

$$\frac{\partial E_z}{\partial y}-\frac{\partial E_y}{\partial z} = -\frac{\partial B_x}{\partial t} \tag{33.22a}$$

$$\frac{\partial E_x}{\partial z}-\frac{\partial E_z}{\partial x} = -\frac{\partial B_y}{\partial t} \tag{33.22b}$$

$$\frac{\partial E_y}{\partial x}-\frac{\partial E_x}{\partial y} = -\frac{\partial B_z}{\partial t} \tag{33.22c}$$

* N. de R.T.: Condições de contorno e condições de fronteira são jargões igualmente aceitáveis em português.

$$\nabla \cdot \boldsymbol{B} = 0$$

$$\frac{\partial B_x}{\partial x} + \frac{\partial B_y}{\partial y} + \frac{\partial B_z}{\partial z} = 0 \tag{33.23}$$

$$c^2 \nabla \times \boldsymbol{B} = \frac{1}{\epsilon_0}\frac{\partial \boldsymbol{P}}{\partial t} + \frac{\partial \boldsymbol{E}}{\partial t}$$

$$c^2\left(\frac{\partial B_z}{\partial y} - \frac{\partial B_y}{\partial z}\right) = \frac{1}{\epsilon_0}\frac{\partial P_x}{\partial t} + \frac{\partial E_x}{\partial t} \tag{33.24a}$$

$$c^2\left(\frac{\partial B_x}{\partial z} - \frac{\partial B_z}{\partial x}\right) = \frac{1}{\epsilon_0}\frac{\partial P_y}{\partial t} + \frac{\partial E_y}{\partial t} \tag{33.24b}$$

$$c^2\left(\frac{\partial B_y}{\partial x} - \frac{\partial B_x}{\partial y}\right) = \frac{1}{\epsilon_0}\frac{\partial P_z}{\partial t} + \frac{\partial E_z}{\partial t} \tag{33.24c}$$

Todas essas equações devem valer na região 1 (à esquerda da fronteira) e na região 2 (à direita da fronteira). Já escrevemos as soluções nas regiões 1 e 2. Elas devem também ser satisfeitas *na* fronteira, que chamamos de região 3. Embora comumente pensemos na fronteira como sendo fortemente descontínua, na realidade ela não é. As propriedades físicas mudam muito rapidamente, mas não infinitamente rápido. Em qualquer caso, podemos imaginar que haja uma transição muito rápida, mas *contínua,* dos índices entre as regiões 1 e 2, em uma distância pequena que chamamos de região 3. Qualquer quantidade como P_x, E_y, etc., terá um tipo parecido de transição na região 3. Nesta região, as equações diferenciais devem ainda ser satisfeitas e é, segundo estas equações diferenciais nesta região, que chegamos às "condições de contorno" necessárias.

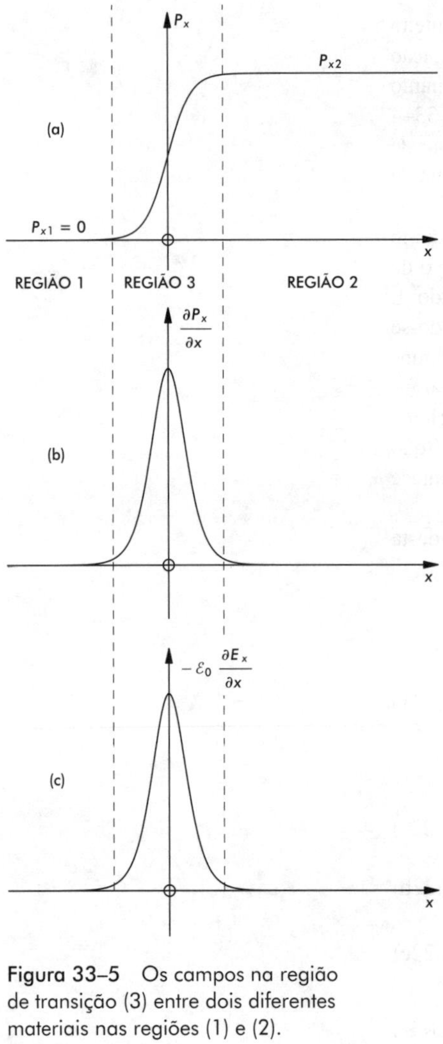

Figura 33–5 Os campos na região de transição (3) entre dois diferentes materiais nas regiões (1) e (2).

Por exemplo, suponha que tenhamos uma fronteira entre vácuo (região 1) e vidro (região 2). Nada há para se polarizar no vácuo, de modo que $\boldsymbol{P}_1 = 0$. Digamos que haja alguma polarização $\boldsymbol{P}_2$ no vidro. Entre o vácuo e o vidro há uma transição suave, mas rápida. Se olharmos para qualquer das componentes de $\boldsymbol{P}$, digamos P_x, ela pode variar conforme mostrado na Figura 33–5(a). Suponha que tomemos a primeira de nossas equações, (33.21); ela envolve derivadas das componentes de $\boldsymbol{P}$ em relação a *x, y* e *z*. As derivadas em relação a *y* e *z* não são interessantes; nada espetacular acontece nestas direções, mas a derivada em relação a *x* de P_x terá alguns valores grandes na região 3 por causa da enorme diferença de valores desta grandeza entre os dois lados. A derivada $\partial P_x/\partial x$ terá um forte pico na fronteira, conforme visto na Figura 33–5(b). Se imaginarmos que espremermos a fronteira para uma camada ainda mais fina, o pico ficará ainda mais alto. Se a fronteira for realmente nítida, para as ondas nas quais estamos interessados, a magnitude de $\partial P_x/\partial x$ na região 3 será muito maior que qualquer contribuição que poderíamos ter da variação de $\boldsymbol{P}$ na onda fora da fronteira – então ignoramos qualquer outra variação a não ser a da fronteira.

Como pode a Equação (33.21) ser satisfeita havendo um enorme pico do lado direito da equação? Apenas se houver um pico igualmente grande do outro lado. Alguma coisa do lado esquerdo deve ser grande. O único candidato é $\partial E_x/\partial x$, já que as variações com respeito a *y* e *z* são apenas aqueles pequenos efeitos já mencionados. Portanto, $-\epsilon_0(\partial E_x/\partial x)$ deve ser tal como desenhado na Figura 33–5(c) – apenas uma cópia de $\partial P_x/\partial x$. Assim, temos

$$\epsilon_0 \frac{\partial E_x}{\partial x} = -\frac{\partial P_x}{\partial x}.$$

Se integrarmos essa equação com respeito a *x* através da região 3, concluímos que

$$\epsilon_0(E_{x2} - E_{x1}) = -(P_{x2} - P_{x1}). \tag{33.25}$$

Em outras palavras, o pulo em $\epsilon_0 E_x$ para ir da região 1 à região 2 deve ser igual ao pulo em $-P_x$.

Podemos reescrever a Equação (33.25) como

$$\epsilon_0 E_{x2} + P_{x2} = \epsilon_0 E_{x1} + P_{x1}, \tag{33.26}$$

que nos diz que a quantidade ($\epsilon_0 E_x + P_x$) tem valores iguais nas regiões 2 e 1. As pessoas diriam: a quantidade ($\epsilon_0 E_x + P_x$) é *contínua* através da fronteira. Temos, desse modo, uma das condições de contorno.

Apesar de termos tomado como ilustração o caso em que $\boldsymbol{P}_1$ era zero, porque a região 1 era o vácuo, é claro que o mesmo argumento se aplica para quaisquer materiais nas duas regiões, de modo que a Equação (33.26) é válida em geral.

Vamos olhar o resto das equações de Maxwell e ver o que cada uma delas nos diz. Tomemos agora a Equação (33.22a). Não há derivadas em x, de modo que ela não diz nada de novo (lembre que os campos não são especialmente grandes nas fronteiras; apenas as derivadas com relação a x podem ficar grandes o suficiente para dominar a equação). Agora olhemos para a Equação (33.22b). Ah! Agora há uma derivada em relação a x! Temos $\partial E_z/\partial x$ do lado esquerdo. Suponha que o campo tenha uma enorme derivada. Espere um momento! Não há nada do lado direito que assim o seja; portanto, E_z *não pode* ter qualquer pulo ao ir da região 1 para a região 2 (se ele tivesse, haveria um pico à esquerda da Equação (33.22b), mas nenhum à direita, e a equação seria falsa). Portanto temos uma nova condição,

$$E_{z2} = E_{z1}. \tag{33.27}$$

Pelo mesmo argumento, a Equação (33.22c) nos dá

$$E_{y2} = E_{y1}. \tag{33.28}$$

Este último resultado é simplesmente o que achamos na Equação (33.20) por um argumento baseado em integrais de linha.

Vamos agora à Equação (33.23). O único termo que poderia ter um pico é $\partial B_x/\partial x$, mas não há nada à direita para contrabalançar, portanto concluímos que

$$B_{x2} = B_{x1}. \tag{33.29}$$

Para a última das equações de Maxwell! A Equação (33.24a) não nos dá nada porque não há derivadas em relação a x. A Equação (33.24b) tem um termo deste tipo, $-c^2\partial B_z/\partial x$, mas novamente não há contrapartida. Obtemos

$$B_{z2} = B_{z1}. \tag{33.30}$$

A última equação é bastante análoga, dando

$$B_{y2} = B_{y1}. \tag{33.31}$$

As ultimas três equações nos dão $\boldsymbol{B}_2 = \boldsymbol{B}_1$. Todavia, queremos enfatizar que obtemos esse resultado apenas quando os materiais dos dois lados forem não magnéticos – ou melhor, quando desprezamos quaisquer efeitos magnéticos dos materiais. Isso pode ser feito normalmente para a maioria dos materiais, exceto para os ferromagnéticos (trataremos das propriedades magnéticas de materiais em capítulos subsequentes).

Nosso programa nos levou a seis relações entre os campos nas regiões 1 e 2. Colocamos tudo junto na Tabela 33-1. Podemos agora usá-los para comparar as ondas nas duas regiões. Queremos enfatizar que a ideia que usamos vai funcionar em *qualquer* situação física na qual você tenha equações diferenciais e queira uma solução que cruze uma fronteira nítida entre duas regiões onde mudam algumas propriedades. Para os propósitos presentes, poderíamos obter facilmente as mesmas equações usando argumentos sobre fluxos e circulações na fronteira (você poderia ver se é possível obter os mesmos resultados dessa maneira). Agora você conhece um método que vai funcionar sempre que você se perder e não vir qualquer argumento fácil sobre a física do que está ocorrendo na fronteira – você pode simplesmente trabalhar com as equações.

Tabela 33–1

Condições de contorno e as superfícies de um dielétrico

$$(\epsilon_0 \boldsymbol{E}_1 + \boldsymbol{P}_1)_x = (\epsilon_0 \boldsymbol{E}_2 + \boldsymbol{P}_2)_x$$
$$(\boldsymbol{E}_1)_y = (\boldsymbol{E}_2)_y$$
$$(\boldsymbol{E}_1)_z = (\boldsymbol{E}_2)_z$$
$$\boldsymbol{B}_1 = \boldsymbol{B}_2$$

(a superfície está no plano yz)

33–4 As ondas refletidas e transmitidas

Estamos prontos para aplicar nossas condições de contorno para as ondas que escrevemos na Seção 33–2. Temos:

$$\boldsymbol{E}_i = \boldsymbol{E}_0 e^{i(\omega t - k_x x - k_y y)}, \tag{33.32}$$

$$E_r = E_0' e^{i(\omega' t - k_x' x - k_y' y)}, \tag{33.33}$$

$$E_t = E_0'' e^{i(\omega'' t - k_x'' x - k_y'' y)}, \tag{33.34}$$

$$B_i = \frac{k \times E_i}{\omega}, \tag{33.35}$$

$$B_r = \frac{k' \times E_r}{\omega'}, \tag{33.36}$$

$$B_t = \frac{k'' \times E_t}{\omega''}. \tag{33.37}$$

Temos outra informação: ***E*** é perpendicular ao vetor ***k*** para cada onda.

Os resultados dependerão da direção do vetor ***E*** (a "polarização") da onda incidente. A análise fica simplificada se tratarmos separadamente o caso de uma onda incidente com seu vetor ***E*** *paralelo* ao "plano de incidência" (isto é, ao plano *xy*) e o caso de uma onda incidente com vetor ***E*** *perpendicular* ao plano de incidência. Uma onda de qualquer outra polarização é simplesmente uma combinação linear dessas duas ondas. Em outras palavras, as intensidades refletida e transmitida são diferentes para polarizações diferentes, e o mais fácil será tomar os dois casos mais simples, tratando-os separadamente.

Faremos a análise para uma onda incidente polarizada perpendicularmente ao plano de incidência e simplesmente daremos o resultado para o outro caso. Estamos trapaceando um pouco ao tomar o caso mais simples, mas o princípio é o mesmo para ambos. Assim, se supusermos que E_i tem apenas uma componente *z* e, já que todos os vetores ***E*** estão na mesma direção, poderemos deixar de lado os sinais de vetor.

Como ambos os materiais são isotrópicos, as oscilações de carga induzidas no material também estarão na direção *z*, e o campo ***E*** das ondas transmitida e refletida também estará na direção *z*. Portanto, para todas as ondas, E_x, E_y, P_x e P_y são zero. Os vetores ***E*** e ***B*** estão desenhados na Figura 33–6 (estamos cortando um canto, aqui, em nosso plano original de obter tudo das equações. Esse resultado também viria das condições de contorno, mas podemos economizar uma grande quantidade de álgebra usando argumentos físicos. Quando você tiver tempo sobrando, veja se pode obter os mesmos resultados das equações. É claro que o que dissemos está de acordo com as equações; apenas deixamos de demonstrar que há *outras* possibilidades).

Nossas condições de contorno, Equações (33.26) até (33.31), dão relações entre as componentes ***E*** e ***B*** nas regiões 1 e 2. Para a região 2, temos apenas a onda transmitida, mas na região 1 temos *duas* ondas. Qual delas devemos usar? Os campos na região 1 são a superposição dos campos das ondas incidente e refletida (como cada uma satisfaz às equações de Maxwell, assim o faz a soma). Portanto, quando usamos as condições de contorno, devemos usar que

$$E_1 = E_i + E_r, \qquad E_2 = E_t,$$

e de modo similar para os ***B***.

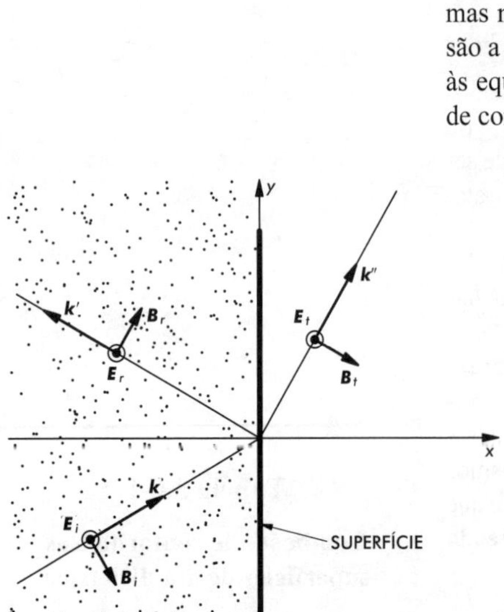

Figura 33–6 Polarização das ondas refletida e transmitida quando o campo ***E*** da onda incidente for perpendicular ao plano de incidência.

Para a polarização que estamos considerando, as Equações (33.26) e (33.28) não nos dão novas informações; apenas a Equação (33.27) é útil. Ela nos diz que

$$E_i + E_r = E_t$$

na fronteira, isto é, para $x = 0$. Portanto, temos que

$$E_0 e^{i(\omega t - k_y y)} + E_0' e^{i(\omega' t - k_y' y)} = E_0'' e^{i(\omega'' t - k_y'' y)}, \tag{33.38}$$

que deve ser verdadeira para *todo t* e para *todo y*. Suponha que olhemos para $y = 0$. Então, teremos

$$E_0 e^{i\omega t} + E_0' e^{i\omega' t} = E_0'' e^{i\omega'' t}.$$

Essa equação nos diz que dois termos oscilantes são iguais a um terceiro termo oscilante. Isso só pode acontecer se todas as oscilações tiverem a mesma frequência (é impossível para três ou qualquer número de tais termos com frequências diferentes ter soma zero para todos os tempos). Portanto,

$$\omega'' = \omega' = \omega. \tag{33.39}$$

Como sempre soubemos, as frequências das ondas refletida e transmitida são iguais à da onda incidente.

Deveríamos ter economizado algum trabalho supondo esse fato desde o início, mas quisemos mostrar como obtê-lo diretamente das equações. Quando você estiver com um problema real, é melhor colocar tudo que sabe desde o início, economizando muito trabalho.

Por definição, a *magnitude* de $\boldsymbol{k}$ é dada por $k^2 = n^2\omega^2/c^2$, de modo que também temos

$$\frac{k''^2}{n_2^2} = \frac{k'^2}{n_1^2} = \frac{k^2}{n_1^2}. \tag{33.40}$$

Agora veja a Equação (33.38) para $t = 0$. Usando o mesmo tipo de argumentos a que acabamos de nos referir, mas baseados no fato de que as equações devem valer para qualquer valor de y, obtemos

$$k''_y = k'_y = k_y. \tag{33.41}$$

Da Equação (33.40), $k'^2 = k^2$, portanto

$$k'^2_x + k'^2_y = k^2_x + k^2_y.$$

Combinando esse resultado com a Equação (33.41), temos que

$$k'^2_x = k^2_x,$$

ou que $k'_x = \pm k_x$. O sinal positivo não faz sentido; isso não daria uma onda *refletida*, mas outra onda *incidente*, e dissemos no início que estávamos resolvendo o problema de apenas uma onda incidente. Portanto,

$$k'_x = -k_x. \tag{33.42}$$

As Equações (33.41) e (33.42) nos dão que o ângulo de reflexão é igual ao ângulo de incidência conforme esperado (veja a Figura 33–3). A onda refletida é

$$E_r = E'_0 e^{i(\omega t + k_x x - k_y y)}. \tag{33.43}$$

Para a onda transmitida, já obtivemos que

$$k''_y = k_y$$

e

$$\frac{k''^2}{n_2^2} = \frac{k^2}{n_1^2}; \tag{33.44}$$

de modo que podemos resolvê-las achando k''_x. Obtemos

$$k''^2_x = k''^2 - k''^2_y = \frac{n_2^2}{n_1^2}k^2 - k^2_y. \tag{33.45}$$

Suponha por um momento que n_1 e n_2 sejam números reais (que a parte imaginária dos índices seja muito pequena). Portanto, os k são também números reais e, da Figura 33–3, obtemos

$$\frac{k_y}{k} = \operatorname{sen}\theta_i, \qquad \frac{k''_y}{k''} = \operatorname{sen}\theta_t. \tag{33.46}$$

De (33.44), obtemos que

$$n_2 \operatorname{sen}\theta_t = n_1 \operatorname{sen}\theta_i, \tag{33.47}$$

que é a lei de Snell de refração – de novo, algo que já conhecíamos. Se os índices não forem reais, os números de onda serão complexos, e teremos de usar a Equação (33.45) (poderíamos ainda *definir* os ângulos θ_i e θ_t pela Equação (33.46), e a lei de Snell, Equação (33.47) ainda seria válida. No entanto, os "ângulos" também são números complexos, perdendo sua interpretação geométrica como ângulos. O melhor, então, é descrever o comportamento das ondas pelos valores complexos k_x ou k''_x).

Até agora nada achamos de novo. Apenas obtivemos as respostas através de equações complicadas – ainda assim, uma diversão. Agora estamos prontos para achar as amplitudes das ondas, o que ainda não sabíamos. Utilizando nossos resultados para os ω e k, os fatores exponenciais se cancelam, e temos

$$E_0 + E'_0 = E''_0. \tag{33.48}$$

Como ambos, E'_0 e E''_0 são desconhecidos, precisamos de mais uma relação. As equações para E_x e E_y não nos ajudam, pois os $\boldsymbol{E}$ só têm um componente z. Portanto devemos utilizar uma condição sobre $\boldsymbol{B}$. Tentemos a Equação (33.29):

$$B_{x2} = B_{x1}.$$

Das Equações (33.35) até (33.37),

$$B_{xi} = \frac{k_y E_i}{\omega}, \qquad B_{xr} = \frac{k'_y E_r}{\omega'}, \qquad B_{xt} = \frac{k''_y E_t}{\omega''}.$$

Lembrando que $\omega'' = \omega' = \omega$ e $k''_y = k'_y = k_y$, temos

$$E_0 + E'_0 = E''_0,$$

mas essa é (33.48) de novo! Perdemos nosso tempo com algo já conhecido.

Poderíamos tentar (33.30), $B_{z2}=B_{z1}$, mas não temos a componente z para $\boldsymbol{B}$! Sobra apenas a Equação (33.31), $B_{y2}=B_{y1}$. Para as três ondas,

$$B_{yi} = -\frac{k_x E_i}{\omega}, \qquad B_{yr} = -\frac{k'_x E_r}{\omega'}, \qquad B_{yt} = -\frac{k''_x E_t}{\omega''}. \tag{33.49}$$

Colocando-se em E_i, E_r e E_t a expressão da onda para $x = 0$ (isto é, na fronteira), a condição de contorno fica sendo

$$\frac{k_x}{\omega} E_0 e^{i(\omega t - k_y y)} + \frac{k'_x}{\omega'} E'_0 e^{i(\omega' t - k'_y y)} = \frac{k''_x}{\omega''} E''_0 e^{i(\omega'' t - k'_y y)}.$$

Como os ω e os k_y são iguais, essa relação se reduz a

$$k_x E_0 + k'_x E'_0 = k''_x E''_0. \tag{33.50}$$

Isso nos dá uma equação para os E que é diferente de (33.48). Com as duas, podemos resolver para E'_0 e E''_0. Lembrando que $k'_x = -k_x$, obtemos

$$E'_0 = \frac{k_x - k''_x}{k_x + k''_x} E_0, \tag{33.51}$$

$$E''_0 = \frac{2k_x}{k_x + k''_x} E_0. \tag{33.52}$$

Estas, junto a (33.45) e (33.46) para k''_x, dão o que queremos saber. Discutiremos as consequências deste resultado na próxima seção.

Se começarmos com uma onda polarizada com o vetor $\boldsymbol{E}$ *paralelo* ao plano de incidência, $\boldsymbol{E}$ terá componentes x e y, conforme a Figura 33–7. A álgebra é direta, mas complicada (o trabalho pode ser reduzido expressando as grandezas em termos dos campos *magnéticos* que estão na direção z). Achamos

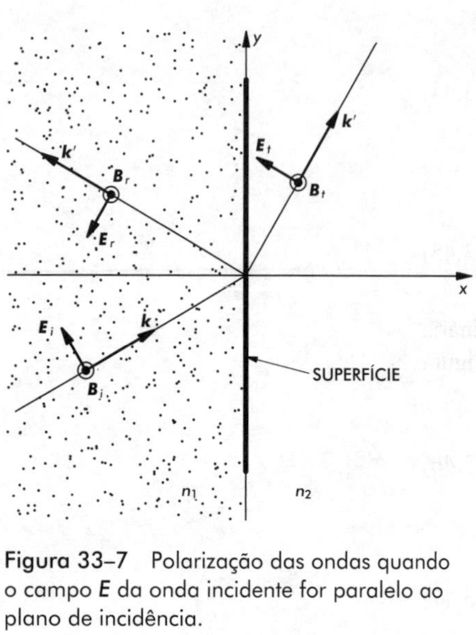

Figura 33–7 Polarização das ondas quando o campo $\boldsymbol{E}$ da onda incidente for paralelo ao plano de incidência.

$$|E_0'| = \frac{n_2^2 k_x - n_1^2 k_x''}{n_2^2 k_x + n_1^2 k_x''} |E_0| \tag{33.53}$$

e

$$|E_0''| = \frac{2n_1 n_2 k_x}{n_2^2 k_x + n_1^2 k_x''} |E_0|. \tag{33.54}$$

Vejamos se nossos resultados concordam com aqueles obtidos anteriormente. A Equação (33.3) é o resultado obtido no Capítulo 33 do Volume I para a relação entre as ondas refletida e incidente. Lá, todavia, só consideramos índices *reais*. Para índices reais (assim como os k), podemos escrever

$$k_x = k \cos \theta_i = \frac{\omega n_1}{c} \cos \theta_i,$$

$$k_x'' = k'' \cos \theta_t = \frac{\omega n_2}{c} \cos \theta_t.$$

Substituindo em (33.51), obtemos

$$\frac{E_0'}{E_0} = \frac{n_1 \cos \theta_i - n_2 \cos \theta_t}{n_1 \cos \theta_i + n_2 \cos \theta_t}, \tag{33.55}$$

que não parece ser a mesma coisa que (33.3). Serão as mesmas expressões após o uso da Lei de Snell para os índices n. Colocando-se $n_2 = n_1$ sen θ_i/sen θ_t e multiplicando-se o numerador e denominador por θ_t, obtemos

$$\frac{E_0'}{E_0} = \frac{\cos \theta_i \operatorname{sen} \theta_t - \operatorname{sen} \theta_i \cos \theta_t}{\cos \theta_i \operatorname{sen} \theta_t + \operatorname{sen} \theta_i \cos \theta_t}.$$

O numerador e o denominador são simplesmente os senos de $-(\theta_i - \theta_t)$ e de $(\theta_i + \theta_t)$; obtemos então

$$\frac{E_0'}{E_0} = -\frac{\operatorname{sen}(\theta_i - \theta_t)}{\operatorname{sen}(\theta_i + \theta_t)}. \tag{33.56}$$

Como E_0' e E_0 estão no mesmo material, as intensidades são proporcionais ao quadrados dos campos elétricos, e temos o mesmo resultado que anteriormente. Analogamente, (33.53) é a mesma equação que (33.4).

Para ondas que chegam com incidência normal, $\theta_i = 0$ e $\theta_t = 0$. A Equação (33.56) dá 0/0, o que não nos é útil. Podemos voltar à Equação (33.55), que nos dá

$$\frac{I_r}{I_i} = \left(\frac{E_0'}{E_0}\right)^2 = \left(\frac{n_1 - n_2}{n_1 + n_2}\right)^2. \tag{33.57}$$

Naturalmente, esse resultado se aplica para qualquer polarização, já que para incidência normal não há um "plano de polarização" definido.

33–5 Reflexão em metais

Agora podemos usar nossos resultados para entender o interessante fenômeno da reflexão em metais. Por que os metais são tão brilhantes? Vimos, no último capítulo, que os metais têm um índice de refração que, para algumas frequências, têm uma grande parte imaginária. Vamos ver o que obtemos para a intensidade refletida quando a luz incide do ar (com n = 1) para um material com $n = -in_I$. Então, (para incidência normal) a Eq. (33.55) dá

$$\frac{E_0'}{E_0} = \frac{1 + in_I}{1 - in_I}.$$

Para a *intensidade* da onda refletida, queremos ajustar os valores absolutos de E_0' e E_0:

$$\frac{I_r}{I_i} = \frac{|E_0'|^2}{|E_0|^2} = \frac{|1 + in_I|^2}{|1 - in_I|^2}, \tag{33.58}$$

ou

$$\frac{I_r}{I_i} = \frac{1 + n_I^2}{1 + n_I^2} = 1. \tag{33.59}$$

Para um material com um índice que seja um número imaginário puro, haverá 100% de reflexão!

Os metais não refletem 100%, mas a maioria reflete a luz visível muito bem. Em outras palavras, a parte imaginária de seus índices é bastante grande. Porém, vimos que essa grande parte imaginária dos índices implica forte absorção. Assim, há uma regra geral que diz que, para *qualquer* material que seja um absorvente *muito* bom para qualquer frequência, as ondas serão extensamente refletidas na superfície, e muito pouco entra para ser absorvido. Podemos ver esse efeito em corantes fortes. Cristais puros de corantes fortes têm um brilho "metálico". Provavelmente você já reparou que, no centro de um vidro de tinta vermelha, o corante seco causa um reflexo metálico dourado, ou que a tinta vermelha seca, algumas vezes, dá um reflexo metálico esverdeado. A tinta vermelha absorve o verde da luz *transmitida*; assim, se a tinta estiver muito concentrada, ela exibirá uma grande superfície de *reflexão* para as frequências da luz verde.

Você pode facilmente demonstrar esse efeito cobrindo uma placa de gelo com tinta vermelha e deixando secar. Se direcionar um feixe de luz na parte de trás da placa, como mostrado na Figura 33–8, haverá um feixe de luz vermelha transmitido e um feixe de luz verde refletido.

33–6 Reflexão interna total

Se a luz for de um material como o gelo, com um índice real n maior que 1, para, digamos, o ar, com índice n_2 igual a 1, a lei de Snell diz que

$$\operatorname{sen}\theta_t = n \operatorname{sen}\theta_i.$$

O ângulo θ_t da onda transmitida torna-se 90º quando o ângulo θ_i é igual ao "ângulo crítico" θ_c, dado por

$$n \operatorname{sen}\theta_c = 1. \tag{33.60}$$

O que acontecerá para θ_i maior que o ângulo crítico? Você sabe que haverá reflexão interna total, mas como isso pode acontecer?

Voltemos à Eq (33.45) que nos dá o número de onda k_x'', para a onda transmitida. Teremos:

$$k_x''^2 = \frac{k^2}{n^2} - k_y^2.$$

Agora $k_y = k$ sen θ_i e $k = \omega n/c$, então

$$k_x''^2 = \frac{\omega^2}{c^2}(1 - n^2 \operatorname{sen}^2\theta_i).$$

Se θ_i for maior que um, $k_x''^2$ será *negativo* e k_x'' será um imaginário puro, digamos $\pm ik_I$. Você já sabe, agora, o que isso significa! A onda "transmitida" (Eq 33.34) dará

$$E_t = E_0'' e^{\pm k_I x} e^{i(\omega t - k_y y)}.$$

A amplitude da onda também aumenta ou diminui exponencialmente com o aumento de x. Obviamente, o que nos interessa aqui é o sinal negativo.

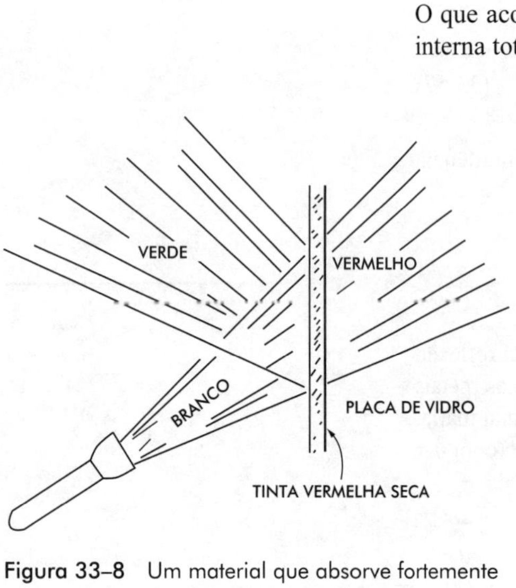

Figura 33–8 Um material que absorve fortemente a luz com frequência ω também reflete a luz com essa frequência.

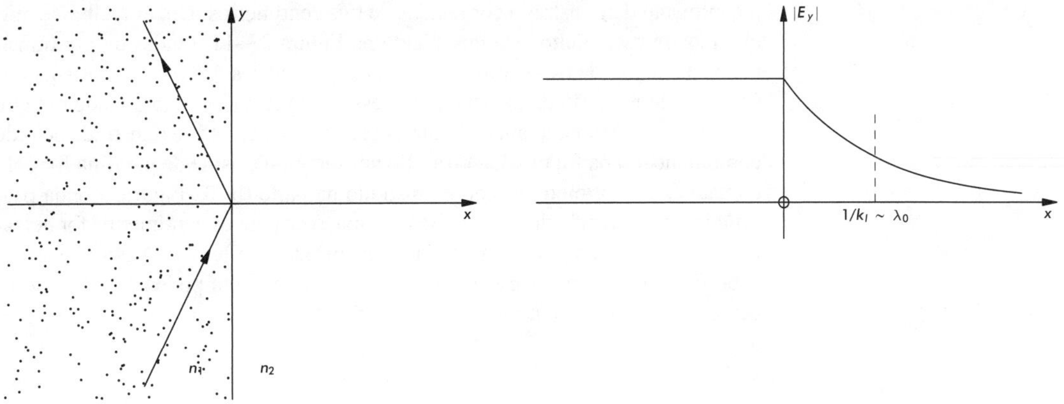

Figura 33–9 Reflexão interna total.

Desse modo, a *amplitude* da onda à direita da fronteira será como mostrado na Figura 33–9. Observe que k_I é ω/c, que é da ordem de $1/\lambda_0$, o recíproco do comprimento de onda da luz no espaço vazio. Quando a luz for totalmente refletida do interior de uma superfície gelo-ar, haverá campos no ar, mas eles estendem-se para além da superfície apenas a uma distância da ordem do comprimento de onda da luz.

Agora sabemos como responder à seguinte pergunta: se a onda de luz no gelo chega à superfície em um ângulo suficientemente grande, ela é refletida; se outra peça de gelo for acoplada à superfície (na verdade, a "superfície" desaparece), a luz será transmitida. Como isso ocorre exatamente? É óbvio que há mudanças contínuas entre reflexão total e não reflexão! A resposta, é claro, é que, se o intervalo de ar for tão pequeno que a traseira exponencial da onda no ar tenha um comprimento apreciável na segunda peça de gelo, então ela ativará os elétrons ali e gerará uma nova onda, como mostra a Figura 33–10. Alguma luz será transmitida (obviamente nossa solução está incompleta; devemos resolver todas as equações de novo para uma fina camada de ar entre as duas regiões de gelo).

O efeito de transmissão pode ser observado com luz comum apenas se o intervalo de ar for muito pequeno (da ordem do comprimento de onda da luz, como 10^{-5} cm), mas isso

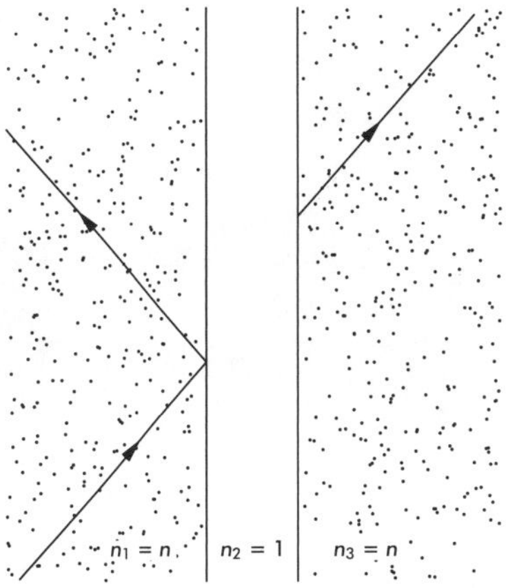

Figura 33–10 Havendo um pequeno intervalo, a reflexão interna não é "total"; a onda transmitida aparece do outro lado da superfície.

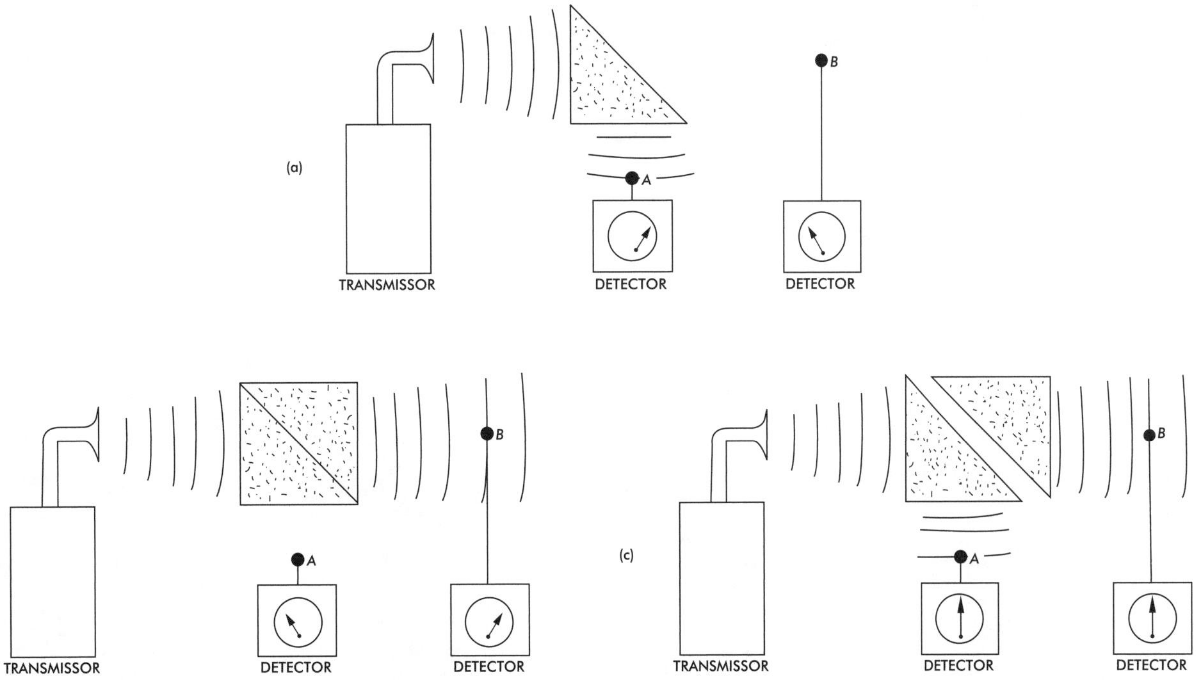

Figura 33–11 Uma demonstração da penetração de ondas refletidas internamente.

é facilmente demonstrado com ondas de três centímetros. Um aparelho de micro-ondas que mostra esse efeito está desenhado na Figura 33–11. Ondas de um transmissor de ondas pequenas de três centímetros são direcionadas a 45º para um prisma de parafina. O índice de refração da parafina, para essas frequências, é 1,50, então o ângulo crítico será de 41,5º. Assim, a onda é totalmente refletida para 45º e registrada pelo detector *A*, como indicado na Figura 33–11(a). Se um segundo prisma de parafina for colocado em contato com o primeiro, como é mostrado na parte (b) da Figura, a onda passa direto, sendo registrada pelo detector *B*. Se um espaço de poucos centímetros for deixado, como na parte (c), haverá ambas as ondas, transmitida e refletida. O campo elétrico fora da superfície de 45º do prisma na Figura 33–11(a) também pode ser mostrado trazendo o detector *B* a alguns centímetros da superfície.

34

O Magnetismo da Matéria

Revisão: Seção 15-1, *Forças em uma espira; energia de um dipolo*

34–1 Diamagnetismo e paramagnetismo

Neste capítulo, vamos falar sobre as propriedades magnéticas dos materiais. O material cujas propriedades magnéticas são mais impressionantes é obviamente o ferro. Propriedades magnéticas análogas também existem em elementos como níquel, cobalto e, em temperaturas suficientemente baixas (abaixo de 16°C), gadolínio, assim como em um certo número de ligas peculiares. Esse tipo de magnetismo chama-se *ferromagnetismo* e é suficientemente impressionante e complicado para ser estudado em um capítulo especial. Todavia, todas as substâncias comuns mostram algum efeito magnético, embora em escala pequena – milhares ou até milhões de vezes menores que os efeitos dos materiais ferromagnéticos. Aqui vamos descrever o magnetismo comum, ou seja, o magnetismo de substâncias que não são ferromagnéticas.

Este pequeno magnetismo é de dois tipos. Alguns materiais são *atraídos* pelos campos magnéticos; outros são *repelidos*. Em contraste com o efeito elétrico na matéria, que sempre causa atração dos materiais dielétricos, há dois sinais para o efeito magnético. Com a ajuda de um ímã bem forte, com um dos polos bastante agudo e outro mais plano, conforme mostrado na Figura 34–1, esses dois sinais podem ser facilmente demonstrados. O campo magnético é muito mais forte perto do polo agudo que perto do polo plano. Se um pequeno pedaço de material é pendurado por um fio longo entre os polos, haverá uma força sobre ele. Esta pequena força pode ser vista por meio do pequeno deslocamento do material magnético quando colocado entre os polos do ímã. Os poucos materiais ferromagnéticos são atraídos fortemente para o polo agudo; todos os outros materiais sentem apenas uma força fraca. Alguns são atraídos fracamente para o polo agudo e outros, fracamente repelidos.

O efeito é facilmente visto para um pequeno cilindro de bismuto que é *repelido* da região de campos fortes. Substâncias repelidas dessa maneira são chamadas de *diamagnéticas*. O bismuto é um dos materiais diamagnéticos mais forte, mas, mesmo neste caso, o efeito é bem fraco. O diamagnetismo é sempre muito fraco. Se um pequeno pedaço de alumínio for suspenso entre os polos, haverá uma pequena atração em direção ao polo agudo. Substâncias como o alumínio são chamadas de *paramagnéticas* (em tal experimento, forças dadas pelas correntes de Foucault são formadas quando o ímã é colocado e retirado, de modo a levar a pequenos trancos. Você deve ser cuidadoso ao olhar para os deslocamentos, certificando-se de que os movimentos bruscos desapareçam).

Queremos agora descrever rapidamente os mecanismos por trás desses dois efeitos. Primeiro, em muitas substâncias, os átomos não têm momento magnético permanente,

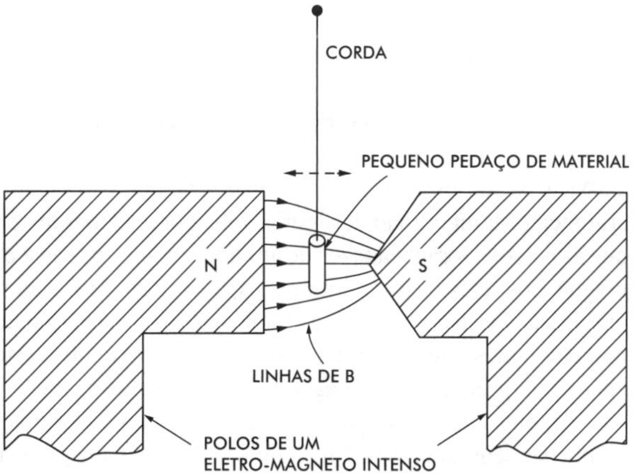

Figura 34–1 Um pequeno cilindro de bismuto é fracamente repelido pelo polo agudo; a peça de alumínio é atraída.

ou seja, em cada átomo, os pequenos magnetos se contrabalançam somando a zero. Todos os movimentos eletrônicos, relacionados tanto ao spin quanto à órbita, cancelam-se totalmente, de tal maneira que qualquer átomo em particular tenha momento magnético médio igual a zero. Nestas circunstâncias, quando você liga um pequeno campo magnético, pequenas correntes são geradas dentro do átomo, por indução. De acordo com a lei de Lenz, estas correntes formam um campo magnético oposto ao campo externo crescente. Portanto, os momentos magnéticos induzidos nos átomos são tais que se *opõem* ao campo magnético. Esse é o mecanismo do diamagnetismo.

Há também substâncias para as quais os átomos têm um momento magnético permanente – nas quais os spins e momentos orbitais acabam por descrever uma corrente resultante circulante diferente de zero. Então, além dos efeitos diamagnéticos que estão sempre presentes, há também a possibilidade de se alinhar os momentos magnéticos atômicos individuais. Neste caso, os momentos tentam se alinhar *com* o campo magnético (da mesma maneira que momentos de dipolo permanente em um dielétrico são alinhados por um campo elétrico), e o magnetismo induzido tende a reforçar o campo magnético. Estas são as substâncias paramagnéticas. O paramagnetismo é, em geral, um tanto fraco, posto que as forças de alinhamento são relativamente pequenas quando comparadas com as forças dos movimentos térmicos que desfazem a ordem. Segue também que o paramagnetismo é usualmente sensível à temperatura (o paramagnetismo proveniente dos spins dos elétrons responsáveis pela condução em um metal constitui uma exceção. Não discutiremos esse fenômeno aqui). Para o paramagnetismo comum, quanto mais baixa a temperatura, mais forte será o efeito. O alinhamento é maior a baixas temperaturas, em que os efeitos de desarranjo das colisões é menor. Por outro lado, o diamagnetismo é menos sensível à temperatura. Em qualquer substância com momentos magnéticos embutidos há diamagnetismo assim como paramagnetismo, mas este último efeito domina.

No Capítulo 11, descrevemos um material *ferroelétrico* no qual todos os dipolos elétricos são alinhados por seus campos elétricos mútuos. É também possível imaginar o análogo magnético da ferroeletricidade, no qual todos os momentos atômicos se alinhariam, mantendo-se assim. Se você calcular como isso acontece, verá que, pelo fato de as forças magnéticas serem muito mais fracas que as elétricas, os movimentos térmicos deveriam desmanchar esse alinhamento atômico até mesmo em temperaturas tão baixas quanto décimos de grau Kelvin. Então, seria impossível ver os alinhamentos em temperatura ambiente.

Por outro lado, isso é exatamente o que acontece no ferro – os momentos permanecem alinhados. Há uma força efetiva entre os momentos magnéticos dos diferentes átomos de ferro que é muito, muito maior que a interação magnética direta, e é o que alinha os momentos em materiais ferromagnéticos. Discutiremos essa interação especial em um capítulo posterior.

Agora que já tentamos lhes dar uma explicação qualitativa do diamagnetismo e do paramagnetismo, devemos nos corrigir dizendo que *não é possível* compreenderem-se as forças magnéticas dos materiais de modo honesto do ponto de vista da física clássica. Tais efeitos magnéticos são *fenômenos completamente quânticos*. Todavia, é possível utilizar alguns argumentos clássicos falsos para se ter ideia do que acontece. Podemos colocar as coisas da seguinte maneira. Você pode dar alguns argumentos clássicos para adivinhar o comportamento do material, mas estes argumentos não são, em certo sentido, "legais", pois é absolutamente essencial que a mecânica quântica esteja envolvida em qualquer fenômeno magnético. Por outro lado, há situações, como em um plasma ou em uma região do espaço com muitos elétrons livres, em que os elétrons obedecem às leis da mecânica clássica. Nestas circunstâncias, alguns teoremas do magnetismo clássico são válidos. Os argumentos também são de alguma valia por questões históricas. Nas primeiras vezes em que as pessoas foram capazes de adivinhar o significado e o comportamento de materiais magnéticos, eles usaram argumentos clássicos. Finalmente, conforme já ilustramos, a mecânica clássica pode nos dar suposições úteis do que poderia ocorrer, mesmo que a maneira honesta de se estudar a questão seja, primeiro, estudando mecânica quântica e, então, compreendendo o magnetismo em termos da mecânica quântica.

Por outro lado, não queremos esperar até aprendermos mecânica quântica completamente para entendermos algo simples como o diamagnetismo. Vamos ter de nos dobrar sobre a mecânica clássica como um modo de mostrar, pela metade, o que acontece, percebendo, todavia, que os argumentos não são corretos. Faremos uma série de teoremas sobre magnetismo clássico que o confundirá, pois demonstrarão coisas diferentes. Exceto pelo último teorema, todos os outros estarão errados. Portanto, daremos uma descrição errada do mundo físico, já que a mecânica quântica não será levada em conta.

34–2 Momentos magnéticos e momento angular

O primeiro teorema da mecânica clássica que queremos provar é o seguinte: se um elétron estiver se movendo em uma órbita circular (por exemplo, circulando ao redor de um núcleo sob a influência de uma força central), haverá uma proporção definida entre o momento magnético e o momento angular. Vamos chamar de $\boldsymbol{J}$ o momento angular e de $\boldsymbol{\mu}$ o momento magnético do elétron em órbita. A magnitude do momento angular é a massa do elétron vezes a velocidade vezes o raio (ver Figura 34–2). Este é direcionado perpendicularmente ao plano da órbita.

$$J = mvr. \tag{34.1}$$

(É claro que essa é uma fórmula não relativística, mas é uma boa aproximação para átomos, pois, para os elétrons em questão, v/c geralmente é da ordem de $e^2/\hbar c \approx 1/137$, ou seja, cerca de 1 por cento.)

O momento magnético dessa mesma órbita é a corrente vezes a área (ver Seção 14–5). A corrente é a carga, por unidade de tempo, que passa em qualquer ponto da órbita, precisamente, a carga q vezes a frequência de rotação. A frequência é a velocidade dividida pela circunferência da órbita; assim

$$I = q\,\frac{v}{2\pi r}\cdot$$

A área é πr^2, desse modo o momento magnético é

$$\mu = \frac{qvr}{2}\cdot \tag{34.2}$$

Esse é direcionado perpendicularmente ao plano da órbita. Então, $\boldsymbol{J}$ e $\boldsymbol{\mu}$ estão na mesma direção:

$$\boldsymbol{\mu} = \frac{q}{2m}\,\boldsymbol{J}(\text{órbita}). \tag{34.3}$$

Suas proporções não dependem nem da velocidade, nem do raio. Para qualquer partícula movendo-se em uma órbita circular, o momento magnético é igual a $q/2m$ vezes o momento angular. Para um elétron, a carga é negativa – podemos chamá-la de $-q_e$; assim, para um elétron

$$\boldsymbol{\mu} = -\frac{q_e}{2m}\,\boldsymbol{J}\ (\text{órbita do elétron}). \tag{34.4}$$

Figura 34–2 Para qualquer órbita circular, o momento magnético $\boldsymbol{\mu}$ é $q/2m$ vezes o momento angular $\boldsymbol{J}$.

Isso é o que classicamente esperamos e, miraculosamente, também é uma verdade quântica. Essa é uma daquelas coisas. Entretanto, se você continuar com a física clássica, você achará outros pontos em que ela dá respostas erradas, e é um jogo interessante tentar lembrar quais coisas são certas e quais são erradas. Devemos, contudo, mencionar exatamente o que, na mecânica quântica, é certo *no geral*. Primeiro, a Equação (34.4) é verdadeira para *movimento orbital*, mas não é o único magnetismo que existe. O elétron também tem uma rotação de spin sobre seu próprio eixo (alguma coisa parecida com a rotação da terra sobre seu eixo), e, como resultado desse spin, o elétron tem tanto um momento angular, quanto um momento magnético. Porém, por razões puramente de mecânica quântica – não há uma explicação clássica – a proporção de $\boldsymbol{\mu}$ para $\boldsymbol{J}$, no spin do elétron, é duas vezes maior do que é para o movimento orbital do elétron:

$$\boldsymbol{\mu} = -\frac{q_e}{m}\,\boldsymbol{J}(\text{spin do elétron}). \tag{34.5}$$

De modo geral, qualquer átomo tem vários elétrons com alguma combinação de spin e de órbitas que levam a um momento angular e um momento magnético total. Embora não exista nenhuma razão clássica pela qual deva ser assim, é *sempre* verdade em mecânica quântica que (para um átomo isolado) a direção do momento magnético é exatamente oposta à direção do momento angular. A proporção entre eles não é necessariamente $-q_e/m$ ou $-q_e/2m$, mas alguma coisa no meio, pois há uma mistura das contribuições das órbitas e dos spins. Podemos escrever

$$\mu = -g\left(\frac{q_e}{2m}\right)J, \tag{34.6}$$

onde g é o fator característico do estado do átomo. Será 1 para um momento orbital puro, 2 para um momento de spin puro ou um número entre eles para um sistema complicado como um átomo. É óbvio que essa fórmula não nos diz muito. Ela conta que o momento magnético é *paralelo* ao momento angular, mas pode ter qualquer magnitude. Entretanto, a fórmula da Eq. (34.6) é conveniente porque g – o chamado fator de Landé – é uma constante sem dimensão cuja magnitude é da ordem de um. Um dos trabalhos da mecânica quântica é predizer o fator g para qualquer estado atômico particular.

Você também pode estar interessado no que acontece nos núcleos. Nos núcleos há prótons e nêutrons que podem se mover em uma espécie de órbita e todos ao mesmo tempo, como os elétrons, tendo um spin intrínseco. Novamente, o momento magnético é paralelo ao momento angular. Apenas aqui, a ordem de magnitude da proporção entre ambos é o esperado para um *próton* andando em círculo, sendo m igual à massa do *próton*, na Equação (34.3). Desse modo, é útil escrever para os núcleos

$$\mu = g\left(\frac{q_e}{2m_p}\right)J, \tag{34.7}$$

onde m_p é a massa do próton e g – chamado de fator g *nuclear* – é um número próximo de um e que deve ser determinado para cada núcleo.

Outra diferença importante, para o núcleo, é que o momento magnético de spin do próton *não* tem um fator g igual a 2, como os elétrons. Para um próton, $g = 2 \cdot (2{,}79)$. Surpreendentemente, o nêutron também tem um momento magnético de spin, e seu momento magnético relativo ao seu momento angular é $2 \cdot (-1{,}91)$. Em outras palavras, o nêutron não é exatamente "neutro" em sentido magnético. Ele se parece com um pequeno magneto e tem o tipo de momento magnético que teria uma carga negativa em rotação.

34–3 A precessão dos magnetos atômicos

Uma das consequências de se ter o momento magnético proporcional ao momento angular é que haverá *precessão* em um magneto atômico colocado em um campo elétrico. Primeiro, vamos argumentar classicamente. Suponha que tenhamos o momento magnético $\boldsymbol{\mu}$ livremente suspenso em um campo magnético uniforme. Ele sentirá um torque $\boldsymbol{\tau}$ igual a $\boldsymbol{\mu} \times \boldsymbol{B}$, que tenta fazê-lo alinhar-se com o direção do campo. No entanto, o magneto atômico é um giroscópio – e seu momento angular é $\boldsymbol{J}$. Desse modo, o torque decorrente do campo magnético não causará o alinhamento do magneto. Ao contrário, o magneto apresentará *precessão*, como pudemos ver ao analisar o giroscópio no Capítulo 20 do Volume I. O momento angular – e com ele o momento magnético – sofre precessão sobre um eixo paralelo ao campo magnético. Podemos achar o grau de precessão pelo mesmo método usado no Capítulo 20 do primeiro volume.

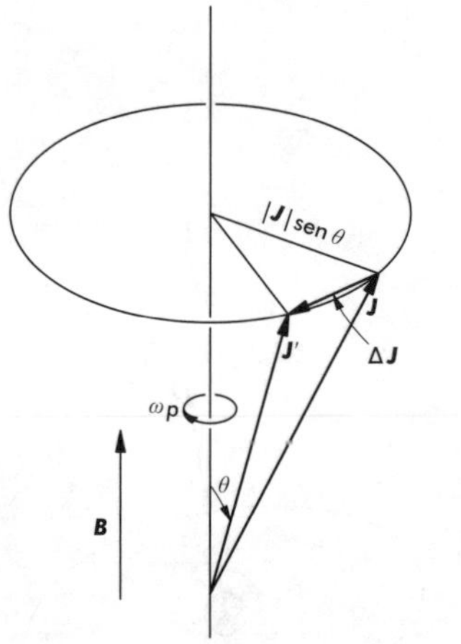

Figura 34–3 Um objeto com momento angular J e um momento magnético paralelo $\boldsymbol{\mu}$ colocado em um campo magnético B precessa com velocidade angular ω_p.

Suponha que, em um pequeno intervalo de tempo Δt, o momento angular mude de $\boldsymbol{J}$ para $\boldsymbol{J}'$, como desenhado na Figura 34–3, permanecendo sempre com o mesmo ângulo θ em relação à direção do campo magnético $\boldsymbol{B}$. Chamemos de ω_p a velocidade angular de precessão; assim, para um tempo Δt, o ângulo de *precessão* será $\omega_p \Delta t$. Pela geometria da figura, podemos ver que a alteração do momento angular, no tempo Δt, é

$$\Delta J = (J \operatorname{sen} \theta)(\omega_p\, \Delta t).$$

Assim, a taxa de variação do momento angular é

$$\frac{dJ}{dt} = \omega_p J \operatorname{sen}\theta, \tag{34.8}$$

que deve ser igual ao torque

$$\tau = \mu B \operatorname{sen}\theta. \tag{34.9}$$

Então, a velocidade angular de precessão será

$$\omega_p = \frac{\mu}{J} B. \tag{34.10}$$

Substituindo μ/J pela Eq. (34.6), veremos que, para um sistema atômico

$$\omega_p = g \frac{q_e B}{2m}; \tag{34.11}$$

a frequência de precessão é proporcional a B. É conveniente lembrar que para um átomo (ou elétron)

$$f_p = \frac{\omega_p}{2\pi} = (1{,}4 \text{ megaciclos/gauss})gB, \tag{34.12}$$

e para um núcleo

$$f_p = \frac{\omega_p}{2\pi} = (0{,}76 \text{ quilociclos/gauss})gB. \tag{34.13}$$

(As fórmulas para átomos e núcleos são diferentes somente por causa das convenções para g nos dois casos.)

Então, de acordo com a teoria *clássica*, as órbitas dos elétrons e os spins em um átomo sofrem precessão em um campo magnético. Isso também é verdade para a mecânica quântica? É essencialmente verdade, mas o significado de "precessão" é diferente. Na mecânica quântica, não se pode falar de *direção* do momento angular no mesmo sentido que se faz classicamente; no entanto, há uma analogia bem próxima – tão próxima que continuamos a falar de "precessão". Discutiremos isso mais tarde quando falarmos de ponto de vista da mecânica quântica.

34–4 Diamagnetismo

Queremos, a seguir, considerar o diamagnetismo do ponto de vista clássico. Isso pode ser feito de várias formas, mas o melhor caminho é o seguinte. Suponha que liguemos lentamente um campo elétrico próximo a um átomo. Como o campo magnético se modifica, um campo elétrico é gerado por indução magnética. Da Lei de Faraday, a integral de linha de $\boldsymbol{E}$ ao redor de qualquer caminho é a taxa de alteração do fluxo magnético através do caminho. Suponha que tomemos um caminho Γ que seja um círculo de raio r concêntrico ao centro de um átomo, como mostrado na Figura 34–4. A média do campo elétrico tangencial E ao redor do caminho é dada por

$$E 2\pi r = -\frac{d}{dt}(B\pi r^2),$$

e há um campo elétrico circular cuja intensidade é

$$E = -\frac{r}{2}\frac{dB}{dt}.$$

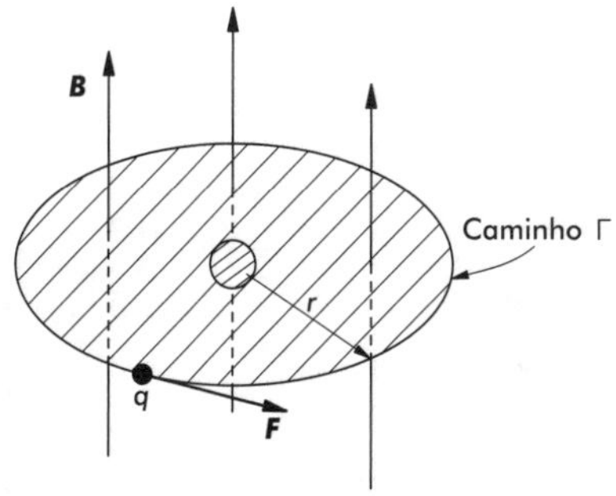

Figura 34–4 As forças elaétricas induzidas nos elétrons de um átomo.

O campo elétrico induzido atuando em um elétron no átomo produz um torque igual a $-q_e E r$, que precisa igualar-se à taxa de variação do momento angular dJ/dt

$$\frac{dJ}{dt} = \frac{q_e r^2}{2}\frac{dB}{dt}. \tag{34.14}$$

Integrando no tempo desde o instante em que o campo é igual a zero, encontramos que a mudança do momento angular devido ao fato de se ter ligado o campo é

$$\Delta J = \frac{q_e r^2}{2} B. \tag{34.15}$$

Esse é o momento angular extra devido à vibração que os elétrons apresentam quando o campo é ligado.

Esse momento angular acrescido faz um momento magnético que, por haver um movimento *orbital*, será exatamente $-q_e/2m$ vezes o momento angular. O momento diamagnético é

$$\Delta\mu = -\frac{q_e}{2m}\Delta J = -\frac{q_e^2 r^2}{4m} B. \tag{34.16}$$

O sinal de menos (que, como podemos ver, está correto usando-se a lei de Lenz) significa que o momento acrescido é oposto ao campo magnético.

Gostaríamos de escrever a Equação (34.16) de forma um pouco diferente. O r^2 que aparece é o raio de um eixo paralelo a $\boldsymbol{B}$ através de um átomo, então $\boldsymbol{B}$ está na direção z. Seu valor será, portanto, $x^2 + y^2$. Se considerarmos átomos esfericamente simétricos (ou a média de átomos com seus eixos naturais em todas as direções), a média de $x^2 + y^2$ é 2/3 da média do quadrado da verdadeira distância radial entre o *ponto* central do átomo. Desse modo, é mais conveniente escrever a Equação (34.16) assim:

$$\Delta\mu = -\frac{q_e^2}{6m}\langle r^2\rangle_{\text{média}} B. \tag{34.17}$$

Em todo caso, encontramos um momento atômico induzido proporcional ao campo magnético B e oposto a ele. Esse é o diamagnetismo da matéria. Esse é o efeito magnético responsável pela pequena força sobre uma peça de bismuto em um campo magnético não uniforme (você pode calcular a força trabalhando com a energia dos momentos induzidos no campo e verificando como a energia muda quando o material é movimentado para dentro e para fora da região de campo forte).

Ainda estamos deixando um problema: qual é a média do quadrado do raio, $\langle r^2\rangle_{\text{média}}$? A mecânica clássica não consegue nenhuma resposta. Devemos voltar e recomeçar com a mecânica quântica. Em um átomo, não podemos realmente dizer onde um elétron está, podemos apenas conhecer a probabilidade de ele estar em algum lugar. Se interpretarmos $\langle r^2\rangle_{\text{média}}$ como sendo a média do quadrado da distância do centro para a distribuição de probabilidade, o momento diamagnético, dado pela mecânica quântica, será exatamente a Equação (34.17). Essa equação, é óbvio, é o momento para um elétron. O momento total é dado pela soma de todos os elétrons do átomo. O surpreendente é que o argumento clássico e a mecânica quântica fornecem a mesma resposta, apesar de, como podemos ver, o argumento clássico que dá a Equação (34.17) não ser realmente válido na mecânica clássica.

O mesmo efeito diamagnético ocorre mesmo quando um átomo já tem um momento permanente. Então o sistema irá precessar no campo magnético. À medida que todo o átomo precessa, ele adquire uma pequena velocidade angular adicional, e esse giro lento fornece uma pequena corrente que representa uma correção no momento magnético. Isso é apenas o efeito diamagnético representado de outra maneira. Não precisamos nos preocupar com isso quando falamos sobre paramagnetismo. Se o efeito diamagnético for calculado primeiro, como fizemos aqui, não precisamos nos preocupar com a corrente extra decorrente da precessão, pois já está incluída no termo diamagnético.

34–5 Teorema de Larmor

Já podemos concluir alguma coisa de nossos resultados até agora. Antes de tudo, na teoria clássica, o momento $\boldsymbol{\mu}$ era sempre proporcional a $\boldsymbol{J}$, com uma dada constante de proporcionalidade para um átomo em particular. Não havia nenhum spin de elétrons, e a constante de proporcionalidade era sempre $-q_e/2m$; isto é, na Equação (34.6), deveríamos sempre obter $g = 1$. O raio de $\boldsymbol{\mu}$ para $\boldsymbol{J}$ era independente do movimento interno dos elétrons. Assim, de acordo com a teoria clássica, todos os sistemas de elétrons sofreriam precessão com a *mesma* velocidade angular (isso *não* é verdade para a teoria quântica). Esse resultado está relacionado com um teorema da mecânica clássica que, agora, gostaríamos de provar. Suponha que tenhamos um grupo de elétrons mantidos juntos por atração ao ponto central – como os elétrons são atraídos para o núcleo. Os elétrons estarão se atraindo uns aos outros e, geralmente, têm movimentos complicados. Suponha que resolvemos os movimentos sem campo elétrico e, agora, queremos saber quais movimentos existiriam em um campo magnético fraco. O teorema diz que o movimento em um campo magnético fraco é sempre uma das soluções obtidas para ausência de campo com uma rotação adicionada, sobre o eixo do campo, com velocidade angular $\omega_L = q_eB/2m$ (isso é o mesmo que ω_p, se $g = 1$). É obvio que há vários movimentos possíveis. O ponto é que, para cada movimento sem campo magnético, existe um movimento correspondente no campo, que é o movimento original mais uma rotação uniforme. Esse é o chamado teorema de Larmor, e ω_L é chamada de *frequência de Larmor*.

Gostaríamos de mostrar como o teorema pode ser provado, mas deixaremos que você trabalhe nos detalhes. Primeiro, pegue um elétron em um campo de força central. A força sobre ele é exatamente $\boldsymbol{F}(r)$, diretamente em direção ao centro. Se agora ligarmos um campo magnético uniforme, haverá uma força adicional $q\boldsymbol{v} \times \boldsymbol{B}$; desse modo, a força total será

$$\boldsymbol{F}(r) + q\boldsymbol{v} \times \boldsymbol{B}. \tag{34.18}$$

Olhemos agora o mesmo sistema a partir de um sistema de coordenadas em rotação com velocidade angular ω ao redor de um eixo que passa pelo centro de forças e que é paralelo a $\boldsymbol{B}$. Não será mais um sistema inercial, então teremos de considerar as pseudoforças – a força centrífuga e as forças de Coriolis, sobre as quais falamos no Capítulo 19 do Volume I. Encontraremos que, para um sistema em rotação com velocidade angular ω, haverá uma aparente força tangencial proporcional a v_r, a componente radial da velocidade:

$$F_t = -2m\omega v_r. \tag{34.19}$$

E há uma força radial aparente dada por

$$F_r = m\omega^2 r + 2m\omega v_t, \tag{34.20}$$

onde v_t é a componente tangencial da velocidade medida *no* sistema de referências em rotação (a componente radial v_r é a mesma tanto para sistemas em rotação, quanto para sistemas inerciais).

Para velocidades angulares suficientemente pequenas (isto é, se $\omega r \ll v_t$), podemos desprezar o primeiro termo (centrífugo) na Equação (34.20), em comparação com o segundo (Coriolis). Portanto, as Equações (34.19) e (34.20) podem ser escritas, em conjunto, como

$$\boldsymbol{F} = -2m\boldsymbol{\omega} \times \boldsymbol{v}. \tag{34.21}$$

Se agora *combinarmos* uma rotação e um campo magnético, devemos adicionar a força na Equação (34.21) àquela em (34.18). A força total é

$$\boldsymbol{F}(r) + q\boldsymbol{v} \times \boldsymbol{B} + 2m\boldsymbol{v} \times \boldsymbol{\omega} \tag{34.22}$$

[revertemos o produto vetorial e o sinal de (34.21) a fim de obter o último termo]. Olhando nosso resultado, vemos que, se

$$2m\boldsymbol{\omega} = -q\boldsymbol{B}$$

os dois termos do lado direito se cancelam e, no sistema em movimento, a única força é $\boldsymbol{F}(r)$. O movimento do elétron é exatamente o mesmo, como se não houvesse campo magnético – e, é claro, nenhuma rotação. Acabamos de provar o teorema de Larmor para um elétron. Como a prova supõe um pequeno ω, isso significa que o teorema é verdadeiro apenas para campos magnéticos fracos. A única coisa que pediríamos para você melhorar é que tome o caso de muitos elétrons interagindo mutuamente, uns com os outros, mas todos no mesmo campo central, e que prove o mesmo teorema, mas isto é o final da mecânica clássica, já que não é verdade que os movimentos ocorrem daquela maneira. A frequência de precessão ω_p, da Equação (34.11), é apenas igual a ω_L se g for igual a 1.

34–6 A física clássica não explica nem diamagnetismo, nem paramagnetismo

Agora queremos demonstrar que, de acordo com a mecânica clássica, não pode haver nem diamagnetismo, nem paramagnetismo. Parece loucura – primeiro demonstramos que há paramagnetismo, diamagnetismo, órbitas que precessam e assim por diante, e agora vamos provar que tudo está errado. Sim! – vamos provar que, *se* você seguir a mecânica *clássica* o suficiente, não há tais efeitos magnéticos – *eles todos se cancelam.* Se você começar um argumento clássico em um certo lugar e não for longe o suficiente, você poderá obter o que quer, mas a única prova legítima e correta mostra que não há qualquer efeito magnético.

É uma consequência da mecânica clássica que, se você tiver um tipo de sistema – um gás com elétrons, prótons e o que mais quiser – mantidos em uma caixa de tal maneira que a coisa toda fique restrita, não pode haver efeito magnético. É possível haver um efeito magnético se você tiver um sistema isolado, como uma estrela mantida por si própria que pode começar a virar quando você a colocar em um campo magnético. No entanto, se você tiver um pedaço de material mantido em um lugar em que não possa girar, então não há efeito magnético. O que queremos dizer por segurar a rotação é resumido da seguinte maneira: a uma dada temperatura, supomos que haja *apenas um estado* de equilíbrio térmico. O teorema, então, nos diz que, se você ligar um campo magnético e esperar que o sistema entre em equilíbrio térmico, não haverá paramagnetismo ou diamagnetismo – não haverá momento magnético induzido. Prova: de acordo com a mecânica estatística, a probabilidade de um sistema ter um dado estado de movimento é proporcional a $e^{-U/kT}$, onde U é a energia daquele estado de movimento. Qual é a energia daquele estado de movimento? Para uma partícula movendo-se em um campo magnético constante, a energia é igual à energia potencial comum mais $mv^2/2$ com nada adicional para o campo magnético [você sabe que as forças eletromagnéticas são $q(\boldsymbol{E} + \boldsymbol{v} \times \boldsymbol{B})$ e que a taxa de trabalho $\boldsymbol{F} \cdot \boldsymbol{v}$ é exatamente $q\boldsymbol{E} \cdot \boldsymbol{v}$, que não é afetada pelo campo magnético]. Assim, a energia do sistema, esteja ele em um campo magnético ou não, é sempre dada pela energia cinética mais a energia potencial. Como a probabilidade de qualquer movimento depende apenas da energia – isto é, da velocidade e da posição –, a probabilidade é sempre a mesma, havendo ou não campo magnético. Portanto, para o equilíbrio *térmico*, o campo magnético é irrelevante. Se tivermos o sistema em uma caixa e tivermos um segundo sistema em uma segunda caixa com campo magnético, a probabilidade de uma particular velocidade em qualquer ponto na primeira caixa é a mesma que na segunda caixa. Se a primeira caixa não tiver correntes médias circulantes (e ela não terá se estiver em equilíbrio com as paredes estacionárias), então não haverá momento magnético médio. Como na segunda caixa todos os movimentos são os mesmos, então não haverá, tampouco, momento magnético médio. Portanto, se a temperatura for mantida constante e o equilíbrio for restabelecido depois que o campo for ligado, não poderá haver momento magnético induzido pelo campo – de acordo com a mecânica clássica. Podemos apenas obter uma compreensão satisfatória dos fenômenos magnéticos por meio da mecânica quântica.

Infelizmente não podemos supor que você tenha uma compreensão madura de mecânica quântica para discutirmos essa matéria neste momento. Por outro lado, nem sempre precisamos primeiramente aprender as regras exatas para depois aplicá-las. Quase todos os assuntos estudados neste curso foram tratados de modo diferente. No caso da eletricidade, escrevemos as equações de Maxwell na primeira página e depois deduzimos as consequências. Essa é uma maneira. Contudo, não vamos começar uma nova primeira página, escrevendo as equações da mecânica quântica e deduzindo as consequências. Vamos simplesmente dizer algumas das consequências da mecânica quântica antes de você aprender de onde elas vieram. E aqui vamos nós.

34–7 Momento angular em mecânica quântica

Já lhe demos uma relação entre momento magnético e momento angular. Isso é bom, mas o que significam momento magnético e momento angular em mecânica quântica? Em mecânica quântica, acontece que o melhor modo de definir quantidades, como momento magnético, é em termos de outros conceitos como energia, de modo a estarmos certos de que sabemos seu significado. É fácil definir momento magnético em termos de energia porque a energia de um momento magnético em um campo magnético externo é, na teoria clássica, $\boldsymbol{\mu} \cdot \boldsymbol{B}$. Portanto, a seguinte definição pode ser feita em mecânica quântica: se calcularmos a energia de um sistema em um campo magnético e acharmos que ela é proporcional à intensidade do campo (para campos pequenos), o coeficiente de proporcionalidade é chamado de componente do momento magnético na direção do campo (não precisamos ser tão elegantes em nosso trabalho agora; podemos ainda pensar no momento magnético da maneira tradicional, clássica).

Gostaríamos agora de discutir a ideia de momento angular em mecânica quântica – ou melhor, as características daquilo que, em mecânica quântica, chama-se momento angular. Como você sabe, quando você vai para novos tipos de leis, você não pode supor que cada palavra significará exatamente a mesma coisa. Você pode pensar "ah, eu sei o que é momento angular. É aquela coisa que muda por um torque", mas o que é um torque? Em mecânica quântica, precisamos de novas definições para velhas quantidades. Talvez fosse mais correto chamá-la por outro nome, como "momento quantangular" ou algo parecido, pois seria o momento angular definido pela mecânica quântica. Se podemos achar uma quantidade em mecânica quântica que é idêntica à nossa velha ideia de momento angular quando o sistema fica grande o suficiente, não há vantagem em inventar um nome novo. Devemos tão somente chamá-lo de momento angular. Entendido isso, essa coisa estranha que estamos descrevendo *é* o momento angular. É aquilo que, em um grande sistema, reconhecemos como momento angular na mecânica clássica.

Primeiro, tomemos um sistema em que o momento angular é conservado, como um átomo sozinho no espaço vazio. Agora, essa coisa (como a terra rodando ao redor de seu eixo) poderia, em sentido comum, rodar ao redor de um eixo escolhido ao acaso. E, para um dado spin, haveria vários diferentes "estados", todos com a mesma energia, cada "estado" correspondendo a uma direção particular do eixo do momento angular. Assim, na teoria clássica, para um dado momento angular, há um número infinito de estados possíveis, todos com a mesma energia.

Entretanto, na mecânica quântica, surgem várias coisas estranhas. Primeiro, o número de estados em que um sistema *pode* existir é limitado – há somente um número finito. Se o sistema for pequeno, esse número finito será pequeno; se o sistema for grande, o número finito torna-se muito, muito grande. Segundo, *não podemos* descrever um "estado" dando a *direção* de seu momento angular, mas apenas fornecendo a *componente* do momento angular ao longo de alguma direção – digamos, a direção z. Classicamente, um objeto com um dado momento angular total J tem, para sua componente z, algum valor entre $+J$ e $-J$. Contudo, na mecânica quântica, a componente z do momento angular pode assumir apenas certos valores discretos. Um dado sistema – um átomo em particular, um núcleo ou qualquer coisa assim – com uma dada energia, tem um número característico j, e sua componente z do momento angular pode ter apenas os seguintes valores:

$$\begin{matrix} j\hbar \\ (j-1)\hbar \\ (j-2)\hbar \\ \vdots \\ -(j-2)\hbar \\ -(j-1)\hbar \\ -j\hbar \end{matrix} \tag{34.23}$$

A maior componente z é j vezes $\hbar$; a próxima menor é uma unidade de $\hbar$ menos, e abaixo de $-j\hbar$. O número j é chamado "spin do sistema" (algumas pessoas chamam-no "número quântico do momento angular", mas nós chamaremos de "spin").

Você pode estar preocupado que, o que estamos dizendo, possa ser verdade apenas para alguns eixos z *especiais*. Para um sistema cujo spin é j, a componente do momento angular ao longo de *qualquer* eixo pode ter somente um dos valores em (34.23). Apesar de isso ser bastante misterioso, pedimos apenas que você aceite isso por enquanto. Voltaremos e discutiremos esse ponto mais tarde. Você pode ficar contente em ouvir que a componente z vai de alguns números para menos desses *mesmos* números (certamente, se disséssemos que iria de $+j$ a menos em um grupo diferente, isso seria infinitamente misterioso, pois não fomos capazes de definir o eixo z, apontando para o outro lado).

Agora, a componente z do momento angular deve integrar de $+j$ a $-j$, então j deve ser um inteiro. Não! Ainda não, duas vezes j deve ser um inteiro. Apenas a *diferença* entre $+j$ e $-j$ deve ser um inteiro. Assim, geralmente, o spin j é tanto um inteiro quanto um semi-inteiro, dependendo se $2j$ for par ou ímpar. Tomemos, por exemplo, um núcleo, como o lítio, que tem um spin de três meios, $j = 3/2$. O momento angular ao longo do eixo z, em unidades $\hbar$, é um dos seguintes:

$$\begin{matrix} +3/2 \\ +1/2 \\ -1/2 \\ -3/2 \end{matrix}$$

Há quatro estados possíveis, todos com a mesma energia se o núcleo estiver no espaço vazio sem campos externos. Se tivermos um sistema cujo spin é dois, então, a componente z do momento angular tem apenas esses valores para as unidades $\hbar$:

$$\begin{matrix} 2 \\ 1 \\ 0 \\ -1 \\ -2 \end{matrix}$$

Se contarmos quantos estados existem para um dado j, encontraremos $(2j + 1)$ possibilidades. Em outras palavras, se você disser a energia e o spin de j, surgirão exatamente $(2j+1)$ estados com tal energia, cada estado correspondendo a uma diferente possibilidade dos valores da componente z do momento angular.

Queremos acrescentar outro fato. Se você selecionar aleatoriamente qualquer átomo de j conhecido e medir a componente z do momento angular, poderá pegar um dos possíveis valores, e cada um dos valores será igual. Todos os estados têm o mesmo "peso" no mundo (estamos supondo que nada foi feito fora de uma amostra especial). Acidentalmente, esse fato tem um análogo clássico. Se você fizer a mesma questão classicamente: qual é a possibilidade de uma particular componente z de momento angular para uma amostra aleatória de sistemas, todos com o mesmo momento angular? – a resposta é que todos os valores, desde o máximo até o mínimo, são igualmente prováveis (você pode deduzir esse resultado facilmente). O resultado clássico corresponde à igual probabilidade entre as $(2j + 1)$ possibilidades da mecânica quântica.

Do que temos até agora, podemos chegar a uma outra conclusão interessante e, em certo sentido, surpreendente. Em certos cálculos clássicos, a quantidade que aparece no resultado final é o *quadrado* da magnitude do momento angular $\boldsymbol{J}$ – em outras palavras, $\boldsymbol{J} \cdot \boldsymbol{J}$. Acontece que é frequentemente possível *adivinhar* a fórmula quântica correta utilizando o cálculo clássico e a seguinte regra: substituir $J^2 = \boldsymbol{J} \cdot \boldsymbol{J}$ por $j(j+1)\hbar^2$. Essa regra é comumente utilizada e, em geral, dá os resultados corretos, mas nem sempre. Podemos dar o seguinte argumento para mostrar por que você pode esperar que essa regra esteja correta.

O produto escalar $\boldsymbol{J} \cdot \boldsymbol{J}$ pode ser escrito como

$$\boldsymbol{J} \cdot \boldsymbol{J} = J_x^2 + J_y^2 + J_z^2.$$

Como esse produto é um escalar, ele deveria ser o mesmo para qualquer orientação do spin. Suponha que tomemos amostras de um dado sistema quântico ao acaso, e que façamos medidas de J_x^2, J_y^2 ou J_z^2, sendo que o *valor médio* seja o mesmo para cada um (não há distinção especial para qualquer das direções). Portanto, a média de $\boldsymbol{J} \cdot \boldsymbol{J}$ é igual a três vezes a média de qualquer componente ao quadrado, digamos, J_z^2;

$$\langle \boldsymbol{J} \cdot \boldsymbol{J} \rangle_{\text{média}} = 3\langle J_z^2 \rangle_{\text{média}}.$$

Já que $\boldsymbol{J} \cdot \boldsymbol{J}$ é a mesma para todas as orientações, a média é simplesmente o seu valor constante; temos

$$\boldsymbol{J} \cdot \boldsymbol{J} = 3\langle J_z^2 \rangle_{\text{média}}. \tag{34.24}$$

Se dissermos agora que usaremos a mesma equação para mecânica quântica, podemos facilmente achar $\langle J_z^2 \rangle_{\text{média}}$. Teremos apenas que somar os $(2j + 1)$ possíveis valores de J_z^2 e dividir pelo número total de termos.

$$\langle J_z^2 \rangle_{\text{média}} = \frac{j^2 + (j-1)^2 + \cdots + (-j+1)^2 + (-j)^2}{2j+1}\hbar^2. \tag{34.25}$$

Para um sistema de spin 3/2, funciona da seguinte maneira:

$$\langle J_z^2 \rangle_{\text{média}} = \frac{(3/2)^2 + (1/2)^2 + (-1/2)^2 + (-3/2)^2}{4}\hbar^2 = \frac{5}{4}\hbar^2.$$

Concluímos que

$$\boldsymbol{J} \cdot \boldsymbol{J} = 3\langle J_z^2 \rangle_{\text{média}} = 3\tfrac{5}{4}\hbar^2 = \tfrac{3}{2}(\tfrac{3}{2} + 1)\hbar^2.$$

Vamos deixar para você mostrar que a Eq. (34.25) junto à Eq. (34.24) nos dá o resultado geral

$$\boldsymbol{J} \cdot \boldsymbol{J} = j(j+1)\hbar^2. \tag{34.26}$$

Embora pensássemos classicamente que o maior valor possível da componente z de $\boldsymbol{J}$ fosse da magnitude de $\boldsymbol{J}$ – isto é, $\sqrt{\boldsymbol{J} \cdot \boldsymbol{J}}$ –, na mecânica quântica, o máximo valor de J_z é sempre uma pequena adivinhação, já que $j\hbar$ é sempre menor que $\sqrt{j(j+1)}\hbar$. O momento angular nunca está completamente ao longo da direção z.

34–8 A energia magnética dos átomos

Falaremos agora sobre o momento magnético. Dissemos que, em mecânica quântica, o momento magnético de um particular sistema atômico pode ser escrito em termos do momento angular pela Equação (34.6)

$$\boldsymbol{\mu} = -g\left(\frac{q_e}{2m}\right)\boldsymbol{J}, \tag{34.27}$$

onde $-q_e$ e m são a carga e a massa do elétron.

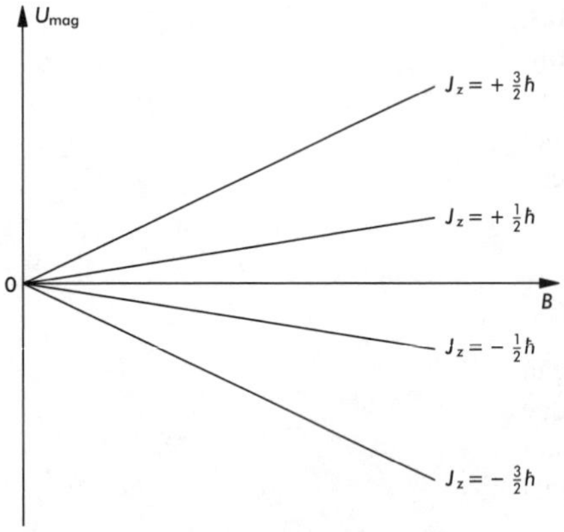

Figura 34–5 A energia magnética possível em um sistema atômico com um spin de 3/2 em um campo magnético ***B***.

Um magneto atômico colocado em um campo magnético externo terá uma energia magnética extra que depende da componente de seu momento magnético ao longo da direção do campo. Sabemos que

$$U_{\text{mag}} = -\boldsymbol{\mu} \cdot \boldsymbol{B}. \tag{34.28}$$

Escolhendo nosso eixo z ao longo da direção de ***B***,

$$U_{\text{mag}} = -\mu_z B. \tag{34.29}$$

Utilizando a Equação (34.27), temos que

$$U_{\text{mag}} = g\left(\frac{q_e}{2m}\right) J_z B.$$

A mecânica quântica nos diz que J_z só pode tomar certos valores: $j\hbar$, $(j-1)\hbar, \ldots, -j\hbar$. Portanto a energia magnética de um sistema atômico não é arbitrária; ela só pode ter certos valores. Por exemplo, seu valor máximo é

$$g\left(\frac{q_e}{2m}\right)\hbar j B.$$

A quantidade $q_e\hbar/2m$ é geralmente chamada de "magneton de Bohr" e se escreve μ_B:

$$\mu_B = \frac{q_e\hbar}{2m}.$$

Os possíveis valores da energia magnética são

$$U_{\text{mag}} = g\mu_B B\,\frac{J_z}{\hbar},$$

onde $J_z/\hbar$ toma os valores possíveis j, $(j-1)$, $(j-2), \ldots, (-j+1)$, $-j$.

Em outras palavras, a energia de um sistema atômico muda quando ele é colocado em um campo magnético, por uma quantidade proporcional ao campo e proporcional a J_z. Dizemos que a energia de um sistema atômico é "cindida" em $(2j + 1)$ níveis por um campo magnético. Por exemplo, um átomo, cuja energia é U_0 na ausência de um campo magnético e cujo j é 3/2, terá quatro possíveis energias quando colocado em um campo magnético. Podemos mostrar essas energias por um diagrama de níveis, como o desenhado na Figura 34–5. Qualquer átomo particular pode ter apenas um dos quatro níveis de energia em um dado campo magnético B. Isso é o que a mecânica quântica nos diz sobre o comportamento de um sistema atômico em um campo magnético.

O sistema "atômico" mais simples corresponde a um só elétron. O spin de um elétron é 1/2, de modo que há dois estados possíveis: $J_z = \hbar/2$ e $J_z = -\hbar/2$. Para um elétron em repouso (sem movimento orbital), o momento magnético de spin tem um valor de g igual a 2, de modo que a energia magnética pode tomar dois valores, $\pm\mu_B B$. As possíveis energias em um campo magnético são mostradas na Figura 34–6. *Grosso modo*, dizemos que o elétron tem spin "para cima" (ao longo do campo) ou "para baixo" (oposto ao campo).

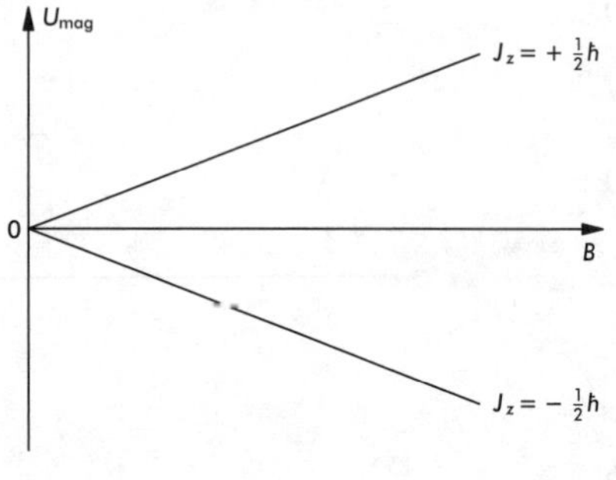

Figura 34–6 Os dois estados possíveis de energia de um elétron em um campo magnético ***B***.

Para sistemas com spins maiores, há mais estados. Podemos pensar que o spin seja "para cima" ou "para baixo", ou ainda fazendo algum "ângulo" intermediário, dependendo do valor de J_z.

Vamos utilizar esses resultados quânticos para discutir as propriedades magnéticas de materiais no próximo capítulo.

35

Paramagnetismo e Ressonância Magnética

Revisão: Capítulo 11, *No Interior dos Dielétricos*

35–1 Estados magnéticos quantizados

No capítulo anterior, vimos por que, em mecânica quântica, o momento angular de um objeto não pode ter uma direção arbitrária, mas suas componentes, ao longo de um dado eixo, podem apenas assumir valores igualmente espaçados, discretos. É algo de peculiar e espantoso. Você pode pensar que, talvez, não devêssemos enveredar por tais caminhos até que sua mente estivesse mais avançada e pronta para aceitar esse tipo de ideia. De fato, sua mente nunca estará mais avançada – no sentido de ser capaz de aceitar tal ideia facilmente. Não há outra maneira de descrevê-la a não ser de forma avançada e sutil, o que seria muito complicado. O comportamento da matéria em pequena escala é diferente de qualquer coisa com a qual você esteja acostumado, sendo, de fato, muito estranho – conforme dissemos várias vezes. Conforme prosseguimos com a física clássica, é uma boa ideia tentar conhecer cada vez mais o comportamento das coisas em pequena escala, primeiramente, como um tipo de experiência sem qualquer compreensão profunda. A compreensão de tais questões é muito vagarosa, se é que a teremos. É claro que teremos uma ideia melhor do que acontecerá em situações quânticas – se é que isso constitui uma compreensão – mas jamais nos sentiremos confortáveis para dizer que estas regras quânticas são "naturais". É claro que elas *são*, mas não para as nossas experiências rotineiras. Deveríamos explicar que a atitude que tomaremos com respeito a essa regra sobre o momento angular é muito diferente das outras coisas sobre as quais temos falado. Não vamos "explicá-las", mas devemos, pelo menos, *dizer-lhes* o que ocorre; seria desonesto descrever as propriedades magnéticas dos materiais sem mencionar o fato de a descrição clássica do magnetismo – do momento angular e dos momentos magnéticos – ser incorreta.

Uma das características mais chocantes e perturbadoras sobre a mecânica quântica é que, se você tomar o momento angular ao longo de qualquer eixo particular, você verá que ele é sempre um número inteiro ou semi-inteiro multiplicado por $\hbar$. É assim, não importando qual eixo você considere. Os detalhes envolvidos nesse fato curioso – que você pode considerar qualquer outro eixo e a componente neste novo eixo ser obrigada a ter o mesmo conjunto de valores – deixaremos para um próximo capítulo, quando você terá a maravilhosa experiência de ver como esse aparente paradoxo é resolvido.

Agora, vamos apenas aceitar o fato de que, para qualquer sistema atômico, há um número j chamado *spin* do sistema, que deve ser inteiro ou semi-inteiro, de modo que a componente do momento angular ao longo de qualquer eixo particular assuma um dos seguintes valores entre $+j\hbar$ e $-j\hbar$:

$$J_z = \text{um dos valores}\left\{\begin{matrix} j \\ j-1 \\ j-2 \\ \vdots \\ -j+2 \\ -j+1 \\ -j \end{matrix}\right\}\cdot\hbar. \tag{35.1}$$

Já mencionamos que qualquer sistema atômico simples tem um momento magnético cuja direção é a mesma do momento angular. Isso é verdade não apenas para átomos e núcleos, mas também para partículas fundamentais. Cada partícula fundamental tem seu valor característico de j e seu momento angular (para algumas partículas, ambos são nulos). O que queremos dizer por "momento magnético" nessa afirmação é que a energia do sistema, na presença de um campo magnético na direção z, pode ser escrita como $-\mu_z B$ para campos magnéticos pequenos. Devemos supor que o campo não seja grande demais para que ele não perturbe os movimentos internos do sistema, de modo que a energia seja a medida do momento magnético característico do átomo quando o campo foi ligado. Se o campo for suficientemente fraco, a variação de energia é

$$\Delta U = -\mu_z B, \tag{35.2}$$

onde entendemos que, nessa equação, devemos substituir μ_z por

$$\mu_z = g\left(\frac{q}{2m}\right) J_z, \tag{35.3}$$

onde J_z assume um dos valores listados na Equação (35.1).

Suponha que tomemos um sistema com spin $j = 3/2$. Na ausência de campo magnético, o sistema tem quatro diferentes estados possíveis correspondendo aos diferentes valores de J_z, todos com exatamente a mesma energia. Na hora que ligamos o campo magnético, há uma energia adicional de interação que separa esses estados em quatro níveis de energia ligeiramente diferentes. As energias desses níveis são dadas por uma certa energia proporcional a B multiplicada por $\hbar$ vezes 3/2, 1/2, –1/2 e –3/2, os valores de J_z*. A divisão dos níveis de energia para sistemas atômicos com spins 1/2, 1 e 3/2 é mostrada nos diagramas da Figura 35–1 (lembre que, para qualquer arranjo de elétrons, o momento magnético é sempre oposto ao momento angular).

A partir dos diagramas, você pode notar que os "centros de gravidade" dos níveis de energia são os mesmos com ou sem campo magnético. Note também que o espaçamento entre um nível e o próximo é sempre o mesmo para uma dada partícula e um dado campo magnético. Vamos escrever o espaçamento das energias para um dado campo magnético B como $\hbar\omega_p$, o que é simplesmente uma definição de ω_p. Usando as Equações (35.2) e (35.3), temos

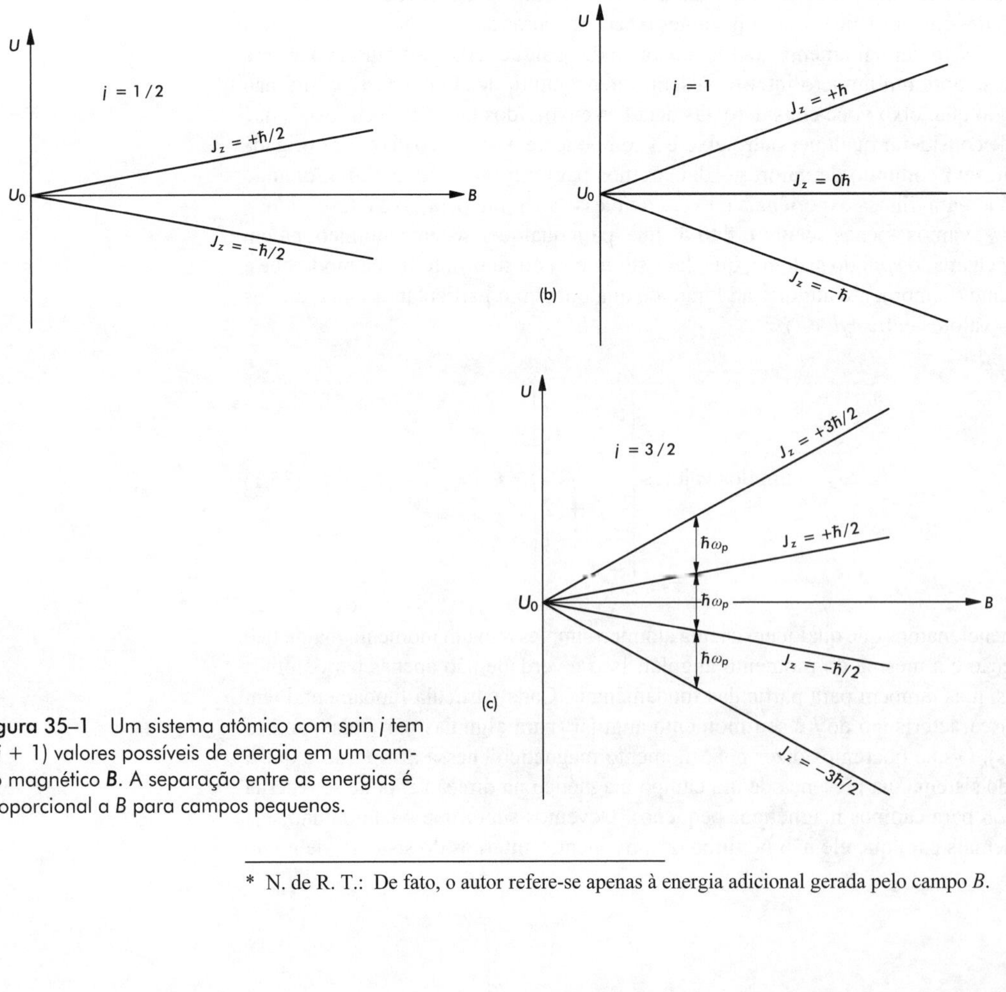

Figura 35–1 Um sistema atômico com spin j tem $(2j + 1)$ valores possíveis de energia em um campo magnético B. A separação entre as energias é proporcional a B para campos pequenos.

* N. de R. T.: De fato, o autor refere-se apenas à energia adicional gerada pelo campo B.

$$\hbar\omega_p = g\,\frac{q}{2m}\,\hbar B$$

ou

$$\omega_p = g\,\frac{q}{2m}\,B. \qquad (35.4)$$

A quantidade $g(q/2m)$ é simplesmente a relação entre o momento magnético e o momento angular – esta é uma propriedade da partícula. A Equação (35.4) corresponde à fórmula que encontramos no Capítulo 34 para a velocidade angular de precessão em um campo magnético, para um giroscópio cujo momento angular é $\boldsymbol{J}$ e cujo momento magnético é $\boldsymbol{\mu}$.

35–2 O experimento de Stern-Gerlach

O fato de o momento angular ser quantizado é algo tão surpreendente que falaremos um pouco mais sobre isso historicamente. Foi um choque desde o momento de sua descoberta (embora fosse esperado teoricamente). Foi observado primeiramente em um experimento feito em 1922 por Stern e Gerlach. Se você quiser, pode considerar o experimento de Stern-Gerlach como uma justificativa direta para a confiança na quantização do momento angular. Stern e Gerlach imaginaram um experimento para medir o momento magnético de átomos individuais de prata. Eles produziram um feixe de átomos de prata evaporando a prata em um forno quente e deixando-os (os átomos) passar através de uma série de pequenos buracos. Esse feixe era direcionado entre os polos de um magneto especial, como mostrado na Figura 35–2. Sua ideia era a seguinte. Se o átomo de prata tem um momento magnético $\boldsymbol{\mu}$, então, em um campo magnético $\boldsymbol{B}$, ele terá uma energia $-\mu_z B$, onde z é a direção do campo magnético. Na teoria clássica, μ_z seria igual ao momento magnético multiplicado pelo cosseno do ângulo entre o momento e o campo magnético. Desse modo, a energia extra no campo seria

$$\Delta U = -\mu B\cos\theta. \qquad (35.5)$$

Obviamente, quando os átomos saem do forno, seus momentos magnéticos apontariam para todas as direções possíveis, havendo todos os valores para θ. Agora, se o campo magnético variar muito rapidamente com z – se houver um forte gradiente de campo –, então a energia magnética variará também com a posição, e haverá uma força sobre os momentos magnéticos, cuja direção dependerá de o cosseno de θ ser positivo ou negativo. Os átomos serão puxados para cima e para baixo por uma força proporcional à derivada da energia magnética; a partir do princípio do trabalho virtual,

$$F_z = -\frac{\partial U}{\partial z} = \mu\cos\theta\,\frac{\partial B}{\partial z}\cdot \qquad (35.6)$$

Stern e Gerlach fizeram seu magneto com uma beirada bem pontiaguda em um dos polos, para produzir uma variação bem rápida do campo magnético. O feixe de átomos

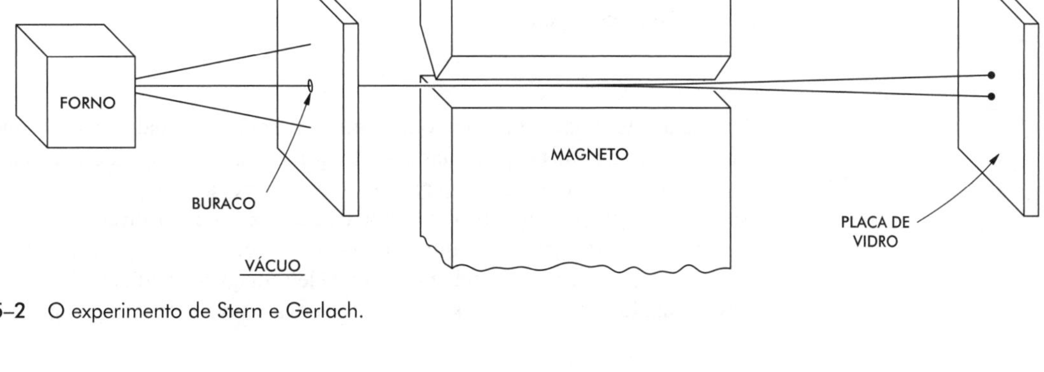

Figura 35–2 O experimento de Stern e Gerlach.

de prata foi direcionado exatamente ao longo dessa beirada pontiaguda, de modo que os átomos sofreriam uma força vertical em um campo não homogêneo. Um átomo de prata com seu momento magnético direcionado horizontalmente não sofreria nenhuma força e passaria direto pelo magneto. Um átomo cujo momento magnético fosse exatamente vertical sofreria uma força puxando-o para cima, na direção da beirada pontiaguda do magneto. Um átomo cujo momento magnético estivesse direcionado para baixo sofreria uma força para baixo. Assim, quando saíssem do magneto, os átomos estariam dispersos de acordo com as componentes verticais de seus momentos magnéticos. Na teoria clássica, todos os ângulos são possíveis; desse modo, quando os átomos de prata são recolhidos por deposição em uma placa de vidro, poderíamos esperar uma nuvem de prata ao longo de uma linha vertical. O comprimento da linha seria proporcional à magnitude do momento magnético. A falha abjeta da teoria clássica foi completamente revelada quando Stern e Gerlach viram o que realmente acontecia. Eles encontraram na placa de vidro duas manchas. Os átomos de prata tinham formado dois feixes.

Que um feixe de átomos, cujos spins tenham sido aparentemente orientados ao acaso, seja disperso em dois feixes é miraculoso. Como o momento magnético *sabe* que são permitidas apenas determinadas componentes na direção do campo magnético? Bem, esse foi realmente o começo da descoberta da quantização do momento angular e, em vez de ficarmos tentando lhe dar uma explanação teórica, vamos apenas dizer para você se surpreender com o resultado desse experimento, assim como os físicos da época tiveram de aceitar o resultado quando o experimento foi feito. Era um *fato experimental* que a energia de átomo em um campo magnético toma uma série de valores individuais. Para cada um desses valores, a energia é proporcional à magnitude do campo. Então, em uma região onde o campo varia, o princípio do trabalho virtual nos diz que a possível força magnética nos átomos terá um conjunto de valores distintos; a força é diferente para cada estado e, desse modo, o feixe de átomos é disperso em um número pequeno de feixes separados. A partir da medida da deflexão dos feixes, pode-se determinar a intensidade do momento magnético.

35–3 O método do feixe molecular de Rabi

Agora, gostaríamos de descrever um aparelho não melhorado para medir os momentos magnéticos que foi desenvolvido por I. I. Rabi e seus colaboradores. No experimento de Stern-Gerlach, a deflexão dos átomos era muito pequena e a medida do momento magnético não era muito precisa. A técnica de Rabi permite uma precisão fantástica na medição dos momentos magnéticos. O método baseia-se no fato de a energia original dos átomos em um campo magnético ser dispersa em um número finito de níveis de energia. Que a energia de um átomo em um campo magnético pode ter apenas determinados valores discretos realmente não surpreende mais que o fato de os átomos *em geral* terem apenas certos discretos níveis de energia – mencionamos isso com frequência no Vol. I. Por que a mesma coisa não deveria acontecer aos átomos em um campo magnético? Isso ocorre, mas é necessário correlacionar com a ideia de um *momento magnético orientado,* o que traz algumas das estranhas implicações da mecânica quântica.

Quando um átomo tem dois níveis que diferem em energia pela quantia ΔU, ele pode fazer a transição do nível mais alto para o mais baixo emitindo um quantum de luz de frequência ω, onde

$$\hbar\omega = \Delta U. \tag{35.7}$$

A mesma coisa pode acontecer com átomos em um campo magnético. Só que as diferenças de energia são tão pequenas que a frequência não corresponde àquela da luz, mas a micro-ondas ou a radiofrequências. Para um átomo, as transições de um nível mais baixo de energia para um nível mais alto de energia podem ocorrer com a absorção de luz ou, no caso de átomos em um campo magnético, podemos provocar transições de um estado para outro, aplicando um campo eletromagnético adicional com frequência apropriada. Em outras palavras, se tivermos um átomo em um campo magnético forte, e dermos um piparote nesse átomo com um campo eletromagnético fraco variável, haverá certa probabilidade de ele bambolear para outro nível se a frequência estiver próxima de ω na Eq. (35.7). Para um átomo em um campo magnético, essa frequência é exatamente o que havíamos chamado de ω_p e é dada em termos do campo magnético, pela Eq. (35.4). Se um átomo for provocado por um piparote com a frequência errada, a chance de se provocar uma transição é muito pequena. Desse modo, há uma aguda *ressonância* em ω_p com probabilidade de causar a transição. Medindo-se a frequência dessa ressonância em um campo magnético conhecido B, poderemos medir a quantidade $g(q/2m)$ – e disso o fator g, com grande precisão.

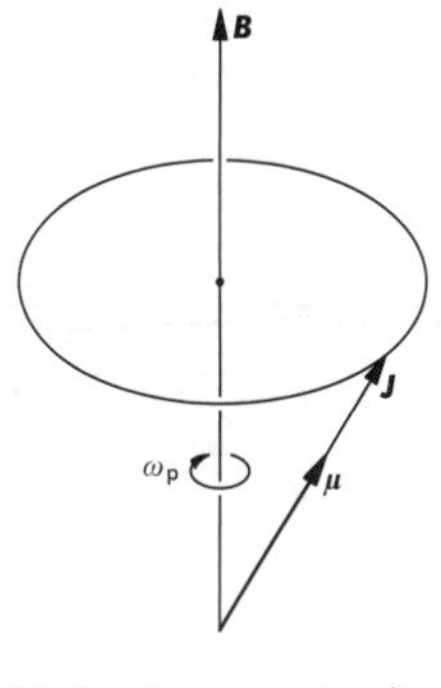

Figura 35–3 A precessão clássica de um átomo com um momento magnético $\boldsymbol{\mu}$ e momento angular J.

É interessante que alguém chegue à mesma conclusão a partir de um ponto de vista clássico. De acordo com a posição clássica, quando colocamos um pequeno giroscópio com um momento angular J em um campo magnético externo, o giroscópio irá precessar sobre um eixo paralelo ao campo magnético (ver Figura 35–3). Suponha que perguntemos: como podemos mudar o ângulo do giroscópio clássico com relação ao campo, ou seja, com relação ao eixo z? O campo magnético produz um torque ao redor do eixo *horizontal*. Você pensará que esse torque está *tentando* alinhar o momento com o campo, mas ele apenas causará a precessão. Se quisermos mudar o ângulo do giroscópio em relação ao eixo z, devemos exercer um torque *sobre o eixo z*. Se aplicarmos um torque que vá na mesma direção da precessão, o ângulo do giroscópio mudará para oferecer uma componente menor de $\boldsymbol{J}$ na direção z. Na Figura 35–3, o ângulo entre $\boldsymbol{J}$ e o eixo z irá aumentar. Se tentarmos obstruir a precessão, $\boldsymbol{J}$ se moverá na vertical.

Para nosso átomo em precessão em um campo magnético uniforme, como podemos aplicar o tipo de torque que queremos? A resposta é: com um campo magnético fraco ao lado. Primeiro, você deve pensar que a direção desse campo magnético deve rodar com a precessão do momento magnético, de modo a, sempre, fazer um ângulo reto com o momento, como indicado pelo campo B' na Figura 35–4(a). Tal campo funciona muito bem, mas um campo horizontal *alternante* será quase tão bom. Se tivermos um pequeno campo horizontal B', que tenha sempre a direção x (mais ou menos) e oscile com a frequência ω_p, para cada metade do ciclo, o torque no momento magnético irá reverter, de modo que ele tenha um efeito acumulativo quase tão efetivo quanto um campo magnético em rotação. Classicamente, esperaríamos que a componente do momento magnético ao longo da direção z mudasse se tivéssemos um campo magnético oscilante muito fraco cuja frequência fosse exatamente ω_p. Classicamente, é claro, μ_z mudaria continuamente, mas, na mecânica quântica, a componente z do momento magnético não pode ajustar-se continuamente. Ela deve pular abruptamente de um valor para outro. Fizemos comparações entre a mecânica clássica e a mecânica quântica para dar-lhes algumas pistas sobre o que deveria acontecer classicamente e como isso se relaciona com o que realmente acontece em mecânica quântica. Reparem que, incidentalmente, a frequência de ressonância esperada é a mesma para ambos os casos.

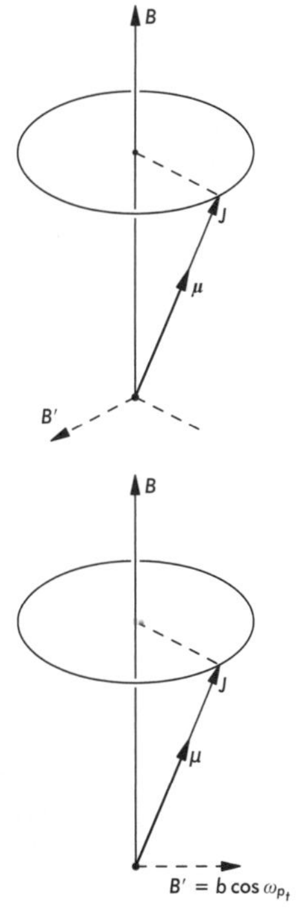

Figura 35–4 O ângulo de precessão de um magneto atômico sempre pode ser alterado por um campo magnético horizontal em ângulos retos a $\boldsymbol{\mu}$, como em (a), ou por um campo oscilante, como em (b).

Uma observação adicional: do que dissemos sobre mecânica quântica, aparentemente não há razão para não ocorrer, também, transições a frequência $2\omega_p$. Acontece que não há nada análogo a isso no caso clássico, e também isso não acontece na teoria quântica – ao menos para o método particular de indução de transição que descrevemos. Com um campo magnético horizontal oscilante, a probabilidade de a frequência $2\omega_p$ causar um pulo de dois estágios de uma só vez é zero. É apenas na frequência ω_p que transições, tanto para baixo como para cima, provavelmente ocorrem.

Agora estamos prontos para descrever o método de Rabi para medir momentos magnéticos. Consideraremos, aqui, apenas a operação para átomos com um spin de 1/2. Um diagrama do aparelho é mostrado na Figura 35–5. Há um forno que fornece um fluxo de átomos neutros que passam através de três magnetos. O magneto 1 é exatamente como o mostrado na Figura 35–2 e tem um campo com um forte gradiente de campo – digamos, com $\partial B_z/\partial z$ positivo. Se os átomos tiverem um momento magnético, eles serão defletidos para baixo se $J_z = +\hbar/2$, e para cima se $J_z = -\hbar/2$ (desde que os elétrons $\boldsymbol{\mu}$ estejam em direção oposta a $\boldsymbol{J}$). Se considerarmos apenas os átomos que atravessam a abertura S_1, há duas possíveis trajetórias, como mostrado. Átomos com $J_z = +\hbar/2$ devem descrever uma longa curva a para atravessarem a abertura, e aqueles com $J_z = -\hbar/2$ devem descrever a curva b. Os átomos que deixam o forno com outras trajetórias não passam pela abertura.

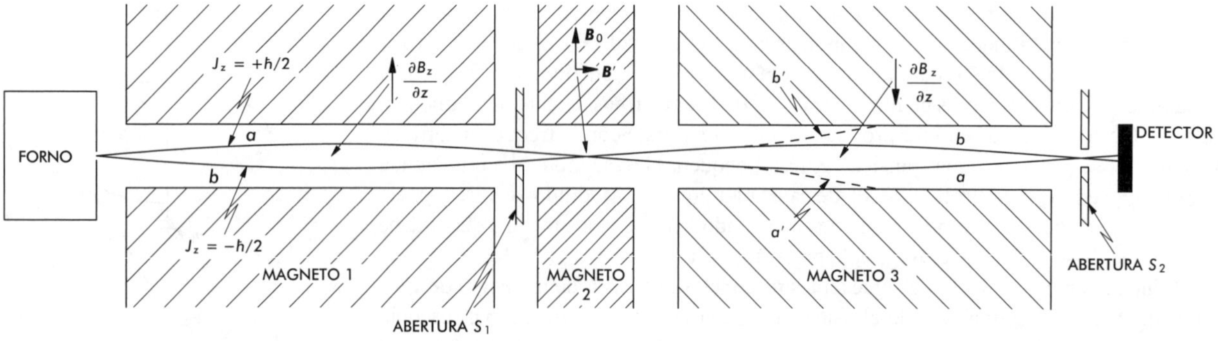

Figura 35–5 O aparelho do feixe molecular de Rabi.

O magneto 2 tem um campo uniforme. Não há forças sobre os átomos nessa região, então eles vão diretamente para o magneto 3. O magneto 3 é como o magneto 1, mas com campo *inverso*, assim, $\partial B_z/\partial z$ tem sinal oposto. Os átomos com $J_z = +\hbar/2$ (dizemos "com spin para cima"), que sofrem um impulso para cima no magneto 1, receberão um impulso *para baixo* no magneto 3; eles continuarão na trajetória *a* e irão pela abertura S_2 até um detector. Os átomos com $J_z = -\hbar/2$ ("com spin para baixo") também têm forças opostas nos magnetos 1 e 3 e descreverão a trajetória *b* que também os levará, através da abertura S_2, ao detector.

O detector pode ser feito de várias formas, dependendo dos átomos a serem medidos. Por exemplo, para átomos de um metal alcalino como o sódio, o detector pode ser um fio de tungstênio, fino e quente, conectado a um medidor de correntes sensível. Quando os átomos de sódio chegam ao fio, eles são evaporados em íons Na^+, deixando um elétron para trás. Há uma corrente no arame proporcional ao número de átomos de sódio que chegam por segundo.

Na fenda do magneto 2 há um conjunto de molas que produz um pequeno campo magnético $\boldsymbol{B}'$. As molas são forçadas por uma corrente que oscila com uma frequência variável ω. Assim, entre os polos do magneto 2, há um campo vertical $\boldsymbol{B}_0$ constante e forte, e um campo horizontal $\boldsymbol{B}'$ fraco e oscilante.

Suponha agora que a frequência ω do campo oscilante seja fixada em ω_p – a frequência de *precessão* dos átomos no campo $\boldsymbol{B}$. O campo alternante obrigará alguns átomos, que por ali passam, a transições de um J_z para outro. Um átomo cujo spin inicialmente era "para cima" ($J_z = +\hbar/2$) pode jogar "para baixo" ($J_z = -\hbar/2$). Agora, esse átomo tem a direção de seu momento magnético reverso, então ele sentirá uma força *para baixo* no magneto 3 e descreverá a trajetória *a'*, mostrada na Figura 35–5. Ele não mais passará pela abertura S_2 para chegar ao detector. Igualmente, alguns dos átomos com spin inicialmente para baixo ($J_z = -\hbar/2$) terão seus spins jogados para cima ($J_z = +\hbar/2$) ao passarem pelo magneto 2. Eles descreverão a trajetória *b'* e não alcançarão o detector.

Se o campo oscilante $\boldsymbol{B}'$ tiver uma frequência bem diferente de ω_p, ele não causará nenhuma sacudidela de spin, e os átomos seguirão suas trajetórias sem perturbação, até o detector. Você pode ver que a frequência de "precessão" ω_p dos átomos no campo $\boldsymbol{B}_0$ pode ser encontrada variando-se a frequência ω do campo $\boldsymbol{B}'$ até se observar uma diminuição na corrente de átomos que chegam ao detector. Uma diminuição na corrente terá lugar quando ω estiver "em ressonância" com ω_p. Um gráfico da corrente do detector em função de ω deve parecer com o mostrado na Figura 35–6. Conhecendo-se ω_p, podemos obter o valor *g* do átomo.

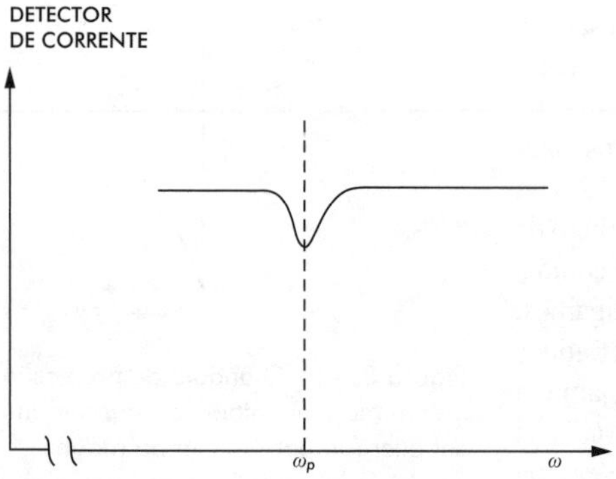

Figura 35–6 A corrente de átomos no feixe diminui quando $\omega = \omega_p$.

Essa experiência com ressonância de feixe atômico ou, como usualmente chamado, feixe "molecular" representa um modo delicado e belo de medir propriedades de objetos atômicos. A frequência de ressonância ω_p pode ser determinada com grande precisão – de fato, com precisão maior do que a obtida para o campo magnético $\boldsymbol{B}_0$, a qual devemos conhecer para determinar *g*.

35–4 O paramagnetismo no interior de materiais

Gostaríamos, agora, de descrever o fenômeno do paramagnetismo no interior de materiais. Suponha que tenhamos uma substância cujos átomos tenham momentos magnéticos permanentes, por exemplo, um cristal como o sulfato de cobre. No cristal, há íons de cobre cujas camadas internas de elétrons têm um nítido momento angular e um nítido momento magnético. Desse modo, o íon de cobre é um objeto que tem momento magnético permanente. Vamos dizer apenas algumas palavras sobre quais átomos têm momento magnético e quais não têm. Todo átomo, como o sódio, por exemplo, que tem um número *ímpar* de elétrons, terá momento magnético. O sódio tem apenas um elétron em sua camada incompleta. Esse elétron dá ao átomo um spin e um momento magnético. Normalmente, entretanto, quando os compostos são formados, os elétrons extras da camada externa são juntados com outros elétrons cujas direções de spin são exatamente opostas; assim, todos os momentos angulares e momentos magnéticos dos elétrons de valência são usualmente cancelados. É por isso que, em geral, as moléculas não têm momento magnético. É claro que, se você tiver um gás de átomos de sódio, não haverá tal cancelamento[1]. Do mesmo modo, se você tiver o que, em química, é chamado de radical livre – um objeto com um número ímpar de elétrons de valência –, as ligações não serão completamente satisfeitas, e haverá um momento angular resultante.

Na maioria dos interiores de materiais, haverá nítido momento magnético apenas se houver átomos presentes cuja camada interior de elétrons estiver incompleta. Desse modo, poderá haver um momento angular resultante e um momento magnético resultante. Tais átomos são encontrados na parte dos "elementos de transição" da tabela periódica – por exemplo, cromo, manganês, ferro, níquel, cobalto, paládio e platina são elementos desse tipo. Além disso, todos os elementos terras-rara têm camadas internas incompletas e momentos magnéticos permanentes. Há algumas outras coisas estranhas que também têm momentos magnéticos, como o oxigênio líquido, mas deixaremos isso para o departamento de química explicar as razões.

Agora, suponha que tenhamos uma caixa cheia de átomos ou moléculas com momentos permanentes – digamos, um gás, um líquido ou um cristal. Gostaríamos de saber o que aconteceria se aplicássemos um campo magnético externo. Sem campo magnético, os átomos chocam-se por causa do movimento térmico, e os momentos acabam apontando para todas as direções. Contudo, quando há um campo magnético, ele atua alinhando os pequenos magnetos; assim, há mais momentos orientados no sentido do campo do que no sentido contrário a dele. O material está "magnetizado".

Definimos a *magnetização* $\boldsymbol{M}$ do material como o momento magnético resultante por unidade de volume, o que significa a soma vetorial de todos os momentos magnéticos por unidade de volume. Se houver N átomos por unidade de volume, e a média dos momentos for $\langle\boldsymbol{\mu}\rangle_{\text{média}}$, então $\boldsymbol{M}$ pode ser escrito como N multiplicado pela média do momento atômico:

$$\boldsymbol{M} = N\langle\boldsymbol{\mu}\rangle_{\text{média}}. \tag{35.8}$$

A definição de $\boldsymbol{M}$ corresponde à definição de polarização elétrica $\boldsymbol{P}$ do Cap. 10.

A teoria clássica de paramagnetismo é exatamente igual à teoria da constante dielétrica que lhe mostramos no Cap. 11. Admitamos que os átomos têm um momento magnético $\boldsymbol{\mu}$ que sempre tem a mesma magnitude, mas que pode apontar para qualquer direção. Em um campo $\boldsymbol{B}$, a energia magnética é $-\boldsymbol{\mu}\cdot\boldsymbol{B} = -\mu B\cos\theta$, onde θ é o ângulo entre o momento e o campo. Por meio de mecanismos estatísticos, temos que a probabilidade relativa de termos algum ângulo é $e^{-\text{energia}/kT}$. Assim, os ângulos próximos de zero são mais frequentes que os ângulos próximos de π. Procedendo exatamente como fizemos na Seção 11–3, encontramos que, para campos pequenos, $\boldsymbol{M}$ é direcionado paralelamente a $\boldsymbol{B}$ e tem magnitude:

$$M = \frac{N\mu^2 B}{3kT}. \tag{35.9}$$

[1] Normalmente, o vapor de sódio é monoatômico, em sua maior parte, embora também existam algumas moléculas de Na_2.

[ver Eq. (11.20)]. Essa fórmula aproximada é correta apenas para $\mu B/kT$ muito menor que um.

Encontramos que a magnetização induzida – o momento magnético por unidade de volume – é proporcional ao campo magnético. Esse é o fenômeno do paramagnetismo. Você verá que o efeito é mais forte a baixas temperaturas e mais fraco a altas temperaturas. Quando colocamos um campo em uma substância, ela desenvolve, para campos pequenos, um momento magnético proporcional ao campo. A relação M sobre B (para campos pequenos) é chamada de *suscetibilidade* magnética.

Agora, queremos olhar o paramagnetismo sob o ponto de vista da mecânica quântica. Primeiro, observemos o caso de um átomo com spin de 1/2. Na ausência de um campo magnético, os átomos têm uma certa energia, mas, em um campo magnético, há duas possíveis energias, uma para cada valor de J_z. Para $J_z = +\hbar/2$, a energia é alterada pelo campo magnético pela quantidade

$$\Delta U_1 = +g\left(\frac{q_e\hbar}{2m}\right)\cdot\frac{1}{2}\cdot B \tag{35.10}$$

(a variação de energia ΔU é positiva para um átomo porque a carga do elétron é negativa). Para $J_z = -\hbar/2$, a energia é alterada pela quantidade

$$\Delta U_2 = -g\left(\frac{q_e\hbar}{2m}\right)\cdot\frac{1}{2}\cdot B. \tag{35.11}$$

Para ganhar tempo, definamos

$$\mu_0 = g\left(\frac{q_e\hbar}{2m}\right)\cdot\frac{1}{2}; \tag{35.12}$$

então

$$\Delta U = \pm\mu_0 B. \tag{35.13}$$

O significado de μ_0 é claro: $-\mu_0$ é a componente z do momento magnético no caso de spin para cima, e $+\mu_0$ é a componente z do momento magnético no caso de spin para baixo.

Agora, mecanismos estatísticos nos dizem que a probabilidade de um átomo estar em um estado ou em outro é proporcional a

$$e^{-(\text{Energia do estado})/kT}.$$

Sem campo magnético, os dois estados têm a mesma energia; então, quando há equilíbrio em um campo magnético, as probabilidades são proporcionais a

$$e^{-\Delta U/kT}. \tag{35.14}$$

O número de átomos por unidade de volume com spin para cima é

$$N_{\text{cima}} = ae^{-\mu_0 B/kT}, \tag{35.15}$$

e o número com spin para baixo é

$$N_{\text{baixo}} = ae^{+\mu_0 B/kT}. \tag{35.16}$$

A constante a deve ser determinada de modo que

$$N_{\text{cima}} + N_{\text{baixo}} = N, \tag{35.17}$$

o número total de átomos por unidade de volume. Então, temos o seguinte

$$a = \frac{N}{e^{+\mu_0 B/kT} + e^{-\mu_0 B/kT}}. \tag{35.18}$$

O que nos interessa é a *média* do momento magnético ao longo do eixo z. Os átomos com spin para cima contribuirão com um momento de $-\mu_0$, e aqueles com spin para baixo terão um momento de $+\mu_0$; assim, a média do momento magnético será

$$\langle\mu\rangle_{\text{média}} = \frac{N_{\text{cima}}(-\mu_0) + N_{\text{baixo}}(+\mu_0)}{N} \tag{35.19}$$

O momento por unidade de volume M é, então, $N\langle\mu\rangle_{\text{média}}$. Usando-se as Equações (35.15), (35.16) e (35.17), teremos

$$M = N\mu_0 \frac{e^{+\mu_0 B/kT} - e^{-\mu_0 B/kT}}{e^{+\mu_0 B/kT} + e^{-\mu_0 B/kT}}. \tag{35.20}$$

Essa é a fórmula, pela mecânica quântica, de M para átomos com $j = 1/2$. Incidentalmente, essa fórmula também pode ser escrita de um modo mais conciso em termos da função tangente hiperbólica

$$M = N\mu_0 \text{ tgh } \frac{\mu_0 B}{kT}. \tag{35.21}$$

Um gráfico de M como uma função de B é dado na Figura 35–7. Quando B fica muito grande, a tangente hiperbólica aproxima-se de 1, e M aproxima-se do valor limite de $N\mu_0$. Assim, para campos fortes, a magnetização *satura*. Podemos ver por que isso acontece: para campos suficientemente fortes, os momentos estão todos alinhados na mesma direção. Em outras palavras, estão todos no estado de spin para cima, e cada átomo contribui com o momento μ_0.

Na maioria dos casos normais – digamos, para momentos típicos, temperaturas ambientes, campos geralmente alcançam cerca de 1.000 gauss –, a relação $\mu_0 B/kT$ é cerca de 0,002. É necessário chegar a altas temperaturas para se obter saturação. Para temperaturas normais, geralmente podemos trocar tgh x por x e escrever

$$M = \frac{N\mu_0^2 B}{kT}. \tag{35.22}$$

Como vimos na teoria clássica, M é proporcional a B. De fato, a fórmula é quase exatamente a mesma, exceto por um fator de 1/3 que parece ter sido perdido. Ainda precisamos relacionar μ_0, em nossa fórmula quântica, com o μ que aparece no resultado clássico, Equação (35.9).

Na fórmula clássica, o que aparece é $\mu^2 = \boldsymbol{\mu} \cdot \boldsymbol{\mu}$, o quadrado do vetor de momento magnético, ou

$$\boldsymbol{\mu} \cdot \boldsymbol{\mu} = \left(g \frac{q_e}{2m}\right)^2 \boldsymbol{J} \cdot \boldsymbol{J}. \tag{35.23}$$

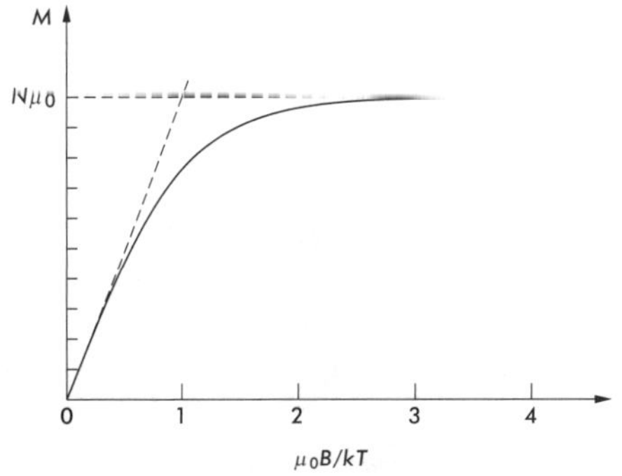

Figura 35–7 Variação da magnetização paramagnética com um campo magnético de intensidade B.

Salientamos, no capítulo anterior, que você pode facilmente obter a resposta certa por meio de um cálculo clássico, substituindo $\boldsymbol{J} \cdot \boldsymbol{J}$ por $j(j+1)\hbar^2$. Em nosso exemplo particular, temos $j = 1/2$, então

$$j(j+1)\hbar^2 = \tfrac{3}{4}\hbar^2.$$

Substituindo isso por $\boldsymbol{J} \cdot \boldsymbol{J}$ na Equação (35.23), temos

$$\boldsymbol{\mu} \cdot \boldsymbol{\mu} = \left(g \frac{q_e}{2m}\right)^2 \frac{3\hbar^2}{4},$$

ou, em termos de μ_0 definido na Equação (35.12), temos

$$\boldsymbol{\mu} \cdot \boldsymbol{\mu} = 3\mu_0^2.$$

Substituir isso por μ^2 na fórmula clássica, Equação (35.9), de fato reproduz a fórmula quântica correta, Equação (35.22).

A teoria quântica para o paramagnetismo é facilmente estendida para átomos de qualquer spin j. A magnetização para campos fracos é

$$M = Ng^2 \frac{j(j+1)}{3} \frac{\mu_B^2 B}{kT}, \tag{35.24}$$

onde

$$\mu_B = \frac{q_e \hbar}{2m} \tag{35.25}$$

é a combinação de constantes com as dimensões de um momento magnético. A maioria dos átomos tem momentos aproximadamente desse tamanho. Isso é chamado de *magneto de Bohr*. O momento magnético do spin do elétron é quase exatamente um magneto de Bohr.

35–5 Resfriamento por desmagnetização adiabática

Há uma aplicação especial do paramagnetismo muito interessante. A temperaturas muito baixas, é possível alinhar os magnetos atômicos em um campo forte. Assim, é possível ter temperaturas *extremamente* baixas por um processo chamado de *desmagnetização diabática*. Podemos pegar um sal paramagnético (por exemplo, algo contendo um número de átomos terras-rara, como nitrato de amônia-praseodinio) e começar resfriando-o com hélio líquido, em um campo magnético forte, até um ou dois graus absolutos. Assim, o fator $\mu B/kT$ será maior que 1 – algo como 2 ou 3. A maioria dos spins estará alinhada, e a magnetização estará quase saturada. Para facilitar, digamos que o campo é muito forte e a temperatura é bem baixa, de modo que quase todos os átomos estejam alinhados. Então você isola o sal termicamente (digamos, removendo o hélio líquido e deixando um bom vácuo) e desliga o campo magnético. A temperatura do sal vai para baixo.

Agora, se você desligar o campo *bruscamente*, ou saracotear e sacudir os átomos na rede do cristal, gradualmente vai golpear todos os spins para fora do alinhamento. Alguns ficarão para cima, outros para baixo, mas, se não houver campo (e desprezando-se as interações entre os magnetos atômicos, o que resultará em um erro bem pequeno), não há necessidade de energia para mudar os magnetos atômicos. Eles podem reorganizar seus spins ao acaso, sem qualquer troca de energia, portanto, sem qualquer alteração de temperatura.

Entretanto, suponha que, enquanto os magnetos atômicos são sacudidos pelo movimento térmico, ainda exista um campo magnético presente. Então, será necessário algum trabalho para jogá-los ao lado oposto do campo – *eles precisarão trabalhar contra o campo*. Isso toma energia dos movimentos térmicos e abaixa a temperatura. Assim, se o forte campo magnético não for removido muito rapidamente, a temperatura do sal irá diminuir – ele é resfriado pela desmagnetização. Do ponto de vista da mecânica quântica, quando o campo é forte, todos os átomos estão no estado mais baixo, porque a probabilidade contrária a qualquer um, de estar no estado de maior energia, é impossivelmente grande. Como o campo é diminuído, ficará cada vez mais possível que as flutuações térmicas levem um átomo para o estado superior. Quando isso acontece, o átomo absorve a energia $\Delta U = \mu_0 B$. Assim, se o campo for ligado vagarosamente, as transições magnéticas podem tirar energia das vibrações térmicas do cristal, resfriando-o. Desse modo, é possível abaixar a temperatura de alguns graus absolutos para uma temperatura de uns poucos milésimos de um grau.

Você quer fazer algo ainda mais frio? Acontece que a Natureza providenciou um meio. Já mencionamos que também há momentos magnéticos no núcleo atômico. Nossas fórmulas para o paramagnetismo funcionam igualmente bem para o núcleo, exceto que os momentos dos núcleos são *menores em aproximadamente alguns milhares de vezes* [eles são da ordem de magnitude de $q\hbar/2m_p$, onde m_p é a massa do próton; assim, eles são menores por um fator que corresponde à relação das massas do elétron e do próton]. Com tais momentos magnéticos, mesmo a temperaturas de 2°K, o fator $\mu B/kT$ é apenas umas poucas partes de milhar. No entanto, se usarmos o processo de desmagnetização paramagnética para chegar a uma temperatura de uns poucos milésimos de grau, $\mu B/kT$ deve se tornar um número próximo de 1 – a essas baixas temperaturas, podemos começar a saturar os momentos nucleares. Isso é muita sorte porque então poderemos usar a desmagnetização adiabática do magnetismo *nuclear* para alcançar temperaturas ainda mais baixas. Assim, é possível fazer dois estágios de resfriamento magnético. Primeiro, usamos a desmagnetização adiabática para íons paramagnéticos para alcançar uns poucos milésimos de grau. Depois, usamos o sal paramagnético resfriado para resfriar algum material que tenha forte magnetismo nuclear. Finalmente, quando removemos o campo magnético desse material, sua temperatura baixará entre um milionésimo de grau e o zero absoluto – se fizermos tudo com muito cuidado.

35–6 Ressonância nuclear magnética

Dissemos que o paramagnetismo atômico é muito pequeno e o magnetismo nuclear é ainda mil vezes menor. Ainda assim, é relativamente fácil observar o magnetismo nuclear por meio do fenômeno da "ressonância nuclear magnética". Suponha que peguemos uma substância como a água, na qual todos os spins dos elétrons estão exatamente balanceados, de modo que o momento magnético da rede é zero. As moléculas ainda terão um momento magnético muito muito fraco, devido ao momento magnético nuclear do núcleo do hidrogênio. Suponha que coloquemos uma pequena amostra de água em um campo magnético $\boldsymbol{B}$. Como os prótons (do hidrogênio) têm spin 1/2, eles terão dois possíveis estados de energia. Se a água estiver em equilíbrio térmico, haverá alguns prótons a mais nos estados de energia mais baixa – com seus momentos direcionados paralelamente ao campo. Há um pequeno momento magnético resultante por unidade de volume. Como o momento do próton é apenas um milésimo do momento atômico, a magnetização, que se comporta como μ^2 – usando a Equação (35.22) –, é apenas um milionésimo do paramagnetismo típico atômico (esta é a razão pela qual temos que pegar um material sem magnetismo atômico). Se você trabalhar o resultado, encontrará que a diferença entre o número de prótons com spin para cima e o número de prótons com spin para baixo é de uma parte em 10^8, de modo que o efeito é realmente muito pequeno! Ainda assim ele pode ser observado da seguinte maneira.

Suponha que cerquemos a amostra de água com uma pequena bobina que produz um pequeno campo magnético horizontal oscilante. Se este campo oscilar com a frequência ω_p, ele vai induzir transições entre os dois estados de energia – assim como descrevemos na experiência de Rabi, na Seção 35–3. Quando um próton salta de um estado de energia maior para outro menor, ele fornece uma energia $2\mu_z B$ que, como vimos, é igual a $\hbar\omega_p$. Se ele saltar de um estado de energia menor para outro de energia maior, ele *absorve* a energia $\hbar\omega_p$ da bobina. Como há pouco mais prótons no estado de energia menor que no estado de energia maior, há uma *absorção* resultante de energia da bobina. Embora o efeito seja pequeno, essa pequena absorção de energia pode ser observada por um amplificador eletrônico sensível.

Assim como no experimento de feixe molecular de Rabi, a absorção de energia será vista apenas quando o campo oscilante estiver em ressonância, ou seja, quando

$$\omega = \omega_p = g\left(\frac{q_e}{2m_p}\right)B.$$

Geralmente é mais conveniente procurar por uma ressonância variando B enquanto mantemos ω fixo. A absorção energética evidentemente aparece quando

$$B = \frac{2m_p}{g\,q_e}\,\omega.$$

Um aparelho de ressonância nuclear magnética típico é mostrado na Figura 35–8. Um oscilador de alta frequência dirige a pequena bobina colocada entre os polos de um eletromagneto grande. Duas pequenas bobinas auxiliares ao redor das pontas do polo são dirigidas por uma corrente de 60

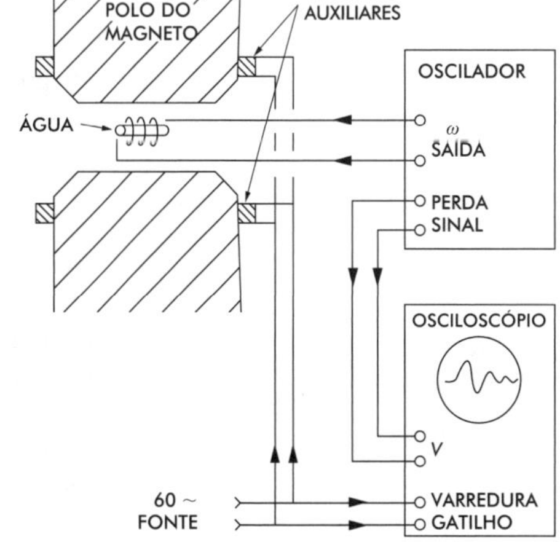

Figura 35–8 Aparelho de ressonância nuclear magnética.

ciclos, de modo que o campo magnético "cambaleia" ligeiramente ao redor de seu valor médio. Como exemplo, dizemos que a corrente principal do magneto é preparada para fornecer um campo de 5.000 gauss, e as bobinas auxiliares produzem uma variação de ±1 gauss ao redor desse valor. Se o oscilador tem frequência de 21,2 megaciclos por segundo, ele estará na ressonância do próton cada vez que o campo estiver ao redor de 5.000 gauss (usando a Equação (34.13) com $g = 5{,}58$ para o próton).

O circuito do oscilador é arranjado de tal maneira a dar um sinal de saída adicional proporcional a qualquer *mudança* na potência absorvida do oscilador. Esse sinal alimenta o amplificador de deflexão vertical de um osciloscópio. A varredura horizontal do osciloscópio é disparada uma vez durante cada ciclo de frequência do campo cambaleante (geralmente a deflexão horizontal é projetada para seguir em proporção ao campo cambaleante).

Antes que a amostra de água seja colocada dentro da bobina de alta frequência, a potência retirada do oscilador tem algum valor (ela não muda com o campo magnético). Quando uma pequena garrafa de água é colocada na bobina, um sinal aparece no osciloscópio, conforme mostrado na figura. Vemos uma figura correspondendo à potência absorvida pelo saltar dos prótons!

Na prática, é difícil saber como preparar o magneto principal para que tenha exatamente 5.000 gauss. O que se faz é ajustar a corrente principal do magneto até que o sinal de ressonância apareça no osciloscópio. Essa é a maneira mais conveniente de se fazer uma medida acurada da intensidade do campo magnético. É claro que em algum ponto *alguém* teve de medir acuradamente o campo magnético e a frequência para determinar o valor de g para o próton. Agora que isso já foi feito, um aparelho de ressonância de prótons como aquele da figura pode ser usado como um "magnetômetro de ressonância de prótons".

Precisamos dizer uma palavra sobre a forma do sinal. Se tivéssemos de fazer cambalear o campo magnético muito devagar, esperaríamos ver uma curva normal de ressonância. A energia de absorção teria um máximo quando ω_p chegasse exatamente à frequência do oscilador. Haveria alguma absorção em frequências vizinhas, pois nem todos os prótons estão exatamente no mesmo campo – e campos diferentes significam frequências de ressonância ligeiramente diferentes.

Poderíamos nos perguntar, incidentalmente, se na frequência de ressonância deveríamos ver algum sinal. Não deveríamos esperar que os campos de alta frequência igualassem as populações dos dois estados – de modo que não houvesse sinal exceto quando a água fosse colocada? Não exatamente, porque, apesar de estarmos *tentando* igualar as duas populações, os movimentos térmicos tentam manter as devidas populações para uma dada temperatura T. Se sentarmos sobre a ressonância, a potência absorvida pelos núcleos é exatamente aquela perdida pelos movimentos térmicos. Todavia, há pouco "contato térmico" entre os momentos magnéticos dos prótons e os movimentos atômicos, Os prótons estão relativamente isolados nos centros das distribuições eletrônicas, portanto, em água pura, o sinal de ressonância é geralmente muito pequeno para ser visto. Para aumentar a absorção é necessário aumentar o "contato térmico". Em geral, isso é feito adicionando um pouco de óxido de ferro à água. Os átomos de ferro são pequenos magnetos; conforme eles sapateiam em sua dança térmica, eles geram minúsculos campos magnéticos sapateando sobre os prótons. Esses campos variáveis "acoplam" os magnetos dos prótons às vibrações atômicas e têm a tendência de estabelecer um equilíbrio térmico. É por meio desse "acoplamento" que prótons nos estados de energia mais alta podem perder a sua energia de modo que sejam de novo capazes de absorver energia do oscilador.

Na prática, o sinal de saída de um aparelho de ressonância nuclear não se parece com uma curva normal de ressonância. É geralmente um sinal mais complicado, com oscilações como as desenhadas na figura. Tais formas de sinal aparecem por causa dos campos variáveis. A explicação deveria ser dada em termos da mecânica quântica, mas pode-se mostrar que em tais experimentos as ideias clássicas de precessão dos momentos sempre fornecem resposta correta. Classicamente diríamos que quando chegamos à ressonância, começamos dirigindo muitos dos momentos nucleares em precessão de modo sincrônico. Assim fazendo, fazemos com que eles precessem *em conjunto*, e esses magnetos nucleares rodando todos juntos induzem uma fem na bobina do oscilador na frequência ω_p. Como o campo magnético cresce com o tempo, a frequência de precessão também cresce, e a voltagem induzida está em uma frequência um pouco mais alta que a frequência do oscilador. Como a fem induzida fica alternadamente em fase e fora de fase com o oscilador, a potência "absorvida" será alternadamente positiva e negativa. Portanto, no osciloscópio, vemos uma nota de batimento entre a frequência do próton e a frequência do oscilador. Como as frequências dos prótons não são todas idênticas (prótons diferentes estão em campos ligeiramente diferentes), e também por causa da perturbação causada pelo óxido de ferro na água, os momentos que precessam livremente estarão rapidamente fora de fase, e o sinal de batimento desaparece.

36

Ferromagnetismo

Revisão: Capítulo 10, *Dielétricos*
Capítulo 17, *As Leis de Indução*

36–1 Correntes magnéticas

Neste capítulo, discutiremos alguns materiais em que o efeito resultante dos momentos magnéticos do material é muito maior que nos casos de paramagnetismo ou diamagnetismo. Tal fenômeno é chamado de *ferromagnetismo*. Em materiais paramagnéticos e diamagnéticos, os momentos magnéticos induzidos são usualmente tão fracos que não temos de nos preocupar acerca dos campos adicionais produzidos pelos momentos magnéticos. Para materiais *ferromagnéticos*, os momentos magnéticos induzidos por campos magnéticos são enormes, tendo um grande efeito nos próprios campos. De fato, os momentos magnéticos induzidos são tão fortes que, comumente, eles são o efeito dominante em relação aos campos observados. Assim, uma das coisas com as quais nos preocuparemos será a teoria matemática dos grandes momentos magnéticos induzidos. Isso é, claro, apenas uma questão técnica. O problema real é por que os momentos magnéticos são tão fortes – como é que isso funciona? Voltaremos a essa questão um pouco mais tarde.

Encontrar os campos magnéticos de materiais ferromagnéticos é semelhante a encontrar o campo eletrostático na presença de dielétricos. Lembre que, primeiro, descrevemos as propriedades internas dos dielétricos em termos de um campo vetorial $\boldsymbol{P}$, o momento de dipolo por unidade de volume. Então, descobrimos que os efeitos desta polarização são equivalentes a uma densidade de cargas ρ_{pol} dada pelo divergente de $\boldsymbol{P}$:

$$\rho_{pol} = -\boldsymbol{\nabla} \cdot \boldsymbol{P}. \tag{36.1}$$

A carga total em qualquer situação pode ser escrita como a soma desta carga de polarização mais todas as outras cargas cujas densidades escrevemos ρ_{outra}.[1] Portanto, a equação de Maxwell que relaciona a divergência de $\boldsymbol{E}$ à densidade de cargas torna-se

$$\boldsymbol{\nabla} \cdot \boldsymbol{E} = \frac{\rho}{\epsilon_0} = \frac{\rho_{pol} + \rho_{outra}}{\epsilon_0},$$

ou

$$\boldsymbol{\nabla} \cdot \boldsymbol{E} = -\frac{\boldsymbol{\nabla} \cdot \boldsymbol{P}}{\epsilon_0} + \frac{\rho_{outra}}{\epsilon_0}.$$

Podemos separar a parte de polarização da carga colocando tal termo do outro lado da equação, o que implica uma nova lei,

$$\boldsymbol{\nabla} \cdot (\epsilon_0 \boldsymbol{E} + \boldsymbol{P}) = \rho_{outra}. \tag{36.2}$$

A nova lei diz que a divergência da quantidade $(\epsilon_0 \boldsymbol{E} + \boldsymbol{P})$ é igual à densidade das outras cargas.

Colocar $\boldsymbol{E}$ e $\boldsymbol{P}$ juntos, como na Equação (36.20), apenas é útil se soubermos alguma relação entre eles. Vimos que a teoria que relaciona o momento de dipolo elétrico induzido ao campo era algo relativamente complicado, e o procedimento poderia ser aplicado apenas em algumas situações simples e, mesmo assim, como uma aproximação. Gostaríamos de lembrar-lhe de uma das ideias aproximadas que usamos. Para que achássemos o momento de dipolo induzido em um átomo dentro de um dielétrico, era necessário conhecer o campo elétrico agindo sobre um átomo individual. Fizemos a aproximação – que, em muitos casos, não era tão ruim – de que o campo sobre o átomo é o mesmo que ele seria no centro de um pequeno buraco que restaria se tirássemos o átomo (conservando os momentos de dipolo de todos os átomos vizinhos). Lembre que o

[1] Se todas as "outras" cargas estivessem em condutores, ρ_{outra} seria a mesma que nossa ρ_{livre} do Capítulo 10.

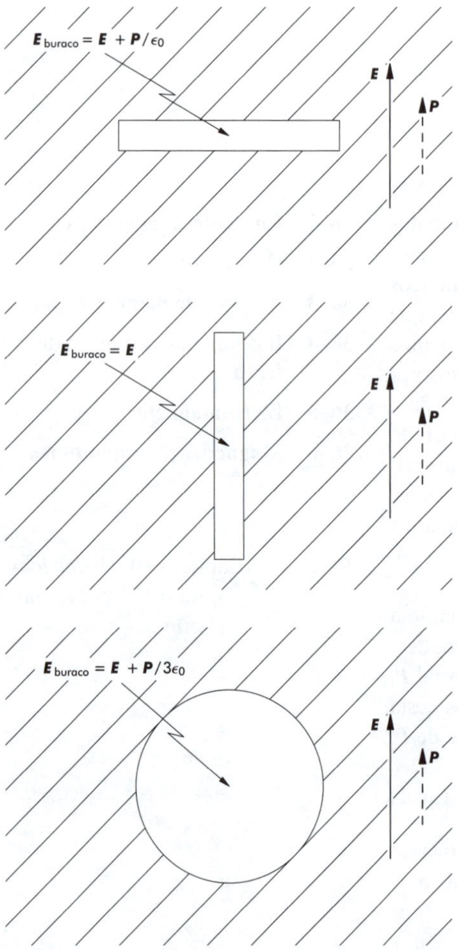

Figura 36–1 O campo elétrico em um buraco em um dielétrico depende da forma do buraco.

campo elétrico em um buraco em um dielétrico polarizado depende da forma do buraco. Resumimos nossos resultados na Figura 36–1. Para um buraco com a forma de um disco fino perpendicular à polarização, o campo elétrico no buraco é dado por

$$\boldsymbol{E}_{\text{buraco}} = \boldsymbol{E}_{\text{dielétrico}} + \frac{\boldsymbol{P}}{\epsilon_0},$$

o que demonstramos usando a Lei de Gauss. Por outro lado, em talho com forma de agulha paralelo à polarização, mostramos – usando o fato de que o rotacional de $\boldsymbol{E}$ é zero – que os campos elétricos dentro e fora do talho são os mesmos. Finalmente encontramos que, para um buraco esférico, o campo elétrico estava a um terço do caminho entre o campo no talho e no campo no disco:

$$\boldsymbol{E}_{\text{buraco}} = \boldsymbol{E}_{\text{dielétrico}} + \frac{1}{3}\frac{\boldsymbol{P}}{\epsilon_0} \text{ (buraco esférico).} \tag{36.3}$$

Este era o campo que usamos pensando no que acontece em um átomo dentro de um dielétrico polarizado.

Agora temos de discutir o análogo disso tudo para o caso magnético. Um atalho, um modo simples de fazer tudo isso, é dizer que $\boldsymbol{M}$, o momento magnético por unidade de volume, é simplesmente como $\boldsymbol{P}$, o momento de dipolo elétrico por unidade de volume, e que, portanto, o negativo do divergente de $\boldsymbol{M}$ é equivalente a uma "densidade de cargas magnéticas" ρ_m – o que quer que isso signifique. O problema é que não existe uma coisa como "carga magnética" no mundo físico. Como sabemos, o divergente de $\boldsymbol{B}$ é sempre zero, mas isso não nos impede de escrever um *análogo* artificial,

$$\nabla \cdot \boldsymbol{M} = -\rho_m, \tag{36.4}$$

onde se entende que ρ_m é um objeto puramente matemático. Então, podemos fazer uma analogia completa com o caso eletrostático usando nossas velhas equações da eletrostática. As pessoas frequentemente fazem-no. De fato, historicamente, as pessoas tinham a analogia por correta. Achavam que a quantidade ρ_m representava a densidade de "polos magnéticos". Todavia, hoje sabemos que a magnetização de materiais vem de correntes circulantes dentro dos átomos – ou de elétrons girando ou do movimento de elétrons no átomo. Portanto, é mais bonito, do ponto de vista físico, descrever as coisas realisticamente em termos das correntes atômicas, ao invés de se utilizar a densidade de algum "polo magnético" mítico. Incidentalmente, essas correntes são chamadas de "correntes de Ampère", já que Ampère foi o primeiro a sugerir que o magnetismo da matéria provém de correntes atômicas circulantes.

A densidade de correntes microscópica real em matéria magnetizada é muito complicada. Seu valor depende de onde se olha no átomo, sendo grande em algumas partes e pequena em outras; ela vai em um sentido, em uma parte do átomo, e no sentido oposto, na outra parte (da mesma maneira que o campo elétrico microscópico varia enormemente dentro de um dielétrico). Em muitos problemas práticos, estamos interessados apenas nos campos fora da matéria, ou na média dos campos magnéticos dentro da matéria – onde média significa que a tomamos sobre muitos, muitos átomos. É apenas para tais problemas macroscópicos que é conveniente descrever o estado magnético da matéria em termos de $\boldsymbol{M}$, a média do momento de dipolo por unidade de volume. O que queremos mostrar agora é que correntes atômicas da matéria magnetizada podem levar a certas correntes em larga escala, relacionadas a $\boldsymbol{M}$.

O que faremos, neste momento, é separar a densidade de correntes $\boldsymbol{j}$ – que é a fonte real dos campos magnéticos – em várias partes: uma descreve as correntes circulantes dos magnetos atômicos e outras descrevem quaisquer outras correntes. É frequentemente conveniente separar as correntes em três partes. No Capítulo 32, fizemos uma distinção entre correntes escoando livremente em condutores e outras cujo movimento é um vai e vem de cargas ligadas em dielétricos. Na Seção 32-2, escrevemos

$$\boldsymbol{j} = \boldsymbol{j}_{\text{pol}} + \boldsymbol{j}_{\text{outras}},$$

onde $\boldsymbol{j}_{\text{pol}}$ representa as correntes devido ao movimento de cargas ligadas em dielétricos, enquanto $\boldsymbol{j}_{\text{outras}}$ leva em conta as outras correntes. Agora, queremos ir mais adiante, separando $\boldsymbol{j}_{\text{outras}}$ em uma parte, $\boldsymbol{j}_{\text{mag}}$, que descreve as correntes médias dentro de materiais magnetizados e um termo adicional que chamamos de $\boldsymbol{j}_{\text{cond}}$ para o que quer que sobre. O último termo vai, de um modo geral, referir-se a correntes em condutores podendo, todavia, incluir outras correntes – por exemplo, as correntes das cargas que se movem livremente no espaço vazio. Portanto, escreveremos para a densidade de correntes total:

$$\boldsymbol{j} = \boldsymbol{j}_{\text{pol}} + \boldsymbol{j}_{\text{mag}} + \boldsymbol{j}_{\text{cond}}. \tag{36.5}$$

É claro que esta é a corrente total que comparece na equação de Maxwell do rotacional de $\boldsymbol{B}$:

$$c^2\nabla \times \boldsymbol{B} = \frac{\boldsymbol{j}}{\epsilon_0} + \frac{\partial \boldsymbol{E}}{\partial t}. \tag{36.6}$$

Agora, temos de relacionar a corrente $\boldsymbol{j}_{\text{mag}}$ ao vetor magnetização $\boldsymbol{M}$. Então, você pode ver para onde vamos. Diremos agora para você o resultado. Ele é

$$\boldsymbol{j}_{\text{mag}} = \nabla \times \boldsymbol{M}. \tag{36.7}$$

Se nos for dado o vetor de magnetização $\boldsymbol{M}$ em toda parte em um material magnético, a densidade de correntes de circulação é dada pelo rotacional de $\boldsymbol{M}$. Entendamos por que isso é assim.

Primeiramente, tomemos o caso de uma barra cilíndrica uniformemente magnetizada em direção paralela ao eixo do cilindro. Fisicamente, sabemos que uma magnetização uniforme significa uma densidade uniforme de correntes atômicas circulando em toda parte no interior do material. Deveríamos esperar as correntes pudessem ser vistas como mostrado na Figura 36–2. Cada corrente atômica dá voltas em pequenos círculos, todas elas rodando da mesma maneira. Qual a corrente efetiva neste caso? Bem, na maior parte da barra não há qualquer efeito porque, próximo a cada corrente, há outra de sentido oposto. Se imaginarmos uma pequena superfície – mas que seja bem maior que um único átomo – como aquela indicada na Figura 36–2 pela linha $\overline{AB}$, a corrente resultante através de tal superfície é nula. Não há corrente resultante no interior do material. Note, todavia, que na superfície do material há correntes atômicas que não são canceladas por correntes vizinhas que eventualmente estivessem em volta da barra. Agora você pode perceber por que dissemos antes que uma barra uniformemente magnetizada é equivalente a um longo solenoide carregando uma corrente elétrica.

Como esta visão se coaduna com a Equação (36.7)? Primeiramente, dentro do material a magnetização $\boldsymbol{M}$ é constante, de modo que todas as derivadas se anulam. Isso concorda com nossa imagem geométrica, mas na superfície $\boldsymbol{M}$ não é realmente constante – a magnetização é constante apenas até a beirada, depois cai a zero. Desse modo, na superfície há gradientes terríveis que, de acordo com (36.7), dão origem a grandes densidades de correntes. Suponha que olhemos o que acontece perto do ponto C, na Figura 36–2. Tomando-se as direções x e y como na Figura, a magnetização $\boldsymbol{M}$ estará na direção z. Escrevendo explicitamente as componentes da Equação (36.7) temos,

$$\frac{\partial M_z}{\partial y} = (j_{\text{mag}})_x,$$
$$-\frac{\partial M_z}{\partial x} = (j_{\text{mag}})_y. \tag{36.8}$$

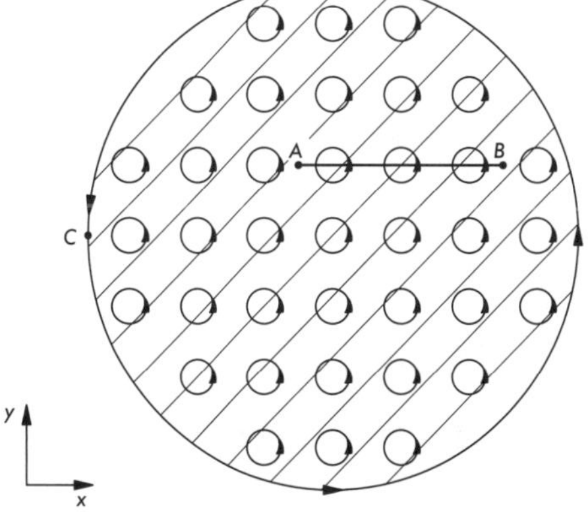

Figura 36–2 Diagrama esquemático das correntes atômicas circulantes, como visto em uma seção reta de uma barra de ferro magnetizada na direção z.

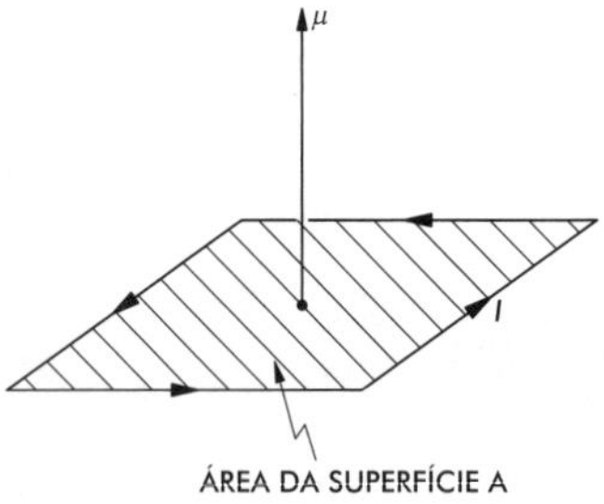

Figura 36–3 O momento de dipolo μ de um circuito de correntes é IA.

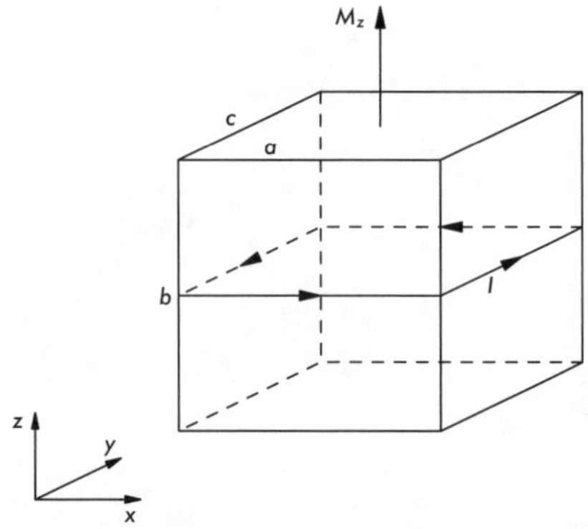

Figura 36–4 Um pequeno bloco magnetizado é equivalente a uma corrente superficial circulante.

No ponto C, a derivada $\partial M_z/\partial y$ é zero, mas $\partial M_z/\partial x$ é grande e positivo. A Equação (36.7) diz que há uma grande densidade de correntes na direção menos y. Isso concorda com nossa imagem de uma corrente superficial no entorno da barra.

Agora, queremos achar a densidade de correntes para um caso mais complicado, no qual a magnetização varia de ponto a ponto no material. É fácil ver qualitativamente que, se a magnetização for diferente em duas regiões vizinhas, não haverá cancelamento das correntes de circulação, de modo que haverá uma corrente resultante no volume do material. É esse efeito que queremos quantificar.

Primeiro, precisamos rever os resultados da Seção 14–5, quando vimos que uma corrente circulante I tem momento magnético μ dado por

$$\mu = IA, \tag{36.9}$$

onde A é a área do circuito de correntes (veja a Figura 36–3). Consideremos agora um pequeno bloco retangular dentro de um material magnetizado, como mostrado na Figura 36–4. Tomamos o bloco tão pequeno que consideramos que a magnetização seja uniforme dentro dele. Se este bloco tiver uma magnetização M_z na direção z, o efeito resultante será o mesmo que aquele de uma corrente superficial em volta das faces verticais, conforme mostrado na figura. Podemos achar a magnitude dessas correntes da Equação (36.9). O momento magnético total do bloco é igual à magnetização vezes o volume:

$$\mu = M_z(abc),$$

de onde tiramos (lembrando que a área do circuito é ac)

$$I = M_z b.$$

Em outras palavras, a corrente por unidade de comprimento (vertical) de cada lado das superfícies verticais é igual a M_z.

Suponha, agora, que haja dois pequenos blocos um ao lado do outro, como mostrado na Figura 36–5. Como o bloco 2 está ligeiramente deslocado em relação ao bloco 1, ele terá uma componente vertical de magnetização que chamamos de $M_z + \Delta M_z$. Na superfície entre os dois blocos haverá duas contribuições para a corrente total. O bloco 1 produzirá uma corrente I_1 na direção positiva de y, enquanto o bloco 2 produzirá uma corrente superficial I_2 na direção y negativa. A corrente superficial total na direção positiva de y será a soma:

$$\begin{aligned} I = I_1 - I_2 &= M_z b - (M_z + \Delta M_z)b \\ &= -\Delta M_z b. \end{aligned}$$

Podemos escrever ΔM_z como a derivada de M_z na direção x vezes o deslocamento do bloco um ao bloco dois, que é simplesmente a:

$$\Delta M_z = \frac{\partial M_z}{\partial x} a.$$

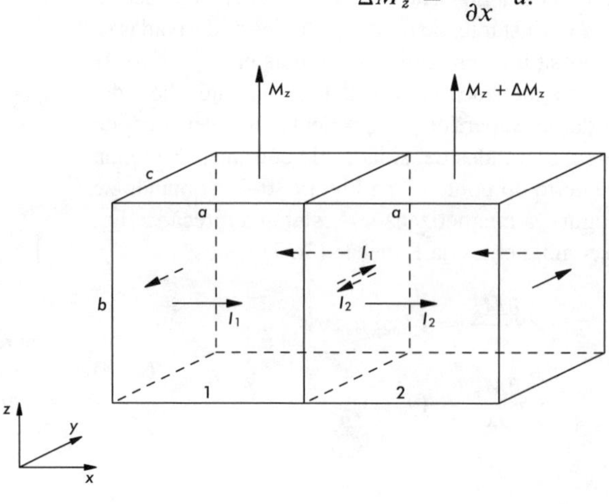

Figura 36–5 Se a magnetização de dois blocos vizinhos não for a mesma, haverá uma corrente superficial entre eles.

A corrente fluindo entre os dois blocos será

$$I = -\frac{\partial M_z}{\partial x} ab.$$

Para relacionarmos a corrente I à densidade de correntes volumétrica média $\boldsymbol{j}$, devemos perceber que esta corrente I está realmente espalhada por uma certa área. Se imaginarmos que o volume total de material seja preenchido com tais bloquinhos um ao lado do outro, cada face (perpendicular ao eixo x) pode ser associada com cada bloco[2]. Então, vemos que a área associada com a corrente I é justamente a área ab de uma das faces. Temos, então, o resultado

$$j_y = \frac{I}{ab} = -\frac{\partial M_z}{\partial x}.$$

Obtivemos, pelo menos, o começo do rotacional de $\boldsymbol{M}$.

Deveria haver outra contribuição para j_y da variação da componente x da magnetização com z. Esta contribuição para $\boldsymbol{j}$ virá da superfície entre dois pequenos blocos, um acima do outro, conforme mostrado na Figura 36–6. Usando os mesmos argumentos, você pode mostrar que a contribuição para j_y será $\partial M_x/\partial z$. Essas são as únicas superfícies que podem contribuir para a componente y da corrente, de modo que temos, para tal componente da densidade de correntes

$$j_y = \frac{\partial M_x}{\partial z} - \frac{\partial M_z}{\partial x}.$$

Trabalhando as correntes das outras faces do cubo ou usando o fato de que as direções escolhidas são arbitrárias, podemos concluir que o vetor densidade de correntes é dado pela equação

$$\boldsymbol{j} = \nabla \times \boldsymbol{M}.$$

Assim, se escolhermos a descrição da situação magnética na matéria em termos do momento magnético médio por unidade de volume $\boldsymbol{M}$, encontramos que as correntes atômicas circulantes são equivalentes à densidade de correntes média na matéria, dada por (36.7). Se, além disso, o material for dielétrico, pode haver ainda uma corrente de polarização $\boldsymbol{j}_{\text{pol}} = \partial \boldsymbol{P}/\partial t$. Finalmente, se o material for condutor, temos uma corrente de condução $\boldsymbol{j}_{\text{cond}}$. A corrente total será, portanto,

$$\boldsymbol{j} = \boldsymbol{j}_{\text{cond}} + \nabla \times \boldsymbol{M} + \frac{\partial \boldsymbol{P}}{\partial t}. \tag{36.10}$$

36–2 O campo *H*

Consideraremos, em seguida, a contribuição da corrente conforme escrita na Eq. (36.10) para as equações de Maxwell; obtemos

$$c^2\nabla \times \boldsymbol{B} = \frac{\boldsymbol{j}}{\epsilon_0} + \frac{\partial \boldsymbol{E}}{\partial t} = \frac{1}{\epsilon_0}\left(\boldsymbol{j}_{\text{cond}} + \nabla \times \boldsymbol{M} + \frac{\partial \boldsymbol{P}}{\partial t}\right) + \frac{\partial \boldsymbol{E}}{\partial t}.$$

Podemos mover o termo $\boldsymbol{M}$ para o lado esquerdo:

$$c^2\nabla \times \left(\boldsymbol{B} - \frac{\boldsymbol{M}}{\epsilon_0 c^2}\right) = \frac{\boldsymbol{j}_{\text{cond}}}{\epsilon_0} + \frac{\partial}{\partial t}\left(\boldsymbol{E} + \frac{\boldsymbol{P}}{\epsilon_0}\right). \tag{36.11}$$

Conforme dissemos no Capítulo 32, muitos gostam de escrever $(\boldsymbol{E} + \boldsymbol{P}/\epsilon_0)$ como um campo vetorial $\boldsymbol{D}/\epsilon_0$. De modo análogo, é conveniente escrever $(\boldsymbol{B} - \boldsymbol{M}/\epsilon_0 c^2)$ como um único campo vetorial. Achamos conveniente definir o novo campo vetorial $\boldsymbol{H}$ por

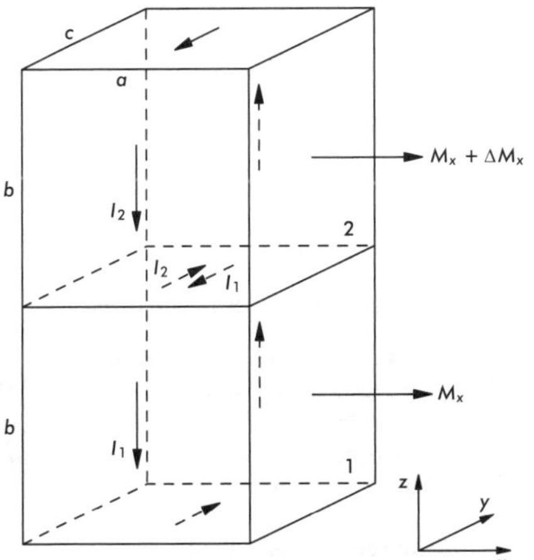

Figura 36–6 Dois blocos, um acima do outro, também podem contribuir para j_y.

[2] Ou, se preferir, a corrente I em cada face será dividida, meio a meio, entre os blocos em cada lado.

$$H = B - \frac{M}{\epsilon_0 c^2}. \quad (36.12)$$

Portanto, a Equação (36.11) torna-se

$$\epsilon_0 c^2 \nabla \times H = j_{\text{cond}} + \frac{\partial D}{\partial t}. \quad (36.13)$$

Ela parece simples, mas toda a complexidade está escondida nas letras D e H.

Aqui vai um aviso. A maioria das pessoas que usam unidades mks tem uma definição diferente de H; elas batizam o campo H' por

$$H' = \epsilon_0 c^2 B - M. \quad (36.14)$$

(Elas também costumam escrever $\epsilon_0 c^2$ como um novo número $1/\mu_0$; elas precisam se lembrar de mais uma constante!) Com essa definição, a Equação (36.13) fica ainda mais simples:

$$\nabla \times H' = j_{\text{cond}} + \frac{\partial D}{\partial t}. \quad (36.15)$$

As dificuldades desta definição de H' são, em primeiro lugar, que ela não concorda com a definição das pessoas que não usam unidades mks e, em segundo lugar, faz com que H' e B tenham unidades diferentes. Achamos mais convenientes que H tenha as mesmas unidades que B, em vez de ter as unidades de M, que é o caso de H'. Se você for engenheiro trabalhando em projetos de transformadores, magnetos e semelhantes, você terá de prestar atenção. Você achará muitos livros que usam, para H, a definição da Equação (36.14) em vez de nossa definição (36.12), e muitos outros livros, especialmente manuais sobre materiais magnéticos, que relacionam B e H como fizemos. Você terá de ser cuidadoso com as convenções.

Uma maneira é sempre dizer as unidades usadas. Lembre que, no sistema mks, B, e portanto nosso H, são medidos com a mesma unidade: 1 weber por metro quadrado, equivalente a 10.000 gauss. No sistema mks, o momento magnético (corrente vezes área) tem unidade 1 ampère vezes metro quadrado. A magnetização M tem, portanto, unidade ampère por metro. Para H' as unidades são as mesmas que para M. Você pode ver também que isso concorda com a Equação (36.15), já que ∇ tem as dimensões do inverso do comprimento. Quem trabalha com eletromagnetos tem o hábito de chamar a unidade de H (com a definição H') de um ampère turno por metro, pensando nas voltas de um fio em um rolamento, mas um turno é, na realidade, um número adimensional, de modo que não há confusão. Como nosso H é igual a $H'/\epsilon_0 c^2$, quando se usam unidades mks, H (em webers por metro quadrado) é igual a $4\pi \times 10^{-7}$ vezes H' (em ampères por metro). Talvez seja mais conveniente lembrar que H (em gauss) é igual a 0,0126 H' (em ampère por metro).

Esta é uma coisa horrível. Muita gente que usa nossa definição de H decidiu chamar as unidades de H e B por *nomes diferentes*! Apesar de eles terem as mesmas dimensões, eles chamam as unidades de B um *gauss* e a unidade de H um *oersted* (com base nos nomes de Gauss e Oersted). Assim, em muitos livros você verá gráficos com B em gauss e H em oersted. Na realidade, eles são a mesma unidade 10^{-4} da unidade mks. Resumimos a confusão sobre unidades magnéticas na Tabela 36–1.

Tabela 36–1

Unidades de quantidades magnéticas

$[B]$ = weber/metro^2 = 10^4 gauss
$[H]$ = weber/metro^2 = 10^4 gauss *ou* 10^4 oersted
$[M]$ = ampère/metro
$[H']$ = ampère/metro

Conversões convenientes

B (gauss) = 10^4 B (weber/metro^2)
H (gauss) = H (oersted) = 0,0126 H' (amp/metro)

36–3 A curva de magnetização

Examinaremos, neste momento, algumas situações simples em que o campo magnético é constante ou em que os campos mudam bem devagar, de modo a podermos ignorar o termo $\partial D/\partial t$ em comparação com j_{cond}. Então, os campos devem obedecer às equações

$$\nabla \cdot B = 0, \quad (36.16)$$

$$\nabla \times H = j_{\text{cond}}/\epsilon_0 c^2, \quad (36.17)$$

$$H = B - M/\epsilon_0 c^2. \quad (36.18)$$

Suponha que haja um toro (uma rosquinha) de aço embrulhada com um fio de cobre, conforme a Figura 36–7(a). Há uma corrente I no fio. Qual é o campo magnético? O campo está principalmente localizado dentro do ferro; lá, as linhas de $\boldsymbol{B}$ serão circunferências, como mostrado na Figura 36–7(b). Como o fluxo de $\boldsymbol{B}$ é contínuo, sua divergência é nula, e a Equação (36.16) é satisfeita. Após esse ponto, escrevemos a Equação (36.17) em outra forma, integrando ao longo do circuito Γ desenhado na Figura 36–7(b). Do teorema de Stokes, temos que

$$\oint_{\Gamma} \boldsymbol{H} \cdot d\boldsymbol{s} = \frac{1}{\epsilon_0 c^2} \int_S \boldsymbol{j}_{\text{cond}} \cdot \boldsymbol{n}\, da, \tag{36.19}$$

onde a integral de $\boldsymbol{j}$ deve ser feita sobre a superfície S circunscrita por Γ. Esta superfície é cortada uma vez por cada volta do rolamento. Cada turno contribui com I para a integral, e, havendo N voltas ao todo, a integral será NI. Da simetria do problema, $\boldsymbol{B}$ é o mesmo em torno de Γ; se admitirmos que a magnetização seja constante ao longo de Γ e, portanto, o campo H também, a Equação (36.19) fica sendo

$$Hl = \frac{NI}{\epsilon_0 c^2},$$

onde l é o comprimento da curva Γ. Portanto,

$$H = \frac{1}{\epsilon_0 c^2} \frac{NI}{l}. \tag{36.20}$$

Como $\boldsymbol{H}$ é proporcional à corrente de magnetização, em casos como este $\boldsymbol{H}$ é chamado de *campo de magnetização.*

Agora, tudo de que precisamos é uma equação que relacione $\boldsymbol{H}$ a $\boldsymbol{B}$. Mas tal equação não existe! Há, é claro, a Equação (36.18), mas ela não ajuda porque não há relação direta entre $\boldsymbol{M}$ e $\boldsymbol{B}$ para o material ferromagnético como o ferro. A magnetização $\boldsymbol{M}$ depende da história regressa do ferro, e não do valor de $\boldsymbol{B}$ naquele momento.

No entanto, nem tudo está perdido. Podemos obter soluções para alguns casos simples. Se começarmos com ferro desmagnetizado – digamos, com ferro que foi temperado a altas temperaturas –, então, na geometria simples do toro, todo ferro tem a mesma história magnética. Podemos dizer, então, alguma coisa sobre $\boldsymbol{M}$, e, portanto, sobre a relação entre $\boldsymbol{B}$ e $\boldsymbol{H}$ como resultado de medidas experimentais. O campo $\boldsymbol{H}$ no toro, por causa da Equação (36.20), é dado por uma constante vezes a corrente I no rolamento. O campo $\boldsymbol{B}$ pode ser medido integrando sobre o tempo a fem no circuito. Esta fem é igual à taxa de variação do fluxo de $\boldsymbol{B}$, de modo que a integral da fem no tempo é igual a $\boldsymbol{B}$ multiplicado pela área da seção reta do toro.

A Figura 36–8 mostra a relação entre $\boldsymbol{B}$ e $\boldsymbol{H}$, observada com um toro de ferro guza. Quando a corrente for instalada, $\boldsymbol{B}$ cresce com $\boldsymbol{H}$ ao longo da curva a. Note a diferença das escalas de $\boldsymbol{B}$ e $\boldsymbol{H}$; inicialmente, é necessário um pequeno $\boldsymbol{H}$ para fazer um grande $\boldsymbol{B}$. Por que $\boldsymbol{B}$ é tão maior no ferro do que ele é no ar? Isso se deve à alta magnetização $\boldsymbol{M}$ que é equivalente a uma grande corrente superficial no ferro – o campo $\boldsymbol{B}$ se origina da soma desta corrente com a corrente do rolamento. O motivo pelo qual $\boldsymbol{M}$ é tão grande é um fato que discutiremos mais tarde.

Para valores maiores de $\boldsymbol{H}$, a curva de magnetização nivela-se. Dizemos que o ferro satura. Com as escalas da nossa figura, a curva parece ficar horizontal. De fato, ela cresce muito pouco para campos grandes, e $\boldsymbol{B}$ fica sendo proporcional a $\boldsymbol{H}$, com uma taxa de crescimento unitária. Não há crescimento de $\boldsymbol{M}$. Aliás, devemos notar que, se o toro for feito de um material não magnético, $\boldsymbol{M}$ será zero e $\boldsymbol{B}$ será igual a $\boldsymbol{H}$.

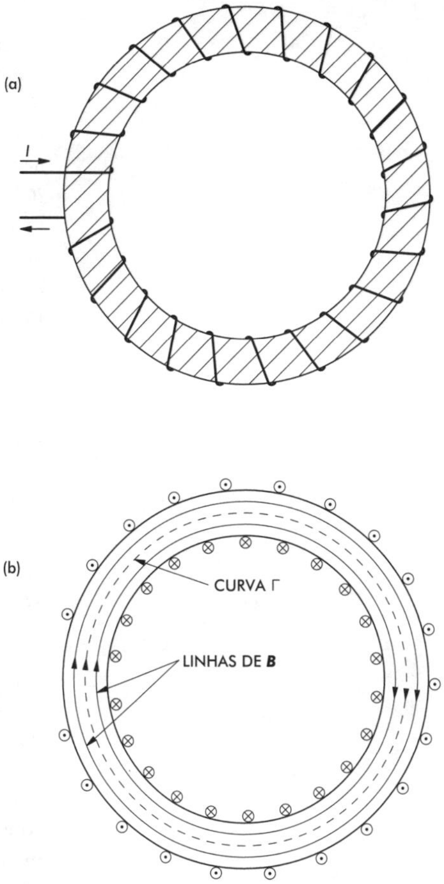

Figura 36–7 (a) Um toro de ferro com uma bobina. (b) Seção reta do toro mostrando as linhas de campo.

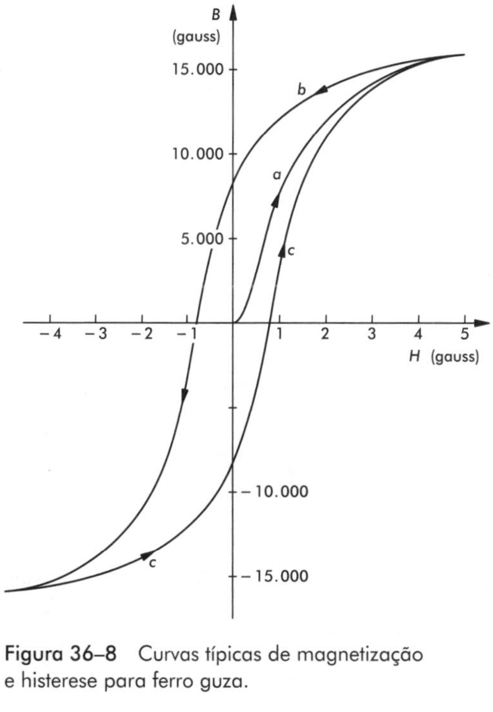

Figura 36–8 Curvas típicas de magnetização e histerese para ferro guza.

A primeira coisa que notamos é que a curva *a*, na Figura 36–8, que é a curva de magnetização, é altamente não linear. Mas é muito pior que isso. Se depois de chegar à saturação, decrescemos o valor da corrente no rolamento para que $\boldsymbol{H}$ volte a ser zero, a magnetização $\boldsymbol{B}$ cai ao longo da curva *b*. Quando $\boldsymbol{H}$ se anula, ainda há algum $\boldsymbol{B}$ diferente de zero. Mesmo sem corrente de magnetização, haverá um campo magnético no ferro que se tornou permanentemente magnetizado. Se agora instalarmos uma corrente negativa no circuito, a curva *B-H* continua ao longo de *b* até que o ferro seja saturado na direção negativa. Se, agora, voltamos a retirar a corrente, $\boldsymbol{B}$ segue a curva *c*. Se alternarmos a corrente entre os valores positivos e negativos, a curva *B-H* vai para frente e para trás ao longo de curvas como *b* e *c*. Se variarmos $\boldsymbol{H}$ de modo arbitrário, teremos curvas mais complicadas que estas. O circuito formado pela repetida oscilação dos campos é chamado de curva de *histerese* do ferro.

Vemos que não é possível escrever uma relação funcional do tipo $B = f(H)$, porque o valor de $\boldsymbol{B}$ em qualquer instante não depende daquele de $\boldsymbol{H}$ no mesmo tempo, mas de toda a história. Naturalmente, as curvas de magnetização e de histerese são diferentes para diferentes substâncias. A forma das curvas depende, de modo crítico, da composição química do material e dos detalhes de sua preparação e subsequente tratamento. Discutiremos algumas explicações físicas para essas complicações no próximo capítulo.

36–4 Indutâncias de núcleo de ferro

Uma das mais importantes aplicações de materiais magnéticos é em circuitos elétricos, como por exemplo, transformadores, motores elétricos e assim por diante. Uma razão é que, com o ferro, podemos controlar para onde vão os campos magnéticos e também podemos obter campos muito maiores para uma dada corrente elétrica. Por exemplo, uma indutância típica toroidal é feita como o objetivo mostrado na Figura 36–7. Para uma dada indutância, o aparelho pode ter um volume muito menor usando muito menos cobre do que na ausência de ferro. Para uma dada indutância, temos uma resistência muito menor no rolamento, de modo que a indutância torna-se quase ideal, particularmente para baixas frequências. É muito fácil entender qualitativamente como tal indutância funciona. Se I for a corrente no rolamento, então o campo $\boldsymbol{H}$ produzido no interior será proporcional a I, como em (36.20). A voltagem $\mathcal{V}$ entre os terminais está relacionada com o campo magnético $\boldsymbol{B}$. Desprezando a resistência do rolamento, a voltagem $\mathcal{V}$ é proporcional a $\partial \boldsymbol{B}/\partial t$. A indutância $\mathfrak{L}$, que é a relação entre $\mathcal{V}$ e dI/dt (ver Seção 17–7), depende da relação entre B e H no ferro. Como $\boldsymbol{B}$ é muito maior que $\boldsymbol{H}$, temos um fator muito grande para a indutância. Fisicamente, o que acontece é que uma pequena corrente no rolamento, que produziria um pequeno campo magnético, força os pequenos "escravos" magnéticos do ferro a se alinharem produzindo correntes magnéticas tremendamente grandes, muito maiores que as correntes externas no rolamento. É como se tivéssemos muito mais corrente ao longo dos rolamentos. Quando revertemos a corrente, todos os pequenos magnetos viram – todas as correntes internas revertem –, e temos uma fem induzida muito maior do que teríamos sem o ferro. Se quisermos calcular a indutância, podemos fazê-lo através da energia, como na Seção 17–8. A *taxa* de chegada da energia da fonte é $I\mathcal{V}$. A voltagem $\mathcal{V}$ é dada pela área da seção reta do núcleo A vezes N vezes dB/dt. Da Equação (36.20), $I = (\epsilon_0 c^2 l/N)H$. Portanto, temos

$$\frac{dU}{dt} = \mathcal{V}I = (\epsilon_0 c^2 lA)H\frac{dB}{dt}.$$

Integrando sobre o tempo, temos

$$U = (\epsilon_0 c^2 lA)\int H\,dB. \tag{36.21}$$

Note que lA é o volume do toro, de modo que demonstramos que a densidade de energia, $u = U/\text{vol}$ em um material magnético é dada por

$$u = \epsilon_0 c^2 \int H\,dB. \tag{36.22}$$

Há uma característica interessante por trás disso. Quando usamos correntes alternadas, o ferro é levado a um ciclo de histerese. Como B não é uma função univocamente determinada de H neste ciclo, a integral $\int H\,dB$ em torno de um circuito completo não se anula. Essa é a área inscrita no ciclo de histerese. Assim, a fonte fornece uma certa quantidade de energia em cada ciclo – uma energia proporcional à área dentro do ciclo de histerese. A energia é "perdida". Ela é perdida pela parte eletromagnética e ganha sob forma de calor no ferro. Ela é chamada de *perda por histerese*. Para que tais perdas sejam pequenas, o ciclo de histerese deve ser o mais estreito possível. Uma maneira de diminuir a área do ciclo é reduzindo o campo máximo ao qual se chega em cada ciclo. Para campos máximos menores, temos uma curva como aquela mostrada na Figura 36–9. Há também materiais especiais desenhados para que tenham um ciclo bastante estreito. Os chamados *ferro de transformador* – que são ligas de ferro com uma pequena quantidade de silício – foram desenvolvidos com esse propósito.

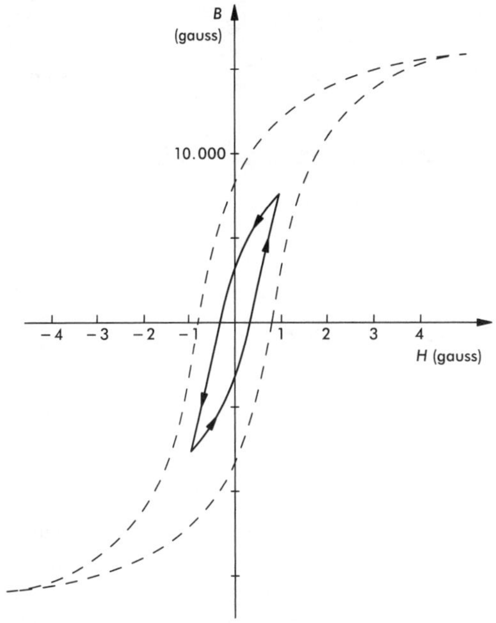

Figura 36–9 Ciclo de histerese que não chega à saturação.

Quando se leva uma indutância a um pequeno ciclo de histerese, a relação entre B e H é aproximadamente linear. Costuma-se escrever

$$B = \mu H. \tag{36.23}$$

A constante μ *não* é o momento magnético utilizado anteriormente. Ela é chamada de *permeabilidade* do ferro. (Algumas vezes ela é chamada de *permeabilidade relativa*.) A permeabilidade de ferros comuns é tipicamente de alguns milhares. Há ligas especiais, chamadas de superligas, que têm permeabilidade maior que um milhão.

Se usarmos a aproximação $B = \mu H$ na Equação (36.21), podemos escrever a energia em um indutor toroidal como

$$U = (\epsilon_0 c^2 lA)\mu \int H\,dH = (\epsilon_0 c^2 lA)\,\frac{\mu H^2}{2}\cdot \tag{36.24}$$

Portanto, a densidade de energia é aproximadamente

$$u \approx \frac{\epsilon_0 c^2}{2}\,\mu H^2.$$

Podemos agora identificar a energia da Equação (36.24) com a energia $\mathfrak{L}I^2/2$ de um indutor, resolvendo para $\mathfrak{L}$. Obtemos

$$\mathfrak{L} = (\epsilon_0 c^2 lA)\mu \left(\frac{H}{I}\right)^2\cdot$$

Utilizando H/I da Equação (36.20), segue que

$$\mathfrak{L} = \frac{\mu N^2 A}{\epsilon_0 c^2 l}\cdot \tag{36.25}$$

A indutância é proporcional a μ. Se você quiser indutâncias para coisas como amplificadores de áudio, deve tentar operar um ciclo de histerese com relação linear entre B e H. Lembre que, no Capítulo 50 do Volume I, falamos sobre a geração de harmônicos em sistemas não lineares. Para isso a Equação (36.23) é uma aproximação útil. Por outro lado, se você quiser gerar harmônicos, pode usar uma indutância operada intencionalmente de um modo altamente não linear. Então, você terá de usar a curva completa de histerese B-H e analisar o que acontece por meio de métodos numéricos ou gráficos.

Um transformador é construído colocando-se duas bobinas no mesmo toro, ou núcleo, de um material magnético. Para transformadores maiores, o núcleo é construído com proporções retangulares, por conveniência. Então, uma corrente variável no "primário" causa um campo magnético variável no núcleo, e esse campo induz uma fem no "secundário". Como o fluxo através de *cada volta* é o mesmo, as fems dos dois circuitos estão na mesma proporção que o número de voltas em cada circuito. Uma tensão, aplicada ao primário, é transformada em uma tensão diferente no secundário. Como uma certa corrente resultante ao redor do núcleo será necessária para produzir uma mudança no campo magnético, a soma algébrica das correntes nos dois rolamentos deve ser fixa e igual à corrente de magnetização necessária. Se a corrente retirada do secundário aumenta, a corrente primária deve aumentar na mesma proporção – há uma "transformação" das correntes e da tensão.

36–5 Eletromagnetos

Discutamos uma situação prática um pouco mais complicada. Suponha que um eletromagneto padrão, como aquele da Figura 36–10, tenha uma forma de C, feito de ferro com uma bobina feita de muitas voltas de fio ao redor do núcleo. Qual o campo magnético $\boldsymbol{B}$ no vão?

Se a largura do vão for pequena em comparação com as outras dimensões, podemos, em primeira aproximação, supor que as linhas de $\boldsymbol{B}$ vão ao redor do circuito do mesmo modo que no toro. Isso é mais ou menos descrito na Figura 36–11 (a). As linhas tendem a sair do vão, mas, se ele for estreito, o efeito será pequeno. É uma boa aproximação supor que o fluxo de $\boldsymbol{B}$ pela seção reta do ferro seja constante. Se o ferro tiver área de seção reta uniforme A, e se desprezarmos qualquer efeito de borda nos vãos ou nos cantos, podemos dizer que $\boldsymbol{B}$ é uniforme dentro do ferro.

O próprio $\boldsymbol{B}$ terá o mesmo valor no vão. Isso segue da Equação (36.16). Imagine a superfície fechada S, na Figura 36–11(b), que tem uma face no vão e outra no ferro. O fluxo total de $\boldsymbol{B}$ deve ser zero. Chamando B_1 de campo no buraco e B_2 de campo no ferro, temos (para nossa aproximação) que

$$B_1A - B_2A = 0.$$

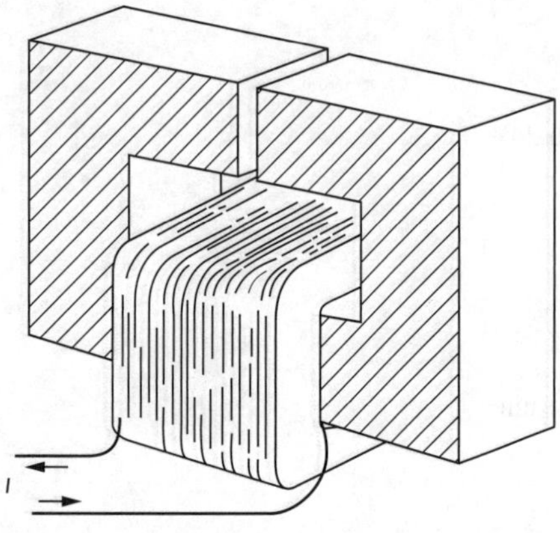

Figura 36–10 Um eletromagneto.

Segue que $B_1 = B_2$.

Olhemos para H. Usamos novamente a Equação (36.19), tomando a integral de linha na curva Γ na Figura 36–11(b). Como antes, a integral do lado direito é NI, o número de voltas dado pela corrente. Agora H será diferente no ar e na água. Chamando de H_2 o campo no ferro e de l_2 o comprimento ao redor do aparelho, esta parte da curva contribuirá para a integral de um valor H_2l_2. Chamando de H_1 o campo no vão e de l_1 a espessura do vão, temos a contribuição H_1l_1 do vão. Portanto,

$$H_1l_1 + H_2l_2 = \frac{NI}{\epsilon_0c^2}. \tag{36.26}$$

Sabemos algo mais: no vão, a magnetização é desprezível, de modo que $B_1 = H_1$. Como $B_1 = B_2$, a Equação (36.26) fica sendo

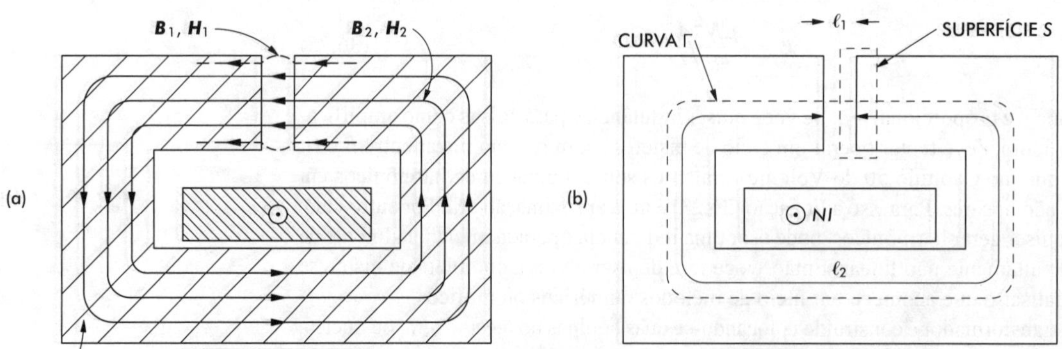

Figura 36–11 Seção reta de um eletromagneto.

$$B_2 l_1 + H_2 l_2 = \frac{NI}{\epsilon_0 c^2}. \tag{36.27}$$

Ainda temos duas incógnitas. Para achar B_2 e H_2 precisamos de outra relação – uma que relacione B com H no ferro.

Podemos fazer a aproximação $B_2 = \mu H_2$ e resolver a equação algebricamente. Façamos o caso geral, em que a curva de magnetização é aquela da Figura 36–8. O que queremos é uma solução simultânea da relação funcional junto à Equação (36.27). Podemos achar o resultado pelo gráfico da Equação (36.27), juntamente ao gráfico da curva de magnetização, conforme feito na Figura 36–12. A solução será dada pela interseção das duas curvas.

Para uma dada corrente I, a função (36.27) é uma linha reta marcada por $I > 0$ na Figura 36–12. A linha intersecta o eixo H ($B_2 = 0$) em $H_2 = NI/\epsilon_0 c^2 l_2$, e a declividade é $-l_2/l_1$. Correntes diferentes apenas transladam a linha horizontalmente. Da Figura 36–12, vemos que, para uma dada corrente, há várias soluções dependendo de como tenhamos chegado naquele ponto. Se você tiver acabado de construir o magneto e ligar a corrente até que chegue ao valor I, o campo B_2 (que também é B_1) terá o valor dado pelo ponto *a*. Se, por outro lado, a corrente estava diminuindo até chegar a I, o campo será dado pelo ponto *b*. Ou ainda, se você tinha um valor negativo da corrente e depois a mudou até chegar a I, o campo será dado pelo ponto *c*. O campo no vão vai depender do que tiver acontecido antes.

Quando a corrente no magneto for zero, a relação entre B_2 e H_2 na Equação (36.27) é mostrada pela linha marcada $I = 0$ na figura. Há ainda várias outras possíveis soluções. Se você primeiramente saturar o ferro, pode haver um campo residual considerável no magneto conforme dado pelo ponto *d*. Você pode retirar a bobina e terá um magneto permanente. Para um bom magneto permanente, você precisa de um material com um ciclo de histerese bem *largo*. Ligas especiais, como Alnico V, têm ciclos bens largos.

36–6 Magnetização espontânea

Estudamos, agora, por que, em materiais ferromagnéticos, um pequeno campo magnético produz uma grande magnetização. A magnetização de materiais ferromagnéticos, como ferro e níquel, vem dos momentos magnéticos dos elétrons das camadas internas do átomo. Cada elétron tem um momento magnético $\boldsymbol{\mu}$ igual a $q/2m$ vezes o fator g vezes seu momento angular $\boldsymbol{J}$. Para um único elétron sem movimento orbital total, $g = 2$, e a componente de $\boldsymbol{J}$ em uma direção qualquer – digamos que seja a direção z – será $\pm\hbar/2$, de modo que a componente de $\boldsymbol{\mu}$ ao longo do eixo z será

$$\mu_z = \frac{q\hbar}{2m} = 0{,}928 \times 10^{-23}\ \text{amp·m}^2. \tag{36.28}$$

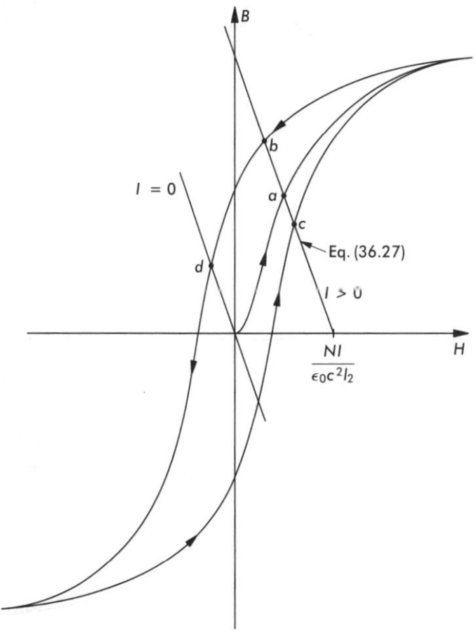

Figura 36–12 Resolução gráfica da equação para o campo em um eletromagneto.

Em um átomo de ferro, há dois elétrons que contribuem para o ferromagnetismo e, para manter uma discussão simples, falaremos do níquel, que também é ferromagnético, mas tem apenas um elétron na camada interna. É fácil estender os argumentos para o ferro.

O ponto agora é que, na presença de um campo externo $\boldsymbol{B}$, os magnetos atômicos tendem a se alinhar com o campo, mas são chacoalhados por movimentos térmicos como aqueles descritos quando discutimos materiais paramagnéticos. No capítulo anterior, achamos que havia uma disputa entre o campo magnético tentando alinhar os magnetos atômicos e os movimentos térmicos tentando desarrumá-los, o que levava a um resultado no qual o momento magnético médio por unidade de volume terminava por ser

$$M = N\mu \operatorname{tgh} \frac{\mu B_a}{kT} \tag{36.29}$$

Entendemos por $\boldsymbol{B}_a$ o campo médio agindo sobre o átomo e por kT a energia de Boltzmann. Na teoria do paramagnetismo, utilizamos B no lugar de B_a, desprezando a parte do campo que representa a contribuição dos átomos vizinhos. No caso ferromagnético, há uma complicação. Não devemos utilizar o campo médio no ferro para B_a agindo sobre um átomo individual. Em vez disso, devemos proceder como fizemos no caso dos dielétricos – devemos achar um campo *local* agindo sobre cada átomo. Para um cálculo exato, devemos adicionar os campos de todos os outros átomos do cristal no átomo em questão. Como fizemos no caso dos dielétricos, tomaremos a aproximação do campo em um átomo como sendo a mesma que achamos em um buraco esférico no material – admitindo que os momentos dos átomos na vizinhança não mudem na presença do buraco.

Seguindo os argumentos do Capítulo 11, poderíamos pensar em escrever

$$\boldsymbol{B}_{\text{buraco}} = \boldsymbol{B} + \frac{1}{3}\frac{\boldsymbol{M}}{\epsilon_0 c^2} \quad \text{(errado!)}.$$

Mas isso não está correto! *Podemos* usar os resultados do Capítulo 11, se compararmos com cuidado as equações do Capítulo 11 com as equações do ferromagnetismo. Coloquemos juntas as equações correspondentes. Para regiões onde não há correntes de condução ou cargas, temos

$$\begin{array}{ll} \text{Eletrostática} & \text{Ferromagnetismo estático} \\ \nabla\cdot\left(\boldsymbol{E}+\dfrac{\boldsymbol{P}}{\epsilon_0}\right)=0 & \nabla\cdot\boldsymbol{B}=0 \\ \nabla\times\boldsymbol{E}=0 & \nabla\times\left(\boldsymbol{B}-\dfrac{\boldsymbol{M}}{\epsilon_0 c^2}\right)=0 \end{array} \tag{36.30}$$

Esses dois conjuntos de equações podem ser pensados como um análogo das seguintes correspondências *puramente matemáticas*:

$$\boldsymbol{E} \to \boldsymbol{B} - \frac{\boldsymbol{M}}{\epsilon_0 c^2}, \qquad \boldsymbol{E} + \frac{\boldsymbol{P}}{\epsilon_0} \to \boldsymbol{B}.$$

Isso é equivalente a

$$\boldsymbol{E} \to \boldsymbol{H}, \qquad \boldsymbol{P} \to \boldsymbol{M}/c^2. \tag{36.31}$$

Em outras palavras, se escrevermos as equações do ferromagnetismo como

$$\begin{aligned} \nabla\cdot\left(\boldsymbol{H}+\frac{\boldsymbol{M}}{\epsilon_0 c^2}\right) &= 0, \\ \nabla\times\boldsymbol{H} &= 0, \end{aligned} \tag{36.32}$$

elas acabam *se parecendo* com as equações da eletrostática.

Essa correspondência algébrica já levou a muita confusão. A tendência era de pensar que $\boldsymbol{H}$ fosse *o* campo magnético. Contudo, como já vimos, $\boldsymbol{E}$ e $\boldsymbol{B}$ são os campos físicos e fundamentais, e $\boldsymbol{H}$ é uma ideia abstrata. Assim, embora as *equações* sejam análogas, a *física* não o é. Nem por isso vamos deixar de utilizar o princípio segundo o qual as mesmas equações têm as mesmas soluções.

Podemos utilizar nossos resultados anteriores para o campo elétrico dentro de buracos de vários tipos – resumidos na Figura 36–1 – para achar $\boldsymbol{H}$ dentro dos buracos correspondentes. Sabendo-se $\boldsymbol{H}$, podemos determinar $\boldsymbol{B}$. Por exemplo, usando os resultados resumidos na Seção 36-1, o campo $\boldsymbol{H}$ em um buraco com aspecto de agulha paralelo a $\boldsymbol{M}$ é o mesmo que $\boldsymbol{H}$ dentro do material,

$$\boldsymbol{H}_{\text{buraco}} = \boldsymbol{H}_{\text{material}}.$$

Como $\boldsymbol{M}$ é zero no buraco, temos

$$\boldsymbol{B}_{\text{buraco}} = \boldsymbol{B}_{\text{material}} - \frac{\boldsymbol{M}}{\epsilon_0 c^2}. \tag{36.33}$$

Por outro lado, para um buraco na forma de um disco perpendicular a $\boldsymbol{M}$, temos

$$\boldsymbol{E}_{\text{buraco}} = \boldsymbol{E}_{\text{dielétrico}} + \frac{\boldsymbol{P}}{\epsilon_0},$$

que pode ser traduzido em

$$\boldsymbol{H}_{\text{buraco}} = \boldsymbol{H}_{\text{material}} + \frac{\boldsymbol{M}}{\epsilon_0 c^2}.$$

Ou, em termos de $\boldsymbol{B}$,

$$\boldsymbol{B}_{\text{buraco}} = \boldsymbol{B}_{\text{material}}. \tag{36.34}$$

Finalmente, para um buraco esférico, fazendo-se analogia com (36.3), temos

$$\boldsymbol{H}_{\text{buraco}} = \boldsymbol{H}_{\text{material}} + \frac{\boldsymbol{M}}{3\epsilon_0 c^2}$$

ou

$$\boldsymbol{B}_{\text{buraco}} = \boldsymbol{B}_{\text{material}} - \frac{2}{3}\frac{\boldsymbol{M}}{\epsilon_0 c^2}. \tag{36.35}$$

Este resultado é diferente daquele obtido para $\boldsymbol{E}$.

É certamente possível obter tais resultados de modo mais físico, usando diretamente as equações de Maxwell. Por exemplo, a Equação (36.34) vem diretamente de $\nabla \cdot \boldsymbol{B} = 0$, é só usar uma superfície gaussiana que fica metade dentro do material e metade fora. De modo análogo, pode-se obter (36.33) utilizando-se uma integral de linha ao longo de uma curva que vai para cima dentro do buraco e volta através do material. Fisicamente, o campo no buraco é reduzido por causa das correntes superficiais, dadas por $\nabla \times \boldsymbol{M}$. Deixaremos para você mostrar que (36.35) também pode ser obtido considerando-se os efeitos de correntes superficiais na fronteira da cavidade esférica.

Para acharmos a magnetização de equilíbrio de (36.29), acaba por ser mais conveniente lidar com $\boldsymbol{H}$; escrevemos

$$\boldsymbol{B}_a = \boldsymbol{H} + \lambda \frac{\boldsymbol{M}}{\epsilon_0 c^2}. \tag{36.36}$$

Na aproximação esférica, teríamos $\lambda = \frac{1}{3}$, mas, como veremos, queremos mais tarde usar outro valor, de modo que deixamos esta constante como um parâmetro ajustável. Também tomaremos todos os campos na mesma direção, de modo que não precisamos nos preocupar com as direções dos vetores. Se substituirmos (36.36) na Equação (36.29), teremos uma equação que relaciona a magnetização M com o campo de magnetização H:

$$M = N\mu \operatorname{tgh}\left(\mu \frac{H + \lambda M/\epsilon_0 c^2}{kT}\right).$$

Essa é uma equação que não pode ser resolvida explicitamente, então procedemos graficamente.

De modo geral, a Equação (36.29) pode ser escrita como

$$\frac{M}{M_{\text{sat}}} = \operatorname{tgh} x, \tag{36.37}$$

onde M_{sat} é o valor de saturação da magnetização, isto é, $N\mu$, e x representa $\mu B_a/kT$. A dependência de M/M_{sat} em x é mostrada na curva a, na Figura 36–13. Podemos obter x como função de M – utilizando a Equação (36.36) para B_a – como

$$x = \frac{\mu B_a}{kT} = \frac{\mu H}{kT} + \left(\frac{\mu \lambda M_{\text{sat}}}{\epsilon_0 c^2 kT}\right)\frac{M}{M_{\text{sat}}}. \tag{36.38}$$

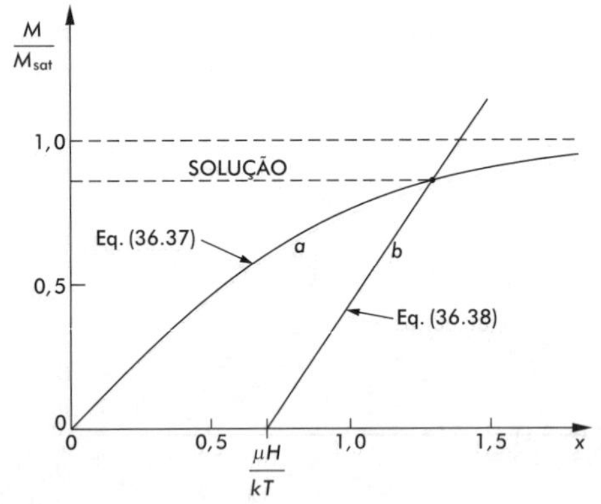

Figura 36–13 Solução gráfica das equações (36.37) e (36.38).

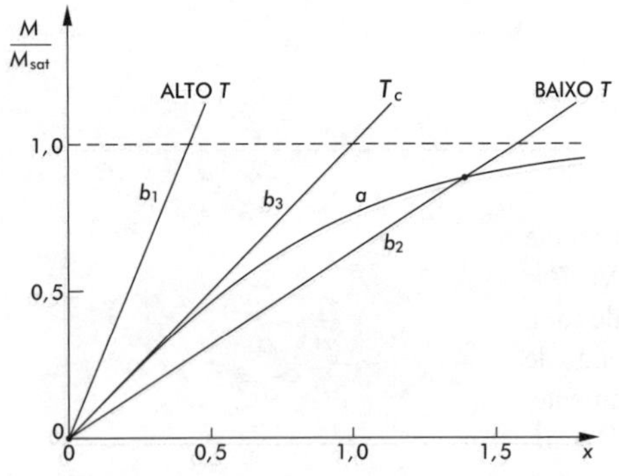

Figura 36–14 Achando a magnetização quando $H = 0$.

Para qualquer valor de H, esta é uma linha reta entre M/M_{sat} e x. No eixo horizontal, a função passa por $x = \mu H/kT$, e a declividade é $\epsilon_0 c^2 kT/\mu\,\lambda M_{\text{sat}}$. Para qualquer valor particular de H, temos a linha denotada por b na Figura 36–13. A interseção das curvas a e b nos dá a solução de M/M_{sat}. Assim resolvemos o problema.

Examinemos as soluções em várias circunstâncias. Começamos com $H = 0$. Há duas possíveis soluções, mostradas nas linhas b_1 e b_2 na Figura 36–14. Note, na Equação (36.38), que a declividade da linha é proporcional à temperatura absoluta T. Então, a *altas temperaturas*, teríamos uma linha como b_1. A solução é $M/M_{\text{sat}} = 0$. Quando o campo de magnetização H for zero, a magnetização também o será. Para *baixas temperaturas,* teremos uma linha como b_2, e haverá *duas soluções* para M/M_{sat} – uma com $M/M_{\text{sat}} = 0$ e outra para M/M_{sat} próximo de um. Acontece que só a solução com campo é estável, como você pode ver fazendo pequenas perturbações ao redor delas.

De acordo com essas ideias, um material magnético deve se magnetizar *espontaneamente* a temperaturas suficientemente baixas. Em resumo, quando os movimentos térmicos forem suficientemente pequenos, o acoplamento entre os magnetos atômicos força-os a se emparelharem, e temos um material magnetizado de modo análogo aos ferroelétricos discutidos no Capítulo 11.

Se começarmos a temperaturas altas e abaixarmos, há um valor crítico da temperatura, chamado de temperatura de Curie, T_c, no qual o comportamento ferromagnético repentinamente aparece. Esta temperatura corresponde à linha b_3 na Figura 36–14, que é tangente à curva a e, portanto, tem declividade igual a 1. A temperatura de Curie é

$$\frac{\epsilon_0 c^2 k T_c}{\mu\lambda M_{\text{sat}}} = 1. \tag{36.39}$$

Se quisermos, podemos escrever (36.38) de modo mais simples em termos de T_c,

$$x = \frac{\mu H}{kT} + \frac{T_c}{T}\left(\frac{M}{M_{\text{sat}}}\right). \tag{36.40}$$

Vejamos o que acontece com pequenos campos de magnetização H. Podemos ver da Figura 36–14 como as coisas acontecem se justapomos nossas linhas um pouco para a direita. Para temperaturas baixas, o ponto de interseção vai se mover um pouco ao longo da parte de pouco crescimento da curva a, e M muda relativamente pouco. Para o caso de altas temperaturas, o ponto de interseção vai andar na parte de maior declividade da curva a, e M vai mudar rapidamente. Podemos aproximar esta parte da curva a por uma linha reta de declividade unitária e escrever

$$\frac{M}{M_{\text{sat}}} = x = \frac{\mu H}{kT} + \frac{T_c}{T}\left(\frac{M}{M_{\text{sat}}}\right).$$

Podemos agora resolver para M/M_{sat}:

$$\frac{M}{M_{\text{sat}}} = \frac{\mu H}{k(T - T_c)}. \tag{36.41}$$

Temos uma lei do mesmo tipo que obtivemos para o paramagnetismo. Naquele caso, tínhamos

$$\frac{M}{M_{\text{sat}}} = \frac{\mu B}{kT}. \tag{36.42}$$

A diferença é que temos a magnetização em termos de H, que inclui alguns efeitos da interação dos magnetos atômicos, mas a maior diferença é o fato de a magnetização ser inversamente proporcional à *diferença* entre T e T_c, em vez de simplesmente ser inversamente proporcional à temperatura absoluta T. Ignorar as interações entre átomos vizinhos, corresponde a tomar $\lambda = 0$, o que, da Equação (36.39), corresponde a tomar $T_c = 0$. Em tal caso, obtemos novamente os resultados do Capítulo 35.

Podemos verificar a veracidade de nossa teoria examinando os dados experimentais para o níquel. Experimentalmente observa-se que o comportamento ferromagnético do níquel desaparece quando a temperatura sobe acima de 631°K. Podemos comparar esse valor com T_c calculado de (36.39). Lembrando que $M_{sat} = \mu N$, temos

$$T_c = \lambda \frac{N\mu^2}{k\epsilon_0 c^2}.$$

Como sabemos a densidade e o peso atômico do níquel, temos

$$N = 9{,}1 \times 10^{28}\ \mathrm{m}^{-3}.$$

Tomando μ de (36.28) e supondo $\lambda = \frac{1}{3}$, obtemos

$$T_c = 0{,}24°\mathrm{K}.$$

Há uma discrepância de um fator de cerca de 2600! Nossa teoria do ferromagnetismo fracassa completamente.

Podemos tentar "emendar" a teoria como foi feito por Weiss, argumentando que, por alguma razão desconhecida, λ não é um terço, mas $(2600) \times \frac{1}{3}$ – ou cerca de 900. Segue que se obtêm valores similares para outros ferromagnetos, como o ferro. Para ver o que isso significa, voltemos à Equação (36.36). Vemos que, para valores grandes de λ, o campo local B_a no átomo parece muito grande, muito maior que pensávamos. De fato, escrevendo-se $H = B - M/\epsilon_0 c^2$, temos

$$B_a = B + \frac{(\lambda - 1)M}{\epsilon_0 c^2}.$$

De acordo com nossa ideia original – com $\lambda = \frac{1}{3}$ –, a magnetização local M *reduz* o campo efetivo pela quantidade $-\frac{2}{3}M/\epsilon_0 c^2$. Mesmo que nosso modelo de buraco esférico não fosse muito bom, ainda assim esperaríamos *alguma* redução. Ao invés disso, para explicar o fenômeno do ferromagnetismo, temos de imaginar que a magnetização do campo *aumenta* o campo local por um grande fator – algo como mil ou mais. Não parece haver qualquer razão simples para a causa desta falência do modelo. Claramente, chegamos à falência do modelo. Devemos concluir que nossa teoria "magnética" do ferromagnetismo tem de ter alguma explicação *não magnética,* em termos da interação entre elétrons girantes em átomos vizinhos. Esta interação deve gerar uma forte tendência para que todos os spins vizinhos se alinhem em uma certa direção. Veremos mais tarde que isso tem a ver com a mecânica quântica e com o princípio de exclusão de Pauli.

Finalmente, olhamos para o que acontece a temperaturas baixas – para $T < T_c$. Vimos que haverá uma magnetização espontânea – mesmo para $H = 0$ – dada pela interseção das curvas a e b_2 da Figura 36–14. Se resolvermos para M para várias temperaturas – variando a declividade da linha b_2 –, obtemos a curva teórica mostrada na Figura 36–15. Essa curva deveria ser a mesma para qualquer material ferromagnético cujo momento magnético atômico vem de um único elétron. As curvas para outros materiais são apenas um pouco diferentes.

No limite em que T tende ao zero absoluto, M tende a M_{sat}. Conforme a temperatura cresce, a magnetização decresce, caindo a zero na temperatura de Curie. Os pontos 36–15 são as observações experimentais do níquel. Elas caem bem na curva teórica. Apesar de não compreendermos o mecanismo básico, as características gerais da teoria parecem estar corretas.

Finalmente, há uma outra discrepância em nossa tentativa de compreender o ferromagnetismo. Descobrimos que, acima de alguma temperatura, o material deveria se comportar como uma substância paramagnética com magnetização M proporcional a H (ou B) e que, abaixo dessa temperatura, ele deve ficar

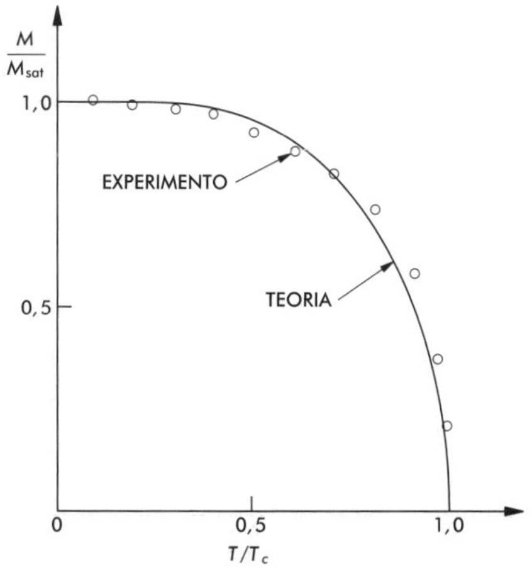

Figura 36–15 Magnetização espontânea como função da temperatura, para o níquel.

espontaneamente magnetizado. No entanto, isso não é o que achamos quando medimos a curva de magnetização do ferro. Ele fica magnetizado permanentemente *depois* que o "magnetizamos". De acordo com essas ideias, ele poderia magnetizar a ele mesmo? O que está errado? Bem, acontece que, se você olhar para *um cristal pequeno o suficiente* de ferro ou de níquel, essa região está completamente magnetizada! Em porções grandes de ferro, há muitas regiões ou "domínios" magnetizados em várias direções, de modo que em larga escala a magnetização *média* parece anular-se. Em cada pequeno domínio o ferro tem uma magnetização fechada com M praticamente igual a M_{sat}. As consequências desta estrutura de domínio são que, *grosso modo*, as propriedades de grandes porções de material são bem diferentes das propriedades microscópicas de que estamos tratando. Vamos retornar no próximo capítulo ao comportamento prático de materiais magnéticos

37

Materiais Magnéticos

37–1 Entendendo o ferromagnetismo

Discutiremos, neste capítulo, o comportamento e as peculiaridades dos materiais ferromagnéticos e de outros estranhos materiais magnéticos. Entretanto, antes de prosseguirmos com o estudo de materiais magnéticos, vamos rever, muito rapidamente, algumas coisas sobre a teoria geral dos magnetos que aprendemos no capítulo anterior.

Primeiramente, imaginamos as correntes atômicas dentro do material, que são responsáveis pelo magnetismo, e as descrevemos em termos da densidade volumétrica de correntes $\boldsymbol{j}_{\text{mag}} = \nabla \times \boldsymbol{M}$. Salientamos que isso não pretende representar *realmente* as correntes. Quando a magnetização for uniforme, as correntes não se cancelam mutuamente *por completo*; as correntes esféricas de um elétron em um átomo e as correntes esféricas de um elétron em outro átomo não se sobrepõem de modo tal que a soma seja zero. Mesmo dentro de um único átomo, a distribuição do magnetismo *não* é suave. Por exemplo, em um átomo de ferro, a magnetização distribui-se por uma camada mais ou menos esférica, nem muito próxima ao núcleo, nem demasiadamente afastada. O magnetismo é, de fato, uma coisa bem complicada em seus detalhes; é muito irregular, entretanto somos obrigados a ignorar essa complexidade de detalhes e discutir os fenômenos sob um ponto de vista mais amplo e médio. É verdade que a média da corrente na região interna, em uma área finita maior que um átomo, é zero quando $\boldsymbol{M} = 0$. Assim, para o nível que estamos considerando, o que queremos dizer com magnetização por unidade de volume e $\boldsymbol{j}_{\text{mag}}$, e assim por diante, é uma média entre as regiões maiores que o espaço ocupado por um único átomo.

Referências: Bozorth, R.M., "Magnetism", *Encyclopaedia Britannica*, Vol. 14, 1957, pp. 636-667.

Kittel, C., *Introduction to Solid State Physics*, John Wiley and Sons, Inc., New York, 2a ed., 1956.

No último capítulo, também discutimos que um material ferromagnético tem a seguinte e interessante propriedade: acima de determinada temperatura o material ferromagnético não é fortemente magnético, porém, abaixo dessa temperatura, ele torna-se magnético. Esse fato é facilmente demonstrado. Um pedaço de fio (arame) de níquel à temperatura ambiente é atraído por um magneto. Se o esquentarmos acima de sua temperatura Curie em uma chama de gás, ele torna-se não magnético e não é atraído pelo magneto – mesmo se trazido bem perto deste. Se deixarmos o arame de níquel perto do magneto enquanto ele esfria, assim que ele estiver abaixo da temperatura crítica, ele será subitamente atraído, de novo, pelo magneto!

A teoria geral do ferromagnetismo que usaremos supõe que o spin do elétron é responsável pela magnetização. Um elétron tem spin meio e carrega um magneton de Bohr de momento magnético $\mu = \mu_B = q_e\hbar/2m$. O spin do elétron pode apontar tanto "para cima" quanto "para baixo". Como o elétron tem uma carga negativa, quando o spin está para cima, o elétron tem um momento *negativo* e, quando o spin está para baixo, ele tem um momento *positivo*. Com nossas convenções usuais, o momento $\boldsymbol{\mu}$ do elétron é oposto ao spin. Observamos que a energia de orientação de um dipolo magnético em um dado campo $\boldsymbol{B}$ é $-\boldsymbol{\mu} \cdot \boldsymbol{B}$, mas a energia dos spins dos elétrons depende também do alinhamento dos spins da vizinhança. No ferro, se o momento de um átomo próximo for "para cima", haverá uma tendência muito forte de o momento de outro átomo próximo a ele também ser "para cima". Isso é o que faz ferro, cobalto e níquel serem tão intensamente magnéticos – os momentos todos caminham em paralelo. A primeira questão que devemos examinar é *por quê*.

Logo após o desenvolvimento da mecânica quântica, foi noticiada a existência de uma força *aparente* muito forte – não uma força magnética nem outra forma de força conhecida, apenas uma força *aparente* – tentando alinhar os spins de elétrons próximos de forma oposta. Essas forças estão intimamente relacionadas com as forças químicas de valência. Há um princípio em mecânica quântica – chamado princípio da *exclusão* – determinando que dois elétrons não possam ocupar o mesmo estado, que eles não possam ter as mesmas condições de localização e orientação de spin[1]. Por exemplo, se eles estiverem em um mesmo ponto, a única alternativa é que tenham spins opostos. Desse modo, se houver uma região do espaço entre átomos onde os elétrons tendem a se agregar (como em uma ligação química), e quisermos colocar um outro elétron em cima de um elétron já existente, o único modo de fazê-lo é ter o spin do segundo elétron oposto ao spin do primeiro elétron. Ter os spins em paralelo, só se os elétrons estiverem afastados um do outro. Isso tem como consequência que um par de elétrons próximos de spins paralelos tem muito mais energia que um par de elétrons com spins contrários; o efeito de rede é, portanto, uma força procurando inverter o spin. Algumas vezes, essa força de inversão do spin é chamada de *força de troca*, mas isso apenas torna-a mais misteriosa – não é mesmo um termo muito bom. É somente por causa do princípio de exclusão que os elétrons tendem a deixar seus spins em oposição. De fato, essa é a explicação da *falta* de magnetismo em quase todas as substâncias! Os spins dos elétrons livres no exterior dos átomos têm uma tremenda tendência a balançar em direções opostas. O problema é explicar por que, em materiais como o ferro, ocorre o oposto do esperado.

Resumimos o suposto efeito de alinhamento adicionando um termo conveniente à equação de energia e dizendo que, se os magnetos do elétron na vizinhança tiverem uma magnetização média M, o momento de um elétron terá uma forte tendência a estar na mesma direção da magnetização média dos átomos na mesma vizinhança. Assim, podemos escrever para as duas possibilidades de orientação do spin:[2]

$$\begin{aligned}\text{energia de spin “para cima”} &= +\mu\left(H + \frac{\lambda M}{\epsilon_0 c^2}\right),\\ \text{energia de spin “para baixo”} &= -\mu\left(H + \frac{\lambda M}{\epsilon_0 c^2}\right).\end{aligned} \tag{37.1}$$

Quando estava claro que a mecânica quântica podia suprir uma imensa força de orientação de spin – mesmo que aparentemente com o sinal errado –, foi sugerido que o ferromagnetismo deveria se originar dessa mesma força, e que, por causa das complexidades do ferro e o grande número de elétrons envolvidos, o sinal da energia de interações ficaria invertido. Desde o tempo em que se pensava assim – mais ou menos em 1927, quando a mecânica quântica foi primeiramente entendida –, muitas pessoas têm feito várias estimativas e semicálculos procurando obter uma predição teórica para λ. Os cálculos mais recentes da energia entre dois spins de elétrons no ferro – pressupondo que a interação é direta entre dois elétrons em átomos próximos – ainda têm o *sinal errado*. O entendimento atual atribui alguma responsabilidade à complexidade da situação, mas confia que a próxima pessoa a calcular, em situação ainda mais complicada, obtenha a resposta certa!

Acredita-se que o spin para cima de um dos elétrons da camada interna, que gera o magnetismo, tende a fazer com que os elétrons de condução que voam ao redor do exterior tenham spin contrário. Pode-se esperar que isso aconteça porque os elétrons de condução vêm para a mesma região como os elétricos "magnéticos". Como eles se movem ao redor, podem carregar seu efeito por estarem de cabeça para baixo com relação ao próximo átomo; isto é, um elétron "magnético" procura forçar os elétrons de condução a se tornarem contrários e o elétron de condução, por sua vez, torna o próximo elétron "magnético" seu oposto. A dupla interação é equivalente a uma interação que procura alinhar "para cima" os dois elétrons "magnéticos". Em outras palavras, a tendência a fazer os spins paralelos é o resultado de um intermediário que procura, de alguma forma, ser oposto a ambos. Esse mecanismo não requer que os elétrons de condução estejam completamente "de cabeça para baixo". Eles podem ter apenas um pequeno preconceito por ser "para baixo" apenas o suficiente para pressionar os polos "magnéticos" para o outro lado. Esse é o mecanismo que as pessoas que calcularam essas coisas acreditam

---

[1] Vide Capítulo 4 do Vol. III (Seção 4–7).

[2] Escrevemos essas equações com $H = B - M/\epsilon_0 c^2$ em vez de B para concordar com o que foi discutido no capítulo anterior. Você pode preferir escrever $U = \pm\mu B_{a'} = \pm\mu(B + \lambda' M/\epsilon_0 c^2)$, onde $\lambda' = \lambda - 1$. É a mesma coisa.

agora ser responsável pelo ferromagnetismo. Devemos, porém, salientar que até agora ninguém pôde calcular a magnitude de λ simplesmente sabendo que o material é 26 na tabela periódica. Na verdade, não entendemos realmente!

Continuemos agora com a teoria, voltaremos mais tarde a discutir certo erro envolvido no modo estabelecido anteriormente. Se o momento magnético de um determinado elétron é "para cima", a energia vem tanto da camada externa quanto da tendência dos spins a ficarem paralelos. Como a energia é menor quando os spins estão paralelos, o efeito é, algumas vezes, devido a um "campo efetivo interno". Lembremos que não é devido a uma verdadeira força *magnética*; é uma interação mais complicada. De qualquer forma, tomamos a Equação (37.1) como expressões das energias dos dois estados de spin de um elétron *magnético*. À temperatura T, a probabilidade relativa destes dois estados é proporcional a $e^{-\text{energia}/kT}$ que podemos escrever como $e^{\pm x}$ com $x = \mu(H + \lambda M/\epsilon_0 c^2)/kT$. Então, se calcularmos o valor médio do momento magnético, encontramos, como no último capítulo,

$$M = N\mu \operatorname{tgh} x. \tag{37.2}$$

A seguir, queremos calcular a energia interna do material. Notamos que a energia do elétron é exatamente proporcional ao momento magnético, de modo que o cálculo do momento médio e o cálculo da energia média são os mesmos – exceto que, no lugar de μ na Equação (37.2), teríamos $-\mu B$ que é $-\mu(H + \lambda M/\epsilon_0 c^2)$. Portanto, a energia média é

$$\langle U\rangle_{\text{média}} = -N\mu\left(H + \frac{\lambda M}{\epsilon_0 c^2}\right)\operatorname{tgh} x.$$

Isso não está muito correto. O termo $\lambda M/\epsilon_0 c^2$ representa as interações de todos os possíveis *pares* de átomos, e devemos nos lembrar de que devemos contar cada par apenas *uma* vez. Quando consideramos a energia de um elétron no campo dos outros, e a energia do segundo, teremos contado parte da primeira energia em dobro. Então, é necessário dividir o *termo de interação mútua* por dois, de modo que nossa fórmula fica sendo

$$\langle U\rangle_{\text{média}} = -N\mu\left(H + \frac{\lambda M}{2\epsilon_0 c^2}\right)\operatorname{tgh} x. \tag{37.3}$$

No último capítulo, descobrimos uma coisa interessante – que abaixo de certa temperatura os materiais encontram uma solução para as equações em que o momento magnético *não se anula* mesmo na ausência de campo magnetizador. Se colocarmos $H = 0$ na Equação (37.2), achamos que

$$\frac{M}{M_{\text{sat}}} = \operatorname{tgh}\left(\frac{T_c}{T}\frac{M}{M_{\text{sat}}}\right), \tag{37.4}$$

onde $M_{\text{sat}} = N\mu$ e $T_c = \mu\lambda M_{\text{sat}}/k\epsilon_0 c^2$. Quando resolvemos tal equação, numericamente ou por qualquer outro método, achamos que a relação M/M_{sat} como função de T/T_c é uma curva como aquela que rotulamos "teoria quântica", na Figura 37–1. A figura tracejada na qual se vê "cobalto, níquel" mostra os resultados experimentais para cristais destes elementos. Teoria e experiência têm boa concordância. A figura também mostra o resultado da teoria clássica em que o cálculo é feito supondo-se que os magnetos atômicos podem ter todas as orientações possíveis no espaço. Você pode ver que essa suposição leva a uma previsão que nem de longe concorda com os fatos experimentais.

Mesmo a teoria quântica desvia-se do comportamento observado tanto para baixas como para altas temperaturas. A razão dos desvios é que fizemos uma aproximação muito crua na teoria: supusemos que a energia de um átomo dependia da magnetização *média* dos átomos vizinhos. Em outras palavras, para cada vizinho "para cima" na vizinhança de um átomo há uma contribuição de energia devido ao efeito de alinhamento quântico. Então quantos estão apontando "para cima"? Em média, isso é medido pela magnetização M – mas apenas *em média*. Um átomo em particular poderia eventualmente achar seus vizinhos todos *para cima*. Nesse caso, sua energia seria maior que a média. Um outro poderia achar alguns vizinhos

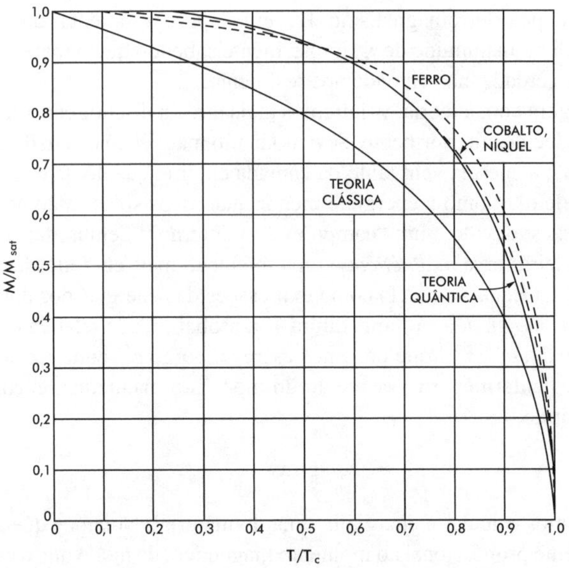

Figura 37–1 A magnetização espontânea ($H = 0$) de cristais ferromagnéticos como função da temperatura [com permissão da Encyclopaedia Britannica].

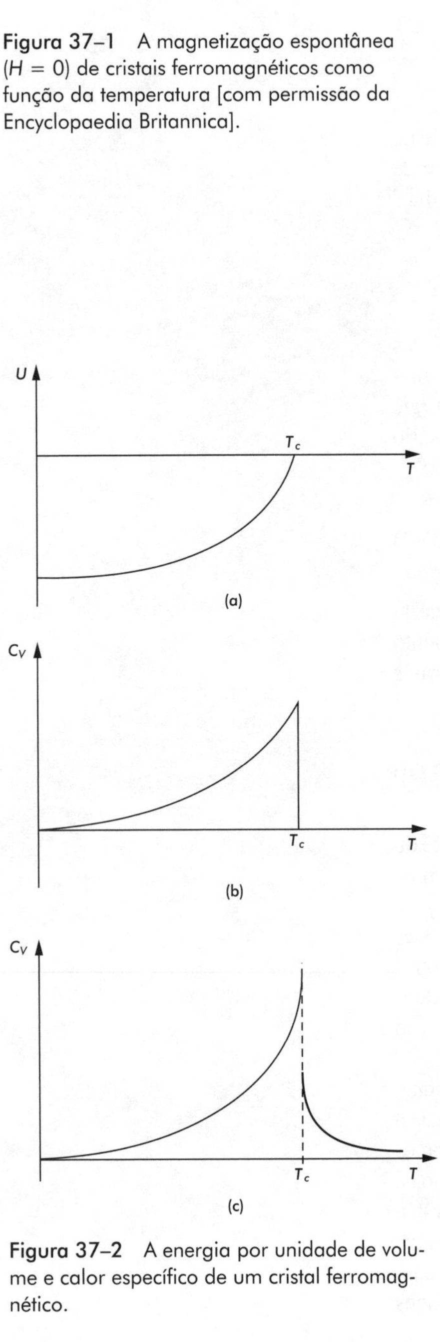

Figura 37–2 A energia por unidade de volume e calor específico de um cristal ferromagnético.

para cima e outros para baixo, de modo que a média se anulasse, e *não* teríamos contribuição de energia daquele termo, e assim por diante. O que deveríamos fazer é usar algum tipo mais complicado de média, porque os átomos em lugares diferentes têm vizinhanças diferentes, e o número de vizinhos para cima ou para baixo difere de um átomo para outro. Ao invés de tomar um átomo sujeito à influência média, deveríamos tomar um átomo em sua situação real, calcular sua energia e achar a *energia média*. Como sabemos quantos estão para cima e quantos para baixo na vizinhança? Isso é exatamente o que tentamos calcular – o número de átomos "para cima" ou "para baixo" –, de modo que temos um complicadíssimo problema de correlações que jamais foi resolvido. É um problema intrigante e estimulante que, por muitos anos, não foi resolvido e sobre o qual muita gente muito famosa já trabalhou, mas ainda não há resultados definitivos.

A baixas temperaturas, quando quase todos os magnetos estiverem "para cima" e alguns poucos "para baixo", é fácil resolver o problema; a temperaturas altas, longe da temperatura de Curie, T_c, quando os magnetos estiverem ao acaso, também é fácil. Frequentemente é fácil calcular pequenas diferenças em relação a situações ideais simples, de modo que é fácil saber por que há desvios da teoria simples a baixas temperaturas. É bem compreendido, também, que há razões estatísticas para haver desvios da magnetização a altas temperaturas. Contudo, o comportamento exato perto do ponto de Curie jamais foi compreendido. Este é um ponto interessante para ser estudado se você quiser um problema que ainda não tenha sido resolvido.

37–2 Propriedades termodinâmicas

No capítulo anterior, apresentamos os fundamentos necessários para o cálculo das propriedades termodinâmicas de materiais ferromagnéticos. Elas estão, naturalmente, relacionadas à energia interna do cristal, que inclui interações dos vários spins, dada por (37.3). Para a energia da magnetização espontânea abaixo do ponto de Curie, podemos fazer $H = 0$ em (37.3), e, sabendo-se que tgh $x = M/M_{\text{sat}}$, achamos que a energia média é proporcional a M^2:

$$\langle U \rangle_{\text{média}} = -\frac{N\mu\lambda M^2}{2\epsilon_0 c^2 M_{\text{sat}}}. \tag{37.5}$$

Se, agora, virmos o gráfico da energia devido ao magnetismo como função da temperatura, obtemos uma curva que é o negativo do quadrado da curva da

Figura 37–1, conforme desenhado na Figura 37–2(a). Se medirmos o *calor específico* de tal material, obtemos uma curva que é a derivada de 37–2(a), mostrada na Figura 37–2(b). Ele cresce devagar com o crescimento da temperatura, mas cai de repente a zero em $T = T_c$. A caída brusca é decorrente da mudança na declividade da energia magnética e acontece exatamente no ponto de Curie. Portanto, sem qualquer medida magnética, podemos descobrir que algo está acontecendo no interior do ferro ou do níquel medindo esta propriedade termodinâmica. Ambas, experiência e teoria melhorada (com flutuações incluídas), sugerem que esta curva simples está errada e que a situação real é mais complicada. A curva vai mais alto no pico e cai a zero um tanto devagar. Mesmo que a temperatura seja alta o suficiente para que os spins fiquem ao acaso *em média,* ainda há regiões com certa quantidade de polarização e, nestas regiões, os spins têm ainda um pouco de energia de interação a mais – que decresce de forma muito devagar conforme as coisas ficam mais e mais ao acaso com o crescimento da temperatura. Portanto, a curva real parece-se mais com 37–2(c). Um dos grandes problemas da física teórica, hoje, é achar uma descrição teórica exata das propriedades do calor específico perto da transição de Curie – um problema intrigante que não foi resolvido. Naturalmente, este problema está muito relacionado com a forma da curva de magnetização na mesma região.

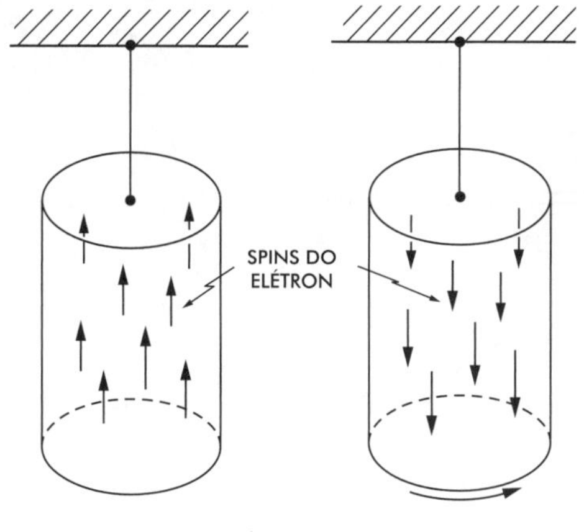

Figura 37–3 Quando a magnetização de uma barra de ferro é revertida, a barra ganha alguma velocidade angular.

Queremos descrever, agora, alguns outros experimentos que não sejam relacionados diretamente à termodinâmica, mostrando que há algo de *correto* sobre nossa interpretação do magnetismo. Quando o material for magnetizado até a saturação a temperaturas baixas o suficiente, M é muito próximo a M_{sat} – quase todos os spins são paralelos, assim como seus momentos magnéticos. Podemos verificar experimentalmente este fato. Suponha que suspendamos uma barra magnética por uma fibra fina e então a cerquemos por uma bobina de modo a reverter o campo magnético sem tocar no magneto ou fazer algum torque sobre ele. Este é um experimento muito difícil, já que as forças magnéticas são enormes e qualquer irregularidade, assimetria ou imperfeição do ferro produzirá torques acidentais. De qualquer modo, a experiência foi feita com o devido cuidado e a possibilidade de torques foi minimizada. Por meio do campo magnético da bobina que cerca a barra, mudamos o sentido nos magnetos atômicos em um determinado momento. Quando assim o fizermos, teremos mudado também o momento angular de todos os spins de "para cima" para "para baixo" (ver Figura 37–3). Se o momento angular for conservado, todos os spins mudam de sinal, e o resto da barra terá uma mudança oposta em seu momento angular. O magneto como um todo começa a girar. É certo que quando fazemos a experiência achamos um pequeno giro do magneto. Podemos medir o momento angular total no magneto que será simplesmente N vezes $\hbar$, a mudança no momento angular de cada spin. A relação entre o momento angular e o momento magnético medido desta maneira vem a ser correta em cerca de 10%. Na verdade, nossos cálculos pressupõem que os magnetos atômicos são decorrentes apenas do spin do elétron, mas na verdade há também um movimento orbital na maioria dos materiais. O movimento orbital não é completamente independente da rede cristalina e não contribui muito mais que uns poucos por cento para o magnetismo. De fato, o campo magnético de saturação é de cerca de 20.000 gauss; ele é obtido tomando-se $M_{sat} = N\mu$, sabendo-se que a densidade do ferro é aproximadamente 7,9 e usando-se o momento magnético do elétron μ. De acordo com a experiência, ele é, de fato, 21.500 gauss. Está é a magnitude típica do erro – 5 a 10 por cento – devido ao fato de ignorarmos as contribuições dos momentos orbitais em nossa análise. Portanto, uma pequena discrepância com as medidas é compreensível.

37–3 A curva de histerese

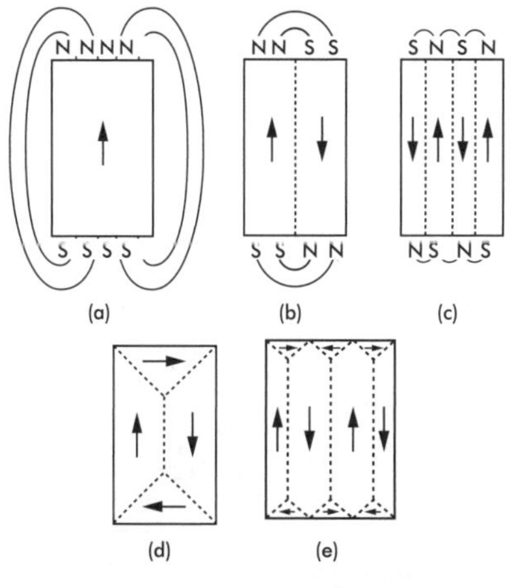

Figura 37–4 A formação de domínios em um único cristal de ferro [de Charles Kittel, *Introduction to Solid State Physics*, John Wiley and Sons, Inc., New York, 2a ed., 1956].

Concluímos, de nossa análise teórica, que um material ferromagnético deveria ficar espontaneamente magnetizado abaixo de certa temperatura e todo o magnetismo estaria na mesma direção. Contudo, sabemos que isso não é verdade para um pedaço de ferro *desmagnetizado*. Por que o ferro não está completamente desmagnetizado? Podemos explicar com ajuda da Figura 37–4. Suponha que o ferro estivesse em um único e grande cristal com a forma igual àquela mostrada na Figura 37–4 (a) e espontaneamente magnetizado em uma única direção. Então, deve haver um considerável campo magnético externo com muita energia. Podemos reduzir a energia do campo fazendo com que um lado do bloco seja magnetizado para cima e outro lado para baixo, como na Figura 37–4 (b). Assim, os campos fora do ferro iriam se estender sobre um volume menor e haveria menos energia.

Mas espere! Na camada acima das duas regiões, temos elétrons com spin para cima adjacentes a outros com spin para baixo. O ferromagnetismo aparece apenas para aqueles materiais para os quais a energia é *reduzida* se os elétrons forem *paralelos* ao invés de opostos. Então, adicionamos alguma energia extra ao longo da linha pontilhada da Figura 37–4(b); está é a chamada *energia da parede*. Uma região tendo apenas uma direção de magnetização é chamada de *domínio*. Na interface, a parede entre dois domínios, em que temos átomos em lados opostos com spins antiparalelos, há uma energia por unidade de área da parede. Descrevemos este fato como átomos adjacentes com spins opostos, mas acontece que a natureza ajusta esta transição de modo gradual. Mas não precisamos nos preocupar com tantos detalhes.

A questão é: quando vale a pena fazer uma parede? A resposta é que depende do tamanho dos domínios. Suponha que dobremos o tamanho de um bloco. O volume do espaço externo ao domínio com dado campo magnético será oito vezes maior e, a energia magnética, proporcional ao volume, será também oito vezes maior. Já a superfície entre dois domínios será apenas quatro vezes maior. Portanto, se um pedaço de ferro for grande o suficiente, valerá a pena dividi-lo em domínios. Essa é a causa de pequenos cristais terem apenas um domínio. Qualquer objeto grande, maior que um centésimo de milímetro, terá pelo menos uma parede; um objeto com medida de centímetros terá muitos domínios, conforme mostrado na figura. A divisão em domínios prossegue *até que a energia necessária para formar uma parede extra seja tão grande quanto o decréscimo de energia magnética fora do cristal.*

Na verdade, a natureza descobriu outra maneira de minimizar a energia: não é necessário que o campo saia do material, o que ocorre se uma pequena região triangular for magnetizada de viés, conforme a Figura 37–4(d)[3]. Com o arranjo da Figura 37–4(d), vemos que não há campo externo, mas apenas um domínio extra.

Isso introduz um novo tipo de problema. Um único cristal de ferro magnetizado muda seu comprimento na direção de magnetização, e um cubo ideal com magnetização para cima não é mais um cubo perfeito. A dimensão vertical será diferente da horizontal. Esse efeito é chamado *magnetostricção*. Por causa de tais mudanças geométricas, as peças triangulares da Figura 37–4(d) não cabem mais naquele espaço, e o cristal fica muito longo em um sentido e muito curto no outro. De fato ele cabe, mas será amassado; isso envolve alguma tensão mecânica. Portanto, este arranjo também introduz uma energia extra. É o balanço destas várias energias que determina como os domínios se arranjam em um pedaço de ferro.

O que acontece com um campo magnético externo? No caso mais simples, consideremos um cristal cujos domínios estejam na Figura 37–4(d). Se aplicarmos um campo magnético externo para cima, como fica a magnetização? Primeiro, a parede do meio pode se mover para a direita, reduzindo a energia. Ela se move de modo que a região que está para cima fica maior do que a região para baixo. Há mais magnetos elementares alinhados com um campo, o que diminui a energia. Assim, para um pedaço de ferro em campos fracos, no início da magnetização as paredes de domínio movem-se comendo as regiões de magnetização oposta. Conforme o campo cresce, o cristal como um todo transforma-se gradualmente em um único domínio, com a ajuda do campo externo. Em um campo forte, o cristal prefere ficar em uma única direção porque sua energia, com aquele campo aplicado, fica reduzida.

E se a geometria não for tão simples? E se o eixo do cristal e sua magnetização espontânea estiverem em uma direção, mas aplicamos o campo magnético em outra direção, digamos a 45°? Poderíamos pensar que os domínios iriam mudar e ficar paralelos ao campo crescendo a partir daí. No entanto, não é fácil para o ferro assim fazê-lo, *pois a energia necessária para magnetizar um cristal depende da direção de magnetização*

[3] Você pode se admirar do fato de spins poderem estar para cima, para baixo ou para os lados! Esta é uma boa questão, mas não se preocupe no momento. Vamos simplesmente adotar o ponto de vista clássico pensando que magnetos atômicos sejam de polos clássicos que podem ser polarizados para o lado. A mecânica quântica requer um considerável conhecimento para se compreender como as coisas podem ser quantizadas para cima, para baixo e para os lados ao mesmo tempo.

relativamente ao eixo do cristal. É relativamente fácil magnetizar o ferro em uma direção paralela aos eixos do cristal, mas é necessária mais energia para magnetizá-lo em outra direção, como a 45° de um dos eixos. Portanto, se aplicarmos um campo magnético em tal direção, o que acontece é que os domínios que apontam em uma das direções preferenciais próximas ao campo aplicado crescerão até que a magnetização esteja toda ao longo de uma dessas direções. Então, *com campos muito mais fortes* a magnetização será gradualmente empurrada na direção do campo, conforme a Figura 37–5.

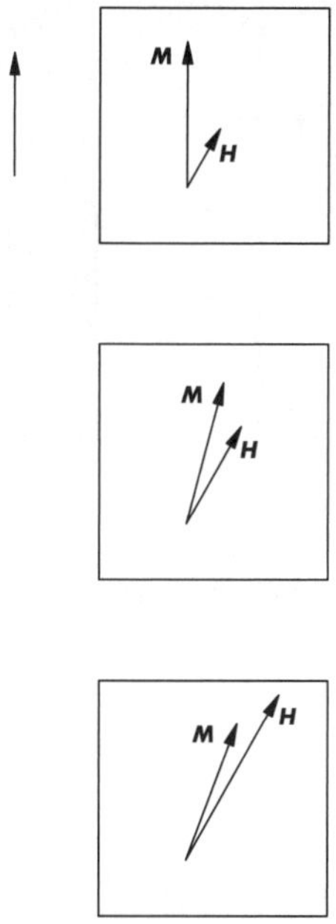

Figura 37–5 O campo de magnetização H em um ângulo em relação ao eixo do cristal variará gradualmente a direção da magnetização sem mudar sua magnitude.

Na Figura 37–6, são mostradas algumas observações das curvas de magnetização de cristais de ferro. Para entendê-las, devemos primeiro explicar algo sobre a notação usada para descrever direções em um cristal. Há várias maneiras pelas quais um cristal pode ser seccionado com uma face que seja um plano de átomos. Qualquer um que tenha passado por um vinhedo sabe disso – é muito bonito de se olhar. Se você olha de um lado, vê um tipo de linha de árvores, se olha de outra maneira observa diferentes linhas, e assim por diante. De modo análogo, um cristal tem famílias de planos com muitos átomos e com esta importante característica (consideramos apenas cristais cúbicos): se observarmos onde os planos intersectam os três eixos coordenados, encontramos que os recíprocos das três distâncias até a origem relacionam-se como números inteiros simples. Estes três números inteiros definem os planos. Por exemplo, na Figura 37–7(a), o plano paralelo ao plano yz é mostrado. Este é o plano [100]; os recíprocos da interseção dos eixos y e z são zero. A direção perpendicular a esse plano em um cristal cúbico é dada pelo mesmo conjunto de números. É fácil compreender a ideia em um cristal cúbico, pois neste caso os índices [100] significam um vetor que tem uma componente unitária na direção x e nenhuma na direção y nem na direção z. A direção [110] está na direção a 45° dos eixos x e y, como mostrado na Figura 37–7(b); finalmente, a direção [111] está na diagonal do cubo, conforme 37–7(c).

De volta à Figura 37–6, vemos a curva de magnetização de um cristal de ferro. Note que, para campos muito fracos – tão fracos que fica difícil vê-los nesta escala –, a magnetização cresce de forma extremamente rápida para valores muito grandes. Se o campo estiver na direção [100] – ao longo de uma das direções mais simples da magnetização –, a curva vai para valores altos, curva-se um pouco, depois se satura. Aconteceu que os domínios que estavam lá foram facilmente removidos. Um pequeno campo foi suficiente para fazer com que as paredes se movessem comendo os domínios "errados". Cristais simples de ferro são enormemente permeáveis (no sentido magnético), muito mais que policristais. Um cristal perfeito magnetiza-se de modo extremamente fácil. Por que ela se curvou? Por que ela não vai até a saturação? Não estamos certos. Você poderia estudar este fenômeno algum dia. Não compreendemos por que ela se aplana para campos fortes. Quando o bloco como um todo for um único domínio, o campo magnético extra não pode mais gerar magnetização – ela já é M_{sat} com todos os elétrons alinhados.

O que acontece se tentarmos a mesma coisa na direção [110]? Ligamos o campo devagarinho e a magnetização cresce bastante conforme o domínio cresce. Então, con-

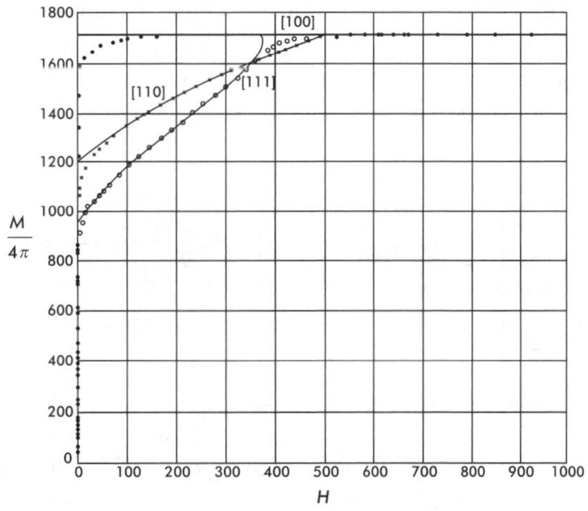

Figura 37–6 A componente de M paralelo a H, para diferentes direções de H (com relação aos eixos do cristal) [de F. Bitter, *Introduction to Ferromagnetism*, McGraw-Hill Book Co., Inc., 1937].

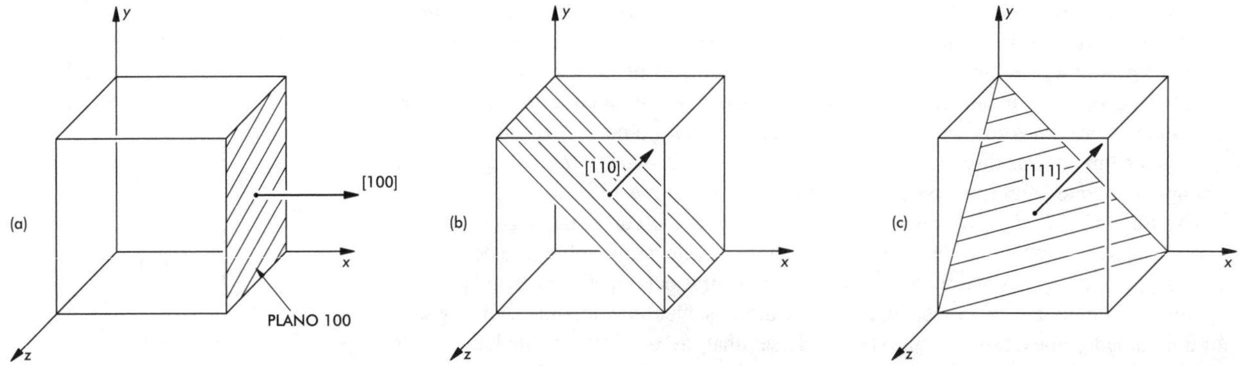

Figura 37–7 A maneira como os planos do cristal são rotulados.

forme fazemos o campo crescer, vemos que é necessário fazer crescer muito o campo para se chegar à saturação, porque agora a magnetização está *saindo* da direção "fácil". Se a explicação estiver correta, o ponto no qual a curva [110] extrapola para trás no eixo vertical deveria ser $1/\sqrt{2}$ do valor de saturação. Acontece que, de fato, o valor é muito próximo de $1/\sqrt{2}$. De modo análogo, na direção [111] – que é ao longo da diagonal do cubo –, achamos, conforme esperado, que a curva extrapola para $1/\sqrt{3}$ do valor de saturação.

A Figura 37–8 mostra a situação correspondente para dois outros materiais, níquel e cobalto. Níquel é diferente de ferro. No níquel, a direção [111] é a direção fácil de magnetização. Cobalto tem uma estrutura cristalina hexagonal, e as pessoas refizeram a nomenclatura para este caso. Elas querem ter três eixos no fundo do hexágono e um perpendicular gerando quatro índices. A direção [0001] é a direção do eixo do hexágono, e a direção [1010] é perpendicular àquele eixo. Vemos que cristais de diferentes metais comportam-se de modo diferente.

Agora devemos discutir materiais policristalinos como um pedaço comum de ferro. Dentro de tais materiais há muitos cristais com seus eixos cristalinos apontando para toda parte. *Não é a mesma coisa que domínios*. Lembre que domínios eram parte de um *único cristal,* mas, em um pedaço de ferro, há muitos *cristais diferentes* com eixos em diferentes orientações, como na Figura 37–9. Em cada um desses cristais pode haver domínios. Quando aplicamos um *pequeno* campo magnético em um material policristalino, as paredes começam a se mover, e os domínios crescem em direções favoráveis. Esse crescimento é reversível se o campo for fraco; se o campo for desligado, a magnetização anula-se. Esta parte da curva de magnetização é marcada pela letra *a* na Figura 37–10.

Para campos maiores – como na região *b* da curva –, a questão torna-se mais complicada. Em todo pequeno cristal do material há esforços e discordâncias; são impurezas, sujeiras e imperfeições. E, para todos os campos que não sejam muito pequenos, os domínios, ao se moverem, ficam presos nestas falhas. Há uma energia de interação entre a parede e as discordâncias, ou com a fronteira granular, ou com a impureza. Assim, quando a parede se aproxima destas falhas, ela para, ficando naquela posição por um certo campo. Aí, então, quando o campo cresce um pouco mais, a parede passa o defeito. Assim, o movimento

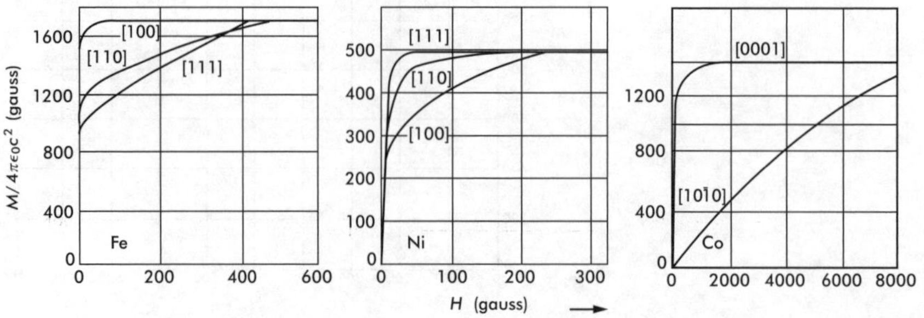

Figura 37–8 Curvas de magnetização para cristais simples de ferro, níquel e cobalto [de Charles Kittel, *Introduction to Solid State Physics*, John Wiley and Sons, Inc., New York, 2nd ed., 1956].

das paredes não é suave como em um cristal perfeito – ele se atrapalha de vez em quando e cresce em soluços. Se olhássemos a magnetização em pequena escala, veríamos algo como na Figura 37–10.

O que importa é que estes soluços podem causar certa perda de energia. Primeiro, quando uma fronteira passa por uma falha, ela se move rapidamente para a próxima, pois o campo já está acima do valor necessário para a movimentação. O movimento rápido significa que há campos mudando rapidamente que produzem correntes de Foucault no cristal. Estas correntes produzem perda por calor, no metal. Um segundo efeito é que, quando o domínio muda rapidamente, parte do cristal muda suas dimensões por causa da magnetostricção. Cada mudança repentina da parede solta uma pequena onda sonora carregando energia. Por causa de tais efeitos, a segunda parte da curva de magnetização é *irreversível, havendo perda de energia*. Esta é a origem do efeito de histerese, já que mover uma fronteira para frente e depois para trás produz um resultado diferente. É por causa desse atrito por soluço que se perde energia.

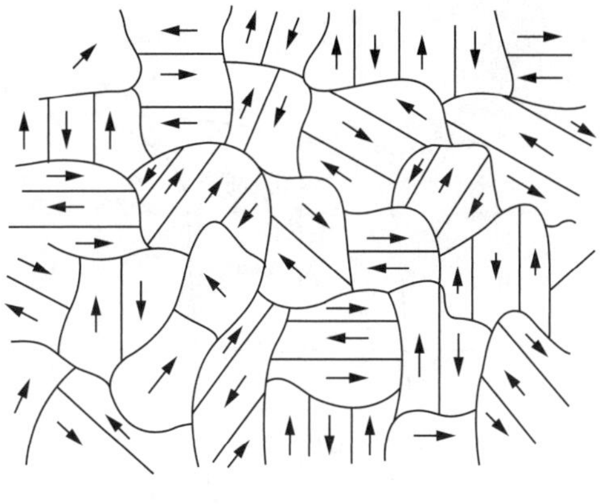

Figura 37–9 Estrutura microscópica de um material ferromagnético não magnetizado. Cada grão de cristal tem uma direção de magnetização fácil e está quebrado em domínios que são espontaneamente magnetizados paralelos àquela direção.

Eventualmente, para campos intensos o suficiente, quando movemos as paredes e a magnetização de cada cristal para sua melhor direção, há ainda cristais cujas boas direções de magnetização não estão na direção do campo magnético externo. Neste caso, é necessário um campo extra para mudar os momentos. A magnetização cresce devagar, mas suavemente, para campos grandes, isto é, na região *c* da figura. A magnetização não chega de repente a seu valor de saturação porque, na última parte da curva, os magnetos atômicos estão *girando* no campo forte. Assim, vemos por que a curva de magnetização de um material policristalino, como na Figura 37–10, cresce um pouco e *reversivelmente* no início, depois irreversivelmente e, mais tarde, devagar. Não há quebras nítidas nestas três regiões, elas se juntam suavemente.

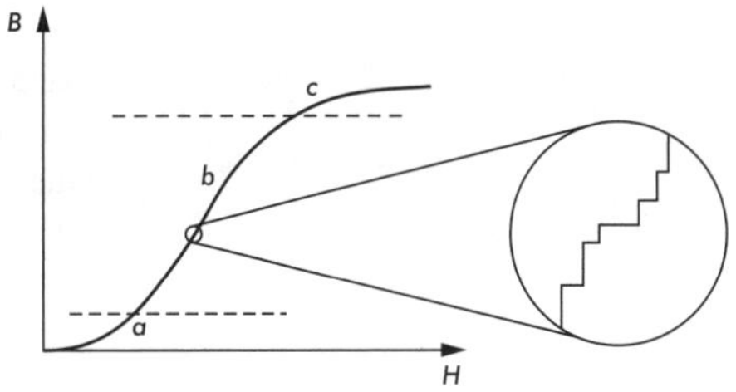

Figura 37–10 Curva de magnetização para ferro policristalino.

Não é difícil mostrar que o processo de magnetização na parte intermediária mostra vários soluços e as paredes mudam em soluços. Tudo de que precisamos é uma bobina com milhares de voltas conectada a um amplificador e a um alto-falante, como na Figura 37–11. Se você colocar algumas chapas de aço siliconado (do tipo usado em transformadores) no centro da bobina trazendo uma barra magnética para perto, a troca repentina na magnetização produz impulsos de fem na bobina que podem ser ouvidos no alto falante. Conforme você move o magneto para perto do ferro, ouvirá uma série de pequenos sons como grãos de areia caindo uns sobre os outros. Os domínios estão pulando e soluçando à medida que o campo cresce. Esse fenômeno é chamado *efeito Barkhausen*.

Conforme o magneto chega mais perto das folhas de ferro, o barulho fica mais forte, para depois enfraquecer conforme o magneto chega ainda mais perto. Por quê? Porque quase todas as paredes já se moveram. Qualquer campo maior está simplesmente torcendo a magnetização em cada domínio, o que é um processo suave.

Se você retirar um magneto, voltando na curva de histerese, os domínios tentarão voltar para baixas energias de novo, e você terá outra série de soluços. Você pode notar que, se trouxer o magneto de volta para frente e para trás, haverá um pouquinho de ruído. É como virar uma lata de areia, pequenos movimentos não perturbam muito. No ferro, as pequenas variações do campo magnético não são suficientes para mover as fronteiras além das "barreiras".

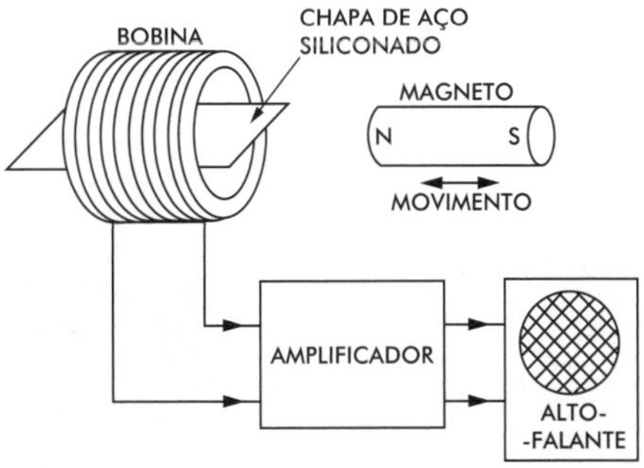

Figura 37–11 As rápidas mudanças na magnetização da faixa metálica são ouvidas como cliques no alto-falante.

37–4 Materiais ferromagnéticos

Gostaríamos, agora, de falar sobre os vários tipos de materiais magnéticos usados no mundo técnico, assim como de alguns problemas no desenho destes materiais para diferentes propósitos. O jargão "propriedades magnéticas do ferro", que sempre ouvimos, é falso. Ferro não é um material bem definido – as propriedades do ferro dependem da quantidade de impurezas e de como o ferro é formado. Você pode observar que as propriedades mag-

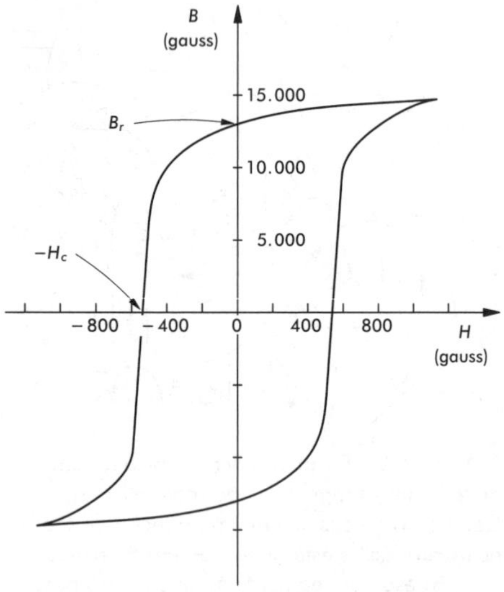

Figura 37–12 A curva de histerese do Alnico V.

néticas dependem de quão facilmente as paredes se movem e que esta é uma propriedade grosseira, e não uma propriedade dos átomos individuais. Desta maneira, ferromagnetismo não é uma propriedade do átomo de ferro, mas do *ferro sólido em uma certa forma*. O ferro pode ser visto em duas formas cristalinas. A forma comum é de uma rede cúbica de corpo centrado, mas pode haver uma rede cúbica de face centrada estável apenas a temperaturas acima de 1100º C. Àquela temperatura, a estrutura cúbica de corpo centrado está além do ponto de Curie. Todavia, uma liga de cromo e níquel com ferro (uma possível mistura tem 18% de cromo e 8% de níquel) é chamada de aço inoxidável, e, apesar de ser principalmente ferro, conserva uma estrutura de face centrada a baixas temperaturas. Como a estrutura cristalina é diferente, as propriedades magnéticas também o são. A maior parte dos aços não é magnética, apesar de haver alguns tipos magnéticos dependendo da composição da liga. Mesmo no caso de estas ligas serem magnéticas, elas não são *ferromagnéticas* como o ferro.

Gostaríamos de descrever um pouco certos materiais especiais desenvolvidos para terem propriedades magnéticas particulares. Primeiro, se quisermos fazer um magneto *permanente,* precisamos de um material com um ciclo de histerese enormemente largo de modo que, quando mudamos a corrente de sinal, a magnetização permanece muito grande. Para tais materiais, as fronteiras dos domínios devem se "congelar" tanto quanto possível. Um desses materiais extraordinários é a liga "Alnico V" (51% Fe, 8% Al, 14% Ni, 24% Co, 3% Cu). A composição complexa desta liga indica o tipo de esforço necessário para fazer bons magnetos. Que enorme paciência é necessária para misturar cinco coisas juntas e testar até uma substância ideal! Quando o Alnico solidifica, há uma segunda face que se precipita, formando pequenos grãos com grandes tensões internas. Neste material, as fronteiras de domínios têm dificuldade para se mover. Além disso, tendo uma composição muito precisa, o Alnico é trabalhado mecanicamente de modo que pequenos cristais aparecem na forma de longos grãos na direção da magnetização. Desse modo, a magnetização terá uma tendência natural de se alinhar nessas direções, conservando-se assim. Além disso, o material é resfriado em campo magnético externo quando manufaturado, de modo que os grãos cresceram na orientação correta do cristal. O ciclo de histerese do Alnico V é mostrado na Figura 37–12. Você pode ver que ele é 700 vezes mais largo que a mesma curva para o ferro, que mostramos no último capítulo na Figura 36–8.

Consideremos outro tipo de material. Para fabricar transformadores e motores, queremos um material magneticamente "suave", no qual o magnetismo mude facilmente, de modo que haja uma grande magnetização em resposta a pequenos campos aplicados. Para termos este material, precisamos de uma substância pura e bem temperada, com poucas discordâncias e impurezas, de modo que as paredes possam se mover facilmente. Seria bom se pudéssemos remover a anisotropia. Então, até mesmo um grão do material que tivesse o ângulo errado com respeito ao campo seria facilmente magnetizado. Dissemos que o ferro prefere se magnetizar ao longo da direção [100], enquanto que o níquel prefere a direção [111]; assim, se misturarmos ferro e níquel, podemos tentar achar a proporção correta de modo que as diferentes direções sejam equivalentes. Isso acontece com uma mistura de 70% níquel e 30% de ferro. Além disso, possivelmente por sorte ou porque há alguma relação física entre anisotropia e efeitos de magnetostricção, acaba acontecendo do último efeito ter sinal oposto para ferro e níquel. Em uma liga dos dois metais, esta propriedade tende a zero se tivermos 80% de níquel. Portanto, para uma liga de 70% a 80% de níquel, temos materiais magnéticos muito "suaves", ligas facilmente magnetizadas. Elas são chamadas de *permoligas*. As permoligas são úteis para transformadores de alta qualidades (com baixo nível de sinal), mas não são boas como magnetos permanentes. Permoligas devem ser manufaturadas e manuseadas com muito cuidado. As propriedades magnéticas de um pedaço de permoliga mudam drasticamente se for tensionada além do limite elástico – ela não pode ser dobrada. Portanto, sua permeabilidade é reduzida em função das discordâncias, bandas e assim por diante produzidas por deformações mecânicas. As fronteiras do domínio não são fáceis de serem removidas. A alta permeabilidade pode ser restaurada por têmpera a altas temperaturas.

É conveniente ter alguns números para caracterizar vários materiais magnéticos. Dois números úteis são as interseções do ciclo de histerese com os eixos B e H, como indicado na Figura 37–12. Estes números são chamados de *campo magnético remanente* B_r e *força coerciva* H_c. Na Tabela 37–1 listamos estes números para alguns materiais.

Tabela 37–1

Propriedades de alguns materiais ferromagnéticos

Material	B_r Campo magnético residual (gauss)	H_c Força coerciva (gauss)
Supermalloy	(≈ 5000)	0,004
Aço siliconado (transformadores)	12.000	0,05
Ferro Armco	4000	0,6
Alnico V	13.000	550,

37–5 Materiais magnéticos extraordinários

Gostaríamos de discutir alguns materiais magnéticos mais exóticos. Há alguns elementos da tabela periódica que têm camada interna eletrônica incompleta e, portanto, momento magnético atômico. Por exemplo, próximo aos elementos ferromagnéticos como ferro, níquel e cobalto, pode se achar cromo e manganês. Por que *eles* não são ferromagnéticos? A resposta é que o termo λ, na Equação 37.1, tem *sinal oposto* para estes elementos. Na rede do cromo, por exemplo, os spins dos átomos de cromo alternam-se *átomo por átomo,* como mostrado na Figura 37–13(b). Portanto, cromo é magnético de seu próprio ponto de vista, mas não é tecnicamente interessante porque não há efeitos magnéticos externos. Cromo, portanto, é um exemplo de material em que efeitos quânticos fazem com que o spin alterne-se. Tal material é chamado de *antiferromagnético*. O alinhamento em materiais antiferromagnéticos também depende da temperatura. Abaixo de uma temperatura crítica, todos os spins estão alinhados em uma grade alternante, mas, quando o material é aquecido acima de uma certa temperatura – que chamamos de nova temperatura Curie –, os spins ficam aleatórios de repente. Acontece internamente uma transição repentina. Esta transição pode ser vista na curva de calor específico. Isso também se mostra em alguns efeitos magnéticos especiais. Por exemplo, a existência de spins alternantes pode ser verificada por espalhamento de nêutrons por um cristal de cromo. Como nêutron tem spin e momento magnético, a amplitude de espalhamento será diferente dependendo se o spin for paralelo ou antiparalelo ao spin do cromo. Assim, temos um padrão de interferência diferente quando os spins estiverem alternando, ou se tiverem uma distribuição aleatória.

Há outro tipo de substância em que efeitos quânticos fazem com que os spins dos elétrons alternem-se, mas que são *ferromagnéticos*, isto é, o cristal tem magnetização permanente. A ideia por de trás de tais materiais é mostrada na Figura 37–14, a qual mostra uma estrutura cristalina de spinel, um óxido de alumínio-magnésio que não é magnético. O óxido tem dois tipos de átomos metálicos: magnésio e alumínio. Se, agora, substituirmos o magnésio e o alumínio por dois elementos metálicos como ferro e zinco, ou por zinco e manganês – em outras palavras se colocarmos átomos magnéticos ao invés dos não magnéticos –, acontece uma coisa interessante. Chamemos um tipo de átomo metálico de a e outro tipo de átomo b; a seguinte combinação de forças deve ser considerada. Há uma interação a-b que tenta fazer com que os átomos a e b tenham spins opostos – porque a mecânica quântica sempre dá o sinal oposto, exceto pelos cristais misteriosos de ferro, níquel e cobalto. Então, há uma interação direta a-a que tenta fazer com que os a fiquem em oposição, assim como uma interação b-b que tenta fazer com que os b fiquem em oposição. É claro que não podemos fazer com que

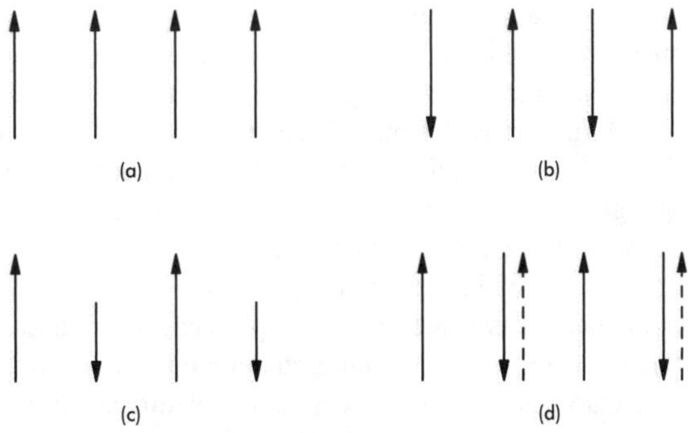

Figura 37–13 Orientação relativa dos spins de elétrons em vários materiais: (a) ferromagnético; (b) antiferromagnético; (c) ferrite; (d) liga ferro-ítrio. As linhas pontilhadas mostram a direção do momento angular total, inclusive o movimento orbital.

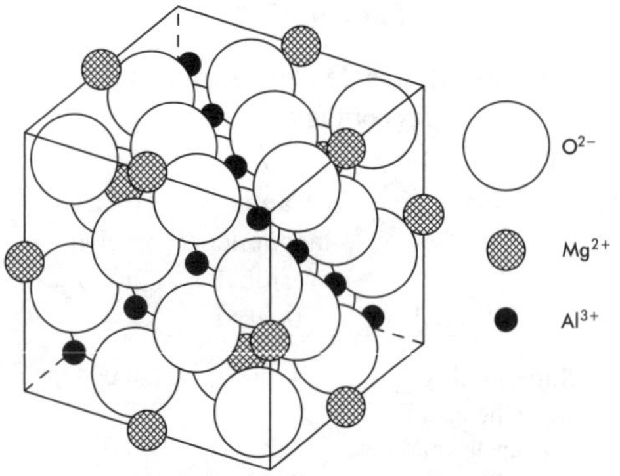

Figura 37–14 Estrutura cristalina do mineral spinel ($MgAl_2O_4$); os íons de Mg^{+2} ocupam lugares tetraédricos, cada um circundado por quatro íons de oxigênio; os íons de Al^{+3} ocupam lugares octaédricos, cada um circundado por seis íons de oxigênio [de Charles Kittel, *Introduction to Solid State Physics*, John Wiley and Sons, Inc., New York, 2nd ed., 1956].

cada coisa fique oposta de todo o resto – *a* oposto a *b*, *a* oposto a *a* e *b* oposto a *b*. Presumivelmente por causa das distâncias entre os *a* e a presença do oxigênio (embora não saibamos por que), acontece que a interação *a-b* é mais forte que as interações *a-a* ou *b-b*. A solução usada pela natureza nesse caso foi fazer os *a paralelos uns aos outros, e b paralelos uns aos outros,* mas os dois sistemas *opostos*. Isso dá a menor energia em vista da interação mais forte *a-b*. Resultado: todos os *a* têm spin para cima e todos os *b* spin para baixo ou vice-versa. No entanto, se os *momentos magnéticos* dos átomos do tipo *a* e átomos tipo *b não forem iguais*, podemos chegar à situação mostrada na Figura 37–13(c), e pode haver uma magnetização resultante no material. O material será ferromagnético, embora um tanto fraco. Tais materiais são chamados *ferrites*. Eles não têm uma magnetização de saturação tão alta quanto o ferro – por razões óbvias –, de modo que são úteis apenas para campos menores. Ainda assim, eles têm uma importante diferença – são isolantes; os ferrites são *isolantes ferromagnéticos*. Em campos de altas frequências, eles terão pequenas correntes de Foucault e podem ser usados, por exemplo, em sistemas de micro-ondas. Os campos de micro-ondas podem entrar dentro de um material isolante, enquanto eles são mantidos fora pelas correntes de Foucault em um condutor como o ferro.

Há outra classe de materiais magnéticos que só recentemente foram descobertos – membros da família de orto-silicatos chamados *garnets*. São cristais em que a rede contém dois tipos de átomos metálicos e temos, novamente, uma situação em que dois tipos de átomos podem ser substituídos a gosto. Entre os muitos compostos de interesse, há um que é completamente ferromagnético. Ele tem ítrio e ferro na estrutura de garnet, e a razão pela qual ele é ferromagnético é muito curiosa. Aqui, novamente, a mecânica quântica faz com que os spins vizinhos fiquem opostos, de modo a haver um sistema trancado de spins, com os spins dos elétrons do ferro em um sentido e os spins dos elétrons do ítrio em outro, mas, o átomo de ítrio é complicado. É um elemento terra rara e tem uma grande contribuição do movimento orbital dos elétrons ao seu momento magnético. Para o ítrio, a contribuição do movimento orbital é oposta àquela do spin e é maior. Portanto, embora a mecânica quântica, por meio do princípio de exclusão, faça com que os spins do ítrio sejam opostos aos do ferro, ela também faz com que o momento magnético total do átomo de ítrio seja paralelo ao do ferro, em vista do efeito orbital, conforme desenhado na Figura 37–13(d). Assim, o composto é um ferromagneto regular.

Outro exemplo interessante de ferromagnetismo ocorre em alguns elementos terra rara. Eles têm a ver com o arranjo ainda mais peculiar dos spins. O material não é ferromagnético na medida em que os spins são todos paralelos, nem antiferromagnético na medida em que todo átomo é oposto. Nestes cristais, todos os spins *em uma camada* são paralelos e jazem no plano da camada. Na próxima camada, todos os spins são de novo paralelos uns aos outros, mas apontam em uma direção diferente. Na camada seguinte, eles estão em uma outra direção e assim por diante. O resultado é que o vetor magnetização local varia na forma de uma espiral – os momentos magnéticos de camadas sucessivas giram conforme prosseguimos ao longo de uma linha perpendicular às camadas. É interessante tentar analisar o que acontece quando um campo é aplicado em tal espiral – todas as torções e giros que devem acontecer nos magnetos atômicos. (Há quem *goste* de se divertir com a teoria dessas coisas!) Não, apenas, há casos de espirais "chatas", mas há também casos em que as direções dos momentos magnéticos de camadas sucessivas mapeiam um cone, de modo que ele tem componentes espirais assim como uma componente ferromagnética uniforme em uma direção!

As propriedades magnéticas de materiais, estudadas em um nível mais avançado do que fizemos aqui, fascinaram muitos físicos. Em primeiro lugar, há pessoas práticas que gostam de fazer coisas por um melhor caminho – gostam de projetar melhores e mais interessantes materiais magnéticos. A descoberta de coisas como ferrites ou suas aplicações imediatamente despertaram interesse de várias pessoas que gostam de ver maneiras novas e inteligentes de projetar. Além disso, há aqueles que se fascinam pela terrível complexidade com a qual a natureza produz, usando poucas leis básicas. Começando com uma ideia bem geral, a natureza vai desde o ferromagnetismo do ferro e seus domínios ao antiferromagnetismo do cromo, magnetismo de ferrites e garnets, a estrutura espiral de elementos terra rara e assim por diante. É fascinante descobrir experimentalmente todas as coisas estranhas sobre estas substâncias. Para o físico teórico, o ferro, magnetismo apresenta uma série de novos e belos desafios. Um desafio é entender a sua existência, outro é predizer a estatística dos spins em interação em uma rede ideal. Mesmo ignorando todas as possíveis complicações, esse problema tem desafiado a todos e evitado completo entendimento. A razão pela qual ele é tão interessante é que é fácil estabelecê-lo: dado um monte de spins eletrônicos em uma rede regular interagindo de acordo com tal e tal lei, o que eles fazem? É fácil perguntar, mas uma análise completa tem-nos desafiado por anos. Embora ele tenha sido analisado com cuidado para temperaturas não muito perto do ponto de Curie, a teoria da transição repentina neste ponto ainda deve ser completada.

Finalmente, todo o assunto sobre sistemas de magnetos atômicos com spin – em ferromagnetismo, materiais paramagnéticos e magnetismo nuclear – tem sido algo fascinante para estudantes de física avançada. O sistema de spins pode ser perturbado com campos magnéticos externos, de modo a ser possível inventar truques com ressonâncias, efeitos de relaxação, ecos de spin e outros efeitos. Ele serve também como protótipo de vários sistemas termodinâmicos complicados, mas, em materiais paramagnéticos, a situação é mais simples, e as pessoas têm se divertido fazendo experiências e explicando teoricamente os fenômenos.

Fechamos, agora, o nosso estudo de eletricidade e magnetismo. No primeiro capítulo, falamos sobre os grandes avanços feitos desde as primeiras observações, feitas pelos gregos, do comportamento estranho do âmbar e da magnetita. Em toda nossa longa e complicada discussão, jamais explicamos *por que obtemos carga quando friccionamos uma peça de âmbar,* nem explicamos *por que magnetita é magnetizada!* Vocês podem dizer "Ah, mas nós não obtivemos o sinal correto". Não, é pior do que isso. Mesmo que *tivéssemos* o sinal correto, ainda teríamos a questão: por que uma peça de magnetita no chão está magnetizada? Há o campo magnético da Terra, mas *de onde vem este campo?* Ninguém sabe – há apenas algumas suposições. Então você pode ver que esta nossa física tem muita mentira – começamos com o fenômeno de magnetita e âmbar para terminar sem explicar muito bem qualquer um dos dois. Mas *aprendemos* uma tremenda quantidade de informação muito estimulante e prática no processo!

Elasticidade

Revisão: Capítulo 47, Vol. I, *Som. A Equação de Onda*

38–1 Lei de Hooke

Elasticidade trata do comportamento daquelas substâncias que têm a propriedade de recuperar seu tamanho e forma originais assim que retiramos as forças que produzem deformação. Essa propriedade elástica é, de alguma maneira, comum a todos os corpos sólidos. Se tivéssemos tempo de tratar esse assunto em sua totalidade, seria desejável examinar várias questões: o comportamento dos materiais, as leis gerais da elasticidade, a teoria geral da elasticidade, as propriedades atômicas que determinam as propriedades elásticas e, finalmente, as limitações das leis elásticas quando as forças forem tão grandes a ponto de termos fraturas e deformações plásticas permanentes. Como precisaríamos de tempo demasiado para cobrir todos esses assuntos em detalhes, vamos abandonar certos aspectos. Por exemplo, não vamos discutir plasticidade ou limitações das leis elásticas. Já tocamos previamente nesses assuntos quando falamos de deslocamentos em metais. Também não seremos capazes de discutir os mecanismos internos da elasticidade – de modo que nosso tratamento não terá a mesma completude atingida em capítulos anteriores. Nosso principal objetivo é fazê-lo conhecer alguns meios de tratar problemas práticos, como arqueamento de barras.

Quando você empurra um pedaço de material, ele cede – o material é deformado. Se a força for pequena o suficiente, o deslocamento relativo nos vários pontos do material será proporcional à força – em cujo caso, dizemos que o comportamento é *elástico*. Vamos discutir apenas o comportamento elástico. Primeiro, escrevemos as leis fundamentais da elasticidade e, então, aplicamos tais leis a um determinado número de situações.

Suponha que tomemos um bloco retangular de material de comprimento l, largura w e altura h, conforme mostrado na Figura 38–1. Se puxarmos os finais com uma força F, o comprimento aumentará em uma quantidade Δl. Vamos supor, em todos os casos, que a mudança no comprimento seja uma pequena fração do comprimento original. De fato, para materiais como madeira e aço, o material quebrará se a mudança no comprimento for maior que alguns centésimos do comprimento original. Para um grande número de materiais, a experiência mostra que, para variações de comprimento suficientemente pequenas, a força é proporcional a tal variação

$$F \propto \Delta l. \tag{38.1}$$

Esta relação é conhecida como *Lei de Hooke*.

O aumento Δl da barra também dependerá de seu comprimento. Podemos compreender como por meio do seguinte argumento. Se colarmos dois blocos idênticos juntos, um atrás do outro, com a mesma força agindo em cada bloco, cada um esticará por Δl. Portanto, o estiramento do bloco de comprimento $2l$ será duas vezes maior que um bloco com o mesmo corte transversal, mas de comprimento l. A fim de chegarmos a um número que seja mais característico do material e menos da forma particular, escolhemos trabalhar com a relação $\Delta l/l$ do estiramento em relação ao comprimento original. Esta relação é proporcional à força, mas independente de l:

$$F \propto \frac{\Delta l}{l}. \tag{38.2}$$

A força F também dependerá da área do bloco. Suponha que coloquemos dois blocos, um ao lado do outro. Então, para um dado estiramento Δl, necessitaríamos da força F em cada bloco, ou seja, duas vezes maior. A força para um dado estiramento deve ser proporcional à área da seção reta A do bloco. Para obtermos a lei na qual o coeficiente de proporcionalidade seja independente das dimensões do corpo, escrevemos a Lei de Hooke para um bloco retangular na forma

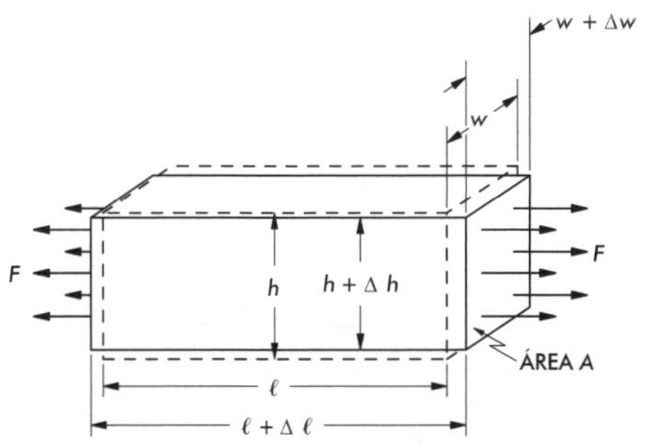

Figura 38–1 O estiramento de uma barra sob tensão uniforme.

$$F = YA \frac{\Delta l}{l}. \tag{38.3}$$

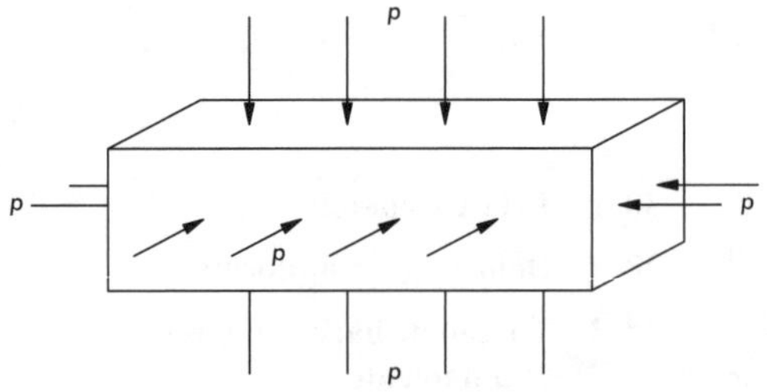

Figura 38–2 Uma barra sob pressão hidrostática uniforme.

A constante Y é uma propriedade apenas do material; ela é conhecida como *módulo de Young*. Frequentemente, você encontrará o módulo de Young como sendo E, mas aqui usamos E para campos elétricos, energia e fems, de modo que preferimos uma outra letra neste caso.

A *força por unidade de área* é chamada de *tensão*, e o estiramento por unidade de comprimento chamaremos de *deformação*. A Equação (38.3) pode ser reescrita da seguinte maneira:

$$\frac{F}{A} = Y \times \frac{\Delta l}{l}, \tag{38.4}$$

Tensão = (módulo de Young) × (Deformação).

Há uma outra parte da Lei de Hooke: quando você *distende* um material em uma direção, ele contrai a ângulos retos em relação à direção de distensão. A contração na largura é proporcional à largura e ao esforço. A contração lateral está na mesma proporção, tanto para a largura quanto para a altura, sendo comumente escrita como

$$\frac{\Delta w}{w} = \frac{\Delta h}{h} = -\sigma \frac{\Delta l}{l}, \tag{38.5}$$

onde a constante σ é outra propriedade do material, chamada de *relação de Poisson*. Ela é sempre positiva e menor que 1/2. (É razoável que σ seja positiva, mas não é claro que *deva* sê-lo.)

As duas constantes, Y e σ, definem completamente as propriedades elásticas de um material *isotrópico e homogêneo* (não cristalino). Em um material cristalino, contrações e estiramentos podem ser diferentes em direções diferentes, de modo que pode haver mais de uma constante elástica. Vamos nos restringir temporariamente a materiais homogêneos e isotrópicos cujas propriedades podem ser descritas por Y e σ. Como de costume, há vários modos de descrever as coisas, algumas pessoas preferem descrever as propriedades elásticas de materiais por constantes diferentes. Duas são sempre necessárias e elas podem ser sempre relacionadas a σ e Y.

A última lei geral de que precisamos é o principio de superposição. Como as duas leis, (38.4) e (38.5), são lineares nas forças e nos deslocamentos, a superposição vai funcionar. Se você tiver um conjunto de forças e calcular alguns deslocamentos, então, adicionando um novo conjunto de forças e calculando deslocamentos adicionais, os deslocamentos resultantes serão a soma daqueles obtidos pelos dois conjuntos de forças agindo independentemente.

Agora, temos todos os princípios gerais – o princípio da superposição e as Equações (38.4) e (38.5) – e isso é tudo o que há sobre elasticidade. Dizer dessa maneira é como afirmar que, tendo as leis de Newton, temos toda a mecânica. Ou, dadas as equações de Maxwell, temos toda a eletricidade. É verdade que esses princípios formam o corpo principal porque, com nossas habilidades matemáticas atuais, podemos seguir um longo caminho. Todavia, vamos considerar algumas aplicações especiais.

38–2 Deformações uniformes

Como primeiro exemplo, vamos ver o que acontece com um pequeno bloco retangular sob pressão hidrostática uniforme. Vamos colocar um bloco sob a água, em um tanque de pressão. Haverá uma força agindo sobre cada face do bloco proporcionalmente à área (ver Figura 38–2). Como a pressão hidrostática é uniforme, a pressão em cada face do bloco é a mesma. Primeiramente, vamos analisar a mudança de comprimento. Ela pode ser pensada como uma soma das mudanças em comprimento que ocorreria nos três problemas independentes delineados na Figura 38–3.

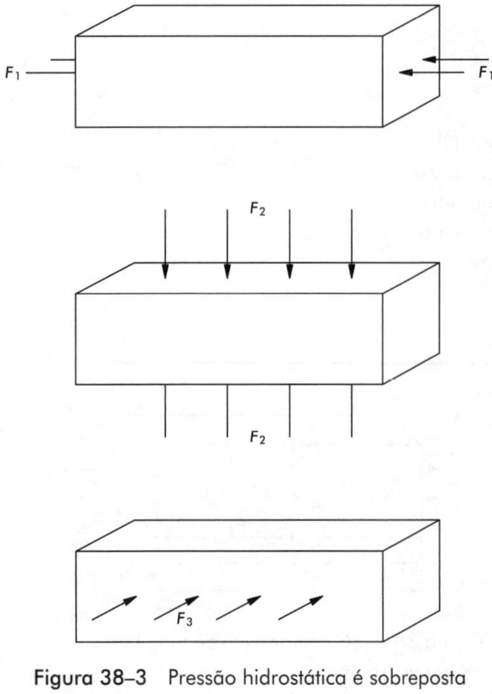

Figura 38–3 Pressão hidrostática é sobreposta a três compressões longitudinais.

Problema 1. Se empurrarmos os finais do bloco com uma pressão p, a deformação de compressão será p/Y, e será negativo

$$\frac{\Delta l_1}{l} = -\frac{p}{Y}.$$

Problema 2. Se empurrarmos os dois lados do bloco com pressão p, a deformação de compressão será novamente p/Y, mas, agora, queremos a deformação no comprimento. Podemos obtê-la por multiplicação por $-\sigma$. A deformação lateral será

$$\frac{\Delta w}{w} = -\frac{p}{Y};$$

portanto

$$\frac{\Delta l_2}{l} = +\sigma\frac{p}{Y}.$$

Problema 3. Se pressionarmos em cima do bloco, a deformação será novamente p/Y, e a deformação correspondente na direção lateral será novamente $-\sigma p/Y$. Obtemos

$$\frac{\Delta l_3}{l} = +\sigma\frac{p}{Y}.$$

Combinando os resultados dos três problemas – isto é, tomando $\Delta l = \Delta l_1 + \Delta l_2 + \Delta l_3$ –, obtemos

$$\frac{\Delta l}{l} = -\frac{p}{Y}(1 - 2\sigma). \tag{38.6}$$

O problema é, claramente, simétrico nas três direções; segue que

$$\frac{\Delta w}{w} = \frac{\Delta h}{h} = -\frac{p}{Y}(1 - 2\sigma). \tag{38.7}$$

A mudança no *volume* sob pressão hidrostática é de algum interesse. Como $V = lwh$, podemos escrever, para pequenos deslocamentos,

$$\frac{\Delta V}{V} = \frac{\Delta l}{l} + \frac{\Delta w}{w} + \frac{\Delta h}{h}.$$

Usando (38.6) e (38.7), temos

$$\frac{\Delta V}{V} = -3\frac{p}{Y}(1 - 2\sigma). \tag{38.8}$$

Costuma-se chamar $\Delta V/V$ de *deformação volumétrica,* e escrevemos

$$p = -K\frac{\Delta V}{V}.$$

A *pressão volumétrica* p é proporcional à deformação volumétrica – novamente a Lei de Hooke. O coeficiente K é chamado de *módulo volumétrico*; ele é relacionado às outras constantes por

$$K = \frac{Y}{3(1 - 2\sigma)}. \tag{38.9}$$

Como K é de interesse prático, muitos manuais fornecem Y e K, em vez de Y e σ. Se você quiser σ, sempre poderá calculá-la da Equação (38.9). Também podemos ver que a constante de Poisson, σ, deve ser menor que ½. Se isso não ocorresse, o módulo K do bloco seria negativo, e o material se expandiria com o aumento da pressão. Isso nos permitiria obter energia mecânica *a partir* de um velho bloco – significaria que o bloco estaria em equilíbrio não estável. Se ele começasse a expandir, continuaria assim por si mesmo, com liberação de energia.

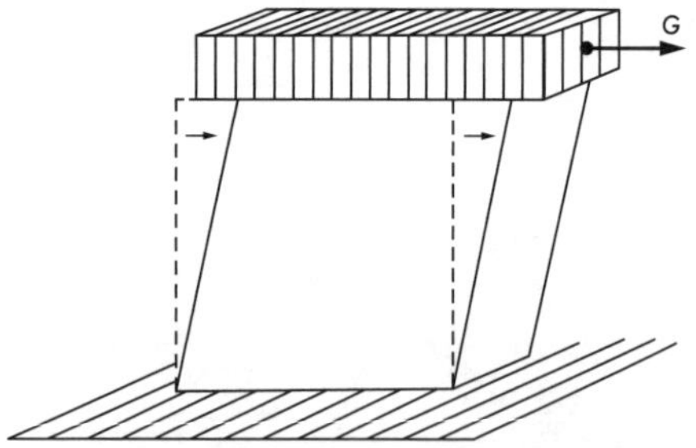

Figura 38–4 Um tubo em cisalhamento uniforme.

Agora, vamos considerar o que acontece quando você faz uma torção sobre algo. Torção significa o tipo de distorção mostrado na Figura 38–4. Preliminarmente, olhemos para as deformações de um cubo de material como mostrado na Figura 38–5. Podemos novamente quebrar o problema em duas partes: empurrões verticais e puxões horizontais. *Chamando* de A a área da face do cubo, para a mudança de comprimento horizontal, temos

$$\frac{\Delta l}{l} = \frac{1}{Y}\frac{F}{A} + \sigma\frac{1}{Y}\frac{F}{A} = \frac{1+\sigma}{Y}\frac{F}{A}. \tag{38.10}$$

A mudança na altura vertical é o negativo dessa quantidade.

Suponha agora que tenhamos o mesmo cubo e os sujeitemos às forças de torção mostradas na Figura 38–6(a). Note que todas as forças devem ser iguais se não houver torques resultantes e o cubo estiver em equilíbrio. Forças análogas devem existir na Figura 38–4, já que o bloco está em equilíbrio. Elas são dadas pela "cola" que segura o bloco na mesa. Dizemos que o cubo está em um estado de pura torção, mas note que, se cortamos o cubo por um plano a 45° – digamos, ao longo da diagonal A da Figura –, a força total agindo no plano é *normal* ao plano, sendo igual a $\sqrt{2}G$. A área sobre a qual essa força age é $\sqrt{2}A$; portanto, a tensão normal tensionante ao plano é simplesmente G/A. De modo análogo, se examinarmos um plano a 45° no outro sentido – na diagonal B da figura –, vemos que há uma tensão normal compressiva a este plano de valor $-G/A$. Disso vemos que a tensão resultante de uma torção pura é equivalente à combinação de tensionamento e compressão de mesma intensidade a ângulos retos uma a outra e a 45° das faces originais do cubo. As tensões e deformações internas são as mesmas que teríamos em um bloco maior de material, com as forças mostradas na Figura 38–6(b). Nós já resolvemos esse problema. A mudança de comprimento da diagonal é dada pela Equação (38.10),

$$\frac{\Delta D}{D} = \frac{1+\sigma}{Y}\frac{G}{A}. \tag{38.11}$$

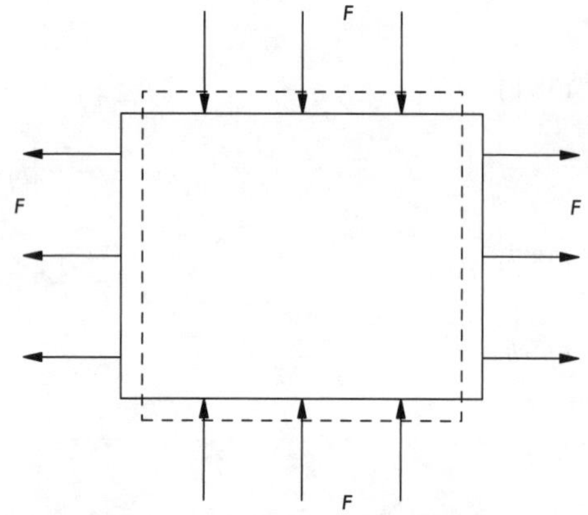

Figura 38–5 Um cubo com forças de compressão em cima e embaixo e forças de estiramento dos lados.

(Uma diagonal encurtou, a outra alongou-se.)

É conveniente expressar uma torção em termos do ângulo em que o cubo é torcido – o ângulo θ na Figura 38–7. Da geometria da figura, pode-se ver que o deslocamento horizontal δ da parte de cima é igual a $\sqrt{2}\,\Delta D$. Portanto,

$$\theta = \frac{\delta}{l} = \frac{\sqrt{2}\,\Delta D}{l} = 2\frac{\Delta D}{D}. \tag{38.12}$$

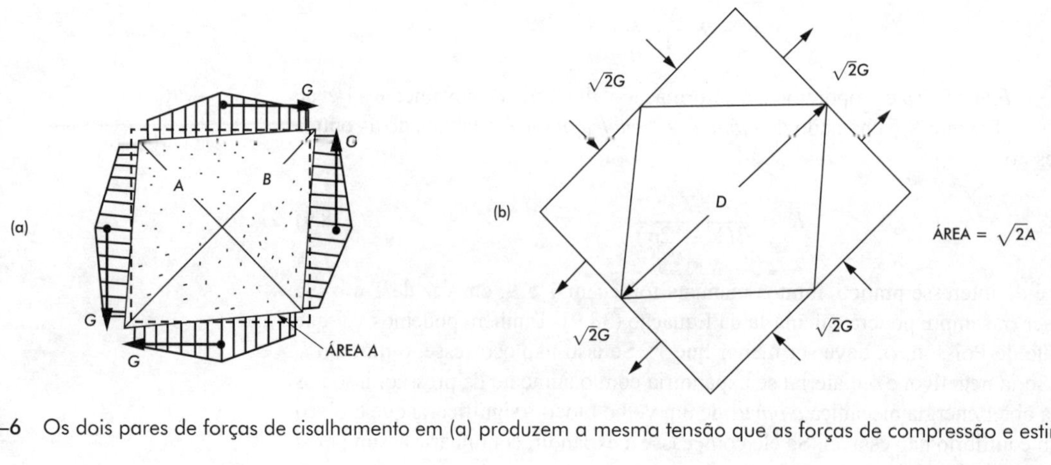

Figura 38–6 Os dois pares de forças de cisalhamento em (a) produzem a mesma tensão que as forças de compressão e estiramento em (b).

A tensão de cisalhamento g é definida como a força tangencial em uma face dividida pela área, $g = G/A$. Usando as Equações (38.11) e (38.12), obtemos

$$\theta = 2\,\frac{1+\sigma}{Y}\,g.$$

Ou, escrevendo na forma "tensão = constante vezes esforço",

$$g = \mu\theta. \tag{38.13}$$

O coeficiente de proporcionalidade μ é chamado de *módulo de cisalhamento* (ou, às vezes, coeficiente de rigidez). Ele é dado, em termos de Y e σ, por

$$\mu = \frac{Y}{2(1+\sigma)}. \tag{38.14}$$

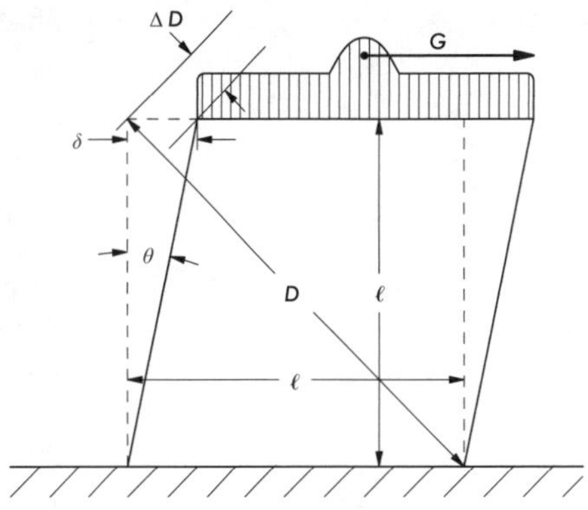

Figura 38–7 A deformação de cisalhamento θ é $2\Delta D/D$.

Incidentalmente, o módulo de torção deve ser positivo – senão você poderia obter trabalho de um bloco que se autotorce. Da Equação (38.14), σ deve ser maior que –1. Sabemos, então, que σ deve estar entre –1 e $+\frac{1}{2}$; na prática, ele é sempre maior que zero.

Como último exemplo do tipo de situação na qual as tensões são uniformes através do material, consideremos o problema de um bloco que é esticado e ao mesmo tempo *vinculado*, de modo a não haver contração material. Tecnicamente é um pouco mais fácil comprimir impedido que os lados inchem, mas este é o mesmo problema. O que acontece? Deve haver forças laterais impedindo a mudança de espessura – forças que não conhecemos de saída, mas que devemos calcular. É o mesmo tipo de problema que já solucionamos. Imaginemos forças de todos os lados, como na Figura 38–8; calculamos as mudanças nas dimensões e escolhemos as forças transversas de modo que largura e altura fiquem constantes. Pelos argumentos usuais, para as três deformações, obtemos

$$\frac{\Delta l_x}{l_x} = \frac{1}{Y}\frac{F_x}{A_x} - \frac{\sigma}{Y}\frac{F_y}{A_y} - \frac{\sigma}{Y}\frac{F_z}{A_z} = \frac{1}{Y}\left[\frac{F_x}{A_x} - \sigma\left(\frac{F_y}{A_y} + \frac{F_z}{A_z}\right)\right], \tag{38.15}$$

$$\frac{\Delta l_y}{l_y} = \frac{1}{Y}\left[\frac{F_y}{A_y} - \sigma\left(\frac{F_x}{A_x} + \frac{F_z}{A_z}\right)\right], \tag{38.16}$$

$$\frac{\Delta l_z}{l_z} = \frac{1}{Y}\left[\frac{F_z}{A_z} - \sigma\left(\frac{F_z}{A_x} + \frac{F_y}{A_y}\right)\right]. \tag{38.17}$$

Agora, como Δl_y e Δl_z são zero, as Equações (38.16) e (38.17) levam a duas relações entre F_y, F_z e F_x. Resolvendo-as, temos

$$\frac{F_y}{A_y} = \frac{F_z}{A_z} = \frac{\sigma}{1-\sigma}\frac{F_x}{A_x}. \tag{38.18}$$

Substuindo em (38.15), temos

$$\frac{\Delta l_x}{l_x} = \frac{1}{Y}\left(1 - \frac{2\sigma^2}{1-\sigma}\right)\frac{F_x}{A_x} = \frac{1}{Y}\left(\frac{1-\sigma-2\sigma^2}{1-\sigma}\right)\frac{F_x}{A_x}. \tag{38.19}$$

Frequentemente você verá essa equação escrita de outro modo e com os fatores de σ fatorados,

$$\frac{F}{A} = \frac{1-\sigma}{(1+\sigma)(1-2\sigma)}\,Y\,\frac{\Delta l}{l}. \tag{38.20}$$

Quando vinculamos os lados, o módulo de Young fica multiplicado por uma função complicada de σ. É fácil de ver, da Equação (38.19), que o fator na frente de Y é sempre maior que 1. É mais difícil esticar um bloco quando os lados forem vinculados – o que também significa que um bloco é mais *forte* quando os lados forem vinculados.

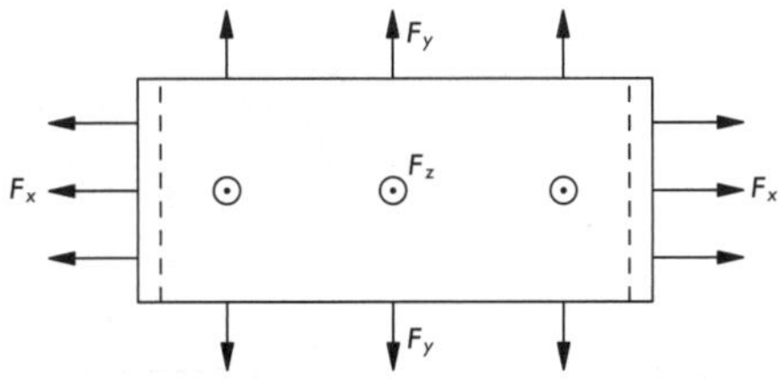

Figura 38–8 Estiramento sem contração lateral.

38–3 Torção de barra; ondas de cisalhamento

Atentemos, agora, para um exemplo mais complicado, já que partes diferentes do material são diferentemente tensionadas.

Consideramos uma barra torcida como, por exemplo, em uma manivela de alguma máquina ou em uma fibra de quartzo suspensa usando um instrumento delicado. Como você sabe da experiência com o pêndulo de torção, o torque em uma barra torcida é proporcional ao ângulo – a constante de proporcionalidade dependendo do comprimento da barra e de seu raio, além das propriedades do material. A questão é: de que maneira? Estamos agora em posição de responder a esta questão; depende de alguma geometria.

A Figura 38–9(a) mostra uma barra cilíndrica de comprimento L e raio a com uma ponta torcida por um ângulo ϕ em relação à outra. Se quisermos relacionar as deformações àquilo que conhecemos, devemos pensar na barra como sendo feita de várias cascas cilíndricas e raciocinarmos separadamente para cada casca. Começamos olhando para um cilindro pequeno e fino de raio r (menor que a) e espessura Δr, como na Figura 38–9(b). Agora, se olharmos um pedaço desse cilindro, originalmente um pequeno quadrado, vemos que ele foi distorcido em um paralelograma. Cada elemento desse cilindro está torcido por um ângulo θ dado por

$$\theta = \frac{r\phi}{L}.$$

A torção g no material é dada pela Equação (38.13),

$$g = \mu\theta = \mu \frac{r\phi}{L}. \tag{38.21}$$

A torção é a força tangencial ΔF em uma ponta do quadrado dividida pela área $\Delta l\ \Delta r$ da ponta, como na Figura 38–9(c)

$$g = \frac{\Delta F}{\Delta l \Delta r}.$$

A força ΔF em uma ponta de tal quadrado contribui com um torque $\Delta\tau$ em torno do eixo da barra igual a

$$\Delta\tau = r\,\Delta F = rg\,\Delta l\,\Delta r. \tag{38.22}$$

O torque total τ é a soma dessas contribuições ao redor de uma circunferência completa do cilindro. Juntando pedaços suficientes, de forma que os Δl juntem até $2\pi r$, achamos que o torque total em um *tubo oco* é

$$rg(2\pi r)\,\Delta r. \tag{38.23}$$

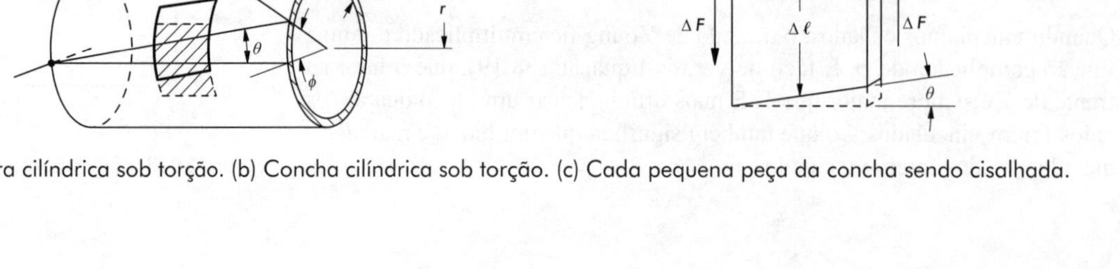

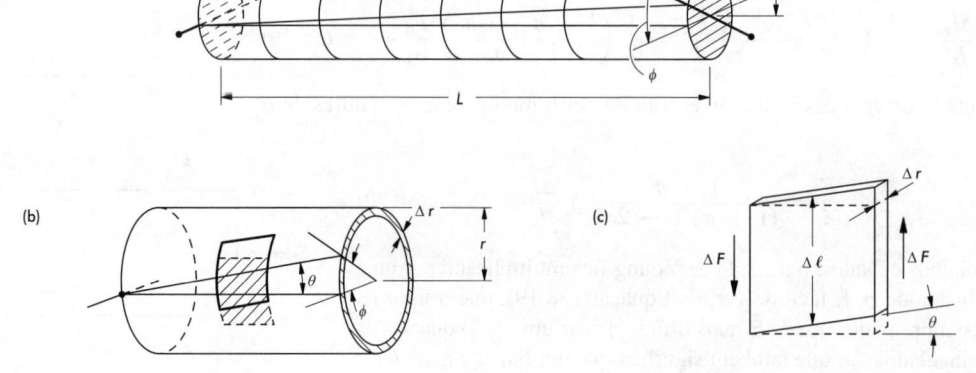

Figura 38–9 (a) Barra cilíndrica sob torção. (b) Concha cilíndrica sob torção. (c) Cada pequena peça da concha sendo cisalhada.

Ou, usando (38.21),

$$\tau = 2\pi\mu \frac{r^3 \Delta r \phi}{L}. \qquad (38.24)$$

Obtemos então que a rigidez rotacional τ/ϕ de um tubo vazio é proporcional ao cubo do raio r e à espessura Δr e inversamente proporcional ao comprimento L.

Podemos imaginar uma barra sólida feita de tubos concêntricos, cada um torcido do mesmo ângulo ϕ (embora as tensões internas sejam diferentes para cada tubo). O torque total é a soma dos torques necessários para rodar cada folha; para a barra *sólida,* temos

$$\tau = 2\pi\mu \frac{\phi}{L} \int r^3\, dr,$$

onde a integral vai de $r = 0$ a $r = a$, o raio da barra. Integrando, temos

$$\tau = \mu \frac{\pi a^4}{2L} \phi. \qquad (38.25)$$

Para uma barra sob torção, o torque é proporcional ao ângulo e à *quarta potência* do diâmetro – uma barra duas vezes mais grossa é dezesseis vezes mais dura sob torção.

Antes de deixar o assunto torção de lado, apliquemos o que aprendemos a um problema interessante: ondas de torção. Se, repentinamente, torcemos a ponta de uma barra, uma onda de torção corre ao longo da barra, conforme a Figura 38–10(a). Isso é mais interessante que uma simples torção – vamos ver o que acontece.

Seja z a distância até um ponto na barra. Para uma torção estática, o torque é o mesmo em todo lugar da barra, sendo proporcional a ϕ/L, o ângulo de torção total sobre o comprimento total. O que importa para o material é o esforço torsional local, que será, compreensivelmente, $\partial\phi/\partial z$. Quando a torção ao longo da barra não for uniforme, devemos substituir (38.25) por

$$\tau(z) = \mu \frac{\pi a^4}{2} \frac{\partial \phi}{\partial z}. \qquad (38.26)$$

Vamos agora ver o que acontece a um elemento de comprimento Δz mostrado em detalhe na Figura 38–10(b). Há um torque $\tau(z)$ na extremidade 1 do pequeno trecho de barra e um torque diferente $\tau(z + \Delta z)$ na extremidade 2. Se Δz for pequeno o suficiente, podemos usar a expansão de Taylor e escrever

$$\tau(z + \Delta z) = \tau(z) + \left(\frac{\partial \tau}{\partial z}\right) \Delta z. \qquad (38.27)$$

O torque resultante $\Delta\tau$, agindo *sobre* o pequeno trecho de barra entre z e $z + \Delta z$, é a diferença entre $\tau(z)$ e $\tau(z + \Delta z)$, ou $\Delta\tau = (\partial\tau/\partial z)\Delta z$. Derivando a Equação (38.26), temos

$$\Delta\tau = \mu \frac{\pi a^4}{2} \frac{\partial^2 \phi}{\partial z^2} \Delta z. \qquad (38.28)$$

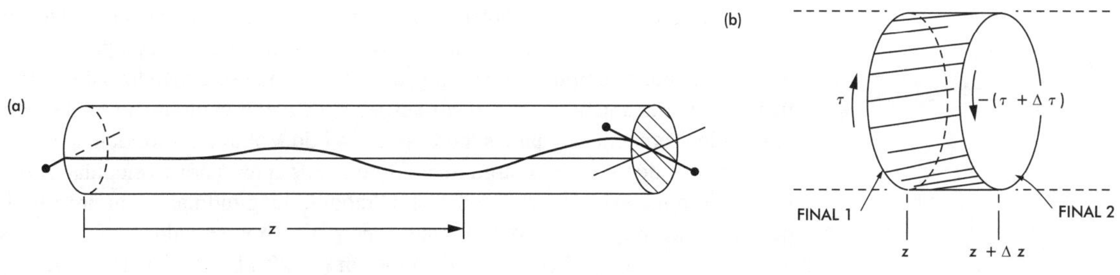

Figura 38–10 (a) Onda torcional em uma barra. (b) Elemento de volume da barra.

O efeito desse torque resultante é uma aceleração angular no pequeno trecho de torque. A massa do trecho é

$$\Delta M = (\pi a^2 \, \Delta z)\rho,$$

onde ρ é a densidade do material. Obtivemos, no Capítulo 19 do Volume I, que o momento de inércia de um cilindro circular é $mr^2/2$; chamando o momento de inércia de ΔI, obtemos

$$\Delta I = \frac{\pi}{2} \rho a^4 \, \Delta z. \tag{38.29}$$

A lei de Newton diz que o torque é igual ao momento de inércia vezes a aceleração angular,

$$\Delta \tau = \Delta I \, \frac{\partial^2 \phi}{\partial t^2}. \tag{38.30}$$

Colocando tudo junto, obtemos

$$\mu \, \frac{\pi a^4}{2} \, \frac{\partial^2 \phi}{\partial z^2} \, \Delta z = \frac{\pi}{2} \rho a^4 \, \Delta z \, \frac{\partial^2 \phi}{\partial t^2},$$

ou

$$\frac{\partial^2 \phi}{\partial z^2} - \frac{\rho}{\mu} \frac{\partial^2 \phi}{\partial t^2} = 0. \tag{38.31}$$

Você agora pode reconhecer a equação de onda unidimensional. Achamos que as ondas de torção se propagam com velocidade

$$C_{\text{cisalhamento}} = \sqrt{\frac{\mu}{\rho}}. \tag{38.32}$$

Quando mais *densa* a barra – para a mesma rigidez –, mais *vagarosa* é a onda; e quanto mais *rígida* a barra, mais rápida a onda. A velocidade *não* depende do diâmetro da barra.

Ondas de torção são exemplos especiais de *ondas de cisalhamento*. Em geral, ondas de cisalhamento são aquelas em que os esforços não mudam o *volume* de qualquer parte do material. Nas ondas de torção, temos um tipo especial de tais tensões de cisalhamento, aquelas distribuídas sobre um círculo. Para qualquer arranjo de tensões de cisalhamento, as ondas se propagam com a mesma velocidade – aquela dada por (38.32). Por exemplo, sismologistas encontram ondas de cisalhamento no interior da terra.

Podemos ter ainda outro tipo de onda no mundo elástico dentro de uma material sólido. Se empurrarmos alguma coisa, uma onda longitudinal se inicia – também chamada de onda compressional. São como ondas sonoras no ar ou na água – o deslocamento está na mesma direção da propagação da onda. Nas superfícies de corpos elásticos pode haver outros tipos de ondas – chamadas de "ondas de Rayleigh" ou "ondas de Love". Nelas, as deformações não são puramente transversais nem puramente longitudinais. Não teremos tempo de estudá-las.

Falando em ondas, qual a velocidade de ondas puramente compressionais em corpos grandes como a Terra? Dizemos "grande" porque a velocidade do som em um corpo grosso é diferente do que se obtém, por exemplo, ao longo de uma barra. Dizemos que um corpo é "grosso" se a dimensão transversa for maior que o comprimento de onda do som. Então, se empurrarmos o objeto, ele não pode se expandir para os lados. Felizmente, já trabalhamos sobre o caso especial de compressão de um material elástico vinculado. Também estudamos, no Capítulo 47 do Volume I, a velocidade do som em gases. Seguindo os mesmos argumentos que vimos antes, para a velocidade do som em um sólido obtemos $\sqrt{Y'/\rho}$, onde Y' é o "módulo longitudinal" – ou pressão dividida pela mudança relativa de comprimento – para o caso vinculado. Isso é simplesmente a relação entre $\Delta l/l$ e F/A, que obtivemos em (38.20). Então, a velocidade das ondas longitudinais é dada por

$$C_{\text{long}}^2 = \frac{Y'}{\rho} = \frac{1-\sigma}{(1+\sigma)(1-2\sigma)}\frac{Y}{\rho}. \tag{38.33}$$

Enquanto σ estiver entre 0 e 1/2, o módulo de cisalhamento μ será menor que o módulo de Young Y, e também Y' será maior que Y, de modo que

$$\mu < Y < Y'.$$

Isso significa que as ondas longitudinais viajam mais rapidamente que as de cisalhamento. Um dos modos mais precisos de se medir as constantes elásticas de uma substância é pela medida da densidade do material e das velocidades de dois tipos de ondas. Desta informação podemos obter ambos, Y e σ. A propósito, é medindo a diferença entre os tempos de chegada de dois tipos de ondas em um terremoto que os sismologistas estimam – mesmo para sinais em uma única estação – a distância ao epicentro.

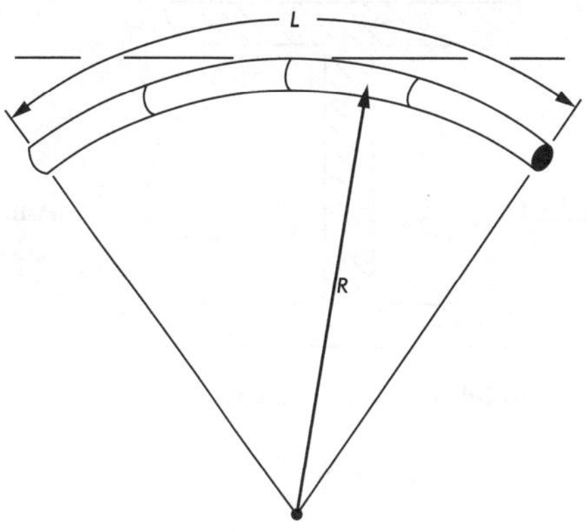

Figura 38–11 Um feixe entortado.

38–4 O feixe torto

Queremos agora olhar para outra questão prática – o *curvar* de uma barra ou de um feixe. Quais forças agem ao curvarmos uma barra de seção reta arbitrária? Vamos analisar a questão pensando em uma barra de seção reta circular, mas nossa resposta valerá em qualquer caso. Para ganhar tempo, vamos simplificar certas coisas, de modo que nossa teoria será apenas aproximada. Nosso resultado será válido apenas se o raio de curvatura for muito maior que o comprimento da barra.

Suponha que tomemos as duas extremidades de uma barra reta e a entortemos, como na Figura 38–11. O que acontece dentro da barra? Bem, se ela se encurva, isso significa que o material na parte interna da curva se comprime e o material na parte de fora se distende. Há uma superfície interna que nem se comprime nem se distende, chamada de *superfície neutra*. Poder-se-ia esperar que esta curva estivesse perto do meio da seção reta. Isso é verdade para o caso de curvatura "pura" – se não estivermos esticando ou comprimindo o feixe ao mesmo tempo.

Para um curvar puro, uma fatia transversa do material é distorcida, conforme visto na Figura 38–12(a). O material abaixo da superfície neutra tem uma deformação compressiva *proporcional à distância* da superfície neutra; acima da superfície neutra, o material é esticado em proporção à distância a essa mesma superfície. Desse modo, o *esticamento* Δl é proporcional à altura y. A constante de proporcionalidade é simplesmente l sobre o raio de curvatura da barra – veja a Figura 38–12:

$$\frac{\Delta l}{l} = \frac{y}{R}.$$

Assim, a força por unidade de área – a tensão – em uma pequena tira em y é também proporcional à distância à superfície neutra

$$\frac{\Delta F}{\Delta A} = Y\frac{y}{R}. \tag{38.34}$$

Olhemos agora para as *forças* que produzem este esforço. As forças sobre o segmento mostrado na Figura 38–12 são mostradas na figura. Se pensarmos em qualquer corte transverso, as forças agindo no corte estão, em um lado, acima da superfície neutra e, de outro, abaixo. Elas vêm aos pares para formar um "momento de curvatura" $\mathfrak{M}$ – o torque em relação à linha neutra. Podemos calcular o momento total integrando a força vezes a distância até a superfície neutra para uma das faces do segmento da Figura 38–12:

$$\mathfrak{M} = \int_{\substack{\text{seção}\\ \text{reta}}} y\,dF. \tag{38.35}$$

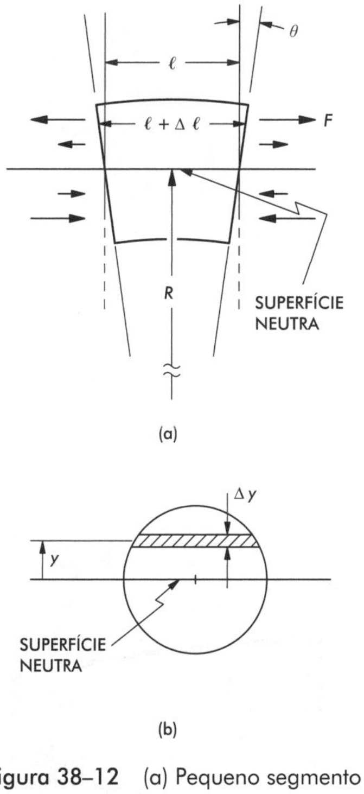

Figura 38–12 (a) Pequeno segmento de um feixe entortado. (b) Seção reta do feixe.

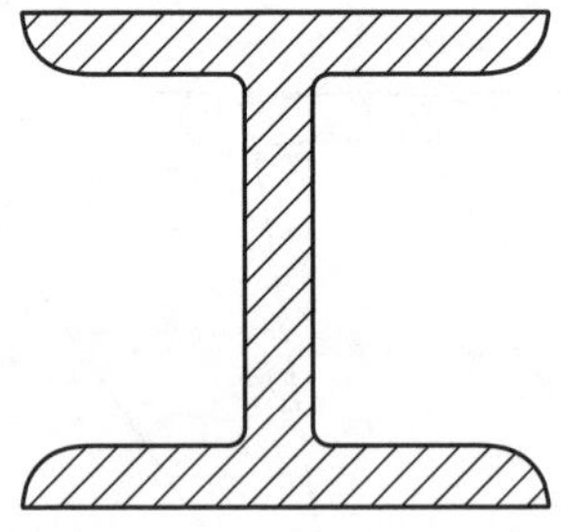

Figura 38–13 Um feixe em "I".

Da Equação (38.34), $dF = Yy/RdA$, portanto,

$$\mathfrak{M} = \frac{Y}{R}\int y^2\,dA.$$

A integral de y^2 é o que chamamos de "momento de inércia" da seção reta geométrica ao redor do eixo horizontal através do "centro de massa"[1]; chamaremos esta quantidade de I:

$$\mathfrak{M} = \frac{YI}{R} \tag{38.36}$$

$$I = \int y^2\,dA. \tag{38.37}$$

A Equação (38.36) nos fornece a relação entre o momento de curvatura $\mathfrak{M}$ e a curvatura $1/R$ do feixe. A "rigidez" do feixe é proporcional a Y e ao momento de inércia I. Em outras palavras, se quisermos o feixe mais rígido possível com uma certa quantidade, digamos, de alumínio, devemos colocar o material o mais longe possível da superfície neutra para que o momento de inércia seja máximo. Não se pode levar a extremos porque o objeto não vai se curvar como supusemos – ele vai se vergar ou torcer e ficar mais fraco de novo. Agora pode-se compreender por que feixes estruturais são fabricados nas formas de um I ou de um H, como na Figura 38–13.

Como exemplo do uso da equação do feixe (38.36), examinemos a deflexão de um cantilever com uma força W sobre a extremidade livre, como na Figura 38–14 (um cantilever é um feixe pregado em uma parede por cimento, com posição e caída fixas na extremidade pregada). Qual é a forma do feixe? Definamos como sendo z a deflexão a uma distância x da parede; queremos saber $z(x)$. Vamos trabalhar apenas para pequenas deflexões. Admitimos que o feixe seja longo em comparação com sua seção reta. Da matemática, sabemos que a curvatura $1/R$ de uma curva qualquer $z(x)$ é dada por

$$\frac{1}{R} = \frac{d^2z/dx^2}{[1 + (dz/dx)^2]^{3/2}}. \tag{38.38}$$

Como estamos interessados em pequenas caídas – como de costume em engenharia –, ignoramos o termo $(dz/dx)^2$ em comparação com a unidade; temos

$$\frac{1}{R} = \frac{d^2z}{dx^2}. \tag{38.39}$$

Também precisamos saber o momento de curvatura $\mathfrak{M}$. É uma função de x, sendo dada pelo torque em relação ao eixo neutro de qualquer seção reta. Ignoremos o peso do feixe e consideremos apenas a força W na extremidade (você pode considerar o peso se quiser). Então o momento de curvatura x será

$$\mathfrak{M}(x) = W(L - x),$$

já que esse é o torque ao redor do ponto x exercido pelo peso W – o torque que o peso deve suportar de x. Temos

$$W(L - x) = \frac{YI}{R} = YI\,\frac{d^2z}{dx^2}$$

ou

$$\frac{d^2z}{dx^2} = \frac{W}{YI}(L - x). \tag{38.40}$$

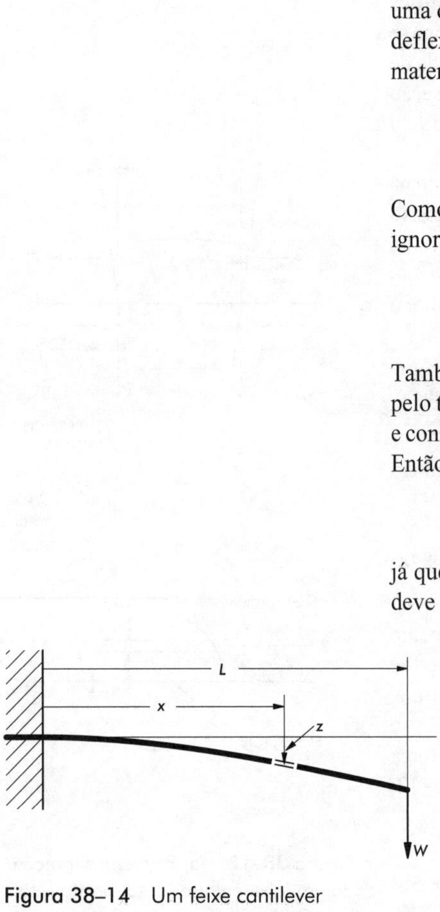

Figura 38–14 Um feixe cantilever com um peso em uma extremidade.

[1] Na realidade, é o momento de inércia de uma fatia de massa unitária por unidade de área.

Podemos integrar essa expressão, obtendo

$$z = \frac{W}{YI}\left(\frac{Lx^2}{2} - \frac{x^3}{6}\right), \tag{38.41}$$

convencionando que $z(0) = 0$ e que dz/dx é zero em $x = 0$. Essa é a forma do feixe. O deslocamento na extremidade é

$$z(L) = \frac{W}{YI}\frac{L^3}{3}; \tag{38.42}$$

que aumenta com o cubo do comprimento.

Deduzindo nossa teoria aproximada, vamos supor que a seção de choque do feixe não muda quando o feixe se curva. Quando a espessura do feixe for pequena comparada com o raio de curvatura, a seção de choque muda muito pouco, e o resultado está correto. No entanto, em geral, este efeito não pode ser ignorado, como você pode demonstrar curvando uma borracha suave em seus dedos. Se a seção reta for inicialmente retangular, você verá que, quando ela se curva, ela incha na parte de baixo (veja a Figura 38–15). Isso acontece porque, quando comprimimos a borracha, o material se expande para os lados – como descrito pela relação de Poisson. É fácil dobrar ou espichar a borracha, mas ela é como um líquido, é difícil mudar seu *volume* – conforme vemos quando entortamos uma borracha. Para um material incompressível, a relação de Poisson seria exatamente 1/2 – para a borracha é quase esse valor.

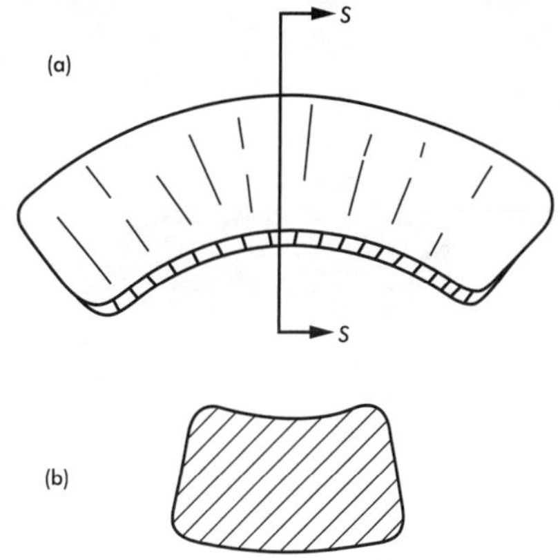

Figura 38–15 (a) Uma borracha entortada. (b) Seção reta.

38–5 Vergadura

Queremos usar a teoria dos feixes para compreender a teoria da “vergadura” de feixes, colunas e barras. Consideremos a situação desenhada na Figura 38–16, na qual uma barra normalmente reta é vergada por duas forças opostas que empurram as extremidades da barra. Queremos calcular a forma da barra e a *magnitude das forças* nas extremidades.

Suponha que a deflexão da barra em relação à linha reta seja $y(x)$, onde x é a distância até uma das extremidades. O momento de curvatura $\mathfrak{M}$ no ponto P, na figura, é igual à força F multiplicada pelo braço do momento, que é a distância perpendicular y,

$$\mathfrak{M}(x) = Fy. \tag{38.43}$$

Utilizando a equação do feixe (38.36), temos

$$\frac{YI}{R} = Fy. \tag{38.44}$$

Para pequenas deflexões, podemos tomar $1/R = -d^2y/dx^2$ (o sinal de menos aparece porque a curvatura está para baixo). Temos

$$\frac{d^2y}{dx^2} = -\frac{F}{YI}y, \tag{38.45}$$

que é a equação diferencial de uma onda senoidal. Para *pequenas* deflexões, a curva de tais feixes é um seno. O comprimento de onda λ da onda senoidal é o dobro do comprimento L entre as extremidades. Se a vergadura for pequena, este é o comprimento da barra não vergada. Portanto, a curva é

$$y = K \operatorname{sen} \pi x/L.$$

Tomando-se a segunda derivada,

$$\frac{d^2y}{dx^2} = -\frac{\pi^2}{L^2}y.$$

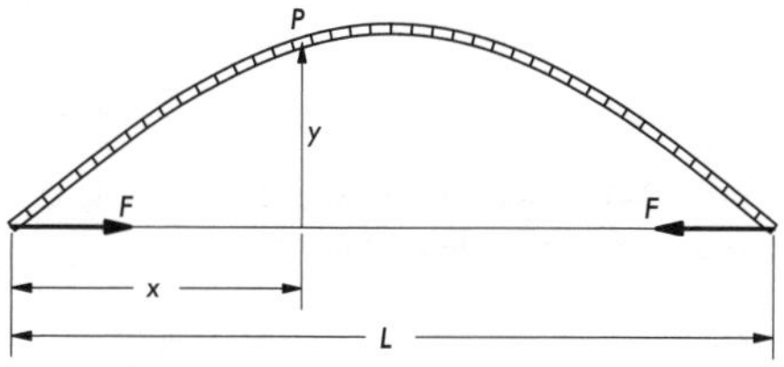

Figura 38–16 Um feixe vergado.

Comparando com (38.45), temos que a força é

$$F = \pi^2 \frac{YI}{L^2}. \tag{38.46}$$

Para pequenas vergaduras, a força é *independente do deslocamento y!*

Portanto, fisicamente, temos o seguinte. Se a força for menor que F dada pela Equação (38.46), a barra não se vergará. Se a força for um pouquinho *maior* que aquele valor, o material se vergará bastante – isto é, para forças acima de um valor crítico $\pi^2 YI/L^2$ (frequentemente chamada de "força de Euler"), o feixe verga-se. Se o peso no segundo andar de um edifício for maior que a força de Euler, o edifício vai colapsar. Outro lugar onde a força de vergadura é muito importante é em foguetes espaciais. O foguete deve ser capaz de sustentar seu próprio peso na plataforma de lançamento e suportar as tensões durante a aceleração; além disso, é importante manter o peso da estrutura em um valor mínimo, de modo que a carga útil e a capacidade de combustível possam ser as maiores possíveis.

De fato, um feixe não necessariamente colapsará completamente quando a força exceder a de Euler. Quando os deslocamentos ficarem grandes, a força fica maior do que a que achamos, por causa dos termos em $1/R$ que ignoramos na Equação (38.38). Para acharmos as forças para uma grande vergadura do feixe, temos de retornar à equação exata, (38.44), evitando o uso da relação aproximada entre R e y. A Equação (38.44) tem uma propriedade geométrica muito simples[2]. É um pouco complicado de se obter, mas muito interessante. No lugar de descrever a curva em termos de x e y, podemos usar duas novas variáveis: S, a distância ao longo da curva, e θ, a declividade da tangente à curva, conforme a Figura 38–17. A curvatura é a taxa de variação do ângulo com a distância:

$$\frac{1}{R} = \frac{d\theta}{dS}.$$

Podemos, portanto, escrever a equação exata (38.44) como

$$\frac{d\theta}{dS} = -\frac{F}{YI}\,y.$$

Se tomarmos a derivada dessa equação com respeito a S e substituirmos dy/dS por sen θ, obtemos

$$\frac{d^2\theta}{dS^2} = -\frac{F}{YI}\,\text{sen}\,\theta. \tag{38.47}$$

[Se θ for pequeno, obtemos novamente a Equação (38.45). Tudo parece certo.]

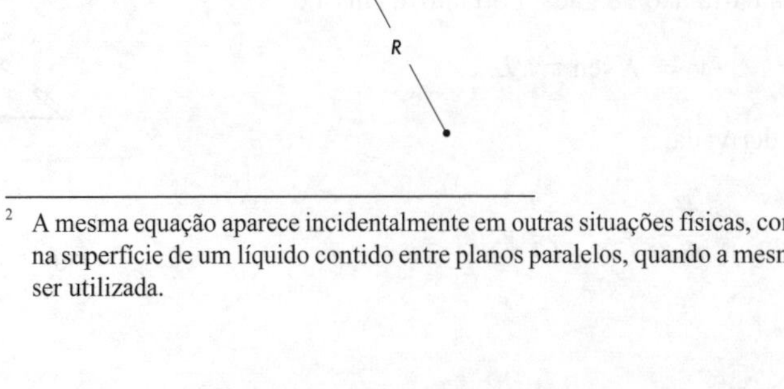

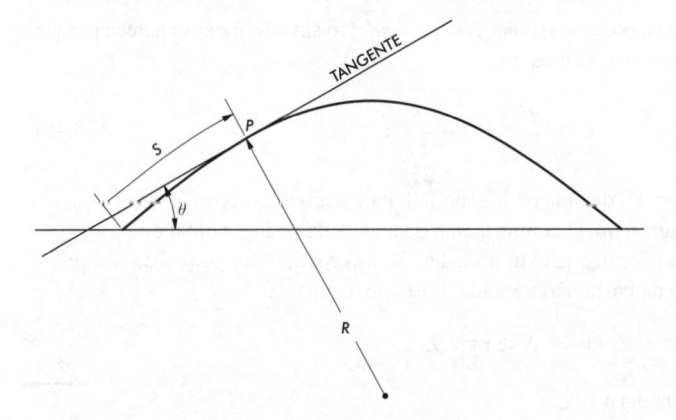

Figura 38–17 As coordenadas S e θ para a curva de um feixe entortado.

[2] A mesma equação aparece incidentalmente em outras situações físicas, como, por exemplo, o menisco na superfície de um líquido contido entre planos paralelos, quando a mesma solução geométrica pode ser utilizada.

Agora você pode se deleitar ou não ao saber que a Equação (38.47) é exatamente a mesma que você obtém para grandes amplitudes de oscilação de um pêndulo – com F/YI substituído por uma outra constante, é claro. Já aprendemos, no Capitulo 9 do Volume I, como achar soluções de tal equação por meio do cálculo numérico[3]. As respostas que você acha são curvas fascinantes – conhecidas como curvas da "elástica". A Figura 38–18 mostra três curvas para diferentes valores de F/YI.

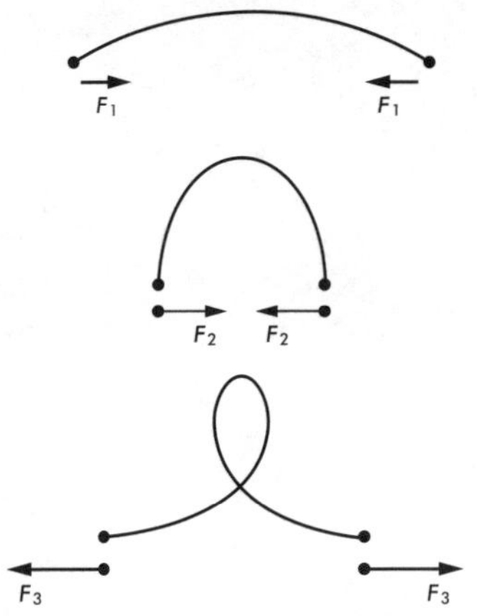

Figura 38–18 Curvas de uma barra entortada.

[3] As soluções podem ser expressas em termos de funções chamadas de "funções elípticas de Jacob", que já foram calculadas.

39

Materiais Elásticos

Referência: C. Kittel, *Introduction to Solid State Physics*, John Wiley and Sons, Inc., New York, 2nd. ed., 1956.

39–1 O tensor de deformação

No capítulo anterior, falamos das distorções de objetos elásticos particulares. Neste capítulo, queremos ver o que acontece *em geral* dentro de um material elástico. Queremos ser capazes de descrever as condições das tensões e deformações dentro de uma massa gelatinosa torcida e amassada de modo complicado. Para fazer isso, precisamos ser capazes de descrever a *deformação local* em cada ponto de um corpo elástico; podemos fazê-lo dando um conjunto de seis números – que são as componentes de um tensor simétrico – em cada ponto. Antes, falávamos do tensor de tensões (Capítulo 31); agora precisamos do tensor de deformações.

Imagine que começamos com um material sem deformações e, quando a deformação é aplicada, assistimos ao movimento de uma pequena “sujeira” embebida no material. Uma sujeira no ponto P, localizada em $\boldsymbol{r} = (x, y, z)$, move-se para uma nova posição P' em $\boldsymbol{r}' = (x', y', z')$, como na Figura 39–1. Chamaremos de $\boldsymbol{u}$ o vetor deslocamento entre P e P'. Neste caso,

$$\boldsymbol{u} = \boldsymbol{r}' - \boldsymbol{r}. \tag{39.1}$$

O deslocamento $\boldsymbol{u}$ depende do ponto em que começamos, P, de modo que $\boldsymbol{u}$ é uma função vetorial de $\boldsymbol{r}$ – ou de (x, y, z).

Examinemos uma situação simples na qual a deformação é constante ao longo do material – de modo a termos o que é chamado de *deformação homogênea*. Suponha, por exemplo, que tenhamos um bloco do material e o estiquemos uniformemente. Simplesmente, estamos mudando suas medidas uniformemente em uma direção – digamos, a direção x, como na Figura 39–2. O movimento u_x de uma mancha em x é proporcional a x. De fato,

$$\frac{u_x}{x} = \frac{\Delta l}{l}.$$

Vamos escrever u_x da seguinte maneira

$$u_x = e_{xx}x.$$

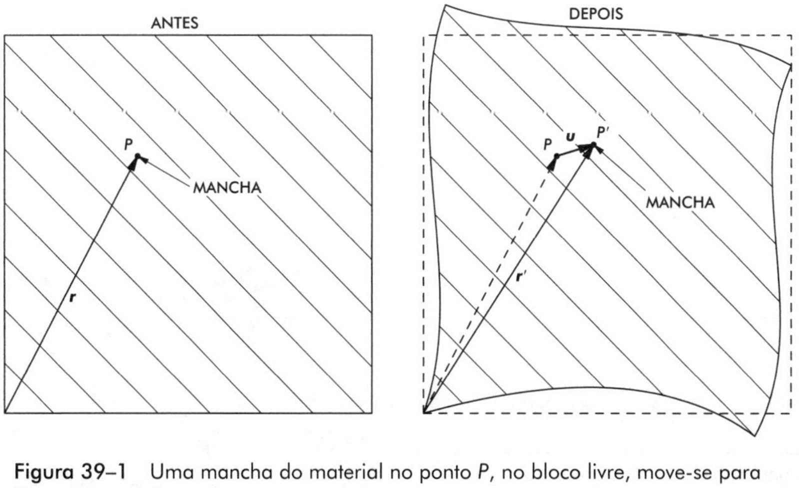

Figura 39–1 Uma mancha do material no ponto P, no bloco livre, move-se para P', no bloco deformado.

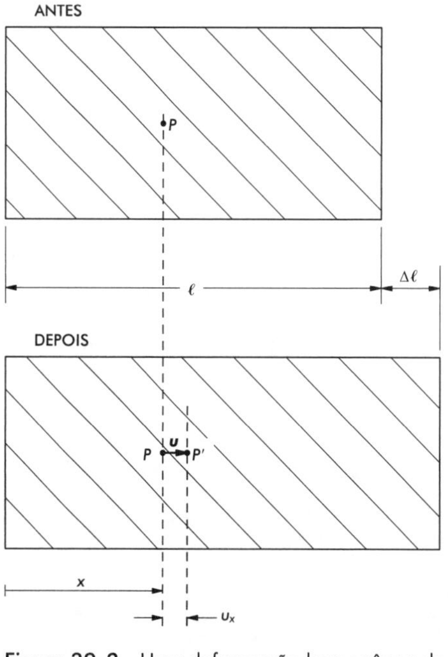

Figura 39–2 Uma deformação homogênea de estiramento.

A constante de proporcionalidade de e_{xx} é, obviamente, a mesma coisa que $\Delta l/l$ (você verá logo mais por que o uso do duplo índice).

Se a deformação não for uniforme, a relação entre u_x e x varia de ponto a ponto no material. Na situação geral, definimos e_{xx} por um tipo de $\Delta l/l$ local, ou seja,

$$e_{xx} = \partial u_x/\partial x. \tag{39.2}$$

Este número – que é função de x, y, z – descreve a quantidade de estiramento na direção x através da gelatina. Pode haver também estiramento nas direções y e z. Nós as descrevemos pelos números

$$e_{yy} = \frac{\partial u_y}{\partial y}, \qquad e_{zz} = \frac{\partial u_z}{\partial z}. \tag{39.3}$$

Precisamos ser capazes de descrever também deformações de cisalhamento. Considere um pequeno cubo marcado na gelatina inicialmente não perturbada. Quando a gelatina fica fora de seu formato, este cubo muda para um paralelograma conforme a Figura 39–3[1]. Nesse tipo de deformação, o movimento de cada partícula no eixo x é proporcional à coordenada y,

$$u_x = \frac{\theta}{2}\,y. \tag{39.4}$$

O movimento na direção y também será proporcional a x

$$u_y = \frac{\theta}{2}\,x. \tag{39.5}$$

Portanto, descrevemos essa deformação tipo cisalhamento por meio de

$$u_x = e_{xy}y, \qquad u_y = e_{yx}x$$

com

$$e_{xy} = e_{yx} = \frac{\theta}{2}.$$

Você pode pensar que, quando as deformações não forem homogêneas, podemos descrever as deformações de cisalhamento generalizadas definindo e_{xy} e e_{yx} por

$$e_{xy} = \frac{\partial u_x}{\partial y}, \qquad e_{yx} = \frac{\partial u_y}{\partial x}. \tag{39.6}$$

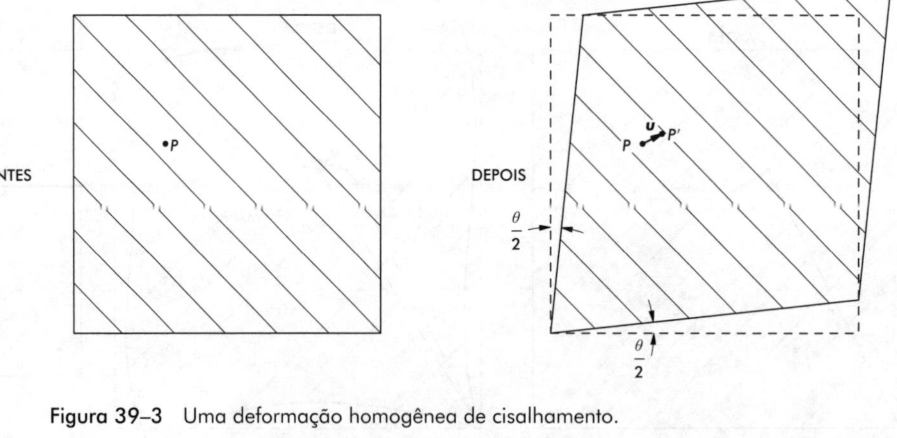

Figura 39–3 Uma deformação homogênea de cisalhamento.

[1] No momento, escolhemos repartir o ângulo de cisalhamento total θ em duas partes iguais, para que nossa deformação seja simétrica em relação a x e y.

No entanto, há uma dificuldade. Suponha que os deslocamentos fossem dados por

$$u_x = \frac{\theta}{2}y, \qquad u_y = -\frac{\theta}{2}x.$$

Elas são como as Equações (39.4) e (39.5), exceto pelo fato de o sinal de u_y ser invertido. Com estes deslocamentos, um pequeno cubo na gelatina simplesmente gira em um ângulo $\theta/2$, como na Figura 39–4. Não há qualquer deformação, apenas rotação. Não há distorção do material; as posições *relativas* de todos os átomos não mudam. Devemos fazer nossas definições de modo que rotações puras não estejam incluídas nas definições de deformações cisalhantes. O ponto essencial é que, se $\partial u_y/\partial x$ e $\partial u_x/\partial y$ forem iguais e opostos, não haverá deformação; assim, consertamos tudo *definindo*

$$e_{xy} = e_{yx} = \tfrac{1}{2}(\partial u_y/\partial x + \partial u_x/\partial y).$$

Para uma rotação pura, ambos são nulos. Para cisalhamento puro, e_{xy} é igual a e_{yx}, como queremos.

Para a distorção mais geral – que pode incluir estiramento e compressão, assim como cisalhamento – *definimos* o estado de deformação pelos nove números

$$\begin{aligned} e_{xx} &= \frac{\partial u_x}{\partial x},\\ e_{yy} &= \frac{\partial u_y}{\partial y},\\ &\vdots\\ e_{xy} &= \tfrac{1}{2}(\partial u_y/\partial x + \partial u_x/\partial y),\\ &\vdots \end{aligned} \tag{39.7}$$

Estes são os termos do *tensor de deformação*. Por ser um *tensor simétrico* – nossas definições fazem, sempre, $e_{xy} = e_{yx}$ –, há na realidade apenas seis números diferentes. Lembre (Capítulo 31) que a característica geral de um tensor é que os termos se transformam como produtos das componentes de dois vetores. Se $\boldsymbol{A}$ e $\boldsymbol{B}$ forem vetores, $C_{ij} = A_iB_j$ será um tensor. Cada termo de e_{ij} é um produto (ou a soma de tais produtos) das componentes do vetor $\boldsymbol{u} = (u_x, u_y, u_z)$ e do operador $\nabla = (\partial/\partial x, \partial/\partial y, \partial/\partial z)$, que se transforma como vetor, como sabemos. Escrevemos x_1, x_2 e x_3 para x, y, z e u_1, u_2 e u_3 para u_x, u_y e u_z; podemos então denotar por e_{ij} o tensor de deformação, ou seja,

$$e_{ij} = \tfrac{1}{2}(\partial u_j/\partial x_i + \partial u_i/\partial x_j), \tag{39.8}$$

onde *i* e *j* podem ser 1, 2 ou 3.

Quando tivermos deformações homogêneas – que podem incluir estiramento e cisalhamento – todos os e_{ij} serão constantes, e podemos escrever

$$u_x = e_{xx}x + e_{xy}y + e_{xz}z. \tag{39.9}$$

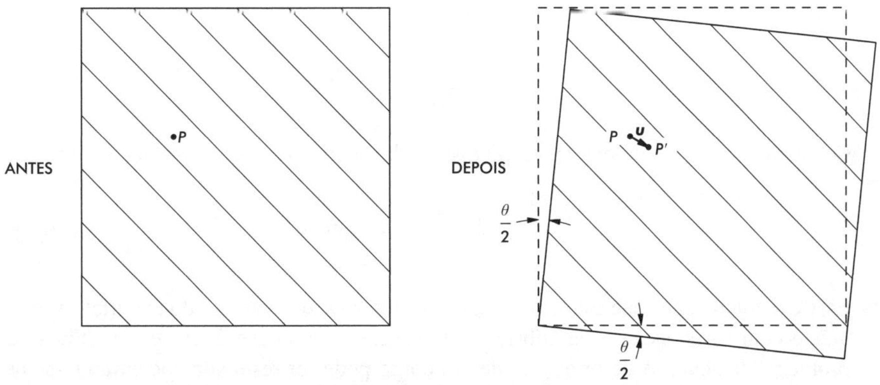

Figura 39–4 Uma rotação homogênea – não há deformação.

(Escolhemos nossa origem de x, y, z no ponto onde $\boldsymbol{u}$ é zero.) Neste caso, o tensor de deformação e_{ij} dá uma relação entre dois vetores: o vetor coordenada $\boldsymbol{r} = (x, y, z)$ e o vetor deslocamento $\boldsymbol{u} = (u_x, u_y, u_z)$.

Quando as deformações não forem homogêneas, qualquer parte da gelatina pode ser torcida – haverá uma rotação local. Se as distorções forem todas pequenas, teremos

$$\Delta u_i = \sum_j (e_{ij} - \omega_{ij})\,\Delta x_j, \tag{39.10}$$

quando ω_{ij} for um tensor antissimétrico,

$$\omega_{ij} = \tfrac{1}{2}(\partial u_j/\partial x_i - \partial u_i/\partial x_j), \tag{39.11}$$

que descreve a rotação. Entretanto, não nos preocuparemos mais com rotações, apenas com as deformações descritas pelo tensor simétrico e_{ij}.

39–2 O tensor de elasticidade

Agora que descrevemos as deformações, queremos relacioná-las com as forças internas – os cisalhamentos do material. Para cada pequena parte do material, admitimos o cumprimento das leis de Hooke e escrevemos que os cisalhamentos são proporcionais às deformações. No Capítulo 31, definimos o tensor de cisalhamento S_{ij} como a i-ésima componente da força ao longo de uma área unitária perpendicular ao eixo j. A Lei de Hooke diz que cada componente de S_{ij} está linearmente relacionada a *cada* componente da deformação. Como S e e têm, cada um, nove componentes, há $9 \times 9 = 81$ coeficientes possíveis que descrevem as propriedades elásticas do material. Elas serão constantes se o material for homogêneo. Descrevemos esses coeficientes como C_{ijkl} e os definimos pela equação

$$S_{ij} = \sum_{k,l} C_{ijkl} e_{kl}, \tag{39.12}$$

onde i, j, k e l têm valores de 1, 2 ou 3. Como os coeficientes C_{ijkl} relacionam um tensor com outro, eles também formam um tensor – um tensor de *posto quatro*. Podemos chamá-lo de *tensor de elasticidade*.

Suponha que todos os C sejam conhecidos, e que você coloque uma força complicada sobre um objeto com uma forma peculiar. Haverá todos os tipos de deformações, e a coisa terminará com uma forma distorcida. Quais serão os deslocamentos? Você pode ver que é um problema complicado. Se conhecermos as deformações, poderemos achar os estiramentos por meio da Equação (39.12) – ou vice-versa. Contudo, você encontrará que, para qualquer ponto, os estiramentos e as deformações dependem do que acontece no restante do material.

A forma mais fácil de solucionar o problema é pensar em energia. Quando houver uma força F proporcional ao deslocamento x, digamos $F = kx$, o trabalho necessário para qualquer deslocamento x será $kx^2/2$. De modo similar, o trabalho w que ocorre em *cada unidade de volume* do material distorcido será

$$w = \tfrac{1}{2} \sum_{ijkl} C_{ijkl} e_{ij} e_{kl}. \tag{39.13}$$

O trabalho total W feito em um corpo distorcido é a integral de w sobre seu volume:

$$W = \int \tfrac{1}{2} \sum_{ijkl} C_{ijkl} e_{ij} e_{kl}\, dV. \tag{39.14}$$

Esse é o potencial de energia armazenado nas deformações internas do material. Agora, quando um corpo está em equilíbrio, essa energia interna deverá ser *mínima*. Então, o problema de achar as deformações de um corpo pode ser resolvido encontrando-se os deslocamentos $\boldsymbol{u}$ ao longo do corpo, que fará W ser mínimo. No Capítulo 19, demos algumas ideias gerais sobre o cálculo de variações que são usados na minimização de problemas como esse. Não podemos nos aprofundar mais em detalhes desse problema.

Estamos mais interessados, agora, no que pode ser dito sobre as propriedades gerais dos tensores de elasticidade. Primeiramente, é claro que *não* há 81 *diferentes* termos para C_{ijkl}. Como ambos, S_{ij} e e_{ij}, são tensores simétricos, cada um com apenas seis termos diferentes, poderá haver, no máximo, 36 termos diferentes para C_{ijkl}. Usualmente, porém, há bem menos do que isso.

Analisemos o caso especial de um cristal cúbico. Nele, a densidade de energia w começa assim:

$$\begin{aligned} w = \tfrac{1}{2}\{&C_{xxxx}e_{xx}^2 + C_{xxxy}e_{xx}e_{xy} + C_{xxxz}e_{xx}e_{xz} \\ &+ C_{xxyx}e_{xx}e_{xy} + C_{xxyy}e_{xx}e_{yy} \ldots \text{etc} \ldots \\ &+ C_{yyyy}e_{yy}^2 + \ldots \text{etc} \ldots \text{etc} \ldots\}, \end{aligned} \tag{39.15}$$

com 81 termos ao todo! Um cristal cúbico tem algumas simetrias. Em particular, se o cristal for rodado em 90º, ele terá as mesmas propriedades físicas. Ele terá a mesma rigidez de estiramento na direção y e na direção x. Portanto, se mudamos a nossa definição de direção de coordenadas, trocando x e y na Equação (39.15), a energia não deve mudar. Para um cristal cúbico,

$$C_{xxxx} = C_{yyyy} = C_{zzzz}. \tag{39.16}$$

Agora, mostramos que os termos do tipo C_{xxxy} devem se anular. Um cristal cúbico tem a propriedade de ser simétrico sob *reflexão* por qualquer plano perpendicular a um dos eixos. Se substituirmos y por $-y$, nada muda. Com essa troca, e_{xy} muda para $-e_{xy}$ – um deslocamento que ia na direção $+y$ é agora na direção $-y$. Se a energia não mudar, C_{xxxy} deve mudar para $-C_{xxxy}$ quando fizermos uma reflexão. Um cristal refletido não muda, então, C_{xxxy} deve ser o *mesmo* que $-C_{xxxy}$. Isso só acontece se esse termo for nulo.

Você poderia dizer "mas o mesmo argumento vale para fazer $C_{yyyy} = 0$!" Não, porque, neste caso, há *quatro y*. O sinal troca uma vez para cada y, e quatro sinais menos fazem um mais. Se houver *dois* ou *quatro y*, o termo não deve ser zero. Ele é zero apenas quando haver *um* ou *três*. Assim, para um cristal cúbico, qualquer termo diferente de zero em C terá um número *par* de índices iguais. (Os argumentos que usamos para y obviamente valem para x e z). Poderíamos encontrar termos do tipo C_{xxyy}, C_{xyxy}, C_{xyyx} e assim por diante. No entanto, já mostramos que, se mudamos todos os x para y, e vice-versa, devemos ter – para um cristal cúbico – o mesmo resultado. Isso significa que há *apenas três* possibilidades *diferentes* não nulas:

$$\begin{aligned} &C_{xxxx}\ (= C_{yyyy} = C_{zzzz}), \\ &C_{xxyy}\ (= C_{yyxx} = C_{xxzz}, \text{etc.}), \\ &C_{xyxy}\ (= C_{yxyx} = C_{xzxz}, \text{etc.}). \end{aligned} \tag{39.17}$$

Para um cristal cúbico, a densidade de energia será:

$$\begin{aligned} w = \tfrac{1}{2}\{&C_{xxxx}(e_{xx}^2 + e_{yy}^2 + e_{zz}^2) \\ &+2C_{xxyy}(e_{xx}e_{yy} + e_{yy}e_{zz} + e_{zz}e_{xx}) \\ &+4C_{xyxy}(e_{xy}^2 + e_{yz}^2 + e_{zx}^2)\}. \end{aligned} \tag{39.18}$$

Para um material isotrópico, isto é, não cristalino, a simetria é ainda maior. Os C devem ser os mesmos para qualquer escolha do sistema de coordenadas. Então, deve haver ainda outra relação entre os C, ou seja,

$$C_{xxxx} = C_{xxyy} + 2C_{xyxy}. \tag{39.19}$$

Vemos que assim o é pelo seguinte argumento geral. O tensor de tensões S_{ij} deve ser relacionado a e_{ij}, de modo a não depender das direções – deve ser relacionado apenas a quantidades *escalares*. "Isto é fácil", você diz. "A única maneira de se obter S_{ij} de e_{ij} é por multiplicação por uma constante escalar. É simplesmente a Lei de Hooke. Deve acontecer que $S_{ij} = (\text{const})e_{ij}$". Mas isso não está certo; pode haver também um *tensor unitário* δ_{ij} multiplicado por um escalar relacionado a e_{ij}. O único invariante que você pode fazer e que é linear nos e é Σe_{ii} (ele se transforma como $x^2 + y^2 + z^2$, que é escalar). Assim, a forma mais geral para a equação relacionando S_{ij} a e_{ij}, para materiais isotrópicos, é

$$S_{ij} = 2\mu e_{ij} + \lambda \left(\sum_k e_{kk}\right) \delta_{ij}. \tag{39.20}$$

A primeira constante é comumente escrita como *duas* vezes μ; o coeficiente μ é igual ao módulo de cisalhamento definido no último capítulo. As constantes μ e λ são chamadas de constantes elásticas de Lamé. Comparando (39.20) com (39.12), vemos que

$$\begin{aligned} C_{xxyy} &= \lambda, \\ C_{xyxy} &= \mu, \\ C_{xxxx} &= 2\mu + \lambda. \end{aligned} \tag{39.21}$$

Demonstramos que (39.19) é correta. Você pode ver que as propriedades elásticas de um material isotrópico são completamente definidas por duas constantes, conforme vimos no último capítulo.

Os C podem ser colocados em termos de quaisquer duas constantes elásticas que usamos anteriormente – por exemplo, o modulo de Young, Y, e a relação de Poisson, σ. Vamos deixar para você demonstrar que

$$\begin{aligned} C_{xxxx} &= \frac{Y}{1+\sigma}\left(1 + \frac{\sigma}{1-2\sigma}\right), \\ C_{xxyy} &= \frac{Y}{1+\sigma}\left(\frac{\sigma}{1-2\sigma}\right), \\ C_{xyxy} &= \frac{Y}{2(1+\sigma)}. \end{aligned} \tag{39.22}$$

39–3 Os movimentos em um corpo elástico

Já mostramos que, para um corpo elástico *em equilíbrio*, as tensões internas ajustam-se de tal modo a minimizar a energia. Olhemos, agora, para o que acontece quando as forças internas *não* estão em equilíbrio. Digamos que haja uma pequena peça de material dentro de uma superfície A, como na Figura 39–5. Se a peça estiver em equilíbrio, a força total $\boldsymbol{F}$ agindo sobre a peça deve ser nula. Podemos pensar nessa força como feita de duas partes. Uma parte é decorrente das forças externas como a gravidade que age à distância produzindo uma *força por unidade de volume*, $\boldsymbol{f}_{\text{ext}}$. A força externa total $\boldsymbol{F}_{\text{ext}}$ é a integral de $\boldsymbol{f}_{\text{ext}}$ sobre o volume da peça:

$$\boldsymbol{F}_{\text{ext}} = \int \boldsymbol{f}_{\text{ext}}\, dV. \tag{39.23}$$

Essa força em equilíbrio deve ser contrabalançada pela força total $\boldsymbol{F}_{\text{int}}$ do material vizinho, que age através da superfície A. Quando a peça *não* estiver em equilíbrio – ela está se movendo – a soma das forças interna e externa será igual à massa vezes a aceleração. Temos, então,

$$\boldsymbol{F}_{\text{ext}} + \boldsymbol{F}_{\text{int}} = \int \rho \ddot{\boldsymbol{r}}\, dV, \tag{39.24}$$

onde ρ é a densidade do material e $\ddot{\boldsymbol{r}}$, sua aceleração. Podemos agora combinar as Equações (39.23) e (39.24), escrevendo

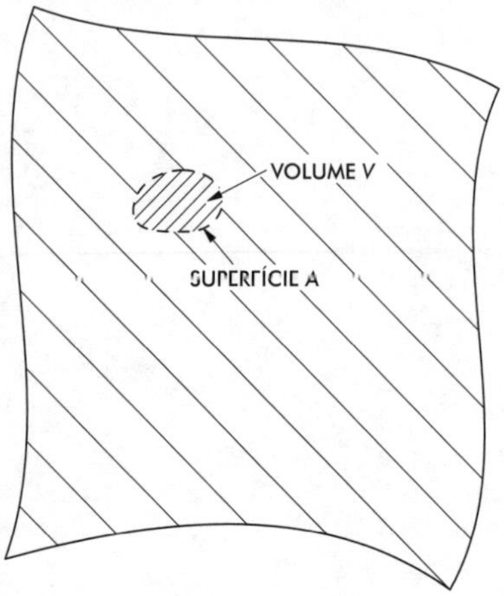

Figura 39–5 Um pequeno elemento de volume V cercado pela superfície A.

$$\boldsymbol{F}_{\text{int}} = \int_v (-\boldsymbol{f}_{\text{ext}} + \rho\ddot{\boldsymbol{r}})\, dV. \tag{39.25}$$

Simplificamos definindo

$$\boldsymbol{f} = -\boldsymbol{f}_{\text{ext}} + \rho\ddot{\boldsymbol{r}}. \tag{39.26}$$

Portanto, (39.25) pode ser escrita como

$$\boldsymbol{F}_{\text{int}} = \int_v \boldsymbol{f}\,dV. \tag{39.27}$$

O que chamamos de $\boldsymbol{F}_{\text{int}}$ está relacionado com as tensões no material. O tensor de tensões S_{ij} foi definido no Capítulo 31, de modo que a componente x da força dF através de um elemento de superfície da, cuja normal unitária é $\boldsymbol{n}$, é dada por

$$dF_x = (S_{xx}n_x + S_{xy}n_y + S_{xz}n_z)\,da. \tag{39.28}$$

A componente x de $\boldsymbol{F}_{\text{int}}$ em nossas pequenas peças é a integral de dF_x sobre a superfície. Substituindo-a na componente x da Equação (39.27), temos

$$\int_A (S_{xx}n_x + S_{xy}n_y + S_{xz}n_z)\,da = \int_v f_x\,dV. \tag{39.29}$$

Temos uma superfície integral relacionada ao volume integral – isso nos lembra de algo que aprendemos em eletricidade. Note que, se ignorarmos o primeiro termo x em cada S no lado esquerdo da Equação (39.29), ficará semelhante à integral da quantidade "$\boldsymbol{S}$" · $\boldsymbol{n}$ – isto é, a componente normal a um vetor – sobre a superfície. Isso será o fluxo de "$\boldsymbol{S}$" para fora do volume. E pode ser escrito, usando-se a lei de Gauss, como o volume integral da divergência de "$\boldsymbol{S}$". De fato, será verdade se o termo x estiver lá ou não – é apenas um teorema matemático o que você obtém ao integrar as partes. Em outras palavras, podemos mudar a Equação (39.29)

$$\int_v \left(\frac{\partial S_{xx}}{\partial x} + \frac{\partial S_{xy}}{\partial y} + \frac{\partial S_{xz}}{\partial z}\right) dV = \int_v f_x\,dV. \tag{39.30}$$

Agora podemos abandonar as integrais de volume e escrever a equação diferencial para o componente geral de f como

$$f_i = \sum_j \frac{\partial S_{ij}}{\partial x_j}. \tag{39.31}$$

Isso nos diz como a força por unidade de volume está relacionada com o tensor de estiramento S_{ij}.

A teoria dos movimentos dentro de um sólido age desse modo. Se começarmos sabendo os movimentos iniciais – digamos, dados por $\boldsymbol{u}$ –, podemos trabalhar até as deformações e_{ij}. Das deformações podemos achar os estiramentos pela Equação (39.12). Dos estiramentos, podemos obter a densidade de fora $\boldsymbol{T}$. Conhecendo $\boldsymbol{f}$, pela Equação (39.26) podemos achar a aceleração $\ddot{\boldsymbol{r}}$ do material que nos diz como os deslocamentos vão ocorrendo. Pondo tudo junto, temos a terrível equação dos movimentos em um sólido elástico. Apenas escreveremos os resultados para um material isotrópico. Se usarmos (39.20) para S_{ij}, e escrevermos e_{ij} como $\frac{1}{2}(\partial u_i/\partial x_j + \partial u_j/\partial x_i)$, teremos a equação vetorial

$$\boldsymbol{f} = (\lambda + \mu)\,\nabla(\nabla \cdot \boldsymbol{u}) + \mu\,\nabla^2\boldsymbol{u}. \tag{39.32}$$

De fato, você pode ver que essa equação relacionando $\boldsymbol{f}$ e $\boldsymbol{u}$ *precisa* ter essa forma. A força deve depender das segundas derivadas do deslocamento $\boldsymbol{u}$. Quais segundas derivadas de $\boldsymbol{u}$ são vetores? Uma é $\nabla(\nabla \cdot \boldsymbol{u})$, esta é um vetor verdadeiro. A única outra é $\nabla^2\boldsymbol{u}$. Assim, a forma geral é

$$\boldsymbol{f} = a\,\nabla(\nabla \cdot \boldsymbol{u}) + b\,\nabla^2\boldsymbol{u},$$

que é exatamente (39.32) com uma definição diferente das constantes. Você pode imaginar que deveria haver um termo usando $\nabla \times \nabla \times \boldsymbol{u}$, mas lembre-se de que $\nabla \times \nabla \times \boldsymbol{u}$ é o mesmo que $\nabla(\nabla \cdot \boldsymbol{u}) - \nabla^2\boldsymbol{u}$, de modo a termos uma combinação linear dos termos anteriores. Provamos, uma vez mais, que materiais isotrópicos têm apenas duas constantes elásticas.

Para a equação de movimento do material, podemos igualar (39.32) a $\rho\, \partial^2\boldsymbol{u}/\partial t^2$, ignorando, por enquanto, outras forças como a gravidade. Obtemos

$$\rho \frac{\partial^2 \boldsymbol{u}}{\partial t^2} = (\lambda + \mu)\, \boldsymbol{\nabla}(\boldsymbol{\nabla} \cdot \boldsymbol{u}) + \mu\, \nabla^2 \boldsymbol{u}. \tag{39.33}$$

Ela parece como uma equação de onda que tivemos no eletromagnetismo, exceto pelo termo adicional que traz alguma complicação. Para materiais cujas propriedades elásticas são as mesmas em toda parte, podemos ver a solução geral da seguinte maneira. Você pode lembrar que qualquer campo vetorial pode ser escrito como a soma de dois vetores: um cujo divergente é zero e outro cujo rotacional é zero. Em outras palavras,

$$\boldsymbol{u} = \boldsymbol{u}_1 + \boldsymbol{u}_2, \tag{39.34}$$

onde

$$\boldsymbol{\nabla} \cdot \boldsymbol{u}_1 = 0, \qquad \boldsymbol{\nabla} \times \boldsymbol{u}_2 = 0. \tag{39.35}$$

Substituindo $\boldsymbol{u}$ por $\boldsymbol{u}_1 + \boldsymbol{u}_2$ em (39.33), obtemos

$$\rho\, \partial^2/\partial t^2[\boldsymbol{u}_1 + \boldsymbol{u}_2] = (\lambda + \mu)\, \boldsymbol{\nabla}(\boldsymbol{\nabla} \cdot \boldsymbol{u}_2) + \mu \nabla^2(\boldsymbol{u}_1 + \boldsymbol{u}_2). \tag{39.36}$$

Podemos eliminar $\boldsymbol{u}_1$ tomando a divergência desta equação,

$$\rho\, \partial^2/\partial t^2(\boldsymbol{\nabla} \cdot \boldsymbol{u}_2) = (\lambda + \mu)\, \nabla^2(\boldsymbol{\nabla} \cdot \boldsymbol{u}_2) + \mu \boldsymbol{\nabla} \cdot \nabla^2(\boldsymbol{u}_2).$$

Como os operadores (∇^2) e $(\nabla\cdot)$ podem ser intercambiados, podemos fatorar uma divergência obtendo

$$\boldsymbol{\nabla} \cdot \{\rho\, \partial^2\boldsymbol{u}_2/\partial t^2 - (\lambda + 2\mu)\, \nabla^2\boldsymbol{u}_2\} = 0. \tag{39.37}$$

Como $\nabla \times \boldsymbol{u}_2$ é zero, por definição o rotacional do colchete acima também é zero; portanto, o próprio colchete anula-se identicamente, e

$$\rho\, \partial^2\boldsymbol{u}_2/\partial t^2 = (\lambda + 2\mu)\, \nabla^2\boldsymbol{u}_2. \tag{39.38}$$

Essa é a equação de onda vetorial para ondas que se movem com velocidade $C_2 = \sqrt{(\lambda + 2\mu)/\rho}$. Como o rotacional de $\boldsymbol{u}_2$ se anula, não há cisalhamento associado a esta onda; tal onda é simplesmente compressional – tipo som –, onda esta que discutimos no último capítulo, sendo sua velocidade dada por C_{long}.

Do mesmo modo – usando o rotacional de (39.36) –, podemos mostrar que $\boldsymbol{u}_1$ satisfaz à equação

$$\rho\, \partial^2\boldsymbol{u}_1/\partial t^2 = \mu\, \nabla^2\boldsymbol{u}_1. \tag{39.39}$$

Essa é novamente uma equação de ondas vetorial para ondas com velocidade $C_1 = \sqrt{\mu/\rho}$. Como $\nabla \cdot \boldsymbol{u}_1$ é zero, $\boldsymbol{u}_1$ não produz mudanças na densidade; o vetor $\boldsymbol{u}_1$ corresponde a uma onda transversa ou de cisalhamento, como vimos no último capítulo, e $C_1 = C_{\text{cisalhamento}}$.

Se quisermos saber as tensões estáticas em um material isotrópico, podemos, em princípio, achá-las resolvendo a Equação (39.32) com $\boldsymbol{f}$ igual a zero – ou igual às forças estáticas gravitacionais, como $\rho\boldsymbol{g}$ – sob certas condições que são relacionadas às forças agindo sobre as superfícies de nosso bloco material. Isto é um pouco mais difícil de fazer que o problema correspondente em eletromagnetismo. Primeiro, porque as equações são um pouco mais difíceis, e, depois, porque a forma dos corpos elásticos, nos quais estamos interessados, são mais complicadas. No eletromagnetismo estamos frequentemente interessados em resolver as equações de Maxwell no entorno de formas geométricas simples como cilindros e esferas, já que estas são as formas convenientes para dispositivos elétricos. Em elasticidade, os objetos que gostaríamos de analisar podem ter formas complicadas, como o gancho de um guindaste, um virabrequim ou, ainda, o rotor de uma turbina de gás. Tais problemas podem, às vezes, ser analisados por métodos numéricos aproximados usando o princípio de energia mínima que mencionamos antes. Outra maneira é utilizando um modelo de objeto e medindo as deformações internas experimentalmente, usando luz polarizada.

Funciona da seguinte maneira: quando um material isotrópico transparente – como um plástico claro como lucita – é colocado sob estresse, ele fica birrefringente. Se colocarmos luz polarizada através dele, o plano de polarização vai rodar por uma quantidade relacionada à tensão. Medindo a rotação, podemos medir a tensão. A Figura 39–6 mostra como deve funcionar tal engenho. A Figura 39–7 é uma fotografia de um modelo fotoelástico de forma complicada sob tensão.

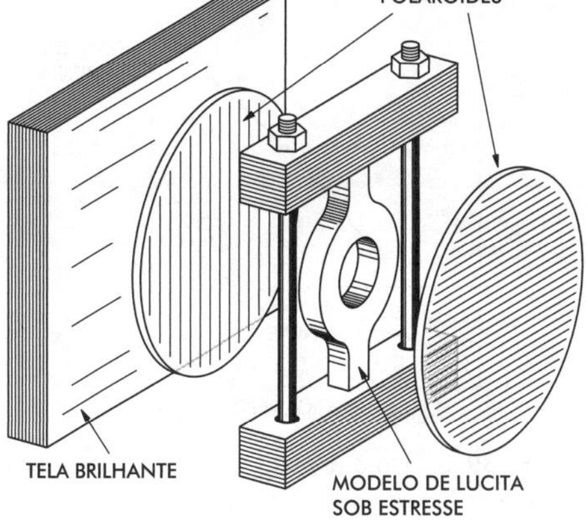

Figura 39–6 Medindo tensões internas com luz polarizada.

39–4 Comportamento não elástico

Em tudo o que foi dito até agora, supusemos que a tensão é proporcional à deformação; em geral, isso *não* é verdade. A Figura 39–8 mostra uma curva tensão-deformação para um material dúctil. Para pequenas deformações, a tensão é proporcional à deformação. Eventualmente, depois de certo ponto, a relação entre tensão e deformação começa a se desviar de uma linha reta. Para muitos materiais – aqueles que chamamos de quebradiços –, o objeto quebra para deformações um pouco acima do ponto onde a curva começa a se encurvar. Em geral, há outras complicações na relação tensão–deformação. Por exemplo, se você deformar um objeto, as tensões podem ser grandes no princípio, mas decrescer com o tempo. Além disso, se tivermos tensões muito altas, mas antes do ponto de quebra, quando diminuirmos a deformação, a tensão vai retornar por uma curva diferente. Há um pequeno efeito de histerese (como aquele que vimos entre B e H, em materiais magnéticos).

A tensão em que um material quebra varia muito de um material para outro. Alguns materiais quebram quando a tensão máxima de tensionamento chega a um certo valor. Outros materiais falham quando a tensão de cisalhamento chega a um certo valor. Giz é um exemplo de material muito mais fraco em tensão que em cisalhamento. Se você puxar um pedaço de giz pelas extremidades, ele quebrará perpendicularmente à direção da tensão aplicada, como mostrado na Figura 39–9(a). Ele quebra perpendicularmente à força aplicada porque ele é um monte de partículas empacotadas juntas que podem ser facilmente separadas. Ainda assim, o material é duro de cisalhar porque as partículas estão no caminho umas das outras. Agora, você lembrará que, quando tínhamos uma barra sob torção, havia cisalhamento em todo o entorno dela. Também mostramos que o cisalhamento era equivalente a uma combinação de tensão e compressão a 45°. Por essas razões, se você torcer um pedaço de giz, ele se quebrará ao longo de uma superfície complicada a 45° do eixo. Uma fotografia de um pedaço de giz quebrado dessa maneira é mostrada na Figura 39–9(b). O giz se quebra onde o material estiver sob máxima tensão.

Outros materiais comportam-se de modo estranho e complicado. Quanto mais complicado o material, mais interessante seu comportamento. Se tomarmos uma folha de papel celofane, amassarmos e jogarmos sobre a mesa, vagarosamente ela se desdobra retornando à sua forma original. À primeira vista, poderíamos ser tentados a pensar que sua inércia é importante para explicar como é difícil o retorno à forma original, mas um cálculo simples mostra que a inércia é pequena demais para explicar o efeito. Parece haver dois pequenos efeitos importantes: alguma coisa dentro do material se lembra da forma inicial e tenta voltar, mas uma outra coisa prefere a nova forma e resiste.

Não vamos tentar explicar o mecanismo que descreve o comportamento do papel celofane, mas você pode ter uma ideia de como esse efeito pode ocorrer por meio do seguinte modelo. Imagine um material feito de fibras longas, flexíveis e muito fortes, junto a células vazias cheias de um líquido viscoso. Imagine também que há caminhos estreitos de uma célula a outra, de modo que o líquido pode vazar de uma célula para sua vizinha. Quando amassamos uma folha desse material, distorcemos as fibras longas, apertamos o líquido para fora da célula em um lugar, forçando-o para dentro de outras células que estão sendo esticadas.

Figura 39–7 Um modelo plástico tensionado visto entre polaroides cruzados (de F. W. Sears, *Optics*, Addison-Wesley Publishing Co., Mass., 1949).

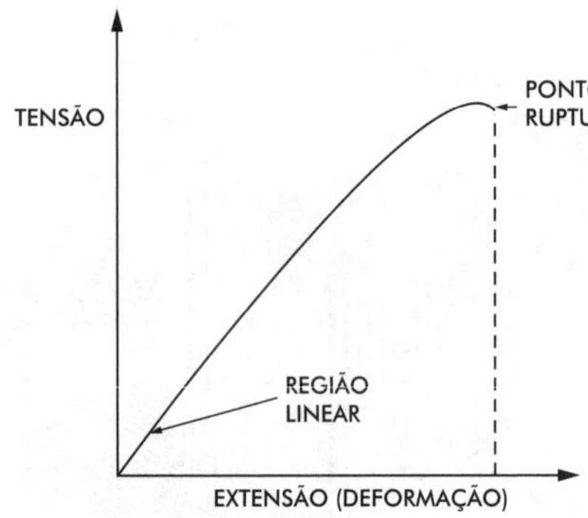

Figura 39–8 Uma relação típica entre deformação e tensão para grandes deformações.

Quando soltamos esse objeto, as fibras longas tentam retornar à forma original, mas para fazer isso elas têm de forçar o líquido de volta a seu local de origem, o que acontecerá vagarosamente em vista da viscosidade. As forças aplicadas em amassar a folha são muito maiores que as forças exercidas pelas fibras. Podemos amassar a folha rapidamente, mas ela retorna de forma muito devagar. É indubitavelmente uma combinação, no papel celofane, de moléculas rígidas e outras pequenas e móveis que são responsáveis por esse comportamento. Essa ideia também se afina com o fato de que o material retorna mais rapidamente à sua forma original quando estiver quente do que quando estiver frio – o calor aumenta a mobilidade (decresce a viscosidade) para moléculas menores.

Embora tenhamos discutido como a Lei de Hooke falha, a coisa admirável talvez não seja a falha da Lei de Hooke para grandes deformações, mas que ela seja tão geral. Podemos ter uma ideia do por que isso é assim olhando para a energia de deformação de um material. Dizer que a tensão é proporcional à deformação é o mesmo que dizer que a energia de deformação varia com o quadrado da deformação. Suponha que tenhamos uma barra e que a torçamos em um pequeno ângulo θ. Se a Lei de Hooke valer, a energia de deformação deve ser proporcional ao quadrado de θ. Se supusermos que a energia seja uma função arbitrária do ângulo, podemos escrevê-la como uma expansão de Taylor ao redor do ângulo zero

$$U(\theta) = U(0) + U'(0)\theta + \tfrac{1}{2}U''(0)\theta^2 + \tfrac{1}{6}U'''(0)\theta^3 + \cdots \tag{39.40}$$

O torque τ é a derivada de U com relação ao ângulo. Temos

$$\tau(\theta) = U'(0) + U''(0)\theta + \tfrac{1}{2}U'''(0)\theta^2 + \cdots \tag{39.41}$$

Se medirmos nossos ângulos desde uma posição de equilíbrio, o primeiro termo se anula. Assim, o próximo termo é proporcional a θ; para ângulos suficientemente pequenos, este termo dominará. [Na verdade, materiais são internamente suficientemente simétricos para que $\tau(\theta) = -\tau(-\theta)$; assim o termo em θ^2 será zero, e a diferença com respeito à linearidade viria de um termo cúbico θ^3. Mas não há razão para que isso seja verdade para compressões e tensões.] O que não explicamos é por que materiais se quebram logo após os termos de ordem mais alta ficarem importantes.

39–5 Cálculo das constantes elásticas

Como nosso último tópico sobre elasticidade, gostaríamos de mostrar como podemos calcular as constantes elásticas de um material começando com algum conhecimento das propriedades dos átomos que formam o material. Vamos considerar apenas o caso simples de um cristal iônico cúbico, como o cloreto de sódio. Quando um cristal é deformado,

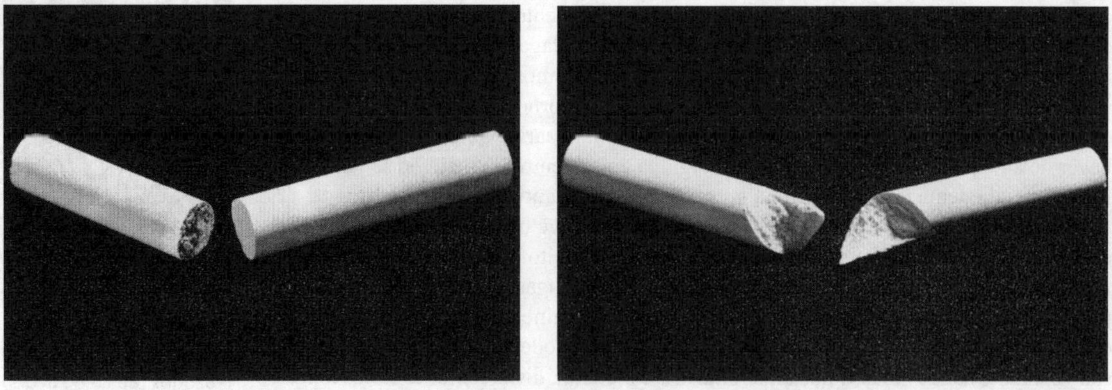

(a) (b)

Figura 39–9 (a) Um pedaço de giz quebrado, puxando-se as extremidades; (b) um pedaço de giz quebrado por torção.

seu volume ou sua forma mudam. Tais mudanças resultam em um aumento da energia potencial do cristal. Para calcular a mudança na energia de deformação, devemos conhecer onde está cada átomo. Em cristais complicados, os átomos se rearranjam na rede de maneiras complicadas, fazendo a energia total tão pequena quanto possível. Isso faz o cálculo da energia de deformação muito difícil. No caso de um cristal cúbico, é fácil ver o que acontece. As distorções no interior do cristal serão geometricamente análogas às distorções nas fronteiras externas do cristal.

Podemos calcular as constantes elásticas para um cristal cúbico da seguinte maneira. Primeiro, supomos haver algum tipo de lei de força entre cada par de átomos no cristal. Então, calculamos a mudança na energia interna do cristal quando ele for distorcido de sua forma de equilíbrio. Isso dá uma relação entre a energia e a deformação que é quadrática em todas as deformações. Comparando a energia obtida desse modo com a Equação (39.13), podemos identificar o coeficiente de cada termo com as constantes elásticas C_{ijkl}.

Para nosso exemplo, vamos supor uma lei de forças simples: que a lei de força entre dois átomos vizinhos seja *central*, o que significa que ela age ao longo da linha entre dois átomos. Esperaríamos que as forças em cristais iônicos fossem desse tipo, pois são preponderantemente forças coulombianas. (As forças de ligações covalentes são frequentemente mais complicadas, já que elas exercem tensões laterais sobre átomos vizinhos; não levaremos em conta tal complicação.) Vamos também incluir apenas as forças entre cada átomo e seus *primeiros* e *segundos* vizinhos. Em outras palavras, vamos ignorar todas as forças além dos primeiros vizinhos. As forças inclusas são mostradas para o plano xy na Figura 39–10 (a). As forças correspondentes aos planos yz e zx também devem ser incluídas.

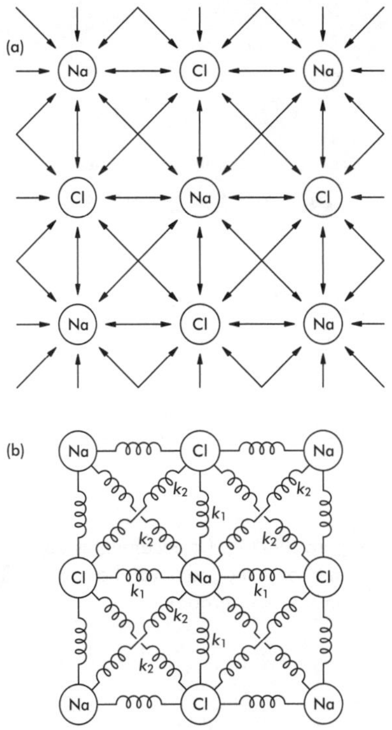

Figura 39–10 (a) As forças interatômicas que estamos levando em conta; (b) um modelo em que os átomos são conectados por molas.

Como estamos apenas interessados nos coeficientes de elasticidade para pequenas deformações e, portanto, só queremos os termos quadráticos de energia nas deformações, podemos imaginar que a força entre cada par de átomos varie linearmente com os deslocamentos. Podemos, pois, imaginar que cada par de átomos é ligado por uma mola linear, como na Figura 39–10(b). Todas as molas entre um átomo de sódio e um de cloro devem ter a mesma constante, digamos k_1. As molas entre dois sódios e entre dois cloros poderiam ter constantes diferentes, mas vamos supor que sejam iguais, por simplicidade, e vamos chamá-las de k_2. (Poderemos voltar mais tarde e fazê-las diferentes, depois de ter visto como o cálculo funciona.)

Agora, supomos que o cristal seja distorcido por uma deformação homogênea, descrita por um tensor de deformação e_{ij}. Em geral, ele terá componentes x, y, z; mas, vamos considerar apenas deformações com as três componentes e_{xx}, e_{xy} e e_{yy}, de modo que fique mais fácil visualizar. Se tomarmos um átomo como nossa origem, o deslocamento de todos os outros é dado por equações do tipo (39.9)

$$\begin{aligned} u_x &= e_{xx}x + e_{xy}y, \\ u_y &= e_{xy}x + e_{yy}y. \end{aligned} \tag{39.42}$$

Vamos nomear o átomo em $x = y = 0$ de átomo 1 e numerar seus vizinhos no plano xy, como mostrado na Figura 39–11. Sendo a constante da rede a, temos os deslocamentos ao longo de x e de y, dados por u_x e u_y, listados na Tabela 39-1.

Agora, calculamos a energia armazenada nas molas, que é $k/2$ vezes o quadrado do comprimento de cada mola. Por exemplo, a energia na mola horizontal entre os átomos 1 e 2 é

$$\frac{k_1(e_{xx}a)^2}{2}. \tag{39.43}$$

Note que, em primeira ordem, o deslocamento y do átomo 2, não muda o comprimento da mola entre os átomos 1 e 2. Para obter a energia de deformação em uma mola diagonal, como a do átomo 3, devemos calcular a mudança no comprimento devido aos deslocamentos horizontal e vertical. Para pequenos deslocamentos do cubo original, podemos escrever a mudança na distância ao átomo 3 como a soma das componentes de u_x e u_y, na direção diagonal, ou seja,

$$\frac{1}{\sqrt{2}}(u_x + u_y).$$

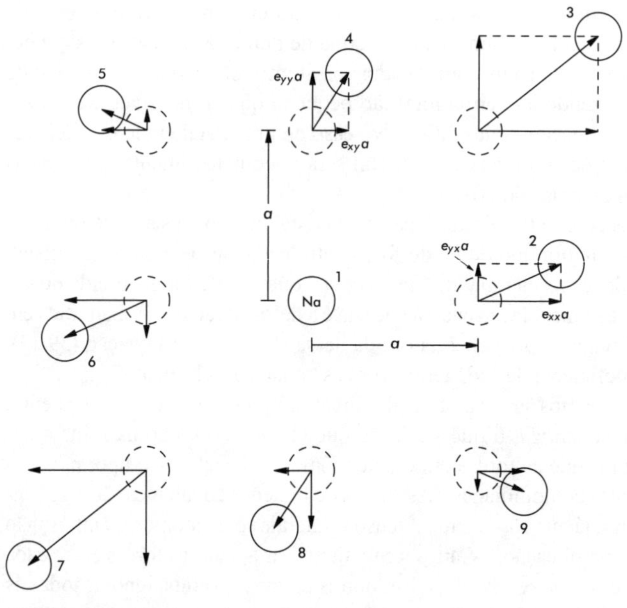

Figura 39–11 Deslocamentos dos primeiros e segundos vizinhos do átomo 1 (exagerado).

Usando os valores de u_x e u_y da tabela, obtemos a energia

$$\frac{k_2}{2}\left(\frac{u_x + u_y}{\sqrt{2}}\right)^2 = \frac{k_2 a^2}{4}(e_{xx} + e_{yx} + e_{xy} + e_{yy})^2. \tag{39.44}$$

Para a energia total de todas as molas no plano *xy*, precisamos da soma de oito termos, como (39.43) e (39.44). Chamando essa energia de U_0, temos

$$\begin{aligned} U_0 = \frac{a^2}{2}\Big\{k_1 e_{xx}^2 &+ \frac{k_2}{2}(e_{xx} + e_{yx} + e_{xy} + e_{yy})^2 \\ + k_1 e_{yy}^2 &+ \frac{k_2}{2}(e_{xx} - e_{yx} - e_{xy} + e_{yy})^2 \\ + k_1 e_{xx}^2 &+ \frac{k_2}{2}(e_{xx} + e_{yx} + e_{xy} + e_{yy})^2 \\ + k_1 e_{yy}^2 &+ \frac{k_2}{2}(e_{xx} - e_{yx} - e_{xy} + e_{yy})^2\Big\}. \end{aligned} \tag{39.45}$$

Tabela 39–1

Átomo	Posição x, y	u_x	u_y	k
1	0, 0	0	0	—
2	$a, 0$	$e_{xx}a$	$e_{yx}a$	k_1
3	a, a	$(e_{xx} + e_{xy})a$	$(e_{yx} + e_{yy})a$	k_2
4	$0, a$	$e_{xy}a$	$e_{yy}a$	k_1
5	$-a, a$	$(-e_{xx} + e_{xy})a$	$(-e_{yx} + e_{yy})a$	k_2
6	$-a, 0$	$-e_{xx}a$	$-e_{yx}a$	k_1
7	$-a, -a$	$-(e_{xx} + e_{xy})a$	$-(e_{yx} + e_{yy})a$	k_2
8	$0, -a$	$-e_{xy}a$	$-e_{yy}a$	k_1
9	$a, -a$	$(e_{xx} - e_{xy})a$	$(e_{yx} - e_{yy})a$	k_2

Para se obter a energia total de todas as molas conectadas ao átomo 1, devemos adicionar algo à energia na Equação (39.45). Apesar de termos apenas as componentes x e y da deformação, há ainda alguma energia associada aos primeiros vizinhos fora do plano xy. Essa energia adicional é

$$k_2(e_{xx}^2a^2 + e_{yy}^2a^2). \tag{39.46}$$

As constantes elásticas são relacionadas à densidade de energia w pela Equação (39.13). A energia que calculamos está associada com um átomo, ou melhor, ela é o dobro da energia por átomo, já que metade da energia de cada mola deveria estar associada à cada um dos dois átomos que ela junta. Como há $1/a^3$ átomos por unidade de volume, w e U_0 são relacionados por

$$w = \frac{U_0}{2a^3}.$$

Para achar as constantes elásticas C_{ijkl}, precisamos expandir os quadrados na Equação (39.45) – adicionando os termos de (39.46) – e comparar os coeficientes de $e_{ij}e_{kl}$ com os correspondentes coeficientes na Equação (39.13). Por exemplo, coletando os termos em e_{xx}^2 e em e_{yy}^2, temos o fator

$$(k_1 + 2k_2)a^2,$$

portanto,

$$C_{xxxx} = C_{yyyy} = \frac{k_1 + 2k_2}{a}.$$

Para os termos restantes, há um ligeira complicação. Como não podemos distinguir o produto de dois termos como $e_{xx}e_{yy}$ de $e_{yy}e_{xx}$, o coeficiente de tais termos em nossa energia é igual à soma dos dois termos em (39.13). O coeficiente de $e_{xx}e_{yy}$ na Equação (39.45) é $2k_2$, de modo a termos

$$(C_{xxyy} + C_{yyxx}) = \frac{2k_2}{a}.$$

Em vista da simetria de nosso cristal $C_{xxyy} = C_{yyxx}$, temos que

$$C_{xxyy} = C_{yyxx} = \frac{k_2}{a}.$$

Por um processo similar, também temos

$$C_{xyxy} = C_{yxyx} = \frac{k_2}{a}.$$

Finalmente você irá notar que qualquer termo que envolva x ou y só uma vez anula-se – como concluímos anteriormente dos argumentos de simetria. Resumindo, temos

$$\begin{aligned} C_{xxxx} &= C_{yyyy} = \frac{k_1 + 2k_2}{a}, \\ C_{xyxy} &= C_{yxyx} = \frac{k_2}{a}, \\ C_{xxyy} &= C_{yyxx} = C_{xyyx} = C_{yxxy} = \frac{k_2}{a}, \\ C_{xxxy} &= C_{xyyy} = \text{etc.} = 0. \end{aligned} \tag{39.47}$$

Pudemos relacionar as constantes elásticas às propriedades atômicas que aparecem nas constantes k_1 e k_2. Em nosso caso particular, $C_{xyxy} = C_{xxyy}$. Esses termos são *sempre* iguais para um cristal cúbico, não importando quantos termos de força foram levados em conta, *desde que* as forças atuem apenas ao longo da linha que une pares de átomos

Tabela 39–2*

Módulos elásticos de cristais cúbicos em 10^{12} dynes·cm^2

	C_{xxxx}	C_{xxyy}	C_{xyxy}
Na	0,055	0,042	0,049
K	0,046	0,037	0,026
Fe	2,37	1,41	1,16
Diamante	10,76	1,25	5,76
Al	1,08	0,62	0,28
LiF	1,19	0,54	0,53
NaCl	0,486	0,127	0,128
KCl	0,40	0,062	0,062
NaBr	0,33	0,13	0,13
KI	0,27	0,043	0,042
AgCl	0,60	0,36	0,062

* De C. Kittel, *Introduction to Solid State Physics,* John Wiley and Sons, Inc., New York, 2nd. ed., 1956, p. 93.

– isto é, se as forças entre átomos são como molas e não têm uma parte lateral, como aquela que você tem em um feixe cantilever (e que você tem também em ligações covalentes).

Podemos verificar essa conclusão com as medidas experimentais das constantes elásticas. Na Tabela 39-2, damos os valores observados para os três coeficientes elásticos de vários cristais cúbicos[2]. Note que C_{xxyy} e C_{xyxy} são diferentes, em geral. A razão é que em metais como sódio e potássio, as forças interatômicas não estão na linha que junta os átomos conforme imaginamos. O diamante não obedece a esta lei porque as forças no diamante são covalentes e têm propriedades direcionais – as ligações preferem estar nos ângulos do tetraedro. Os cristais iônicos, como fluoreto de lítio, cloreto de sódio e outros, não têm as mesmas propriedades físicas que supusemos para o nosso modelo, e a tabela mostra que as constantes C_{xxyy} e C_{xyxy} são quase iguais. Não é claro por que o cloreto devesse satisfazer à condição C_{xxyy} e C_{xyxy}.

[2] Na literatura, encontramos uma notação diferente. Por exemplo, as pessoas escrevem $C_{xxxx} = C_{11}$, $C_{xxyy} = C_{12}$ e $C_{xyxy} = C_{44}$.

O Escoamento da Água Seca

40–1 Hidrostática

O assunto do fluir dos fluidos, particularmente da água, fascina a todos. Todos podemos nos lembrar, na infância, de brincar na banheira ou em poças de lama. Conforme envelhecemos, admiramos fontes, quedas d'água, redemoinhos e ficamos fascinados com esta substância que parece viva em relação aos sólidos. O comportamento dos fluidos é, de vários modos, inesperado e interessante – e esse é o objeto de estudo deste capítulo e do próximo. Os esforços de uma criança tentando cercar um pequeno córrego na rua e a sua surpresa acerca do modo estranho em que a água força seu caminho tem sua analogia em nossas tentativas de muitos anos de compreender o fluir dos fluidos. Tentamos cercar a água – em nossa compreensão – buscando as leis que descrevem o modo como ela flui. Vamos descrever estas tentativas neste capítulo. No próximo capítulo, descreveremos o modo pelo qual a água escapa à nossa compreensão.

Supomos que as propriedades elementares da água sejam conhecidas. A propriedade principal que distingue um fluido de um sólido é que um fluido não consegue *manter* uma torção por um certo período de tempo. Se uma torção for aplicada a um fluido, ele se moverá. Líquidos mais grossos, como o mel, movem-se menos facilmente que líquidos como ar ou água. A medida da facilidade com que um fluido se deixa mover é sua viscosidade. Neste capítulo, vamos considerar situações nas quais efeitos viscosos podem ser ignorados. No próximo capítulo, os efeitos da viscosidade serão levados em conta.

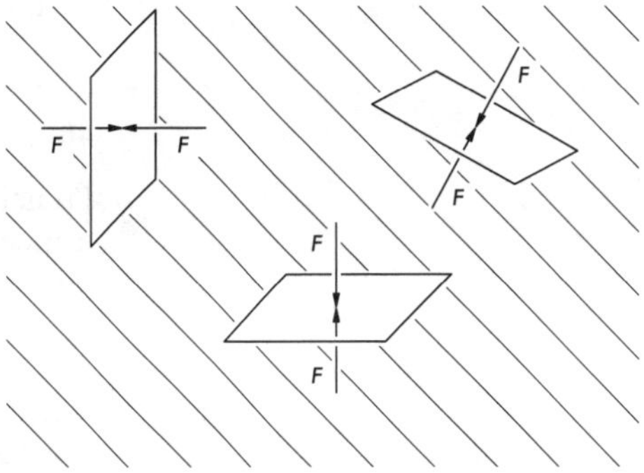

Figura 40–1 Em um fluido estático, a força por unidade de área, em qualquer superfície, é perpendicular à superfície, sendo a mesma para todas as orientações.

Comecemos considerando a *hidrostática,* a teoria dos líquidos em repouso. Quando os líquidos estão em repouso não há torções (mesmo para líquidos viscosos). Portanto, a lei da hidrostática nos diz que as tensões são sempre normais a qualquer superfície dentro do fluido. A força normal por unidade de área é chamada de *pressão.* Do fato de não haver torção em um fluido estático, segue que a pressão é a mesma em todas as direções (Figura 40–1). Vamos deixar que você se entretenha demostrando que, se não houver torção em qualquer plano em um fluido, a pressão será a mesma em qualquer direção.

A pressão em um fluido pode variar de ponto a ponto. Por exemplo, em um fluido estático na superfície da terra, a pressão variará com a altura por causa de peso do fluido. Se a densidade ρ do fluido for constante, e a pressão em algum ponto arbitrário for p_0 (Figura 40–2), então a pressão a uma altura h acima deste ponto será $p = p_0 - \rho gh$, onde g é força gravitacional por unidade de massa. A combinação

$$p + \rho gh$$

é, portanto, uma constante em um fluido estático. Esta relação lhe é familiar, mas agora vamos deduzir um resultado mais geral do qual ela é um caso particular.

Se tomarmos um pequeno cubo de água, qual é a força resultante sobre ele como consequência da pressão? Como a pressão em qualquer ponto é a mesma em todas as direções, não pode haver uma força resultante por unidade de volume apenas porque a pressão varia de um ponto a outro. Suponha que a pressão esteja variando na direção x – e tomamos as direções coordenadas paralelamente aos lados do cubo. A pressão na face x dá a força $p\,\Delta y\,\Delta z$ (Figura 40–3), e a pressão na face $x + \Delta x$ dá a força $-[p + (\partial p/\partial x)\Delta x]\Delta y\,\Delta z$, de modo que a força resultante será $-(\partial p/\partial x)\Delta x\,\Delta y\,\Delta z$. Se tomarmos os pares restantes das faces do cubo, veremos que a força por unidade de volume é $-\nabla p$. Se houver ainda outras forças – como a gravitação –, então a pressão deve contrabalançá-la para haver equilíbrio.

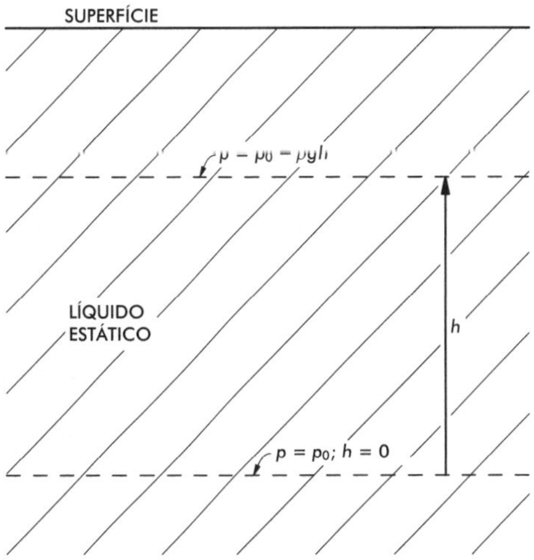

Figura 40–2 A pressão em um líquido estático.

Tomemos uma circunstância na qual tal força adicional pode ser descrita por uma energia potencial, como é o caso da gravitação; seja ϕ a energia potencial por unidade de massa (para a gravitação, ϕ é simplesmente gz). A força

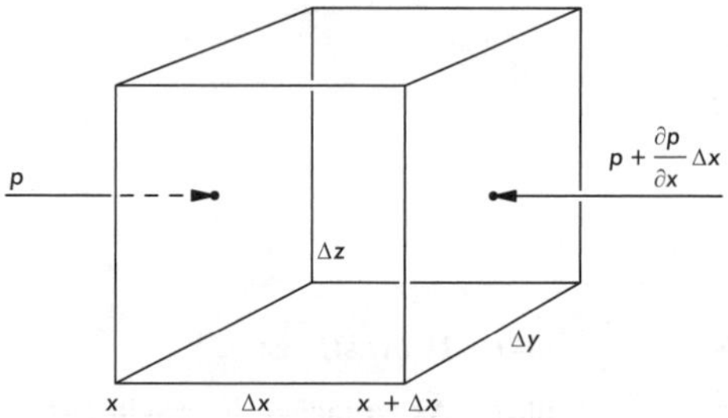

Figura 40–3 A força de pressão resultante em um cubo é $-\nabla p$ por unidade de volume.

por unidade de massa é dada em termos do potencial por $-\nabla\phi$ e, se ρ for a densidade do fluido, a força por unidade de volume será $-\rho\ \nabla\phi$. Para haver equilíbrio, esta força por unidade de volume adicionada à força da pressão por unidade de volume deve dar zero:

$$-\nabla p - \rho\,\nabla\phi = 0. \tag{40.1}$$

A Equação (40.1) é a equação da hidrostática. Em geral, ela não tem solução. Se a densidade variar no espaço de um modo arbitrário, não há maneira das forças se contrabalançarem, de modo que o fluido jamais estará em equilíbrio estático. Correntes de convecção vão se formar. Podemos ver este fato a partir da equação acima, já que o termo de pressão é um gradiente puro, enquanto que, para ρ variável, o outro termo não é. Somente quando ρ for constante, o termo potencial será um gradiente puro. Então, a equação tem como solução

$$p + \rho\phi = \text{const.}$$

Outra possibilidade que permite equilíbrio hidrostático é quando ρ for uma função apenas de p. Todavia, vamos deixar a hidrostática, pois ela não é tão interessante quanto o caso em que os fluidos estão em movimento.

40–2 As equações de movimento

Primeiramente, discutimos os movimentos de fluidos de modo abstrato, puramente teórico, depois consideramos exemplos especiais. Para se descrever o movimento de fluidos, devemos dar suas propriedades em todos os pontos. Por exemplo, em diferentes lugares, a água (denominemos “água” o fluido em questão) está se movendo a diferentes *velocidades*. Para especificar o caráter do escoamento, devemos dar as equações que determinam a velocidade, para saber como o líquido se move em todos os pontos e em todos os tempos. A velocidade, todavia, não é a única propriedade do fluido que varia de ponto a ponto. Há pouco, discutimos a variação da *pressão* de ponto a ponto. Há também outras variáveis, e pode haver uma variação da *densidade* de ponto a ponto. Além disso, o fluido pode ser um condutor e pode carregar uma *corrente* cuja densidade $\boldsymbol{j}$ varia de ponto a ponto, em magnitude e pressão. Pode haver uma *temperatura* que varia de ponto a ponto, ou um *campo magnético,* e assim por diante. Assim, o número de campos que devemos especificar para descrever a situação completa dependerá da complexidade do problema. Há fenômenos interessantes quando correntes e magnetismo forem parte dominante na determinação do comportamento do fluido; o assunto é chamado de *magneto-hidrodinâmica*, e tem-se dado muita atenção a ele ultimamente. Todavia, não consideraremos estas situações mais complicadas, já que há fenomenos interessantes o suficiente em níveis menores de complexidade.

Vamos tomar a situação em que não há campo magnético nem condutividade, e não vamos nos preocupar com a temperatura, supondo que densidade e pressão determinam a temperatura de modo unívoco em qualquer ponto. De fato, vamos reduzir a complexidade de nosso trabalho supondo que a densidade seja constante – ou seja, que o fluido seja incompressível. Em outras palavras, estamos supondo que as variações de pressão sejam tão pequenas que as variações na densidade sejam irrelevantes. Se este não fosse o caso, encontraríamos fenômenos adicionais àqueles que estamos discutindo aqui – por exemplo, a propagação de som ou ondas de choque. Já discutimos a propagação de som ou ondas de choque, de modo que, agora, levamos em consideração a hidrodinâmica com densidade ρ constante. É facil determinar quando a aproximação de ρ constante é boa. Podemos dizer que, se as velocidades de escoamento são muito menores que a onda sonora no fluido, não precisamos nos preocupar com as variações da densidade. A dificuldade em se compreender a água não está relacionada com a aproximação de densidade constante. As complicações serão discutidas no próximo capítulo.

Na teoria geral de fluidos, devemos começar com uma *equação de estado* para o fluido, que conecta a pressão à densidade. Em nossa aproximação, essa equação de estado é simplesmente

$$\rho = \text{const.}$$

Esta é a primeira relação entre nossas variáveis. A próxima relação expressa a conservação de matéria – se a matéria flui de um ponto, deve haver um decréscimo naquilo que ficou. Se a velocidade do fluido for $\boldsymbol{v}$, então a massa que flui por unidade de tempo através de uma área unitária de superfície é a componente de $\rho\boldsymbol{v}$ normal à superfície. Temos uma relação similar em eletricidade. Também sabemos, da eletricidade, que a divergência de tal quantidade nos fornece a taxa de decréscimo da densidade por unidade de tempo. Da mesma maneira, a equação

$$\nabla \cdot (\rho \boldsymbol{v}) = -\frac{\partial \rho}{\partial t} \tag{40.2}$$

expressa a conservação de massa para o fluido; esta é a *equação de continuidade* da hidrodinâmica. Em nossa aproximação do fluido incompressível, onde ρ é uma constante, a equação de continuidade é simplesmente

$$\nabla \cdot \boldsymbol{v} = 0. \tag{40.3}$$

A velocidade do fluido $\boldsymbol{v}$ – tal como o campo magnético $\boldsymbol{B}$ – tem divergência zero (as equações hidrodinâmicas são frequentemente análogas às da eletrodinâmica; devido a isso, estudamos primeiramente a eletrodinâmica. Algumas pessoas argumentão de outro modo; elas pensam que se deve estudar primeiramente hidrodinâmica para que seja mais fácil compreender eletricidade, mas eletrodinâmica é muito mais fácil que hidrodinâmica).

Vamos obter nossa próxima equação da Lei de Newton que nos diz como muda a velocidade por causa das forças. A massa de um elemento de volume do fluido vezes sua aceleração deve ser igual à força sobre aquele elemento. Tomando um elemento de volume unitário e escrevendo a força por unidade de volume como $\boldsymbol{f}$, temos

$$\rho \times (\text{aceleração}) = \boldsymbol{f}.$$

Escreveremos a densidade de força como a soma de três termos. Já consideramos a força de pressão, $-\nabla p$. Subsequentemente, há forças "externas" agindo à distância – como gravidade ou eletricidade. Quando elas forem conservativas, com um potencial por unidade de massa ϕ, elas fornecem uma densidade de forças $-\rho\nabla\phi$. Se as forças não forem conservativas, devemos escrever $\boldsymbol{f}_{ext}$ para a força por unidade de volume. Finalmente, há outra força interna por unidade de volume devido ao fato de que fluidos escoando devem ter torção, a qual é chamada a força viscosa, que escrevemos como $\boldsymbol{f}_{visc}$. Nossa equação de movimento é

$$\rho \times (\text{aceleração}) = -\nabla p - \rho\,\nabla\phi + \boldsymbol{f}_{visc}. \tag{40.4}$$

Neste capítulo, supomos que o líquido seja "fino", no sentido de a viscosidade ser pouco importante de modo a podermos omitir $\boldsymbol{f}_{visc}$. Quando retiramos o termo de viscosidade, estamos fazendo uma aproximação na qual descrevemos algo ideal, mas não água real. John von Neumann sabia da tremenda diferença entre o que acontece quando você tem e quando você não tem o termo viscoso, e ele sabia também que, durante a maior parte dos desenvolvimentos de hidrodinâmica, até 1900, o maior interesse estava em resolver belos problemas *matemáticos* com esta aproximação que não tem nada a ver com fluidos reais. Ele denominou os teóricos que fazem tal análise como homens que estudam a "água seca". Este tipo de análise não leva em conta propriedades *essenciais* do fluido. É por isso que escolhemos para o título deste capítulo "o escoamento da água seca". Vamos postergar a discussão da água *real* para o próximo capítulo.

Se deixarmos de lado $\boldsymbol{f}_{visc}$, temos, na Equação (40.4), todos os termos necessários, exceto uma expressão para a aceleração. Você pode pensar que a fórmula para a aceleração para a partícula no fluido parece muito simples, pois parece óbvio que, se $\boldsymbol{v}$ for a velocidade de uma partícula do fluido em algum lugar do fluido, a aceleração deverá ser $\partial\boldsymbol{v}/\partial t$. *Não* é – e por uma razão muito sutil. A derivada $\partial\boldsymbol{v}/\partial t$ é a taxa em que a velocidade $\boldsymbol{v}(x, y, z, t)$ muda em um *ponto fixo* no espaço. Queremos saber quão rapidamente a velocidade muda para um *pedaço particular* do fluido. Imagine que marquemos uma das gotas de

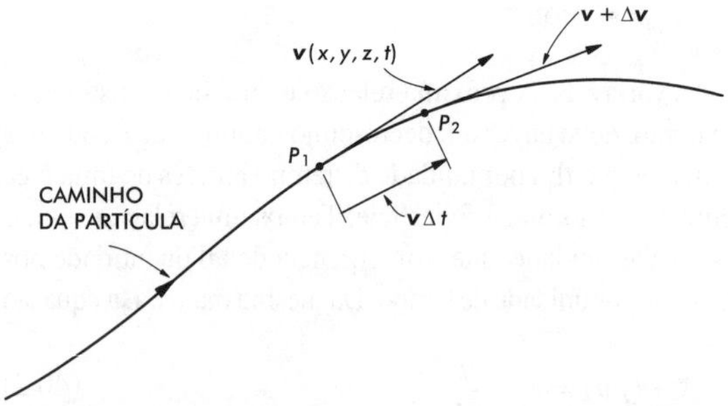

Figura 40–4 A aceleração de uma partícula do fluido.

água com um lápis colorido, de modo a segui-la. Em um pequeno intervalo de tempo Δt, esta gota se moverá para um local diferente. Se a gota estiver se movendo ao longo de um caminho, como mostrado na Figura 40–4, ela poderia no tempo Δt mover-se de P_1 até P_2. De fato, ela se move na direção x por uma quantidade $v_x\Delta t$, na direção y por uma quantidade $v_y\Delta t$, e na direção z por uma quantidade $v_z\Delta t$. Vemos que, se $\boldsymbol{v}(x, y, z, t)$ for a velocidade da partícula do fluido que está em (x, y, z) no instante t, então a velocidade da *mesma* partícula no instante $t + \Delta t$ é dada por $\boldsymbol{v}\,(x + \Delta x, y + \Delta y, z + \Delta z, t + \Delta t)$ com

$$\Delta x = v_x\,\Delta t, \qquad \Delta y = v_y\,\Delta t \qquad \text{e} \qquad \Delta z = v_z\,\Delta t.$$

Da definição de derivadas parciais – lembre-se da Equação (2.7) –, temos, em primeira ordem, que

$$\begin{aligned}\boldsymbol{v}(x + v_x\,\Delta t,\, y + v_y\,\Delta t,\, z + v_z\,\Delta t,\, t + \Delta t)& \\ = \boldsymbol{v}(x, y, z, t) + \frac{\partial \boldsymbol{v}}{\partial x}\,v_x\,\Delta t + \frac{\partial \boldsymbol{v}}{\partial y}\,v_y\,\Delta t + \frac{\partial \boldsymbol{v}}{\partial z}\,v_z\,\Delta t + \frac{\partial \boldsymbol{v}}{\partial t}\,\Delta t.&\end{aligned}$$

A aceleração $\Delta \boldsymbol{v}/\Delta t$ será

$$v_x\,\frac{\partial \boldsymbol{v}}{\partial x} + v_y\,\frac{\partial \boldsymbol{v}}{\partial y} + v_z\,\frac{\partial \boldsymbol{v}}{\partial z} + \frac{\partial \boldsymbol{v}}{\partial t}\cdot$$

Podemos escrever essa expressão simbolicamente – tratando ∇ como um vetor – como

$$(\boldsymbol{v}\cdot\boldsymbol{\nabla})\boldsymbol{v} + \frac{\partial \boldsymbol{v}}{\partial t}\cdot \tag{40.5}$$

Note que pode haver uma aceleração mesmo que $\partial\boldsymbol{v}/\partial t = 0$, de modo que a velocidade *em um dado ponto* não esteja mudando. Como exemplo, água escoando em um círculo com velocidade constante está acelerando, apesar da velocidade em um dado ponto não estar mudando. A razão é que a velocidade de um particular pedaço de água, inicialmente em um ponto do círculo, tem um direção diferente em um momento seguinte; há uma aceleração centrípeta.

O resto de nossa teoria é apenas matemática – achando soluções da equação de movimento que obtemos colocando a aceleração (40.5) na Equação (40.4). Obtemos

$$\frac{\partial \boldsymbol{v}}{\partial t} + (\boldsymbol{v}\cdot\boldsymbol{\nabla})\boldsymbol{v} = -\frac{\boldsymbol{\nabla} p}{\rho} - \boldsymbol{\nabla}\phi, \tag{40.6}$$

onde a viscosidade foi omitida. Vamos rearranjar essa equação usando a seguinte identidade de análise vetorial

$$(\boldsymbol{v}\cdot\boldsymbol{\nabla})\boldsymbol{v} = (\boldsymbol{\nabla}\times\boldsymbol{v})\times\boldsymbol{v} + \tfrac{1}{2}\boldsymbol{\nabla}(\boldsymbol{v}\cdot\boldsymbol{v}).$$

Se agora *definirmos* um novo *campo vetorial* $\boldsymbol{\Omega}$ como o rotacional de $\boldsymbol{v}$,

$$\boldsymbol{\Omega} = \boldsymbol{\nabla}\times\boldsymbol{v}, \tag{40.7}$$

a identidade vetorial pode ser escrita como

$$(\boldsymbol{v}\cdot\nabla)\boldsymbol{v} = \boldsymbol{\Omega}\times\boldsymbol{v} + \tfrac{1}{2}\nabla v^2,$$

de modo que a nossa equação de movimento (40.6) torna-se

$$\frac{\partial \boldsymbol{v}}{\partial t} + \boldsymbol{\Omega}\times\boldsymbol{v} + \frac{1}{2}\nabla v^2 = -\frac{\nabla p}{\rho} - \nabla\phi. \tag{40.8}$$

Você pode verificar que as Equações (40.6) e (40.8) são equivalentes se calcular as componentes dos dois lados da equação fazendo uso de (40.7).

O campo vetorial $\boldsymbol{\Omega}$ é chamado de *vorticidade*. Se a vorticidade for zero em toda a parte, dizemos que o escoamento é *irrotacional*. Já definimos, na Seção 3-5, algo que se chamava *circulação* de um campo vetorial. A circulação ao redor de um circuito fechado em um fluido é a integral de linha da velocidade do fluido em um dado instante de tempo ao redor do circuito:

$$(\text{Circulação}) = \oint \boldsymbol{v}\cdot d\boldsymbol{s}.$$

A circulação *por unidade de área* para um circuito infinitesimal será – usando o teorema de Stokes – igual a $\nabla\times\boldsymbol{v}$. Então, a vorticidade $\boldsymbol{\Omega}$ é a circulação ao redor de uma área unitária (perpendicular à direção de $\boldsymbol{\Omega}$). Segue também que, se você colocar uma pequena sujeira – *não* um ponto infinitesimal – em um dado ponto do líquido, ela vai rodar com velocidade $\boldsymbol{\Omega}/2$. Tente demonstrar esse resultado. Você também pode verificar que, para um balde de água girando, $\boldsymbol{\Omega}$ é o dobro da velocidade angular da água.

Se estivermos interessados apenas no campo de velocidades, podemos eliminar a pressão de nossas equações. Tomando o rotacional de ambos os lados da Equação (40.8), lembrando que ρ é constante e que o rotacional de qualquer gradiente é zero, além de usar a Equação (40.3), chegamos à expressão

$$\frac{\partial\boldsymbol{\Omega}}{\partial t} + \nabla\times(\boldsymbol{\Omega}\times\boldsymbol{v}) = 0. \tag{40.9}$$

Esta equação, juntamente a

$$\boldsymbol{\Omega} = \nabla\times\boldsymbol{v} \tag{40.10}$$

e

$$\nabla\cdot\boldsymbol{v} = 0, \tag{40.11}$$

descreve completamente o campo de velocidades $\boldsymbol{v}$. Matematicamente falando, se conhecermos $\boldsymbol{\Omega}$ em algum instante de tempo, então conhecemos o rotacional do vetor velocidade. Também sabemos que sua divergência é zero, de modo que, dada a situação física, temos tudo o que é necessário para determinar $\boldsymbol{v}$ em toda parte. (É como a situação no magnetismo, em que tínhamos $\nabla\cdot\boldsymbol{B} = 0$ e $\nabla\times\boldsymbol{B} = \boldsymbol{j}/\epsilon_0 c^2$.) Portanto, um dado $\boldsymbol{\Omega}$ determina $\boldsymbol{v}$, da mesma maneira que $\boldsymbol{j}$ determina $\boldsymbol{B}$. Assim, sabendo-se $\boldsymbol{v}$, a Equação (40.9) nos diz a taxa de variação de $\boldsymbol{\Omega}$, da qual temos o novo $\boldsymbol{\Omega}$ para o próximo instante. Utilizando (40.10), novamente achamos o novo $\boldsymbol{v}$, e assim por diante. Agora você vê que estas equações contêm todo o maquinário para calcular o escoamento. Note, todavia, que este procedimento nos dá apenas o campo de velocidades; perdemos toda a informação sobre a pressão.

Há uma consequência especial de nossa equação. Se $\boldsymbol{\Omega} = 0$ em toda parte, em um dado instante de tempo t, $\partial\boldsymbol{\Omega}/\partial t$ também se anula, de modo que $\boldsymbol{\Omega}$ também é zero em toda parte no instante $t + \Delta t$. Temos uma solução da equação; o escoamento é permanentemente irrotacional. Se o escoamento começou com rotação zero, ele terá sempre rotação zero. As equações a serem resolvidas serão

$$\nabla\cdot\boldsymbol{v} = 0, \qquad \nabla\times\boldsymbol{v} = 0.$$

São como as equações da eletrostática ou magnetostática no espaço livre. Voltaremos a elas para olhar alguns problemas especiais mais tarde.

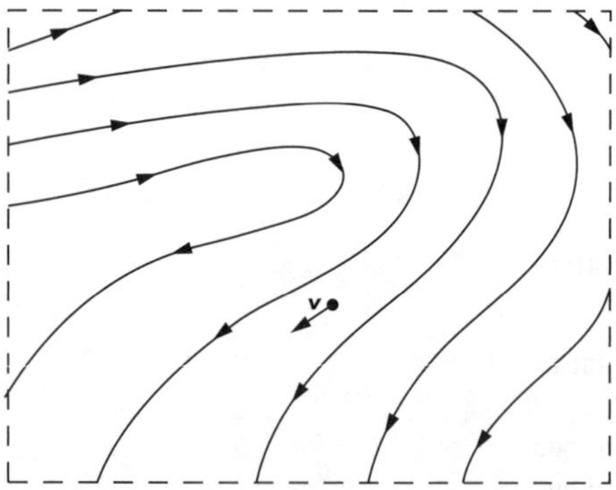

Figura 40–5 Linhas de escoamento em um fluido com fluxo estacionário.

40–3 Escoamento estacionário – teorema de Bernoulli

Agora, queremos voltar à equação de movimento, (40.8), mas nos limitando a situações em que o escoamento é estacionário. Por escoamento estacionário queremos dizer que, em qualquer ponto do fluido, a velocidade nunca muda. O fluido em qualquer ponto é sempre substituído por novo fluido movendo-se exatamente da mesma maneira. Uma fotografia das velocidades resulta sempre a mesma – $\boldsymbol{v}$ é um campo vetorial estático. Do mesmo modo que desenhamos linhas de campo em magnetostática, desenhamos linhas tangentes à velocidade do fluido, como mostrado na Figura 40–5. Estas linhas são chamadas de *linhas de fluxo*. Para o escoamento estacionário, elas são os caminhos reais das partículas do fluido. Se o escoamento não for estacionário, o padrão das linhas de fluxo muda com o tempo e o padrão, em qualquer instante, não representa o caminho de uma partícula do fluido.

Um escoamento estacionário não significa que nada acontece – átomos no fluido estão se movendo e mudando as suas velocidades. Significa apenas que $\partial\boldsymbol{v}/\partial t = 0$. Então, se tomarmos o produto escalar de $\boldsymbol{v}$ com a equação de movimento, o termo $\boldsymbol{v}\cdot(\boldsymbol{\Omega}\times\boldsymbol{v})$ se anula, e ficamos com

$$\boldsymbol{v}\cdot\boldsymbol{\nabla}\left\{\frac{p}{\rho}+\phi+\frac{1}{2}v^2\right\}=0. \tag{40.12}$$

Essa equação diz que, *para um pequeno deslocamento na direção da velocidade do fluido,* a quantidade dentro dos colchetes não muda. Em um escoamento estacionário, os deslocamentos são ao longo das linhas de escoamento, de modo que a Equação (40.12) nos diz que, *para todos os pontos ao longo de uma linha de escoamento,* podemos escrever

$$\frac{p}{\rho}+\frac{1}{2}v^2+\phi=\text{const (linha de escoamento).} \tag{40.13}$$

Este é o *teorema de Bernoulli*. A constante pode, em geral, ser diferente para diferentes linhas de fluxo; tudo que sabemos é que o lado esquerdo da Equação (40.13) é o mesmo ao longo de uma *dada linha de fluxo*. Incidentalmente, notamos que, para um movimento *irrotacional* estacionário no qual $\boldsymbol{\Omega} = 0$, a equação de movimento (40.8) nos dá a relação

$$\boldsymbol{\nabla}\left\{\frac{p}{\rho}+\frac{1}{2}v^2+\phi\right\}=0,$$

de modo que

$$\frac{p}{\rho}+\frac{1}{2}v^2+\phi=\text{const (em todo lugar).} \tag{40.14}$$

Essa é parecida com a Equação (40.13), *exceto* que a constante *agora* tem o *mesmo valor ao longo de todo o fluido*.

O teorema de Bernoulli é, de fato, nada mais que a conservação da energia. Um teorema de conservação como este dá muita informação sobre um escoamento, sem que precisemos resolver as equações em detalhe. O teorema de Bernoulli é tão importante e tão simples que o demonstramos de um modo diferente dos cálculos formais que utilizamos. Imagine um feixe de linhas de fluxo adjacentes que formam um tubo de fluxo, conforme desenhado na Figura 40-6. Como as paredes do tubo consistem em linhas de fluxo, o fluido não escoa através da parede. Chamemos a área em um lado do tubo de A_1, a velocidade do fluido de v_1, a densidade do fluido de ρ_1 e a energia potencial do fluido de ϕ_1. Do outro lado do tubo, temos as quantidades correspondentes A_2, v_2, ρ_2 e ϕ_2. Depois de um curto intervalo de tempo Δt, o fluido em A_1 moveu-se uma distância $v_1\Delta t$ e o fluido em A_2 moveu-se por uma distância $v_2\Delta t$, conforme a Figura 40–6(b). A conservação da *massa* exige que a massa que entra através de A_1 seja igual à massa que sai de A_2. Tais massas dos dois lados devem ser iguais:

$$\Delta M=\rho_1A_1v_1\,\Delta t=\rho_2A_2v_2\,\Delta t.$$

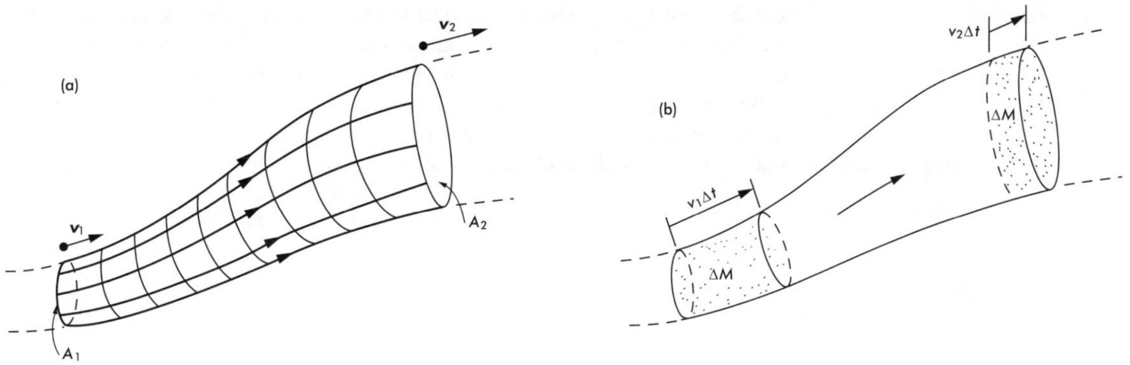

Figura 40–6 Movimento de um fluido em um tubo de escoamento.

Portanto, temos a igualdade

$$\rho_1 A_1 v_1 = \rho_2 A_2 v_2. \tag{40.15}$$

Essa equação nos diz que a velocidade varia inversamente com a área do tubo de fluxo se ρ for constante.

Agora, calculamos o trabalho realizado pela pressão do fluido. O trabalho feito sobre o fluido entrando em A_1 é $p_1A_1v_1\Delta t$, enquanto o trabalho recebido em A_2 é $p_2A_2v_2\Delta t$. O trabalho resultante sobre o fluido entre A_1 e A_2 é, portanto,

$$p_1 A_1 v_1 \,\Delta t - p_2 A_2 v_2 \,\Delta t,$$

que deve ser igual ao aumento de energia da massa ΔM do fluido para ir de A_1 até A_2. Em outras palavras,

$$p_1 A_1 v_1 \,\Delta t - p_2 A_2 v_2 \,\Delta t = \Delta M(E_2 - E_1), \tag{40.16}$$

onde E_1 é a energia por unidade de massa do fluido em A_1 e E_2 é a energia por unidade de massa em A_2. A energia por unidade de massa do fluido pode ser escrita como

$$E = \tfrac{1}{2}v^2 + \phi + U,$$

onde $\frac{1}{2}v^2$ é a energia cinética por unidade de massa, ϕ é a energia potencial por unidade de massa e U é um termo adicional que representa a energia interna por unidade de massa do fluido. A energia interna poderia corresponder, por exemplo, à energia térmica de um fluido compressível ou à energia química. Todas essas quantidades podem variar de ponto a ponto. Usando-se essa forma das energias em (40.16), temos

$$\frac{p_1 A_1 v_1 \,\Delta t}{\Delta M} - \frac{p_2 A_2 v_2 \,\Delta t}{\Delta M} = \frac{1}{2}\,v_2^2 + \phi_2 + U_2 - \frac{1}{2}\,v_1^2 - \phi_1 - U_1.$$

Vimos que $\Delta M = \rho A v\,\Delta t$, portanto,

$$\frac{p_1}{\rho_1} + \frac{1}{2}\,v_1^2 + \phi_1 + U_1 = \frac{p_2}{\rho_2} + \frac{1}{2}\,v_2^2 + \phi_2 + U_2, \tag{40.17}$$

que é o resultado de Bernoulli para o termo adicional da energia interna. Se o fluido for incompressível, o termo de energia interna será o mesmo em ambos os lados, e, novamente, obtemos a Equação (40.14) ao longo de uma linha de escoamento.

Consideremos, agora, alguns exemplos simples nos quais a integral de Bernoulli nos dá a descrição do escoamento. Suponha que temos água fluindo de um furo próximo ao fundo de um tanque, conforme a Figura 40–7. Consideramos a situação em que a velocidade de escoamento v_{esc} no furo é muito maior que a velocidade de escoamento na parte superior do tanque; em outras palavras, imaginamos que o diâmetro do tanque seja tão grande que possamos deprezar uma gota na superfície do líquido (poderíamos, se quiséssemos, fazer um cálculo mais exato). Na superfície do tanque, a pressão é p_0, a pressão atmosférica, e a pressão nos lados do jato também é p_0. Escrevemos a equação de Bernoulli conforme a figura. Na superfície do tanque, tomamos v igual a zero, e escolhemos o potencial gravitacional ϕ como sendo zero nesse ponto. Na saída, a velocidade será v_{esc} e $\phi = -gh$, de modo que

$$p_0 = p_0 + \tfrac{1}{2}\rho v_{\text{esc}}^2 - \rho g h,$$

ou

$$v_{\text{esc}} = \sqrt{2gh}. \tag{40.18}$$

Essa velocidade é exatamente a que teríamos para uma queda da altura h. Isso não surpreende pois a água, na saída, ganha energia cinética às custas da energia potencial da água na superfície. Não pense que você pode saber a taxa de escoamento do fluido na saída multiplicando essa velocidade pela área do furo. As velocidades do fluido, conforme o jato sai do furo, não são paralelas e têm componentes em direção ao centro do jato que é convergente. Depois que o jato se afasta um pouco do furo, as velocidades tornam-se paralelas. Então, o escoamento total é igual à velocidade vezes a área *naquele ponto*. De fato, se tivermos uma abertura para descarga que seja simplesmente um buraco redondo com um lado bem definido, o jato contrai a área do furo para 62%. A área efetiva reduzida da descarga varia para diferentes formas dos tubos de descarga, e contrações experimentais estão disponíveis em tabelas de *coeficientes de fluxo*.

Se o tubo de descarga estiver reentrando, conforme a Figura 40–8, é possível mostrar elegantemente que o coeficiente de fluxo é exatamente 50%. Vamos dar uma indicação de como provar esse fato. Usamos a conservação da energia para obter a velocidade, Equação (40.18), mas ainda temos de considerar a conservação do momento. Como há uma saída de momento no jato de descarga, deve haver uma força aplicada sobre a seção reta do tubo de descarga. De onde vem a força correspondente? A força deve vir da pressão das paredes. Se o furo de escoamento for pequeno e distante das paredes, a velocidade do fluido perto das paredes do tanque será pequena. Portanto, a pressão sobre qualquer face é quase a mesma que a pressão estática em um fluido em repouso – Equação (40.14). Então, a pressão estática em qualquer ponto em um lado do tanque deve equivaler à pressão em um ponto da parede oposta, *exceto* nos pontos em que a parede se opõe ao tubo de descarga. Se calcularmos o momento que sai através do jato por essa pressão, podemos mostrar que o coeficiente de fluxo é 1/2. Não podemos usar esse método para um buraco de descarga como o mostrado na Figura 40–7, pois o aumento da velocidade

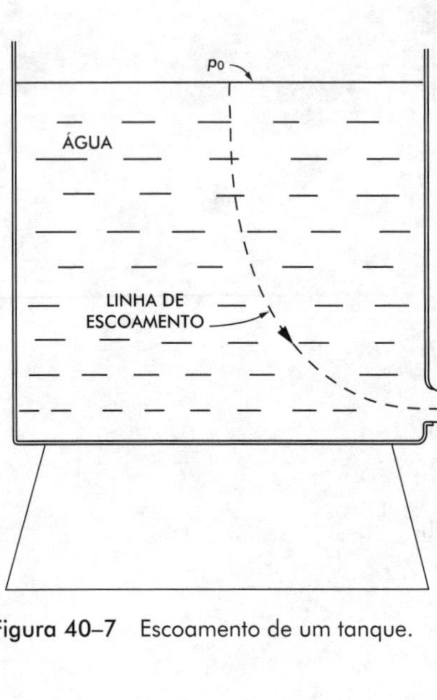

Figura 40–7 Escoamento de um tanque.

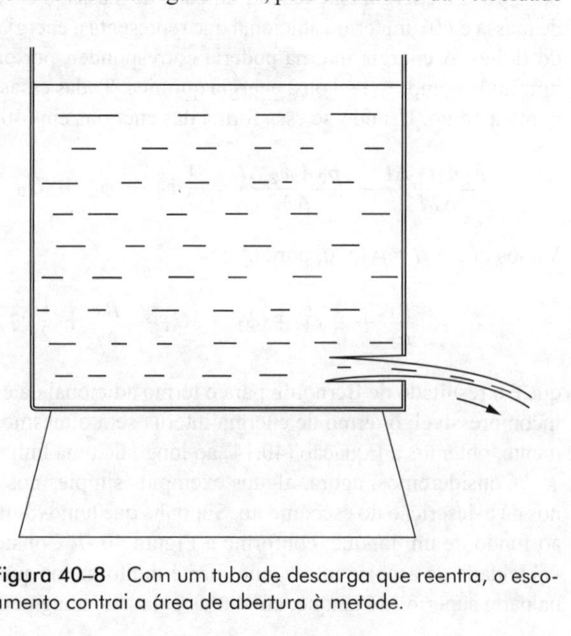

Figura 40–8 Com um tubo de descarga que reentra, o escoamento contrai a área de abertura à metade.

ao longo da parede perto da área de descarga dá uma queda de pressão que não somos capazes de calcular.

Olhemos outro exemplo – um cano horizontal de seção reta variável, como mostrado na Figura 40–9, com água fluindo de um lado e de outro. A conservação de energia, ou seja, a fórmula de Bernoulli, nos diz que a pressão é menor quando a área é reduzida onde a velocidade é maior. Podemos demonstrar esse efeito medindo a pressão em diferentes seções retas com pequenas colunas de água anexadas ao tubo de escoamento através de buracos pequenos o suficiente para não perturbar o escoamento. A pressão é medida pela altura da água nas colunas verticais. A pressão é menor quando a área for menor. Se a área voltar a crescer, a pressão também crescerá. A fórmula de Bernoulli prediz que a pressão será novamente igual à anterior, igual à pressão na região de igual área, o que, de fato, não se verifica. A pressão não chega ao valor anterior. A razão é que desprezamos o atrito devido às forças viscosas responsáveis pela diminuição de pressão ao longo do tubo. Apesar dessa queda de pressão, esta ainda é menor na região de menor área (como consequência do aumento da velocidade), conforme previsto por Bernoulli. A velocidade v_2 certamente excede a velocidade v_1, de modo que temos a mesma velocidade de água no tubo mais estreito. Desse modo, a água acelera indo da parte mais larga à mais estreita. A força que causa essa aceleração vem da queda de pressão.

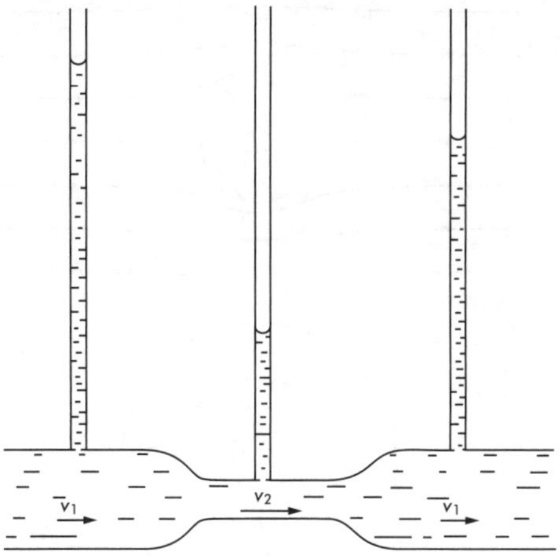

Figura 40–9 A pressão é mínima quando a velocidade for máxima.

Podemos verificar nosso resultado com uma demonstração simples. Suponha que tenhamos um tanque com um tubo de descarga que ejeta água para cima, como na Figura 40–10. Se a velocidade de fluxo fosse exatamente $\sqrt{2gh}$, a água deveria subir até a altura da superfície do tanque. Experimentalmente, ela vai um pouco menos. Nossa previsão é aproximadamente correta, mas forças viscosas não foram incluídas em nossas fórmulas, e não pudemos considerar a correspondente perda de energia.

Algum dia, você tentou separar duas folhas de papel assoprando-as? Tente! Elas se *aproximarão*. A razão é que o ar, através do espaço restrito entre as folhas, tem maior velocidade. A pressão entre as folhas será, portanto, *menor* que a pressão atmosférica, de modo que os papéis se juntam ao invés de separarem-se.

40–4 Circulação

Vimos, no começo da última seção, que se tivermos um fluido incompressível sem circulação, o escoamento satisfaz às seguintes equações:

$$\nabla \cdot v = 0, \qquad \nabla \times v = 0. \tag{40.19}$$

Elas equivalem às equações da eletrostática ou magnetostática no espaço vazio. A divergência do campo elétrico é zero quando não há cargas e o rotacional do campo elétrico é sempre zero. O rotacional do campo magnético é zero na ausência de correntes, e seu divergente é sempre nulo. Portanto, as Equações (40.19) têm as mesmas soluções que as equações para $\boldsymbol{E}$ na eletrostática e $\boldsymbol{B}$ na magnetostática. De fato, já resolvemos o problema do escoamento de um fluido através de uma esfera como um análogo eletrostático na Seção 12–5. O análogo eletrostático é o campo elétrico somado ao campo de um dipolo. O campo de dipolo é ajustado de tal maneira que a velocidade de escoamento normal à superfície da esfera seja nula. O mesmo problema para o escoamento através de um cilindro pode ser trabalhado de modo análogo, usando uma linha dipolar somada a um escoamento uniforme. Essa solução vale para uma situação na qual a velocidade do fluido a grandes distâncias for constante – em magnitude e direção. A solução está delineada na Figura 40–11(a).

Há outra solução para o escoamento através de um cilindro, quando as condições forem tais que o fluido se move em círculo a grandes distâncias, ao redor do cilindro. Temos uma circulação ao redor do cilindro, apesar do fato de o rotacional da velocidade $\nabla \times v$ ser nulo *no fluido*. Como se pode ter circulação sem rotacional? Temos uma circulação ao redor do cilindro porque

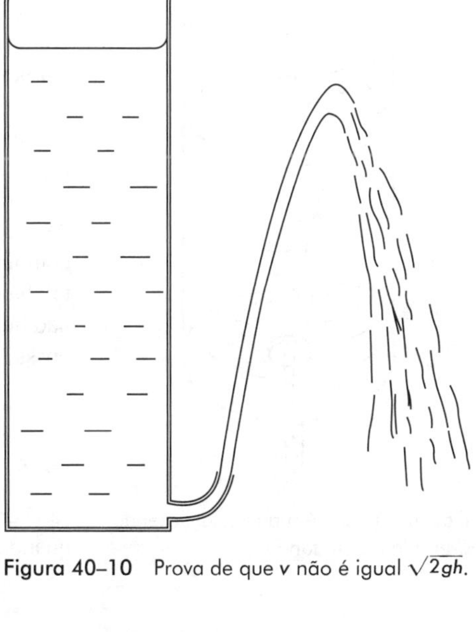

Figura 40–10 Prova de que v não é igual $\sqrt{2gh}$.

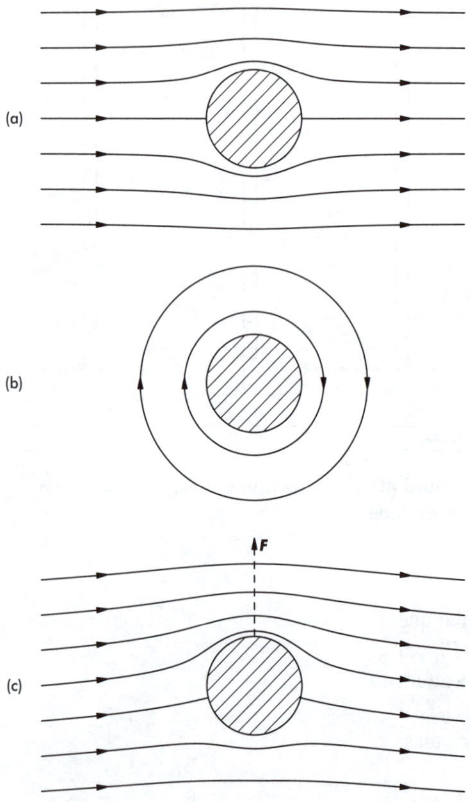

Figura 40–11 (a) Escoamento de um fluido ideal por um cilindro; (b) circulação ao redor de um cilindro; (c) superposição de (a) e (b).

a integral de linha de v, ao redor do cilindro, não é zero. Ao mesmo tempo, se a integral de linha não contornar o cilindro, o resultado será nulo. Vimos o mesmo fenômeno para o campo magnético ao redor de um fio. Para um caminho circular cujo centro é o centro do cilindro, a integral da velocidade é

$$\oint v \cdot ds = 2\pi r v.$$

Para escoamento irrotacional, a integral deve ser independente de r. Digamos que a constante seja C, nesse caso temos

$$v = \frac{C}{2\pi r}, \tag{40.20}$$

onde v é a velocidade tangencial e r é a distância do eixo.

Há uma bela demonstração de um fluido circulando ao redor de um furo. Tome um tanque cilíndrico transparente com um dreno no centro do fundo. Encha de água, mexa circularmente com um palito e retire o fecho do dreno. O efeito está desenhado na Figura 40–12 (você já viu este efeito em uma banheira!). Apesar de você ter colocado alguma rotação ω no início, ela logo morre por causa da viscosidade, e o escoamento se torna irrotacional – apesar de ainda haver alguma circulação ao redor do furo.

Da teoria, podemos calcular a forma da superfície interna da água. Conforme uma partícula de água se move para dentro, ela se acelera. Da Equação (40.20), a velocidade tangencial decai como $1/r$ – equivalente à conservação do momento angular, como no caso de um patinador encolhendo os braços. A velocidade radial também se comporta como $1/r$. Ignorando o movimento tangencial, temos a água indo radialmente para dentro em direção ao furo; de $\nabla \cdot v = 0$, temos que a velocidade radial é proporcional a $1/r$. Assim, a velocidade total se comporta também como $1/r$, e a água segue ao longo de espirais de Arquimedes. A superfície da água está à pressão atmosférica, de modo que, de (40.14), temos que

$$gz + \tfrac{1}{2}v^2 = \text{const.}$$

No entanto, v é proporcional a $1/r$, de modo que a forma da superfície é

$$(z - z_0) = \frac{k}{r^2}.$$

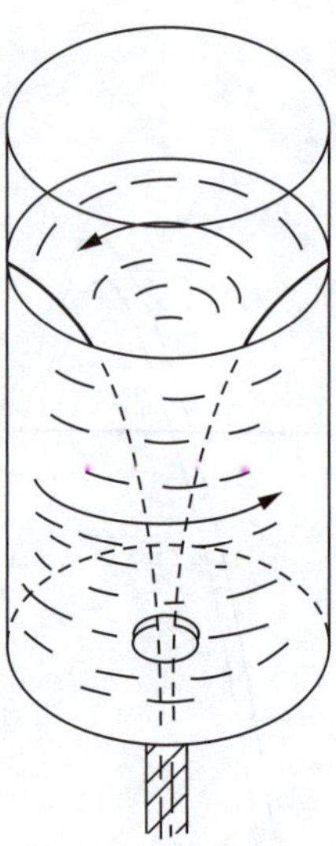
Figura 40–12 Água circulante sendo drenada de um tanque.

Um ponto interessante – que *nem sempre é verdade*, mas o é para um fluido incompressível e escoamento irrotacional – é que, se tivermos duas soluções, a soma também será uma solução. Isso se deve ao fato de que as Equações (40.19) são lineares. As equações completas da hidrodinâmica, (40.9), (40.10) e (40.11), não são lineares, o que é uma enorme diferença. Para escoamento irrotacional ao redor de um cilindro, podemos superpor o escoamento da Figura 40–11(a) ao da Figura 40–11(b), para obter o padrão mostrado em 40–11(c). Tal escoamento é de interesse especial. A velocidade de escoamento é maior no lado de cima do cilindro que na lateral. Então, temos uma combinação de uma circulação ao redor do cilindro *e* um escoamento resultante horizontal; há uma *força vertical* resultante no cilindro – uma *força de empuxo*. É claro que, se não houver circulação, não haverá força resultante em qualquer corpo, de acordo com nossa teoria de água "seca".

40–5 Linhas de vórtice

Já escrevemos as equações gerais para o escoamento de um líquido incompressível quando houver vorticidade. São elas

$$\text{I.} \quad \nabla \cdot v = 0,$$

$$\text{II.} \quad \boldsymbol{\Omega} = \nabla \times v,$$

$$\text{III.} \quad \frac{\partial \boldsymbol{\Omega}}{\partial t} + \nabla \times (\boldsymbol{\Omega} \times v) = 0.$$

O conteúdo físico dessas equações foi descrito por Helmholtz em termos de três teoremas. Primeiro, imagine que no fluido tivéssemos de desenhar *linhas de vórtices* ao invés de linhas de fluxo. Linhas de vórtice têm o significado de linhas de campo que têm a direção de $\boldsymbol{\Omega}$ e sua densidade, em uma região qualquer, é proporcional à magnitude de $\boldsymbol{\Omega}$. De II, a divergência de $\boldsymbol{\Omega}$ é *sempre* nula (lembre-se, da Seção 3–7, de que a divergência do rotacional sempre se anula). Portanto, linhas de vórtice são como linhas de $\boldsymbol{B}$ – elas nunca têm uma origem ou um final e sempre tendem a formar linhas fechadas. Helmholtz descreveu a relação III em palavras por meio da seguinte afirmação: as linhas de vórtice *movem-se com o fluido*. Isso significa que, se você tiver de marcar as partículas do fluido ao longo de algumas linhas de vórtice, por exemplo colorindo-as com alguma tinta, então, conforme o fluido se move e carrega tais partículas, elas vão sempre marcar as novas posições das linhas de vórtice. Qualquer que seja a maneira com que os átomos do líquido se movem, as linhas de vórtice movem-se com eles. Essa é uma maneira de se descrever as leis.

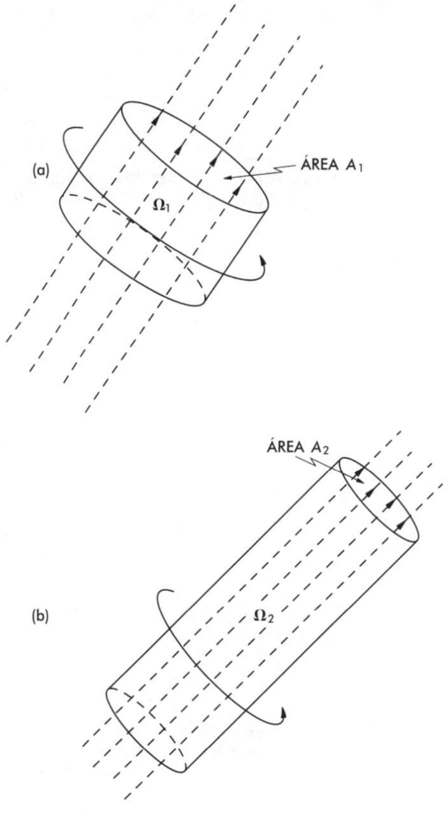

Figura 40–13 (a) Um grupo de linhas de vórtice em t; (b) as mesmas linhas mais tardiamente no tempo t'.

Isso também sugere um método de resolução de problemas. Dado o padrão inicial, digamos $\boldsymbol{v}$ por toda parte, podemos calcular $\boldsymbol{\Omega}$. De $\boldsymbol{v}$, pode-se também dizer aonde as linhas de vórtice estão se encaminhando e onde estarão um pouco mais tarde – elas se movem com velocidade $\boldsymbol{v}$. Com os novos valores de $\boldsymbol{\Omega}$, você pode utilizar I e II para achar os novos valores de $\boldsymbol{v}$ (é como o problema de se encontrar o campo magnético $\boldsymbol{B}$ dadas as correntes). Se conhecermos o padrão de escoamento em um instante, podemos, em princípio, calculá-lo em qualquer tempo subsequente. Temos a solução geral para um fluido não viscoso.

Gostaríamos de mostrar como a afirmação de Helmholtz – e portanto III – pode ser compreendida, ao menos parcialmente. É somente a lei de conservação do momento angular aplicada ao fluido. Suponha um pequeno cilindro do líquido cujo eixo é paralelo às linhas de vórtice, como na Figura 40–13(a). Algum tempo depois, esta *mesma* quantidade de fluido estará em outra parte. Genericamente, essa quantidade vai ocupar um cilindro com tamanho diferente e estará em um lugar diferente. Ela pode também ter uma orientação diferente, como na Figura 40–13(b). Se, contudo, o diâmetro diminuir como mostrado na Fig. 40-13, o comprimento terá de se alongar para manter o volume constante (já que supomos que o fluido seja incompressível). Como a linhas de vórtice estão amarradas com o material, sua densidade aumentará conforme a área da seção reta diminuir. O produto da vorticidade $\boldsymbol{\Omega}$ pela área A deverá manter-se constante, de modo que, de acordo com Helmholtz, devemos ter

$$\Omega_2 A_2 = \Omega_1 A_1. \tag{40.21}$$

Note que, com viscosidade nula, todas as forças na superfície do volume cilíndrico (de fato, *qualquer* volume) são perpendiculares à superfície. As forças de pressão podem fazer o volume se mover de um lugar para outro, ou causar uma mudança de forma; mas, sem forças *tangenciais*, a magnitude do *momento angular do material interno* não pode mudar. O momento angular do líquido no pequeno cilindro é seu momento de inércia I vezes a velocidade angular do líquido, que é proporcional à vorticidade Ω. Para um cilindro, o momento de inércia é proporcional a mr^2. Portanto, da conservação de momento angular, concluímos que

$$(M_1 R_1^2)\Omega_1 = (M_2 R_2^2)\Omega_2.$$

A massa é a mesma, $M_1 = M_2$, e as áreas são proporcionais a R^2, de modo que obtemos, simplesmente, a Equação (40.21). A afirmação de Helmholtz – que é equivalente a III – é consequência do fato de que, na ausência de viscosidade, o momento angular de um elemento do fluido não pode mudar.

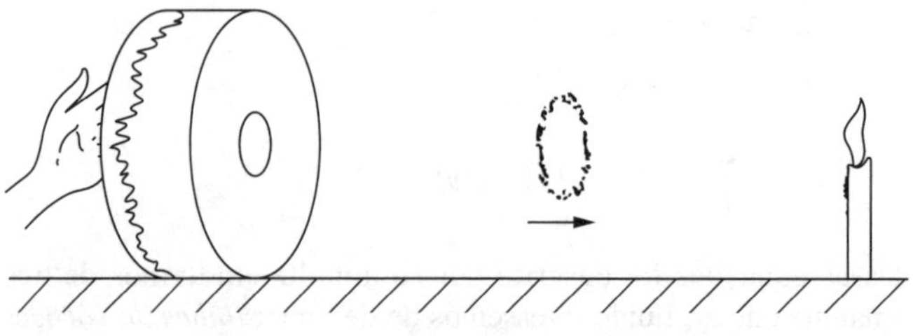

Figura 40–14 Fazendo um anel de vórtice viajante.

Há uma bela demonstração de vórtice movendo-se feita com um aparato simples, mostrada na Figura 40–14. É um "tambor" com 60 cm de diâmetro e 60 cm de comprimento, fabricado esticando-se uma folha grossa de borracha na abertura de uma "caixa" cilíndrica. O "fundo" é sólido, exceto por um buraco de 8 cm de diâmetro. Se você der um tapa com a mão no diafragma de borracha, um anel de vórtice é projetado do buraco. Embora o vórtice seja invisível, você pode saber que ele está lá porque ele assoprará uma vela 3 a 6 m distante. Pelo atraso do efeito, você pode dizer que "alguma coisa" está viajando com velocidade finita. Você pode ver melhor o que está acontecendo se colocar alguma fumaça na caixa. Você verá o vórtice como um belo anel redondo de fumaça.

O anel de fumaça é um feixe de linhas de vórtice em forma de toro, conforme mostrado na Figura 40–15(a). Como $\boldsymbol{\Omega} = \boldsymbol{\nabla} \times \boldsymbol{v}$, essas linhas de vórtice representam também uma circulação de $\boldsymbol{v}$, conforme a parte (b) da Figura. Podemos compreender o movimento do anel da seguinte maneira: a velocidade que circula ao redor do fundo do anel estende-se até a parte de cima, onde o anel tem um movimento para a frente. Como as linhas de $\boldsymbol{\Omega}$ movem-se com o fluido, elas também se movem adiante com velocidade $\boldsymbol{v}$ (a circulação de $\boldsymbol{v}$ ao redor da parte de cima do anel é responsável pelo movimento adiante das linhas de vórtice no fundo).

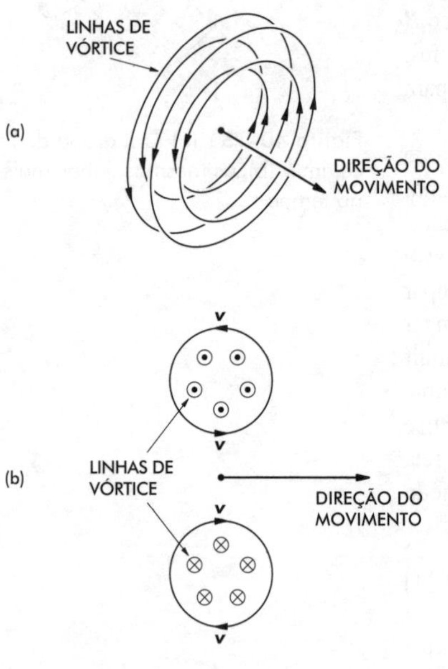

Figura 40–15 Um anel de vórtice que se move (anel de fumaça). (a) As linhas de vórtice; (b) seção reta do anel.

Agora, mencionamos uma séria dificuldade. Já notamos que a Equação (40.9) nos diz que, se $\boldsymbol{\Omega}$ for inicialmente nula, ela sempre o será. Esse resultado é uma grande falha da teoria da água "seca", pois significa que, uma vez que $\boldsymbol{\Omega}$ seja zero, ela será *sempre* nula – é impossível *produzir* qualquer vorticidade sob qualquer circunstância. Ainda assim, em nossa demonstração simples com o tambor, pudemos gerar um anel de vórtice começando com o anel em repouso – certamente $\boldsymbol{v} = 0$, $\boldsymbol{\Omega} = 0$ em todo lugar na caixa antes de batermos. Também sabemos que podemos gerar alguma vorticidade em um lago com um remo. Claramente, precisamos formular a teoria da água "molhada" para termos uma compreensão completa do comportamento de um fluido.

Outra característica incorreta da teoria da água seca é a suposição, que fizemos, concernente ao escoamento na fronteira com a superfície de um sólido. Quando discutimos o escoamento por um cilindro, como na Figura 40–11, permitimos que o fluido escorregasse ao longo da superfície do sólido. Em nossa teoria, a velocidade na superfície do sólido poderia ter qualquer valor, dependendo de como ela começou, e não consideramos nenhum atrito entre o fluido e o sólido. É um fato experimental que a velocidade de um fluido real sempre vai a zero na superfície de um objeto sólido. Portanto, nossa solução para o cilindro, com ou sem circulação, está errada – assim como nosso resultado relacionado com a geração de vorticidade. Vamos falar mais sobre as teorias mais corretas no próximo capítulo.

41

O Escoamento da Água Molhada

41–1 Viscosidade

No capítulo anterior, discutimos o comportamento da água, desprezando o fenômeno da viscosidade. Gostaríamos, agora, de discutir os fenômenos de escoamento de fluidos, *incluindo* os efeitos da viscosidade. Queremos estudar o *comportamento real* dos fluidos. Vamos descrever qualitativamente o comportamento dos fluidos sob várias circunstâncias, de modo que você possa sentir um pouco a matéria. Apesar de você ver equações complicadas e ouvir coisas complicadas, não é nosso propósito que você aprenda tais questões. Em algum sentido, este é um capítulo "cultural", que lhe dará uma ideia do modo como o mundo se comporta. Há apenas um item que vale a pena aprender, é a definição de viscosidade que veremos em seguida. O resto é para sua diversão.

No último capítulo, encontramos que as leis de movimento de um fluido estão contidas na equação

$$\frac{\partial \boldsymbol{v}}{\partial t} + (\boldsymbol{v}\cdot\boldsymbol{\nabla})\boldsymbol{v} = -\frac{\boldsymbol{\nabla}p}{\rho} - \boldsymbol{\nabla}\phi + \frac{\boldsymbol{f}_{\text{visc}}}{\rho}. \tag{41.1}$$

Em nossa aproximação de água "seca", abandonamos o último termo, de modo que desprezamos todos os efeitos viscosos. Algumas vezes, também fizemos uma aproximação adicional, admitindo que o fluido fosse incompressível; neste caso, tínhamos a equação adicional

$$\boldsymbol{\nabla}\cdot\boldsymbol{v} = 0.$$

Essa aproximação é frequentemente muito boa – particularmente quando as velocidades de escoamento forem muito menores que a velocidade do som. Contudo, em fluidos reais, quase nunca é verdade que podemos desprezar os atritos internos, que chamamos de viscosidade; a maior parte das coisas interessantes acontece por causa da viscosidade, de um modo ou de outro. Vimos, por exemplo, que em água "seca" a circulação nunca muda – se não houver circulação no início, nenhuma circulação jamais se criará. Ainda assim, circulação em fluidos é um lugar comum. Devemos consertar nossa teoria.

Começamos por um fato experimental. Quando obtivemos o escoamento da água seca ao redor de um cilindro – o chamado "escoamento potencial" –, não tivemos qualquer razão para não permitir que a água tivesse uma velocidade tangencial à superfície; só a componente normal tinha de ser nula. Não levamos em conta a possibilidade de que pudesse haver uma força de cisalhamento entre o líquido e o sólido. O que acontece – embora não seja evidente – é que, em todas as circunstâncias em que se pode verificar experimentalmente, a *velocidade do fluido é exatamente zero na superfície de um sólido.* Você já deve ter visto que a lâmina de um ventilador movendo-se a grande velocidade através do ar tem, geralmente, uma fina camada de pó – que ainda está lá mesmo que o ventilador esteja revolvendo uma grande quantidade de ar. Você deve ter visto o mesmo fenômeno em um grande ventilador em um túnel de vento. Por que a poeira não é varrida pelo vento? Apesar de a hélice do ventilador estar se movendo rapidamente através do ar, a velocidade relativa do ar em relação à hélice vai a zero na superfície. Assim, as pequenas partículas não são perturbadas[1]. Devemos modificar a teoria para que possamos nos conformar ao fato experimental que prevê que, em todos os fluidos normais, as moléculas perto de uma superfície sólida têm velocidade nula (em relação à superfície)[2].

---

[1] Você *pode* assoprar *grandes* partículas de uma mesa, mas *não* as partículas mais finas. As maiores vão com o vento.

[2] Você pode imaginar circunstâncias em que isso não é verdade: vidro é, teoricamente, um "líquido", mas ele certamente pode deslizar ao longo de uma superfície metálica. Assim, nossa assertiva deve estar errada em algum ponto.

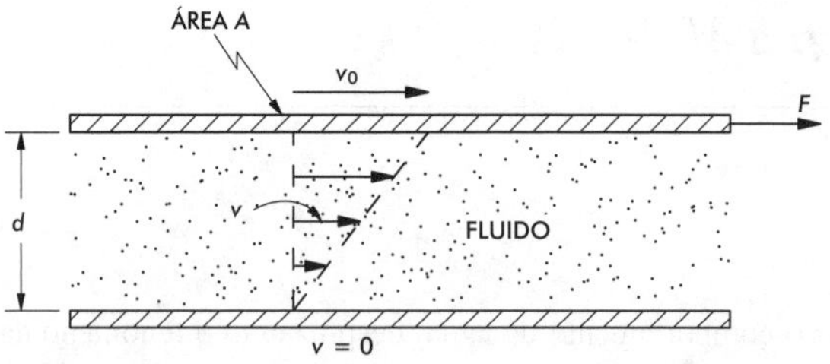

Figura 41–1 Arrasto viscoso entre duas placas paralelas.

Originalmente, caracterizamos um líquido pelo fato de não haver tensão de cisalhamento sobre ele, não importando quão pequena. Ele escoa. Em situações estáticas, não há cisalhamento. Contudo, antes do equilíbrio ser alcançado – enquanto se empurra –, pode haver tais forças. A *viscosidade* descreve estas forças que existem em um líquido em movimento. Para se ter uma medida das forças de cisalhamento durante o movimento de um fluido, consideramos o seguinte experimento. Suponha que tenhamos duas superfícies planas com água entre elas, conforme a Figura 41–1, e mantenhamos uma estacionária enquanto movemos a outra paralelamente à primeira com velocidade v_0. Se você medir a força necessária para manter o plano superior em movimento, achará que ela é proporcional à área das placas e a v_0/d, onde d é a distância entre as placas. Portanto, a força de cisalhamento F/A é proporcional a v_0/d,

$$\frac{F}{A} = \eta \frac{v_0}{d}.$$

A constante de proporcionalidade η é chamada de *coeficiente de viscosidade*.

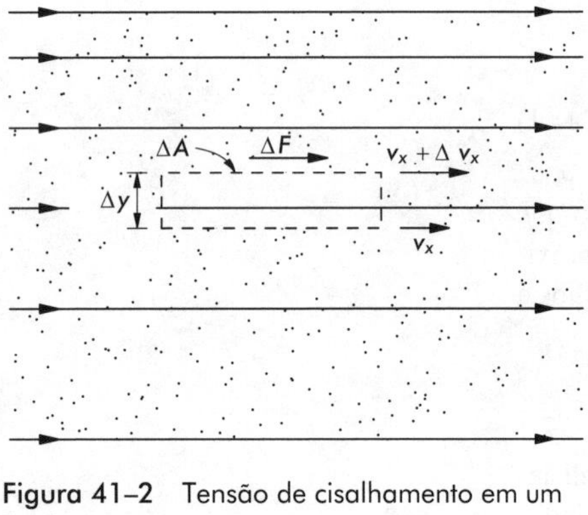

Figura 41–2 Tensão de cisalhamento em um fluido viscoso.

Se tivermos uma situação mais complicada, podemos sempre considerar uma pequena célula retangular, chata, na água, com faces paralelas ao escoamento, como na Figura 41–2. A força de cisalhamento, nesta célula, é dada por

$$\frac{\Delta F}{\Delta A} = \eta \frac{\Delta v_x}{\Delta y} = \eta \frac{\partial v_x}{\partial y}. \tag{41.2}$$

Agora, $\partial v_x/\partial y$ é a *taxa de variação* da deformação de cisalhamento que definimos no Capítulo 39, de modo que, para um líquido, a tensão de cisalhamento é proporcional *à taxa de variação* da deformação de cisalhamento.

Em geral, escrevemos

$$S_{xy} = \eta \left(\frac{\partial v_y}{\partial x} + \frac{\partial v_x}{\partial y} \right). \tag{41.3}$$

Se houver uma rotação uniforme do fluido, $\partial v_x/\partial y$ é o negativo de $\partial v_y/\partial x$, e S_{xy} será nulo – como deveria, já que não há tensões em um fluido uniforme em rotação (fizemos algo parecido ao definir e_{xy} no Capítulo 39). Há expressões correspondentes para S_{yz} e para S_{zx}.

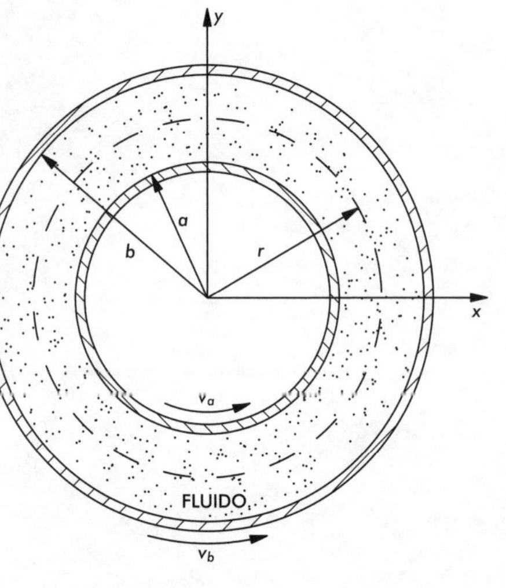

Figura 41–3 O escoamento de um fluido entre dois cilindros concêntricos com rotação a diferentes velocidades angulares.

Como exemplo da aplicação dessas ideias, consideremos o movimento de um fluido entre dois cilindros coaxiais. Sejam o cilindro interno de raio a com velocidade v_a e o externo de raio b e velocidade v_b. Veja a Figura 41–3. Poderíamos perguntar qual a distribuição de velocidades no interior dos cilindros. Para responder a essa pergunta, começamos achando uma fórmula para o cisalhamento viscoso em um fluido a uma distância r do eixo. Da simetria do problema, podemos supor que o escoamento seja tangencial e sua magnitude dependa só de r; $v = v(r)$. Se olharmos um objeto no raio r, suas coordenadas em função do tempo são

$$x = r \cos \omega t, \qquad y = r \operatorname{sen} \omega t,$$

onde $\omega = v/r$. Então, as componentes x e y da velocidade são

$$v_x = -r\omega \operatorname{sen} \omega t = -\omega y \quad \text{e} \quad v_y = r\omega \cos \omega t = \omega x. \tag{41.4}$$

Da Equação (41.3), temos

$$S_{xy} = \eta\left[\frac{\partial}{\partial x}(x\omega) - \frac{\partial}{\partial y}(y\omega)\right] = \eta\left[x\frac{\partial\omega}{\partial x} - y\frac{\partial\omega}{\partial y}\right]. \tag{41.5}$$

Para um ponto em $y = 0$, $\partial\omega/\partial y = 0$ e $x\,\partial\omega/\partial x$ será o mesmo que $r\,d\omega/dr$. Portanto, naquele ponto,

$$(S_{xy})_{y=0} = \eta r\frac{d\omega}{dr}. \tag{41.6}$$

(É razoável que S dependa apenas de $\partial\omega/\partial r$; então não há mudança em ω com r, o líquido está em movimento uniforme de rotação e não há tensão.)

A tensão que calculamos é o cisalhamento tangencial, sempre o mesmo ao redor do cilindro. Podemos obter o *torque* agindo *em uma superfície cilíndrica* em um raio r, multiplicando a tensão de cisalhamento pelo braço do momento r e pela área $2\pi rl$, onde l é o comprimento do cilindro. Obtemos

$$\tau = 2\pi r^2 l(S_{xy})_{y=0} = 2\pi\eta l r^3\frac{d\omega}{dr}. \tag{41.7}$$

Como o movimento da água é estacionário – não há aceleração angular – o torque resultante sobre uma concha cilíndrica de água entre r e $r + dr$ deve se anular; assim, o torque em r deve contrabalançar um torque igual e oposto em $r + dr$, de modo que τ deve ser independente de r. Em outras palavras, $r^3\,d\omega/dr$ é igual a alguma constante, digamos A, e

$$\frac{d\omega}{dr} = \frac{A}{r^3}. \tag{41.8}$$

Integrando, achamos que ω varia com r como

$$\omega = -\frac{A}{2r^2} + B. \tag{41.9}$$

As constantes A e B devem ser determinadas para que as condições $\omega = \omega_a$ valham em $r = a$ e $\omega = \omega_b$ valha em $r = b$. Concluímos que

$$A = \frac{2a^2b^2}{b^2 - a^2}(\omega_b - \omega_a),$$
$$B = \frac{b^2\omega_b - a^2\omega_a}{b^2 - a^2}. \tag{41.10}$$

Assim, sabemos que ω é uma função de r, portanto $v = \omega r$.

Se quisermos o torque, obtemos, das Equações (41.7) e (41.8):

$$\tau = 2\pi\eta l A$$

ou

$$\tau = \frac{4\pi\eta l a^2b^2}{b^2 - a^2}(\omega_b - \omega_a). \tag{41.11}$$

O torque é proporcional ao momento angular relativo dos cilindros. Um aparato padrão para a medida dos coeficientes de viscosidade é construído da seguinte maneira. Um cilindro – digamos o externo – está sobre pivôs, mas é mantido estacionário por uma balança de molas que mede o torque sobre ele; enquanto o interno gira a velocidade angular constante. O coeficiente de viscosidade será determinado por (41.11).

Dessa definição, você pode ver que as unidades de η são newton·s/m². Para a água a 20ºC,

$$\eta = 10^{-3}\ \text{newton·s/m}^2.$$

Habitualmente é útil usar a *viscosidade específica*, dada por η dividido pela densidade ρ. Os valores para a água e para o ar são comparáveis,

$$\begin{aligned} \text{água a } 20^\circ \text{ C}, \quad \eta/\rho &= 10^{-6}\ \text{m}^2/\text{s}, \\ \text{ar a } 20^\circ \text{ C}, \quad \eta/\rho &= 15 \times 10^{-6}\ \text{m}^2/\text{s}. \end{aligned} \tag{41.12}$$

De modo geral, viscosidades dependem fortemente da temperatura. Por exemplo, para água acima do ponto de resfriamento, η/ρ é 1,8 vez maior que a 20ºC.

41–2 Escoamento viscoso

Vamos agora à teoria geral do fluxo viscoso – pelo menos da forma mais conhecida. Já compreendemos que as componentes da tensão de cisalhamento são proporcionais às derivadas temporais das várias componentes da velocidade, como $\partial v_x/\partial y$ ou $\partial v_y/\partial x$. Todavia, no caso geral de fluidos *compressíveis,* há um outro termo na tensão que depende de outras derivadas da velocidade. A expressão geral é

$$S_{ij} = \eta\left(\frac{\partial v_i}{\partial x_j} + \frac{\partial v_j}{\partial x_i}\right) + \eta'\,\delta_{ij}(\nabla \cdot \boldsymbol{v}), \tag{41.13}$$

onde x_i é qualquer das coordenadas retangulares x, y ou z, e v_i é qualquer das coordenadas retangulares da velocidade (o símbolo δ_{ij} é o delta de Kronecker, que é igual a 1 se $i = j$ e 0 se $i \neq j$). O termo adicional soma $\eta'\nabla \cdot \boldsymbol{v}$ a todos os elementos diagonais S_{ii} do tensor de tensões. Se o líquido for incompressível, então $\nabla \cdot \boldsymbol{v} = 0$ e o termo extra desaparece. Portanto, ele está relacionado a forças internas durante a compressão. Desse modo, duas constantes são necessárias para descrever o líquido, assim como necessitamos de duas constantes para descrever um sólido elástico homogêneo. O coeficiente η é o coeficiente "ordinário" de viscosidade que já encontramos. Ele também é chamado de *primeiro coeficiente de viscosidade*, ou "coeficiente de viscosidade de cisalhamento", e o novo coeficiente η' é chamado de *segundo coeficiente de viscosidade*.

Vamos agora determinar a força viscosa por unidade de volume $\boldsymbol{f}_{\text{visc}}$, de modo a colocá-la na Equação (41.1), para termos a equação de movimento de um fluido real. A força sobre um pequeno elemento de volume cúbico de um fluido é a resultante de forças sobre todas as seis faces. Tomando-se duas faces de cada vez, teremos diferenças que dependem das derivadas das tensões e, portanto, das segundas derivadas da velocidade. Isso é bom porque teremos novamente uma equação vetorial. A componente da força viscosa por unidade de volume na direção da coordenada retangular x_i é

$$\begin{aligned} (f_{\text{visc}})_i &= \sum_{j=1}^{3} \frac{\partial S_{ij}}{\partial x_j} \\ &= \sum_{j=1}^{3} \frac{\partial}{\partial x_j}\left\{\eta\left(\frac{\partial v_i}{\partial x_j} + \frac{\partial v_j}{\partial x_i}\right)\right\} + \frac{\partial}{\partial x_i}\,(\eta'\nabla \cdot \boldsymbol{v}). \end{aligned} \tag{41.14}$$

Em geral, a variação dos coeficientes de viscosidade com a posição não é significativa e pode ser desprezada. Então, a força viscosa contém apenas segundas derivadas da velocidade. Vimos, no Capítulo 39, que a forma mais geral das segundas derivadas, que podem ocorrer em uma equação vetorial, é a soma de um termo com Laplaciano ($\nabla \cdot \nabla \boldsymbol{v} = \nabla^2 \boldsymbol{v}$) e um termo com o gradiente do divergente ($\nabla(\nabla \cdot \boldsymbol{v})$). A Equação (41.14) é simplesmente tal soma com coeficientes η e $(\eta + \eta')$. Obtemos

$$\boldsymbol{f}_{\text{visc}} = \eta\,\nabla^2\boldsymbol{v} + (\eta + \eta')\,\nabla(\nabla \cdot \boldsymbol{v}). \tag{41.15}$$

No caso incompressível, $\nabla \cdot \boldsymbol{v} = 0$, e a força viscosa por unidade de volume é simplesmente $\eta\nabla_2\boldsymbol{v}$. Isso é tudo que muitos usam; todavia, se quisermos calcular a absorção de som em um fluido, devemos nos ocupar do segundo termo.

Agora, completamos nossa equação geral de movimento para um fluido real. Substituindo a Equação (41.15) na Equação (41.1), obtemos

$$\rho\left\{\frac{\partial \boldsymbol{v}}{\partial t} + (\boldsymbol{v}\cdot\nabla)\boldsymbol{v}\right\} = -\nabla p - \rho\,\nabla\phi + \eta\,\nabla^2\boldsymbol{v} + (\eta + \eta')\,\nabla(\nabla\cdot\boldsymbol{v}).$$

É complicado, mas é o caminho da natureza.

Se introduzirmos a vorticidade $\boldsymbol{\Omega} = \nabla \times \boldsymbol{v}$, conforme fizemos antes, podemos escrever nossa equação como

$$\rho\left\{\frac{\partial \boldsymbol{v}}{\partial t} + \boldsymbol{\Omega}\times\boldsymbol{v} + \frac{1}{2}\,\nabla v^2\right\} = -\nabla p - \rho\,\nabla\phi + \eta\,\nabla^2\boldsymbol{v} + (\eta + \eta')\,\nabla(\nabla\cdot\boldsymbol{v}). \tag{41.16}$$

Estamos novamente supondo que as únicas forças que agem sobre o corpo são conservativas, como a gravidade. Para compreender o novo termo, estudemos o caso do fluido incompressível. Neste caso, se tomarmos o rotacional da Equação (41.16), temos

$$\frac{\partial \boldsymbol{\Omega}}{\partial t} + \nabla\times(\boldsymbol{\Omega}\times\boldsymbol{v}) = \frac{\eta}{\rho}\,\nabla^2\boldsymbol{\Omega}. \tag{41.17}$$

Essa equação se parece com a (40.9), exceto pelo novo termo à direita. Quando o lado direito se anular, temos o teorema de Helmholtz prevendo que a vorticidade jamais desaparece. Agora, temos um termo bastante complicado no lado direito implicando rapidamente consequências físicas. Se desprezarmos, por um momento, o termo $\nabla \times (\boldsymbol{\Omega} \times \boldsymbol{v})$, temos uma *equação de difusão*. O novo termo significa que a vorticidade $\boldsymbol{\Omega}$ *difunde-se* através do fluido. Se houver um grande gradiente de vorticidade, ela vai se espalhar para o fluido vizinho.

Esse é o termo que faz com que um anel de fumaça vá crescendo à medida de sua progressão. Isso também fica claro se você enviar um vórtice "limpo" (um anel "sem fumaça" feito pelo aparelho descrito no capítulo anterior) em meio a uma nuvem de fumaça. Quando o vórtice sair da nuvem, ele terá absorvido alguma fumaça, e você verá uma concha vazia de um anel de fumaça. Uma parte da vorticidade $\boldsymbol{\Omega}$ difunde-se para fora na fumaça, enquanto ainda mantém seu movimento progressivo com o vórtice.

41–3 O número de Reynolds

Descrevemos agora as mudanças de caráter do escoamento do fluido como consequência do novo termo de viscosidade. Examinaremos dois problemas em detalhe. O primeiro deles é o escoamento de um fluido por um cilindro – escoamento este que tentamos calcular em um capítulo anterior usando a teoria de escoamento não viscoso. Acontece que, hoje, as equações incluindo viscosidade só podem ser resolvidas para poucos casos especiais. Portanto, alguma coisa do que vamos lhe dizer está baseada em medidas experimentais – admitindo que o modelo experimental satisfaça à Equação (41.17).

O problema matemático é o seguinte: queremos a solução de escoamento de um fluido viscoso incompressível ao redor de um cilindro longo de diâmetro D. O escoamento deve ser dado pela Equação (41.17) e por

$$\boldsymbol{\Omega} = \nabla\times\boldsymbol{v} \tag{41.18}$$

com a condição de a velocidade ser constante a grandes distâncias, digamos V (paralela ao eixo x), e zero na superfície do cililndro; isto é,

$$v_x = v_y = v_z = 0 \tag{41.19}$$

para

$$x^2 + y^2 = \frac{D^2}{4}.$$

Isso especifica completamente o problema matemático.

Se você olhar as equações, verá que há 4 parâmetros no problema: η, ρ, D e V. Você poderia pensar que deveríamos estudar uma série de casos para diferentes V, diferentes D e assim por diante, mas não é o caso. Todas as possíveis soluções correspondem a diferentes valores de *um único parâmetro*. Esse é o resultado mais importante sobre escoamento viscoso. Para compreender por que é assim, note que a viscosidade e a densidade só aparecem na relação η/ρ – a viscosidade *específica*. Isso reduz o número de parâmetros independentes para três. Suponha, agora, que medimos todas as distâncias em termos do único comprimento do problema, o diâmetro D do cilindro; isto é, substituímos x, y e z por x', y' e z' por meio de

$$x = x'D, \qquad y = y'D, \qquad z = z'D.$$

O D desaparece da Equação (41.19). Da mesma maneira, se todas as velocidades forem medidas em termos de V – isto é, definimos $v = v'V$ – livramo-nos de V, e v' é simplesmente 1 a grandes distâncias. Como fixamos nossas unidades de comprimento e velocidade, nossa unidade de tempo é, agora, D/V; desse modo, definimos

$$t = t'\frac{D}{V}. \tag{41.20}$$

Com nossas novas variáveis, as derivadas na Equação (41.18) são trocadas de $\partial/\partial x$ para $(1/D)\,\partial/\partial x'$, e assim por diante; portanto, a Equação (41.18) torna-se

$$\boldsymbol{\Omega} = \boldsymbol{\nabla} \times \boldsymbol{v} = \frac{V}{D}\boldsymbol{\nabla}' \times \boldsymbol{v}' = \frac{V}{D}\boldsymbol{\Omega}'. \tag{41.21}$$

Nossa Equação (41.17) fica sendo

$$\frac{\partial \boldsymbol{\Omega}'}{\partial t'} + \boldsymbol{\nabla}' \times (\boldsymbol{\Omega}' \times \boldsymbol{v}') = \frac{\eta}{\rho V D}\nabla'^2\boldsymbol{\Omega}'.$$

Todas as constantes condensam-se em um único fator que escrevemos, seguindo a tradição, como $1/\mathcal{R}$:

$$\mathcal{R} = \frac{\rho}{\eta}VD. \tag{41.22}$$

Se não esquecermos que nossas equações foram sempre escritas com as novas unidades, podemos omitir as linhas, escrevendo-as como

$$\frac{\partial \boldsymbol{\Omega}}{\partial t} + \boldsymbol{\nabla} \times (\boldsymbol{\Omega} \times \boldsymbol{v}) = \frac{1}{\mathcal{R}}\nabla^2\boldsymbol{\Omega} \tag{41.23}$$

e

$$\boldsymbol{\Omega} = \boldsymbol{\nabla} \times \boldsymbol{v}$$

com as condições

$$\boldsymbol{v} = 0$$

para

$$x^2 + y^2 = 1/4 \tag{41.24}$$

e

$$v_x = 1, \qquad v_y = v_z = 0$$

para

$$x^2 + y^2 + z^2 \gg 1.$$

O que tudo isso significa fisicamente vem a ser muito interessante. Significa, por exemplo, que, se resolvemos o problema do escoamento para uma velocidade V_1 e um certo cilindro de diâmetro D_1, podemos inquirir sobre o escoamento para um diâmetro diferente D_2 e um fluido diferente; o escoamento será o mesmo para a velocidade V_2 que dá o mesmo número de Reynolds, isto é, quando

$$\mathcal{R}_1 = \frac{\rho_1}{\eta_1}V_1D_1 = \mathcal{R}_2 = \frac{\rho_2}{\eta_2}V_2D_2. \tag{41.25}$$

Para quaisquer duas situações que tenham o mesmo número de Reynolds, o escoamento "parecerá" o mesmo – em termos dos comprimentos e tempos reescalados x', y', z' e t'. Esta é um proposição importante porque significa que, se determinarmos o comportamento do escoamento do ar por uma asa de avião, não precisaremos construir o avião. Podemos, em vez disso, fazer um modelo com uma velocidade que dá o mesmo número de Reynolds. Esse princípio permite aplicar os resultados de medidas em túneis de vento para aviões em pequenas escalas, ou resultados de modelos de tanque para barcos, para a construção de objetos em escala completa. No entanto, lembre que só podemos fazê-lo se a compressibilidade do fluido puder ser desprezada. De outro modo, uma nova quantidade deve ser levada em conta – a velocidade do som. Diferentes situações corresponderão uma à outra, se a relação entre V e a velocidade do som também for a mesma. Essa última relação é chamada de *número de Mach*. Assim, para velocidades próximas à do som ou acima, os escoamentos são os mesmos em duas situações: se o *número de Mach* e o *número de Reynolds* forem os mesmos em ambas as situações.

41–4 Escoamento por um cilindro circular

Retornemos ao problema de escoamento à baixa velocidade (quase incompressível) por um cilindro. Daremos uma descrição qualitativa do escoamento de um fluido real. Há muitas coisas que poderíamos inquirir sobre tal escoamento – por exemplo, qual a força de arrasto sobre o cilindro? A força de arrasto sobre o cilindro está no gráfico da Fig. 41-4, como função de $\mathcal{R}$ – que é proporcional à velocidade do ar V se tudo o mais for mantido fixo. O que está no gráfico é o *coeficiente de arrasto* C_D que é um número dimensional igual à força dividida por $\frac{1}{2}\rho V^2 Dl$, onde D é o diâmetro, l é o comprimento do cilindro e ρ é a densidade do líquido:

$$C_D = \frac{F}{\frac{1}{2}\rho V^2 Dl}.$$

O coeficiente de arrasto varia de modo complicado, dando-nos uma pré-indicação de que alguma coisa muito interessante e complicada está acontecendo no escoamento. Vamos descrever a natureza do escoamento para diferentes intervalos do número de Reynolds.

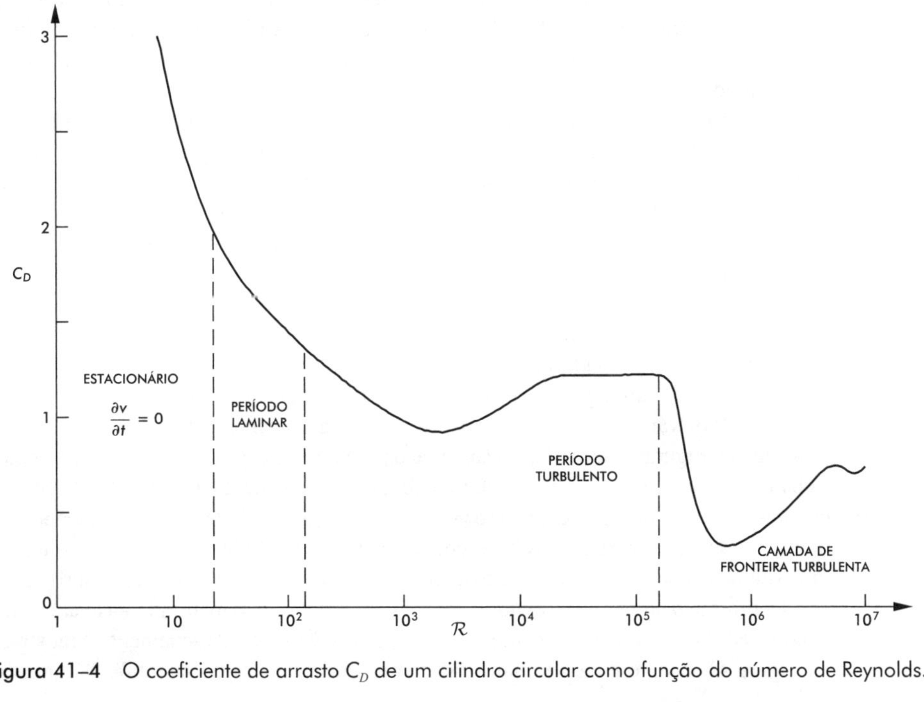

Figura 41–4 O coeficiente de arrasto C_D de um cilindro circular como função do número de Reynolds.

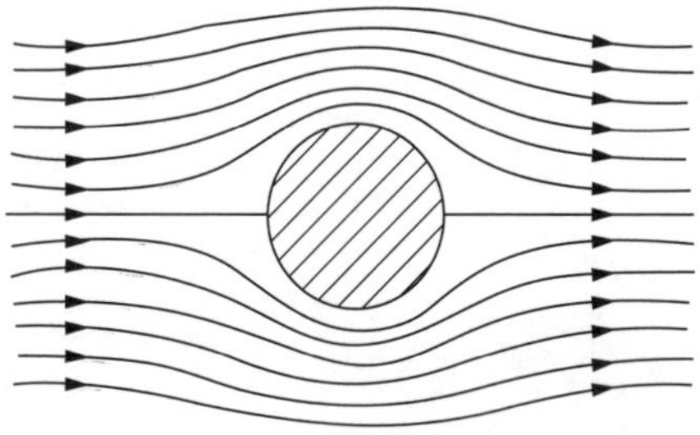

Figura 41–5 Escoamento viscoso (baixas velocidades) ao redor de um cilindro circular.

Primeiro, quando o número de Reynolds for pequeno, o fluido é estacionário; isto é, a velocidade é constante em qualquer lugar, e o escoamento passa em volta do cilindro. No entanto, a distribuição real das linhas de escoamento não é como em um escoamento por potencial. Elas são soluções de uma equação um tanto diferente. Quando a velocidade é muito baixa ou, equivalentemente, a viscosidade é muito alta, e o material é como mel, os termos inerciais podem ser ignorados, e o escoamento é dado pela equação

$$\nabla^2 \boldsymbol{\Omega} = 0.$$

Essa equação foi primeiramente resolvida por Stokes. Ele resolveu o mesmo problema para a esfera. Se você tiver uma pequena esfera movendo-se sob tais condições de baixo número de Reynolds, a força necessária para arrastar é igual a $6\pi\eta a V$, onde a é o raio da esfera e V é sua velocidade. Essa é uma fórmula muito útil porque nos diz a velocidade com a qual minúsculos grãos de sujeira (ou qualquer outra partícula que pode ser aproximada a uma esfera) move-se em um líquido sob uma dada força – como por exemplo em uma centrífuga, em sedimentação ou difusão. Na região de baixo número de Reynolds – para $\mathcal{R}$ menor que 1 –, as linhas de $\boldsymbol{v}$ em volta de um *cilindro* são mostradas na Figura 41–5.

Se aumentarmos a velocidade do fluido, de forma que o número de Reynolds fique maior que 1, o escoamento será diferente. Há uma circulação atrás da esfera, conforme a Figura 41–6(b). Ainda é uma questão aberta, se sempre há uma circulação, mesmo para os menores números de Reynolds, ou se há uma súbita mudança para um certo número de Reynolds. Costumava-se pensar que a circulação crescesse continuamente. Agora, porém, acredita-se que a circulação aparece de repente e é certo que ela aumenta com $\mathcal{R}$. Em qualquer caso, há um caráter diferente de escoamento para $\mathcal{R}$ na região de 10 a 30. Há um par de vórtices atrás do cilindro.

O escoamento muda de novo quando $\mathcal{R}$ chega a cerca de 40. Há repentinamente uma completa mudança no caráter do movimento. O que acontece é que um dos vórtices atrás do cilindro fica tão longo que ele se quebra, viajando com o fluido. Então, o fluido gira atrás do cilindro, fazendo um novo vórtice. Os vórtices despreendem-se alternativamente de cada lado, de modo que uma visão instantânea do escoamento está aproximadamente rascunhada na Figura 41–6(c). O jorro de vórtices é chamado de "rua de vórtices de Kármán". Ele sempre aparece para $\mathcal{R} > 40$. Uma fotografia de tal escoamento está na Figura 41–7.

A diferença entre os escoamentos das Figuras 41-6(c) e 41-6(b) ou 41-6(a) espelha regimes completamente diversos. Na Figura 41–6(a) ou (b), a velocidade é constante, enquanto em 41-6(c) a velocidade em qualquer ponto varia com o tempo. Não há solução estacionária acima de $\mathcal{R} = 40$ – que marcamos, na Figura (41-4), por uma linha tracejada. Para estes números de Reynolds maiores, o escoamento varia com o tempo, mas de modo *regular*, cíclico.

Podemos ter uma ideia física de como esses vórtices são produzidos. Sabemos que a velocidade do fluido deve ser zero na superfície do cilindro e que ela aumenta rapidamente para fora da superfície. Cria-se vorticidade por meio desta grande variação local na velocidade do fluido. Quando a velocidade do fluxo principal for pequena o suficiente, há tempo suficiente para essa vorticidade difundir-se da pequena região, perto da superfície do sólido onde ela foi produzida, para a grande região de vorticidade onde ela cresce. Esta imagem física ajuda a nos prepararmos para a próxima mudança na natureza do escoamento conforme a velocidade do fluxo principal, ou $\mathcal{R}$, cresce ainda mais.

Conforme a velocidade aumenta mais e mais, há menos e menos tempo para a vorticidade se difundir em regiões mais distantes do fluido. Quando chegamos a um número de Reynolds de várias centenas, a vorticidade começa a preencher uma fina região, como mostrado na Figura 41–6(d). Nesta camada, o escoamento é caótico e irregular. A região é chamada de *camada de fronteira.* É uma região de escoamento irregular que busca seu caminho em meio ao fluxo conforme $\mathcal{R}$ cresce. Na região turbulenta, as velocidades são muito irregulares e "barulhentas"; o escoamento não é mais bidimensional, mas se torce e vira tridimensional. Ainda há um movimento regular alternante superposto ao turbulento.

Conforme o número de Reynolds cresce mais ainda, a região turbulenta avança, deixando o cilindro – para escoamentos pouco acima de $\mathcal{R} = 10^5$. O escoamento é mostrado na Figura 41–6(e), e temos a chamada "camada de fronteira turbulenta". Há também

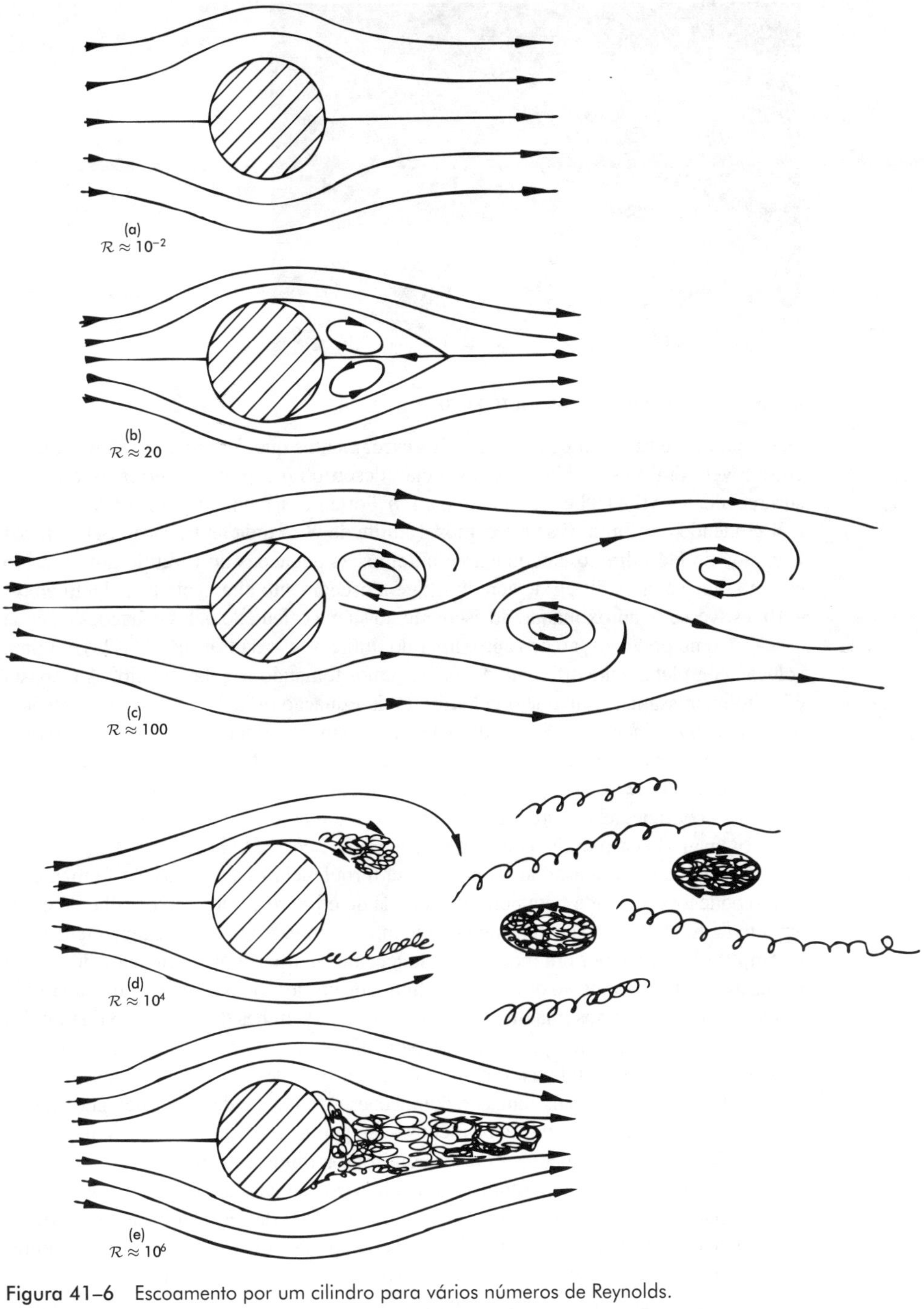

Figura 41–6 Escoamento por um cilindro para vários números de Reynolds.

uma mudança drástica na força de arrasto; ela cai muito, conforme a Figura 41–4. Nesta região de velocidade, a força de arrasto *decresce* com o aumento de velocidade. Parece haver pouca evidência de periodicidade.

O que acontece para números de Reynolds ainda maiores? Conforme aumentamos a velocidade ainda mais, o rastro aumenta em tamanho e o arrasto cresce. As últimas experiências – que vão aproximadamente até $\mathcal{R} = 10^7$ – indicam que uma nova periodicidade aparece no rastro, seja porque todo o rastro está oscilando para frente e para trás ou porque um novo tipo de vórtice está ocorrendo junto a um movimento barulhento e irregular. Os detalhes ainda não são inteiramente claros, sendo objeto de estudo experimental.

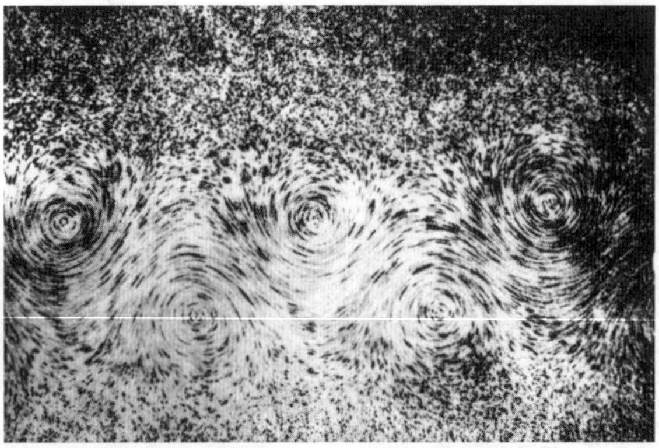

Figura 41–7 Fotografia de Ludwig Prandtl da "rua de vórtice", no escoamento atrás de um cilindro.

41–5 O limite de viscosidade zero

Gostaríamos de salientar que nenhum dos escoamentos que descrevemos tem qualquer coisa a ver com o escoamento de potencial, descrito no capítulo anterior. Isso parece surpreendente. Afinal, $\mathcal{R}$ é proporcional a $1/\eta$. Portanto, η tendendo a zero é equivalente a $\mathcal{R}$ tendendo a infinito. E se tomarmos o limite de $\mathcal{R}$ grande na Equação (41.23), nos livramos do lado direito da equação e obtemos as equações do capítulo anterior. No entanto, você achará difícil de acreditar que o escoamento altamente turbulento em $\mathcal{R} = 10^7$ estivesse se aproximando do escoamento suave calculado pelas equações da água "seca". Como podemos, ao nos aproximar do limite $\mathcal{R} = \infty$ na Equação (41.23), ter uma solução completamente diferente da que teríamos tomando $\eta = 0$ no início? A resposta é muito interessante. Note que o lado direito da Equação (41.23) tem $1/\mathcal{R}$ multiplicado por uma *segunda derivada*. É uma derivada de ordem maior que qualquer outra derivada na equação. O que acontece é que, embora o coeficiente $1/\mathcal{R}$ seja pequeno, há variações muito rápidas de $\mathbf{\Omega}$ no espaço perto da superfície. Essas variações rápidas compensam o pequeno coeficiente, e o produto *não vai a zero* com o crescer de $\mathcal{R}$. As soluções não se aproximam do caso limite conforme o coeficiente de $\nabla^2\mathbf{\Omega}$ vai a zero.

Você deve estar pensando "o que é essa turbulência fina e como ela se mantém? Como pode a vorticidade feita perto da beirada do cilindro gerar tanto barulho no escoamento de fundo?" A resposta é novamente interessante. A vorticidade tem a tendência de amplificar-se. Se, por um momento, esquecemos a difusão da vorticidade que causa perda, as leis do escoamento dizem que as linhas de vórtice são carregadas junto ao fluido à velocidade $\boldsymbol{v}$. Podemos imaginar um certo número de linhas de $\mathbf{\Omega}$ que são distorcidas e torcidas pelo complicado padrão de escoamento de $\boldsymbol{v}$. Isso puxa as linhas mais perto umas das outras, misturando-as. Linhas inicialmente simples acabam amarradas, ficando enoveladas. Elas ficam mais longas e compactas. A intensidade da vorticidade cresce, e suas irregularidades – os mais e os menos – em geral, crescem. Portanto, a magnitude da vorticidade em três dimensões cresce conforme o fluido é misturado.

Você bem que poderia perguntar: "quando o escoamento de potencial é uma teoria satisfatória?" Em primeiro lugar, ela é satisfatória fora da região turbulenta onde os vórtices não se difundiram. Para corpos especialmente construídos, podemos manter a região turbulenta tão pequena quanto possível. O escoamento no entorno de asas de avião – que são cuidadosamente desenhadas – é quase completamente descrito pelo escoamento por potencial.

41–6 Escoamento restrito

É possível demonstrar que o caráter complexo e mutável do escoamento por um cilindro não é tão especial, mas sim a regra em uma grande variedade de possibilidades de escoamento. Vimos, na Seção 41-1, uma solução para o escoamento viscoso entre dois cilindros e comparamos os resultados com o que realmente acontece. Se tomarmos dois cilindros concêntricos, com óleo no espaçamento entre eles, e colocarmos pó fino de alumínio em suspensão, o escoamento é facilmente visto. Se girarmos o cilindro externo vagarosamente, nada acontece de inesperado, como na Figura 41–8(a). Alternativamente, se girarmos o cilindro interno vagarosamnte, nada acontece. Todavia, se girarmos o cilindro interno a uma taxa maior, temos uma surpresa. O fluido quebra em bandas horizontais, como na Figura 41–8(b). Quando o cilindro externo gira a uma taxa parecida, com o interno em repouso, não há tal efeito. Como pode haver uma diferença entre rodar o cilindro interno ou o externo? Afinal, o padrão de escoamento que deduzimos na Seção 41-1 dependia apenas de $\omega_b - \omega_a$. Podemos obter a resposta olhando para a seção reta, mostrada na Figura 41–9. Quando as camadas internas do fluido estiverem movendo-se mais rapidamente que as camadas externas, elas tendem a ir *para fora* – a força centrífuga é maior que a pressão que a segura. Uma camada completa não pode se mover uniformemente porque as camadas externas estão no caminho. Ela deve quebrar-se em células e circular conforme a Figura 41–9(b). É como as correntes de convecção em uma sala que tem ar quente no chão. Quando o cilindro interno estiver em repouso, o externo tem uma velocidade alta, e as forças centrífugas formam um gradiente de pressão que deixa tudo em equilíbrio, como na Figura 41–9(c) (como em um cômodo com ar quente no teto).

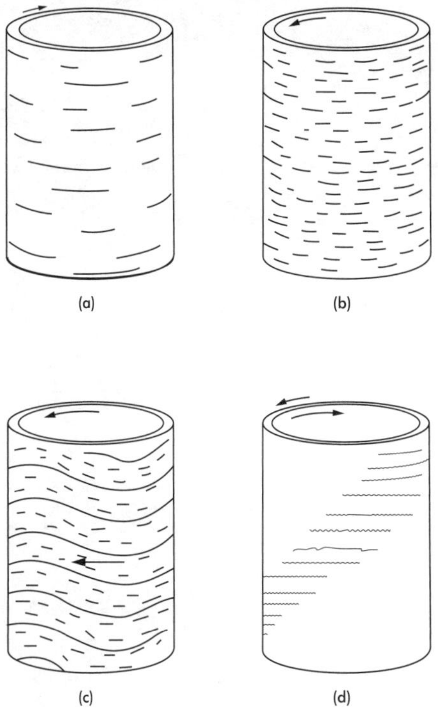

Figura 41–8 Padrão de escoamento de líquido entre dois cilindros transparentes em rotação.

Vamos acelerar o cilindro interno. Primeiro, o número de bandas cresce. Então, as bandas tornam-se onduladas, como na Figura 41–8(c), e as ondas viajam pelo cilindro. A velocidade dessas ondas pode ser medida. Para rotação rápida, ela é 1/3 da velocidade do cilindro interno. E ninguém sabe por quê! É um desafio. Um número simples como 1/3, e não há explicação. De fato, todo mecanismo da formação de ondas é pouco entendido, apesar de ser um escoamento estacionário laminar.

Se, agora, começarmos a rodar também o cilindro externo – mas em direção oposta – o padrão de escoamento começa a quebrar-se. Temos regiões onduladas alternadas com regiões calmas, como em 41–8(d), formando um padrão espiral. Nestas regiões "calmas", o escoamento é bastante irregular; de fato, ele é turbulento. As regiões onduladas também começam a mostrar escoamento turbulento irregular. Se os cilindros rodam ainda mais rapidamente, o escoamento torna-se caoticamente turbulento.

Nesta simples experiência, vemos vários regimes interessantes e diferentes de escoamento que estão, todavia, todos contidos em nossa equação simples para vários valores do único parâmetro $\mathcal{R}$. Com nossos cilindros girantes, podemos ver muitos efeitos que ocorrem no escoamento por um cilindro: primeiro, o escoamento estacionário; depois, um escoamento variável no tempo mas de modo regular e suave; finalmente, um escoamento completamente irregular. Os mesmos efeitos se mostram em uma coluna de fumaça levantando-se de um cigarro em ar calmo. Há uma coluna suave e estacionária seguida de uma série de giros conforme a corrente de fumaça começa a se quebrar, terminando finalmente em uma nuvem agitada e irregular de fumaça.

A lição principal é que uma tremenda variedade de comportamentos está escondida no conjunto simples de equações em (41.23). São todas soluções da mesma equação, mas com valores diferentes de $\mathcal{R}$. Não há razão para pensar que haja termos faltando nessas equações. A única dificuldade é que não temos hoje o poder matemático de analisá-las, exceto para números de Reynolds muitos pequenos – ou seja, para o caso muito viscoso.

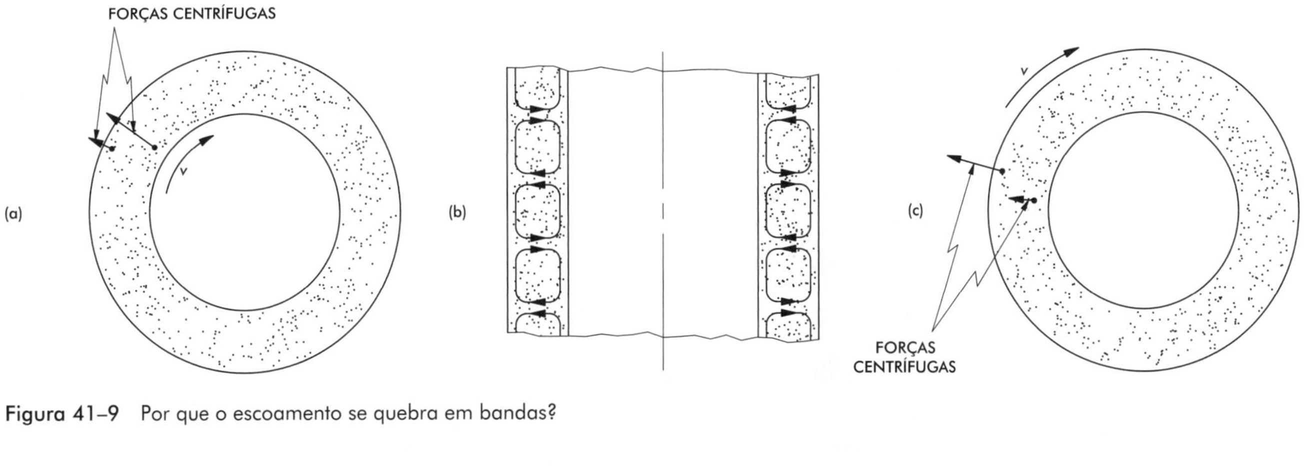

Figura 41–9 Por que o escoamento se quebra em bandas?

O fato de termos uma equação não tira do escoamento de fluidos seu charme, mistério e surpresa.

Sendo possível tal variedade em uma equação com um único parâmetro, quanto não será possível para uma equação mais complexa! Talvez a equação fundamental descrevendo uma nebulosa em redemoinho e estrelas e galáxias condensando-se, revolvendo-se e explodindo seja apenas uma equação simples para o comportamento hidrodinâmico de gás hidrogênio puro. Muitas vezes, as pessoas que têm um temor injustificado de física dizem que não se pode escrever uma equação para a vida. Bem, talvez possamos. De fato, possivelmente, já tenhamos uma equação suficientemente boa quando escrevemos a equação da mecânica quântica:

$$H\psi = -\frac{\hbar}{i}\frac{\partial\psi}{\partial t}.$$

Acabamos de ver que as complexidades dos objetos podem escapar fácil e dramaticamente da simplicidade das equações que os descrevem. Ignorante do alcance de simples equações, o ser humano muitas vezes concluiu que nada menos que Deus, certamente não simples equações, é necessário para explicar as complexidades do mundo.

Escrevemos as equações para o deslocamento da água. Da experiência, achamos um conjunto de conceitos e aproximações usado para discutir as soluções – ruas de vórtices, rastros turbulentos, camadas de fronteira. Quando tivermos equações análogas em uma situação menos familiar na qual não podemos fazer experiências, tentamos resolvê-las de modo primitivo e confuso, a fim de determinar que novas características qualitativas podem surgir ou que novas formas qualitativas emerjam das equações. Nossas equações para o Sol, por exemplo, como uma bola de gás hidrogênio, descreve um Sol sem manchas, sem as estruturas granulares da superfície, proeminências ou coronas. Ainda assim, estas são as equações; simplesmente não achamos maneira de obter os resultados.

Alguns se desapontam pelo fato de não haver vida em outros planetas. Não eu – quero que me avisem e quero ficar deleitado e surpreso novamente, por meio da exploração interplanetária, com a variedade e a novidade infinita de fenômenos que podem ser gerados de princípios tão simples. O teste da ciência é sua habilidade de predição. Se você jamais tivesse visitado a Terra, poderia predizer tempestades, vulcões, ondas oceânicas, auroras e um pôr-do-sol colorido? Uma lição salutar virá quando aprendermos tudo o que acontece nestes planetas mortos – aquelas oito ou dez bolas, cada uma aglomerada da mesma nuvem de poeira e obedecendo às mesmas leis da física.

A próxima grande era de iluminismo do intelecto humano pode produzir métodos para compreender o conteúdo *qualitativo* das equações. Hoje não podemos. Hoje não podemos ver que as equações do escoamento da água contém coisas tais como a estrutura de turbulência entre cilindros girantes. Hoje não podemos ver se a equação de Schrödinger contém sapos, compositores ou moralidade – ou se ela não contém. Não podemos dizer se há alguma coisa além, se Deus é necessário ou não. Assim, podemos todos ter opiniões fortes em qualquer direção.

42

Espaço Curvo

42–1 Espaços curvos com duas dimensões

De acordo com Newton, todos os objetos se atraem com uma força inversamente proporcional ao quadrado da distância entre os objetos. Os objetos respondem com acelerações proporcionais às forças. Como você sabe, tais forças explicam os movimentos de bolas, planetas, satélites, galáxias e assim por diante.

Einstein tinha uma interpretação diferente das leis da gravitação. De acordo com ele, tempo e espaço – que devem estar em conjunção no jargão *espaço-tempo* – são *curvos* perto de grandes massas. Além disto, os objetos tendem a seguir "linhas retas" neste espaço-tempo curvo, o que faz com que eles se movam da maneira como se movem. Essa é uma ideia complexa, realmente muito complexa, e é essa ideia que queremos explicar neste capítulo.

Nosso objeto de estudo tem três partes. Uma envolve a teoria da gravitação. Outra envolve as ideias de espaço-tempo que já estudamos. A terceira envolve a ideia de espaço curvo. Vamos simplificar nosso assunto, no início, ao não nos preocuparmos com a gravitação e deixando de lado o tempo, ou seja, estudando apenas o espaço curvo. Discutiremos mais tarde os outros aspectos, mas nos concentraremos, agora, na ideia de espaço curvo – no que significa para nós um espaço curvo e, mais especificamente, o que significa espaço curvo nesta aplicação de Einstein. Mesmo esta simplificação torna-se complicada em três dimensões. Deste modo, reduziremos o problema ainda mais e discutiremos o que significa o jargão "espaço curvo" em duas dimensões.

Para compreender esta ideia de espaço curvo em duas dimensões, você deve realmente conhecer o limitado ponto de vista daquele que habita em tal espaço. Imagine um carrapato sem olhos que mora em um plano, como na Figura 42–1. Ele só pode se mover no plano e não tem meios para saber que há como descobrir um "mundo externo" (ele não tem a mesma imaginação que você). Vamos argumentar por analogia. *Nós* vivemos em um mundo tridimensional e não temos qualquer imaginação para saber como sair de nossas três dimensões em uma nova direção; então temos de proceder por analogia. É como se fôssemos carrapatos vivendo em um plano e houvesse um outro espaço, uma outra direção. É por isso que, primeiramente, trabalhamos com o problema do carrapato, lembrando que ele vive nessa superfície e não pode sair.

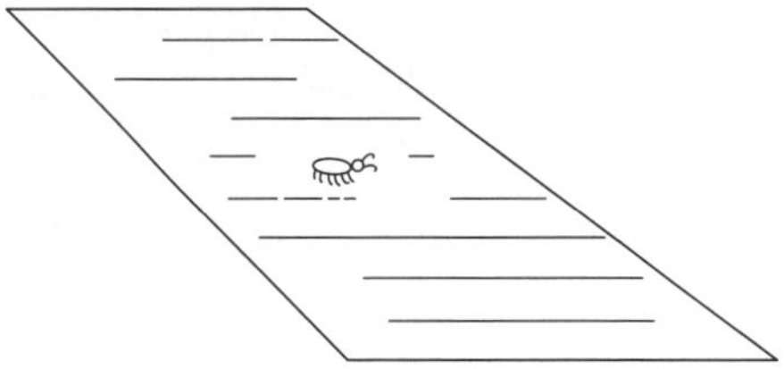

Figura 42–1 Um carrapato na superfície de um plano.

Como um outro exemplo de carrapato vivendo em duas dimensões, imaginemos que um outro carrapato viva sobre a superfície de uma esfera. Imaginemos que ele possa perambular pela superfície da esfera, como na Figura 42–2, mas não possa olhar "para cima", "para baixo" ou "para fora".

Agora queremos considerar ainda um *terceiro* tipo de criatura. É também um carrapato, como os outros, e também vive em um plano, como o primeiro carrapato, mas, desta vez, o plano é um tanto peculiar: a temperatura é diferente em diferentes pontos do plano. O carrapato e qualquer régua que ele use são feitos do mesmo material que se expande quando aquecido. Toda vez que ele coloca a régua em algum lugar para medir alguma coisa, a régua imediatamente se expande, ficando com o comprimento próprio do lugar em que ela estiver. Quando ele coloca qualquer objeto naquele lugar – ele mesmo, a régua, um triângulo ou qualquer outra coisa –, este objeto estica-se imediatamente devido à expansão térmica. Tudo é mais longo em lugares mais quentes que em lugares mais frios, tendo tudo o mesmo coeficiente de expansão. Chamaremos a morada do terceiro carrapato de "prato quente", embora queiramos um tipo especial de prato quente, que é frio no centro e fica mais quente nas beiradas (Figura 42–3).

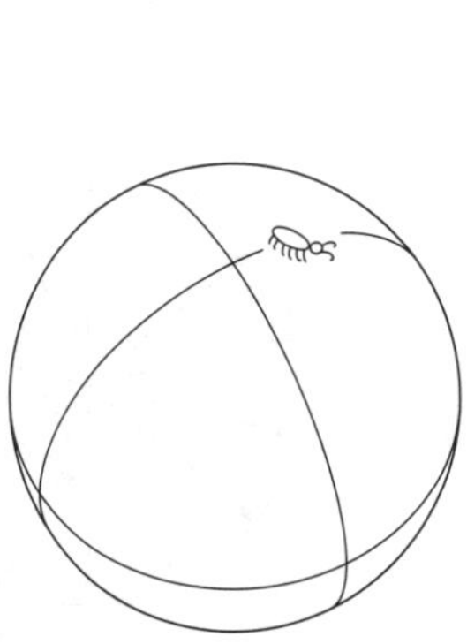

Figura 42–2 Um carrapato sobre uma esfera.

Imaginemos então que nossos carrapatos comecem a estudar geometria. Embora tenhamos pensado que fossem cegos, de modo a não enxergarem o mundo "externo", eles podem fazer muita coisa com as pernas e com o tato. Eles podem desenhar linhas e fazer réguas, medindo comprimentos. Primeiro, suponhamos que eles comecem com a mais simples ideia em geometria. Eles aprendem a desenhar linhas retas – definidas como o menor caminho entre dois pontos. Nosso primeiro carrapato (veja a Figura 42–4)

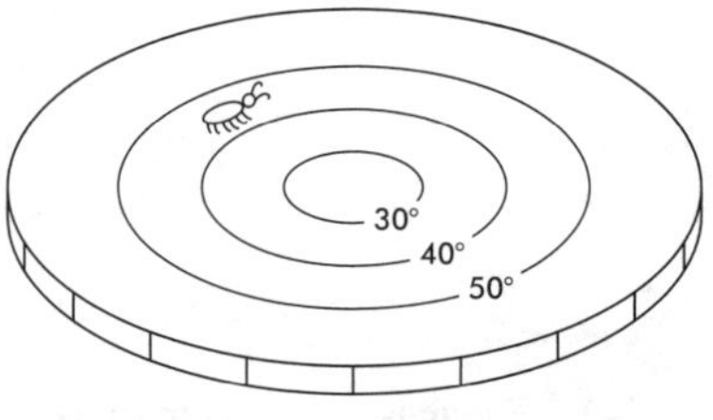

Figura 42–3 Um carrapato em um prato quente.

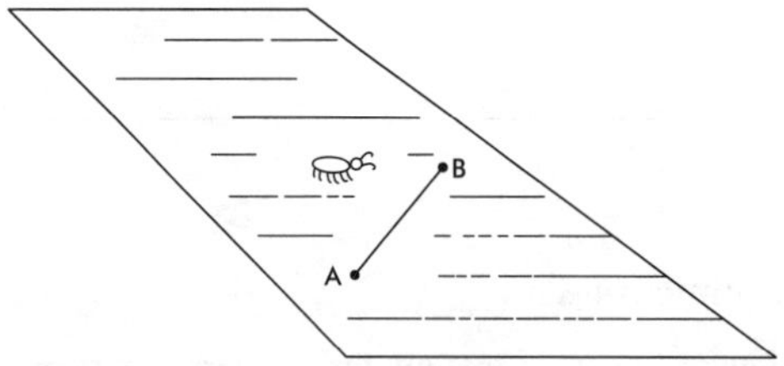

Figura 42–4 Fazendo uma "linha reta" sobre um plano.

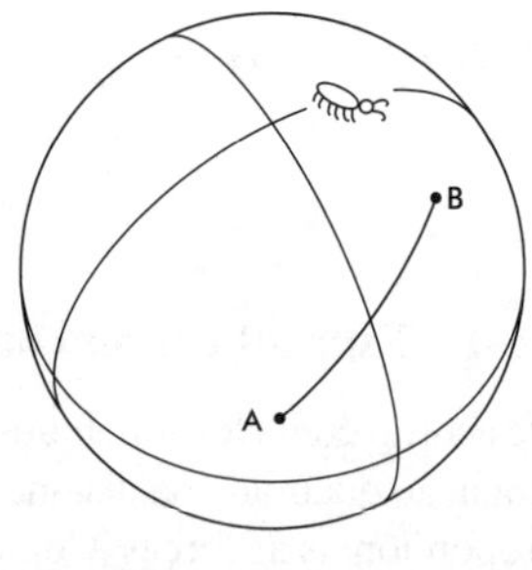

Figura 42–5 Fazendo uma "linha reta" sobre uma esfera.

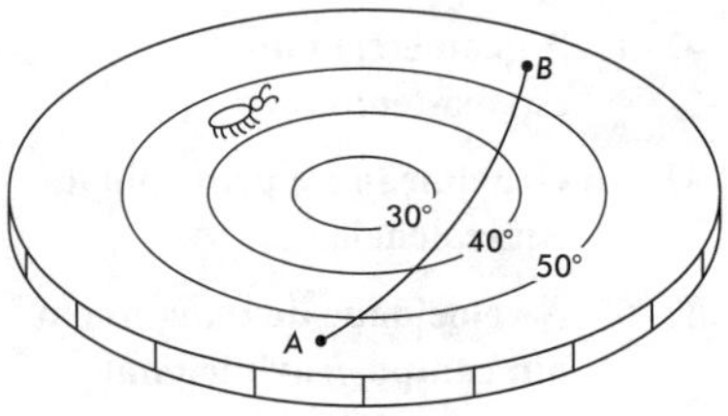

Figura 42–6 Fazendo uma "linha reta" sobre um prato quente.

aprende a fazer boas linhas. Mas o que acontece com o carrapato sobre a esfera? Ele desenha a linha que perfaz a menor distância – *para ele* – entre dois pontos, como na Figura 42–5. Pode parecer uma linha curva para nós, mas ele não tem possibilidade de sair da esfera e perceber que, "na realidade", há um caminho menor. Ele só sabe que, se ele tentar outro caminho *em seu mundo*, tal caminho será mais longo que sua linha reta. Então, aceitaremos que sua linha reta seja o menor caminho entre dois pontos (de fato, esse é o arco de um círculo máximo).

Finalmente, nosso terceiro carrapato, aquele da Figura 42–3, vai desenhar "linhas retas" que nos parecem curvas. Por exemplo, a menor distância entre *A* e *B*, na Figura 42–6, seria uma curva como aquela indicada. Por quê? Isso vem do fato de que as linhas se curvam para fora, em direção às partes mais quentes deste prato quente, as réguas ficam mais longas (de nosso ponto de vista onisciente) e necessita-se de menos "passos" para andar de *A* para *B*. Portanto, *para ele*, a linha é reta – ele não tem maneira de saber que poderia haver alguém, em um estranho mundo tridimensional, que poderia chamar de "reta" uma linha diferente.

Achamos que vocês têm agora uma ideia do que acontece, e todo o resto de nossa análise será feito do ponto de vista das criaturas que vivem em superfícies particulares, e não do *nosso* ponto de vista. Tendo em vista essa discussão, analisemos o significado do resto de suas geometrias. Admitamos que os carrapatos tenham aprendido como fazer duas retas concorrentes a ângulos retos (vocês podem imaginar como eles podem fazer isso). Então, nosso primeiro carrapato (aquele no plano normal) acha um fato interessante. Se ele começa em um ponto e desenha uma reta de 100 cm, depois desenha outra fazendo ângulo reto com a primeira, também com medida de 100 cm, e repete a operação mais duas vezes sempre no mesmo sentido, ele termina as quatro retas voltando ao mesmo ponto inicial, conforme visto na Figura 42–7(a). É uma propriedade de seu mundo – um dos fatos de sua "geometria".

Assim ele descobre outra propriedade interessante. Se ele desenhar um triângulo – uma figura com três linhas retas –, a soma dos ângulos é igual a 180º, isto é, a soma de dois ângulos retos. Veja a Figura 42–7(b).

Ele inventa o círculo. O que é um círculo? Um círculo é feito da seguinte maneira: você corre para longe de um certo ponto fixo, em várias direções, marcando uma série de pontos à mesma distância do ponto inicial.Veja a Figura 42–7(c) (devemos ter cuidado com as definições porque temos de definir os objetos análogos para os outros carrapatos). Isso é equivalente a girar uma régua ao redor de um ponto fixo. De qualquer modo, o carrapato aprende a fazer círculos. Então, um dia, ele pensa em medir a distância ao redor do círculo. Ele faz a medida para vários círculos e acha uma bela relação: a distância ao redor do círculo é sempre o mesmo número multiplicado pelo raio *r* do círculo (isto é, a distância do centro a qualquer ponto da curva). A circunferência e o raio sempre guardam a mesma relação – aproximadamente 6,283 – independentemente do tamanho do círculo.

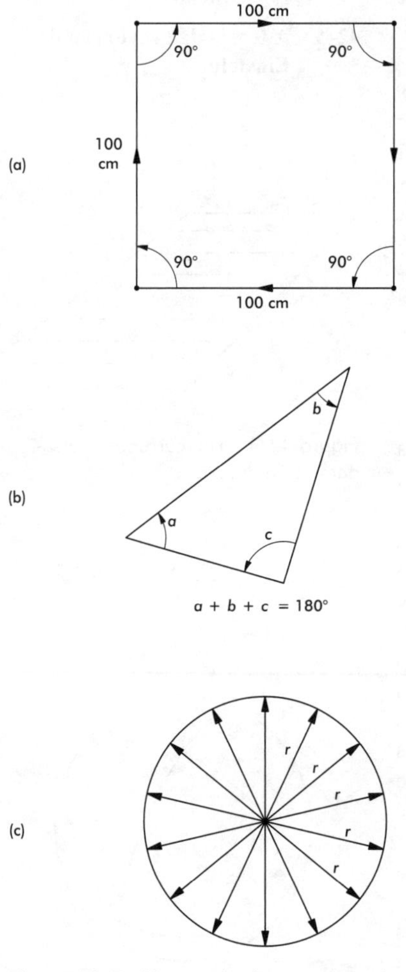

Figura 42–7 Um quadrado, um triângulo e um círculo em um espaço plano.

Vamos ver o que acontece para os outros carrapatos e o que eles acham em *suas respectivas* geometrias. Primeiro, o que acontece com o carrapato na esfera quando ele tenta fazer um "quadrado"? Se ele seguir a prescrição acima, ele dirá que o procedimento não vale a pena. Ele obtém uma figura como a 42–8. O ponto final B não corresponde ao ponto inicial A. Não foi possível fechar a figura com esse procedimento. Pegue uma esfera e faça a tentativa. Algo similar ocorre com o prato quente. Se o carrapato construir as quatro linhas perpendiculares de igual comprimento – como medido pela sua régua que se dilata – emendadas por ângulos retos, ele obtém a Figura 42–9.

Agora, suponha que os carrapatos tivessem, cada um, seu próprio Euclides que lhes dissesse o que é geometria, e que eles tivessem verificado o que Euclides lhes disse, em medidas aproximadas, em *pequenas* escalas. Então, conforme eles tentassem verificar as propriedades em escalas maiores, eles veriam que algo de errado está acontecendo. O ponto é que, só por meio de *medidas geométricas,* eles iriam descobrir que alguma coisa de diferente acontece no espaço em que vivem. Definimos um *espaço curvo* como aquele em que as coisas não acontecem como esperamos para um plano. A geometria para o carrapato sobre a esfera, e para aquele do prato quente, é a geometria de um espaço curvo. Não é necessário circunavegar o globo para descobrir que ele é esférico. Você pode verificar este fato desenhando um quadrado. Se o quadrado for pequeno, precisamos de uma enorme precisão, mas, se ele for grande, a medida pode ser um pouco mais crua com resultados razoáveis.

Tomemos o caso de um triângulo sobre um plano. A soma dos ângulos é 180 graus. Nosso amigo sobre a esfera pode achar triângulos que são muito peculiares. Ele pode, por exemplo, achar triângulos com *três ângulos retos*. De fato! Um deles está mostrado na Figura 42–10. Suponha que nosso carrapato comece no polo norte e faça uma linha reta até o equador. Então, ele faz um ângulo reto e outra linha reta de mesmo comprimento. Depois ele faz o mesmo, voltando ao polo norte. Para os comprimentos especiais escolhidos, ele volta exatamente ao mesmo ponto, no polo norte, encontrando a linha inicial a ângulo reto. Este triângulo tem três ângulos retos, e a soma deles é, portanto, 270 graus. Acontece que a soma dos ângulos internos de um triângulo qualquer é sempre *maior* que 180 graus. De fato, o excesso (para o caso especial acima descrito, 90 graus) é proporcional à área do triângulo. Se o triângulo for muito pequeno, a soma dos ângulos internos é muito próxima de 180 graus, apenas um pouco acima. Conforme o triângulo cresce, a discrepância também aumenta. Os carrapatos no prato quente têm dificuldades análogas com seus triângulos.

Examinemos agora o que os carrapatos descobrem sobre círculos. Eles fazem círculos e medem suas circunferências. Por exemplo, o carrapato na esfera poderia fazer um círculo como aquele mostrado na Figura 42–11. Ele descobriria que a circunferência é *menor* que 2π vezes o raio. (Você pode ver que, como consequência do conhecimento tridimensional, é óbvio que o que ele chama de "raio" é uma curva *maior* que o raio verdadeiro do círculo.) Suponha que o carrapato na esfera possa ler Euclides e decida predizer o raio dividindo C por 2π, de onde ele obtém

$$r_{\text{pred}} = \frac{C}{2\pi}. \tag{42.1}$$

Então ele iria achar que a medida do raio foi maior que o valor predito. Ele poderia também definir a diferença entre o "excesso" obtido na medida, definindo

$$r_{\text{med}} - r_{\text{pred}} = r_{\text{excesso}} \tag{42.2}$$

e estudar como o excesso depende do tamanho do círculo.

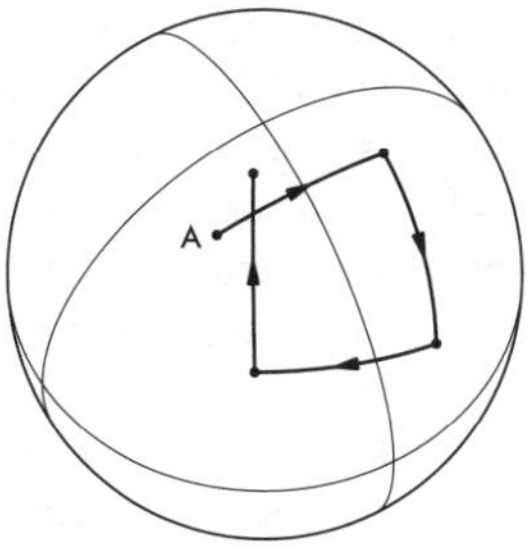

Figura 42–8 Tentando fazer um "quadrado" sobre uma esfera.

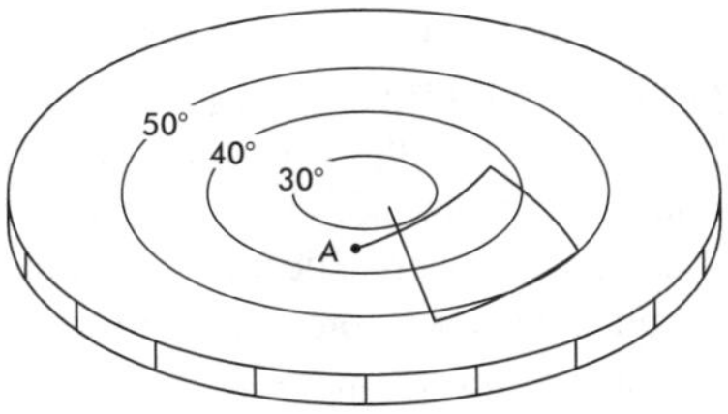

Figura 42–9 Tentando fazer um "quadrado" sobre um prato quente.

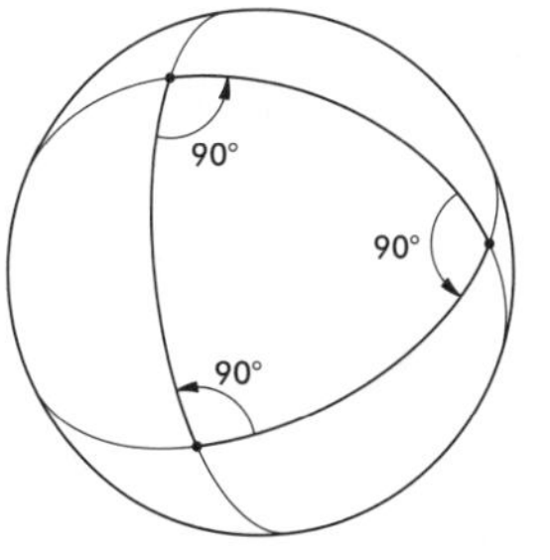

Figura 42–10 Sobre uma esfera, um "triângulo" pode ter três ângulos de 90°.

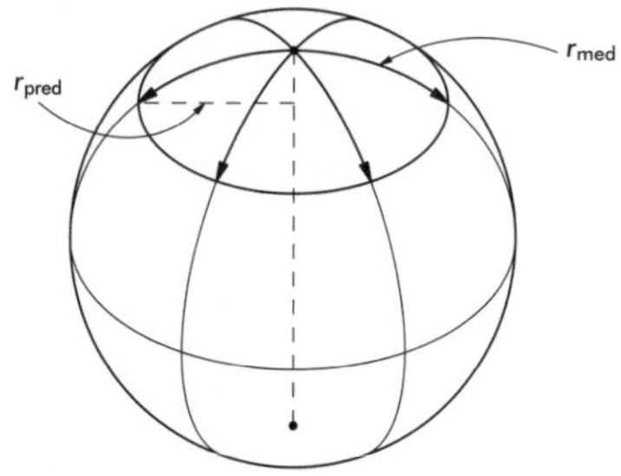

Figura 42–11 Fazendo um círculo sobre uma esfera.

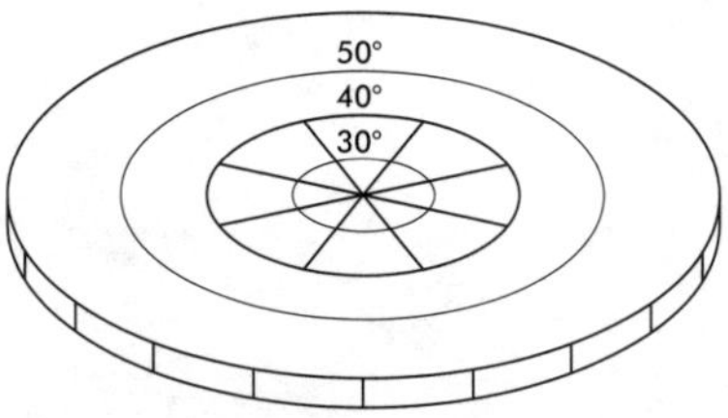

Figura 42–12 Fazendo um círculo sobre um prato quente.

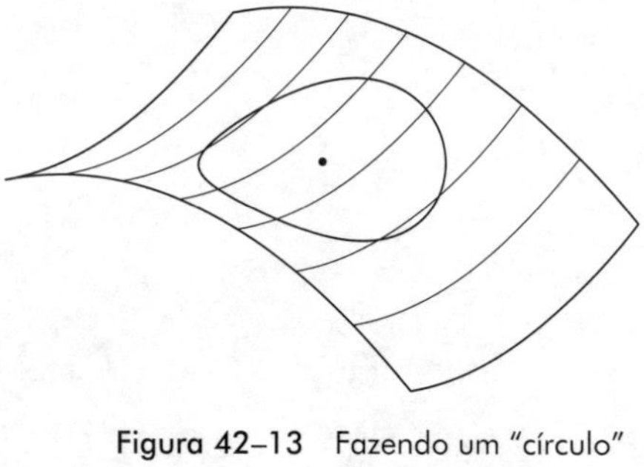

Figura 42–13 Fazendo um "círculo" sobre uma superfície em sela.

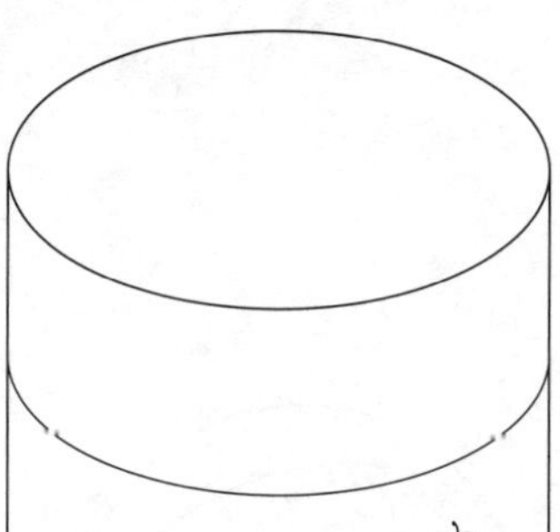

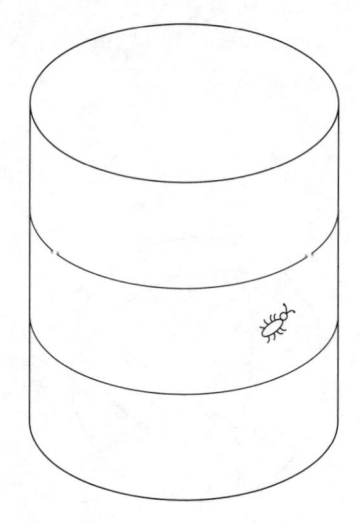

Figura 42–14 Um espaço bidimensional com curvatura intrínseca nula.

Nosso carrapato do prato quente descobriria um fenômeno análogo. Suponha que ele desenhasse um círculo centrado no ponto frio do prato, como na Figura 42–12. Se nós o observássemos conforme ele fizesse o círculo, iríamos perceber que suas retas são mais curtas perto do centro, ficando mais longas à medida que ele ia para fora – embora ele não perceba. Quando ele mede a circunferência, a régua está mais longa o tempo todo, de modo que ele também acha que a medida do raio é maior que o raio previsto, $C/2\pi$. O carrapato do prato quente acha um "efeito de raio excessivo". Novamente, o tamanho do efeito depende do raio do círculo.

Definimos um "espaço curvo" como um no qual estes tipos de erro geométrico ocorrem: a soma dos ângulos internos de um triângulo é diferente de 180 graus; a circunferência do círculo dividida por 2π não é igual ao raio; a regra para se fazer um quadrado não gera uma figura fechada. Você pode achar outras propriedades.

Demos dois exemplos diferentes de espaços curvos: a esfera e o prato quente. É interessante que, se escolhermos a variação correta de temperatura como função da distância no prato quente, as duas *geometrias* serão equivalentes. É muito divertido. Podemos fazer com que as respostas do carrapato do prato quente sejam as mesmas do carrapato na esfera. Para aqueles que gostam de geometria e problemas geométricos, diremos como pode ser feito. Se você admitir que o comprimento das réguas (em função da temperatura) vá em proporção de um mais uma constante vezes o quadrado da distância à origem, então você encontrará que a geometria do prato quente é exatamente equivalente, em todos os detalhes[1], à geometria da esfera.

Há outros tipos de geometria, é claro. Poderíamos perguntar sobre a geometria de um carrapato vivendo em uma pêra que tem uma curvatura mais pronunciada em um lugar e menos em outro, de modo que o excesso dos ângulos em pequenos triângulos seja mais pronunciado em um local que em outro. Em outras palavras, a curvatura poderia variar de um lugar para outro. Esta é a generalização da ideia. Isso poderia ser modelado por uma distribuição de temperaturas em um prato quente.

Podemos dizer, também, que os resultados poderiam aparecer com discrepâncias de outro tipo. Você poderia achar, por exemplo, que os triângulos, quando grandes, têm, para a soma de seus ângulos, um resultado *menor* que 180 graus. Isso pode parecer impossível, mas não é. Primeiro, poderíamos ter um prato quente com a temperatura caindo com o crescer da distância ao centro. Então, todos os efeitos estariam sendo revertidos. Contudo, pode se fazer com que estes efeitos apareçam geometricamente olhando a geometria bidimensional de uma sela. Imagine uma sela, como aquela desenhada na Figura 42–13. Agora, desenhe um "círculo" sobre a superfície, definido como o lugar geométrico de todos os pontos a uma distância fixa de um dado ponto central. Este círculo é uma curva que oscila para cima e para baixo em um efeito tipo gangorra. Deste modo, a circunferência é maior que aquela que se esperaria calculando-se $2\pi r_{med}$. Então $C/2\pi$ é, agora, menos que r_{med}. O excesso no raio seria agora negativo.

Esferas e pêras são superfícies com curvatura *positiva*; as outras, como essa última que discutimos, têm curvatura *negativa*. Em geral, um mundo bidimensional terá uma curvatura que varia de ponto a ponto, e pode ser positiva em certos locais e negativa em outros. Em geral, dizemos que a curvatura é positiva se as regras da geometria euclidiana se quebrarem com um sinal, e negativa se as regras se quebrarem com outro sinal. A quantidade de curvatura – definida, por exemplo, pelo excesso de raio – pode variar de ponto a ponto.

De nossa definição de curvatura, também podemos ver que um cilindro não é curvo. Se um carrapato vivesse em uma superfície cilíndrica, como na Figura 42–14, ele acharia que triângulos, quadrados e círculos teriam o mesmo comportamento que têm em planos. É fácil de se ver essa propriedade pensando como seriam as figuras se desenrolássemos o cilindro sobre um plano. Então, todas as figuras corresponderiam àquelas do plano. Não há modo de um carrapato, vivendo na superfície do cilindro (supondo que ele faça apenas medidas locais e não dê uma volta ao redor do cilindro), descobrir que seu espaço é curvo. O que queremos é precisamente uma noção do que seja uma curvatura *intrínseca*, isto é, uma curvatura que pode ser achada por medidas puramente locais (um cilindro

[1] Exceto por um ponto no infinito.

não tem curvatura intrínseca). Foi neste sentido que Einstein disse que nosso espaço é curvo. No entanto, só definimos nossa ideia de curvatura em duas dimensões, devemos agora continuar e ver como funciona a ideia em três dimensões.

42–2 Curvatura em um espaço tridimensional

Vivemos em um espaço tridimensional e vamos considerar a ideia do espaço tridimensional ser curvo. Você diria: "mas como você pode imaginar que ele seja curvo em alguma direção?" Bem, não podemos imaginar o espaço sendo curvo em qualquer direção porque nossa imaginação não é suficientemente boa. Talvez isso seja bom para que não fiquemos livres demais de nosso mundo real. Ainda assim, podemos *definir* curvatura sem sair do mundo tridimensional. Tudo que dissemos sobre duas dimensões foi um exercício para mostrar que podemos ter uma definição de curvatura que não necessita que olhemos o mundo de fora para dentro.

Podemos determinar se nosso mundo é curvo ou não de modo análogo ao que usaram os seres que habitavam a esfera ou o prato quente. Talvez não possamos distinguir os dois casos, mas certamente podemos dizer a diferença em relação ao espaço plano, o plano ordinário. Como? É fácil: desenhamos um triângulo e medimos os ângulos internos. Ou, então, fazemos um grande círculo e medimos o raio e a circunferência. Ou, ainda, tentamos desenhar quadrados perfeitos, ou cubos. Em cada caso, testamos se a geometria funciona ou não. Se ela não funcionar, então o espaço é curvo. Se construirmos um triângulo gigantesco e a soma dos ângulos internos exceder 180 graus, podemos dizer que nosso espaço é curvo. Ou se medirmos o raio do círculo e ele não for a medida da circunferência dividida por 2π, então nosso espaço é curvo.

Você verá que a situação em três dimensões é muito mais complicada que em duas. Em qualquer ponto, em duas dimensões, pode haver uma certa quantidade de curvatura. Em três dimensões, pode haver *várias componentes* da curvatura. Se construirmos um triângulo em um plano, podemos ter um resultado diferente daquele que teríamos se o triângulo estivesse em outro plano. Tomemos o exemplo de um círculo. Suponha que desenhemos um círculo e meçamos o raio de modo que não obtenhamos $C/2\pi$, de modo a haver algum excesso de raio. Agora desenhemos outro círculo em ângulo reto com o primeiro – como na Figura 42–15. Não é necessário que os excessos calculados sejam os mesmos. Pode, inclusive, haver situações nas quais haja um excesso positivo em um plano e um defeito, ou excesso negativo, no outro.

Talvez você esteja pensando em uma ideia melhor: não poderíamos deixar de lado estas componentes, usando uma *esfera* em três dimensões? Podemos especificar a esfera tomando todos os pontos que estão a uma dada distância de um determinado ponto no espaço. Então poderemos medir a área da superfície ladrilhando-a com pequenos triângulos e adicionando as áreas dos triângulos. De acordo com Euclides, a área total da esfera é igual a 4π vezes o quadrado do raio; então podemos definir o raio previsto como $\sqrt{A/4\pi}$. Podemos também medir o raio diretamente cavando um buraco no centro e medindo a distância. Novamente, podemos tomar o raio medido menos o raio previsto e chamar de excesso de raio a diferença,

$$r_{\text{excesso}} = r_{\text{med}} - \left(\frac{\text{área medida}}{4\pi}\right)^{1/2},$$

que seria uma medida perfeitamente satisfatória da curvatura. A grande vantagem é que o objeto acima não depende de como possamos orientar o triângulo ou o círculo.

O excesso de raio da esfera tem também uma desvantagem: ele não caracteriza completamente o espaço. Ele nos dá a *curvatura média* do mundo tridimensional, já que há uma média sobre as várias curvaturas. Como temos uma média, não resolvemos o problema de definir a geometria. Se conhecermos apenas esse número, não poderemos prever todas as propriedades da geometria do espaço, pois não sabemos o que acontece com círculos de diferentes orientações. A definição completa requer a especificação de seis "números de curvatura" em cada ponto. Os matemáticos sabem como obter tais números.

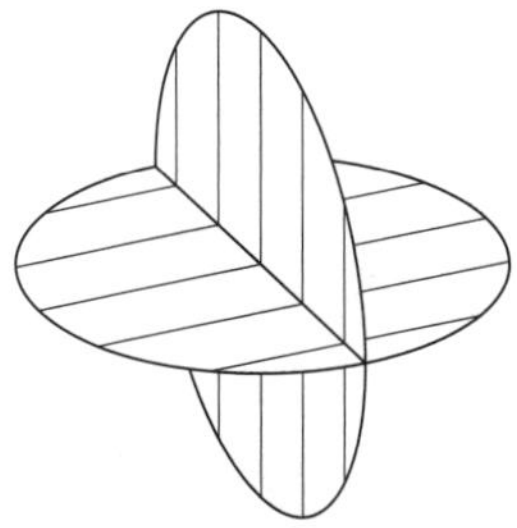

Figura 42–15 O excesso de raio pode ser diferente para círculos com diferentes orientações.

Podemos ler nos livros de matemática como escrever estes números de forma elegante, mas é uma boa ideia saber primeiro como é, de uma maneira aproximada, aquilo que se pensa obter. Para a maior parte de nossos propósitos, a curvatura média é suficiente[2].

42–3 Nosso espaço é curvo

Agora vem a principal questão: é verdade? Isto é, o espaço real tridimensional onde vivemos é curvo? Uma vez que tenhamos imaginação suficiente para perceber a possibilidade de nosso espaço ser curvo, nossa mente naturalmente fica curiosa sobre a real possibilidade de curvatura do espaço. As pessoas fizeram medidas geométricas diretas para tentar descobrir, mas não acharam desvios. Por outro lado, argumentando sobre a gravitação, Einstein descobriu que o espaço *é* curvo, e gostaríamos de falar alguma coisa sobre o que a lei de Einstein diz sobre a quantidade de curvatura, assim como lhes dizer como ele descobriu sobre a curvatura.

Einstein disse que o espaço é curvo e que a matéria seria a fonte da curvatura. Matéria é também a fonte de gravitação, de modo que gravidade está relacionada com curvatura – mas isso virá mais tarde neste capítulo. Suponhamos, para que a questão se simplifique, que a matéria seja distribuída continuamente, com densidade que pode variar, conforme queiramos, de lugar para lugar[3]. A regra que Einstein deu para a curvatura é a seguinte: se houver uma região do espaço com matéria em seu interior e tomarmos uma esfera pequena o suficiente de modo que a densidade ρ da matéria em seu interior seja efetivamente constante, então o *excesso de raio* da esfera é proporcional à massa interna à esfera. Utilizando a definição de excesso de raio, temos

$$\text{Excesso de raio} = r_{\text{med}} - \sqrt{\frac{A}{4\pi}} = \frac{G}{3c^2} \cdot M. \tag{42.3}$$

Aqui, G é a constante gravitacional (da teoria de Newton), c é a velocidade da luz e $M = 4\pi\rho r^3/3$ é a massa da matéria dentro da esfera. Essa é a lei de Einstein para a curvatura do espaço.

Tomemos a Terra como exemplo e esqueçamos que a densidade varia ponto a ponto – de modo a não termos de fazer integrais. Suponhamos que medíssemos a superfície da Terra com todo cuidado e depois cavássemos um buraco até o centro e medíssemos o raio. Da área, poderíamos calcular o raio previsto que calcularíamos da expressão da área, $4\pi r^2$. Então, poderíamos comparar com o raio medido, achando consequentemente o excesso, Equação (42.3). A constante $G/3c^2$ é cerca de $2{,}5 \times 10^{-29}$ cm por grama, de modo que, para cada grama de material, o excesso de raio é $2{,}5 \times 10^{-29}$ cm. Colocando a massa da Terra, que é 6×10^{27} gramas, segue que a Terra tem 1,5 milímetro mais raio que deveria ter em vista de sua superfície[4]. Fazendo o mesmo cálculo para o Sol, verificaremos que ele é meio quilômetro longo demais.

Note que a lei diz que a curvatura *média acima* da superfície da terra se anula, mas isso *não* significa que as componentes da curvatura anulem-se. Pode haver – e de fato há – alguma curvatura acima da superfície da Terra. Para um círculo em um plano, há um excesso de raio de um sinal para algumas orientações e de outro sinal para outras orientações. A média para a esfera é zero quando não houver massa *dentro* da esfera. Na verdade, há uma relação entre as várias componentes da curvatura e a *variação* da curvatura média de lugar para lugar. Assim, se soubermos a curvatura média em toda parte, pode-se saber a curvatura em um dado ponto. A curvatura média dentro da Terra

---

[2] Devemos mencionar um ponto adicional. Se quisermos levar o modelo do prato quente para três dimensões, devemos imaginar que o comprimento da régua depende não apenas do lugar onde se coloca a régua, mas também da orientação. É uma generalização do modelo simples, em que o comprimento depende de onde ela está, sendo o mesmo se ela está na direção norte-sul, leste-oeste ou de cima para baixo. Essa generalização é necessária se quisermos representar o espaço tridimensional com uma geometria arbitrária por meio de tal modelo, embora isso não seja necessário em duas dimensões.

[3] Ninguém – nem mesmo Einstein – sabe o que fazer se a massa estiver concentrada em pontos.

[4] Aproximadamente, já que a densidade não é independente do raio, como supusemos.

varia com a altitude, e isso quer dizer que algumas componentes da curvatura são não zero tanto dentro quanto fora da Terra. É aquela curvatura que vemos como força gravitacional.

Suponha ainda que tenhamos um inseto sobre um plano e que o plano tenha pequenas "bolhas" na superfície. Onde houver uma bolha, o inseto concluirá que seu espaço tem pequenas regiões com curvatura. Temos o mesmo em três dimensões. Sempre que houver pedaços de matéria, nosso espaço terá uma curvatura local – um tipo de bolha tridimensional.

Se fizermos um grande número de protuberâncias em um plano, poderá haver uma curvatura total além das bolhas – a superfície pode se tornar algo como uma bola. Seria interessante saber se nosso espaço tem uma curvatura média além das bolhas devido aos pedaços de matéria como o Sol ou a Terra. Os astrofísicos tentaram responder a essa questão fazendo medidas de galáxias a distâncias muito grandes. Por exemplo, se o número de galáxias que vemos em uma concha esférica a distâncias muito grandes for diferente do que esperaríamos de nosso conhecimento do raio da concha, teríamos um excesso de raio em uma esfera tremendamente grande. De tais medidas, espera-se achar se o universo como um todo é plano, em média, ou redondo – se ele é "fechado" como uma esfera ou se é "aberto" como um plano. Você já deve ter ouvido falar de debates sobre o assunto. Infelizmente, não temos nenhuma ideia sobre a curvatura de nosso universo em grandes escalas.

42–4 A geometria no espaço-tempo

Temos agora de falar sobre o tempo. Como você sabe, da relatividade especial, medidas de espaço e de tempo são fortemente correlacionadas. Seria um tipo de loucura se algo estivesse acontecendo no espaço e não no tempo. Você lembra que medidas de tempo dependem da velocidade com que nos movemos. Por exemplo, se olhamos alguém passando em uma espaçonave, vemos que os fenômenos acontecem de forma mais devagar para essa pessoa que para nós. Digamos que ela faça uma viagem e retorne 100 segundos mais tarde *pelo nosso relógio*; o relógio dela poderia nos informar que passaram-se apenas segundos. Em comparação conosco, o relógio dela – e todos os outros processos, como por exemplo, a batida de seu coração – estarão mais vagarosos.

Consideremos agora um problema interessante. Suponha que você esteja na espaçonave. Podemos pedir para você dar algum sinal e retornar a tempo de pegar um segundo sinal – digamos, exatamente 100 segundos mais tarde de acordo com *nosso* relógio. E, também, que você faça a viagem de modo que o *seu* relógio marque o espaço de tempo *mais longo possível*. Como você deveria se mover? Você deveria ficar parado. Se você se mover, seu relógio marcará menos de 100 segundos quando você retornar.

Suponha que mudemos um pouco o problema e peçamos para que você comece no ponto A, a um dado sinal, indo ao ponto B (ambos fixos em relação a nós), e que faça de tal modo que você chegue de volta no instante do segundo sinal (digamos, 100 segundos mais tarde de acordo com nosso relógio fixo). Novamente, pedimos a você para fazer a viagem de modo que chegue o mais tarde possível de acordo com seu relógio. Como você faria? Para qual caminho e programação o *seu* relógio marcará o maior espaço de tempo? A resposta é que você vai gastar o máximo tempo de *seu* ponto de vista se fizer a viagem indo a uma velocidade uniforme ao longo de uma linha reta. Como os desvios no tempo dependem do *quadrado* da velocidade, o que você perde indo mais rapidamente em um lugar você jamais ganha de volta indo de forma mais devagar a outro.

O ponto de tudo isso é que podemos usar a ideia de definir uma "linha reta" no espaço-tempo. O análogo de uma linha reta no espaço é um *movimento* com velocidade uniforme em uma direção constante no espaço-tempo.

A curva de menor distância no espaço corresponde, no espaço-tempo, não a um caminho de tempo mínimo, mas a um de tempo *mais longo*, por causa das coisas engraçadas que acontecem com o sinal do termo temporal em relatividade. Movimentos "em linha reta" – análogos aos movimentos "com velocidade uniforme em uma linha reta" – são aqueles que, levando-se um relógio de um lugar para outro, dão uma medida

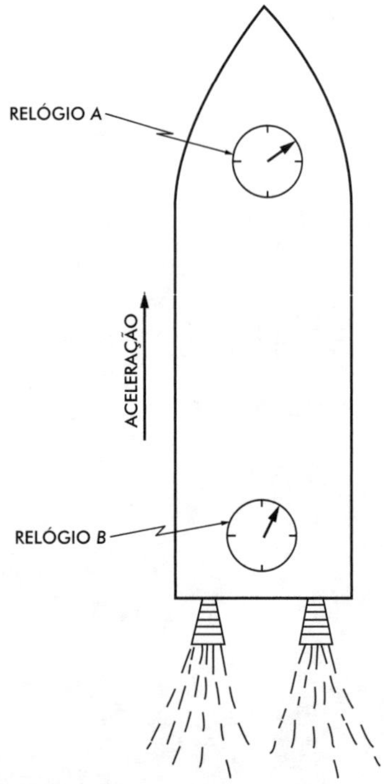

Figura 42–16 Um foguete com dois relógios acelerando-se.

de tempo naquele relógio que seja a máxima possível. Essa será nossa definição de linha reta no espaço-tempo.

42–5 Gravitação e o princípio de equivalência

Estamos prontos para discutir as leis da gravitação. Einstein queria construir uma teoria da gravitação que estivesse de acordo com a teoria da relatividade que ele construíra antes. Ele estava lutando até que se deparou com um princípio importante que o guiou para as novas leis. O princípio é baseado no fato de que, quando algum objeto está em queda livre, tudo que está dentro dele parece não ter peso. Por exemplo, um satélite em órbita está em queda livre no campo de gravidade terrestre, e o astronauta dentro do satélite parece não ter peso. Essa ideia, quando colocada com precisão, é chamada de *princípio de equivalência de Einstein*. Ela depende do fato de que todos os objetos caem com a mesma aceleração da gravidade independentemente de sua massa ou do que eles sejam confeccionados. Se tivermos uma espaçonave à deriva – portanto, em queda livre – e houver um homem dentro, as leis de queda do homem e da nave serão as mesmas. Se ele estiver no meio da nave, ele ficará lá. *Com relação à nave*, ele não cai. Esse é o significado de se dizer que ele fica "sem peso".

Suponha agora que você esteja em um foguete acelerando. Aceleração com respeito a quê? Digamos que os motores estejam ligados e que geremos uma força, de modo que a nave não esteja em queda livre. Imaginem também que você esteja bem longe, no espaço, de modo que praticamente não haja força gravitacional sobre a nave. Se a nave estiver sendo acelerada com "1 g", você poderá sentir o chão sob seus pés e o seu peso habitual. Se você jogar uma bola, ela cairá no chão. Por quê? Porque a nave está sendo acelerada para "cima", mas a bola não tem forças sobre ela, de modo que a bola não se acelera, sendo deixada para trás. Dentro da nave, a bola parece ter uma aceleração 1 g para baixo.

Comparemos com o que acontece com a situação de uma espaçonave em repouso na superfície da Terra. *É tudo a mesma coisa*! Você está pressionado sobre o chão, a bola cai com aceleração 1 g, e assim por diante. De fato, como você poderia dizer, estando dentro da nave, se estão sentados na Terra ou acelerando no espaço? De acordo com Einstein, não há como dizer se você só puder fazer medidas dentro da nave!

Para ser estritamente correto, isso é verdade apenas para um ponto dentro da nave. O campo gravitacional da Terra não é precisamente uniforme, de modo que uma bola em queda livre tem aceleração levemente diferente em diferentes pontos – a direção e a magnitude mudam. Se imaginamos um campo estritamente uniforme, podemos imitá-lo exatamente com uma aceleração constante. Essa é a base do princípio de equivalência.

42–6 A velocidade de relógios em um campo gravitacional

Utilizemos o princípio de equivalência para estudar uma coisa estranha que acontece em um campo gravitacional. Vamos mostrar algo que acontece em um foguete, que você não esperaria acontecer em um campo gravitacional. Suponha que coloquemos um relógio na parte da frente do foguete e outro, idêntico, na parte de trás, como na Figura 42–16. Chamemos os relógios de A e B. Se compararmos estes dois relógios quando o foguete estiver acelerando, o relógio da frente parece andar mais rapidamente que o de trás. Para ver isso, imagine que o relógio da frente emite um facho de luz a cada segundo, e que você esteja sentado na parte de trás comparando a chegada dos fachos de luz com os tiques do relógio B. Digamos que o foguete esteja na posição a da Figura 42–17 quando o relógio A emite o facho, e na posição b quando a luz chega em B. Mais tarde, a nave estará na posição c quando o relógio A emitir o próximo facho e na posição d quando o segundo facho chegar a B.

O primeiro facho viaja a distância L_1 e o segundo, um trecho menor, L_2. A distância será menor porque a nave está acelerando e terá uma velocidade maior quando vier o segundo facho. Você pode ver que, se dois fachos forem emitidos de A, com intervalo de um segundo, eles vão chegar a B com uma separação muito menor que um segundo, já que o segundo facho veio por um caminho menor. A mesma coisa acontecerá com todos os outros fachos. Assim, se você estiver na cauda do foguete, concluirá que o relógio em A estará andando muito mais rapidamente que aquele em B. Se você mudar de posição – deixando o relógio em B emitir fachos observando-os de A, você concluirá que B estará *mais devagar* que A. Tudo se ajusta bem e nada há de misterioso.

Agora, vamos pensar que o foguete está parado na gravidade terrestre. *A mesma coisa acontece.* Se você se sentar em um andar com um relógio e olhar outra pessoa em um andar acima, vai parecer que o outro relógio no andar de cima está andando mais rapidamente que o seu no andar mais baixo! Você dirá: "mas isso está errado. As horas deveriam ser as mesmas. Sem aceleração, não há razão para os relógios não estarem sincronizados". Eles devem funcionar dessa maneira se o princípio de equivalência funcionar. E Einstein insistiu que o princípio de equivalência *é* correto, indo corajosamente à frente. Ele propôs que relógios em diferentes lugares em um campo gravitacional devessem andar em ritmos diferentes, mas, se um sempre *parece* estar andando em ritmo diferente com relação a outro, então, em relação ao primeiro, o segundo também *deve* estar andando em ritmo diferente.

Se esse não fosse o caso, isso significaria que seria possível dizer a diferença entre um campo gravitacional e um sistema de referências acelerado. A ideia de que o tempo possa variar de um lugar para outro é muito difícil, mas essa foi a ideia usada por Einstein, e ela está correta, acredite se quiser.

Usando o princípio de equivalência, podemos achar o ritmo do relógio como função da altura em um campo gravitacional. Simplesmente trabalhamos com a discrepância entre os dois relógios no foguete acelerado. A maneira mais simples de proceder é utilizar o resultado achado, no Capítulo 34 do Volume I, para o efeito Doppler. Ali achamos, em conformidade com a Equação (34.14), que, se v for a velocidade *relativa* entre a fonte e o receptor, a frequência *recebida* ω pode ser relacionada com a frequência *emitida* ω_0 por

$$\omega = \omega_0 \frac{1 + v/c}{\sqrt{1 - v^2/c^2}}. \tag{42.4}$$

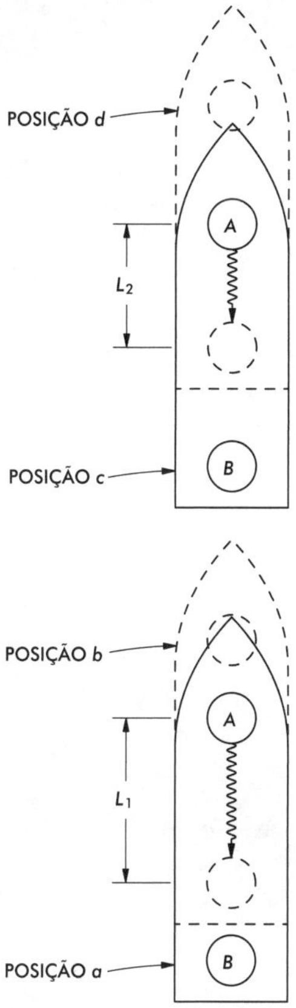

Figura 42–17 Um relógio na cabeça de um foguete acelerado parece estar em ritmo mais acelerado que um relógio na cauda do foguete.

Se pensarmos, agora, na aceleração do foguete na Figura 42–17, o emissor e o receptor estão com a mesma velocidade em um determinado instante. No espaço de tempo em que os sinais de luz vão do relógio A para o B, o foguete acelerou. A velocidade do foguete teve um adicional de gt, onde g é a aceleração e t é o tempo que a luz leva para atravessar a distância H de A até B. Este tempo é aproximadamente H/c. Portanto, quando os sinais luminosos chegam a B, a espaçonave ganhou uma velocidade gH/c. O receptor tem tal velocidade *com relação ao emissor*, no instante em que o sinal sai. Esta é a velocidade que devemos usar na fórmula do efeito Doppler, (42.4). Supondo que a aceleração e o comprimento da nave sejam pequenos o suficiente, de modo que essa velocidade seja bem menor que c, podemos desprezar os termos em v^2/c^2. Portanto, temos

$$\omega = \omega_0 \left(1 + \frac{gH}{c^2}\right). \tag{42.5}$$

Portanto, para os relógios na espaçonave, temos a relação

$$(\text{Taxa no receptor}) = (\text{Taxa de emissão}) \left(1 + \frac{gH}{c^2}\right), \tag{42.6}$$

onde H é a altura do emissor em relação ao receptor.

Do princípio de equivalência, deve valer o mesmo resultado para dois relógios separados pela altura H em um campo gravitacional de aceleração g.

Essa é uma ideia de tal importância em física que podemos demonstrá-la a partir de outra lei da física – a conservação da energia. Sabemos que a força gravitacional sobre um objeto é proporcional à massa M do objeto, relacionada à sua energia interna E por $M = E/c^2$. Por exemplo, as massas dos núcleos determinadas pelas *energias* das reações nucleares que transmutam um núcleo em outro concordam com as massas obtidas dos *pesos* atômicos.

Pense agora em um átomo cujo estado de energia mínimo seja E_0, e que haja um estado de energia mais alta E_1, e que este átomo possa passar de um estado para outro, ou seja, de E_1 para E_0, emitindo luz. A frequência ω da luz é dada por

$$\hbar\omega = E_1 - E_0. \tag{42.7}$$

Suponha agora que tenhamos um átomo no estado E_1 no chão e que o levemos até a altura H. Para fazer isso, fazemos um trabalho, carregando a massa $m_1 = E_1/c^2$ contra a força gravitacional. A quantidade de trabalho é

$$\frac{E_1}{c^2}\,gH. \tag{42.8}$$

Agora deixemos o átomo emitir um fóton indo para o estado mais baixo E_0. Depois, carregamos o átomo de volta ao chão. Na volta, a massa é E_0/c^2; recuperamos a energia

$$\frac{E_0}{c^2}\,gH, \tag{42.9}$$

de modo que fizemos um trabalho total igual a

$$\Delta U = \frac{E_1 - E_0}{c^2}\,gH. \tag{42.10}$$

Quando o átomo emitiu o fóton, ele forneceu a energia $E_1 - E_0$. Suponha agora que o átomo foi para o chão tendo sido absorvido. Quanta energia ele forneceu ali? Você poderia pensar que ele forneceu exatamente $E_1 - E_0$, mas isso pode não ser exato, pelo seguinte argumento. Começamos com a energia E_1 no chão. Quando terminamos, a energia no chão era E_0, do átomo, mais a energia E_{fot}, do fóton. Durante esse tempo, tivemos de adicionar a energia suplementar ΔU, dada pela Equação (42.10). Se a energia se conserva, terminamos no chão com uma energia maior que aquela com que começamos, por uma quantidade igual ao trabalho que fizemos. Ou seja, devemos ter

$$E_{\text{fot}} + E_0 = E_1 + \Delta U,$$

ou

$$E_{\text{fot}} = (E_1 - E_0) + \Delta U. \tag{42.11}$$

Assim, o fóton *não* chega com energia $E_1 - E_0$ com a qual ele começou, mas *com um pouco a mais de energia*. De outro modo, alguma energia teria sido perdida. Se substituirmos ΔU de (42.10) em (42.11), obtemos, para a energia do fóton no chão,

$$E_{\text{fot}} = (E_1 - E_0)\left(1 + \frac{gH}{c^2}\right)\cdot \tag{42.12}$$

Um fóton com energia E_{fot} tem frequência $\omega = E_{\text{fot}}/\hbar$. Chamando de ω_0 a frequência do fóton *emitido* – que, em vista de (42.7), é igual a $(E_1 - E_0)/\hbar$ –, nosso resultado em (42.12) nos fornece a relação (42.5) entre a frequência do fóton absorvido no solo e a frequência com a qual foi emitido.

O mesmo resultado pode ser obtido ainda de outra forma. Um fóton de frequência ω_0 tem energia $E_0 = \hbar\omega_0$. Como a energia E_0 tem massa relativística E_0/c^2, o fóton tem massa (*não* massa de repouso) $\hbar\omega_0/c^2$, sendo atraído pela Terra. Caindo da altura H, ele ganha uma energia adicional $(\hbar\omega_0/c^2)gH$, de modo que chega com energia

$$E = \hbar\omega_0\left(1 + \frac{gH}{c^2}\right)\cdot$$

Mas, sua frequência depois da queda deve ser $E/\hbar$, e obtemos novamente o resultado (42.5). Nossas ideias sobre relatividade, física quântica e conservação da energia amoldam-se umas às outras, apenas e tão somente, se as predições de Einstein sobre relógios em um campo gravitacional estiverem corretas. A mudança de frequência de que falamos são muito pequenas. Por exemplo, para uma altitude de 20 metros na superfície da terra, a diferença é de uma parte em 10^{15}. Mas, uma tal diferença foi recentemente encontrada experimentalmente, usando-se o efeito Mössbauer[5]. Einstein estava perfeitamente correto.

42–7 A curvatura do espaço-tempo

Agora, queremos relacionar o que discutimos anteriormente com a ideia de espaço-tempo curvo. Já salientamos que, se o tempo segue em ritmos diferentes, a situação é análoga ao espaço curvo do prato quente, mas isso é mais que uma analogia; isso significa que o espaço-tempo *é* curvo. Vamos olhar para a geometria do espaço-tempo. À primeira vista parece haver alguma peculiaridade, mas frequentemente desenhamos diagramas do espaço-tempo com a distância em um eixo e o tempo no outro. Façamos um retângulo no espaço-tempo. Começamos fazendo um gráfico da altura H contra o tempo t, como na Figura 42–18(a). Para fazer a base de nosso retângulo, tomamos um objeto que esteja *em repouso* na altura H_1 e seguimos sua linha-mundo por 100 segundos. Obtemos a linha BD na parte (b) da figura, que é paralela ao eixo t. Agora vamos tomar outro objeto a 100 metros acima do primeiro em $t = 0$. Ele começa no ponto A da Figura 42–18(c). Seguimos sua linha-mundo por 100 segundos medidos pelo relógio em A. O objeto vai de A até C, conforme a parte (d) da figura. Note que o tempo corre em ritmos diferentes nas duas alturas – estamos admitindo que haja um campo gravitacional –, então os pontos C e D não são simultâneos. Se tentarmos completar o quadrado desenhando uma linha até o ponto C' que está 100 metros acima de D ao mesmo tempo, como na Figura 42–18(e), as peças não se coadunam, e isso significa que o espaço-tempo é curvo.

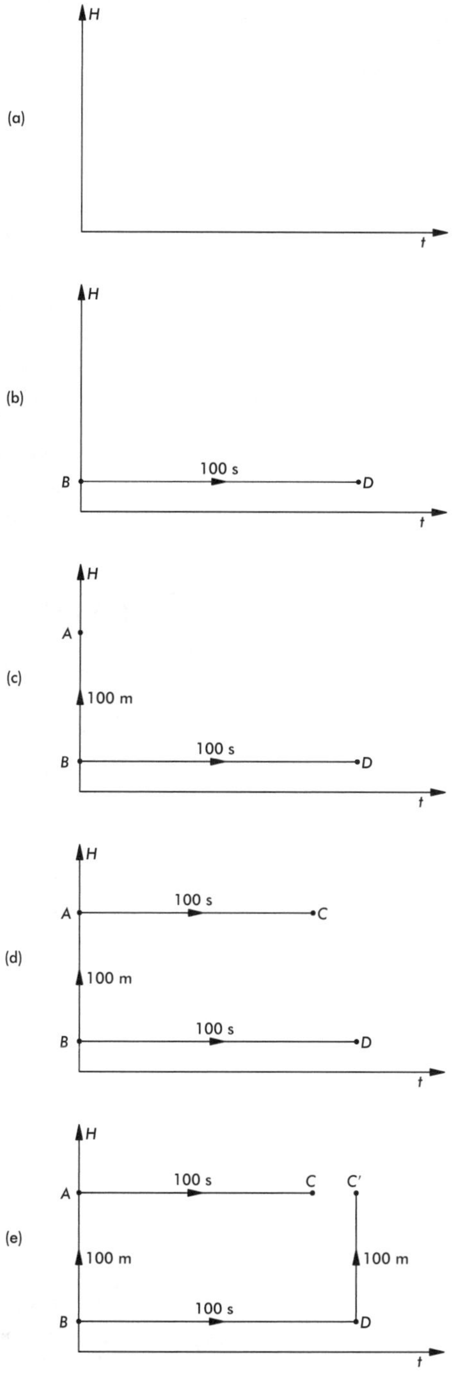

Figura 42–18 Tentando fazer um retângulo no espaço-tempo.

42–8 Movimento no espaço-tempo curvo

Consideremos um interessante quebra-cabeça. Temos dois relógios idênticos, A e B, juntos na superfície da Terra, como na Figura 42–19. Vamos elevar o relógio A até a altura H, deixá-lo ali por alguns instantes e trazê-lo ao solo, exatamente no instante em que o relógio B marcar 100 segundos. O relógio A vai marcar algo em torno de 107 segundos, porque ele estava andando mais rapidamente enquanto estava no alto. Agora vem o quebra-cabeça. Como devemos mover o relógio A para que ele marque o maior tempo possível – sempre supondo que ele retorne quando B marcar 100 segundos? Você diria: "é fácil. Leve A para o ponto mais alto possível e retorne o mais tarde possível". Errado. Você se esquece de algo – só temos 100 segundos para ir e voltar. Se formos muito alto, teremos de ir muito rapidamente para que voltemos em 100 segundos. E não se deve esquecer de que há o efeito da relatividade especial que faz com que os relógios *andem em ritmo mais lento* por um fator $\sqrt{1 - v^2/c^2}$. Esse fator da relatividade vai na direção contrária, ou seja, de se fazer com que o relógio avance *menos* que B. Você vê que é uma espécie de jogo. Se você ficar parado com A, lerá 100 segundos no relógio. Se você for para cima só um pouco e voltar devagar, terá pouco mais que 100 segundos. Se for mais para cima ainda, talvez ganhe mais algum tempo, mas, se for demais, deve andar rapidamente demais e pode atrasar o relógio, de modo que ele pode marcar menos que 100 segundos. Que tipo de relação deve haver entre altura e tempo,

[5] R. V. Pound e G. A. Rebka, Jr., *Physical Review Letters*. Vol. **4**, p. 337, (1960).

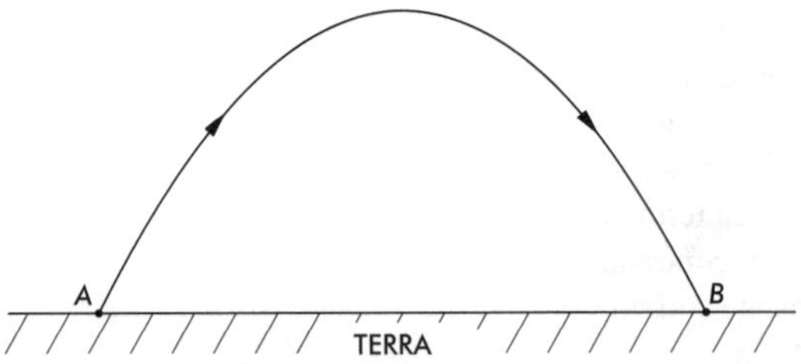

Figura 42–19 Em um campo gravitacional uniforme, a trajetória com tempo próprio máximo para um tempo fixo determinado é uma parábola.

ou seja, quão alto podemos ir voltando para B, de modo a ter o maior tempo possível no relógio A?

Resposta: ache quão rapidamente deve-se jogar uma bola para cima de modo a que ela volte em exatos 100 segundos. O movimento da bola – subindo, parando e descendo – é exatamente o movimento correto de se fazer para que se obtenha o maior tempo possível, de acordo com um relógio de pulso que caminhe com a bola.

Agora consideremos um jogo diferente. Temos dois pontos, A e B, na superfície da Terra a alguma distância um do outro. Fazemos o mesmo jogo que fizemos anteriormente para achar o que chamamos uma linha reta. Perguntamos como devemos ir de A para B, de modo que o tempo do relógio que nos acompanha seja máximo – supondo que comecemos em A, a um dado sinal, e cheguemos a B, a outro sinal que seja, por exemplo, 100 segundos mais tarde de acordo com o relógio fixo. Agora vocês dirão "bem, achamos antes que a coisa a ser feita é andar em ponto morto a uma velocidade constante, de modo a chegar a B exatos 100 segundos mais tarde. Se não formos por uma linha reta, leva mais tempo, precisamos ir mais rapidamente e nosso relógio anda em ritmo mais lento". Mas espere! Isso foi antes de levarmos a gravidade em conta. Não é melhor ir um pouco para cima e depois voltar para baixo? Desse modo, durante parte do tempo, estaremos mais no alto e nosso relógio andará mais rapidamente. De fato. Se resolvermos o problema matemático de ajustar a curva de movimento, de modo que o relógio que se move leve o máximo de tempo possível, você achará que tal curva é uma parábola – a mesma curva do movimento balístico em um campo gravitacional, como na Figura 42–19. Portanto, a lei de movimento em um campo gravitacional pode ser colocada da seguinte maneira: *um objeto sempre se move de um ponto a outro de modo que um relógio, que segue a trajetória, marque o tempo mais longo entre todas as possíveis trajetórias* – devemos ter, é claro, as mesmas condições de início e fim de movimento. O tempo medido pelo relógio que se move é frequentemente chamado de "tempo próprio". Em queda livre, a trajetória faz com que o tempo próprio seja máximo.

Vejamos como tudo isso funciona. Começamos pela Equação (42.5) que nos diz que o *excesso de ritmo do relógio* é dado por

$$\frac{\omega_0 gH}{c^2}. \tag{42.13}$$

Além disso, temos de lembrar que há uma correção de sinal oposto para o ritmo oriundo da velocidade. Para esse efeito, sabemos que

$$\omega = \omega_0\sqrt{1 - v^2/c^2}.$$

Embora o princípio seja válido para qualquer velocidade, tomemos como exemplo uma velocidade bastante pequena. Neste caso, podemos escrever

$$\omega = \omega_0(1 - v^2/2c^2),$$

e o efeito no ritmo do relógio será

$$-\omega_0\,\frac{v^2}{2c^2}. \tag{42.14}$$

Combinando os termos (42.13) e (42.14), temos

$$\Delta\omega = \frac{\omega_0}{c^2}\left(gH - \frac{v^2}{2}\right). \tag{42.15}$$

Essa mudança de frequência de nosso relógio em deslocamento significa que, se medirmos o tempo dt em um relógio fixo, o relógio em movimento registrará o tempo

$$dt\left[1 + \left(\frac{gH}{c^2} - \frac{v^2}{2c^2}\right)\right], \tag{42.16}$$

O excesso de tempo na trajetória é a integral do termo extra com relação ao tempo, ou seja,

$$\frac{1}{c^2}\int\left(gH - \frac{v^2}{2}\right)dt, \tag{42.17}$$

que se supõe ser um máximo.

O termo gH é o potencial gravitacional ϕ. Suponha que multipliquemos tudo por um fator constante $-mc^2$, onde m é a massa do objeto. A constante não muda a condição de máximo, mas o sinal de menos muda a condição de máximo em mínimo. A Equação (42.16) nos diz que o objeto se move de tal modo que

$$\int\left(\frac{mv^2}{2} - m\phi\right)dt = \text{um mínimo.} \tag{42.18}$$

Agora o integrando é simplesmente a diferença entre as energias cinética e potencial. Se você olhar no Capítulo 19 deste volume, verá que, quando discutimos o princípio de mínima ação, mostramos que as leis de Newton para um objeto em um potencial podem ser escritas na forma (42.18).

42–9 Teoria da gravitação de Einstein

A forma das equações de movimento de Einstein – de que o tempo próprio deve ser um máximo em um espaço-tempo curvo – dá o mesmo resultado que as leis de Newton para velocidades pequenas. O relógio de Gordon Cooper estava mais adiantado que estaria em qualquer outro caminho que ele tivesse imaginado em seu satélite[6].

Assim, a lei da gravitação pode ser formulada em termos de ideias de geometria de espaço-tempo desta maneira extraordinária. As partículas sempre demoram o tempo próprio mais longo – no espaço-tempo, isso é análogo à "distância mais curta". Essa é a lei de movimento em um campo gravitacional. A grande vantagem de se colocar dessa maneira é que a lei não depende das coordenadas que usamos para definir o problema.

Vamos resumir o que fizemos. Temos duas leis para a gravitação:

(1) Como a geometria do espaço-tempo muda quando matéria está presente – isto é, a curvatura expressa em termos do excesso de raio é proporcional à massa dentro da esfera, Equação (42.3).
(2) Como objetos se movem na presença de forças gravitacionais – isto é, objetos movem-se de modo que o tempo próprio entre dois pontos dados em certas condições é o máximo.

Essas duas leis correspondem a um par de leis que vimos antes. Originalmente, descrevemos o movimento em um campo gravitacional em termos da Lei de Newton, do inverso do quadrado, e de sua lei de movimento. Agora, as leis (1) e (2) substituem-nas. Nosso novo par de leis também corresponde ao que vimos em eletrodinâmica. Tínhamos, então, nossa lei – as equações de Maxwell – que determinavam os campos produzidos pelas cargas. Elas determinam como o caráter do "espaço" muda na presença de matéria carregada, o que a lei (1) faz para a gravidade. Além disso, tínhamos uma lei sobre como as partículas se movem em dados campos $-d(m\boldsymbol{v})/dt = q(\boldsymbol{E} + \boldsymbol{v} \times \boldsymbol{B})$. Para a gravitação, isso é feito pela lei (2).

Nas leis (1) e (2), estabelecemos precisamente a teoria da gravitação de Einstein – embora você encontre-na descrita de maneira matematicamente mais complicada. Ainda assim, devemos dizer mais alguma coisa. Assim como a escala de tempo muda de ponto a ponto em um campo gravitacional, também mudam as escalas de comprimento. As

[6] Estritamente falando, esse é apenas um *mínimo local*. Deveríamos ter dito que o tempo próprio é maior que os outros caminhos *próximos*. Por exemplo, o tempo próprio de uma órbita elíptica ao redor da Terra não é necessariamente maior que o caminho balístico de um objeto que é atirado de grande altura e cai.

réguas mudam suas escalas conforme são deslocadas. É impossível que algo aconteça com o tempo sem acontecer com o espaço nessa mistura tão próxima de espaço e tempo. Tome o exemplo mais simples: você está passando pela Terra. O que é o *tempo,* do *seu* ponto de vista, é parcialmente espaço, de *nosso* ponto de vista. É todo o *espaço-tempo* que é distorcido na presença da matéria, sendo mais complicado que apenas uma mudança na escala do tempo. A regra que demos na Equação (42.3) é suficiente para determinar completamente as leis da gravitação, desde que se entenda que essa regra sobre a curvatura do espaço aplica-se não apenas do ponto de vista de uma pessoa, mas que é verdadeira para todos. Alguém, passando por uma massa de material, vê um conteúdo de matéria diferente, posto que a energia cinética que ele calcula depende de seu movimento, e ele deve incluir a massa correspondente a esta energia. A teoria deve ser definida de modo que todos – não importando seu movimento – acharão um excesso de raio $G/3c^2$ vezes a massa total (ou melhor, $G/3c^4$ vezes o conteúdo total de energia) dentro da esfera, quando tal esfera for desenhada. O fato de essa lei (1) ser verdadeira para qualquer sistema em movimento é uma das grandes leis da gravitação, chamada *equação de campo de Einstein.* A outra grande lei, a número (2), dizendo que os objetos se movem de modo que o tempo próprio seja máximo, é chamada de *equação de movimento de Einstein.*

Escrever essas leis em uma forma algébrica completa, comparando-as com as leis de Newton e relacionando-as com a eletrodinâmica, é um trabalho matematicamente difícil, mas essa é a maneira como as leis físicas da gravitação se mostram hoje.

Embora elas deem um resultado de acordo com as Leis de Newton da mecânica para os exemplos simples que consideramos, esse fato não é sempre verdadeiro. As três discrepâncias primeiramente deduzidas por Einstein foram confirmadas experimentalmente: a órbita de Mercúrio não é uma elipse fixa; luz passando perto do Sol é defletida duas vezes mais do que você pensaria; o ritmo dos relógios depende de sua localização em um campo gravitacional. Sempre que as predições de Einstein foram diferentes daquelas da mecânica newtoniana, a Natureza escolheu as de Einstein.

Vamos resumir tudo o que dissemos da seguinte maneira. Primeiramente, taxas de tempo e distância dependem do lugar no espaço e do tempo em que são medidas. Isso é equivalente de que o espaço-tempo é curvo. Da medida da área da esfera, podemos definir um raio previsto $\sqrt{A/4\pi}$, mas a medida real do raio terá um excesso proporcional à massa total contida dentro da esfera (a constante de proporcionalidade é $G/3c^2$). Isso fixa o grau exato de curvatura do espaço-tempo. A curvatura deve ser a mesma, independentemente de quem olha ou de seu estado de movimento. Além disso, partículas movem-se em "linhas retas" (trajetórias de tempo máximo) nesse espaço-tempo curvo. Esse é o conteúdo da formulação de Einstein das leis da gravitação.

Índice

Índice de Nomes

A
Adams, John C. (1819–92), I-7-5
Aharonov, Yakir (1932–), II-15-12
Ampère, André-Marie (1775–1836), II-13-3, II-18-9, II-20-10
Anderson, Carl D. (1905–91), I-52-10
Aristotle (384–322 BC), I-5-1
Avogadro, L. R. Amedeo C. (1776–1856), I-39-2

B
Becquerel, Antoine Henri (1852–1908), I-28-3
Bell, Alexander G. (1847–1922), II-16-3
Bessel, Friedrich W. (1784–1846), II-23-6
Boehm, Felix H. (1924–), I-52-10
Bohm, David (1917–92), II-7-7, II-15-12
Bohr, Niels (1885–1962), I-42-9, II-5-3, III-16-13, III-19-5
Boltzmann, Ludwig (1844–1906), I-41-2
Bopp, Friedrich A. (1909–87), II-28-8 ff
Born, Max (1882–1970), I-37-1, I-38-9, II-28-7, II-28-10, III-1-1, III-2-9, III-3-1, III-21-6
Bragg, William Lawrence (1890–1971), II-30-9
Brewster, David (1781–1868), I-33-5
Briggs, Henry (1561–1630), I-22-6 f
Brown, Robert (1773–1858), I-41-1

C
Carnot, N. L. Sadi (1796–1832), I-4-2, I-44-2 ff, I-45-3, I-45-7
Cavendish, Henry (1731–1810), I-7-9
Cherenkov, Pavel A. (1908–90), I-51-2
Clapeyron, Benoît Paul Émile (1799–1864), I-44-2 f
Copernicus, Nicolaus (1473–1543), I-7-1
Coulomb, Charles-Augustin de (1736–1806), II-5-6

D
Dedekind, J. W. Richard (1831–1916), I-22-4
Dicke, Robert H. (1916–97), I-7-11
Dirac, Paul A. M. (1902–84), I-52-10, II-2-1, II-28-7 f, II-28-10, III-3-1 f, III-8-2, III-8-4, III-12-6 f, III-16-10, III-16-14

E
Einstein, Albert (1879–1955), I-2-6, I-4-7, I-6-10, I-7-11, I-12-9, I-12-11 f, I-15-1, I-15-3, I-15-9 f, I-16-1, I-16-5, I-16-9, I-41-1, I-41-8, I-42-9 f, I-43-9, II-13-6, II-25-11, II-26-12, II-27-10, II-28-4, II-42-1, II-42-5 f, II-42-8 f, II-42-11, II-42-13 f, III-4-8, III-18-8
Eötvös, Roland von (1848–1919), I-7-11
Euclid (c. 300 BC), I-2-3, I-5-6, I-12-3, II-42-3

F
Faraday, Michael (1791–1867), II-10-1 f, II-16-1 ff, II-16-8, II-16-10, II-17-1 f, II-18-9, II-20-10
Fermat, Pierre de (1601–65), I-26-3, I-26-7
Fermi, Enrico (1901–54), I-5-10
Feynman, Richard P. (1918–88), II-21-5, II-28-8, II-28-10
Fourier, J. B. Joseph (1768–1830), I-50-5 f
Frank, Ilya M. (1908–90), I-51-2
Franklin, Benjamin (1706–90), II-5-6

G
Galileo Galilei (1564–1642), I-5-1 f, I-7-2, I-9-1, I-10-5, I-52-3
Gauss, J. Carl F. (1777–1855), II-3-5, II-16-2, II-36-6
Geiger, Johann W. (1882–1945), II-5-3
Gell-Mann, Murray (1929–), I-2-9, III-11-12 f, III-11-16 ff
Gerlach, Walther (1889–1979), II-35-3 f, III-35-3 f
Goeppert-Mayer, Maria (1906–72), III-15-13

H
Hamilton, William Rowan (1805–65), III-8-10
Heaviside, Oliver (1850–1925), II-21-5
Heisenberg, Werner K. (1901–76), I-37-1, I-37-9, I-37-11 f, I-38-9, II-19-9, III-1-1, III-1-9, III-1-11, III-2-9, III-16-9, III-20-17
Helmholtz, Hermann von (1821–94), I-35-7, II-40-10 f
Hess, Victor F. (1883–1964), II-9-2
Huygens, Christiaan (1629–95), I-15-2, I-26-2, I-33-9

I
Infeld, Leopold (1898–1968), II-28-7, II-28-10

J
Jeans, James H. (1877–1946), I-40-9, I-41-6 f, II-2-6
Jensen, J. Hans D. (1907–73), III-15-13
Josephson, Brian D. (1940–), III-21-14

K
Kepler, Johannes (1571–1630), I-7-1 f

L
Lamb, Willis E. (1913–2008), II-5-6
Laplace, Pierre-Simon de (1749–1827), I-47-7
Lawton, Willard E. (1899–1946), II-5-6 f
Leibniz, Gottfried Willhelm (1646–1716), I-8-4
Le Verrier, Urbain (1811–77), I-7-5 f
Liénard, Alfred-Marie (1869–1958), II-21-11
Lorentz, Hendrik Antoon (1853–1928), I-15-3, I-15-5, II-21-12 f, II-25-11, II-28-3, II-28-7, II-28-12

M
MacCullagh, James (1809–47), II-1-9
Marsden, Ernest (1889–1970), II-5-3
Maxwell, James Clerk (1831–79), I-6-1, I-6-9, I-28-1, I-28-3, I-40-8, I-41-7, I-46-5, II-1-8, II-1-11, II-5-6 f, II-17-2, II-18-1 ff, II-18-8 f, II-18-11, II-20-10, II-21-5, II-28-3, II-32-3 f
Mayer, Julius R. von (1814–78), I-3-2
Mendeleev, Dmitri I. (1834–1907), I-2-9
Michelson, Albert A. (1852–1931), I-15-3, I-15-5
Miller, William C. (1910–81), I-35-2
Minkowski, Hermann (1864–1909), I-17-8
Mössbauer, Rudolf L. (1929–2011), I-23-9
Morley, Edward W. (1838–1923), I-15-3, I-15-5

N
Nernst, Walter H. (1864–1941), I-44-11
Newton, Isaac (1643–1727), I-7-2 ff, I-7-9, I-7-11, I-8-4, I-9-1 f, I-9-4, I-10-2, I-10-9, I-11-2, I-12-1 f, I-12-9, I-14-6, I-15-1, I-16-2, I-16-6, I-18-7, I-37-1, I-47-7, II-4-10 f, II-19-7, II-42-1, III-1-1
Nishijima, Kazuhiko (1926–2009), I-2-9, III-11-12 f
Nye, John F. (1923–), II-30-9

O
Oersted, Hans C. (1777–1851), II-18-9, II-36-6

P

Pais, Abraham (Bram) (1918–2000), III-11-12, III-11-16 ff

Pasteur, Louis (1822–95), I-3-10

Pauli, Wolfgang E. (1900–58), III-4-3, III-11-2

Pines, David (1924–), II-7-7

Planck, Max (1858–1947), I-40-10, I-41-6 f, I-42-8 ff, III-4-12

Plimpton, Samuel J. (1883–1948), II-5-6 f

Poincaré, J. Henri (1854–1912), I-15-3, I-15-5, I-16-1, II-28-4

Poynting, John Henry (1852–1914), II-27-3, II-28-3

Priestley, Joseph (1733–1804), II-5-6

Ptolemy, Claudius (c. 2nd cent.), I-26-2 f

Pythagoras (c. 6th cent. BC), I-50-1

R

Rabi, Isidor I. (1898–1988), II-35-4, III-35-4

Ramsey, Norman F. (1915–2011), I-5-5

Retherford, Robert C. (1912–81), II-5-6

Rømer, Ole (1644–1710), I-7-5

Rushton, William A. H. (1901–80), I-35-9

Rutherford, Ernest (1871–1937), II-5-3

S

Schrödinger, Erwin (1887–1961), I-35-6, I-37-1, I-38-9, II-19-9, III-1-1, III-2-9, III-3-1, III-16-4, III-16-12 ff, III-20-17, III-21-6

Shannon, Claude E. (1916–2001), I-44-2

Smoluchowski, Marian (1872–1917), I-41-8

Snell(ius), Willebrord (1580–1626), I-26-3

Stern, Otto (1888–1969), II-35-3 f, III-35-3 f

Stevin(us), Simon (1548/49–1620), I-4-5

T

Tamm, Igor Y. (1895–1971), I-51-2

Thomson, Joseph John (1856–1940), II-5-3

Tycho Brahe (1546–1601), I-7-1

V

Vinci, Leonardo da (1452–1519), I-36-2

von Neumann, John (1903–57), II-12-9, II-40-3

W

Wapstra, Aaldert Hendrik (1922–2006), I-52-10

Weber, Wilhelm E. (1804–91), II-16-2

Weyl, Hermann (1885–1955), I-11-1, I-52-1

Wheeler, John A. (1911–2008), II-28-8, II-28-10

Wiechert, Emil Johann (1861–1928), II-21-11

Wilson, Charles T. R. (1869–1959), II-9-9

Y

Young, Thomas (1773–1829), I-35-7

Yukawa, Hideki (1907–81), I-2-8, II-28-13, III-10-6

Yustova, Elizaveta N. (1910–2008), I-35-9

Z

Zeno of Elea (c. 5th cent. BC), I-8-3

Lista de símbolos

$\| \;\; \|$	valor absoluto, I-6-5
$\binom{n}{k}$	coeficiente binomial, *n* sobre *k*, I-6-4
a^*	complexo conjugado de *a*, I-23-1
$\Box^2$	D'Alembertiano $\Box^2 = \dfrac{\partial^2}{\partial t^2} - \nabla^2$, II-25-7
$\langle \;\; \rangle$	valor esperado, I-6-5
∇^2	Laplaciano $\nabla^2 = \dfrac{\partial^2}{\partial x^2} + \dfrac{\partial^2}{\partial y^2} + \dfrac{\partial^2}{\partial z^2}$, II-2-10
$\boldsymbol{\nabla}$	nabla $\boldsymbol{\nabla} = (\partial/\partial x, \partial/\partial y, \partial/\partial z)$, I-14-9
$\| \mathit{1}\rangle$, $\| \mathit{2}\rangle$	escolha específica de vetores de base para um sistema de dois estados, III-9-1
$\| \mathit{I}\rangle$, $\| \mathit{II}\rangle$	escolha específica de vetores de base para um sistema de dois estados, III-9-2
$\langle \phi \|$	estado ϕ representado como um vetor *bra*, III-8-2
$\langle f \| s\rangle$	amplitude para um sistema que parte do estado inicial $\| s\rangle$ e chega ao estado final $\| f\rangle$, III-3-2
$\| \phi\rangle$	estado ϕ representado como um vetor *ket*, III-8-2
$\approx$	aproximadamente, I-6-9
$\sim$	da ordem de, I-2-10
$\propto$	proporcional a, I-5-1
α	aceleração angular, I-18-3
γ	coeficiente de expansão adiabática, I-39-5
ϵ_0	permissividade do vácuo, $\epsilon_0 = 8{,}854187817 \times 10^{-12}$ F/m, I-12-7
κ	constante de Boltzmann, $\kappa = 1{,}3806504 \times 10^{-23}$ J/K, III-14-3
κ	permissividade relativa, II-10-4
κ	condutividade térmica, I-43-10
λ	comprimento de onda, I-17-8
ƛ	comprimento de onda reduzido, ƛ $= \lambda/2\pi$, II-15-9
μ	coeficiente de atrito, I-12-4
μ	momento magnético, II-14-8
$\boldsymbol{\mu}$	momento magnético, vetor, II-14-8
μ	módulo de cisalhamento, II-38-4
ν	frequência, I-17-8
ρ	densidade, I-47-3
ρ	densidade de carga elétrica, II-2-8
σ	seção de choque, I-5-9
$\boldsymbol{\sigma}$	matrizes de spin de Pauli, vetor sigma, III-11-4
σ_x, σ_y, σ_z	matrizes de spin de Pauli, III-11-2
σ	relação de Poisson, II-38-2
σ	constante de Stefan-Boltzmann, $\sigma = 5{,}6704 \times 10^{-8}$ W/m^{2}K^4, I-45-8
τ	torquc, I-18-4
$\boldsymbol{\tau}$	torque, vetor, I-20-4
ϕ	potencial eletrostático, II- 4-5
Φ_0	fluxo unitário básico, III-21-12
χ	suscetibilidade elétrica, II-10-4
ω	velocidade angular, I-18-3
$\boldsymbol{\omega}$	velocidade angular, vetor, I-20-4
$\boldsymbol{\Omega}$	vorticidade, II-40-5
$\boldsymbol{a}$	aceleração, vetor, I-19-2
a_x, a_y, a_z	aceleração, componentes cartesianas do vetor, I-8-10
a	aceleração, magnitude ou componente do vetor, I-8-8
A	área, I-5-9
$A_\mu = (\phi, \boldsymbol{A})$	quadripotencial, II-25-8

$\boldsymbol{A}$	potencial vetor, II-14-1
A_x, A_y, A_z	potencial vetor, componentes cartesianas, II-14-1
$\boldsymbol{B}$	campo magnético (indução magnética), vetor, I-12-10
B_x, B_y, B_z	campo magnético, componentes cartesianas do vetor, I-12-10
c	velocidade da luz, $c = 2{,}99792458 \times 10^8$ m/s, I-4-7
C	capacitância, I-23-5
C	coeficientes de Clebsch-Gordan, III-18-19
C_V	calor específico no volume constante, I-45-2
d	distância, I-12-6
$\boldsymbol{D}$	deslocamento elétrico, vetor, II-10-6
$\boldsymbol{e}_r$	vetor unitário na direção r, I-28-2
$\boldsymbol{E}$	campo elétrico, vetor, I-12-8
E_x, E_y, E_z	campo elétrico, componentes cartesianas do vetor, I-12-10
E	energia, I-4-7
E_{gap}	energia do "gap", III-14-3
$\boldsymbol{\mathcal{E}}_{\text{tr}}$	campo elétrico transversal, vetor, III-14-7
$\boldsymbol{\mathcal{E}}$	campo elétrico, vetor, III-9-5
$\mathcal{E}$	força eletromotriz, II-17-1
$\mathcal{E}$	energia, I-33-10
f	distância focal, I-27-3
$F_{\mu\nu}$	tensor eletromagnético, II-26-6
$\boldsymbol{F}$	força, vetor, I-11-5
F_x, F_y, F_z	força, componentes cartesianas do vetor, I-9-3
F	força, magnitude ou componente do vetor, I-7-1
g	aceleração da gravidade, I-9-4
G	constante gravitacional, I-7-1
$\boldsymbol{h}$	fluxo de calor, vetor, II-2-3
h	constante de Planck, $h = 6{,}62606896 \times 10^{-34}$ Js, I-17-8
$\hbar$	constante de Planck reduzida, $\hbar = h/2\pi$, I-2-6
$\boldsymbol{H}$	campo de magnetização, vetor, II-32-4
i	unidade imaginária, I-22-7
$\boldsymbol{i}$	vetor unitário na direção x, I-11-10
I	corrente elétrica, I-23-5
I	intensidade, I-30-1
I	momento de inércia, I-18-7
I_{ij}	tensor de inércia, II-31-7
$\mathcal{J}$	intensidade, III-9-14
$\boldsymbol{j}$	densidade de corrente elétrica, vetor, II-2-8
j_x, j_y, j_z	densidade de corrente elétrica, componentes cartesianas do vetor, II-13-11
$\boldsymbol{j}$	vetor unitário na direção y, I-11-10
$\boldsymbol{J}$	momento angular da órbita de um elétron, vetor, II-34-3
$J_0(x)$	função de Bessel de primeira espécie, II-23-6
k	constante de Boltzmann, $k = 1{,}3806504 \times 10^{-23}$ J/K, I-39-10
$k_\mu = (\omega, \boldsymbol{k})$	quadrivetor de onda, I-34-9
$\boldsymbol{k}$	vetor unitário na direção z, I-11-10
$\boldsymbol{k}$	vetor de onda, I-34-9
k_x, k_y, k_z	vetor de onda, componentes cartesianas, I-34-9
k	número de onda, magnitude ou componente do vetor de onda, I-29-3
K	módulo volumétrico, II-38-3
$\boldsymbol{L}$	momento angular, vetor, I-20-4
L	momento angular, magnitude ou componente do vetor, I-18-5
L	autoindutância, I-23-6

$\mathcal{L}$	Lagrangiana, II-19-8
$\mathcal{L}$	autoindutância, II-17-11
$\mid L\rangle$	estado do fóton circularmente polarizado à esquerda, III-11-11
m	massa, I-4-7
m_{eff}	massa efetiva do elétron em rede cristalina, III-13-7
m_0	massa de repouso, I-10-8
$\boldsymbol{M}$	magnetização, vetor, II-35-7
M	indutância mútua, II-22-16
$\mathfrak{M}$	indutância mútua, II-17-9
$\mathfrak{M}$	momento de curvatura, II-38-9
n	índice de refração, I-26-4
$\mathbf{n}$	*n*-ésimo número romano, para que **n** tome os valores *I*, *II*,..., **N**, III-11-22
$\boldsymbol{n}$	vetor unitário normal, II-2-4
N_n	número de elétrons por unidade de volume, III-14-3
N_p	número de buracos por unidade de volume, III-14-3
$\boldsymbol{p}$	momento de dipolo, vetor, II-6-3
p	momento de dipolo, magnitude ou componente do vetor, II-6-3
$p_\mu = (E, \boldsymbol{p})$	quadrivetor do momento, I-17-7
$\boldsymbol{p}$	momento, vetor, I-15-9
$p_x,\ p_y,\ p_z$	momento, componentes cartesianas do vetor, I-10-8
p	momento, magnitude ou componente do vetor, I-2-6
p	pressão, II-40-1
$P_{\text{troca de spin}}$	operador de troca de spin de Pauli, III-12-7
$\boldsymbol{P}$	polarização, vetor, II-10-3
P	polarização, magnitude ou componente do vetor, II-10-4
P	potência, I-24-1
P	pressão, I-39-3
$P(k, n)$	probabilidade de Bernoulli ou binomial, I-6-5
$P(A)$	probabilidade de observar o evento A, I-6-1
q	carga elétrica, I-12-7
Q	calor, I-44-3
$\boldsymbol{r}$	vetor posição, I-11-5
r	raio ou distância, I-5-9
R	resistência, I-23-5
$\mathfrak{R}$	número de Reynolds, II-41-6
$\mid R\rangle$	estado do fóton circularmente polarizado à direita, III-11-11
s	distância, I-8-1
S	ação, II-19-3
S	entropia, I-44-10
$\boldsymbol{S}$	vetor de Poynting, II-27-2
S	"estranheza", I-2-9
S_{ij}	tensor de tensões, II-31-9
t	tempo, I-5-1
T	temperatura absoluta, I-39-10
T	meia-vida, I-5-3
T	energia cinética, I-13-1
u	velocidade, I-15-2
U	energia interna, I-39-5
$U(t_2, t_1)$	operador da espera de t_1 a t_2, III-8-7
U	energia potencial, I-13-1
U	inverossimilhança, II-25-10
$\boldsymbol{v}$	velocidade, vetor, I-11-7
$v_x,\ v_y,\ v_z$	velocidade, componentes cartesianas do vetor, I-8-9

v	velocidade, magnitude ou componente do vetor, I-8-4
V	velocidade, I-4-6
V	voltagem, I-23-5
V	volume, I-39-3
$\mathcal{V}$	voltagem, II-17-12
W	peso, I-4-4
W	trabalho, I-14-2
x	coordenada cartesiana, I-1-6
$x_\mu = (t, \boldsymbol{r})$	quadrivetor de posição, I-34-9
y	coordenada cartesiana, I-1-6
$Y_{l,m}(\theta, \phi)$	harmônicos esféricos, III-19-7
Y	módulo de Young, II-38-2
z	coordenada cartesiana, I-1-6
Z	impedância complexa, I-23-7